상담학 사전

5

이 사전은 2009년도 정부재원(교육인적자원부 학술연구 조성 사업비)으로
한국연구재단의 지원을 받아 연구되었음(NRF-2009-322-B00024).

상담학 사전

5
인명/찾아보기

연구 책임자 김춘경 공동 연구자 이수연 · 이윤주 · 정종진 · 최웅용

학지사

상담학 사전

가트맨
[Gottman, John Mordecai]

1942. 4. 26. ~
도미니카공화국 출신의 감정코칭을 개발한 미국 심리학자.

존 가트맨은 도미니카공화국에서 태어났다. 그는 1959년에 페얼리 딕킨슨(Fairleigh Dickinson)대학에 들어가 수학, 물리학을 전공하였고, 1964년에는 MIT 공과대학(Massachusetts Institute of Technology)에서 수학과 심리학 전공으로 석사학위를 했고, 1967년에는 위스콘신(Wisconsin)대학교에서 임상심리학과 수학과에서 석사학위를 다시 받았고, 1971년에 위스콘신대학교에서 임상심리학 박사학위를 받았다. 그는 이혼을 경험하고 나서 자신이 이혼한 이유를 탐색하려는 노력을 통해, '감정코칭'이라는 효과적인 개념을 선보이면서 부모자녀관계, 부부관계, 인간관계에 새로운 방법을 제안했다. 그는 감정코칭과 관련하여 모자녀관계 유형을 4가지 유형으로 나눈다. 부정적인 감정을 무시하는 축소지향적 부모, 나쁜 감정은 억압하는 억압형 부모, 어떠한 감정도 방임하는 방임형 부모, 공감과 지도로 감정을 코칭하는 감정코칭형 부모의 유형을 제시하면서, 마지막 감정코칭형 부모처럼 자녀가 부모에게 자기 감정을 인정받고 타인의 감정도 인정하는 교육을 받으면 대인관계기술뿐만 아니라 학습, 자신감, 집중력, 건강 등 다방면에서 효율적인 능력을 발휘할 수 있음을 과학적인 연구결과를 통해 제시했다. 그는 30여 년간 3천여 가정을 연구조사하고, 아이들을 10년간 관찰하여 그의 이론과 실제를 제시하고 있다. 부모자녀관계에 대한 감정코칭

뿐만 아니라 가트맨의 부부치료를 위한 '행복한 집을 위한 7단계 원칙' 우리나라에 널리 소개되었다. 가트맨은 안정적이고 행복한 결혼을 유지하는 부부와 갈등을 겪는 부부 수백 쌍을 관찰한 연구를 바탕으로 '행복한 7층 집'(Sound Marital House)을 제시하였다. 행복한 7층 집은 성공적이고 행복한 부부관계를 유지하는 7가지 원칙으로 구성되며, 가장 아래부터의 세 층은 안정적인 결혼의 필수적인 요소인 견고한 우정(solid friendship)을 바탕으로 한다. 제1층은 사랑의 지도 그리기, 제2층은 서로에 대한 호감과 존중 쌓기, 제3층은 마음으로 다가가는 대화, 제4층은 긍정적 감정의 밀물현상, 제5층은 올바른 방식으로 부부싸움하기, 제6층은 서로의 꿈을 이룰 수 있도록 돕기, 제7층은 함께 만드는 우리집 문화의 순이다. 가트맨은 부인인 줄리 슈와츠 가트맨 박사와 함께 가트맨연구소의 공동설립자 겸 공동소장을 역임하고 있으며, 연구소를 통해 부부들을 대상으로 임상전문가들과 함께 성공적인 결혼생활에 대한 그의 과학적 연구에 기반을 둔 주말 워크숍을 진행하여 큰 인기를 얻고 있다. 감정에 초점을 둔 부부, 부모 · 자녀 관계 연구의 세계적인 권위자이자 전문가이다. 현재는 워싱턴 주립대학교의 심리학 교수로 재직 중이다. 그의 연구결과는 지난 30년 동안 모든 관련 연구에 항상 인용될 정도로 이 분야의 선구자 역할을 해 오고 있다.

주요 저서

Asher, S. R., & Gottman, J. M. (1981). *The Development of Children's Friendships*. New York: Cambridge University Press.

Bakeman, R., & Gottman, J. (1986/1997). *Observing Interactions: An Introduction to Sequential Analysis*. NY: Cambridge University Press.

Buehlman, K., & Gottman, J. M., (1996). *The Oral History Interview and the Oral History Coding System*. In J. M. Gottman (Ed.), What Predicts Divorce: The Measures. Lawrence Erlbaum Associates.

DeClaire, J., Gottman, John.(1997). *The Heart of Parenting: How to Raise an Emotionally Intelligent Child*. New York: Simon & Schuster.

Gottman, J. M. (1976). *Distressed Marital Interaction: Analysis and Interventions*. Champaign, IL: Research Press.

Gottman, J. M. (1981). *Time-Series Analysis: A Comprehensive Introduction for Social Scientists*. New York: Cambridge University Press.

Gottman, J. M. (1998). 내 아이를 위한 사랑의 기술 [*Raising an Emotionally Intelligent Child*]. (남은영 역). 한국경제신문. (원저는 1998년에 출판).

Gottman, J. M. (2007). 존 가트맨식 감정 코치법[*What am I feeling?*]. (정창우 역). 서울: 인간사랑. (원저는 2004년에 출판).

Gottman, J. M. (2011). *The Science of Trust: Emotional Attunement for Couples*. New York: W. W. Norton & Company.

Gottman, J. M. (Ed.). (1995). *The Analysis of Change. NY: Lawrence Erlbaum Associates*.

Gottman, J. M., & Clasen, R. (1972). *Evaluation in Education: a Practitioner's Guide*. Itasca, IL: F.E. Peacock Press.

Gottman, J. M., & Krokoff, L. (1996). *The Distance and Isolation Cascade*. In J. M. Gottman (Ed.), *What Predicts Divorce: The Measures*. Lawrence Erlbaum Associates.

Gottman, J. M., & Roy, A.K. (1990). *Sequential Analysis: A Guide for Behavioral Researchers*. New York: Cambridge University Press.

Gottman, J. M., (1999). *The Marriage Clinic*. New York: Norton.

Gottman, J. M., Gonso, J., Notarius, C., & Markman, H. (1978). *A Couple's Guide to Communication*. Champaign, IL: Research Press. (Chapter I reprinted in G. C. Davison & J. M. Neal (Eds.), Contemporary Readings in Psychopathology, NY: Wiley Press.)

Gottman, J. M., Gottman, J. S., & Declaire, J. (2008).

우리 아이를 위한 부부 사랑의 기술[*Ten Lessons to Transform Your Marriage: America's Love Lab Experts Share Their Strategies for Strengthening Your Relationship*]. (최성애, 조벽 역). 서울: 해남. (원저는 2006년에 출판).

Gottman, J. M., Kahen, V., & Goldstein, D. (1996). *The Rapid Couples Interaction Scoring System.* (RCISS). In J. M. Gottman (Ed.), *What Predicts Divorce: The Measures.* Lawrence Erlbaum Associates.

Gottman, J. M., Katz, L. F., & Hooven, C. (1997). *Meta-Emotion: How Families Communicate Emotionally-Links to Child Peer Relations and Other Developmental Outcomes.* Lawrence Erlbaum Associates.

Gottman, J. M., McCoy, K., Coan, J., & Collier, H. (1996). The Specific Affect Coding System (SPAFF). In J. M. Gottman (Ed.), *What Predicts Divorce: The Measures.* Lawrence Erlbaum Associates.

Gottman, J. M., & Silver, N. (2014). 가트맨의 부부 감정 치유[*What Makes Love Last*]. (최성애 역). 서울: 을유문화사. (원저는 2012년에 출판).

Hooven, C., Rushe, R., & Gottman, J. M., (1996). The Play-by-Play Interview. In J. M. Gottman (Ed.), *What Predicts Divorce: The Measures.* Lawrence Erlbaum Associates.

Jacobson, N., & Gottman, J. (1998). *When Men Batter Women: New insights into ending abusive relationships.* Simon and Schuster.

Schwartz, R., & Gottman, J. M. (2008). *And Baby Makes Three: The Six-Step Plan for Preserving Marital Intimacy and Rekindling Romance After Baby Arrives.* New York: Three Rivers Press.

Silver, N., & Gottman, J. M.(2002). 왜 결혼은 성공하기도 하고 실패하기도 하는가[*Why Marriages Succeed or Fail: What You Can Learn from the Breakthrough Research to Make Your Marriage Last*]. (임주현 역). 서울: 문학사상사. (원저는 1994년에 출판).

Silver, N., & Gottman, J. M. (2002). 행복한 부부 이혼하는 부부[*The Seven Principles for Making Marriage Work*]. (임주현 역). 서울: 문학사상사. (원저는 1999년에 출판).

Williams, E., & Gottman, J. M. (1981). *A User's Guide to the Gottman-Williams Time-Series Programs.* New York: Cambridge University Press.

개스턴
[Gaston, Everett Thayer]

1901. 7. 4. ~ 1970. 6. 3.

미국의 음악치료 발전에 혁혁한 공헌을 세운 심리학자로, 음악치료의 아버지라 불리는 인물.

개스턴은 음악치료와 교육 분야에서 탁월한 과학적 사고를 보여 준 선구자로서, 당대까지 음악치료사와 음악교육에 관련된 일을 하는 사람들의 여러 기본 원칙을 모아서 그 사상들을 공식화하고 통합하였다. 이러한 노력을 기울인 개스턴에 이르러서 음악치료는 명실상부 전문 분야로서 자리매김을 할 수 있었다. 개스턴은 오클라호마의 우드워드에서 태어나, 의대에 진학한 뒤 학비를 벌기 위해 공립학교에서 음악을 가르쳤다. 이 경험으로 개스턴은 음악과 인간행동 사이의 관련성을 파악하고 인간행동을 이해하는 데 음악을 활용하는 것에 관심을 갖게 되었다. 이후 음악 분야로 전공을 바꾸어 1940년에 캔자스대학교를 졸업하고, 교육심리학으로 박사학위를 받았다. 그는 음악은 인간의 행동양식에 독특하면서도 강력한 힘을 갖는다고 주장하면서, 음악과 관련된 인간행동은 심리학자, 인류학자, 사회학자 등의 연구를 바탕으로 한 학제적 접근법이라고 믿었다. 그는 플라톤이나 아리스토텔레스, 피타고라스와 같은 고대 철학자들과 의사들이 인간의 기분, 에너지 수준, 정서 등에 음악이 영향을 미친다는 것을 알고 있었다는 점을 강조하면서, 파블로프(I. Pavlov), 스키너(B. Skinner), 왓슨(J. Watson)과 같은 행동주의 이론의 족적을 함께 연구하기도 하였다. 개스턴은 고대 철학을 기반으로 해서, 그 위에 행동주의의 과학적 측면을 더하여 음악치료에 관한 실질적 이론을 완성하였다. 그는 음악이 인간의 행동양식과 동일선상에 있기 때문에 음악을 사용하여 뇌 혹은 뇌파를 선택적으로 사용할 수 있다는 생각을 하면서, 무조건적 자극과 무조건적 반응으로 무조건적 조건반사를 도출할 수 있다는 파블로프의 고전적 조건형성에 찬성하였다. 또한 음악적 메시지와 조건화 효과를 통해서 음악이 어떻게 이해될 수 있는지도 증명하였다. 그는 인간이 자극에 노출이 덜 될수록 인간발달의 완성 시간이 그만큼 더 오래 걸린다고 생각하였다. 그는 이에 대해 개인의 음악에 관한 미학적 경험의 의미가 없으면 인간으로서의 인격적 완성도 힘들다는 말로 자기 생각을 나타내기도 하였다. 개스턴은 미학적 경험은 모든 인간의 건강과 발달의 기본적인 필요조건이며, 모든 문화는 저마다의 음악을 학습하고 저마다의 음악적 표현을 하며, 인간은 음악을 이용하여 삶의 질료적 국면을 전달하고, 개인을 집단에 통합하고 집단의 감성을 이해할 수 있게 하며, 음악으로 음악이라는 비언어적 수단을 통해서 서로 긍정적인 감정을 전달할 수 있게 된다고 생각하였다. 캔자스대학교 음악 교육 및 치료학과의 학과장이었던 그는 메닝거 클리닉과 힘을 모아 미국 최초의 인턴과정 프로그램을 만들기도 하였다. 개스턴은 평생을 음악의 기능에 관한 연구에 몰두하면서 음악이 심리치료 및 심리학에 매우 강한 매개체가 될 수 있다는 것을 몸소 보여 주었다. 정서적으로 문제가 있는 아동들을 위한 음악치료 및 음악교육에 대한 자세한 가이드라인을 제시해 주기도 하였다. 또한 그의 이론은 문제가 있는 사람들뿐만 아니라 정상적인 사람들에게도 도움을 주었다. 개스턴은 음악에 심리학을 통합시켜 음악치료의 기반을 완성하였다. 그는 음악이 뇌에 주요 역할을 담당한다고 믿었으며, 치료의 주된 목표는 한 개인이 사회에서 최선의 기량을 발휘하는 것이라 생각하고, 자극으로서의 음악을 제시하여 치료 중 측정 가능한 구체적 반응을 도출시키는 것에 주력하였다. 음악치료의 아버지로서 혁신적인 역할을 한 개스턴은 음악치료가 심리치료의 장에서 독립적인 한 분야로 설 수 있는 기반을 마련한 것이다. 그는 음악에 대해 다음과 같은 견해를 가지고 있었다. 첫째, 음악은 비언어적 의사소통 수단이다. 둘째, 음악은 개인, 집단 등 여러 상황에서 활용 가능한 가장 적용성이 큰 예술 장르다. 셋째, 참여 및 청취를 통해서 음악은 외로움과 같은 부정적 정서를 감소시킨다. 넷째, 음악은 정서에서 비롯된 기분을 이끌어 내어 타인과 좋은 감정을 나눌 수 있는 감정 능력을 갖도록 한다. 다섯째, 음악은 비언어적 특성이 있기 때문에 비위협적 분위기에서 접근성이 용이하다. 여섯째, 음악은 대부분 두려움 없이 경험할 수 있는 소리다. 일곱째, 음악적 경험을 공유하면서 치료사와 내담자가 서로 믿을 수 있는 분위기에서 관계를 형성하여 구조화된 양식을 만들 수 있다. 여덟째, 음악적 경험은 청취자와 연주자가 자신들의 음악적 경험을 할 때마다 그에 관한 반응을 도출할 수 있기 때문에 치료가 용이하다. 아홉째, 음악을 준비하고 연주하는 것으로 성취감과 만족감을 느낄 수 있다.

주요 저서

Gaston, E. T. (1938). *A study of several physical factors in tonal thinking. Unpublished master's thesis.* Kansas: Univ. Press.

Gaston, E. T. (1940). *A study of the trends of attitudes toward music in school children with a study of the methods used by high school students in sight-reading music.* Unpublished doctoral dissertation. Kansas: Univ. Press.

Gaston, E. T. (1944). *A test of musicality.* Kansas: Streep Music Co. Press.

Gaston, E. T. (1946). *The way to music on the trumpet.* New York: McKinley.

Gaston, E. T. (1947). *The way to music on the trombone*. Chicago: McKinley.
Gaston, E. T. (1958). *Test of musicality*. Kansas: Odell's Instrumental Service.
Gaston, E. T. (1965). *An analysis, evaluation and selection of clinical uses of music in therapy*. Lawrence, Univ. of Kansas.
Gaston, E. T. (1968). *Music in Therapy*. New York: Macmillan.
Gaston, E. T. (1968). *Tratado de Musicoterapia*. Buenos Aires: Paidós.
Johnson, R. E., & Gaston, E. T. (1973). *Contributions to music therapy and music education*. Michigan: Thesis. Univ. Press.

건트립
[Guntrip, Harry]

1901. ~ 1975.
대상관계이론으로 유명한 심리학자.

1901년에 태어난 건트립은 육아에 대한 혐오감을 가진 어머니에게서 양육을 받았다. 건트립의 어머니는 원치 않는 아이를 낳았다는 이유로 모유수유를 하지 않아 건트립의 동생은 출생 후 얼마 되지 않아 사망하였다. 건트립은 3세가 좀 지났을 당시 어머니 방에 들어갔다가 어머니의 무릎 위에서 죽어 있는 동생과 이를 초점 없는 눈으로 바라보고 있는 어머니를 목격했는데, 이 때문에 크게 앓아누웠으며 이후 계속 보채고 병약한 아이로 성장하게 되었다. 건트립은 이 고통스러운 기억을 완전히 망각했지만 성장하면서 아주 가깝게 지내던 대상이 떠나는 사건이 일어나면 극도로 심신이 고갈되는 체험을 하게 되었고, 그럴 때마다 강박적으로 일에 몰두하는 태도를 보였다. 그의 꿈에서는 늘 죽음, 무덤, 매장된 사람들이 나왔다. 후에 페어베언(Fairbairn)과 위니콧(Winnicott) 등에게서 분석을 받았지만 자신의 억압된 기억이 회귀된 것은 분석가들이 세상을 떠난 뒤였다. 죽은 동생과 어머니를 꿈에서 목격한 날에는 침울하고 기계적이며 생기 없는 무감각에 빠져들었다. 이 때문에 건트립은 심리적 상처를 입은 환자들을 부모의 잘못된 양육으로 상처 입은 수동적 피해자로 보는 시각을 갖게 되었다. 건트립은 모든 정신병리의 기저에는 무력하고 두려웠던 아동기 경험이 숨어 있다는 주장을 하였다. 74세를 일기로 1975년에 사망한 건트립은 영국심리학회(British Psychological Society)의 특별 회원이었고, 리즈(Leeds)대학교 정신의학부의 심리치료사이자 강사였다. 서덜랜드(Sutherland)는 건트립을 두고 결코 잊히지 않을 정신분석학자 중 한 사람이라는 극찬을 하였다. 건트립은 클라인(Klein), 페어베언, 위니콧 등의 학설을 통합하여 그것을 기반으로 삼아 자신만의 이론을 펼쳐 나갔는데, 전통적인 프로이트 정신분석방법은 너무 생물학적인 면을 지향하고 비인간적이라는 비판을 하면서, 정신병리의 뿌리를 오이디푸스콤플렉스에 있다는 프로이트의 핵심 이론에 반대하였다. 건트립의 견해로는 퇴행한 자아(regressed ego)가 전생애에 강력한 영향을 미치는데, 이는 부모에게서 안전하고 따뜻한 환경을 경험하지 못하여 유년기 의존성과 동일시가 지속될 때 나타나는 것이다. 또한 정신분열은 실제 세계로부터 에너지를 철회하여 내적 대상관계로 숨어드는 것을 반영한 공허감으로 이해하였다. 건트립은 실제 인간관계에서 떨어져 위축되어 있는 많은 정신분열증 환자들을 연구하여, 정신과 치료를 받는 사람들이 타인과의 관계에서 결정된 내부 구조 분열 때문에 고통받고 있다는 것을 확인하였다. 그의 또 한 가지 중요한 개념으로는 자기(self)를 들 수 있는데, 일반적인 정신병리뿐만 아니라 정신분열과 같은 심각한 정신과적 문제들도 '자기'를 제대로 세우지 못한 데서 출발한다고 믿은 것이다. 그는 가장 기본적인 심리학적 개념을 자기로 언급하면서, 정신분석 치료는 소외되고 위축된 자기에게 건강한 성장 및 발달의 기회를 줄 수 있는 인간관계를 제공하는 것이라고 주장하였다.

주요 저서

Guntrip, H. (1970). *Your Mind and Your Health: A Simple Account of the Nature, Causes and Treatment of Nervous Illness*. London: Geroge Allen & Unwin.

Guntrip, H. (1971). *Psychology for Ministers and Social Workers*. Allen & Unwin.

Guntrip, H. (1973). *Psychoanalytic Theory, Therapy, And the Self*. Basic Books.

Guntrip, H. (1977). *Personal Relations Therapy*. Jason Aronson.

Guntrip, H. (1995). *Personality Structure and Human Interaction: The Developing Synthesis of Psychodynamic*. Karnac Books.

게젤
[Gesell, Arnold Lucius]

1880. 6. 21. ~ 1961. 5. 29.
아동 발달 분야 발전에 기여한 심리학자이자 소아과 의사.

게젤은 위스콘신의 알마(Alma, Wisconsin)에서 5남매 중 맏이로 태어났다. 부모님은 교육에 관심이 많은 사진작가와 교사였다. 1896년 고등학교를 졸업하고 교사가 되겠다는 꿈을 안고 스티븐스 포인트 사범학교(Stevens piont Normal school)에 입학하여 클라크(Clark)대학교에서 수업을 들었는데, 그곳에서 심리학에 관심을 갖게 되었다. 대학을 졸업한 뒤 고등학교 교사로 일하면서도 위스콘신매디슨대학교에서 학업을 이어 나갔다. 그는 잭슨(F. Jackson)의 사사를 받으며 역사학을, 위스콘신대학교에 심리학연구소를 처음 시작한 재스트로(J. Jastrow)의 지도하에서는 심리학을 전공하였다. 마침내 1903년 석사학위를 취득하였고, 교사생활도 계속하면서 교장까지 하였다. 하지만 후에 심리학의 선두 주자였던 클라크대학교에 다시 진학하여 학업을 계속해 나갔다. 게젤은 당시 대학 총장이었던 아동연구 운동(child study movement) 창시자인 스탠리 홀(Stanley Hall)의 영향을 많이 받았다. 1906년에는 박사학위를 받은 다음, 뉴욕 및 위스콘신의 공공시설 등에서 일하다가 로스앤젤레스 주립 사범학교 교수가 되었다. 그곳에서 교사인 챈들러(B. Chandler)를 만나 결혼하였다. 이후 게젤은 바인랜드훈련학교(Vineland Training School) 등에서 여러 정신질환자들과 함께 하면서 장애를 지닌 아동연구에 몰두하였다. 다시 의사가 되기로 결심한 게젤은 위스콘신 의대에 들어갔고, 예일대학교에서도 의학을 공부하여 조교수가 되었다. 그곳 아동발달클리닉(Clinic of Child Development)에서 열심히 일하다가 1915년에는 박사학위를 받아 예일대학교 정교수가 되었다. 이외에도 코네티컷주립교육이사회(Connecticut State Board of Education)의 학교심리학자로 일하면서 장애 아동이 성공적으로 학업을 수행하도록 하는 데 힘썼다. 그의 이 같은 노력은 열생학(dysgenic)으로 이름을 떨치게 만들었다. 그는 비디오 촬영, 일방경으로 관찰하기 등 최신 기술을 연구에 도입하였다. 아동발달클리닉 시절의 동료들이 게젤의 이름을 딴 게젤 인간발달연구소(Gesell Institute of Human Development)를 만들었으며, 그도 함께 일하였다. 1948년에 그곳에서 은퇴한 후 1961년 숨을 거두었다. 2012년에 그 연구소 이름을 게젤 아동발달연구소(Gesell Institute of child Development)로 개명하였다. 게젤은 인간행동에는 여러 국면이 있다는 믿음을 가지고 연구를 한 인물이었다. 그는 잘 쓰는 손이나 기질 같은 것은 유전될 수 있다고 생각하였다. 또한 아이들은 부모에게서만이 아니라 서로서로 영향을 받는다고 생각하였다. 이에 따라 그는 전국적 유치원 체계가 미국에 도움이 될 것이라는 믿음을 가지고 있었다.

주요 저서

Gesell, A. L. (1972). *Infant Development*. London: Greenwood Pub.

Gesell, A. L. (1974). *Gesell and Amatruda's Developmental Diagnosis*. Harpercollins: Univ. Press.

Gesell, A. L. (1975). *Biographies of Child Development*. New York: Ayer Co Pub.

Gesell, A. L. (1977). *The Child from Five to Ten*. New York: Harpercollins.

Gesell, A. L. (1991). *The Embryology of Behavior*. Cambridge: Univ. Press.

Gesell, A. L. (1993). *The First Five Years in Life*. New York: Buccaneer Books.

Gesell, A. L. (1998). *Vision: Its Development In Infant & Child*: California: Optometric Extension Program Foundation.

Gesell, A. L. (2007). *Infant Behavior-Its Genesis And Growth*. Salisbury: Griffin Press.

Gesell, A. L. (2007). *Studies in Child Development*. Minnesota: Jesson Press.

Gesell, A. L. (2008). *Infant And Child In The Culture of Today*. London: Giniger Press.

골드버그
[Goldberg, Lewis R.]

1932. 1. 28. ~
미국 출신 성격심리학자이며 오리건대학교 명예교수.

골드버그는 시카고에서 태어나 1949년 하버드대학교에 입학하였고, 1953년까지 재학하면서 법학을 전공하라는 아버지의 뜻과는 달리 사회학을 전공하였다. 1953년에 하버드대학교에서 사회적 관계를 전공한 뒤, 1958년에 미시간대학교에서 심리학으로 박사학위를 취득하고 스탠퍼드대학교에서 조교수로 임용되었다. 1960년부터는 오리건대학교 강단에 서게 되어 명예교수가 된 지금까지 머무르고 있다. 대학원 시절 켈리(E. Kelley)를 지도교수로 모시고 수량적 성격평가 기술을 배웠는데, 그 시절에 평생의 벗이자 협력자인 노먼(W. Norman)을 만났다. 그 후 2년 동안 스탠퍼드대학교에서 조교수로 재임한 다음, 오리건대학교의 연구소에 들어가 성격평가의 기초연구를 계속하였다. 이렇게 1961년부터 오리건연구소(Oregon Research Institution)에서 선임연구자로 연구를 하고 있다. 오리건대학교 재임 초창기에는 켈리가 몸담고 있던 미국 평화주식회사에서도 잠시 일을 하였다. 골턴(Galton), 올포트(Allport), 커텔(Cattell) 등이 여러 방면으로 연구해 오던 성격요인 이론들을 바탕으로 해서, 1981년 호놀룰루의 심포지엄에 참여한 골드버그 등은 사용 가능한 성격검사를 평가하였다. 여기서 1963년에 발견한 다섯 가지 성격의 공통 요인을 채택하여 따르게 된 것이다. 골드버그는 1962년부터 1966년까지 미국평화봉사단에서 필드선택 관리(field selection officer)로 봉사하였으며, 1966년에는 네덜란드 네이메겐대학교 객원교수(fulbright professor)가 되었다. 1970년에는 버클리 캘리포니아대학교의 초빙교수로 1년간 머물기도 하였고, 또 1974년에는 터키의 이스탄불대학교 객원교수가 되었다가 1980년부터 1986년까지는 미국비밀검찰국(Unite States Secrete Service)의 방첩부서(intelligence division)에서도 봉사하였다. 1981년부터 1982년까지는 네덜란드 고급연구소(Netherlands Institute for Advanced Study)의 특별 회원이기도 하였다. 100편이 넘는 연구논문을 출판한 그는 국립정신건강연구소(National Institute of Mental Health) 내 성격 및 인지 연구평가위원회(Personality and Cognition Research Review Committee), 인지, 정서, 성격 연구평가 위원회(Cognition, Emotion, and Personality Research Review Committee), 대학원 시험기록위원 연구위원회(Graduate Record Examination Board Research Committee) 등에서도 봉사하였다. 2007년부터 골드버그는 시그널 패턴(Signal Patterns) 사 소프트웨어 과학자문위원회(Scientific Advisory Board of the software)의 회장을 맡고 있다. 골드버그는 성격에 대한 다섯 가지 분류(Big Five taxonomy)로 유명한데, 그는 직접 'Big Five'라는 용어를 만들었다. 또한 성격 측정에 대한 공개 프로그램을 제공하는 웹사이트, 국제성격목록(International Personality Item Pool: IPIP)을 만든 사람이다. 그는 문화 속 언어에서 나타나는 문화적으로 중요한 성질을 지닌 특정 어휘에 대한 가설실험 프로그램 연구로 국제적인 인정을 받는 심리학자이기도 하다.

주요 저서

Elliot, D., Goldberg, L., Duncan, T.E., Kuehl, K.S., Moe, E.L., Breger, R.K.R., DeFrancesco, C.L., Ernst, D.B., & Stevens, V.J. (2004). The PHLAME Firefighters' Study: Feasibility and Findings. *The American Journal of Health Behavior, 28*(1), 13–23. PMID: 14977155

Goldberg, L. R. (1993b). The structure of personality traits: Vertical and horizontal aspects. In D. C. Funder, R. D. Parke, C. Tomlinson-Keasey, & K. Widaman (Eds.), *Studying lives through time: Personality and development* (pp. 169–188). Washington, DC: American Psychological Association.

Goldberg, L. R. (1995). What the hell took so long? Donald Fiske and the Big-Five factor structure. In P. E. Shrout & S. T. Fiske (Eds.), *Personality research, methods, and theory: A Festschrift honoring Donald W. Fiske* (pp. 29–43). Hillsdale, NJ: Erlbaum.

Goldberg, L. R. (1999). A broad-bandwidth, public-domain, personality inventory measuring the lower-level facets of several five-factor models. In I. Mervielde, I. Deary, F. De Fruyt, & F. Ostendorf (Eds.), *Personality Psychology in Europe* (Vol. 7; pp. 7–28). Tilburg, The Netherlands: Tilburg Univ. Press.

Goldberg, L. R. (2010). Personality, demographics, and self-reported behavioral acts: The development of avocational interest scales from estimates of the amount of time spent in interest-related activities. In C. R. Agnew, D. E. Carlston, W. G. Graziano, & J. R. Kelly (Eds.), *Then a miracle occurs: Focusing on behavior in social psychological theory and research* (pp. 205–226). New York: Oxford Univ. Press.

Goldberg, L. R., & Digman, J. M. (1994). Revealing structure in the data: Principles of exploratory factor analysis. In S. Strack & M. Lorr (Eds.), *Differentiating normal and abnormal personality* (pp. 216–242). New York: Springer.

Goldberg, L. R., & Rosolack, T. K. (1994). The Big Five factor structure as an integrative framework: An empirical comparison with Eysenck's P-E N model. In C. F. Halverson, Jr., G. A. Kohnstamm, & R. P. Martin (Eds.), *The developing structure of temperament and personality from infancy to adulthood* (pp. 7–35). New York, NY: Erlbaum.

Goldberg, L. R., & Velicer, W. F. (2006). Principles of exploratory factor analysis. In S. Strack (Ed.), *Differentiating normal and abnormal personality: Second edition* (pp. 209–237). New York, NY: Springer.

McCormick, C., & Goldberg, L. R. (1997). Two at a time is better than one at a time: Exploiting the horizontal aspects of factor representations. In R. Plutchik & H. R. Conte (Eds.), *Circumplex models of personality and emotions* (pp. 103–132). Washington, DC: American Psychological Association.

Saucier, G., & Goldberg, L. R. (1996b). The language of personality: Lexical perspectives on the five-factor model. In J. S. Wiggins (Ed.), *The five*

factor model of personality: Theoretical perspectives (pp. 21-50). New York: Guilford.
Saucier, G., & Goldberg, L. R. (2002). Assessing the Big Five: Applications of 10 psychometric criteria to the development of marker scales. In B. de Raad & M. Perugini (Eds.), *Big Five assessment* (pp. 29-58). Goettingen: Hogrefe & Huber.
Saucier, G., & Goldberg, L. R. (2003). The structure of personality attributes. In M. R. Barrick & A. M. Ryan (Eds.), *Personality and work: Reconsidering the role of personality in organizations* (pp. 1-29). San Francisco, CA: Jossey-Bass.
Saucier, G., Hampson, S. E., & Goldberg, L. R. (2000). Cross-language studies of lexical personality factors. In S. E. Hampson (Ed.), *Advances in personality psychology, Volume 1* (pp. 1-36). Hove: Psychology Press.

골드슈타인
[Goldstein, Kurt]

1878. 11. 6. ~ 1965. 9. 19.
독일계 유대인 신경과 및 정신과 의사이자 현대 신경심리학의 선구자.

골드슈타인은 지금은 폴란드 영토인 실레지아 지방 카토비츠(Katto witz)에서 태어났다. 처음에는 지방 공립학교에 들어갔다가 브레슬라우에 있는 인본주의 김나지움으로 가 브레슬라우, 하이델베르크대학교에서 철학과 문학을 공부하고, 카를 베르니케(Carl Wernicke)에게 의학을 배우면서 실어증에 관심을 갖게 되었다. 1903년 브레슬라우대학교에서 척수후주 구조에 관한 주제로 의학 박사학위를 받은 뒤 박사 후 과정으로 프랑크푸르트신경연구소(Frankfurt neurological Institute)에서 일하면서 루드비히 에딩거(Ludwig Edinger)가 지휘하는 신경병리학연구소에서 비교신경학(comparative neurology)을 연구하였다. 1906년 쾨니스버그로 가서 정신과와 신경과에서 일하였고, 실험심리학(experimental psychology)에서 뷔르츠부르크 학파를 알게 되었다. 1914년 골드슈타인은 프랑크푸르트로 돌아와 에딩거의 수석조수가 되었다. 제1차 세계 대전 이후에는 수많은 뇌 손상을 입은 환자들을 접했으며, 얼마 지나지 않아 자신의 개인 연구소(The Institute for Research into the Consequences of Brain Injuries)를 차려 뇌 손상 이후의 결과에 대해 연구하였다. 시각적 인식을 중요하게 생각했던 아데마르 젤브(Adhemar Gelb)와 협력한 골드슈타인은 에딩거의 뒤를 이어 프랑크푸르트에서 신경 과장이 되었다. 1930년에는 베를린으로 가서 베를린대학교 신경학과 정신의학부 교수가 되었고, 신경정신의학클리닉을 담당하였다. 1933년, 나치가 독일을 통치하면서 골드슈타인은 체포되었는데 일주일 후 바로 국외로 나가 다시는 대신 돌아오지 않겠다는 약속을 한 뒤 풀려났다. 그러고는 다음 해, 암스테르담에 정착하여 록펠러재단(Rockefeller Foundation)에서 후원을 받아 자신의 최고 저작인 『Organism』을 집필하였다. 이는 1934년 독일어로 출판되었고, 1995년에는 올리버 삭스(Oliver Sacks)가 영역하였다. 1935년에 미국으로 이주해서 뉴욕의 정신의학연구소(Psychiatric Institute)에서 일하던 골드슈타인은 컬럼비아대학교와도 관계를 맺었다. 몬테피오레병원에서는 신경과 담당의(Attending Neurologist)로 일하였다. 1940년까지 그곳에서 신경생리학연구소를 발전시키며 의장으로 머물렀다. 그는 1940년 귀화하여, 1945년까지 보스턴에 있는 터프츠 의과대학의 신경학과 임상교수로 일하면서 록펠러재단의 후원을 받았다. 1965년에 사망한 골드슈타인은 인간 유기체에 대한 전체주의적 이론을 가지고, 환원주의자들의 접근법과 국소적으로 제한시킨 증상으로 치료하는 접근법에 도전장을 내밀었다. 그는 메를로퐁티(Merleau-Ponty), 캉길렘(Canguilhem), 카시러(Cassirer), 빈스방거(Binswanger) 등 여러 학자에게 영향을 미쳤고, 특히 게슈탈트 심리학 분야에 괄목할 만한 영향을 주었다. 게슈탈트 이론을 기반으로 한 유기체의 전체주의적 이론을 만듦으로써 게슈탈트 이론의 발아를 도운 것이다. 여기서는 실어증에 대한 유기체적 접근으로 증상을 성격, 생태, 특정 상황에 대한 반응 등 전체 유기체의 부분으로 인식한다. 또한 골드슈타인은 자기실현(Self-actualization)이라는 말을 최초로 사용한 사람으로도 유명하며, 『Journal of Humanistic Psychology』의 공동 편집자이기도 하였다.

주요 저서

Goldstein, K. (1908). *Zur Lehre von der motorischen Apraxie*. [S.l.].

Goldstein, K. (1934). *Der aufbau des Organismus; einführung in die biologie unter besonderer berücksichtigung der erfahrungen am kranken menschen*. Haag: M. Nijhoff.

Goldstein, K. (1939). *The organism: a holistic approach to biology derived from pathological data in man*. New York: Cincinnati: American book company.

Goldstein, K. (1940). *Human Nature in the Light of Psychopathology*. Cambridge, Mass.: Harvard University Press.

Goldstein, K. (1942). *After effects of brain injuries in war, their evaluation and treatment: the application of psychologic methods in the clinic*. New York: Grune & Stratton.

Goldstein, K. (1948). *Language and Language Disturbances: Aphasic symptom complexes and their significance for medicine and theory of language*. New York: Grune & Stratton.

Goldstein, K. (1966). *Human Nature in the Light of Psychopathology*. Schocken.

골맨
[Goleman, Daniel]

1946. 3. 7. ~
미국 출신 심리학자, 과학저널리스트, 작가.

골맨은 캘리포니아 스톡턴(Stockton)에서 태어났다. 부모님은 모두 대학 교수로 아버지는 샌 조아퀸 델타대학교에, 어머니는 퍼시픽대학교 사회학부에 재직하였다. 학부를 애머스트(Amherst)대학에서 마치고 하버드대학교에서 박사학위를 취득한 골맨은 하버드에서 초빙교수로 재직하기도 하였다. 현재 버크샤이어에 거주하고 있는 그는 러트거스대학교 응용 및 전문 심리학 대학원 과정에 있는 조직 내 정서지능 연구협력단(Consortium for Research on Emotional Intelligence in Organizations)의 공동 단장을 맡고 있다. 이 협력단은 정서지능개발에 관한 연구에 주력하고 있으며, 정서지능이 직장의 효율성을 높이는 데 어떤 기여를 하는지 철저하게 연구를 진행하고 있다. 또한 학교가 정서해독과정을 소개하는 것을 사명으로 하는 예일대학교 아동연구 센터(Yale University Child Studies Center), 사회 · 정서학습합동(Collaborative for Academic, Social and Emotional Learning: CASEL)의 공동 창설자이기도 하다. 이 프로그램은 전 세계 수천 개의 학교가 수행하고 있다. 한편, 골맨은 과학자들과 사상가들의 대화의 길을 모색 · 육성하는 정신과 생활연구소(Mind and Life Institute) 대표 이사회 회원 중 한 사람이다. 그는 『New York Times』에 12년간 기고를 하고 1년 반 이상 베스트셀러 작가로도 이름을 올린 바 있다. 직장 내에서의 성공에 지능만큼 중요한 것이 비인지적 기술이라는 주장을 펼친 골맨은 우리가 실패한 것이 무엇인지 찾아내지 못하고 인식하지 못해서 사고나 행동형성에서 변화를 이끌어 내지 못한다고 주장하였다. 그는 수피즘, 초월적 명상, 요가, 불교, 선, 구제프(Gurdjieff), 크리슈나무르티(Krishnamurti) 등의 사상에서 영향을 받았다. 이에 따라 집중과 마음챙김을 통한 명상의 중요성을 역설한다. 강력한 집중이 모든 활동의 효율성을 높이고, 집중력을 키우기 위해서는 명상이 가장 좋다고 주장하였다. 자신의 여러 저서를 통해서 타인과 자신의 정서이해에 관한 논의를 펼친 골맨은 미국심리학회로부터 저널리즘 공로상(Career Achievement Award for journalism)을 비롯한 수많은 상을 받았고, 대중에게 행동과학을 전달한 노력을 인정받아 미국과학발전협회(American Association for the Advancement of Science)의 특별회원으로 선출되기도 하였다. 이외에도 두 번이나 퓰리처상 후보에 올랐다.

주요 저서

Goleman, D. (1988). *The Meditative Mind: The Varieties of Meditative Experience*. New York: G. P. Putnam's.

Goleman, D., Gottman, J., & Declaire, J. (1998). *Raising An Emotionally Intelligent Child The Heart of Parenting*. New York: Simon & Schuster.

Goleman, D. (2000). *Working with Emotional Intelligence*. New York: Bantam.

Goleman, D. (2004). *Destructive Emotions: A Scientific Dialogue with the Dalai Lama*. New York: Bantam.

Goleman, D., McKee, A., & Boyatzis, R. E. (2004). *Primal Leadership: Learning to Lead with Emotional Intelligence*. Harvard: Business. Press.

Goleman, D. (2007). *Social Intelligence: The New Science of Human Relationships*. New York: Bantam.

Goleman, D., & Richard, M. (2007). *Happiness: A Guide to Developing Life's Most Important Skill*. Little, Brown & Com.

Goleman, D. (2008). 건강을 위한 마음 다스리기: 심신의학[*Mind, Body Medicine: How to Use Your Mind for Better Health*]. (전진수 외 역). 서울: 학지사. (원저는 1998년에 출판).

Goleman, D., Rinpoch, M., & Swanson, E. (2008). *The Joy of Living: Unlocking the Secret and Science of Happiness*. New York: Three Rivers Press.

Goleman, D. (2010). *Emotional Intelligence*. Bloomsbury Paperbacks.

Goleman, D., & Lantieri, L. (2009). 엄마표 집중력: 5-12세 아이들의 집중력을 키우는 감성지능[*Building Emotional Intelligence: Techniques to Cultivate Inner Strength in Children*]. (변인영 역). 서울: 해빗. (원저는 2008년에 출판).

Goleman, D., McKee, A., & Boyatzis, R. E. (2009). 감성의 리더십[*Primal Leadership: Realizing The Power of Emotional Intelligence*]. (장석훈 역). 서울: 청림출판. (원저는 2009년에 출판).

Goleman, D., McKee, A., & Boyatzis, R. E. (2009). *Primal Leadership: The Hidden Driver of Great Performance*. Harvard Business Review.

골턴
[Galton, Francis]

1822. 2. 16. ~ 1911. 1. 17.
우생학의 창시자.

골턴은 영국 버밍햄의 스파크브룩 지방의 저택 더 라체스(The Larches)에서 태어났다. 그는 다윈(Charles Darwin)의 외사촌이며, 아버지는 새뮤얼 존 골턴(Samuel John Galton)의 아들인 새뮤얼 터시어스 골턴(Samuel

Tertius Galton)이다. 골턴 집안은 퀘이커 교도로서 총기 제조업과 은행가로 명성을 떨쳤고, 외가인 다윈 집안은 의학과 과학에서 명성 높은 집안이었다. 친가와 외가 모두 왕립학회(Royal Society)의 특별회원이었다. 에라스무스 다윈(Erasmus Darwin)과 새뮤얼 골턴은 저명한 과학자와 산업가들이 함께한 그 유명한 버밍햄 루나회(Lunar Society of Birmingham)의 창립회원이었다. 게다가 두 집안 모두 문학적 소양을 갖추고 있었다. 골턴은 태어날 때부터 신동의 면모를 과시하였다. 2세에 이미 글을 읽었고, 5세 되던 해에는 그리스어와 라틴어를 습득했으며, 6세에는 셰익스피어를 비롯한 여러 시인들의 시를 읽고 대화 속에서 그 내용을 인용하기도 하였다. 나중에 골턴은 천재성과 정신 이상 간의 연관성에 관해서 자신의 경험을 바탕으로 한 이론을 설파하기도 하였다. 그는 버밍햄에 있는 왕립 에드워드학교에 입학했지만, 편협한 교과과정에 실망하고는 16세에 학교를 그만두었다. 후에 부모가 종용하여 버밍햄종합병원(Birmingham General Hospital)과 런던의학대학의 킹스칼리지에 들어가 2년간 수학하고, 케임브리지대학교 트리니티대학에서 수학공부를 하였다. 하지만 극심한 신경쇠약에 시달린 골턴은 방향을 전환하였다. 1944년 아버지가 세상을 떠난 뒤 더 이상 재정적 지원을 받을 수 없게 되면서 정서적으로도 고갈되었다. 의대를 졸업한 다음, 외국 여행, 운동, 발명 등으로 관심의 방향을 돌린 그는 원래 여행광이었던 탓에 1845년부터 1846년까지 이집트를 여행하고 요르단까지 둘러보았다. 1850년대에는 왕립지리학회(Royal Geographical Society)에 들어가 20여 년간 남서부 아프리카의 험난한 지역들을 여행하였다. 1853년에는 지도제작을 위한 지역조사에 혁혁한 공을 세워 왕립지리학회로부터 금메달을 받았고, 프랑스지리학회(French Geographical Society)에서 은메달도 받았다. 이때부터 그는 지리학자와 탐험가로서의 명성을 얻었다. 1853년에 버틀러(L. Butler)를 만나 결혼한 골턴은 박식가로 알려진 대로 기상학, 통계학, 심리학, 생물학, 범죄학 등 여러 분야에서 명성을 떨쳤다. 특히 1875년 타임지에 최초로 일기도를 발표하기도 하였다. 그는 영국과학발전협회(British Association for the Advancement of Science)에서 활발한 활동을 하면서 다양하고 광범위한 주제의 논문을 발표하였다. 또한 40년간 왕립지리학회의 활동을 비롯한 여러 왕립학회의 회원으로, 기상학회(Meteorological Society) 회원으로 열심히 활동하였다. 골턴은 인간의 능력이 유전적인 것인가에 관한 의문을 최초로 제기한 인물이기도 하다. 그는 여러 계층에서 저명한 인물들과 그 가계를 탐색하여 그와 관련된 이론을 다져 나갔다. 자신의 다양한 전기적 자원에서 얻은 자료들과 여러 분야에서 다양한 방법으로 획득한 것을 비교하여, 1869년 마침내 인간 능력의 유전성에 관한 이론을 발표하였다. 역사계량학(historiometry)으로 인간의 능력이 유전된다는 것을 최초로 보여 준 사람이 바로 골턴이다. 이 이론은 천성(nature)과 양육(nurture)을 다른 것으로 규명하고자 하였다. 이에 골턴은 직접 질문지를 만들어서 190명의 왕립학회 회원에게 보내 출생 순서, 부모의 직업과 인종 등을 조사하였다. 그들이 천부적인 능력을 가지고 있는지, 아니면 부모와 같은 타인의 격려로 만들어졌는지를 과학적으로 발견하고자 한 것이다. 1874년에 출간한 『English men of science: their nature and nurture』은 천성과 양육이라는 물음을 좀 더 발전시켜 나가도록 하였다. 하지만 골턴은 자신의 연구방법에 한계를 느끼고는 일란성 쌍생아 비교를 통한 연구를 하였다. 한 번 더 질문지를 통해서 여러 자료를 모아 1875년에 『The History of Twins』를 출간하였다. 이 같은 과정을 통해서 골턴은 양육보다는 천성이 사람의 능력을 결정하는 데 더 큰 영향을 미친다는 결론을 내렸다. 1883년 골턴은 우생학(eugenics)이란 용어를 만들고, 자신의 저서 『Inquiries into Human Faculty and Its Development』에서 자신이 관찰한 것과 그 결론을 모두 보여 주었다. 골턴의 인간 능력에 관한 연구는 차원이 다른 심리학의 문을 열었고, 최초로 정신검사를 만드는 데 일조하였다. 또한 복합사진술(composite photography)이라는 기술을 개발한 골턴은, 사람들의 외양을 일반화시킬 수 있다는 생각을 하였다. 그는 이 기술이 의학적 진단뿐만 아니라 범죄학에도 도움을 줄 수 있다고 믿었다. 한편, 다윈의 판게네시스(pangenesis)론에 반하는 실험을 한 골턴은 1869년부터 1871년까지 토끼를 실험하여 수혈로 타고난 천성을 바꿀 수 있는 증거가 없음을 증명하였다. 하지만 다윈은 골턴의 실험에 대해 타당성을 인정하지 않았다. 골턴은 통계적 방법을 써서 다윈의 이론에 도전했는데, 이러한 접근법은 후에 피어슨(K. Pearson)과 웰던(W. Weldon) 등에게 큰 영향을 미쳐 1901년 『Biometrika』이라는 영향력 있는 저널을 만들게도 하였다. 골턴의 방법은 철저히 관찰적이고 통계적이었다. 그는 변량과 표준편차를 통해서 중심 경향이나 평균 같은 측정 개념을 사용하였다. 이외에도 상관관계, 회귀 등의 개념을 활용하여 현대통계학의 뼈대를 세웠다. 그는 회귀선의 사용으로 최초로 평균으로 향하는 회귀의 기본 현상을 설명하였다. 1888년 왕립연구소(Royal Institution)에 제출한 논문과 3권의 저서를 통해서 골턴은 동일한 지문을 가진 두 사람의 잠재적 능력을 평가하고 지문으로 유전 가능성과 인종적 차이를 연구한 결과를 보여 주었다. 그는 지문으로 범죄자를 구별하려는 시도도 하였다. 만년에는 철저히 우생학으로 만들어지는 유토피아에 관한 이야기로, 『Kantsaywhere』라는 소설을 1910년에 출판하였다. 이와 같은 혁혁한 업적으로 그는 1910년 왕립학회에서 주는 코플리 메달(Copley medal)을 비롯한 여러 개의 상을 수상하였다. 1911년 숨을 거둔 골턴은 우생학이란 용어를 직접 만들고, 천성과 양육이라는 말을 세상에 내놓은 업적을 인정받으면서 그의 이름을 딴 갈토니아(Galtonia)라는 꽃이름이 생기기도 하였다.

 주요 저서

Galton, F. (1971). *Francis Galton's Art of travel.* Pennsylvania: Stackpole Books.

Galton, F. (2004). *Essays in Eugenics.* Univ. Press of Oakland; California: Pacific Press.

Galton, F. (2006). *The Art of Rough Travel: From the Peculiar to Practical, Advice From a 19th Century Explorer.* Seattle; Washinton Mountaineers Books.

Galton, F. (2010). *English Men of Science: Their nature and nurture.* New York: General Books LLC.

Galton, F. (2010). *Finger Prints.* Gale, Making of Modern Law.

Galton, F. (2010). *Hereditary Genius: An Inquire Into Its Laws and Consequences.* Charleston; South Carolina. Nabu Press.

Galton, F. (2010). *Inquiries into Human faculty and Its Development.* White fish; Montana: Kessinger Pub.

Galton, F. (2010). *Memories of My Life.* Charleston; South Carol: Nabu Press.

Galton, F. (2010). *Natural Inheritance.* Charleston; South Carol: Nabu Press.

Galton, F. (2011). *The Art of Travel or shifts and contrivances available in wild countries.* London: British Lib.

굴딩
[Goulding, Robert L.]

교류분석의 지류인 재결단 학파(The Redecision School)의 중심 인물.

굴딩은 아내인 메리 굴딩(Mary M. Goulding)과 함께 사람의 결단이 권위 있는 대상의 행동 및 감정에 적응하기 위한 것이라는 가설을 삼는 교류분석 기반의 이론과 치료를 펼쳤다. 굴딩은 어버이 자아(Ⓟ) 대신 어린이 자아(Ⓒ) 중 어린이 교수 자아(little professor ego)를 중요시하면서 상담을 해야 한다고 주장하였다. 게슈탈트 상담을 활용하여 어린 시절 정서적 경험을 재구성하면서 내면적 갈등을 풀어 가는 것을 치료의 핵심으로 본 것이다. 굴딩의 재결단 학파는 1970년대 이후부터 현재까지 이어지고 있는 현대 교류분석의 한 분파라 할 수 있는데, 그가 메리와 함께 교류분석에 게슈탈트 치료를 통합하여 형성한 학파다. 재결단치료는 집단치료 상황에서 내담자의 행동변화를 이끌어 내고 그 변화를 강화하는 긍정적 스트로크 제공을 중요하게 생각한다. 굴딩은 여타의 교류분석 상담자보다 개인적 책임감을 더 많이 강조하는 특징이 있다.

주요 저서

Goulding, R. L. (1979). *Changing lives through redecision therapy*. Brunner/Mazel, New York [überarb. Neuafl.: (1997) New York, Grove Press; dt.: (1981) Neuentscheidung: Ein modell der Psychotherapie. Stuttgart: Klett-Cotta].

Goulding, R. L. (1979). *The power is in the patent* (Ed. by P. McCormick). San Francisco: TA-Press.

Goulding, R. L. (1989). *Not to worry*. New York: Silver Arrow Books.

Goulding, R. L., & Goulding, M. M. (1978). *The Power Is in the Patient: A TA/Gestalt Approach to Psychotherapy*. Philadelphia; Pennsylvania: Trans Pub.

Goulding, R. L., & Goulding, M. M. (1997). 재결단 치료 [*Changing Lives Through Redecision Therapy*]. (우재현 역). 대구: 한국교류분석협회. (원저는 1993년에 출판).

Goulding, R., & McClure, G. M. (1972). *Redecision and twelve injunctions: New directions in transactional analysis*. In: Sager, CJ. & Kaplan, HS(Eds). Progress in groupo and family therapy (pp. 104-134). New York: Brunner/ Mazel.

그로프
[Grof, Stanislav]

1931. 7. 1. ~
자아초월심리학 분야의 창시자 중 한 사람이자 정신과 의사.

그로프는 1931년 체코에서 태어났다. 그는 프라하의 찰스대학교에서 정신의학을 전공하고 정신과학 전문의 수련을 받았다. 프라하 정신의학연구소에서 LSD와 같은 환각물질의 임상적 효과를 연구하다가, 1967년 미국 존스홉킨스대학교 특별연구원으로 초청되면서 미국으로 건너갔다. 1973년부터 1987년까지 미국 서부의 인간잠재력개발운동의 본산인 에솔렌(Esalen)연구소에 초대되어 저술, 세미나, 강연 등의 활동을 해 나갔다. 이때 아내 크리스티나(Christina)와 함께 독창적인 치유법인 홀로트로픽 호흡법(Holotropic Breathing Method)을 개발하였다. 1969년에 자아초월심리학회 창립회원이었으며, 1977년에는 국제초개인협회 초대회장이 되었다. 그는 현재 나로파대학교와 손을 잡고 미국의 대표적인 자아초월심리학과 심리치료를 가르치는 대학원인 캘리포니아 통합학문연구소(California Institute of Integral Studies: CIIS)에서 가르침을 행하고 있다. 그는 LSD 임상과 홀로트로픽 호흡법을 지도하고 있으며, 20권 이상의 저서를 발표하였다. 환각제의 효과를 경험하면서 자신의 임상경험을 세심하게 관찰하고 학문적으로 기술하여 이론적인 기여를 하기도 하였다. 이 같은 경험을 바탕으로 인간 정신의 작도법(作圖法)을 주장하였다. 이 이론에 따르면 심층체험의 영역에는 네 가지가 있는데, 감각적 장벽 영역(심미적 영역), 회고적 전기적 영역(프로이트적 영역), 분만 전후 영역(랭크 라이히적 영역), 자아 초월적 영역(융적 영역)이 그것이다. 한편, 그의 대표적인 치료법인 홀로트로픽 호흡법은 그가 1960년대에 미국에서 LSD가 금지되면서 대체적 치료법으로 개발한 것이다. 호흡은 인간의 정신과 밀접한 관계에 놓여 있다. 즉, 호흡을 통제함으로써 의식상태를 변화시킬 수 있는 것이다. 그는 이러한 임상적 치료 경험에 의한 비일상적 의식 상태 연구를 바탕으로 인간의 본성과 우주의 존재에 관한 사상을 펼쳤다. 그는 우리가 사는 현상계는 시공간과 양극성을 초월한 절대의식(창조원리)에서 비롯되었으며, 인간 개개인의 의식은 무한히 확장되어 다른 모든 존재, 심지어 우주 그 자체와도 동화된다고 보았다. 이외에도 정신증적 상태와 구별되는 치유적 기회로서의 자아초월적 영적 위기(spiritual emergency) 개념을 아내와 함께 주창하였다. 또한 치료를 할 때 일어나는 감정과 기억의 동시발생구조를 이해하기 위해 응축경험체계(system of condensed experience: COEX) 개념을 개발하였다. 이것은 LSD 치료 시에 연상된 기억이 유사한 감정 톤과 정서, 유사한 주제를 가진 내용으로 조직되고 연결되는 것을 말한다. 핵심 기억이 억압에서 풀려나 혼자만의 의식적인 자각 안에서 통합되면 전체 응축경험체계는 지배력을 잃고 다음 응축경험체계가 나타나서 치료회기를 주도하게 된다는 것이다. 자아초월심리학 분야에서 윌버(Wilber)가 이론가임에 비해, 그로프는 정신과 의사로서 임상가의 위치에 있다.

주요 저서

Grof, S. (2007). 환각과 우연을 넘어서: 과학이 외면해 온 불가사의한 의식체험의 기록들[*When the impossible happens: adventures in non-ordinary realities*]. (유기천 역). 서울: 정신세계사. (원저는 2006년에 출판).

Grof, S. (2008). 코스믹 게임: 인간의식의 심층에 감추어진 존재의 비밀[*The cosmic game: explorations of the frontiers of human consciousness*]. (김우종 역). 서울: 정신세계사. (원저는 1998년에 출판).

그룰레
[Gruhle, Hans Walter]

1880.11.7 ~ 1958.10.3
독일 출신의 정신의학자.

그룰레는 독일 뤼벤(Lübben)에서 태어나 라이프치히(Leipzig), 뷔르츠부르크(würzburg), 뮌헨(München) 등에서 의학을 배우고 뮌헨대학교 정신의학부에서 크레펠린(E. Kraepelin)의 지도하에 정신의학을 전공한 다음, 1905년 하이델베르크대학교 정신의학부로 갔다. 라이프치히에서 의학을 공부할 때 분트(W. Wundt)와 함께 심리학 연구를 시작한 그룰레는 1913년 하이델베르크대학교에서 교수 자격을 얻고, 1919년에는 원외교수가 되었으며, 1933년 단기간 주임교수가 되었다. 이어서 뷔르템베르크 주립정신병원의 원장이 되고, 1947년에는 본(Bonn)대학교 정신의학부 주임교수가 된 뒤 1952년 그 자리에서 물러났다. 1955년에는 다시 복귀했다가 바이트브레히트(J. Weitbrecht)에게 자리를 물려준 다음 은퇴하고, 1958년 본에서 78세를 일기로 사망하였다. 그룰레는 정신병리학, 사법정신의학(司法精神醫學), 범죄심리학, 자살, 단종(斷種) 등 다방면으로 연구를 하였다. 정신병리학 영역에서는 야스퍼스(K. Jaspers)와 슈나이더(K. Schneider) 등과 함께 현상학적, 요해 심리학적 입장을 표명한 이른바 하이델베르크학파에 속하였다. 그의 정신분열증의 증상론적 연구는 특히 높은 평가를 받고 있다. 범죄심리학에서는 1912년에 발표한 소년 불량화에 관한 연구가 선구적 업적으로 평가되고 있다. 그룰레는 소년의 불량화나 범죄의 원인에 관해서 소질과 환경을 균등하게 고려하는 입장을 보이면서 소질이나 환경 중 한 요소에 치우치는 입장을 배격하였다. 한편 사법정신의학 총설, 정신감정기술에 관한 논저 등은 상당히 높은 평가를 받고 있다. 그룰레의 학문적 태도는 늘 비판력이 풍부하고 사변을 매우 싫어하며 증명할 수 없는 것에 관해서는 흥미를 보이지 않는 자세를 견지하였다.

주요 저서

Gruhle, H. W. (1912). *Die Ursachen der jugendlichen Verwahrlosung und Kriminalität. Studien zur Frage: Milieu oder Anlage*. Berlin: Springer.

Gruhle, H. W. (1922). *Die Psychologie des Abnormen*. In: Gustav Kafka (Hrsg.): *Handbuch der Vergleichenden Psychologie*. Band III/Abteilung 1. München: Ernst Reinhardt.

Gruhle, H. W. (1948). *Verstehende Psychologie* (Erlebnislehre). Ein Lehrbuch. 2. Auflage (1956), Stuttgart: Georg Thieme

Gruhle, H. W. (1953). *Geschichtsschreibung und Psychologie*. Bonn: Bouvier

Gruhle, H. W. (1953). *Verstehen und Einfuehlen: Gesammelte Schriften*. Berlin: Springer.

Gruhle, H. W. (1955). *Gutachtentechnik*. Heidelberg: Springer

글래서
[Glasser, William]

1925. 5. 11. ~ 2013. 8. 23.
현실치료(reality therapy)의 창시자.

글래서는 오하이오의 클리블랜드(Cleveland, Ohio)에서 태어나고 자랐다. 클리블랜드 케이스웨스턴리저브(Case Western Reserve)대학교 의학부에 입학하였고, 웨스트 로스앤젤레스 및 UCLA 보훈병원에서 정신과 수련을 받았다. 처음에는 화학기술자의 길에 발을 들였지만, 나중에 정신의학이 자신의 천직이라는 생각이 들어 진로를 바꾸었다. 1961년에 보드전문의(Board Certified)가 되었고, 1957년부터 1986년까지 사설로 일을 하였다. 글래서는 처음에는 프로이트의 정신분석훈련도 받았는데, 자신의 현실치료에 대한 생각이 수립되면서부터 그 이론은 거부하게 되었다. 그의 사상은 인간의 개인적 선택과 개인적인 책임감, 개인적인 변화에 초점을 맞추고 있다. 또한 자신의 이론을 더욱 넓혀 교육, 경영, 결혼과 같은 사회적 문제에도 적용하였다. 글래서는 정신적 질병을 일반적으로 진단하고 처방하던 기존의 정신과적 치료에 반하여, 환자들을 정신적 문제를 지닌 사람으로 보는 것이 아니라 불행한 사람으로 파악하면서 공중보건의 문제로 정신적 문제를 보는 입장을 취하였다. 이에 따라 1965년에 『Reality Therapy』라는 첫 저서를 낸 뒤로, 1969년에는 『Schools without Failure』라는 교육에 관한 저서를 출간하였다. 1970년대에 들어서서 글래서는 파워스(W. Powers)의 영향을 받아 인간행동의 장에 체계이론을 적용하였다. 그는 '통제이론(control theory)'으로 자신의 이론에 틀을 형성했는데, 이 이론은 현재 선택이론(choice theory)이라고 불리는 것이다. 선택이론은 인식통제이론(perceptual control theory)과는 다른 것으로, 통제라는 개념의 수단으로 행동을 보는 파워스의 이론에 근거를 두고 있다. 1986년 『Control Theory』이라는 책을 통해서 글래서는 학생들이 학교에서 열심히 하지 않는 이유와 교실에서의 구조변화를 만들어 내야 하는 이유 등을 설명하였다. 글래서의 관점에서 모든 학생은 생존, 사랑 및 소속, 자유, 재미, 힘 등 다섯 가지 기본적이고 보편적인 욕구에 기반을 두고 선택을 한다. 1998년에 나온 『Choice Theory』에서 글래서는 교실 내 대부분의 문제는 학생들이 자신의 욕구를 충족하기 위한 것들이었음을 보여 주었다. 글래서는 이러한 학생들을 지도할 때 지지, 격려, 경청, 수용, 신뢰, 존중, 처벌, 통제에 대한 상이나 보상 등 일곱 가지 훈육 습관(seven caring habits)을 교사가 갖추어야 한다고 보았다. 1967년 글래서 창립한 현실치료연구소(Institute for Reality Therapy)는 지금까지 7만 5천 명이 넘는 사람들이 세계 각지에서 찾아가 교육을 받고 있다.

주요 저서

Glasser, W. (1980). 낙오자 없는 사회[*The Identity Society*]. (주건성 역). 서울: 문예출판사. (원저는 1976년에 출판).

Glasser, W. (1981). *Stations of the Mind: New Directions for Reality Therapy*. New York: Harper Collins.

Glasser, W. (1984). *Take Effective Control of Your Life*. New York: Harper Collins.

Glasser, W. (1986). *Control Theory in the Classroom*. New York: Harper Collins.

Glasser, W. (1989). *Control Theory in the Practice of Reality Therapy: Case Studies*. New York: Harper Perennial.

Glasser, W. (1998). 사원의 마음을 움직이는 기술[*The Control Theory Manager*]. (한귀선 역). 서울: 사람과 사람. (원저는 1994년에 출판).

Glasser, W. (1998). 좋은 선생님이 되는 비결[*The Quality School Teacher*]. (박정자 역). 서울: 사람과 사람. (원저는 1993년에 출판).

Glasser, W. (1998). *Choice Theory in the Classroom*. New York: Harper paperbacks.

Glasser, W. (1999). 결혼의 기술[*Staying Together: The Control Theory Guide to a Lasting Marriage*]. (우애령 역). 서울: 하늘재. (원저는 1996년에 출판).

Glasser, W. (1999). 선택이론의 언어[*The Language of Choice Theory*]. (김인자 역). 서울: 한국심리상담연구소. (원저는 1999년에 출판).

Glasser, W. (1999). 현실치료: 정신의학에 대한 새로운 접근법[*Reality Therapy(A New Approach to Psychiatry)*]. (홍경자 역). 서울: 중앙적성출판사. (원저는 1965년에 출판).

Glasser, W. (2000). 행복의 심리, 선택이론: 자유를 위한 새로운 심리학[*Choice Theory(A New Psychology of Personal Freedom)*]. (김인자, 우애령 역). 서울: 한국심리상담연구소. (원저는 1999년에 출판).

Glasser, W. (2000). *What is This Thing Called Love?* New York: William Glasser Inc.

Glasser, W. (2001). *Counseling with Choice Theory*. New York: Harper Paperbacks.

Glasser, W. (2003). 당신의 삶은 누가 통제하는가?[*Control Theory: A New Explanation of How We Control Our Lives*]. (김인자 역). Harper & Row. (원저는 1985년에 출판).

Glasser, W. (2004). 긍정적 중독[*Positive Addiction*]. (김인자 역). 서울: 한국심리상담연구소. (원저는 1985년에 출판).

Glasser, W., & Mamary, A. (2006). 어떠한 학생이라도 성공할 수 있다[*Every Student Can Succeed*]. (박재황 역). 서울: 한국심리상담연구소. (원저는 2003년에 출판).

Glasser, W., & Glasser, C. (2009). 행복을 선택하는 부부[*Eight Lessons for a Happier Marriage*]. (홍미혜 역). 서울: 한국심리상담연구소. (원저는 2007년에 출판).

글룩
[Glueck, Sheldon]

1896. 8. 15. ~ 1980. 3. 10.
폴란드 출신의 미국 범죄학자.

글룩은 폴란드 바르샤바(Warsaw)에서 태어났지만, 6세 되던 해에 미국으로 이주하여 1920년 미국 시민으로 귀화하였다. 하버드대학교에서 박사학위를 받은 그는 1925년부터 1963년까지 하버드 강단에 섰다. 제1차 세계 대전 중에는 미군 원정대(American Expeditionary Forces)에서 보급부대 상사(ordnance sergeant)로 복무하였고, 제2차 세계 대전 유대인 대학살의 여파가 세상에 만연했을 무렵에는 인본주의에 반하는 범죄를 처벌하기 위한 국제형사재판소의 창립을 앞장서서 주장하였다. 글룩은 범죄 및 청소년비행에 대한 연구의 선도자로 알려져 있는데, 아내인 일리노어 글룩(Eleanor Glueck)과 함께한 범죄행위에 대한 연구가 유명하다. 매사추세츠 재활센터(Massachusetts Reformatory) 내 환자에 대한 기념비적인 두 사람의 연구는 형벌제도 효과와 상습범의 비율 감소 등을 설명하고 있다. 1950년 많은 논쟁을 불러일으킨 글룩 부부의 저서 『Unraveling Juvenile Delinquency』에는 6세 정도에서도 잠재적 비행을 찾아낼 수 있다는 주장을 담고 있다. 같은 해 하버드 법대에서 최초로 로스코 파운드 교수(Roscoe Pound professor)가 되기도 하였다. 아내와 함께 범죄학, 형법, 감옥에서의 사례 등으로 많은 저서와 논문을 낸 그는 1963년 하버드 대학교의 명예교수로 이름을 올리고 1980년에 사망하였다. 글룩은 아내와 함께한 연구에서, 소년원에 수감된 청소년과 법적 문제와 관련된 적이 없는 학생을 500명씩 대상으로 하여 이들 간 신체형태를 비교하고 개성 있는 특징과 사회문화적 요인에 대한 차이점을 탐색해 보았다. 그 결과 실제로 소년원에 있던 청소년이 체격 등에서 평균적으로 차이를 보인다는 사실도 밝혀냈다.

주요 저서

Glueck, S. (1940). *Juvenile Delinquents Grown Up*. New York: Periodicals Service Co.

Glueck, S. (1946). *After-Conduct of Discharged Offenders*. London: MacMillan.

Glueck, S. (1950). *Unraveling Juvenile Delinquency*. Boston: Harvard Univ. Pres.

긴즈버그
[Ginzberg, Eli]

1911. 4. 30. ~ 2002. 12. 14.
미국의 경제학자.

긴즈버그는 미국 뉴욕에서 태어났다. 1931년부터 1934년까지 컬럼비아대학교에서 공부하면서 문학과 예술을 전공하고, 박사학위를 받았다. 그는 뉴욕에서 미국 유대교 신학대학의 탈무드 교수로 유명한 루이스 긴즈버그(Louis Ginzberg)의 아들이기도 하다. 1935년에 컬럼비아대학교 경제학 교수가 된 그는 제2차 세계 대전 중에 응용경제학에 몸담을 것을 결심하고 워싱턴으로 가서 연방정부의 여러 직책을 맡아 일하였다. 그러한 수십 년간의 경험으로 긴즈버그는 노동력 낭비를 감소시킬 수 있는 연구를 관리 · 감독하고, 많은 저서와 논문을 내면서 나중에는 정부에 자문 역할을 하였다. 전시에 루스벨트 대통령의 자문으로 봉사하기도 하였다. 종전이 되고, 다시 강단에 선 그는 1952년부터 1961년까지 국가노동력위원회(National Manpower Council)에서 직원연구를 감독하였다. 여성 및 소수 민족을 통합하여 노동력에 미치는 영향에 관한 글을 쓰기도 했으며, 1950년대에는 미국 군대에서의 인종차별 철폐에도 중요한 역할을 하였다. 게다가 자신의 경제학적 지식을 보건체제에 적용하기도 하면서 여러 편의 저서와 논문을 출간하였다. 2002년에 사망한 긴즈버그는 1935년 이후 60여 년간 컬럼비아 강단에 섰던 경제학자로서, 8명의 미국 대통령 자문을 맡았고, 고용 및 보건 문제에 관한 연구에서 혁신적인 공을 세웠다.

주요 저서

Ginzberg, E., & Berman, H. (1964). *The American Worker in the Twentieth Century*. Glencoe: Free Press of Glencoe.

Ginzberg, E. (1967). *The Middle-Class Negro in the White man's World*. New York: Columbia Univ. Press.

Ginzberg, E. (1993). *The Eye of Illusion*. New Jersey: Transaction Pub.

길리건
[Gilligan, Carol]

1936. 11. 28. ~
미국의 여성주의자이며 윤리학자이자 심리학자.

길리건은 뉴욕의 유대인 가정에서 무남독녀로 태어나 자랐다. 아버지는 변호사였고 어머니는 양호교사였다. 피아노를 즐겨 연주했으며, 대학원 과정 중에는 현대무용을 하기도 하였다. 길리건은 스워스 모어대학교에서 영문학을 전공하여 수석(summa cum laude)으로 졸업한 뒤, 래드클리프대학교에서 임상심리학으로 석사학위를 취득하였다. 이후 하버드대학교에서 사회심리학으로 박사학위를 받았다. 1967년부터 하버드대학교 강단에 선 길리건은 1988년 하버드 교육대학원에서 종신 재직권을 받았다. 1992년부터 1994년까지는 케임브리지대학교에서 미국 역사 및 제도 학부 피트 교수(Pitt Professor of American History and Institutions)로 재직하였다. 1992년에 교육부문 그라베마이어상(Grawemeyer Award)을 수상하였으며, 1996년에는 가장 영향력 있는 미국인 중 한 사람으로 타임지에 실리기도 하였다. 1997년에는 패트리샤 알버그 그레이엄 성별연구회장(Patricia Albjerg Graham Chair in Gender Studies)으로 임명되고, 1998년에는 제4차 인간조건에 관한 하인즈상(Annual Heinz Award in the Human Condition)을 수상하였다. 길리건은 2002년에 하버드를 떠나 뉴욕대학교 교육학부 및 법학부에서 정교수가 되었고, 현재 케임브리지대학교의 초빙교수로 있다. 남편은 하버드 의과대학 폭력연구센터(Center for the Study of Violence)의 책임자로 있는 제임스 길리건(James Gilligan) 박사다. 길리건은 윤리적 공동체 및 윤리적 관계, 특정 주제-객체 문제 등에 관한 콜버그(L. Kohlberg)의 이론에 반하여 논쟁을 한 것으로 유명하다.

주요 저서

Gilligan, C. (1989). *Mapping the Moral Domain*. Boston: Harvard Univ. Press.

Gilligan, C. (1990). *Making Connections: The Relational Worlds of Adolescent Girls at Emma Willard School*. Boston: Harvard Univ. Press.

Gilligan, C. (1992). *Meeting at the Crossroads: Women's Psychology and Girls' Development*. Boston: Harvard Univ. Press.

Gilligan, C. (1994). 심리이론과 여성의 발달[*In a Different Voice*]. (허란주 역). 서울: 철학과 현실사. (원저는 1982년에 출판).

Gilligan, C. (1997). *Between Voice and Silence: Women and Girls, Race and Relationships*. Boston: Harvard Univ. Press.

Gilligan, C. (2004). 기쁨의 탄생[*The Birth of Pleasure*]. (박상은 역). 서울: 빗살무늬. (원저는 2003년에 출판).

Gilligan, C. (2009). 치유[*Kyra*]. (김이선 역). 서울: 마음산책. (원저는 2008년에 출판).

Gilligan, C. (2009). *The Deepening Darkness*. Cambridge Univ. Press.

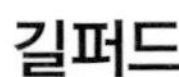

길퍼드
[Guilford, Joy Paul]

1897. 3. 7. ~ 1987. 11. 26.
미국 심리학자.

길퍼드는 네브래스카의 마켓(Marquette, Nebraska)에서 태어났다. 어린 시절부터 인간의 차이점에 대하여 관심이 많아, 가족들이 각각 어떻게 다른 능력을 가지고 있는지 유심히 지켜보곤 하였다. 네브래스카대학교 재학 시절에는 심리학부에서 조교로 일했고, 1919년부터 1921년까지 코넬대학교에서 티치너(E. Titchener)에게 사사받으며 대학원 시절을 보냈다. 이 시기 아동지능검사를 수행해 보고, 코넬대학교 심리클리닉에서 일하기도 하였다. 1927년부터 1년 동안은 캔자스대학교에 있다가 1928년 네브래스카대학교에서 조교로 임용된 뒤 1940년까지 강단에 섰다. 1938년에는 심리측정학회(Psychometric Society)의 3대 회장이 되었다. 1940년 사우스캘리포니아대학교 심리학과 교수가 된 길퍼드는 1967년까지 머물렀는데, 제2차 세계대전 중 1941년에는 미 공군심리학연구소(US Air Force Psychological Research Unit)에서 심리연구 지도자로 봉사하기도 하였다. 그는 사우스캘리포니아대학교에서 적성 프로젝트(Aptitude Project)를 만들어 승무원 선별작업에 사용했는데, 스태나인 프로젝트(Stanines Project)라고 하는 이것은 비행기 조종에 필요한 특수지능 능력을 여덟 가지로 밝혀낸 것이었다. 종전이 되고, 길퍼드는 지능검사에 대한 연구를 계속하면서 다양한 사고 및 창의성에 관한 연구에 집중하였다. 그 결과 창의적 사고를 측정하는 여러 가지 검사를 만들었다. 1967년 강단에서 물러나 만년에는 집필에 몰두했는데, 나중에 지능구조이론(Structure of Intellect Theory)이라고 불린 이론에 대한 광범위한 출판물을 냈으며, 전쟁 후 계속한 연구로 90개의 지적능력과 30개의 행동능력을 밝혀내기도 하였다. 길퍼드는 국립과학재단(National Science Foundation), 미 해군연구소(Office of Naval Research) 등에서 지원을 받으며 사우스캘리포니아대학교에서 20여 년간 연구를 진행하다가, 1987년 캘리포니아 로스앤젤레스에서 사망하였다. 그는 성격평가에서 요인분석에서의 미국 지표를 이끌었으며, 개인의 차이는 가족구성원 간의 능력 차이를 아동기에 관찰한 것에서 비롯된다는 것에 관심을 두었다. 지능과 창의성에 대한 심리측정연구로 이름이 알려진 길퍼드는 지능이 단일개념이 아니라는 것을 인식한 초기 인물로서, 개인적인 차이에 관심을 두고 인간정신에 대한 다차원적인 면을 연구하여 수렴생산과 분산생산에 대한 구별로 서로 다른 여러 능력에 근거하여 인간 지능의 구조를 설명하였다. 길퍼드가 설명하는 지능의 구조는 작동차원, 내용차원, 성과차원 등으로 나누어지고, 각 차원은 다시 세부사항으로 구분된다. 작동차원에는 인지, 기억기록, 기억보유, 분산생산, 수렴생산, 평가 등이 포함되며, 내용 차원에는 시각, 청각, 촉각, 상징, 의미, 행동 등의 정보가 포함되고, 성과차원에는 단위, 분류, 관계, 체계, 변형, 함축 등이 포함된다. 이 같은 길퍼드의 접근법은 정신능력에 대한 일반 요인을 지지하는 연구자들에게는 환영받지 못하지만, 인간의 지능을 단일차원이 아닌 다차원에서 접근하는 길을 열어 놓았다는 점에서 획기적인 연구로 평가받고 있다.

주요 저서

Guilford, J. P. (1946). *General Psychology*. D. Van Nostrand.

Guilford, J. P. (1947). *Fields of Psychology*. D. Van Nostrand.

Guilford, J. P. (1954). *Psychometric Methods*. New York: McGraw-Hill.

Guilford, J. P. (1957). *Intermediate Statistical Exercises*. New York: McGraw-Hill.

Guilford, J. P. (1959). *Personality*. New York: McGraw-Hill.

Guilford, J. P. (1967). *Nature of Human Intelligence*. New York: McGraw-Hill.

Guilford, J. P. (1971). *Analysis of Intelligence*. New York: McGraw-Hill.

Guilford, J. P., & Fruchter, B. (1978). *Fundamental Statistics in Psychology and Education*. New York: McGraw-Hill.

김인수
[Berg, Insoo Kim]

1934. 7. 25. ~ 2007. 1. 10.
한국 출신, 미국 해결중심가족치료 단기가족치료의 공동창안자.

김인수는 1934년 7월 25일 한국에서 태어났고, 그녀의 가족이 약학 관련 사업을 하였기에 가족의 영향을 받아서 이화여자대학교에서 약학을 전공하였다. 졸업 후 미국 밀워키의 위스콘신(Wisconsin)대학교로 유학을 갔는데 유학을 간 이유도 미국에서 약학을 공부하기 위해서였다. 그 대학에서 그녀는 화학과 사회복지학에서 석사 학위를 받았다. 약학과 화학 전공배경을 가지고 그녀는 의과대학교에서 위암에 관한 연구를 하였다. 그 후 사회복지로 관심을 바꾼 후 그녀는 심리치료에 관심을 가지고 심리치료분야에 매진하였다. 그녀는 시카코가족연구소(The Family Institute of Chicago), 메닝거 재단(The Menninger Foundation), 그리고 팔로 알토에 있는 정신건강연구소(The Mental Research Institute: MRI)에서 훈련을 받았다. 1973년부터 존 위클랜드(John Weakland)와 만나고 팔로 알토에 있는 MRI의 단기치료센터의 팀과 자주 만나 교류하였다. MRI에서 그녀의 남편인 드세이저를 만났다. 1978년에 그녀는 그의 남편 드세이저와 립칙(Eve Lipchik), 누널리(Elam Nunnally), 몰러(Alex Molnar), 그리고 와이너-데이비스(Michell Weiner-Davis) 등과 함께 미국 위스콘신 주의 밀워키에 단기가족치료센터(Brief Family Therapy Center: BFTC)를 설립하여 해결중심가족치료 모델을 발전시켰다. 처음에는 '단기가족치료'라는 이름으로 시작한 그녀의 연구는 1982년부터는 '해결중심 단기치료'라는 명칭으로 공식적으로 불려졌다. 김인수는 그의 남편과 함게 한 팀이 되어서 1980년 중반 이후부터 미국은 물론 유럽(스칸디나비아, 벨기에, 스페인, 독일, 오스트리아, 체코, 프랑스, 스위스)과 아시아(한국, 일본, 중국 등), 뉴질랜드 등 전 세계를 누비며 많은 초청강연과 워크숍을 열었다. 특히 김인수는 2002년부터 임종 전까지 현장중심의 실천으로서의 해결중심 모델 실현을 위해 워크숍, 수퍼비젼 및 자문을 솔루션센터 미국 본부장으로서 함께 일했다. 그녀는 남편인 드세이저가 2005년 9월에 오스트리아 비엔나에서 사망하였고, 그녀는 16개월 후 2007년 1월에 밀워키에서 사망하였다. 자녀로는 첫 남편 찰스 버그(Charles H. Berg) 사이에서 난 딸이 한 명 있다.

주요 저서

Berg, I. K. (1990). *Manual for Family Based Services*. Milwaukee, WI: Milwaukee Dept. of Social Service.

Berg, I. K., & George, Evan (1991). *Family preservation. A brief therapy workbook*. London: BT Press.

Berg, I., K. & Miller S. D. (1992). *Working with the problem drinker*. New York: Norton.

Berg, I. K. (1994). *Family-based services. A solution-focused approach*. New York: W. W. Norton.

Berg, I. K., & Reuss, N. H. (1998). *Solutions step by step. A substance abuse treatment manual.* 1st. New York, London: W.W.Norton.

DeJon, P., & Berg, I. K (2008). 해결을 위한 면접[*Interviewing for solutions*]. (노혜련 외 역). 서울: 센게이지러닝. (원저는 1998년에 출판).

Jong, Peter de & Berg, I. K. (1998). *Instructor's resource manual for interviewing for solutions.* Pacific Grove, Calif: Brooks/Cole Pub.

Berg, I. K., & Kelly Susan (2013). 아동보호서비스의 새로운 패러다임[*Building solutions in child protective services*]. (김윤주, 최인숙 역). 서울: 학지사. (원저는 2000년에 출판).

Lewis, Judy., Carlson, Jon., & Berg, I. K. (2000). *Solution-focused therapy for addictions with* Insoo Kim Berg. Needham Heights, Mass: Allyn & Bacon.

Berg, I. K., & Dolan, Yvonne M. (2001). *Tales of solutions. A collection of hope-inspiring stories.* New York: Norton.

Jong, Peter de, & Berg, I. K. (2002). *Instructor's Respirce Manual with Test Bank.* 2nd. Australia, United Kingdom: Wadsworth(Interviewing for solutions, / Peter De Jong, Insoo Kim Berg; 2).

Jong, Peter de, & Berg, I. K. (2002). *Learner's workbook.* 2nd. Australia, United Kingdom: Wadsworth (Interviewing for solutions, / Peter De Jong, Insoo Kim Berg; 3).

Berg, I. K., & Steiner, Therese(2009). 해결중심 상담(아동과 청소년을 위한)[*Children's solution work*]. (유재성, 장은진 역). 서울: 학지사. (원저는 2003년에 출판).

Berg, I. K., & Szabó, Peter. (2011). 해결중심단기코칭[*Brief coaching for lasting solutions*]. (김윤주 외 역). 서울: 시그마프레스. (원저는 2005년에 출판).

Berg, I. K., & Shilts, L. (2009). *Einfach KLASSE. WOWW-Coaching in der Schule.* Dortmund: Borgmann Media.

Berg, I. Kim(2007). *More than Miracles: The State of the Art of Solution-Focused Brief Therapy.*

De Shazer, Steve, & Insoo Kim Berg,(1995). The Brief Therapy Tradition. In Weakland, John H. and Wendel A. Ray (Eds.), *Propagations. Thirty Years of Influence From the Mental Research Institute.* Binghamton, NY: The Haworth Press, Inc., pp. 249-252.

Berg, I. Kim. (1994). *Family based services: A solution-focused approach.* New York: Norton.

깁슨
[Gibson, Eleanor Jack]

1910. 12. 7. ~ 2002. 12. 30.
지각 학습 및 발달심리학의 권위자.

깁슨은 일리노이 피오리아의 중산층 집안에서 태어났다. 아버지는 철물 판매를 했고, 어머니는 스미스대학을 나왔지만 직업은 없었다. 깁슨은 집안 전통대로 고등학교를 졸업한 뒤 스미스대학을 다녔다. 재학 시절 심리학, 특히 실험 지향적인 방법에 매력을 느꼈다. 스미스대학 졸업 가든파티에서 후에 남편이 되는 제임스 깁슨(James Gibson)을 만났는데, 당시 그는 젊은 교수였다. 제임스를 만난 직후 깁슨은 제임스의 고급 실험심리학 과정을 수학하였다. 제임스는 깁슨이 심리학을 계속할 수 있도록 하는 데 일조하였다. 졸업 후, 깁슨은 제임스의 지도하에 대학원 과정을 이어 나갔고, 석사과정 중인 1932년에 두 사람은 결혼하였다. 이후 스미스대학에는 박사과정이 없어서 깁슨은 예일대학교로 가서, 여키즈(R. Yerkes) 교수와 함께 비교연구를 하고자 하였다. 하지만 여키즈 교수가 여성을 받지 않는다는 말을 듣고는 헐(C. Hull)과 함께 연구를 시작하였다. 그때 실험연구를 하기 위해 헐과 작업을 했지만, 그의 엄격한 행동주의 이론에 완전히 뜻을 같이하지는 않았다. 깁슨은 자신의 박사논문 주제를 '자극일반화와 분화(stimulus generalization and differentiation)'로 정했는데, 이 주제는 그녀가 가지고 있던 기능적 관점을 행동주의적인 어휘로 포장한 것이었다. 덕분에 헐이 통과를 허락하여, 1938년 예일대학교에서 박사학위를 받고는 남편이 재직하고 있던 스미스대학의 강단에 서게 되었다. 1941년에는 제2차 세계 대전이 발발하여 남편 제임스가 조종사를 선별하여 지각검사(perceptual tests)를 하는 임무를 맡아 공군으로 징집되는 바람에 깁슨 부부는 군대와 함께 텍사스, 캘리포니아 등지로 옮겨 다녔다. 이 기간에 깁슨은 주부로서 두 아이를 돌보며 집안을 꾸려 나갔고, 종전이 되어 다시 스미스대학으로 돌아가 몇 년 뒤에는 코넬대학교로 자리를 옮겼다. 코넬은 반족벌주의(anti-nepotism)를 교칙으로 세워 두고 있어서, 부부 두 사람이 모두 교수에 임용될 수 없었다. 그래서 깁슨은 코넬에서 연구조교로 일하였고, 제임스는 교수가 되었다. 이 때문에 깁슨은 스스로 연구기회를 만들어 내야 했는데, 코넬 행동실험실(Cornell's Behavior Farm)에서 2년간 일을 했고 군대 신병들과 실험실 밖에서 작업을 하면서 연구실이라는 공간의 벽을 넘어 자신이 지니고 있는 약점을 극복해 나갔다. 연구조교로 있던 1960년, 깁슨은 시각벼랑(visual cliff) 실험으로 유명해졌다. 코넬대학교 교수 워크(R. Walk)와 함께 쥐를 이용한 학습연구로 시각벼랑이라는 연구결과물에 따라 인지발달단계를 찾아냈다. 두 사람은 이 연구를 더욱 확대하여 여러 동물실험을 하였고, 벼랑장치를 다양하게 만들어 실험을 계속해 나갔다. 이후 36명의 기어다니는 아기를 대상으로 한 실험을 하였고, 그 실험결과는 『Scientific American』의 표지를 장식하면서 제일 유명한 실험 중 하나가 되었다. 이후 12년 동안 깁슨은 연구실 실험은 뒤로 한 채, 문서연구에 몰두하였다. 1965년에는 코넬대학교에 들어간 지 16년 만에 마침내 교수로 임용되었고, 1972년 수잔 린 세이지 심리학부 교수(Susan Linn Sage Professor)가 되었다. 깁슨은 지각학습에 관심을 보이면서 1969년에는 『Principle of Perceptual Learning and Development』을 출판하였다. 이 책은 여러 실용성 있는 지각학습 연구에 관하여 검토해 놓았는데, 깁슨이 지각학습의 핵심 특성이라고 생각하는 것들, 차이점의 특징 증대, 주의력 최적화, 정보수집 경제성 증대, 불변성 탐색 등을 보여 준다. 불변량과 구조에 대한 생생한 탐색을 강조해서 보여 주는 이 책은 깁슨의 사상을 기반으로 한 남편인 제임스의 생태학 이론화에 영향을 미쳤다. 1992년 깁슨은 혁혁한 공로를 인정받고 국가과학상(National Medal of Science)을 수상하였다. 심리학자가 이 상을 받은 경우는 매우 드물다. 2002년 숨을 거둔 그녀의 업적은 지각 발달에 지대한 영향을 미쳤다. 특히 시각벼랑의 실험으로 지각이 발달단계와 깊게 관련되어 있음을 밝혀 인간의 지각이 발달단계에 따라 발전하는 것을 실험으로 증명한 것은 가장 큰 공헌이라 할 수 있다.

주요 저서

Gibson, E. J., & Levin, H. (1978). *The Psychology of Reading*. Massachusetts: The MIT Press.

Gibson, E. J. (1994). *An Odyssey in Learning and Perception*. Massachusetts: The MIT Press.

Gibson, E. J. (2001). *Perceiving the Accordance: A Portrait of Two Psychologists*. London: Psychology Press.

Gibson, E. J. (2003). *An Ecological Approach to Perceptual Learning and Development*. Oxford: Univ. Press.

나일스
[Niles, Spencer]

직업상담 분야의 지도적인 연구자이자 저자.

나일스는 펜실베이니아 주립대학교에서 상담자 교육으로 박사학위를 취득하였다. 현재 펜실베이니아 주립대학 교수 및 상담자 교육 과장으로 재직 중이다. 그의 연구 관심 분야는 전 생애에 걸친 경력개발 이론 및 실습에 관한 영역이며, 전미 경력개발협회(National Career Development Association)의 회장을 역임하였다.

주요 저서

Niles, S. (2002). *Career Development Interventions in the 21st Century*. Upper Saddle River, New Jersey: Merrill.

Niles, S., Amundson, N. E., & Harris-Bowlsbey, JoAnn. (2005). *Essential Elements of Career Counseling: processes and techniques*. Upper Saddle River, N.J.: Pearson/Merrill/Prentice-Hall.

노이만
[Neumann, Erich]

1905. 1. 23. ~ 1960. 11. 5.
융(Jung)의 훌륭한 수제자로 꼽히는 심리학자.

노이만은 베를린 유대인 가정에서 태어나 1927년 베를린대학교에서 박사학위를 받고, 텔아비브로 옮겨 갔다. 오랫동안 스위스의 취리히에 정기적으로 다니면서 융연구소에서 강의를 했고, 영국, 프랑스, 네덜란드 등지에서도 강의하였다. 노이만은 국제정신분석협회(International Association for Analytical

Psychology)의 회원이었으며 이스라엘 정신분석심리학자협회(Israel Association of Analytical Psychologists) 대표를 역임하였다. 1934년부터 1960년 임종을 맞을 때까지는 텔아비브(Tel Aviv)에서 정신분석심리학으로 치료활동을 하였다. 그의 족적은 발달심리학에 가장 크게 남아 있고, 의식과 창조성에 관한 심리학 분야에서도 공헌이 크다. 노이만은 영국과 미국에서 당대의 임상적 경향과는 달리 분석을 하는 데 철학적이고 이론적인 접근법을 많이 사용했는데, 그의 '중심화 이론(centroversion)'이라는 경험적 개념은 심리학에 지대한 영향을 미쳤다. 이는 외향성과 내향성의 통합을 일컫는다. 그가 세상에 가장 많이 알려진 계기는 무엇보다 여성발달이론이었다. 이 이론은 『The Great Mother』라는 저서에 잘 설명되어 있다. 또한 여성의 원형에 대한 연구를 더욱 심화시켜 『Art and the Creative Unconscious』, 『The Fear of the Feminine』, 『Amor and Psyche』 등을 출간하였다.

주요 저서

Neumann, E. (1970). *The Origins and History of Consciousness*. Princeton: Univ. Press.

Neumann, E. (1971). *Amor and Psyche*. Princeton: Univ. Press.

Neumann, E. (1971). *Art and the Creative Unconscious*. Princeton: Univ. Press.

Neumann, E. (1972). *The Great Mother*. Princeton: Univ. Press.

Neumann, E. (1982). *Creative Man*. Princeton: Univ. Press.

Neumann, E. (1989). *The Place of Creation*. New York: Bollingen Foundation.

Neumann, E. (1990). *Depth Psychology and a New Ethic*. Boston; Massachusetts Shambhala.

Neumann, E. (1990). *The Child*. Boston; Massachusetts Shambhala.

Neumann, E. (1994). *The Fear of the Feminine*. New Jersey: Princeton Univ. Press.

닐
[Neill, Alexander Sutherland]

1883. 10. 17. ~ 1973. 9. 23.
영국의 교육학자, 섬머힐학교의 창시자.

닐은 1883년 스코틀랜드(Scotland)의 에든버러(Edinburgh) 시 북방 동해안 지방인 포퍼(Forfar)에서 태어났다. 8남매 중 셋째 아들이었던 닐의 소년 시절은 당시 대부분의 스코틀랜드 소년들이 겪는 경험과 크게 다를 바 없는 평범한 생활을 하였다. 다만 그때 경험했던 수정 칼뱅이즘(Calvinism)이 후일 그의 종교적 태도에 영향을 주었다. 닐은 어린 시절 엄격했던 아버지에 대한 불만이 많았고, 대학에 진학하지 못하였다. 14세에 에든버러의 가스측정기 제조회사에서 일한 것은 노동계의 비참한 생활을 직접 경험한 것이 되었다. 후에 에든버러대학교를 졸업하여 시골학교에서 1년간 교사생활을 하다가, 제1회 국제 신교육협회 회의에서 영국 대표로 참가한 것이 전기가 되었다. 닐은 당시 학교 교사로서 가장 크게 느꼈던 정서가 두려움이라고 하였다. 이러한 경험을 통하여 닐은 일방적인 주지교육의 한계를 실감하고 반주지주의적 성향을 갖게 되었다. 닐의 교육 사상 형성에 결정적 영향을 미친 인물 중 한 명은 레인(H. Lane)인데, 닐의 저서 『A Dominiés Log』를 읽은 어느 여성의 소개로 레인을 알게 되었다. 이외에도 닐은 프로이트(S.

Freud)와 라이히(W. Reich)에게서 사상적으로 영향을 받았다. 닐은 철저한 훈육 위주의 전통적인 학교부터 제법 진보적인 학교에 이르기까지 여러 수준의 교육형식을 경험하면서, 더욱더 철저하게 자유에 입각한 교육을 시도해야 한다는 마음을 다지게 되었다. 1921년 만들어진 서머힐 스쿨은 닐의 교육실천의 집합체라고 할 수 있다. 닐의 사상은 그가 서머힐 스쿨에서 행한 전기적이고 포괄적인 교육실천의 내용들과 일치하고 있다. 서머힐 스쿨로 구현된 공간에서 수십 년간 진행된 교육에 관한 실존적 기록이 닐의 교육사상이라고 할 수 있다. 닐의 서머힐 스쿨은 전통적인 제약적 교육방법을 배제하고 학생들이 자유롭게 스스로 동기를 일으킬 수 있도록 해 준다. 이 때문에 문제가 있는 배경을 가진 아이들이 많이 찾았다. 서머힐의 환경이 치료적 가치가 있다는 것이 증명되면서 학교는 점점 성장해 나갔고, 닐은 1973년에 세상을 떠났다. 닐은 아이의 행복은 양육환경으로 결정되고, 개인의 자유로움으로 행복감이 신장된다고 생각하였다. 어린 시절 억압된 경험은 성인이 된 후의 심리적 장애를 일으킨다고 본 닐은 아이들이 자기결정을 할 수 있고 비판적 사고를 할 수 있도록 교육하는 것이 중요하다는 진보적 교육관을 펼쳤다. 닐의 서머힐 스쿨은 인간 본성 신뢰, 행복 추구 교육, 자율로 나아가는 교육의 세 가지 이념을 바탕으로 아이들의 타고난 선함과 현실성을 믿고, 아이들을 있는 그대로 존중하면서 개성 있는 인물로 만들어 나갈 수 있다는 신념을 표명한 교육기관이다.

주요 저서

Neil, A. S. (1960). *Summerhill: A Radical Approach to Child Rearing*. New York: Hart Pub.

Neil, A. S. (1969). *The last man alive: A story for children from the age of seven to seventy*. Hart Pub. Company.

Neil, A. S. (2012). *A Dominie in Doubt*. New York: Hanppange: Nova Science Pub. Book.

달러드
[Dollard, John]

1900. 8. 29. ~ 1980. 10. 8.
심리학자이자, 미국 내 인종 관계에 대한 연구로 이름을 알린 사회과학자.

달러드는 1900년 위스콘신 메나샤에서 태어났다. 그의 어머니는 교사였고 아버지는 철도기술자였다. 어린 시절 달러드는 불의의 사고로 아버지를 잃고, 홀어머니 손에 크면서도 모범적인 학교생활을 하였다. 그는 1922년 위스콘신대학교를 졸업하고 1931년에 시카고대학교에서 사회학 박사 학위를 받았다. 학창 시절에 프로이트의 정신분석학에서 많은 통찰을 얻은 그는 베를린 연구소에서 정신분석훈련을 받기도 하였다. 박사학위를 받은 뒤, 달러드는 예일대학교 인류학, 사회학, 심리학부 등에서 강의 자리를 얻어 예일대학교 인간관계 연구소(Institute of Human Relations)에서 자리를 잡았다. 1942년부터 1945년까지는 미국 전쟁부(United States Department of War)에서 자문으로 봉사하였다. 이 시기에 달러드는 예일대학교 심리학자였던 동료 닐 밀러(Neal Miller)와 함께 '전쟁 상황하의 공포와 용기(Fear and Courage under Battle Conditions)'란 제목의 연구를 발표하였다. 이들의 연구는 현대의 전투상황하에서의 군인들의 두려움과 사기를 탐색한 것이었다. 스페인 시민전쟁 당시 에이브러햄 링컨 여단에 자원했던 퇴역 군인 300명을 대상으로 연구가 진행되었다. 인류학을 전공한 퇴역군인 존 뮤러(John Murra)가 질문지를 배포하고 수집하는 것을 도와주었으며, 이 연구는 1944년에 『Fear in Battle』로 출간되었다. 달러드는 1952년에 예일대학교 심리학부 교수가 되었고, 1969년에 정년퇴임을 하면서 명예교수가 되었다. 그러고는 1980년에 생을 마감하였다. 그의 연구들은 심리학적으로 인간을 이해하는 것이었다. 1937년에는 남부 흑인에 대한 연구를 하기도 하였다. 그는 사회심리학에 큰 공헌을 한 학습이론가로서, 행동에서 드러나는 문화적 차이를 연구하였다. 또한 좌절-공격 가설이라는 개념으로 공격적 행동에 대한 해석을 보여 주기도 하였다.

주요 저서

Dollard, J. (1937). *Caste and Class in a Southern Town*. New York: Random House. Anchor Books.

Dollard, J. (1961). *Frustration and Aggression*. Nordrhein-West falen: Cologne. Univ. Press.

데이비스
[Davis, Jesse Buttrick]

1871. ~ 1955.
학교 직업지도의 개척자.

데이비스는 미국 내 학교상담의 일인자로 평가받는 인물이다. 그는 학교에 체계적 지도 프로그램을 처음으로 시행하였는데, 미시간공립학교에서 시행한 연구로 1800년대 후반과 1900년대 초반의 직업지도 개발에서 주요 선구자가 되었다. 그는 1907년 영어 작문 교사는 주당 1회 학생들의 성격 발달 및 문제 예방 지도를 해야 한다는 제안을 하였다.

주요 저서

Davis, J. B. (1956). *The Saga of a Schoolmaster: an Important, Personal Account of American Secondary Education 1886~1950*. Boston Univ. Press.

Davis, J. B. (2010). *Vocational and Moral Guidance*. General Books LLC.

데일리
[Daley, Thelma]

미국상담협회 최초 유색인 여성 회장.

데일리는 메릴랜드 아나폴리스(Annapolis, Maryland)에서 태어났다. 메릴랜드에 있는 보위주립대학교를 19세의 나이로 졸업하고 뉴욕대학교에서 상담 및 인사관리로 석사 학위를 취득하였다. 이후 조지워싱턴(George Washington) 대학교에서 상담학으로 박사학위를 받았다. 데일리는 볼티모어 카운티 교육위원회(Baltimore County Board of Education)에서 지도 및 상담서비스부의 코디네이터로 일을 시작하여, 노스 센트럴 웨스턴 메릴랜드대학교, 위스콘신대학교, 하버드대학교 등에서 초빙교수로 재직하기도 하였다. 학창 시절에는 델타 시그마 세타(Delta Sigma Theta)에서 활동하였고, 이후로 여러 기관에서 수년간 매우 적극적인 활동을 펼쳤다. 1963년부터 1967년까지 국가 재무담당으로 봉사했으며 1971년에는 부총재, 1975년에는 총재의 자리까지 올라 4년 동안 총재 직무를 수행하였다. 또한 미국 학교상담협회(American School Counseling Association) 회장직을 1971년부터 1972년까지 맡았고, 1975년부터 1976년까지는 미국 인사 및 지도협회(American personnel & Guidance Association)에서 회장으로 일을 수행하였다. 이에 더하여 흑인대학기금연합(United Negro College Fund)에서도 활동적으로 참여하고 있으며, 전미유색인종지위향상협회(National Association for the Advancement of Colored People: NAACP) 내 여성 단체인 WIN의 대표직을 맡고 있다. 현재 데일리는 WIN과 더불어 영아 돌연사 증후군(Sudden Infant Death Syndrome)과 AIDS 예방을 위해 아프리카계 미국인 지역사회 홍보 활동을 적극적으로 펼치고 있다. 진로교육 국가자문위원회(National Advisory Council on Career Education)의 초대 여성 회장이 된 데일리는 다양성을 통한 통합을 주장하였다.

주요 저서

Daley, T., Feingold, N., & Katz, B. (1999). *Career Information Center*. Michigan: Gale. Pub.

델워스
[Delworth, Ursula]

1934. 10. 22. ~ 2000. 5. 24.
2000년에 미치오 재단(The Miccio Foundation)을 설립한 인물.

델워스는 캘리포니아 샌디에이고(Sandiego, California)에서 두 딸 중 맏이로 태어났다. 아버지가 미 해군 장교여서 여러 문화를 접할 기회가 많았고, 변화가 많았던 환경에 빠르게 적응하는 법을 배웠다. 델워스는 1956년 캘리포니아 주립대학교 롱비치에서 미술학과를 졸업하고, 수년간 캘리포니아에서 초등학교 교사로 일하다가 1962년에 캘리포니아 주립대학교 로스앤젤레스에서 미술학 석사를 취득한 뒤, 1969년에는 오리건대학교에서 상담심리학으로 박사학위를 취득하였다. 이후 콜로라도 주립대학교의 상담센터와 상담학부에서 박사 후 과정을 마쳤다. 그곳에서 델워스는 직접 상담을 경험하면서 강의를 하기도 하였고 집필도 하였다. 그리고 상담심리학자 역할을 개인적 차원의 개선에서 공동체 및 집단개입 수준에서의 예방적, 상담적, 발달적 활동에까지 확장시키는 데 기여한 상담사 차원의 기능 모델(Dimensions of Counselor Functioning Model)을 접하는 기회도 얻었다. 1970년대 초, 콜로라도대학교에서는 인종 및 민족성 문제에 관한 일이 많이 발생하였다. 델워스는 인종 간 연합 팀(interracial unity team)을 구성하는 일에 참여하여 그 같은 문제를 풀어 나가고자 하였다. 또한 대학 내 유일한 전문가 핫라인이었던 로드하우스(Roadhouse)에도 참여하고 있었다. 1976년 아이오와대학교의 교수가 된 델워스는 아이오와대학교의 대학상담서비스(University Counseling Service) 대표직을 맡았다. 이 시기에 그녀는 여러 동료와 함께 일하면서 수퍼비전 및 교육과정을 발전시켜 나갔다. 델워스는 이처럼 아이오와대학교 상담심리학 프로그램에서 강의 및 지도를 계속하는 등 활발한 활동을 이어 가다가 은퇴한 지 한 달 만인 2000년 5월 24일에 백혈병으로 사망하였다. 교수직에 있으면서도 주로 한 일은 아이오와의 존슨 카운티에서 동물보호를 위한 활동을 하는 것이었다. 그녀는 존슨 카운티 동물보호협회(Johnson County Humane Society)의 대표로 봉사하면서 동물보호 양육 프로그램 및 우나시 불임 수술 프로그램(Unash spay/neuter program)을 만드는 것에도 힘을 보탰다. 또한 아이오와 코럴빌 시 동물통제소 자문위원회(Animal Control Advisory Board for Iowa City/Coralville)의 회원이었으며, 그 외에도 아이오와 코럴빌 시의 많은 동물보호소에서 자원봉사를 하였다. 2001년 8월에는 아이오와 여성 명예의 전당(Iowa Women's Hall of Fame)에 사후에 이름을 올리게 되었다. 이외에도 미국 대학인사협회, 학생인사관리협회(American College Personnel Association) 등에서 상을 받았고, 미국심리학회, 상담심리학 부서에서 타일러상을 받았다. 상담학자로서 델워스는 다차원 상담구현에 힘썼으며, 교육자이자 임상가였고, 모델 빌더(model builder), 수퍼바이저, 자문위원, 편집자, 관리자 등의 경험도 가지고 있었다. 또한 역량 있는 저자로서 전문 심리학 분야에서 현재뿐만 아니라 미래의 방향까지 제시한 관점을 보여 주었다.

주요 저서

Delworth, U. (1974). *Student Paraprofessionals*. Washington: American College Personnel Association.

Delworth, U. (1978). *Training Competent Staff*. New York: New Jersey: Willy.

Delworth, U. (1979). *Consulting on Campus*. New York: New Jersey: Willy.

Delworth, U. (1980). *Student Services: A Handbook for the Profession*. New York: New Jersey: Willy.

Delworth, U. (1987). *Supervising Counselors and Therapist: A Developmental Approach*. New York: New Jersey: Willy.

Delworth, U. (2010). *IDM Supervision: An Integrative Developmental Model for Supervising Counselors and Therapists*. London; New York; Philadelphia: Taylor & Francis Group.

돈
[Don, Jackson]

1920. 1. 28. ~ 1968. 1. 29.
커뮤니케이션 학파의 거점이 되었던 MRI(mental research institute)를 설립한 정신의학자.

돈은 캘리포니아 주 멘로파크의 VA(퇴역 군인) 병원에 컨설턴트로 있었으며, 이때 베이트슨(Bateson) 등의 스탠퍼드 프로젝트에 참가하였다. 정신분열병자 가족의 커뮤니케이션을 특징짓는 '이중구속(double bind)' 이론의 형성에 기여한 돈은, 가족을 항상성(homeo-stasis)이라고 부르는 내적 평형상태에 의해서 유지되는 체계로 파악하고 그 역동적인 항상성 이론을 커뮤니케이션 이론으로 이행시켰다. 즉, 가족을 상호작용을 하고 있는 커뮤니케이션 네트워크로 간주한 것이다. 그의 가족이해는 따라서 가족 성원 간 상호작용의 패턴에 주목하고, 그 속에서 무엇을 묻고 있는가를 질서(규칙)의 파괴된 방식에서 관찰하고자 하였다. 가족체계에 의해 작동하고 있는 규칙을 가족 성원 자신이 지각할 수 있으면 규칙은 가족의 통제하에 놓이는 것이다. 돈이 행하는 가족치료의 목적은 가족 성원이 자신들의 지각을 의식(aware)하고 그것을 메타 수준에서 이야기하도록 하는 것이다. 즉, 자신들의 커뮤니케이션 버릇에 대해서 이야기할 수 있게 된다는 것이다. 돈은 일반체계이론을 만든 베르탈란피(Bertalanffy)의 연구에서도 영향을 받아 커뮤니케이션학파 중에서도 인지학파로 알려져 있다.

주요 저서

Lederer, W. J., & Don, J. (1968). *The Mirages of Marriage*. New York: Norton.

두스
[Douce, Louise Ann]

1948. ~
학생생활(Student Life)의 부대표이자 욘킨성공센터(Younkin Success Center)의 대표.

두스는 스스로 '소도시의 기독교 가족'이라고 표현하는 오하이오 남부 작은 농장의 목사 집안에서 태어나고 자랐다. 1960년대 후반 베트남 전쟁 중에 오하이오 주립대학교를 다녔는데, 두스에게 대학 시절은 거대한 사회적 변화의 시기라는 배경에 개인적 변화가 함께한 때였다. 그녀는 베트남 전쟁이 정당했다는 입장을 표명하기도 하였다. 1971년부터 1977년까지 미네소타대학원에서 상담심리학을 공부하고, 학생상담실에서 인턴으로 근무하였다. 그녀는 페미니스트 지도자적인 입장에 서서 성차별에 관한 경험을 많이 다루었다. 시대적 사상의 변환을 위해 영향력 있는 멘토가 절실하다고 생각한 두스는 스스로 그러한 자격을 갖추기 위해 노력하였다. 이에 따라 진로상담(Career Connection), 통근 업무(Commuter Affairs), 상담 및 자문 봉사(Counseling and Consultation Service), 학생복지센터(Student Wellness Center), 학생보건 서비스(Student Health Services), 학생보호센터(Student Advocacy Center), 학생사법업무(Student Judicial Affairs), 장애 서비스(Disability Services) 등 학생들의 성공을 강화해 주면서 이를 방해하는 장해물을 해결해 나가는 데 헌신하는 단체를 이끌어 나가고 있다. 두스는 대학원의 관리자가 되면서 1980년에는 박사학위 전 과정 학생들을 위한 교육 프로그램을 만들었고, 1987년에는 관리자의 자리에 올랐다. 두스가 이끌고 있는 욘킨성공센터는 학업적 업무, 학생생활, 운동, 교육 및 인간생태 학부 등과 협력하는 기관이다. 오하이오대학교에서 심리학으로 석사학위를 받고, 미네소타 대학교에서 상담심리학으로 박사학위를 받은 두스는 오하이오 주에서 대학 정신건강보호에 관한 일을 30여 년간 해 오고 있는 전문가다. 두스는 미국상담협회 제17분과인 상담심리학회(Society of Counseling Psychology)의 특별회원이며, 제35분과인 여성심리학회(Society for the Psychology of Women), 제44분과인 레즈비언, 게이, 양성애 및 성전환자 문제에 관한 심리학연구회(Society for Psychological Study of Lesbian, Gay, Bisexual and Transgender Issues), 제45분과인 소수민족 문제에 관한 심리학연구회(Society for the Psychological Study of Ethnic Minority Issues), 제52분과인 국제심리학회(International Psychology) 등의 회원이다.

ㄷ

뒤르카임
[Dürckheim, Karlfried Graf]

1896. 10. 24. ~ 1988. 12. 28.
독일의 외교관이고, 심리치료사이자 선사(禪師, Zen-Master).

1896년 독일 뮌헨에서 태어난 뒤르카임은 바바리안 귀족의 후손으로 부유한 집안이었지만 불경기가 닥쳐 가정 재정에 곤란을 겪었다. 20대 초반에 노자의 『道德經』을 접하고, 마이스터 에크하르트(Meister Eckhart)의 영향을 크게 받았다. 뒤르카임은 몇 년간 독일 북부 항구 도시인 킬에서 교수생활을 하다가 할머니가 유대인이었다는 사실이 밝혀지면서 요아힘 폰 리벤트로프(Joachim von Ribbentrop) 지휘하에 있던 나치 독일 외국인 사역의 외교관이 되었다. 1938년에는 일본으로 건너가 8년간 거주했는데, 제2차 세계 대전이 끝나고 도쿄가 미국에 점령된 뒤 1945년 10월에 체포되었다. 수가모 수용소(Sugamo Prison)에서 1년 반 동안 수감 생활을 했는데, 그때 명상과 수도를 직접 경험하여 기타가마쿠라에서 스즈키(D. T. Suzuki)를 만난 뒤 선(禪)을 미국 주류 사상으로 자리 잡도록 하는 데 기여하였다. 1950년대 초에는 마리아 히피우스(Maria Hippius)와 함께 '실존 및 심리적 형성과 조우 센터(Center of Existential and Psychological Formation and Encounter)'를 창설하기도 하였다. 1988년에 사망한 뒤르카임은 전통 선불교와 자신의 이론에 대한 차이를 드러내 보였다. 그의 이론은 '입문치료(Initiation Therapy)'라하는데, 이는 세속적이고 현실적인 '작은(little)' 자기, 즉 에고와 참된 자기(the true Self)의 만남을 다룬 것이다. 뒤르카임은 치료사는 치료를 하는 사람이 아니라 자신의 기술로 개입하는 사람이라고 하였다. 다시 말해, 치료사는 언어의 원 의미가 된다. 그는 서방세계에서 비전적 영적 전통을 자리 잡게 한 선구자이며, 심층심리학과 선불교를 이은 인물로 평가받고 있다.

주요 저서

Dürckheim, K. G. (1960). *The Japanese Cult of Tranquility*. New Jersey: Rider. Univ. Press.

Dürckheim, K. G. (1988). *The Way of Transformation: Daily Life as Spiritual Exercise*. London: Allern & Unwin.

Dürckheim, K. G. (1991). *Zen and Us*. Westminster: Arkana Publishing.

Dürckheim, K. G. (1992). *Absolute Living: The Otherworldly in the World and the Path to Maturity*. Westminster: Arkana Publishing.

Dürckheim, K. G. (1993). *The Call for the Master*. Westminster: Penguin Books.

Dürckheim, K. G. (2004). *Hara: The Vital Center of Man*. Rochester; Vermont: Inner Traditions.

뒤르켐
[Durkheim, Emile]

1858. 4. 15. ~ 1917. 11. 15.
프랑스의 사회학자이자 교육학자.

뒤르켐은 프랑스 로렌 에피날(Epinal in Lorraine)의 유대인 집안에서 태어났다. 아버지와 조부, 증조부가 모두 유대의 정신적 지도자인 랍비였다. 뒤르켐은 랍비학교를 다니다가 가족의 족적을 따르지 않기로 마음먹고 학교를 옮겼지만, 자신의 뿌리를 완전히 버리지는 않았다. 그는 파리 고등사범학교

를 졸업하고 보르도에서 교수생활을 시작하여 파리 소르본대학교의 교수가 되었다. 1917년 59세의 나이로 생을 마감한 그는 사회학의 아버지로 불리고 있다. 뒤르켐은 사회학을 과학의 한 분야로 인정받을 수 있도록 한 사람인데, 보르도대학교에 사회학부를 만들어 프랑스 대학 교육과정에 '사회과학(Science Sociale)'이 채택되도록 하였다. 이러한 뒤르켐은 마르크스(Marx)와 베버(Weber)와 함께 사회학의 기초를 놓았다는 평가를 받는다. 그는 인간의 사회문제를 생물학 혹은 심리학적 관점으로 해석하지 않고, 사회구조적 요인에 초점을 맞추어 사회적 실재는 개인이 아닌 집단에 있다는 주장을 하면서, 사회적 사실은 개인적 사실로 환원될 수 없음을 설파하였다. 사회적 사실로서 사회현상을 분석하는 방법론을 발전시켜 나간 그의 방법론은, 사회적 사실을 관찰하고 분석하도록 하는 규칙을 정립하는 것으로 구성되어 있다. 그는 사회적 사실을 마치 사물처럼 객관적 태도로 관찰하였다. 뒤르켐은 사회학자는 외적 측면에서 존재를 추론해 낼 수 있는 사회적 사실에 관심을 가져야 한다고 주장했으며, 그러기 위해서는 선입견을 배제해야 한다고 말하였다. 그는 사회학의 고유 방법론 확립에 크게 기여했으며, 이를 바탕으로 해서 분업, 자살, 가족, 국가, 사회정의 등 그 시대 서구사회가 직면한 사회적 문제의 본질에 대한 탐색을 그치지 않았다. 뒤르켐은 콩트(Comte)가 내놓은 실증철학을 재정비하여 인식론적 사실주의 및 가설-연역적 모델(hypothetico-deductive model)로 발전시켰다. 그에게 사회학이란 직관의 과학이었으며, 사회학의 목표는 구조적인 사회적 요인을 밝히는 것이었다. 이처럼 뒤르켐은 구조적 기능주의의 핵심 인물 중 한 사람이기도 하다. 그의 관점에서 사회과학은 완전히 전체주의적인 것이다. 그의 실증적 방

법에 입각한 사회학은 후에 뒤르켕학파라고 불리는 연구집단을 형성하여 학계에 광범위한 영향을 미쳤다. 그의 실천적 관심은 급속한 산업화에 따른 사회적 대립, 분열, 무규제(apathy) 등의 개념에도 미쳐, 중간 집단 창설, 도덕적 질서 재건 등을 통하여 사회개혁 및 재조직화 방안을 찾고자 하는 노력을 기울였다.

주요 저서

Durkheim, E. (1893). *The Division of Labor in Society*. New York: The Free Press of Glencoe.

Durkheim, E. (1924). *Sociology and Philosophy*. London: Routledge.

Durkheim, E. (1955). *Pragmatism and Sociology*. Cambridge: Univ. Press.

Durkheim, E. (1992). 종교생활의 원초적 형태[*The Elementary Forms of Religious Life*]. (노치준 외 역). 서울: 민영사. (원저는 1912년에 출판).

Durkheim, E. (1993). *Ethics and the Sociology of Morals*. New York: Prometheus Books.

Durkheim, E. (2001). 사회학적 방법의 규칙론[*Rules of the Sociological Method*]. (윤병철 외 역). 서울: 새물결. (원저는 1895년에 출판).

Durkheim, E. (2008). 자살론[*Suicide: A Study in Sociology*]. (황보종우 역). 경기: 청아출판사. (원저는 1897년에 출판).

듀세이
[Dusay, John M.]

에고그램을 창안한 교류분석학자.

듀세이는 교류분석 창시자인 에릭 번(Eric Berne)의 동료이자 제자로서 자아상태 기능에 관한 에너지양을 도표로 나타낸 에고그램(Egogram)을 창안하였다. 그는 교류분석의 고전학파에 속하고, 집단치료를 선호하였다. 집단치료를 할 때 치료사는 내담자에게 어버이적인 메시지를 주는 것이 가장 중요한 기능이라고 하면서, 이를 효과적으로 실행하기 위해서 허가(permission), 보호(protection), 능력(potency) 등을 사용하였다. 듀세이는 1970년 번이 사망한 이후 효과적인 치료방법을 위해서 복잡한 사람의 성격을 다섯 가지 영역으로 구분하여 쉽게 분석할 수 있도록 표준화하고 1972년에 에고그램을 발표하였다. 에고그램이란 번의 자아상태 개념을 구체화하여 기능별 자아상태 에너지의 양을 듀세이가 직관으로 측정하여 막대그래프로 그려 낸 것이다. 비판적인 마음 CP, 용서하는 마음 NP, 어른의 마음 A, 자유로운 어린이의 마음 FC, 순응하는 마음 AC 등 다섯 가지 마음의 비율이 개인의 성격을 결정한다는 것이 듀세이의 기본 이론이다. 듀세이는 최초 발표된 번의 이론에서 자아상태에 대한 내용(What)은 나와 있지만 자아상태 기능에 따른 에너지양(How much)에 대한 부분이 없었다고 말하였다. 듀세이는 에고그램이 성격변화와 성장을 도모하는 것을 목적으로 하여 자신을 보다 잘 이해하기 위한 도구로 사용되어야 한다고 주장하였다.

주요 저서

Dusay, John M. (1977). *Egograms: how I See you and You see me*. New York: Harper Collins.

듀이
[Dewey, John]

1859. 10. 20. ~ 1952. 6. 1.
미국의 철학자이자 심리학자이며 교육자.

버몬트의 벌링턴에서 태어난 듀이의 아버지 아치

볼드(Archibald)는 3대째 내려오던 농부로서의 가족 전통을 버리고 벌링턴이라는 작은 도시에서 식품 잡화상이 되었다. 듀이의 어머니인 루시나(Lucina)의 가족도 농업에 종사하고 있었다. 아치볼드는 시민전쟁 당시 연합군에 가담하여 식료품 사업을 했지만 종전 이후에는 담배가게를 열었다. 듀이의 형제 중 맏형은 어렸을 때 사망하고, 남은 듀이를 비롯한 3형제는 공립학교에 입학해서 모두 벌링턴에 있는 버몬트대학교에 들어갔다. 대학 시절 듀이는 퍼킨스(G. Perkins)의 가르침과 유명한 영국의 진화론자인 헉슬리(T. Huxley)의 저서 『Lessons in Elementary Physiology』을 통하여 진화론을 알게 되었다. 자연선택설은 평생 듀이의 사상에 영향을 미쳤다. 듀이가 버몬트대학교를 다니던 시절에는 스코틀랜드 사람들의 현실주의 학파가 주조를 이루고 있었는데, 듀이는 그 사상을 받아들이지 않았다. 하지만 졸업 전후 철학 스승인 토레이(H. Torrey)와의 친분을 유지하면서 철학적 관심을 점차 넓혀 나갔다. 1879년에 대학을 졸업한 듀이는 고등학교에서 2년간 교편을 잡았는데, 그때부터 철학을 전공하겠다는 마음을 먹었다. 그는 큰 포부를 안고 당시 철학 학술지 『Journal of Speculative Philosophy』의 편집자였던 해리스(W. Harris)에게 철학적 에세이를 보냈다. 그 글로 해리스의 인정을 받은 듀이는 볼티모어로 가서 존스홉킨스대학교 대학원에 진학하였다. 1884년 현재는 소실된 「The Psychology of Kant」이라는 주제의 논문으로 박사학위를 받은 뒤, 1884년부터 1888년까지 미시간대학교에서, 1888년 한 해는 미네소타대학교에서, 1889년에는 다시 미시간대학교에 돌아가 강의를 맡았다. 1894년에는 시카고대학교에서 철학, 심리학, 교육학부의 학부장이 되었다. 이후 1899년에 미국심리학회(American Psychological Association)의 대표로 선출되었고, 1905년에는 미국철학협회(American Philosophical Association)의 대표가 되었다. 1905년부터 1929년까지는 컬럼비아대학교에서 강의를 하였고, 1939년까지 명예교수로 있었다. 컬럼비아대학교 재직 시절 듀이는 철학자로서, 사회학 및 정치학 이론가이자 교육자문으로서 전 세계를 돌아다녔다. 1919년부터 1921년까지는 일본과 중국에서, 1924년에는 터키를 방문하여 교육정책에 대한 조언도 하였다. 그러면서도 듀이는 미국의 사회적 문제점에 대한 관심도 늘 가지고 있었다. 더불어 교육 및 국제 정치, 그 외의 사회운동 등에 관한 국내문제에서도 탁월한 사상을 보여 주었다. 컬럼비아대학교에 재직한 동안 듀이는 인식론(theory of knowledge), 형이상학 등에 관한 수많은 논문을 비롯한 저서를 출간하기 시작하였다. 교육론에 대한 책도 다수 출판하였다. 이외에도 대중과 시사적인 문제에 대한 이론에서도 명성을 얻었고, 은퇴 이후에도 활발한 활동과 집필을 멈추지 않았다. 만년까지 활발하게 집필활동을 한 듀이는 1952년에 사망하였다. 그는 실용주의의 대표적인 철학자로서, 탐구나 이론보다는 행동을 우선하는 실천적 연구에 집중하여 인간학을 수립하고자 하였다. 그는 미국 지성의 역사에서 중요한 자리를 점한 인물로서 미국의 20세기 주요 인물 중 한 사람으로 손꼽힌다. 그의 학문은 철학, 심리학, 교육학, 정치학, 사회사상 등을 넘나들었고, 그의 철학은 실천적 이상주의 혹은 도구주의로 불린다. 그의 다양한 업적은 1946년 오슬로대학교, 펜실베이니아대학교, 1951년 예일대학교, 로마대학교 등 유수의 학교에서 받은 명예박사 학위만으로도 증명이 될 것이다. 듀이의 저서는 남부 일리노이대학교 출판부에서 전 37권, 3세트 전집으로 사후의 작품까지 출판해 놓았다.

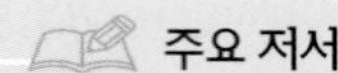

주요 저서

Dewey, J. (1916). *Essays in Experimental Logic*.

Chicago: Univ. Press.
Dewey, J. (1922). *Human Nature and Conduct*. New York: Henry Holt & Co.
Dewey, J. (1927). *Experience and Nature*. New York: Dessinger Pub.
Dewey, J. (1929). *The Quest for Certainty*. New York: Carpicorn Books.
Dewey, J. (1934). *A Common Faith*. Connecticut: Yale University Press.
Dewey, J. (1938). *Logic: The Theory of Inquiry*. North Dakota: Henry Holt & Com.
Dewey, J. (1951). *The influence of Darwin on philosophy and other essays in contemporary thought*. Smith.
Dewey, J. (1976). *Knowing and the Known*. Greenwood Press.
Dewey, J. (1989). *Freedom and Culture*. New York: Prometheus Books.
Dewey, J. (2002). 아동과 교육과정 경험의 교육[*Experience and Education*]. (박철홍 역). 서울: 문음사. (원저는 1938년에 출판).
Dewey, J. (2003). 경험으로서의 예술[*Art as Experience*]. (이재언 역). 서울: 책세상. (원저는 1934년에 출판).
Dewey, J. (2007). 민주주의와 교육[*Democracy and Education*]. (이홍우 역). 경기: 교육과학사. (원저는 1916년에 출판).
Dewey, J. (2010). 철학의 재구성[*Reconstruction in Philosophy*]. (이유선 역). 서울: 아카넷. (원저는 1920년에 출판).
Dewey, J. (2010). 현대 민주주의와 정치 주체의 문제[*The Public and its Problem*]. (홍남기 역). 서울: 씨아이알. (원저는 1927년에 출판).
Dewey, J. (2010). 흥미와 노력[*Interest and Effort in Education*]. (조용기 역). 대구: 교우사. (원저는 1913년에 출판).
Dewey, J. (2011). 교육의 도덕적 원리[*Moral Principles in Education*]. (조용기 역). 대구: 교우사. (원저는 1909년에 출판).
Dewey, J. (2011). 자유주의와 사회적 실천[*Liberalism and Social Action*]. (김진희 역). 서울: 씨아이알. (원저는 1935년에 출판).
Dewey, J. (2011). 하우 위 싱크: 과학적 사고의 방법과 교육[*How We Think*]. (정회욱 역). 서울: 학이시습. (원저는 1910년에 출판).

드라이커스
[Dreikurs, Rudolf]

1897. 2. 8. ~ 1972. 5. 25.
아들러의 이론을 임상과 교육현장에 적용한 대표적인 개인심리학 정신의학자.

드라이커스는 오스트리아 비엔나에서 태어났다. 1937년 미국으로 이주한 그는 일리노이의 시카고에서 죽음을 맞이할 때까지 사회에 수많은 공헌을 하였다. 그는 아들러(Adler)의 가장 가까운 동료이자 제자로서, 1939년 아들러가 사망할 때까지 스코틀랜드에서 강의를 마치도록 곁에 머물기도 하였다. 아들러의 사후, 드라이커스는 아들러의 개인심리학을 감옥, 학교, 보건센터 등에서 강의하면서 아들러의 이론을 실제의 장으로 확장시키고자 하는 자신의 사명을 진작시켰다. 1964년, 드라이커스는 비키 솔츠(Vicki Soltz)와 함께 『Children: The Challenge』을 출간하였고, 1968년에는 로렌 그레이(Loren Grey)와 함께 『A Parent's Guide to Child Discipline』를 출간하였다. 드라이커스는 아들러와 마찬가지로 격려(encouragement)가 행동 및 인간관계 개선에 핵심적인 요소라고 믿었다. 그는 모든 행위에는 목적이 있다고 생각했는데, 그의 가장 큰 공헌은 아들러 이론을 실제 임상에 적용하는 방법을 개발 · 확장했다는 점이다. 1952년에 드라이커스는 현재 아들러 전문심리학회(Adler School of Professional Psychology)로 개명된 알프레드 아들러 연구소(Alfred Adler Institute)를 시카고에 창설하였다. 이 연구소에서는 아들러식 교육 프로그램을 미국 및 캐나다 등지에 전파시켰다. 아들러 학회는 아들러의 원칙과 개념을 사회문제를 해결해 나가는 데 지속적으로 적용시켜 나갔다. 드라이커스는 후에 최초로 미국에 아들러 아동지도센터(Adlerian Child Guidance Center)를 설립하고 많은 나라에서 온 상담사를 훈련하기도 하였다. 또한 나중에는 전 세계적으로 아들러-드라이커스 가족센터(Adlerian-Dreikursian Family Centers)의 지부를 설립하였다. 1972년 사망한 드라이커스는 아들러의 개인심리학을 아동 비행의 목적에 대한 이해와 처벌이나 보상 없이 협력적 행위를 자극할 수 있도록 하는 실용적 방법으로 개발한 인물이다. 그는 인간의 비행은 그 사람이 속한 사회집단에 대한 소속감의 결여로 나타난다고 보았다. 이로 인해 아동은 잘못된 관심(undue attention), 힘(power), 복수(revenge) 혹은 회피(avoidance), 부적절함(inadequacy) 등 네 가지 '잘못된 목표(mistaken goals)'를 가지고 행위를 한다는 것이다. 드라이커스의 전반적인 목표는 학생들이 처벌이나 보상 없이 교실이라는 환경에서 자신이 가치 있는 인물이라는 생각을 가지고 합리적인 협력을 배워 나가도록 하는 것이다. 그는 첫 번째 사회적 환경으로 가족을 들었는데, 이는 교육이 일어나는 장소이며 학교라는 환경은 가족의 확대 개념으로 볼 수 있다는 것이다. 가정 내 인간관계를 중시한 그는 아들러 이론으로 부모교육 연구모임을 이어 나가면서, 사회적 평등과 사회적 흥미 원칙에 기초한 민주적 생활양식으로 발전시켜 가며 가족 간에 관계를 향상하는 데 주력하였다. 드라이커스에 따르면 민주적 가족관계는 서로 밀접하면서도 서로에게 예의를 지키고, 부모는 지역사회 내 활동으로 가족에게 긍정적인 영향을 미칠 수 있는 관계가 된다. 또한 가족은 구성원 간에 상호 자극을 줄 수 있는 선의의 경쟁자로서의 역할을 하여 아동의 특성을 향상시키고, 협동의 중요한 덕목을 배우고 실천해 보는 곳이다.

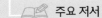

주요 저서

Dreikurs, R. (1946). *The Challenge of Marriage*. New York: Hawthorn Books.

Dreikurs, R. (1953). *Fundamentals of Adlerian Psychology*. Chicago: Alfred Adler Institute.

Dreikurs, R. (1964). *Children: The Challenge*. New York: Hawthorn Books.

Dreikurs, R. (1966). *Maintaining Sanity in the Classroom: Classroom Management Techniques*. New York: Hawthorn Books.

Dreikurs, R. (1967). Psychodynamic, Psychotherapy, and Counseling. Chicago: Alfred Adler Institute.

Dreikurs, R. (1968). Psychology in the classroom. (2nd ed.). New York: Harper and Row.

Dreikurs, R. (1971). Social Equality: The Challenge of today. Chicago: Henry Regnery.

Dreikurs, R. (1974). *Family Council*. Chicago: Henry Regnery.

Dreikurs, R. (1991). *The Challenge of Parenthood*. Plume.

Dreikurs, R. (2007). 눈물 없는 훈육: 교실에서 갈등 감소 및 협력을 구축하는 방법[*Discipline Without Tears: How to Reduce Conflict and Establish Cooperation in the Classroom*]. (최창선 역). 서울: 원미사. (원저는 1972년에 출판).

Dreikurs, R., & Gray, L. (1968). Logical consequence. New York: Hawthorn Books.

드베커
[De Becker, Gavin]

1954. 10. 26. ~
정부 및 대기업, 연예인 등의 안전문제에 관한 전문가.

드베커는 미국 대법원(Supreme Court of the United States)의 판사들, 미국 의원, 중앙정보국(Central Intelligence Agency, CIA) 등에 대한 화면위협(screen threats)에 활용되었던 MOSAIC

위협평가체계(MOSAIC Threat Assessment Systems)를 고안한 인물이다. MOSAIC는 미국 연방보안관과 협력하여 연방 판사 및 기소 검사들에게 행해지는 모든 위협을 평가하는 데 활용되고 있다. 드베커는 『The Gift of Fear』『Protecting the Gift』『Fear Less』 등의 유명 저서의 저자이기도 하다. 이 책에서 그는 위협을 당하는 사람을 도와줄 수 있는 사례, 문제 예방을 위해서 제거해야 할 피고용인을 고용주가 대우하는 방법 등을 기술하였다. 또한 그는 아동의 성학대 같은 문제도 함께 다루었다. 그는 UCLA 공보학부(School of Public Affairs) 선임교수, 랜드연구소(Rand Corporation)의 공공안전 및 정의 문제에 대한 선임자문으로 활동 중이며, 최근에 출간한 『Just 2 Seconds』에서는 위기에 처한 사람들을 보호하는 직업군의 사람들에게 필요한 지도안을 제시하였다.

주요 저서

De Becker, G. (1997). *The Gift of Fear.* Boston: Little, Brown & Com.

De Becker, G. (1999). *Protecting the Gift.* New York: Dial Press.

De Becker, G. (2002). *Fear Less.* Boston: Little, Brown & Com.

De Becker, G., Talyor, T. A., & Jeff, M. (2008). *Just 2 Seconds.* Boston: Studio Little, Brown & Com.

드보노
[De Bono, Edward Charles Francis Publius]

1933. 5. 19. ~
의사이자 발명가인 동시에 상담사.

드보노는 몰타(Malta)의 상류층 집안에서 태어났다. 아버지는 대영제국훈장(Commander of the Order of the British Empire: CBE)을 받은 적이 있는 의사

였고 어머니는 지적인 저널리스트였다. 드보노는 몰타의 성에드워드(St. Edward) 대학을 다니면서 천재라 불릴 정도로 우수하여 15세에 졸업을 하였다. 이후 몰타대학교에서 의학을 전공하고 옥스퍼드대학교에서 로즈 장학생(Rhodes Scholar)으로 심리학과 생리학을 전공하여 석사학위를 취득하였다. 그는 운동에도 소질이 있어서 옥스퍼드대학교 조정과 폴로 대표 선수였다. 박사학위는 케임브리지 트리니티대학교에서 의학박사, 왕립멜버른기술학교(Royal Melbourne Institute of Technology)에서 디자인 박사(Doctor of Design), 던디대학교에서 법학 박사를 취득하였다. 의학연구회(Medical Research Society)와 애서니엄 클럽(Athenaeum Club) 등의 회원인 드보노는 옥스퍼드, 케임브리지, 런던, 하버드 등과 같은 대학교 교수를 역임하였고, 현재는 몰타, 프레토리아, 센트럴 잉글랜드, 더블린 주립대학교 등의 교수로 있을 뿐만 아니라 미국의 피닉스에 있는 첨단과학기술대학교(University of Advancing Technology)의 다빈치 교수(Da Vinci Professor)로 재직 중이다. 그는 또 2009년 유럽 창조와 혁신의 해(European Year of Creativity and Innovation)를 위한 27명의 대사 중 한 사람이기도 하였다. 2005년에는 경제학 부문 노벨상 후보에도 올랐다. 조세핀 홀화이트(Josephine Hall-White)와 결혼하여 2명의 아들을 둔 그는 프로방스에 대저택을 소유하고 있으며, 바하마 등에 자기 소유의 섬이 있는 등 엄청난 부호다. 1969년에는 인지연구신탁(Cognitive Research Trust, CoRT)을 만들어 자신의 사상에 근거를 둔 자료를 양산하고 신장시켜 나가고 있다. 그가 집필한 82권의 저서는 41개 언어로 번역되어 세계에 보급되었다. 그는 정부기관을 비롯한 여러 공적, 사적 기관에 자신의 사상을 심었으며, 몰타에 본부를 둔 신사고 세계센터(World Center for New Thinking)를 창

설하기 위해 기반을 다지고 있다. 1995년 드보노는 미래 지향의 다큐멘터리 영화인 '2040: 에드워드가 제시한 가능성(2040: Possibilities by Edward de Bono)'을 만들었는데, 이는 2040년이란 미래시대에 세계가 완전히 얼음으로 뒤덮인 때에서 벗어난 사람들의 이야기를 들으면서 이를 대비하기 위한 강의 형태로 되어 있다. 드보노는 신중한 사고기술의 영역을 개발하여, 신중한 행위로서 사고를 강조하였다. 그의 기술은 IBM, DuPont 등의 회사에서 사용하고 있다. 이 같은 드보노 사상의 핵심 개념은 논리적이며 선형적이고 비판적인 사고는 한계가 있다는 것이다. 그는 여러 저서를 통해서 창의적 사고에 더욱 중요한 것은 꼼꼼하게 설계를 하는 것이라고 역설하였다. 그는 수평적 사고는 창조성과 혁신에 관한 일반적인 개념과는 다른 것이며, 순수 수직적 논리와 순수 수평적 사고는 상당히 큰 차이가 있다고 말하였다. 사고의 문제는 인식적인 것이 대부분이라고 말하면서, 새로운 사고를 형성하고 설계하는 것은 단순히 변화하는 것과는 다르다고 밝혔다. 그는 CoRT와 DATT(Direct Attention Thinking Tools)란 이름하에 주의집중을 위한 수단을 보여 주었다. 또한 더 드보노 코드(The de Bono Code)와 같은 새로운 체계를 계속해서 실험하고 있다. 그의 여러 가지 다양한 도구는 한데 어우러져 실용적 해결책을 제시해 주기도 한다. 그는 인간의 언어가 인간발달에서 가장 큰 도움을 주는 요소면서 가장 큰 장벽이 되기도 한다고 주장하였다. 그리고 드보노는 L게임(L Game)이라는 간단한 놀이를 발명했는데, 이는 다른 사물이 비슷한 기능을 수행할 수 있는 방법들을 참여자들이 찾아내는 것이다. 그런데 언어가 인간발달에 가장 큰 장벽이 된다는 드보노의 견해는 여러 언어학자의 비판을 받기도 한다.

주요 저서

De Bono, E. (1972). *Children Solve Problems*. London: Penguin Books.

De Bono, E. (1990). *Conflict: A Better Way to Resolve Them*. Intl Center for Creative Thinking.

De Bono, E. (1990). *Mechanism of Mind*. Intl Center for Creative Thinking.

De Bono, E. (1990). *The Happiness Purpose*. London Penguin Books.

De Bono, E. (1990). *Thinking Skills for Success*. Paradigm Pub Intl.

De Bono, E. (1992). *I Am Right You Are Wrong*. London: Penguin Books.

De Bono, E. (1992). *Opportunities: A Handbook of Business Opportunity Search*. London: Penguin Books.

De Bono, E. (1992). *Practical Thinking*. London: Penguin Books.

De Bono, E. (1992). *Teaching Thinking*. London: Penguin Books.

De Bono, E. (1992). 수평적 사고 5일간의 코스[*The 5-day Course in Thinking*]. 서울: 한국능률협회. (원저는 1983년에 출판).

De Bono, E. (1993). *Future Positive*. London: Penguin Books.

De Bono, E. (1993). *Handbook for the Positive Revolution*. London: Penguin Books.

De Bono, E. (1993). *Serious Creativity: using the Power of Lateral Thinking to Create New Ideas*. London: Harper Business.

De Bono, E. (1993). *Water logic*. McQuaig Group.

De Bono, E. (2000). *New Thinking for the New Millennium*. New Millennium Entertainment.

De Bono, E. (2002). *Tactics*. London: Profile Books.

De Bono, E. (2002). 행동이 척척 여섯 색깔 신발[*Six Action Shoes*]. (송경근 역). 서울: 한언 출판사. Pub. (원저는 1996년에 출판).

De Bono, E. (2005). 드 보노의 수평적 사고[*Lateral Thinking: Creativity Step by Step*]. (이은정 역). 서울: 한언. (원저는 1973년에 출판).

De Bono, E. (2008). *Creativity Workout*. New York Ulysses Press.

De Bono, E. (2010). *Think!: Before It's Too Late*.

London Random House UK.

De Bono, E. (2010). 생각의 공식[*De Bono's Thinking Course*]. (서영조 역). 서울: 더난출판사. (원저는 1994년에 출판).

De Bono, E. (2011). 생각이 솔솔 여섯 색깔 모자[*Six Thinking Hats*]. (정대서 역). 서울: 한언. (원저는 1999년에 출판).

드세이저
[De Shazer, Steve]

1940. 6. 25. ~ 2005. 9. 11.
심리치료사이자 해결중심치료의 창시자.

드세이저는 미국 밀워키(Milwaukee)에서 태어났다. 당시 밀워키 지역은 독일계와 폴란드계 등 소수민족이 모여 사는 곳으로, 드세이저는 어린 시절을 다문화적 환경에서 자랐다. 본인도 엘자스계, 스페인, 포르투갈계 유대인, 독일계 등의 혈통이었다. 건축에 관심이 많았던 드세이저는 미술사, 건축, 철학 등을 공부하다가, 1971년에 캘리포니아의 팔로 알토(Palo Alto)로 가서 사회학과 심리치료에 심취하게 되었다. 특히 그는 헤일리(Haley)의 심리치료에 깊은 관심을 보였다. 당시 팔로 알토에서는 이미 에릭슨적인 접근법을 바탕으로 한 단기치료 치료법이 발달하고 있었다. 그곳에서 장래 배우자이자 평생의 동료가 되는 한국인 김인수를 만났다. 드세이저는 원래 고전 음악을 했었고 재즈 색소폰 연주자였다. 위스콘신 밀워키대학교에서 파인 아트(Fine Arts)를 전공한 그는 석사학위는 사회복지학으로 받았다. 이후 팔로 알토에 있는 정신건강연구소의 단기치료센터에 들어갔다. 드세이저는 헤일리의 전략적 접근과 에릭슨(Erickson)의 최면요법 개념에서 자신만의 단기치료 개념을 발전시켜 나갔는데, 이 같은 개념은 1975년에 『Family Process』이라는 학술지에 「단기치료: 두 사람의 조합」이라는 제목으로 발표하였다. 그는 연구를 계속하면서 팔로 알토에 있는 MRI의 위클랜드(Weakland)와 교류하고, 셀비니-팔라촐리(Selvini-Palazzoli)하에 있는 밀라노파의 체계적 접근도 함께 적용해 가면서 자신의 모델을 수정해 나갔다. 1978년 드세이저는 아내인 인수 김 버그(Insoo Kim Berg)와 함께 위스콘신의 밀워키에서 단기 가족치료센터(Brief Family Therapy Center: BFTC)를 만들었다. '단기 가족치료'라는 명칭으로 시작된 그의 연구는 1982년부터 '해결중심 단기상담'이라는 공식적인 명칭을 갖게 되었다. 이후 그는 아내와 함께 1980년대 중반부터 미국뿐만 아니라 유럽, 아시아 등에서 수많은 초청 강연과 워크숍, 교육 과정 등을 수행해 나가다가 2005년 비엔나에서 사망하였다. 그의 주요 저서 6권은 14개 국어로 번역되었으며, 그 외에도 수많은 논문을 출판했을 뿐만 아니라 국제적 강연회도 많이 열었다. 이 같은 드세이저는 위크랜드를 평생 정신적 지도자로 생각하면서 친분을 유지하였다. 드세이저가 주창한 해결중심단기치료는 그때까지 내담자 문제의 원인을 분석하고 설명하는 데 초점을 두고 있던 전통적인 치료모델과는 달리 효과적인 치료기술과 회기 중에 해야 할 과제 등을 연구하였다. 일방경 뒤에서 치료과정을 관찰할 수 있도록 장치한 뒤 주 치료사가 관찰팀과 협의하여 내담자에게 도움이 되는 모든 요소를 탐색하는 방안을 모색하기도 하였다. 드세이저의 방식은 문제발견에 초점을 두는 것이 아니라 문제가 되지 않았던 예외상황 발견에 주력하여 내담자가 간과한 경험 속에서의 문제해결능력 탐색에 집중하는 것이다. 즉, 해결중심단기치료는 내담자의 강점을 중심으로 한 개입모델로, 내담자가 스스로 자신의 문제를 해결할 수 있는 지식, 자원, 해결책을 갖고 있다고 믿는다. 지난 20여 년 동안 오핸론(B. O'Hanlon), 크랄(R. Kral), 립칙(E. Lipchik), 밀러

(S. Miller), 와이너데이비스(Weiner-Davis) 등의 임상가들이 단기 가족치료센터에서 훈련을 받았고, 이 모델 발전에 크게 기여해 왔다. 현재 해결중심상담은 학교, 병원, 상담, 자원봉사, 치료집단, 보호관찰, 사회사업팀 등 여러 분야에서 광범위하게 사용되고 있다. 또한 증상별로도 알코올중독, 범죄, 마약 중독, 스트레스 등 여러 증상에 효과적인 방법으로 활용된다.

주요 저서

De Shazer, S. (1982). *Keys to solution in brief therapy*. New York: Norton.

De Shazer, S. (1982). *Patterns of brief family therapy: an ecosystemic approach*. New York: Guilford Press.

De Shazer, S. (1984). The death of resistance. *Family Process, 23*, 11-21.

De Shazer, S. (1986). *Indirect approaches in therapy*. Aspen Pub.

De Shazer, S. (1988). *Clues: investigating solutions in brief therapy*. New York: Norton.

De Shazer, S. (1991). *Putting difference to work*. New York: Norton.

De Shazer, S. (1993). Creative misunderstanding: There is no escape from language. In S. Gilliganaud R. Price (Eds.), *Therapeutic conversations*. New York: Norton.

De Shazer, S. (1994). *Words were originally magic*. Norton.

De Shazer, S. (2011). 해결중심 가족치료의 오늘[*More than miracles: the state of the art of solution focused brief therapy*]. (송성자 외 역). 서울: 학지사. (원저는 2007년에 출판).

디커브랜다이즈 [Dicker-Brandeis, Friedl]

1898. 7. 30. ~ 1944. 10. 9.
나치의 아우슈비츠-비르케나우 유대인 몰살수용소(extermination camp Auschwitz-Birkenau)에서 죽음을 맞은 오스트리아 화가이자 미술치료사.

디커브랜다이즈는 오스트리아의 비엔나(Vienna)에서 가난한 유대인 가정에서 태어났다. 3세에 어머니가 사망하고 문구점 일을 돕던 아버지 밑에서 성장하다가, 16세 때 아버지가 재혼한 뒤 아버지와 의붓어머니와의 갈등에서 벗어나려고 가출을 하였다. 당시 비엔나는 제1차 세계 대전 중 혼란 속에 있었다. 그녀는 그래픽 실험학교에서 사진술과 인쇄술을, 비엔나 왕립 응용미술학교에서 직조를 배웠는데 이때 그녀의 사상에 커다란 영향을 미친 두 인물을 만났다. 한 사람은 아이들의 창조성과 자유로운 자기표현을 중시하는 미술교육을 행한 프란츠 치젝(Franz Cizek)이며, 또 한 사람은 화가이자 신비주의자였던 요하네스 이텐(Johannes Itten)이다. 이텐은 1919년 왕립 바우하우스가 비엔나에 설립되었을 때 바로 초청되었다. 디커브랜다이즈는 이텐을 따라 바우하우스에 들어가 이텐이 사상적 문제로 추방된 1923년까지 그곳에서 배웠다. 그녀는 엄청난 에너지를 발휘하여 인쇄술, 금속 가공, 직물 등 많은 기술을 습득한 뒤 바우하우스에서 교편을 잡았다. 이후 바우하우스를 떠나 1934년에는 반파시즘 운동에 참여하다 체포되어 단기간이지만 투옥되었다. 석방된 후에는 당시 많은 피난민들과 정치 망명객이 유입되어 있던 프라하로 이주하였다. 그곳에서 디커브랜다이즈는 크레이머(Kramer)와 함께 난민 아이들에게 그림을 가르치기 시작하였다. 1936년, 파벨 브랜다이즈(Pavel Brandeis)와 결혼하고, 1942년부터 1944년까지는 유대인이라는 이유로 테레진(Terezin)

강제수용소에 수용되었다. 그곳에서 그녀는 예술가로서, 그리고 교육자로서의 자질을 전면적으로 발휘하였다. 수백 명의 아이들에게 정신적으로 상처받은 내적 세계를 그림을 통하여 회복시키고자 한 것이다. 그녀는 수업에서 아이들이 자존심을 가지게 하고, 이 비참한 환경에서 살아가는 묘미와 아름다움을 드러낼 수 있도록 도와주었다. 디커브랜다이즈의 교육방식은 자유표현을 중시하는 치젝의 원칙에 기초하고, 또 감정의 집중력을 높이기 위한 이텐의 훈련과 사고방식, 그리고 여기에 그녀 자신의 창안을 추가한 것이었다. 그곳에서 아이들은 결코 그녀의 그림을 복사하는 일은 하지 않았지만, 그녀의 존재 자체는 아이들에게 커다란 영향을 주었다. 디커브랜다이즈는 1943년 여름 강제수용소에서 개최된 교사세미나에서 '아이들의 그림'에 대한 강의를 하였다. 이때 그녀는 아이들 그림의 의의와 목적은 아이들에게 최대한의 자유를 주는 것이며, 아이들에게 길을 지시하는 것은 아이들이 가지고 있는 창조적 능력으로부터 아이들을 떼어 놓는 것인데, 어른들이 그 가능성을 이해하지 못한다는 것을 강조하였다. 1944년 디커브랜다이즈는 자신이 가르쳤던 대부분의 아이들과 아우슈비츠에서 살해되었다. 하지만 그들의 미술과 테레진에서 생존한 아이들에게 디커브랜다이즈가 미술을 가르친 강의들은 미술의 치유력과 생명을 유지시키는 힘에 대한 증거가 되었다. 나치의 박해 속에서 그녀가 취한 태도는 비인간적인 광경에 대한 철저한 부인과 예술을 통한 생의 아름다움의 추구였다. 미술작업은 그 극한 상황에서 취할 수밖에 없었던 수단이고, 일반적인 미술치료의 접근과도 다른 특이한 예다. 그러나 그녀의 삶의 방식은 미술치료의 정신을 시사한 것이라 할 수 있다. 종전이 되고 나서, 빌리 그로그(Willy Groag)가 프라하에 있는 유대인 단체에 유대인 대학살로 희생된 아이들의 그림이 담긴 가방을 전해주어 현재 프라하의 유대인 박물관과 핀카스 유대교회당(Pinkas Synagogue)에 전시되고 있다. 1999년 시몬 비젠탈 센터(Simon Wiesenthal Center)에서 주최하고 엘레나 마카로바(Elena Makarova)가 주도한 프리들 디커브랜다이즈 전시회가 비엔나에서 열렸다. 이 전시회는 체코, 독일, 스웨덴, 프랑스, 미국, 일본 등을 순회하였다.

라마찬드란
[Ramachandran, Vilayanur S.]

1951. ~
대표적인 두뇌 연구자.

라마찬드란은 인도에서 태어나 첸나이(Chennai)[마드라스(Madras)]의 스탠리 의과(Stanley Medical) 대학에서 박사학위를 받고, 영국 케임브리지대학교에서 철학박사학위를 받았다. 현재는 캘리포니아 대학교의 뇌인지연구소 소장과 솔크생물학연구소의 생물학 겸임교수를 맡고 있다. 라호야의 신경과학연구소, 스탠퍼드의 첨단행동과학연구소, 조국인 인도의 과학아카데미 회원으로도 활동하고 있는 그는 『Newsweek』가 뽑은 21세기 우리가 주목해야 할 가장 중요한 100명으로 선정되었다. 네덜란드의 왕립과학협회의 아리엔스 카퍼스 금메달, 호주 국립대학교의 금메달, 올소울대학교에서 받은 연구비를 포함하여 수많은 상을 수상한 라마찬드란은 전 세계를 무대로 강의활동을 하는 유명한 강연자이기도 하다. 2003년 BBC 방송이 그해의 선도적 인물을 선정해 맡기는 라디오 강의인 리스 강의와 미국의 국립 정신보건연구원에서 시행한 뇌에 관한 10년 동안의 강의가 대표적이다. '라마찬드란 박사의 두뇌실험실'은 영국의 채널 4와 미국의 PBS에서 2부작 다큐멘터리로 제작된 바 있다.

주요 저서

Ramachandran, V. S. (2002). *Encyclopedia of the Human Brain*. New York: Academic Press.

Ramachandran, V. S. (2005). *A Brief Tour of Human Consciousness*. LA: Pi Press.

Ramachandran, V. S. (2006). 뇌가 나의 마음을 만든다: 뇌의 신비에 대한 철학적 발견[*The Emerging Mind, London: Profile Books*]. (이충 역). 서울: 바다출판사. (원저는 2003년에 출판).

Ramachandran, V. S., & Sanera B. (2007). 라마찬드란 박사의 두뇌 실험실-우리의 두뇌 속에는 무엇이 들어 있는가?[*Phantoms in the Brain*]. (신상규 역). 서울: 바다. (원저는 1998년에 출판).

라바테
[L'Abate, Luciano]

1928. ~
이탈리아 출신의 미국 심리학자로, 관계 이론의 아버지.

라바테는 이탈리아의 브린디시(brindisi)에서 태어나 피렌체(Florence)에서 학교를 다녔다. 1948년 20세의 나이로 미국으로 건너가서 테이버(Tabor)대학교에 들어갔고, 듀크(Duke)대학교에서 심리학으로 박사학위를 받았다. 또한 『Relational Competence Theory: Research and Mental Health Applications』을 출간하였다. 2009년에는 미국심리학회로부터 응용연구 분야 공로상(Award for Distinguished Professional Contribution to Applied Research)을 받았다. 1959년 워싱턴대학교 의과대학 정신의학부에서 심리학 조교수를 시작으로, 애틀랜타, 조지아 등으로 옮겨 다니면서 의과대학 및 각 심리연구소에서 연구와 강의를 하였다. 미국 내에서만 아니라 호주, 캐나다, 뉴질랜드, 일본, 독일, 스페인, 이탈리아 등에도 강의를 하기 위해 다녔으며, 각국에서 워크숍을 진행하기도 하였다. 1996년 라바테는 '더 나은 삶을 위한 활동서(Workbooks for Better Living)'를 만들어, 인터넷을 통하여 저비용으로 자조적 정신건강 활동서를 제공하고 있는데 100권이 넘는 활동서를 발표하였다. 미국 심리학 분야에서 50권의 저서를 낸 다작의 저자이기도 하다. 1998년 12월부터는 임상에서 은퇴하여, 개인적 글쓰기 과정을 지도하고 있다. 현재는 연구와 집필 활동에 전념하고 있다.

주요 저서

L'Abate, L. (1964). *Principles of clinical psychology*. New York: Grune & Stratton.

L'Abate, L. (1977). *Beyond psychotherapy*. Westminster: John Knox Press.

L'Abate, L. (1977). *How to avoid divorce*. Westminster: John Knox Press.

L'Abate, L. (1983). *Handbook of marital interventions*. New York: Grune & Starron.

L'Abate, L. & Milan, M. A. (1985). *Handbook of social skills training and research*. Willey-Interscience.

L'Abate, L. (1985). *The handbook of family, psychology and therapy*. Los Angeles: Dorsey Press.

L'Abate, L. (1986). *Methods of family therapy*. NJ: Prentice-Hall.

L'Abate, L. (1986). *Systematic family therapy*. New York: Brunner/Mazel.

L'Abate, L. (1987). *Structured enrichment programs for couples and families*. New York: Brunner/Mazel.

L'Abate, L. (1994). *A theory of personality development*. New York: John Willey & sons.

L'Abate, L. (1998). *Family Psychopathology*. New York: Guilford Press.

L'Abate, L. (2004). *Using Workbooks in Mental health*. Philadelphia: Haworth Reference Press.

L'Abate, L. (2005). 가족 평가: 심리학적 접근[*Family evaluation: a psychological approach*]. (박영숙 역). 서울: 하나의학사. (원저는 1994년에 출판).

ㄹ

라반
[Laban, Rudolf von.]

1879. 12. 15. ~ 1958. 7. 1.
헝가리 출신 무용이론가이며, 신체동작표기법의 개발자.

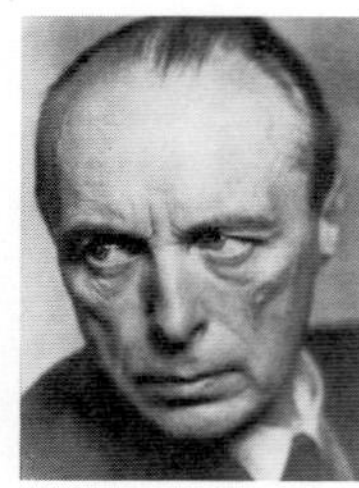

라반은 헝가리령 포조니(Pozsony)에서 태어났다. 그의 집안은 유서 깊은 귀족가문이었다. 친가는 프랑스 귀족이었고, 외가는 영국 귀족이었다. 아버지는 오스트리아 헝가리제국의 육군 원수(field marshal)이자 보스니아 헤르체코비아(Bosnia and Herzegovina) 주지사를 지냈다. 라반은 비엔나와 브라티슬라바, 보스니아 헤르체코비아 등지에서 어린 시절을 보냈다. 처음에는 파리의 예술학교인 에콜 데 보자르(Écoles des Beaux Arts)에서 조각공부를 하다가 움직이는 인간 몸의 형태와 주변공간 간의 관계에 관심을 갖게 되어, 30세의 늦은 나이에 뮌헨으로 가서 무용가이자 안무가인 딩코브스카(H. Dzinkowska)의 밑에서 움직임의 예술이라고 하는 교기(巧技, bewegungskunst)를 배웠다. 1912년, 라반은 아스코나에서 여름 무용 수업(summer dance program)을 실행했지만, 제1차 세계 대전의 발발로 1914년에 중단되었다. 1914년까지 라반은 동방 성당 기사단(Ordo Templi Orientis)에 참여했고, 1917년에는 아스코나의 몽테베리타(Monte Verità, Ascona)에서 열린 비국가적 회합에도 참석하였다. 그곳에서 자신의 생각을 펼칠 워크숍을 구상하게 되었다. 라반은 1915년에 취리히에 안무연구소(Choreographic Institute)를 세우는 것을 시작으로 이탈리아, 프랑스, 중부 유럽 등지에 많은 분교를 건립하였다. 1928년에는 『Kinetographie Laban』을 출간하였다. 이는 라바노테이션(Labanotation)이라 불리는 무용 부호표기법으로서 지금도 가장 많이 사용하는 표기법 중 하나다. 1931년부터 1934년까지는 독일 베를린 주 연합극장(Allied State Theatres)의 책임자로 일했고, 1934년에는 나치 통치하의 독일에서 도이치 탄츠뷔네(Deutsche Tanzbuehne)의 책임자로 승격되어 1936년까지 괴벨스 선전당(Joseph Goebbels' propagana ministry)의 후원으로 주요 무용 축제를 주재하였다. 1937년 파리를 여행하다가 영국을 방문하여 독일에서 망명한 사람들이 시작한 혁신적인 무용이 행해지고 있던 데번 자치주의 다팅턴 홀에서의 요스리더 무용학교(Jooss-Leeder Dance School)에 참여하기도 하였다. 그 몇 년 동안은 울만(L. Ullmann)과 함께하였다. 두 사람은 함께 힘을 모아 1945년에 현재는 라반 동작 및 무용조합(The Laban Guild for Movement and Dance)이라고 불리는 라반동작 예술조합(Laban Art of Movement Guild)을 창설했고, 1946년에는 맨체스터에 운동예술스튜디오(Art of Movement Studio)를 만들었다. 영국에 머무는 동안 동작의 양식을 연구하면서 심리치료나 상담전문가들이 사람의 에너지나 시간을 허비하게 만드는 그림자 움직임(shadow movements)을 없애도록 하는 방법을 제공하기도 하였다. 전쟁이 끝나고, 이러한 연구와 관련해서 라반은 『Effort』를 1947년에 출판하였다. 1958년에 세상을 떠난, 융의 벗이기도 했던 라반은 무용가로서 또 무용이론가로서 라반동작분석(Laban Movement Analysis)의 기반을 마련한 인물이며, 무용표기법에 혁신적인 족적을 남겼다. 그는 무용사상 가장 중요한 인물로 평가되고 있다. 그의 라바노테이션은 미학사, 고대 그리스의 철학 및 수학, 인간의 모든 동작 법칙을 확인할 수 있는 실험 등에 기초하여 인간의 동작을 보다 정확하게 기록할 수 있는 동작표기체계라고 여겨지고 있다. 라바노테이션은 신체의 동작분석과 공간이론 확립을 위한 기호에 의한 동작표기법이다. 즉, 음악의 악보처럼 동작을 표기하는데, 해부학적 관점에서 동작을 움직이는 주체, 방향, 높낮이, 시간의 네 요소로 분석하였다. 무용 이외에도 체육이나 팬터마임을 포함한 모든 신체 동작을 분석, 기록할 수 있다. 라반은 이 같은 표기법으로 동작을 기호화하는 새로운 기법을 제공하였고, 동작연구를 통해서 인간의 내적 갈등을 이해할 수 있다고 주장하였다. 그는 동작을 통한 의사소통의 가능성을 제시한 것이다.

주요 저서

Laban, R. v. (1975). *Life for Dance: The Autobiography of Rudolf Laban*. New Jersey: Princeton Book Co. Pub.

Laban, R. v. (1975). *Principles of Dance and Movement Notation*. New York: Dance Horizons Inc.

Laban, R. v. (1976). *Modern Educational Dance*. New York: Broadway play Publishing Inc.

Laban, R. v. (1976). *The Language of Movement*. New York: Broadway play Publishing Inc.

Laban, R. v. (1989). *Effort: economy in body movement*. (육완순 역). 서울: 금광. (원저는 1974년에 출판).

Laban, R. v. (1994). *Vision of Dynamic Space*. Falmer Press.

Laban, R. v. (1998). *Zen and the Art of Stand-up Comedy*. London: Routledge.

Laban, R. v. (2008). 동작분석과 표현. [*The Mastery of Movement*]. (신상미 역). 서울: 금광. (원저는 1988년에 출판).

라이크
[Reik, Theodor]

1888. 5. 12. ~ 1969. 12. 31.
프로이트 초기 제자 중 한 사람.

프로이트의 비엔나 초기 제자 중 한 사람이었던 라이크는 비엔나에서 태어났다. 중하류 유대인 가정의 4형제 중 셋째였던 그는 18세 때 아버지를 여윈다. 비엔나에서 공립학교를 마치고 비엔나대학교에 들어가 심리학, 독일 및 프랑스 문학을 배웠다.

1912년 플로베르의 작품 'Temptation of St. Anthony'에 관한 논문으로 박사학위를 취득했고 그 전에 평생 정신적 아버지가 되는 프로이트를 만났다. 비엔나 정신분석학회(Vienna Psychoanalytic Society)의 일원인 딘 라이크가 아브라함(K. Abraham)과 분석을 하던 중 1차 세계 대전이 발발하고 라이크도 입대했다. 종전 후 라이크는 비엔나 정신분석학회 임원이 되었다. 프로이트의 비호를 받으면서 10년 이상 분석을 하던 중 나치당의 출현으로 헤이그로 떠났다. 헤이그에서 임상과 교육을 병행하던 중 엘라(Ella)와 결혼하고 슬하에 아들을 하나 두지만, 사별하고 마리자(Marija)와 재혼하여 두 명의 자녀를 더 두었다. 나치의 폭정이 심해지면서 뉴욕으로 옮겨 뉴욕정신분석학회(New York Psychoanalytic Society)에 들어갔다. 이때 라이크는 재정적으로 어려움을 겪으면서 프로이트에게서 금전적 도움을 받기도 했다. 1948년 드디어 라이크를 추종하던 회원들을 모아 전국 정신분석심리학협회(National Psychological Society for Psychoanalytic)를 창설했다. 1969년 뉴욕에서 사망한 라이크가 미국 정신분석학계에 끼친 영향은 상당히 크다. 그의 NPAP는 이후 비의학계 미국 정신분석 움직임에 불을 붙였을 뿐만 아니라, 전 세계 대문호들의 문학 분석을 활성화시키기도 했다. 만년까지 프로이트와 함께 한 라이크는 20권이 넘는 방대한 저서와 각 분야를 아우르는 100편 이상의 논문들을 남겼다.

주요 저서

Reik, T. (1937). *Surprise and the Psycho-Analyst: On the Conjecture and Comprehension of Unconscious Process*. New York: E. P. Dutton and Company.

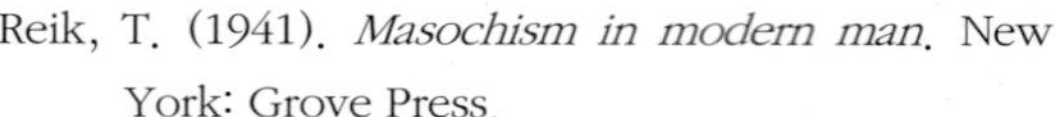

Reik, T. (1941). *Masochism in modern man*. New York: Grove Press.

Reik, T. (1941). *Masochism In Modern Man*. New York: Toronto, Farrar & Rinehart.

Reik, T. (1948). *Listening with the third ear: the inner experience of a psychoanalyst*. New York: Farrar, Straus.

Reik, T. (1948). *Listening with the Third Ear: The inner experience of a psychoanalyst*. New York: Grove Press.

Reik, T. (1949). *Of love and lust: on the psychoanalysis of romantic and sexual emotions*. New York: Grove Press.

Reik, T. (1952). *The Secret Self*. New York: Farrar, Straus and Young.

Reik, T. (1953). *The Haunting Melody: Psychoanalytic Experiences in Life and Music*. New York: Farrar, Straus and Young.

Reik, T. (1957). *Myth and Guilt*. New York: George Braziller.

Reik, T. (1959). *Mystery on the Mountain: The Drama of the Sinai Revelation*. New York: Harper & Brothers, Publishers.

Reik, T. (1960). *The Creation of Woman: A Psychoanalytic Inquiry into the Myth of Eve*. New York: George Braziller.

Reik, T. (1961). *The Temptation*. New York: George Braziller.

Reik, T. (1962). *Jewish Wit*. New York: Gamut Press.

Reik, T. (1963). *The Need To Be Loved*. New York: H Wolff.

Reik, T. (1964). *Voices From the Inaudible: The Patients Speak*. New York: Farrar, Straus and Company.

라이히
[Reich, Wilhelm]

1897. 3. 24. ~ 1957. 11. 3.
오스트리아 출신의 제2세대 정신분석학의 대표이자 신체치료의 아버지.

라이히는 오스트리아의 가루시아 지방에서 부유한 지주의 아들로 태어났다. 12세 때 어머니의 자살과 5년 후 아버지의 죽음으로 어린 시절 큰 충격을 받았다. 1916년부터 제1차 세계 대전이 끝날 때까지 오스트리아 군대에서 복무하고 이후 비엔나로 이주하여 법학공부를 시작했지만 중단하고 의학공부를 한다. 그러던 중 정신분석을 접하고, 프로이트(Freud)와 관계를 맺게 되는데, 두 사람의 친분은 1930년대까지 지속된다. 그러다가 정신분석에 관한 사회 정치적 차원의 견해 차이로 프로이트와 멀어진다. 1927년 비엔나의 사법부 궁전 화재를 계기로 정치에 참여하기 시작한 그는 공산당에 가입하였고, 이 시기에 마르크스주의를 정신분석과 연관해 보려는 시도를 하였다. 1930년에는 베를린으로 이주했는데, 그때 'Sexpol' 운동의 영향에 놓이게 되었다. 1933년 스칸디나비아로 이민해서는 사람에 대한 물리적인 연구의 도움으로 생물학적 전기실험을 시작하였고, 암 연구도 시작하였다. 1934년에는 루체른(Luzern)에서 열린 국제정신분석위원 회의에서 정신분석협회에서 제명되었다. 라이히는 비엔나대학교 의과대학 재학 시절부터 프로이트에 심취하여 정신분석의 여명기에 정신분석 발전에 기여하였다. 그는 프로이트의 저항분석을 계승하면서, 저항의 형식적 측면을 강조하고 성격분석을 체계화하여 『Character Analysis』를 출간하였다. 여기서 '성격무장(character armoring)'이라는 개념을 제시했으며, 이것이 그의 사상의 핵심을 이루었다. 이 개념은 자녀가 부모와의 관계 속에서 부모에게 적응하기 위해(방어하기 위해) 수동적이거나 예의 바른 행동 등 얼핏 보아 적응적인 성격태도를 발달시키게 되는데, 이렇게 습관화되고 만성화된 자아방어를 의미하는 것이다. 이 같은 성격분석기법에서는 성격무장이 해결되고 오이디푸스콤플렉스의 분석이라는 본래의 분석치료가 행해져도 그 후에 충분한 성 생활이 이루어지지 않으며, 재발하기 쉽다고 귀결을 짓고 있다. 이처럼 라이히는 자연적인 흐름을 방해하는 사회에 도전했다. 성적으로 자유로운 사회의 실현이 필요하다는 성(性) 정치 운동을 전개하면서 다른 한편으로 그는 성에 대한 견해의 차이로 정신분석 학계와 결별했고, 나치하의 독일을 떠나 노르웨이로 망명하여 자연과학 연구에 몰두한다. 그 후 미국으로 이주하여 자신이 발견한 우주의 근원에너지인 오르곤(Orgone) 에너지 연구를 계속하였다. 라이히에 따르면, 오르곤에너지는 우주에 충만한 것으로 이것에 의해 하늘의 색, 중력, 은하계, 정치혁명의 실패, 좋은 오르가슴 등을 설명할 수 있다고 하였다. 당시 그의 사상은 위험한 사상으로 여겨졌고, 그 때문에 투옥되어 옥중에서 사망한다. 라이히는 오르가슴의 잠재력이 발견되던 시기 말엽에 신체와 정신의 근본적인 기능적 동일성을 정립하였다. 이것은 치료에서 신체를 고려하는 데 기초가 되었다. 라이히는 이 때문에 신체치료의 아버지로 여겨지고 있다. 그는 처음에 자신의 방법을 성격분석적 생장요법(vegetotherapie)이라 부르고, 그 후에 오르곤테라피(orgontherapie)라고 명명하였다. 주목할 것은 그의 파시즘 분석과 관련하여 질병의 병인론에서 인격과 사회구조의 상호작용에 대한 분석이다. 라이히는 인본주의적 심리학의 선구자라고도 할 수 있다. 자신의 개념에서 인간의 심연에서 발견한 좋은 핵('guten' Kern)을 받아들였기 때문이다. 라이히는 소위 경제적인 자동조종에 맞서서 인간의 태도에 대한 윤리적인 규정을 정립하였다. 그는 의학 분야에서도 소위 생물학적 병(biopathien), 발병(erkrankung)의 연구로 중요한 연구를 수행하였다. 생물학적 병과 발병을 플라스마의 범위에서 만성적인 차단과 그와 결부되어 나타나는 체념(resignation)과 수축(schrumpfung)의 결과로 보았다. 그것에 대해 서술된 기능적 사고방법의 적용은 라이히 연구의 기초를 이루고 있다. 그의 연구에 대한 평가는 찬반으로 나누어지는 면이 있지만 엔카운터 운동, 심신의학, 보디워크의 전개 등 임상 영역에 공헌했고, 또한 그의 비언어적인 것에 대한 주목은 가족치료의 중요한 관점이 되기도 하였다.

주요 저서

Reich, W. (1945). *Character Analysis*. New York: Orgone Institute.

Reich, W. (1991). 작은 사람들아 들어라[*Listen, Little Man!*]. (곽진희 역). 서울: 일월서각. (원저는 1948년에 출판).

Reich, W. (2005). 오르가슴의 기능[*Die Funktion des Orgasmus*]. (윤수종 역). 서울: 그린비. (원저는 1927년에 출판).

Reich, W. (2006). 파시즘의 대중심리[*Die Massenpsychologie des Faschismus*]. (황선길 역). 서울: 그린비. (원저는 1933년에 출판).

Reich, W., (2009). 그리스도의 살해[*The Murder of Christ*]. (윤수종 역). 광주: 전남대학교출판부. (원저는 1953년에 출판).

Reich, W. (2011). 성혁명[*Die Sexuelle Revolution*]. (윤수종 역). 서울: 중원문화. (원저는 1936년에 출판).

라일
[Reil, Johann Christian]

1759. 2. 20. ~ 1813. 11. 22.
독일의 외과 의사, 생리학자, 해부학자이자 정신과 의사.

라일은 독일의 라우테르펜(Rhauderfehn)에서 태

어났다. 29세 때부터 독일의 할레에 있는 병원에서 근무했으며, 독일의 첫 번째 심리학 분야 학술지인 「Archiv für die Physiologie」를 만들었으며, '정신의학(psychiatry, psychiatrie)'이란 용어를 처음 만들기도 했다. 이외에도 손톱에 패이는 십자모양의 홈이나, 대뇌피질에 생기는 '라일의 섬(Islands of Reil)' 등에도 그의 이름이 붙는다. 1809년에는 소위 궁형다발(arcuate fasciculus)인 백색 섬유관광 청반에 대해서도 최초로 설명을 붙인 인물이 라일이다. 1810년 라일은 베를린의 의대교수 중 정신과 전문의가 되었다. 라일은 정신병에 관한 연구를 하면서 파넬(P. Dinel)과 대립하였고, 임상보다는 이론에 더 주력하였다. 그가 남긴 업적들은 독일 낭만주의와 그 맥을 같이하는 경향을 띠고 있으며, 그는 신경계에 기반을 둔 정신기능의 조화를 역설하였다. 1813년 라이프치히 전투에서 부상병을 치료하던 라일은 장티푸스에 감염되어 사망했다. 세계의 대문호 괴테가 정신의학에 관한 과학적 문제들과 의료적 기술에 대한 고견을 듣기 위해 직접 방문까지 했던 라일은 정신의학의 새로운 과학적 면모를 다듬은 인물이라 할 수 있다.

라자루스
[Lazarus, Arnold Allan]

1932. 1. 27. ~2013. 10. 1.
남아프리카 출신의 심리학자로서, 행동치료에 크게 기여한 인물.

라자루스는 1932년 남아프리카 요하네스버그(Johannes-burg)에서 태어났다. 요하네스버그의 비트바테르스란트(Witwatersrand)대학교를 졸업하고 1957년에 석사학위를 받은 뒤, 1960년에 임상 심리학으로 박사학위를 받았다. 그는 1956년 데셀(D. Dessel)과 결혼하여 1남 1녀를 두고 있는 라자루스는 엘리스(A. Ellis)와 벡(A. Beck)의 혁신적인 공헌과 함께 1950년대부터 1970년대에 이르기까지 광범위한 인지행동치료의 형태를 개발한 인물이다. 대학원 재학 시절이던 1958년에 라자루스는 남아프리카 의학저널(South African Medical Journal)에서 '행동치료(behavior therapy)'라는 용어를 처음 제안하였다. 후에 행동치료를 인지적인 면과 엮어 가면서 확장시켜 나갔고, 이어 1959년에 요하네스버그에서 개인 사무실을 열어 심리치료를 실행하였다. 1963년에는 스탠퍼드대학교 심리학과 초빙교수로 1년간 재직한 뒤 비트바테르스란트로 다시 돌아왔다. 1966년 미국으로 건너가 캘리포니아 소살리토(Sausalito)에 있는 행동치료연구소(Behavior Therapy Institute)의 책임자가 되었다. 그해 울페(J. Wolpe)와 함께 『Behavior Therapy Techniques』를 출판하고, 필라델피아에 있는 템플대학교 의과대학에 행동과학교수로 임용되었다. 1970년에는 예일대학교 임상교육 책임자이면서 심리학과 초빙 교수가 되었다. 라자루스는 자신의 치료가 효능성이 증명되면서 물리적 감각, 시각적 이미지, 대인관계, 생물학적 요인 등을 함께 포함하여 인지행동치료의 반경을 넓혀 갔다. 그의 광범위한 연구는 250편이 넘는 논문과 단행본, 18권의 저서로 남아 있다. 1973년에는 다중양식 행동치료의 최초 논문인 「Multimodal Behavior Therapy: Treating the Basic ID」를 발표하였다. 1976년, 다중양식 치료연구소(Multimodal Therapy Institute)를 킹스턴에 연 후 뉴욕, 버지니아, 펜실베이니아, 일리노이, 텍사스, 오하이오 등에도 이어서 연구소를 열었다. 또 『Multimodal Behavior Therapy』를 출판하기도 하였다. 라자루스는 평생 수천 명의 내담자를 만났고, 그 경험으로 국제 행동의학, 상담, 심리치료학회(International Academy of Behavioral Medicine, Counseling, and Psychotherapy)에서 인증을 받았다. 라자루스는 스탠퍼드대학교, 템플대학교 의학부, 예일대학교 등의 교수를 역임하고, 현재 루트리스대학교 대학원의 명예교수로 재직 중이며, 현 라자루스 연구소(The Lazarus Institute)의 책임자 자리에 있다. 그는 소집단의 전 구성원에게 일제히 실시했던 집단둔감법의 제창자이기도 하다. 라자루스는 둔감화 기법을 집단치료에서 공포증을 다루는 기법으로 처음 적용하였다. 또한 아브라모비츠(A. Abramovitz)와 함께 최초로 아동 치료에 정서적 이미저리를 사용하기도 하였다. 더불어 알코올중독치료도 연구했으며, 우울증 치료에 학습이론을 처음 적용한 인물 중 한 사람으로 평가되기도 한다.

주요 저서

Wolpe, J., & Lazarus, A. A. (1966). *Behavior therapy techniques: A guide to the treatment of neuroses*. New York, Pergamon.

Lazarus, A. A. (1971). *Behavior therapy and beyond*. New York: McGraw-Hill.

Lazarus, A. A. (1972). *Clinical behavior therapy*. New York: Brunner/Mazel.

Lazarus, A. A. (1976). *Multimodal behavior therapy*. New York: Springer Pub. Co.

Lazarus, A. A. (1977). *In the mind's eye*. New York: Guilford Press.

Lazarus, A. A. (1981). *The practice of multimodal therapy*. Baltimore: Johns Hopkins Univ. Press.

Lazarus, A. A. (1985). *Marital myths*. San Luis Obispo: Impact Publishers.

Lazarus, A. A., Lazarus, C. N., & Fay, A. (1993). *Don't believe it for a minute!: Forty toxic ideas that are driving you crazy*. San Luis Obispo: Impact Publishers.

Lazarus, A. A. (1996). *Behavior therapy & beyond*. Lanham; Maryland Jason Aronson.

Lazarus, A. A. (1997). *Brief but comprehensive psychotherapy: The multimodal way*. New York: Springer.

Lazarus, A. A., & Lazarus, C. N. (1997). *The 60-second shrink: 101 strategies for staying sane in a crazy world*. San Luis Obispo: Impact Publishers.

Lazarus, A. A. (2000). *I can if I want to*. FMC.

라캉
[Lacan, Jacques Marie Emile]

1901. 4. 3. ~ 1981. 9. 9.
'프로이트로 돌아가자(Return to Freud)'를 주창한 프랑스의 정신분석학자이자 정신과 의사.

라캉은 가톨릭 중산층 집안 출신으로 파리에서 태어났다. 어린 시절에는 예수회 학교에서 교육을 받았고, 의대에 들어가서 정신의학을 전공하였다. 1927년에 임상 수련을 받으면서 정신의학 교육을 받았는데, 그 과정에서 유명한 정신의학자인 클레람보(Clerambault)와 함께 연구하였다. 라캉은 박사학위 논문주제로 편집증적 정신분열을 정하고 1932년에 학위를 취득하였다. 1934년 파리정신분석학회(La Societe Psychanalytique de Paris)의 회원이 되어 분석을 시작했으며, 전쟁이 발발할 때까지 계속하였다. 1936년에 그가 제시한 '거울 단계(mirror stage)'는 나중에 국제정신분석학회 제명의 원인을 제공하였다. 프랑스가 나치의 통치하에 들어갔을 때, 라캉은 모든 공식적인 활동을 중지하고, 전쟁이 끝난 뒤 다시 파리정신분석학회에 들어가 국제정신분석학계에서 논쟁의 중심이 되었다. 결국 비정통적인 정신분석학적 관점 때문에 라캉은 국제정신분석협회(International Psychoanalytic Association)에서 퇴출되었다. 하지만 자신의 논문집 『Ecrits』를 1966년에 발표하면서 프랑스의 최고 지성임을 증명하였다. 라캉은 임상가로서 또 분석가로서 정신분석작업을 하면서, 파리프로이트학교(L'cole Freudienne de Paris)를 창설하고 세미나를 계속 개최하였다. '프로이트로 돌아가자'라는 기치를 평생 전면에 내세웠던 라캉은 1981년 숨을 거두었다. 라캉의 사상은 그가 직접 명명한 상상계, 상징계, 실재계로 나누어지며, 그의 이론은 그가 사망하는 시점까지 계속해서 진화해 나갔다. 그는 언어로 인간의 욕망과 무의식을 분석하면서, 정신분석학적인 언어학을 펼쳐 나갔다. 거울 단계, 타자의 욕망, 아버지의 이름, 대타자, 상징계의 법칙과 같은 새로운 개념들을 펼치면서 프랑스뿐만 아니라 국제정신분석학계에 새로운 바람을 일으킨 인물이 바로 라캉인 것이다. 그는 정신분석뿐만 아니라 현대철학에도 혁혁한 공헌을 한 인물로, 프로이트 이래 가장 논쟁을 많이 불러일으킨 분석학자라는 평을 받고 있다. 1953년부터 1981년까지는 매년 파리에서 세미나를 열어 1960년대와 1970년대 프랑스의 지성에 결정적인 영향을 미쳤다. 특히 후기구조주의에 미친 영향은 그야말로 지대하다. 그는 자신을 프로이트학파로 정의하면서 무의식, 거세불안, 자아, 동일시, 언어 등을 주체적으로 인식하여 그 특성을 밝히고, 20세기 프랑스 철학, 사회학, 여성주의, 영화이론, 임상정신분석 등에 커다란 업적을 남겼다.

주요 저서

Lacan, J. M. E. (1985). *Feminine Sexuality*. New York: Norton.

Lacan, J. M. E. (1990). *Television: A Challenge to the Psychoanalytic Establishment*. New York: Norton.

Lacan, J. M. E. (1991). *Lacan and the Subject of Language*. Routledge.

Lacan, J. M. E. (1991-2007). *The Seminar of Jacques Lacan*. New York: Norton.

Lacan, J. M. E. (1997). *The Language of the Self: The Function of Language in Psychoanalysis*. John Hopkins Univ. Press.

Lacan, J. M. E. (2007). *Ecrits*. New York: Norton.

Lacan, J. M. E. (2009). *My Teaching*. New York: Verso Press.

라파포트
[Rapaport, David]

1911. 9. 30. ~ 1960. 12. 14.
신프로이트학파의 임상심리학자.

라파포트는 헝가리의 부다페스트(Budapest)에서 유대인 출신의 중산층 집안에서 태어났다. 그는 시오니스트(Zionist)로 활발한 활동을 하였다. 대학에서 수학과 물리학을 공부하고, 팔레스타인의 키부츠에서 2년을 보냈다. 그곳에서 엘비라 스트라서(Elvira Strass er)와 결혼하여, 첫 번째 자녀를 낳았다. 1935년 헝가리로 돌아와 젊은 시오니스트로 활동하면서 정신분석과 관련된 공부를 시작하였다. 그리고 사무엘 라파포트(Samuel Rapaport)에 관한 책을 두 권 집필하였다. 그는 1935년부터 1938년까지 테오도르 라즈카(Theodor Rajka)를 분석하였고, 페테루스-파르마니 왕립헝가리대학교에서 박사학위를 취득하였다. 1938년에는 가족과 함께 미국으로 이민을 갔다. 그는 메닝거 재단의 토피카의 연구이사로 있었으며, 캔자스와 매사추세츠의 스톡브리지에서 연구를 하였다. 파즈마니(Pázmány) 베드로대학교에서는 심리학을 전공하고 박사학위를 취득하였다. 그는 당시의 심리학자인 길(Gill), 셰이퍼(Schafer), 게오르그 S 클라인(Georg S. Klein), 홀트(Holt) 등의 분석가들에게 많은 영향을 미쳤다. 또한 진단테스트, 인지양식, 잠재적 인식, 변화상태, 자신의 자아 등 다양한 주제에 대해서 탐구하였다.

1942년에는 자신의 초기 연구 기록을 토대로 셰이퍼 및 길(Roy Schafer, Merton Gill)과 함께 『Diagnostic Psychological Testing』이라는 책을 출간하였다. 라파포트는 신프로이트학파의 임상심리학자로 유명한데, 미국심리학회에서 임상심리학, 이상심리학 부문의 창시자 중 한 사람이기도 하다. 그는 정신분석적 내용을 자아심리학(自我心理學)이나 사회심리학을 포함한 형태로 일반 심리학 속에 통합하는 것을 자신의 과제라고 생각하였다. 특히 널리 알려진 그의 공헌은, 그의 테스트에 관한 연구가 심리학자를 IQ 검사 기술자로부터 측정 · 평가를 하는 임상가로 만들었다는 점이다.

주요 저서

Rapaport, D. (1946). Diagnostic psychological testing: the theory. *statistical evaluation, and diagnostic application of a battery of tests.* Chicago: Year Book Publishers, Inc.

Rapaport, D. (1961). *Emotions and memory.* New York: Science Editions.

라프롬보이즈
[LaFromboise, Teresa Davis]

1949. ~
스탠퍼드대학교 교육학부 조교수.

라프롬보이즈는 인디애나 남부 작은 마을에서 태어났다. 그녀는 미국 인디언이면서(마이애미 네이션, Miami Nation) 유럽의 후손이다. 처음에는 치페와(Chippewa)에 있는 터틀 마운틴 밴드(Turtle Mauntain Band)에서 중학교 미술 및 언어 예술 교사로 근무하다가 나중에는 미시간의 새기노 치페와에서 일하였다. 새기노 치페(Saginaw Chippewa)와 보호거주지에서 미국 인디언 학생들의 80%가 학교를 중퇴한다는 사실에 주목한 그녀는 자신의 학생 집단이 청소년에게 힘을 부여하고 문화적 다양성에 대한 존중을 진작시키자는 취지의 국가적 청소년 공연예술 프로그램인 수트케이스 연극(Suitcase Theatre)에 참여하도록 후원하였다. 라프롬보이즈는 교사로서 학생들의 문제점에 영향을 줄 기회가 얼마나 제한적인지를 점점 더 자각하면서, 새기노 치페와 중학교 학생들을 위한 상담서비스를 제공하는 데 노력하였다. 그즈음 그녀의 가족이 오클라호마 노르만으로 이사를 했고, 그곳에서 그녀는 귀가 조치를 받은 학생을 위한 교사로서 일하면서 대학원에서 연구를 시작하였다. 그러고는 미국 인디언들의 정신건강문제에 집중하게 되었다. 라프롬보이즈는 미국 인디언 연구에 관한 출판물이 거의 없다는 것을 알고, 관심을 그 분야로 옮겼다. 이후 1979년 오클라호마대학교에서 상담심리학으로 박사학위를 받은 그녀는 네브래스카 링컨대학교 및 위스콘신매디슨대학교에서 교수로 재직하다가 스탠퍼드대학교로 갔다. 라프롬보이즈의 연구주제는 다문화상담에서 대인관계 영향, 이중문화 능력 개발, 민족 정체성 및 청소년 건강 등을 포함하였다. 그녀의 미국 인디언 생활기술 개발은 전도유망한 청소년 자살예방 실증기반치료이며, 학교 및 공중보건 예방 프로그램에서 널리 사용되고 있다. 또한 그녀는 다문화 서비스 전달에 대한 광범위한 집필도 하였다. 현재는 미국 인디언 청소년들의 학교 및 가정환경 내에서 문화적으로 재단된 자살예방 개입의 유효성을 조사하고 있다. 그녀는 이러한 개입이 자살행동 감소에 미치는 영향을 평가하고, 자살사고에 미치는 스트레스 누적, 차별인식, 문화적 정체성, 우울, 약물 등의 영향을 탐구하고 있다. 더불어 도시환경 내 청소년 발달 및 멘토링, 인종 및 민족 정체성 개발, 학교 내 사회 및 정서 학습, 심리학과 미국 인디언 정신건강 등을 주제로 삼아 세미나를 개최하고 있다. 위스콘신매디슨대학교 상담심리학부의 조교수이기도 한 라프롬보이즈의 연구 및 출판물들은 전 세계 학자들의 존경과 주목을 받고 있다. 1990년대 초에는 청소년 건강에 대한 보고서를 양산하는 기술평가위원국에 임명되기도 하였다. 이후 그녀는 탄력성(resilience)과 긍정적인 청소년 발달에 관한 문제로 관심을 옮겨 연구를 이어 가고 있다. 라프롬보이즈는 2002년 미국심리학회에서 소수인종 문제에 관한 심리학적 연구에 기여한 공적으로 상을 받았으며, 2005년에는 미국 보건복지부 약물남용 및 정신건강 서비스 관리 우수상, 유색 인종에 대한 효과적인 실습 및 모델 등의 수상의 영예를 안았다.

주요 저서

LaFromboise, T. D. (1982). *Assertion Training with American Indians*. ERIC.

LaFromboise, T. D. (1989). *Circles of Women: professional skills training with American Indian women*. Weea Pub Center.

LaFromboise, T. D. (1996). *American Indian Life Skills Development Curriculum*. Wisconsin: Univ. Press.

LaFromboise, T. D. (1996). *Assertion Training with American Indians and Circles of Women*.

LaFromboise, T. D., Shiang, J., Talor Gibbs, J., & Gray-Littel, B. (1996). *Psychological Practice in a Multicultural Society: Theory, Research, and Cases*. Oxford: Univ. Press.

래크니스
[Raknes, Ola]

1887. 1. 17. ~ 1975. 1. 28.
라이히안(Reich) 학파의 심리분석학자이자 언어학자.

래크니스는 노르웨이에서 농부인 아스킬슨 래크니스(Askildson Raknes)와 매그달리 올스도터(Magdali Olsdotter)의 아들로 태어나 엄격한 환경에서 성장하였다. 농장에 인접한 초등학교를 졸업한 뒤에는 볼다의 중학교에 등록하기 이전에 잠시 가족 농장

에서 일하였다. 그 뒤, 1904년에 베르겐의 함브로스학교를 졸업하였다. 래크니스는 1910년과 1914년 사이에 다방면의 교육 직위를 가졌고, 1914년부터 1916년까지는 연구를 계속하면서 동시에 『Den 17de Mai(the 17th of May)』의 기자로도 활동하였다. 게다가 그는 호텔 직원으로도 잠시 일하였다. 1915년에 그는 'cand. philol' 언어 역사학위인 'embedseksamen(공개장에서 대다수의 교수를 위해 필요한 공립시험)'을 전공과목으로, 노르웨이어를 비전공과목으로 영어와 프랑스어로 획득하였다. 그의 전공 이론은 '에길 스칼라그림슨(Egill Skallagrímsson)'에 관한 것이었다. 1916년에는 1년 동안 라빅고등학교의 교장으로 재직하였다. 1917년에 파리 소르본에서 노르웨이 언어와 문학 강사로 있었는데, 그곳에서 4년 동안 일반심리학과 종교심리학, 생물학, 사회학, 더 나아가 중세문학, 중세철학과 이론 연구에 힘썼다. 그 뒤로 1921년부터 1922년까지 노르웨이 강사로 있었던 런던대학교에서도 이 연구를 지속해 나갔다. 래크니스는 라이히안(Reichian)학파의 심리분석학자로 국제적 명성을 얻었고, 인간의 삶을 다양한 언어와 인식론적 체제의 차이를 통하여 아이디어를 전달하는 것으로 묘사하였다. 또한 그의 공헌으로 뉘노르스크(Nynorsk, 노르웨이의 두 공용어 중 하나) 언어가 강화되고 윤택해졌다. 철저한 철학자와 논쟁치료자로 알려진 래크니스는 윌리엄 라이히(Wilhelm Reich)의 가장 친한 학생이자 변호자로도 알려져 있다.

주요 저서

Raknes, O., & Grondahl, I. C. (1923). *Chapters in Norwegian Literature: being the substance of public lectures, given at University College*. London: s.n.

Raknes, O. (1970). *Wilhelm Reich and Orgonomy*. New York: St. Martin's Press.

랜드리스
[Landreth, Garry]

아동중심 놀이치료 전문가.

미국 노스텍사스대학교 놀이치료센터의 설립자이자 상담, 발달, 고등교육과의 명예교수다. 또한 놀이치료학회의 명예·지도 교수이기도 하다. 150개 이상의 저널과 책을 저술하면서 활발한 활동을 펼쳐 나갔고, 버지니아 액슬린(Virginia Axline) 상을 수상하기도 하였다. 랜드리스는 세계 곳곳에서 아동 중심 놀이치료와 부모-자녀관계 치료에 대한 특강을 하고 있으며, 아동 중심 놀이치료의 대가로 평가받고 있다.

주요 저서

Landreth, G., Bratton, S., Kellam, T., & Blackard, S. R. (2008). (놀이치료를 통한) 부모-자녀관계치료: 10세션 부모-자녀 놀이치료 모델[*Child-parent-relationship(CPRT): a 10-session filial therapy model*]. (김양순 역). 서울: 학지사. (원저는 2006년에 출판).

Landreth, G. (2009). 놀이치료: 치료관계의 기술[*Play therapy: the art of the relationship*]. (유미숙 역). 서울: 학지사. (원저는 1991년에 출판).

랭
[Laing, Ronald David]

1927. 10. 7. ~ 1989. 8. 23.
스코틀랜드 출신의 정신의학자.

랭은 글래스고 고반힐(Glasgow Govanhill)에서 랭 집안의 독자로 태어났다. 자신의 부모에 대해서 말하기를, 특히 어머니가 좀 기이한 데가 있었다고 스스로 말하였다. 아버지는 전기기술자였는데, 그가 10대일 때 신경쇠약에 걸렸고, 어머니는 동네에서 정신이 이상하다는 말을 들었다고 한다. 그의 어린 시절에 대한 기록은 별로 없다. 허치슨(Hutcheson) 문법학교를 다녔고, 글래스고(Glasgow) 대학교에서 의학을 전공하여 1950년에 졸업하였다. 랭은 영국 군대에서 정신과 의사로 2년간 복무하면서 정신질환을 가진 사람들과의 의사소통에 흥미를 갖게 되었다. 1953년 군을 떠난 랭은 가트래블(Gartravel) 왕립병원에서 근무했는데, 이 기간에 실존주의 지향의 토론집단에 참여하였다. 1956년에는 런던의 타비스톡클리닉(Tavistock Clinic)으로 가서 심리치료이론과 실무를 접하였다. 그곳에서 볼비(J. Bowlby), 위니콧(W. Winnicott) 등과 교분을 가지면서 1964년까지 머물렀다. 1965년 동료들과 함께 정신치료공동체라 할 수 있는 필라델피아협회(Philadelphia Association)을 만든 그는 킹슬리 홀에서 정신의학 프로젝트를 시작하였다. 미국 심리치료사 페르(E. Fehr)의 영향을 받아 랭은 '재탄생 워크숍(rebirthing workshops)'을 열었다. 또한 쿠퍼(D. Cooper) 등과 함께 반정신의학 운동에 앞장섰는데, 정신질환을 생리학적 현상으로 볼 뿐 사회적·지적·문화적 차원에서는 탐색하지 않는 당대의 가치관에 도전하였다. 그리고 정신과적 진단에 반대하면서 정신질환에 대한 진단은 의학적 과정으로만 받아들여져야 한다는 생각을 가지고 있었다. 1960년 랭은 실존주의적 견해에서 정신분열증 환자의 특성을 탐색한 결과를 『The Divided Self』로 출간했는데, 이 책은 정신분열증에 대한 연구분야를 더욱 확장시킨 공로를 인정받고 있다. 이후 랭의 시각은 많은 비난을 받았으며, 영국의사협회에서도 제명을 당하는 등 여러 가지 곤란을 겪었다. 하지만 그의 견해는 정신병에 대한 올바른 이해의 틀을 만들어 주었다는 평을 받고 있다. 네 번의 결혼을 하고, 6명의 아들과 4명의 딸을 둔 랭은 1989년에 운동 중 심장마비로 사망하였다. 랭은 정신질환, 특히 정신분열에 관한 경험을 광범위하게 집필한 인물로 유명하다. 심각한 정신의 역기능에 대한 원인과 치료에 관한 랭의 관점은 실존철학에서 지대한 영향을 받았고, 내담자의 감정표현에 엄격하던 당시의 정황에 정면으로 맞선 것이었다. 자신은 그렇게 불리기를 바라지 않았지만 반정신의학 운동(anti-psychiatry movement)에 가담되어 있었던 랭은 정치적으로 볼 때 신좌익(New Left)으로 평가되었다. 랭은 정신질환을 견딜 수 없는 환경에서 스스로 해방시켜 버린 탈출기제로 보았다. 그는 정신분열증을 질병으로 보는 심리적 기반을 거부하고 광기에서의 비정상성(insanity)에 대한 반응이라고 주장한다.

주요 저서

Laing, R. D., & Cooper, D.G. (1964). *Reason and Violence: A Decade of Sartre's Philosophy.* (2nd ed.). London: Tavistock Publications Ltd.

Laing, R. D., & Esterson, A. (1964). *Sanity, Madness and the Family.* London: Penguin Books.

Laing, R. D. Phillipson, H., & Lee, A.R. (1966). *Interpersonal Perception: A Theory and a Method of Research.* London: Tavistock.

Laing, R. D. (1960). *The Divided Self: An Existential Study in Sanity and Madness.* Harmondsworth: Penguin Books.

Laing, R. D. (1961). *The Self and Others.* London: Tavistock Publications.

Laing, R. D. (1967). *The Politics of Experience and the Bird of Paradise.* Harmondsworth: Penguin.

Laing, R. D. (1970). *Knots.* London: Penguin.

Laing, R. D. (1971). *The Politics of the Family and Other Essays.* London: Tavistock Publications.

Laing, R. D. (1976). *Do You Love Me? An Entertainment in Conversation and Verse.* New York: Pantheon Books.

Laing, R. D. (1976). *Sonnets.* London: Michael Joseph.

Laing, R. D. (1976). *The Facts of Life.* London: Penguin Books.

Laing, R. D. (1977). *Conversations with Adam and Natasha.* New York: Pantheon.

Laing, R. D. (1979). *Die Politik der Familie.* Berlin: Verlag. Rowohlt.

Laing, R. D. (1981). *Sonnets.* New York: Random House Trade Paperbacks.

Laing, R. D. (1982). *The Voice of Experience: Experience, Science and Psychiatry.* Harmondsworth: Penguin.

Laing, R. D. (1985). *Wisdom, Madness and Folly.* New York: McGraw-Hill.

Laing, R. D. (1985). *Wisdom, Madness and Folly: The Making of a Psychiatrist 1927-1957.* London: Macmillan.

랭크
[Rank, Otto]

1884. 4. 22. ~ 1939. 10. 31.
프로이트(S. Freud)의 초기 제자 중 유능한 인재의 한 사람으로, 오스트리아 출신의 정신분석가.

랭크는 비엔나 근교에서 보석 세공을 하던 중하층의 유대인 가정에서 2남 1녀의 막내로 태어났다. 가난한 가정 형편 때문에 가계에 보탬이 되기 위해 20세 때 기계상에 근무하였다. 그때 스스로 교육의 필요성을 느껴 독서에 몰두했고, 그러던 중에 프로

이트의 저작을 접하게 된다. 그 무렵 희곡, 시, 소설 창작을 계속하면서 작가인 자기 자신을 통하여 예술가의 심리를 철저하게 이해하고자 하였다. 이러한 노력이 담긴 글이 나중에 프로이트의 눈에 들어 책으로 출간되었는데, 바로 『Art and artist』였다. 랭크는 자신의 주치의였던 아들러(Adler)의 소개로 프로이트를 만나게 되었다. 그는 프로이트의 적극적인 지지를 받으면서 공부를 다시 시작해 비엔나대학교에서 철학과 독일어를 전공하였고, 학교를 다니면서 『The myth of the birth of the hero』를 출간하였다. 랭크는 26세 때부터 본격적으로 저술활동을 시작하여 정신분석협회에서 새로 창간한 저널에 수많은 원고를 쓰고 리뷰를 올렸다. 28세 때는 비엔나대학교에서 박사학위를 받았는데, 그의 논문은 정신분석적으로 쓰인 최초의 박사학위 논문이었다. 그 후 협회의 사무국장으로 일하면서 최초의 비의사 분석자(非醫師分析者)의 길에 들어섰다. 랭크는 아내와의 사이에서 딸을 낳았는데, 아기의 탄생은 랭크에게 어머니와 아이 사이의 유대관계에 눈을 뜨게 해 주었고, 분리불안 및 자아발달의 근본 문제에 대해서 새롭게 인식할 기회를 주었다. 랭크가 프로이트 정신분석학에서 이탈하기 시작했다는 것을 사람들이 알기 시작한 것은 1924년 페렌치(Ferenczi)와 공동 저술한 『The Development of Psychoanalysis』부터다. 그는 정서적인 경험이 지적인 이해보다 치료적으로 더 효과가 있다고 주장하면서 정신분석가들 사이에 만연한 '해석에의 광신'을 경계하였다. 한때는 프로이트의 후계자로서 간주된 그였지만 『Das Trauma der Geburt』를 출판하면서부터 프로이트와 멀어지기 시작하고 나중에는 결별하였다. 그는 이 책에서 아이의 발달에 결정적인 역할을 하는 것은 오이디푸스 시기 이전의 불안이라고 주장하면서, 21년간이나 긴밀한 협력관계를 보였던 프로이트와 다른 관점을 제시하였다. 랭크의 심리학은 의지심리학이라고 불린다. 그는 의지를 두려워하는 인간정신의 역사에 대해 방대한 고찰을 시도했고, 존재론적 불안에 대해 탁월한 이론을 펼쳤다. 의지는 창조자라고 하면서 인간의 의지, 예를 들면 개성적인 요구나 자기주장은 실제 인생을 살아가는 힘이 된다고 본 것이다. 그는 그것을 우주적 원초적인 힘(energy)이라고 불렀다. 랭크는 기초적인 신화의 중요성을 분석하기도 하였다. 그의 저작물을 보면 예술, 신화, 종교, 교육, 의지, 영혼, 생명—공포와 죽음—공포, 그리고 심리에 대한 통찰력으로 가득하다. 랭크가 살아 있을 당시에는 그의 공헌을 인정한 사람은 소수뿐이었고, 정신분석 학계에서는 이단자로 취급하였다. 그러나 최근에는 그의 이론이 대상관계 이론과 여성심리학, 단기심리치료모델이 생겨나는 데 선구적인 역할을 했다는 평가를 받고 있다. 그는 코헛(Kohut), 클라인(Kline), 말러(Mahler), 태프트(Taft), 알렌(Allen), 로저스(Rogers) 등에게 영향을 주었다.

주요 저서

Rank, O., Robbins, F., & Jelliffe, S. E. (1914). *The myth of the birth of the hero: a psychological exploration of myth*. New York: Journal of Nervous and Mental Disease Pub.

Rank, O. (1932). *Art and artist: creative urge and personality development*. New York: Norton.

Rank, O., & Taft, J. J. (1945). *Will therapy and truth and reality*. New York: A.A. Knopf.

러셀
[Russell, Bertrand]

1872. 5. 18. ~ 1970. 2. 2.
영국의 철학자, 논리학자, 수학자, 역사학자이자 사회비평가.

러셀은 웨일스의 몬모스사이어(Monmouthshire

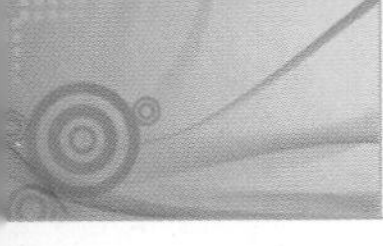

of Wales) 지방의 라벤스크로프트(Ravenscroft)에서 태어났다. 그의 집안은 영국의 귀족집안으로 영향력 있고 민주적인 분위기가 형성되어 있었다. 아버지 가문에서는 빅토리아 여왕 시절에 1840년대, 1860년대 두 번이나 수상을 맡은 분이 있었다. 러셀 가문은 수세기 동안 영국에서 영향력을 지닌 가문으로 군림하였으며, 정치적인 입지도 굳혀 영향력을 발휘하였다. 러셀의 외가도 귀족집안으로 케임브리지의 거튼(Girton)대학을 창설한 집안이다. 러셀의 부모는 당대에서는 진보적 세계관을 가지고 있었으며, 아버지 앰벌리(V. Amberley)는 무신론자였다. 러셀의 부모는 두 사람 모두 산아 제한에 협력하고 있었다. 러셀은 3형제 중 막내였는데, 1874년에 어머니가 디프테리아로 사망하고, 곧 둘째 형도 사망하였다. 이후 오랫동안 우울증으로 힘들어하던 아버지까지 1876년에 기관지염으로 사망하였다. 맏형과 러셀은 조부모의 손에서 자랐는데, 할아버지도 1878년에 사망하고 말았다. 이때부터 할머니 러셀 백작 부인이 집안의 어른 역할을 하였다. 러셀에게 할머니는 성장기 동안 가장 영향력 있는 인물이었다. 할머니는 종교적으로 보수적 성향을 지녔지만, 다른 면에서는 진보적이어서, 러셀의 어린 시절 정신세계에 적잖은 영향을 미쳤다. 수학과 종교에 큰 관심을 갖고 있었지만, 외롭게 청소년기를 보낸 러셀은 자살에 관한 생각을 자주 하였다. 그러나 수학에 관한 남다른 관심이 그를 자살에서 멀어지도록 만들었다. 러셀은 가정교사에게서 교육을 받았다. 형을 통하여 유클리드(Euclid)의 저서를 알게 된 것이 러셀의 삶에 전환점이 되었다. 그때부터 독서와 학습에 빠져 살았다. 낭만주의 시의 거장 셸리(P. Shelley)의 작품에도 매료되었다. 15세가 되면서 러셀은 기독교적 교리의 타당성에 대해 고민하기 시작했고, 18세가 되면서 기독교 교리를 버렸다. 러셀은 케임브리지 트리니티대학에서 수학 우등생으로 장학금을 받았으며, 1890년부터는 자신의 연구를 시작하였다. 그곳에서 무어(G. Moore)를 알게 되었고, 화이트헤드(A. Whitehead)의 영향을 받았다. 화이트헤드는 러셀을 케임브리지 학생들의 좌담회로 유명한 케임브리지의 사도(Cambridge Apostles)에 추천하였다. 수학과 철학에서 두각을 나타낸 러셀은 1893년 최우수 학생(High Wrangler)으로 졸업을 하고, 1895년에 특별회원이 되었다. 1894년에 결혼을 했지만 1921년에 이혼하였다. 1896년부터 러셀은 『German Social Democracy』를 시작으로 자신의 저서를 발표하기 시작하였다. 이때부터 정치 및 사회 이론에 관한 그의 평생의 관심사가 엿보였다. 런던 경제학부에서 강의도 했으며, 1900년대 초부터는 트리니티에서 집합론에 도전하는 러셀의 패러독스(Russell's paradox)를 발견하는 등 기초수학에 관한 집중 연구를 시작하였다. 1903년, 마침내 그의 수학적 논리학을 보여 주는 가장 중요한 저서로 손꼽히는 『The Principles of Mathematics』가 출간되었다. 이 책으로 러셀은 세계적인 명성을 얻었다. 1908년에는 영국의 학술원 왕립협회(Royal Society)의 특별 회원이 되었고, 1910년에는 케임브리지대학교의 강단에도 섰다. 제1차 세계 대전이 발발하자, 그는 평화주의 운동에 가담하였다. 1916년 영국의 국토 방위법(Defence of the Realm Act)에 저촉되어 트리니티대학에서 물러난 그는 1918년 수감생활을 끝내고 1919년에 복직되었지만, 1920년에 사임하였다. 1926년에는 타너 강사(Tarner Lecturer, 케임브리지대학교에서 1916년 이후 시민들을 위해 개설한 철학 강좌의 강사)가 되었고, 1944년부터 1949년까지 다시 협회 회원 자리를 회복하였다. 러셀은 1920년에 러시아로 여행을 하고 베이징에서 1년간 철학강의를 하였다. 그때 동행했던 도라(Dora)와 두 번째 결혼을 하였다. 도라와 함께 1927년 비컨 힐 실험학교(experimental Beacon Hill School)

를 만들었다. 1932년 도라와 이혼을 하고 러셀은 학교를 떠났지만, 도라는 1943년까지 학교를 계속 운영하였다. 이후 1936년에 러셀은 세 번째 결혼을 하였다. 제2차 세계 대전이 일어나자 러셀은 나치에 반대하는 것만이 아니라 전쟁 자체를 반대하였다. 전쟁 발발 전에 러셀은 시카고대학교에서 강의를 했는데, 이를 인연으로 로스앤젤레스의 캘리포니아 대학교에서도 강의를 하게 되었다. 1940년에는 뉴욕 시립대학교 교수로 지명되었지만, 그의 성적 도덕성을 문제 삼은 대중의 반대로 취소되었다. 러셀은 바네스재단(Barnes Foundation)에 들어가 철학사 강의를 하였다. 이 강의는 나중에 『History of Western Philosophy』의 근간이 되었다. 1944년 영국으로 돌아와 트리니티대학에 복직한 러셀은, 1940년대와 1950년대에는 BBC 방송국의 여러 프로그램에 참여하여 철학적 주제에 대해 방송하였다. 이로써 그의 유명세는 급물살을 탔다. 1952년 또다시 이혼을 하고, 이혼 직후 네 번째 결혼을 하였다. 만년까지 집필활동을 멈추지 않았던 러셀은 1970년 독감으로 사망하였다. 러셀은 1950년대와 1960년대 여러 정치적 문제에 가담해서 핵 반대, 베트남 전쟁 반대 등 평화주의를 외친 사상가였고, 분석철학의 창시자 중 한 사람으로 평가되고 있다. 그는 형이상학과 수학적 논리학과 철학에 깊이 있는 연구를 했으며, 언어 철학, 윤리학, 인식론 등에서도 두각을 나타냈다. 그는 정치적 · 사회적으로도 적극적인 가담을 하였다.

주요 저서

Russell, B. (1896). 러셀의 서양철학사[*A History of Western Philosophy*]. (박상익 역). 서울: 푸른역사. (원저는 1945년에 출판).

Russell, B. (1896). *German Social Democracy*. London: Longmans.

Russell, B. (1896). *Human Knowledge*. London: George Allen & Unwin.

Russell, B. (1897). *An Essay on the Foundations of Geometry*. Cambridge: Cambridge Univ. Press.

Russell, B. (1900). *A Critical Expositions of the Philosophy of Leibniz*. Cambridge: Cambridge Univ. Press.

Russell, B. (1903). *The Principles of Mathematics*. Cambridge: Cambridge Univ. Press.

Russell, B. (1905). *On Denoting*. Basil Balckwell.

Russell, B. (1910). *Philosophical Essays*. London: Longmans.

Russell, B. (1912). *The Problems of Philosophy*. London: Williams and Norgate.

Russell, B. (1914). *Our Knowledge of the External World as a Field for Scientific Method in Philosophy*. Chicago & London: Open C Pub.

Russell, B. (1916). *Justice in War-Time*. Chicago: Open Court.

Russell, B. (1916). *Principles of Social Reconstruction*. London: George Allen & Unwin.

Russell, B. (1917). *Political Ideals*. New York: The Century Co.

Russell, B. (1970). *Marriage and Morals*. New York: W. W. Nartongl

Russell, B. (1972). 권력론[*Power: A New Social Analysis*]. (이성규 역). 경기: 서문당. (원저는 1938년에 출판).

Russell, B. (1997). *Religions and Science*. Oxford Univ. Press.

Russell, B. (2005). 행복의 정복[*The Conquest of Happiness*]. (이순희 역). 경기: 사회평론. (원저는 1996년에 출판).

Russell, B. (2010). *Proposed Roads to Freedom*. General Books LLC.

Russell, B. (2011). 러셀의 교육론[*On Education*]. (안인희 역). 경기: 서광사. (원저는 2009년에 출판).

Russell, B. (2011). 철학이란 무엇인가[*The Problems of Philosophy*]. (황문수 역). 서울: 문예출판사. (원저는 2008년에 출판).

Russell, B. (2011). *The Analysis of Mind*. CreateSpace.

러시
[Rush, Benjamin]

1746. 1. 4. ~ 1813. 4. 19.
미국 헌법 제정자 중 한 사람.

러시는 미국 독립선언문에 서명을 한 미국 헌법 제정자 중 한 사람으로, 의사, 작가, 교육자, 인도주의자, 기독교 보편구원론자로서 평생을 살아간 인물이며, 펜실베이니아의 칼라일 소재 디킨슨대학교를 설립한 인물이다. 그는 애덤스(J. Adams)와 제퍼슨(T. Jefferson)을 비롯한 혁명의 시대를 살아간 저명한 인물들과 뜻을 같이한 사람이다. 러시는 아버지 존 러시(John Rush)와 어머니 수잔나(Susanna) 사이에서 태어났다. 그는 일곱 형제와 함께 필라델피아 카운티에 있는 비벌리 타운십에서 성장하였다. 러시가 5세 되던 해 아버지가 사망하고 어머니가 가장이 되었다. 8세가 되던 해에는 친척 집으로 가서 교육을 받게 되었고, 러시는 노팅햄에 있는 아카데미에서 수학하였다. 1760년, 15세가 되어 뉴저지대학교에서 예술 학사를 취득하고 필라델피아에 있는 존 레드먼(John Redman) 박사에게 의학을 배우기 시작하였다. 레드먼 박사의 지지를 얻어 에든버러대학교에 진학한 뒤 그곳에서 의학을 전공하였다. 영국에서 의학을 공부하는 동안 프랑스어, 이탈리아어, 스페인어 등을 익혔다. 1769년 콜로니로 돌아와 필라델피아에 병원을 개업하고 지금의 펜실베이니아대학교 전신인 필라델피아대학교의 화학교수가 되었다. 그는 화학에 관련된 교재를 미국인으로서는 최초로 출판하였고, 의학도 교육을 위한 책도 편찬하였다. 또한 '자유의 아들들(Sons of Liberty)'이라는 조직에서도 열심히 활동하여 후에 대륙회의(Continental Congress)의 주회의 대표로 선출되었다. 대륙회의에서 그는 펜실베이니아 대표가 되어 독립선언문에 서명을 하기도 하였다. 1777년 독립전쟁 당시에는 미국 군대의 일반 외과의로 복무했는데, 미군의 의료 서비스 체제와 갈등을 빚어 1778년에 그곳을 떠났다. 조지 워싱턴(George Washington)과 뜻을 달리했던 그는 1783년, 펜실베이니아병원에 들어가서 임종 때까지 근무하였다. 1791년에는 펜실베이니아대학교 의학 이론 및 임상의 교수가 되었다. 1794년에 스웨덴 왕립과학학회(Royal Swedish Academy of Sciences)의 외국인 회원으로 선출되기도 했던 러시는 노예제도 및 사형제도를 반대하는 입장이었다. 1813년에 임종을 맞은 그는 의학, 화학뿐만 아니라 미국의 초기 정치에도 큰 영향을 미쳤지만, 현대에는 그다지 많이 기억되지 않는 인물이다. 정신건강 부문에서도 당시 일반적 입장보다 훨씬 진보적인 자세로 정신질환 치료에서도 한 발 앞서 있었다. 그 때문에 그를 미국 정신의학의 아버지라고도 부른다. 그는 미국에서 정신의학을 주제로 한 최초의 교재인, 『Medical Inquiries and Observations upon the Diseases of the Mind』(1812)를 출판하고, 정신질환을 각각의 양상에 따라 분류하고자 했고, 각 질환별로 원인 및 치료방법을 이론화하고자 노력하였다. 러시는 정신질환이 혈액순환의 문제에서 야기된다고 보고, 억제의자(restraining chair), 원심회전판(centrifugal spinning board)과 같은 도구를 이용해서 뇌의 순환을 개선하는 장치로 정신질환을 치료하기도 하였다. 그는 펜실베이니아병원에서 정신질환 환자의 열악한 환경조건을 경험한 뒤, 1792년 그들의 환경조건이 좀 더 나아지기 위해서는 정신병동을 따로 구축해야 한다는 캠페인을 벌여 성공하였다. 이 때문에 그의 정신질환 치료법을 도덕적 치료(Moral Therapy)라 부르기도 한다. 러시는 68세를 일기로 필라델피아의 자택에서 사망하였다. 또한 러시는 작업치료(occupational therapy)의 창시자로도 평가되며, 서번트 신드롬(Savant Syndrome)에 대해 처음 기술한 인물이기도 하다. 그리고 중독에 대한 치료적 접근을 최초로 시도하였다. 그의 선도적 치료 기술과 사상은 현대정신의학에 지대한 영향을 미치고 있다.

주요 저서

Rush, B. (1798). *Essays: Literary, Moral, and Philosophical*. Philadelphia, Thomas & Samuel F. Bradford.

Rush, B. (1951). *Letters of Benjamin Rush, vol. 1*. L. H. Butterfield (Ed.). NewJersey Princeton Univ. Press.

Rush, B. (1970). *The Autography of Benjamin Rush*. Santa Barbara; California: Greenwood Press.

Rush, B. (2001). *The Spur of Fame*. Liberty Fund Inc.

Rush, B. (2006). *Medical Inquiries And Observations Upon The Diseases Of The Mind*. MT: Kessinger Pub.

레비스트로스
[Levi-Strauss, Claude]

1908. 11. 28. ~ 2009. 10. 30.
프랑스의 저명한 인류학자이자 민족학자로, 구조주의 인류학의 창시자.

레비스트로스는 벨기에 브뤼셀(Brussels)에서 유대계 프랑스인 화가의 아들로 태어났다. 그는 파리 리체 장손더 세일리(Lycée Janson de Sailly)를 나와서 소르본대학에 들어가 1928년 연소한 나이지만 우수한 성적으로 철학과를 졸업한 뒤 라온, 피카르디 등지에서 교사로 재직하였다. 그러나 얼마 지나지 않아 철학에 대한 환상이 깨지고, 당대에 만연하던 프랑스의 공리주의적이고 도덕적인 철학양식에 혐오를 느꼈다. 이후 프랑스 사회주의 운동에 가담했다가 곧 정치에도 흥미를 잃고 인류학에 관심을 보였다. 로베르트 로위(Robert Lowie)의 『Primitive Society』에 감명을 받으면서 인류학에 관한 관심도는 더 커졌다. 그러다가 브라질의 상파울로대학교에서 지원을 받는 프랑스 학회의 일원이었던 사회학자 셀레스틴 부글(Celestin Bougle)을 만났고, 1935년에는 교수가 되어, 미국 인디언을 연구할 수 있게 될 것이라는 기대에 부풀었지만 그 결과는 그다지 좋지 않았다. 1939년 교수 자리에서 물러나 실제 인디언의 삶을 탐색하기 위해 직접 여행을 떠났다. 자청하여 아마존 유역의 수렵 채집 부족을 직접 참여 관찰했던 연구로, 인간의 원초적이면서도 보편화될 수 있는 세계관, 인지구조, 사회조직의 기본 원리 등의 기초자료를 확보할 수 있었다. 그들의 삶을 직접 경험하면서 레비스트로스는 인디언의 삶과 문화에 감명을 받았다. 이 같은 태도는 제2차 세계 대전이 발발하면서 더욱 확고해졌다. 1941년 뉴욕으로 가서 이듬해에 프랑스 출신의 지성들과 함께 신사회연구학회(New School for Social Research)를 만들고, 전쟁이 끝난 뒤 프랑스로 돌아와 여러 기관에서 요직을 맡았다. 문화인류학에 관한 본격적인 연구에 돌입하면서 구조주의 언어학자로만 야콥슨(Roman Jakobson)과 함께 『Structural Analysis in Linguistics and in Anthropology』를 발표하기도 하였다. 레비스트로스가 왕성하게 활동하던 시절 미국은 '구조적 인류학'이 막 구축되던 시기였다. 그래서 레비스트로스는 구조주의자로 인식되었고, 구조주의는 인류학을 비롯해 많은 학문에 하나의 장을 열게 되었다. 1948년, 파리로 돌아온 그는 인류학 박물관 부관장이 되었고, 이듬해 『Les Structures élémeutaires de la parenté』라는 방대한 저서를 출간하였다. 구조주의 방법론을 결혼과 친족관계 분석에 적용한 이 책은 학계와 사상계에 큰 반향을 불러일으켰다. 이로써 레비스트로스는 인류학자로서의 위치를 공고히 하였다. 1955년 브라질 원주민 부족의 민족지를 중심으로 자신의 사상적 편력을 담은 철학적 기행문 『Tristes Tropiques』를 발표했는데, 이 또한 엄청난 화제를 불러 모았다. 그는 1950년에 파리대학교 고등연구원 원시종교 연구교수가 되었고, 1959년에는 콜레주 드 프랑스 사회 인류학 정교수가 되면서 연구와 집필을 계속해 나갔다. 1960년대까지 지속된 그의 작업은 구조주의(Structuralism) 붐을 일으키는 데 큰 역할을 하였다. 1964년, 그의 역작 『Mythologiques』 제1권 발표를 필두로 1971년까지 전 4권을 차례로 출간하면서 마침내 그의 구조주의 인류학이 완성되었다. 그는 1973년 아카데미 프랑세즈의 회원이 되었으며, 프랑스 지성사에서 루소 이후 가장 박식한 인물로 인정받게 되었고, 2008년에는 생존 인물로는 이례적으로 갈리마르 출판사에서 펴내는 플레야드 총서에 이름을 올렸다. 프랑스가 낳은 세계적인 사상가로 손꼽히는 그는 살아 있는 국보라 칭해졌다. 2009년 101세를 일기로 사망한 레비스트로스는 제임스 프레이저(James Frazer)와 함께 현대 인류학의 아버지로 불리고 있다. 친족관계 분석과 신화에 관심이 많았고, 구조주의자로서 자신의 지성을 십분 발휘하였다. 레비스트로스는 인류학에 조예가 없는 일반인에게도 널리 알려질 만큼 현대사에서 중요한 인물로서, 구조주의라는 지적 운동의 창시자로도 평가받고 있다. 그는 '야만'의 정신은 '문명화된' 정신과 동일한 구조를 지니며, 인간의 특성은 모든 곳에서 동일하다고 주장하였다. 이 같은 그의 사상은 인류학뿐만 아니라 인본주의, 사회학, 철학 등에 영향을 미쳤으며, 그가 추구한 구조주의는 '인간활동의 모든 형식의 저변에 담긴 사고양식의 탐구'로 정의되었다. 세계 유수의 대학에서 위촉을 받은 레비스트로스의 구조주의는 인간이란 존재와 철학적 태도에 대한 연구에 자연주의자로서의 접근으로 논리를 도출시키는 이론이다. 레비스트로스의 구조적 인류학의 기반이 되는 사상은 인간의 두뇌는 체계적으로 조직된 과정을 지니고 있고, 이를 두고 구조적이라 하며, 정보들이 단위를 이루어 구성되고 또 재구성되어 인간이 살고 있는 세상을 설명하는 모델을 두고 말하는 것이다. 레비스트로스에게 인류학은 과학적이고 자연주의적이다. 그는 여러 문화 양식을 연구하면서 그 변천을 탐색하는 중에 여러 공통점을 발견했고, 여기서 상징의 의미와 개념에 대한 연구가 이루어졌다. 또한 레비스트로스에게 인류학은 하나의 인지과학이라 할 수 있다. 그는 인간이라는 종의 일반적 속성에 관심을 두었으며, 이를 위해서 미국 인디언의 신화에 몰두하였다.

주요 저서

Levi-Strauss, C. (1971). *Totemism*. New York: Beacon Press.

Levi-Strauss, C. (1983). *Structural Anthropology*. Chicago: Univ. Press.

Levi-Strauss, C. (1993). 구조주의 인류학[*Structural Anthropology 1*]. (김진욱 역). 서울: 종로서적. (원저는 1987년에 출판).

Levi-Strauss, C. (1996). 야생의 사고[*The Savage Mind*]. (안정남 역). 경기: 한길사. (원저는 1968년에 출판).

Levi-Strauss, C. (1998). 슬픈 열대[*Tristes Tropiques*]. (박옥줄 역). 경기: 한길사. (원저는 1992년에 출판).

Levi-Strauss, C. (2000). 신화와 의미[*Myth and Meaning*]. (임옥희 역). 서울: 이끌리오. (원저는 1995년에 출판).

Levi-Strauss, C. (2005-2008). 신화학[*Mythologiques 1-4*]. (임봉길 역). 경기: 한길사. (원저는 1964-1971년에 출판).

Levi-Strauss, C. (2008). 레비스트로스 미학강의 보다 듣다 읽다[*Look, Listen, Read*]. (고봉만 역). 서울: 이매진. (원저는 1998년에 출판).

레빈
[Lewin, Kurt Zadek]

1890. 9. 9. ~ 1947. 2. 12.
독일 출신의 미국 심리학자로, 현대의 사회, 조직, 응용 심리학 분야의 선구자 중 한 사람.

레빈은 폴란드 모길노(Mogilna)의 유대인 중산층 집안에서 태어났다. 형제는 모두 4남매였으며, 그가 태어날 당시 그곳은 독일 영토였다. 아버지는 작은 가게와 농장을 운영하고 있었다. 1905년 가족이 모두 베를린으로 이사하고, 1909년에 레빈은 프라이부르크(Freiburg)대학교에 들어가 의학을 전공하였다. 그러나 뮌헨(Munich)대학교로 옮기면서 생물학으로 전공을 바꾸었다. 레빈은 당시 만연해 있던 사회주의 운동 및 여권신장운동에 가담하였다. 제1차 세계 대전이 발발했을 때는 독일군에 입대하였다. 군 복무 중에 부상을 입고 제대한 그는 베를린대학교로 와서 박사과정을 마쳤다. 슈툼프(C. Stumpf)에게서 박사논문 지도를 받은 레빈은 원래 행동주의 심리학파에 발을 담그고 있었지만 나중에는 게슈탈트 심리학파로 전향하였다. 레빈은 베를린대학교 심리학연구소(Psychological Institute)에 들어가 강의도 하고 철학과 심리학 분야의 세미나도 개최하였다. 초기 프랑크푸르트학파에 관련이 되어 있었던 그는 당시가 히틀러 정권이었기 때문에 영국으로 갔다가 또 미국으로 건너갔다. 1933년에는 런던의 타비스톡클리닉(Tavistock Clinic)에서 트리스트(E. Trist)를 만났다. 1933년 8월 미국으로 가서 1940년에 귀화한 레빈은 미국 코넬대학교에서 강의를 맡았고, 아이오와대학교의 아이오와 아동복지연구소(Iowa Child Welfare Research Station)에서 일하다가 후에 MIT의 집단역동센터(Center for Group Dynamics)의 책임자가 되었다. 1946년, MIT 재직 시절 종교 및 인종 편견에 대한 논쟁을 해결할 수 있는 방법을 찾아 달라는 코네티컷 주립 인종간위원회(Connecticut State Inter Racial Commission)의 요청을 받아 실험과 연구에 착수하였다. 이를 계기로 1947년 마인의 베델 지역에 국립교육연구소(National Training Laboratories)를 열었다. 제2차 세계 대전 이후 레빈은 하버드 의대에서 파인(J. Fine)과 함께 전쟁으로 난민이 된 사람들의 심리적 재활을 위해 일하였다. 트리스트 등과 함께 타비스톡연구소에서 나오는 연구결과들을 편집하여, 『Human Relations』라는 학술지도 만들었다. 1947년 심장발작으로 사망한 레빈은 사회심리학의 창시자로 평가되며, 집단역동과 조직발달을 최초로 연구한 인물 중 한 사람이기도 하다. 레빈은 행동의 장이론으로 가장 널리 알려졌는데, 그가 말하는 행동의 장이론이란, 인간의 행동은 개인의 심리적 환경이 어떻게 기능하느냐에 달려 있다는 사실을 기반으로 하는 것이다. 인간의 행동을 완전히 이해하고 예측하기 위해서는 개인의 심리적 장 혹은 생활공간에서 일어나는 모든 일을 보아야 한다고 레빈은 주장하였다.

주요 저서

Lewin, K. Z. (1935). *A Dynamic Theory of Personality*. New York: MaGraw-Hill Book Com.

Lewin, K. Z. (1936). *Principles of Topological Psychology*. New York: McGraw-Hill Book Com.

Lewin, K. Z. (1946). Behavior and development as a function of the total situation. In: Carmichael L (Ed.), *Manual of child psychology* (pp 791-844). New York: Wiley.

Lewin, K. Z. (1948). *Resolving social conflicts: Selected papers on group dynamics*. New York: Harper.

Lewin, K. Z. (1951). *Field Theory in Social Science*. Santa Barbara; California Pub.

Lewin, K. Z. (1997). *Resolving Social Conflicts and Field Theory in Social Science*. APA.

레옹
[Leong, Frederick T. L.]

1957. ~
현재 미시간 주립대학교 다문화상담연구센터 책임자로서, 사업 · 조직 및 임상심리학 프로그램에 대한 심리학 교수.

레옹은 중국계 후손의 아시아계 미국 제1세대로, 말레이시아에서 태어나 자랐다. 그는 1975년에 미국으로 건너가 메인 루이스턴(Maine Lewiston)에 있는 베이츠(Bates)대학교에서 국제학생장학금을 받으면서 심리학을 전공하였다. 학부를 졸업하면서 발표한 논문 『여성 능력에 대한 남성의 반응』이 우등 학사학위 논문이 되었고, 이는 1983년에 『Sex Roles』에 게재되었다. 재학 중에는 베이츠대학교 국제학생클럽을 만들어 초대회장을 역임하였다. 졸업 이후에는 코네티컷의 하트퍼드(Hartford) 생활연구소에서 정신과 보조로 일하였다. 이후 레옹은 메릴랜드(Maryland)대학교에서 상담과 산업 및 조직심리학을 복수로 전공하여 「심리장애의 교차 문화적 역학: 하와이 정신건강 체계 내 아시아계 미국인과 백인 내담자 비교」라는 논문으로 박사학위를 취득하였다. 1987년부터 1991년까지는 남부 일리노이(Illinois)대학교의 교수로 있었고, 1991년부터 2003년까지는 오하이오(Ohio) 주립대학교 교수로 있었다. 또한 테네시(Tennessee)대학교 교수를 역임하였다. 그는 다양한 상담과 심리학 저널에 90편이 넘는 논문을 발표했으며, 45편의 단행본을 출판하였다. 게다가 제임스 오스틴(James Austin)과 함께 1996년에 발표한 『The Psychology Research Handbook: A Guide for Graduate Student and Research Assistants』의 공동 편집자이기도 하다. 그에 앞서 1995년에는 『Career development and Vocationally behavior of racial and ethnic minorities』를 발표하기도 하였다. 2003년에는 『Handbook of Racial and Ethnic Minority Psychology』를 여러 동료와 함께 출간하였다. 그는 심리학에 공헌한 바가 커서 여러 가지 상을 받았다. 1998년에는 미국심리학회(American Psychological Association)의 특별 회원이 되었고, 1999년에는 미국심리학회 상담심리학 분과에서 존 홀랜드 상(John Holland Award)을 수상하였다. 또한 2002년부터 2006년까지 국제 응용심리학협회 상담심리학 분과의 대표를 역임했으며, 2003년부터 2005년까지는 아시아계 미국인 심리학협회(Asian American Psychological Association)의 대표를 맡았다. 이외에도 미국심리학회의 많은 요직에서 활동했었고, 또 활동하고 있다. 2007년에는 국제심리학 발전에 기여한 바로 미국심리학회로부터 공로상을 공동 수상하였다. 이와 같은 업적을 쌓은 레옹의 주요 연구 관심사는 직업심리학, 아시아계 미국인 심리학, 교차문화심리학, 조직행동 등인데, 특히 교차문화심리치료 및 정신건강 문제에 집중되어 있다. 그의 조직심리학은 직업선택, 업무 적응, 직업적 스트레스와 관련된 문화적 · 성격적 요인에 대한 관심을 기반으로 한다.

주요 저서

Leong, F. T. L. (1987). *Academic and career needs of international U. S. college students, research report.* Baltimore: Maryland Univ Counseling Center.

Leong, F. T. L. (1995). *Career development and vocational behavior of racial and ethnic minorities.* London: Erlbaum Associate.

Leong, F. T. L. (2006). *The psychology research handbook.* London: Sage.

Leong, F. T. L. (2007). *Handbook of asian american psychology.* London: Sage.

Leong, F. T. L. (2008). *Counseling psychology.* Ashgate.

Leong, F. T. L. (2008). *Encyclopedia of counseling.* London: Sage.

Leong, F. T. L., & Barak, A. (2001). *Contemporary models in vocational psychology.* New York:

Rougledge.

Leong, F. T. L., & Leach, M. M. (2008). *Suicide among racial and ethnic minority groups*. New York: Routledge.

렉키
[Lecky, Prescott]

1892. ~ 1941.
자기이론 및 현상학적 접근방법의 창시자 중 한 사람.

1924년부터 1934년까지 컬럼비아대학교에서 심리학 강의를 한 렉키는 미국 심리학계에 행동주의가 만연해 있었던 1920년대에 자기 심리치료의 일환으로 자조(self-help)의 개념을 개발하였다. 그의 개념은 말츠(Maltz)가 자조저서(self help book)인 『Psycho-Cybernetics』를 집필하는 데 영향을 주었다. 렉키는 개인의 자기개념(self-concept)을 조율하는 방법으로 저항이라는 방어기제를 강조하였다. 그의 자기일관성 이론(self-consistency theory)은 인간의 행동에 원초적인 동기를 부여하는 힘을 기반으로 한다. 자기사상의 조성과 주인(master)이 되는 데 필요한 자신의 전반적인 것들이 자기를 위해 생각 속에서 일관성을 유지할 수 있도록 해 준다는 것이다. 자기일관성 이론은 현대 성격(personality) 및 임상 심리학자들에게 이어져 내려왔다. 렉키는 심리학자로서 케네디(Kennedy)가 초트고등학교에서 문제를 일으켰을 때 상담을 한 것으로도 유명하다. 렉키의 제자들은 렉키 사상의 편린들을 모아 그의 사후에 『Self Consistency: a theory of personality』를 출판하였다.

주요 저서

Lecky, P. (1933). *The Play-book of Words*. New York: Frederick A. Stokes. Com.

Lecky, P. (1946). *Self-Consistency: A Theory of Personality*. New York: Shoeless Pub. Co.

렌
[Wrenn, C. Gilbert]

1902. ~ 2001.
미국 출신으로 상담의 선구자.

렌은 오하이오에서 태어나 1932년 스탠퍼드대학교에서 박사학위를 취득한 뒤, 같은 해 미네소타 주립대학의 교육학 교수로 취임하였다. 이후 미국 각 주의 대학과 전문 단체에 소속되어 활동을 해 나갔다. 애리조나, 오리건, 미시간, 하와이, 캘리포니아 대학교 명예교수를 역임했으며, 또한 공군, 노동부, 전미직업지도협회(NVGA), 전미교육협회(NEA), 미네소타 정신위생협회 등의 고문역할도 맡았다. 1953년부터 1963년까지는 『Journal of counseling psychology』의 편집장을 지내기도 하였다. 렌의 주요 저작으로는 상담직업에 폭넓게 영향을 미친 『The counselor in a changing world』가 있다. 렌은 특히 내담자에게 문화적으로 민감하지 못하여 모든 사람을 똑같이 다루어 내담자들을 냉대하는 사람들을 '문화적으로 둘러싸인 상담자'라고 지칭하였다. 그는 20세기 미국을 대표하는 상담의 제1인자로서, 폭넓은 저작활동과 후진양성으로 이 분야에 많은 영향력을 미쳤다.

주요 저서

Wrenn, C. G. (1962). 변화하는 세계에서의 상담자[*The counselor in a changing world*]. (정희경 역). 서울: 교육출판사. (원저는 1962년에 출판).

Wrenn, C. G. (1973). *The world of the contemporary counselor*. Boston: Houghton Mifflin.

로
[Roe, Anne]

1904. 8. 20. ~ 1991. 6. 28.
사람들이 선택하는 직업은 성장기 때 가족원과의 관계에 기초한다는 주장을 펼친 진로발달이론의 주창자.

로는 1933년 컬럼비아대학교에서 박사학위를 받았고, 1959년부터 하버드대학교에서 가르쳤다. 이후 1984년, 애리조나대학교에서 심리학 외래교수로 은퇴하였다. 그녀의 연구는 우월한 지성을 가진 사람, 알코올중독자, 창의적인 예술가와 과학자의 창의력에 미치는 영향과 관련한 사람들의 심리를 포함하고 있다. 『The Making of a Scientist』를 포함하여 100권 이상의 저서와 기사를 쓴 로가 발전시킨 직업선택이론에 따르면, 성격 결정 요인이 직업선택에 큰 영향을 미친다고 하였다. 즉, 초기 아동기의 환경이 직업선택에 영향을 준다는 것이다. 로는 매슬로(Maslow)의 욕구위계이론을 기초로 초기의 인생경험과 진로선택의 관계에 대한 이론을 발전시켰다. 그녀는 여러 가지 다른 직업에 종사하는 사람들은 제각기 다른 성격을 가지고 있으며, 이러한 성격 차이는 어린 시절 부모와 자녀 간의 관계에서 기인한다고 보았다. 그녀의 욕구 이론은, 특히 가정에서 부모가 자녀를 대하는 양상에 기초를 두고 있다. 부모가 자녀를 수용, 거부 또는 과잉보호나 지나치게 요구하는 데 대한 자녀의 감정이 인간 지향적이거나 비인간 지향적인 생활양식을 발전시키고, 이는 결국 개인에게 특정 직업을 선택하도록 만드는 진로 지향성을 형성하도록 한다는 것이다. 예를 들어 애정과 보호, 적당한 요구로 자녀를 대하는 가정분위기에서 성장한 아동은 인간 지향적인 직업(봉사, 사업, 일반 문화, 예술, 연예 등)을 갖고, 반면에 거부와 무시 또는 일상적으로 자녀를 대하는 가정분위기에서 성장한 아동은 비인간 지향적인 직업(기술, 야외 직업, 과학 등)을 갖는다고 보았다. 또한 과잉보호나 지나친 요구를 아동이 제재로 받아들일 때에는 방어적 수단으로서 비인간적 직업을 택하기도 하고, 반대로 거부적인 가정분위기에서 자란 아동이 만족을 추구하고자 인간 지향적으로 될 수 있다. 부모-자녀관계가 직접적으로 사람의 미래 직업선택에 영향을 미친다는 이론은 이후 자기 스스로 수정하기는 했지만, 그 이론은 미래의 직업선택에 어린 시절 요소를 연결했다는 점에서 시대에 앞선 관점을 보였다 할 수 있다. 그녀는 또한 직업선택에 영향을 미치는 다른 변수들을 파악하고 그것들의 중요도를 평가하였다. 이 같은 변수에는 성별, 경제상태, 가족배경, 교육, 신체장애, 친구와 기회 등이 있다. 그녀의 이론은 사람의 직업선택에 영향을 미치는 다양한 변수가 있고, 이 변수는 시간이 지남에 따라 서로 다른 무게를 가지고 있다는 것을 인식하게 해 주었다는 데 그 중요성을 인정할 수 있다. 그러나 이 같은 로의 욕구이론보다 실제적인 진로지도에서 좀 더 유용하게 사용되는 것은 그녀의 직업분류에 관한 연구다. 로는 이 연구에서 직업군을 서비스직, 영업직, 조직, 산업기술직, 옥외 활동직, 과학직, 일반 문화직, 예체능직의 8개로 나누었다. 각각의 군은 다시 전문직 상급, 전문직 보통, 준전문직, 숙련직, 준숙련직, 비숙련직의 6단계로 나누어 직업을 분류한 직업분류표를 제시하였다. 이 표는 많은 직업 중에 자신의 관심 분야와 능력 수준에 맞는 직업을 쉽게 찾아볼 수 있다는 장점이 있기 때문에 여러 진로지도 프로그램에서 이용되고 있다.

주요 저서

Roe, A. (1956). *Psychology of Occupations*. New York: Arno Press.

Roe, A., & Simpson, G. (1961). *Behavior and Evolution*. New Haven: Yale Univ. Press.

로렌츠
[Lorenz, Konrad Zacharias]

1903. 11. 7. ~ 1989. 2. 27.
오스트리아의 동물학자.

로렌츠는 정형외과 의사의 아들로 태어났고, 부모들이 워낙 동물을 좋아했던 덕에 어려서부터 동물에 관심을 보였다. 소년 시절에 여행을 가면 어류와 조류, 원숭이 · 개 · 고양이 · 토끼와 같은 여러 종(種)의 동물을 집으로 데리고 와서 길렀다고 한다. 젊었을 때는 집 근처의 쇤부르너(Sohönbrunn) 동물원에서 병든 동물을 간호해 주었고, 일기 형태로 조류의 행동을 자세히 기록하기도 하였다. 1922년 중등학교를 졸업한 뒤 아버지의 바람으로 뉴욕에 있는 컬럼비아대학교에서 2학기 동안 의학을 공부하고는 비엔나로 돌아왔다. 의학공부를 하는 동안 계속해서 동물행동에 관해 자세히 관찰하여, 1927년에 자신이 길렀던 갈까마귀에 대한 일기를 『Journal für Ornithologie』에 발표하였다. 1928년에는 비엔나에서 의사 자격증을 획득하고, 1933년에는 동물학 박사학위를 취득하였다. 그는 갈까마귀와 회색기러기 같은 조류의 군집을 만들어 관찰한 일련의 연구논문을 발표하여 국제적인 명성을 얻었다. 1935년에는 오리와 거위 새끼의 학습행동에 대하여 기술했는데, 오리와 거위 새끼들이 부화한 직후 어떤 결정적인 시기에 그들을 낳아 주거나 기른 부모를 따라 배운다는 사실을 관찰하여 기록하였다. 각인학습(刻印學習)이라고 하는 이 과정에서 어버이가 되는 대상으로부터 시각적 · 청각적 자극을 받게 되는데, 이들 자극은 후속 반응을 유도하여 새끼들이 자라서 어른이 되었을 때 나타나는 행동에 영향을 준다. 그는 새로 부화한 청둥오리 새끼 앞에서 어미 오리의 울음소리를 흉내 내면 새끼들은 그를 어미라고 여기고 따르게 된다는 것을 증명해 보였다. 1936년에 독일 동물심리학회가 설립되고, 그다음 해에 그는 새로 창간된 『Zeitschrift für Tierpsy-chologie』의 공동 편집장이 되었다. 그 잡지는 행동학의 선두적인 잡지가 되었다. 또한 로렌츠는 1937년에 비엔나대학교의 비교해부학과 동물심리학 강사로 임명되었으며, 1940년부터 1942년까지 쾨니히스베르크(Königsberg)의 알베르투스(Albertus)대학교 일반심리학과의 교수와 학과장을 지냈다. 1942년부터 1944년의 전쟁 기간에는 독일 육군에서 내과의로 일했고, 구소련에서 전쟁 포로가 되었다. 1948년 오스트리아로 돌아온 그는 1949년부터 2년간 알텐부르크(Altenburg) 비교행동학 연구소 소장으로 일하였다. 1950년에는 베스트팔렌 불데른(Westphalia Buldern)의 막스플랑크 연구소(Max Planck Society)에 비교생태학과를 설립했으며, 1954년 연구소의 공동책임자가 되었다. 1961년부터 12년간은 제비젠(Seewieseen)의 막스플랑크 행동생리학 연구소 소장을 지냈으며, 프리슈(Frisch), 틴베르헨(Tinbergen) 등과 함께 동물의 행동양상을 발견하여 1973년에 노벨 생리학 및 의학상을 수상하였다. 그해에는 알텐베르크에 있는 오스트리아 과학아카데미의 비교행동학연구소의 동물사회 학과장으로도 부임하였다. 1969년에는 프릭스 몬디얼 치노 엘 듀카(Prix Mondial Cino Del Duca)를 최초로 수상하는 영예를 누렸다. 로렌츠는 1973년에 연구소를 은퇴했지만 연구와 집필 활동은 계속하다가 1989년 알텐베르크(Altenberg)에서 눈을 감았다. 그는 비교동물학적 방법으로 동물의 행동을 연구하는 현대행동학의 창시자로서 행동양상을 통하여 진화양상을 밝히는 데 공헌했으며, 공격의 근원에 대한 연구로도 유명하다. 초기에 그가 이룬 과학적 업적은 본능적인 행동양상의 성질, 특히 어떻게 그러한 행동이 나타나는가 하는 것과 그 행동을 하는 데 필요한 신경에너지의 근원에 관한 것이었다. 또한 한 동물에서 동시에 활성화되는 두 가지 이

ㄹ

상의 기본 동기에서 어떤 행동이 나오는지도 연구했으며, 네덜란드의 틴베르헨(Tinbergen)과 함께 여러 형태의 행동이 하나의 행동결과로 조화를 이룬다는 것을 보여 주었다. 로렌츠의 개념은 한 종에서 행동양상이 어떻게 진화해 나가는가, 특히 생태학적 요인의 역할과 종의 생존을 위한 행동 적응에 대한 현대과학적 이해를 진보시켰다. 그는 동물종의 유전적 구성은 그 종의 생존에 특별한 종류의 중요한 정보를 배울 수 있도록 구성되어 있다고 제안하였다. 그의 견해는 또한 각 개체가 일생을 보내는 동안 행동양상이 어떻게 발달하고 성숙해 가는가에 대한 연구에 밝은 전망을 주었다. 말년에는 인간을 사회를 구성하는 동물의 하나로 생각하고 자신의 생각을 인간행동에 적용시켰는데, 여기에는 철학적·사회학적인 논쟁의 여지가 내포되어 있었다. 1963년에 출간한 『Das sogenannte Böse』라는 대중적인 책에서 그는 인간의 싸움이나 전쟁과 같은 행동은 선천적이지만 인간의 기본적인 본능욕구에 대해 적절히 이해하고 준비함으로써 환경에 따라 바뀔 수 있다고 주장하였다. 그가 관찰한 바에 의하면, 하등동물에서의 싸움은 경쟁자를 물리치고 영역을 유지하는 것과 같이 적극적인 생존 기능을 하는데 인간의 호전적인 경향 또한 이와 같은 사회적 행동 양상으로 의식화될 수 있다고 보았다.

주요 저서

Lorenz, K. Z. (1973). *Motivation of Human and Animal Behavior: An Ethological View*. New York: D. Van Nostrand Co.

Lorenz, K. Z. (1978). *Behind the Mirror*. Boston: Mariner Books.

Lorenz, K. Z. (1982). *The Foundations of Ethology*. Simon & Schuster.

Lorenz, K. Z. (1989). *Waning of Humaneness*. HarperCollins Pub.

Lorenz, K. Z. (1991). *Here Am I-Where Are You?: The Behavior of the Greylag*. New York: Harcourt.

Lorenz, K. Z. (1997). *King Solomon's Ring*. New York: Plume.

Lorenz, K. Z. (1997). *The Natural Science of the Human Species*. Massachusetts: The MIT Press.

로르샤흐
[Rorschach, Hermann]

1884. 11. 8. ~ 1922. 4. 2.
스위스의 정신의학자로서 로르샤흐 검사의 발명자.

로르샤흐는 스위스 취리히(Zürich)에서 태어났다. 아버지는 화가이고 로르샤흐 자신도 어린 시절 그림 그리기를 좋아하는 소년이었다. 취리히대학에서 정신분열병의 개념을 처음 도입한 것으로 유명한 블로일러(E. Bleuler)의 지도하에 학위를 받았다. 이후 여러 정신병원에 근무하며 정신분석가의 길로 들어섰다. 그는 1911년 뮌스터링겐병원(Münsterlingen hospital)에서 정신과 수련의 훈련을 받는 동안 정상 청소년과 환자들이 잉크반점카드에 서로 다르게 반응한다는 것을 알게 되었다. 그 후 1917년부터 좀 더 체계적으로 정신분열증 환자와 정상인의 잉크반점카드에 대한 반응자료를 수집하고 분석했는데, 그 결과 잉크반점검사방법이 정신분열증 진단에 특히 유용한 도구가 된다는 사실을 알아냈다. 이러한 생각을 논문으로 발표했고, 잉크반점검사가 임상진단도구로서뿐만 아니라 개인의 성격이나 습관, 반응스타일을 알려 주는 도구가 될 수 있기 때문에 계속적인 연구를 할 만하다고 주장하였다. 이 같은 과정을 거치면서 점차 애매한 도형(잉크의 얼룩)을 사용한 성격 진단검사법 연구에 본격적으로 몰두하여 그 연구성과를 1921년에 『Psychodiagnostik』으로 발표하였다. 그는 그 검사를 형태 해석 검사(Form Interpretation Test)라고 명명하였다. 하지만 로르샤흐는 후속연구를 하던 중 마무리를 하지 못한 채 37세의 젊은 나이로 갑자기 사망하였다. 사후 형태 해석 검사는 그의 이름을 따서 '로르샤흐 검사'로 명명되었고, 이후 벡(Beck), 클로퍼(Klopper) 등이 이어서 발전시켰다. 1961년부터는 엑스너(Exner)가 로르샤흐의 발전을 위한 종합체계방식을 제안하여 1970년대부터는 어느 정도 통합된 로르샤흐 검사의 채점과 활용 방안이 활용되고 있다.

주요 저서

Rorschach, H. (1921). *Psychodiagnostik*. Bern: Hans Huber.

로빈슨
[Robinson, Francis P.]

1906. 12. 21. ~ 1983. 8. 6.
미국의 상담 심리학자.

로빈슨은 미국 인디애나 주에서 태어나 아이오와 대학교에서 박사학위를 취득하였다. 오하이오 주립대학교 교수로 상담의 입장에서는 절충파(eclecticism)의 대표자로 간주되고 있다. 상담은 모든 사람에게 유효하지 않으면 안 된다는 것을 표방하고 내담자의 행복감이나 적응감의 향상, 환경에의 적응 개선, 부적응 징후의 제거를 주요 상담목표로 명확하게 규정하고 있다. 이 목표를 달성하는 데에는 동기부여가 중요하며 통찰을 얻는 것을 상담의 종결로 삼고 있다. 그것을 위한 기술로 내담자의 수용, 내담자의 발언의 이해와 반응, 책임의 분담, 리드(lead)의 양 등을 들었다. 특히 리드의 기술은 중시되었다. 로빈슨의 책 『Effective Study』에서는 'SQ3R'이라 불리는 학습방법을 소개하고 있다. 당시 제2차 세계 대전이 본격화되던 시점이어서 그때의 교육시스템으로는 폭증하는 병력수요를 맞추기 어려웠다. 첨단무기체제와 복잡한 현대전의 양상 때문에 필요한 교육기간이 점점 늘어났기 때문이다. 그래서 미 육군 당국은 로빈슨에게 찾아가 이러한 요구에 부응하는 새로운 교육시스템 개발을 의뢰했고, SQ3R이라는 학습법이 개발되었다. 공부는 선생님이 핵심을 가르쳐 주고 시켜야만 하는 것이 아니라 혼자서도 할 수 있다는 자신감을 갖게 만드는 것이다. 여기서는 읽기 방법에 대해 '1단계(Survey): 전체 내용을 살펴본다. 2단계(Question): 알아야 할 내용을 질문형식으로 만들었는가? 3단계(Read): 읽고 요점을 파악하고 있는가? 4단계(Recite): 파악한 중심 내용을 구조화할 수 있는가? 5단계(Review): 읽은 내용에 대하여 검토한다.'의 5단계로 기술하고 있다.

주요 저서

Robinson, F. P. (1945). *Principle and Procedures in Student Counseling*. New York: Harper.

Robinson, F. P., & Pressey, S. L. (1945). *Psychology and New Education*. New York: Harper.

Robinson, F. P. (1946). *Effective study*. New York: Harper and Brothers.

Robinson, F. P. (1950). *Principles and procedures in student counseling*. New York: Harper and Brothers.

Robinson, F. P. (1959). *Psychology in education*. New York: Harper and Brothers.

Robinson, F. P. (1964). *Counseling psychology since the Northwestern Conference*. New York: Teachers College Press.

로웬
[Lowen, Alexander]

1910. 12. 23. ~ 2008. 10. 28.
미국 출신의 심리치료사.

로웬은 뉴욕에서 태어나, 뉴욕 시립대학과 브루클린 로스쿨(Brooklyn Law School)에서 과학과 경영학을 전공하였다. 그의 주 관심사는 정신과 신체를 연결하는 것이었다. 그는 라이히(Reich)의 특성분석(character analysis) 수업을 듣고 스스로 치료사가 되기 위해서 교육을 받은 뒤, 스위스로 가서 제네바대학교에서 1951년 석사학위를 취득하였다. 1940년대와 1950년대 초기에 라이히의 제자로 뉴욕에 있었던 그는 정신분석 입장의 이론을 취하고 있으며, 그 시각으로 정신분열을 해석하고 라이히의 연구를 더욱 확장시켜 생체에너지 분석이라는 이론을 펼치게 되었다. 1956년부터 북미, 유럽 등 각지에서 생체에너지 분석연구소를 세우면서 적극적인 활동을 펼쳤다. 1960년에는 에솔렌연구소(Esalen Institute) 내에 연구소를 열어 전국적으로 유명해졌다. 그는 2006년에 뇌졸중을 앓았는데, 2007년에 알렉산더로웬재단(The Alexander Lowen Foundation)이 세워지고 이듬해인 2008년 97세의 일기로 세상을 떠났다. 로웬은 동료인 피에라코스(Pierrakos)와 함께 심신심리치료 양식으로 생체에너지 분석(Bioenergetic Analysis)을 개발하였다. 또한 뉴욕에 국제생체에너지분석연구소(International Institute for Bioenergetic Analysis)를 창설하여 대표를 맡기도 하였다. 그의 이론에서 가장 중요한 것은 순수자아 혹은 순수자기(authentic self)에 이르는 데에는 몸과 마음이 일치해야 한다는 신체기법을 도입한 점이다.

주요 저서

Lowen, A. (1958). *The language of the body*. New York: Grune & Stratton.

Lowen, A. (1965). *Love and orgasm*. New York: MacMillan.

Lowen, A. (1967). *The betrayal of the body*. New York: MacMillan.

Lowen, A. (1972). *Depression of the body*. New York: Coward, McCann & Geoghegan.

Lowen, A. (1975). *Bioenergetics*. Coward.

Lowen, A. (1977). *Bioenergetische Analyse*. In: Petzold H (Hg), *Die neuen Körpertherapien* (S 51-61). Paderborn: Junfermann.

Lowen, A. (1977). *The way to vibrant health*. New York: Harper & Row.

Lowen, A., & Lowen, L. (1977). *The way to vibrant health*. New York: Harper & Row.

Lowen, A. (1980). *Fear of life*. New York: MacMillan.

Lowen, A. (1983). *Narcissism: denial of the true self*. New York: MacMillan.

Lowen, A. (1988). *Love, sex and your heart*. New York: MacMillan.

Lowen, A. (1990). *The spirituality of the body*. New York: MacMillan.

Lowen, A. (1995). *Joy: the surrender to the body and to life*. London: Arkana.

Lowen, A. (1996). Erdung. In: Ehrensperger TP (Hg), *Zwischen Himmel und Erde: Beiträge zum Grounding-Konzept* (S 11-17). Basel: Schwabe.

Lowen, A. (2006). *The language of the body: physical dynamics of character structure*. Bioenergetics Press.

로웬펠트
[Lowenfeld, Victor]

1903. ~ 1960.
오스트리아 출신 미국 미술교육학자.

로웬펠트(V. Lowenfeld)는 1903년 오스트리아의 린츠(Linz)에서 태어났다. 그는 1921년에 비엔나 미술과 공예학교(Vienna Kunstgwerbeschule)에 입학하여 조형교육을 통하여 어린이 중심주의를 실천한 교육학자로 임화(臨畵) 모사, 그리고 대상의 사생, 원근법의 지도 등을 피하고 어린이의 자발적 표현법을 신장시키는 것에 중점을 둔 프란츠 치젝(F. Cizek)의 제자가 되었다. 로웬펠트는 1925년에 비엔나 미술학교를 졸업하고 비엔나(Vienna)대학교에 입학하여 철학, 심리학, 교육학, 그리고 미술과 유럽의 어린이 연구 운동과의 관계를 폭넓게 연구하였다. 1926년부터 1983년까지 로웬펠트는 호헤 바르트 맹아학교에 재직하면서, 그곳에서 그는 미술의 창조적 활동이 치료에 도움이 될 수 있다는 자신의 생각을 발전시키기 시작했다. 35세 되던 1938년에 나치의 반유대 정책으로 인해 미국으로 이주하였고, 버지니아에 있는 인종에 따라 분리된 학교인 햄프턴전문학교(Hampton Institute)에서 심리학을 가르쳤다. 그는 직업고등학교(Realgymnasium) 학창시절에 인종차별을 겪은 경험이 있었기 때문에 인종차별과 인권문제에 많은 관심을 가졌고 인종 차별에 반대하고 그의 제자들과 미국 민주주의 변화를 시도하였으며, 미술교육을 통해서 흑인의 인권을 옹호하기도 하였다. 햄프턴대학교에서 그는 흑인 학생들과 함께 생활하면서, 흑인 학생들의 사회적 위치에 동일화하려고 애썼다. 그는 흑인의 지역사회 속에서 살고 있었으며 일부러 흑인을 위하여 마련해 놓은 공공우물과 공공휴게실을 이용했다. 미술교육에 있어서 그의 가장 저명한 책 『창조적 정신의 성장(Creative and MentalGrowth)』도 햄프턴에서 저술되었다. 그는 이 책에서 그의 주요이론인 아동미술의 발표하였다(난화기: scribbling stage, 전도식기: pre-schematic stage, 도식기: schematic stage, 사실적 경향시기: dawning realism, 의사실기: pseudorealism stage, 결정기: decision/crisis stage)을 발달시켰다. 이 책은 전후 가장 영향력 있는 미술교육교재로 알려졌고 7판을 찍어 낼 정도로 성공을 거두었다. 로웬펠트는 20세기의 많은 교사들에게 미술을 가르칠 수 있다는 신념을 심어 주었고 미술교육 분야에서 직접적이고 영향력이 가장 컸던 미술 교육자로 인정받고 있다. 로웬펠트는 57세가 되던 1960년에 갑자기 사망하였다.

주요 저서

Lowenfeld, V. (1939). *The Nature of Creative Activity*. New York: Harcourt Brace.

Lowenfeld, V. (1947). *Creative and Mental Growth*. New York: Macmillan.

Lowenfeld, V. (1952). *Creative and Mental Growth* (2nd ed.). New York: Macmillan.

로저스[1]
[Rogers, Carl Ransom]

1902. 1. 8. ~ 1987. 2. 4.
인본주의 상담의 창시자.

로저스는 미국 일리노이 주 오크파크(OakPark)에서 태어났다. 아버지가 농장을 소유하여 어린 시절 농촌에서 생활했던 로저스는 곤충이나 동물 사육에 열중했고, 또 과학적 농업에 관심을 보였다. 그런 이유로 위스콘신대학교 농과대학에 입학했지만, 전공을 역사학으로 바꾸어 1924년에 졸업하였

다. 유니언 신학대학에 2년간 재적되어 있다가 컬럼비아대학교 대학원에서 교육심리학, 임상심리학을 배웠다. 그는 1931년 컬럼비아대학교에서 철학 박사학위를 취득하고 1940년 오하이오 주립대학교 심리학 교수로 일하였다. 로저스는 인본주의 심리학의 대변인이라고 할 수 있으며, 자신이 발전시킨 사상을 반영한 개인적 삶을 살았다. 즉, 늘 의문을 갖는 자세로 살았고 변화에 대해 두려워하지 않으면서 개인적으로나 직업적으로 미지의 세계를 기꺼이 맞이하려는 용기로 살아왔다. 그는 자서전에서 자신의 유년기 가족분위기를 가족의 유대를 강조하면서 드러나지 않는 강한 애정으로 자녀의 행동을 강하게 통제하며, 종교적 규범을 엄격히 따르는 분위기로 기술하였다. 그가 아버지의 농장에서 성장하면서 많은 식물들이 자라는 모습을 보아온 것, 학부 초반에 농학을 전공한 것은 인간 역시 하나의 유기체로서 자신을 실현하려는 경향성을 가지고 자기실현의 과정을 밟게 된다고 보는 그의 인간관과 상담이론에 기본적인 영향을 준 것으로 보인다. 로저스는 아버지의 직업과 유사한 농학으로 대학 공부를 시작했지만 학생 주최의 감동적인 종교학회에 참석한 뒤 전공을 신학으로 바꾸었다. 대학교 2학년 때 학생 대표로 선발되어 국제세계학생기독교연합회의 국제학회에 참석한 것은 그에게 아주 중요한 경험이 되었고, 이후 부모님의 종교적 영향에서 벗어나면서 당시 미국에서 가장 진보적인 유니언 신학대학에서 종교적 사역을 준비하는 공부를 하였다. 유니언 신학대학에서 그는 학생 주도적인 수업을 요구하여 관철시켰는데, 이러한 경험은 개인의 자유가 확보되는 것을 중요하게 여기는 그의 성향과 잘 부합하는 것이었다. 당시 막 등장한 심리학과 정신과학 강의에 큰 흥미를 가지기 시작하여 유니언 신학대학 건너편에 있는 컬럼비아대학교의 교육대학원에서 강의를 더 듣게 되었다. 교육학 공부를 병행하면서 그는 홀링워스(Hollingworth) 교수 밑에서 아동상담을 시작하였다. 아동지도연구소에서 인턴을 했고 아동학대방지협회의 아동연구부서에서 심리학자로 고용되어 비행 및 부적응 아동, 청소년을 상담했는데, 이 기간이 그의 상담이론을 정립하는 소중한 기회가 되었다. 일련의 상담 경험을 통하여 그는 무엇이 상처를 주는지, 어떤 문제가 중요한지, 어떤 경험이 깊이 뿌리박혀 있는지, 어떤 방향으로 나아가야 하는지를 아는 사람은 바로 내담자라는 인식을 분명히 하게 되었다. 그는 상담자로서 자신의 영리함과 박식함을 드러내고 싶은 욕구를 없앨 수 있다면 상담과정의 변화가 내담자에 의해 효과적으로 일어날 수 있음을 배웠다. 1940년에는 오하이오 주립대학교에서 교수직을 제의받아 상담실제와 연구를 통해 그만의 독특한 견해를 발전시킬 수 있었다. 교수직에 있는 동안 그는 논란과 찬사 등 다양한 반향을 일으켰던 여러 편의 논문과 책을 썼고, 점점 더 내담자들과 깊은 치료적 관계를 맺는 법을 배우게 되었다. 자신의 상담접근이 명확해져 가는 과정에서 그는 자신의 생각이 동양 사상과 유사하다는 점을 발견하였다. 그는 자신이 매우 공명하는 사상으로 노자 사상 한 구절을 제시하기도 했는데 다음과 같다. “그는 귀를 기울이는 듯하였다. 그의 깊은 귀 기울임은 고요함 가운데 우리를 감싸고 그 고요함 가운데서 우리는 마침내 우리가 어떤 존재인지 듣기 시작하였다.” 또한 그는 노자의 무위자연 사상을 설명하는 마르틴 부버(Martin Buber)의 표현을 빌려 자신의 사상을 설명하기도 하였다. “사물의 삶에 간섭한다는 것은 사물과 자기 자신 모두에게 해를 입히는 것이다. 힘을 행사하는 자는 드러나 보이기는 하나 작은 힘을 소유한 자요, 힘을 행사하지 않는 자는 숨겨져 있지만 큰 힘을 소유한 자다. 수행을 쌓은 사람은 인간의 삶에 간섭하지 않고 다른 인간에게 힘을 행사하지 않으며 모든 존재가 자유롭게 되도록 돕는다. 조화로운 사람은 그 조화를 통하여 다른 사람을 조화로 이끌며, 그들의 본성과 운명을 해방시켜 주고 그들 안의 도가 발현되도록 돕는다." 그 후 로저스는 1964년 캘리포니아 라호이아(La Jolla)에 있는 서부행동과학협회에 임원으로 참여하면서 1960년대에 참만남의 집단운동(Eucounter group movement)을 활발히 키웠다. 1968년에는 동료들과 함께 라호이아에 상담소를 개소하고 상담분야에서 인간적 접근법의 기수로서 미국뿐 아니라 전 세계에 영향을 미쳤다. 개인의 변화뿐만 아니라 국제적 외교분야에 참여하여 핵 보유 경쟁에 대한 글을 기고하기도 한 그는 1970년에 『Carl Rogers on Encounter Groups』를 출간하여 명성을 얻었다. 노년기에는 일상생활에 집중하면서도 세계 공동체가 직면한 문제에 관심을 쏟았다. 로저스는 어느 대규모 집단경험을 묘사하는 과정에서 처음으로 '인간중심(Person-centered)'이라는 용어를 사용하였다. 그는 생애 마지막 15년 동안에는 정책 입안자, 지도자, 갈등 집단을 훈련시킴으로써 정치에 인간중심 접근을 적용하였다. 가장 힘썼던 분야는 인종 간 긴장 완화와 세계 평화였으며, 이러한 업적에 힘입어 노벨 평화상 후보로 지명되기도 하였다. 이후 1987년, 낙상을 하여 허리 골절상을 입은 것이 원인이 되어 85년간의 생애를 마감하였다. 로저스는 고전적 정신분석과 행동주의와는 명백하게 대조적인 학문적 패러다임의 전환기에 내담자중심 심리치료로 독립적인 발걸음을 내디뎠다. 이것은 그의 개인적인 생애 이야기와 관련하여 실험적, 자연과학적 교육, 실용주의, 게슈탈트 심리학, 현상학, 그리고 후기의 존재철학이라는 원천에서 나왔다고 할 수 있다. 그의 이론은 실존적 관점의 많은 개념이나 가치를 공유하고 인본주의 심리학에 뿌리를 두고 있는데, 기본적인 가정은 사람은 본질적으로 신뢰할 수 있고 상담자의 직접적인 개입 없이 자신을 이해하고 자신의 문제를 해결할 수 있는 충분한 능력을 가지고 있다는 것이다. 또한 구체적인 치료적 관계를 통하여 자기-지시적 성장을 할 수 있다고 본 것이다. 그는 상담자의 태도와 인간적 특성, 내담자와 상담자 관계의 질이 상담성과의 주요 결정요인이라는 점을 강조하였다. 심리치료와 관련하여 상담자의 필수적이고 충분한 치료적 기본자세로 일치성(진솔성), 무조건적 긍정적 존중, 공감(공감적 이해)을 들었다. 심리치료를 '발달계획(Entwicklungsprojekt)'으로 보았기 때문에 의학적 모델에 대한 거부를 분명히 하였다. 이 점에서 심리학적 진단과 더 좁은 의미에서의 기술(Technik)에 대해 비판적인 거리를 두고 인류학적 기초, 즉 인간상 또는 인간의 본성에 대한 주장이 가시화되었다. 그는 환자라는 이름 대신 내담자로 명명했고, 고통을 받는 사람들은 시설에서 적절한 심리적 관계를 맺으면 스스로 자신의 문제를 해결한다는 주장을 내세웠다. 1942년에는 상담에서의 지시적 접근이나 전통 정신분석적 접근에 대한 반발로 비지시적 상담이라는 용어를 제시하였다. 비지시적 상담이란 상담자의 온화함과 반응성, 감정이 자유롭게 표현될 수 있는 허용성과 어떠한 강압이나 압박도 받지 않는 분위기를 특징으로 한 상담관계를 중시한다. 1951년 그는 내담자중심치료(Client-centered Therapy)라는 용어로 자신의 접근의 이름을 바꾸었다. 비지시적 상담이라는 명칭이 가진 부정적이고 소극적인 특성보다 내담자 자기 안의 성장 유발적 요인에 초점을 둔 긍정적인 것으로 강조점을 부각시키기 위하여 변경한 것이다. 후에 그는 접근의 이름을 인간중심으로 바꾸었는데, 인간중심이론에서는 내담자의 현상학적 세계에 초점을 두어서 사람들의 행동을 가장 잘 이해하려면 그 사람의 내적 준거체계를 이해해야 한다고 보았다. 이러한 관점에서는 내담자를 변화하도록 이끄는 기본 동기는 내담자의 실현 경향성이라는 점을 강조하고 있다. 로저스는 1957년 시카고대학교 시절의 임상경험을 바탕으로 성립한 필요충분조건과 새로운 과정이론이 정신분열증 환자에게도 적용 가능한지 연구하였다. 1960년대에는 진정한 자기가 되는 것에 초점을 두었는데, 진정한 자기가 되는 과정은 달리 표현하면 경험에의 개방, 자신에 대한 신뢰, 내적 평가, 지속적 성장의지 등으로 볼 수 있다. 로저스의 이론은 1970~1980년대 교육, 산업, 집단, 긴장이완, 세계 평화를 위한 노력 등 광범위한 영역에 적용되기 시작하였다. 그의 이론은 사람들이 타인과 자신에 대한 통제를 획득하고, 소유하고, 나누고, 포기하는 방식에 대해 관심을 갖는 등 폭넓은 영역에 영향을 미쳤기 때문에 점차 인간중심접근으로 알려지게 되었다. 인간중심 상담은, 다음과 같은 점에서 상담분야에 큰 공헌을 했다고 말할 수 있다. 첫째, 상담의 초점을 기법에서 상담관계를 중시하는 쪽으로 움직여 놓았다. 이는 상담자의 기본적인 자세와 태도로서 상담접근에 따라 어떤 기법과 방법을 사용하건 간에 상담자로서 기본적으로 지녀야 하는 태도를 제시했다는 큰 의미가 있다. 둘째, 상담자, 심리학자, 사회사업가, 그 외 인간 조력 전문가를 훈련하는 데 경청, 배려, 이해의 중요성을 강조하였다. 인간중심 상담이론의 영향으로 상담자의 훈련과정에서 경청, 반영, 공감, 관계 촉진 기술 등이 주요 부분으로 포함되었다. 한편, 인간중심 상담은, 첫째, 내담자가 표현한 것에 전적으로 의존하기 때문에 내담자가 의식하지 못하는 무의식적인 부분이나 내담자가 왜곡하여 전달하는 것을 무시했다는 점, 둘째, 사용하는 용어가 상당히 범위가 넓고 모호하여 이해하기 어렵다는 점 등에서 비판을 받고 있다. 그러나 이러한 비판에도 불구하고 인간중심 접근은 개인상담 혹은 개인심리치료와 집단상담 혹은 집단심리치료는 물론 교육, 가족생활, 리더십과 관리, 조직구성, 건강관리, 문화나 인종 간 활동, 국제관계 등에 폭넓게 적용되고 있다. 로저스의 이론과 방법은 한국 상담계에도 매우 큰 영향을 미쳤으며, 그의 저작도 여러 권 번역되어 있다. 로저스의 공적은 내담자중심요법의 전개에서 그치지 않고 비의사인 심리학자에게 치료행위의 길을 열어 주었던 점이나 상담의 과학적 · 실증적 연구를 개척했다는 점 등 다방면에 걸쳐 있다.

주요 저서

Rogers. C. R. (1942). *Counseling and Psychotherapy.* Boston: Houghton Mifflin.

Rogers, C. R. (1951). *Client-centered Therapy: Its current practice, implications, and theory.* New York: Houghton Mifflin.

Rogers, C. R. (1954). *Psychotherapy and Personality Change.* Chicago: Univ. Press.

Rogers, C. R. (1959). A theory of therapy, personality and interpersonal relationships, as developed in the client-centered framework. In S. Koch (Ed.), *Psychology. A study of a science. Study I: Conceptual and systematic, Vol. III: Formulations of the person and the social context* (pp. 158-256). New York: Mc Graw-Hill.

Rogers, C. R. (1961). *On Becoming a Person: A therapist's view of psychotherapy.* New York: Houghton Mifflin.

Rogers, C. R. (1967). *The Therapeutic Relationship And It's Impact: A study of Psychotherapy with Schizophrenics.* Madson: University of winsconsin Press.

Rogers, C. R. (1969). *Freedom to Learn: A view of what education might become.* Columbus: Charles Merrill.

Rogers, C. R. (1970). *Carl Rogers on Encounter Groups.* New York: Harper & Row.

Rogers, C. R. (1977). *On Personal Power: Inner strength and its revolutionary impact.* New York: Delacorte.

Rogers, C. R. (1980). *A Way of Being.* Boston: Houghton Mifflin.

Rogers, C. R. (1980). Client-centered psychotherapy. In H. Kaplan, B. Sadock, & A. Freedman (Eds.), *Comprehensive Text-book of Psychiatry, vol. III* (pp 2153-2168). Baltimore: Williams & Wilkins.

Rogers, C. R. (1987). *Freedom to Learn for The 80's.*

Columbus: Merrill. Rowe, J. W.

Rogers, C. R. (1998). *A Way of Being*. Boston: Houghton Mifflin.

Rogers, C. R. (1998). 칼 로저스의 카운슬링의 이론과 실제 [*Counseling and Psychotherapy: Newer concepts in Practice*]. (한승호, 한성열 역). 서울: 학지사. (원저는 1942년에 출판).

로저스2)

[Rogers, Natalie]

1930. ~
칼 로저스의 장녀이며 인간중심 표현예술치료사.

로저스와 함께 내담자중심상담과 엔카운터 그룹에 관계하였으며, 최근에는 각종 기법을 사용한 인간중심 표현치료(person centered expressive therapy)를 행하고 있다. 지금 여기의 기분을 그림으로 표현하기도 하고 디스코 음악에 맞추어 술래잡기를 하기도 하며, 식물의 씨앗에서 싹이 돋아나 성장해 가는 과정을 연출하기도 한다. 이 치료는 나탈리 로저스가 상담과정에 언어만으로 관여하는 것에 의문을 품고 게슈탈트 치료나 댄스 등의 경험에 근거하여 고안한 것이다. 이는 몸동작, 미술, 음악, 즉흥곡, 영상 등 다양한 표현 매체를 구사하여 자신의 내면을 자각하고 자기표현을 촉진할 뿐만 아니라 몸, 정서, 정신(spirit)의 통합을 겨냥하는 기법이다.

주요 저서

Rogers, N. (1988). *Emerging Woman*. UK: PCCS Books.

Rogers, N. (2007). 인간중심 표현예술치료: 창조적 연결 [*The Creative Connection: Expressive Arts as Healing*]. (전미향, 전태옥 역). 서울: 시그마프레스. (원저는 1997년에 출판).

로젠츠베이그

[Rosenzweig, Saul]

1907. 2. 7. ~ 2004. 8. 9.
미국의 심리학자이자 치료사.

로젠츠베이그는 1932년에 하버드대학교에서 박사학위를 취득하였다. 이후 우스터 주립병원(Worcester State Hospital)에서 근무하다가 클라크대학교 정신연구소(Clark University Psychopathic Institute) 수석심리학자가 되고, 1948년부터 1975년 은퇴하기 전까지 워싱턴(Washington)대학교에서 가르쳤다. 로젠츠베이그는 심리를 일반적인 요인으로 살펴보아 근본적인 경쟁방식을 논의하는 논문을 세상에 발표하면서 알려졌다. 그는 모든 치료모델은 동일한 성공을 보이고, 치료의 성공으로 모든 치료사가 자신의 환자에게 도움을 줄 수 있다고 주장하였다. 그의 전제는 '도도새의 평결 혹은 도도새의 가설(Dodo Bird Verdict or Dodo Bird Hypothesis)'로 불리게 되었다(루이스 캐럴의 『이상한 나라의 엘리스』에서 도도새는 사람들의 지나친 경쟁 때문에 메마른 감정에 대한 종결을 선언하였다. '모두가 승리하였으며, 모두에게 상금이 있습니다.'라고). 당시는 성공, 실패 경험과 기억과의 관계 등의 문제를 취급했는데, 로젠츠베이그는 머레이(H. Murray)를 중심으로 하는 성격(Personality) 종합 연구회에 참가하는 것을 계기로 기억을 정신분석적인 접근방법으로 연구하게 되었다. 이러한 배경을 가지고 해결에서 욕구불만에 대한 반응형으로 성격을 유형적으로 파악하고 이를 구체화한 것

ㄹ

이 회화 욕구불만검사다. 그는 '로젠츠베이그 그림 불만학습(P-F study)'을 발달시켜 공격성에 대한 연구를 통하여 적대감 테스트를 시행했는데, 이 실험은 유럽에서 큰 인기를 끌었고 큐브릭(S. Kubrick)의 영화 〈A Clockwork Orange〉의 소재가 되었다. 그의 신문 컬렉션은 애크런대학교의 미국 심리학 역사자료관에 보관되어 있다.

로젠탈
[Rosenthal, Howard]

대중적으로 유명한 상담문헌과 논문의 저자.

로젠탈은 세인트루이스대학교에서 상담심리학 박사 학위를 받았고, 현재 동 대학에서 강의와 인적 서비스 프로그램 코디네이터를 맡고 있다. 로젠탈은 생명 위기 서비스, 주식회사, 나라에서 가장 큰 자살 생존자 그룹 중 하나가 속해 있는 세인트루이스에서의 자살위기개입센터 프로그램의 책임자를 역임하였다. 그는 상담학 백과사전을 포함한 수많은 책의 저자이며, 상담가들이 국가인증시험에 합격하는 데 그의 자료를 사용하고 있다. 그는 워크숍이나 세미나에서 수차례 연설을 했고, 주요 라디오와 텔레비전 프로그램에 출연하여 대중적으로 널리 알려졌다. 그의 저작인 『Favorite Counseling and Therapy Techniques』『Not with My Life I Don't: Preventing Your Suicide and That of Others』는 베스트셀러에 올라 있다. 그의 자살방지에 관련한 책은 자기 파괴적인 개인이 스스로를 도울 수 있는 최초의 종합적인 안내서 역할을 하고 있어 자살학 분야에서 주요 저서로 자리를 잡았다.

주요 저서

Rosenthal, H. (1933). *Encyclopedia of Counseling: Master Review and Tutorial*. Muncie, Ind.: Accelerated Development.

Rosenthal, H. (1988). *Not with My Life I Don't: Preventing Your Suicide and That of Others*. Indiana: s.n.

Rosenthal, H. (1998). *Favorite Counseling and Therapy Techniques: 51 Therapists Share Their Most Creative Strategies*. Washington, DC: Accelerated Development.

Rosenthal, H. G., & Hollis, J. W. (1994). *Help yourself to positive mental health*. Muncie, IN: Accelerated Development.

Rosenthal, H. G. (2003). *Human services dictionary*. New York: Routledge.

Rosenthal, H. G. (2005). *Before you see your first client: 55 things counselors, therapists, and human service workers need to know*. New York: Brunner Routledge.

Rosenthal, H. G. (2006). *Therapy's best: Practical advice and gems of wisdom from twenty accomplished counselors and therapists*. New York: Routledge.

Rosenthal, H. G. (2009). *Special 15th anniversary edition, Encyclopedia of counseling* (3rd ed.). New York: Routledge.

Rosenthal, H. G. (2009). *Special 15th anniversary edition, Vital information and review questions for the NCE, CPCE and state counseling exams*. New York: Routledge.

Rosenthal, H. G. (2011) *Favorite Counseling and therapy homework assignments* (2nd ed.). New York: Routledge.

로크
[Locke, Don C.]

다문화상담의 강력한 옹호자이자 미국의 심리학자.

로크는 인디애나 주 고등학교에서 사회와 상담 교사로 근무하다가 볼 주립대학에서 박사학위를 받은 뒤, 노스캐롤라이나 주립대학교에서 교수이자 상담교육 부문의 책임자로 재직하였다. 로크는 다문화 문제에 초점을 둔 60개 이상의 출판물의 저자 또는 공동저자이며, 상담교육 및 수퍼비전 협회의 두 번째 아프리카계 미국인 회장을 역임하였다. 그는 노스캐롤라이나 상담협회(North Carolina Counseling Association)와 미국상담협회로부터 다양한 상을 수상하기도 하였다. 현재 노스캐롤라이나 주립대학교 박사과정과 애슈빌대학원센터에서 성인 및 지역사회의 대학교육을 담당하고 있다.

주요 저서

Locke, D. (1992). *Increasing Multicultural Understanding: A Comprehensive Model*. California: s.n.

Locke, D. (1993). *Multicultural Counseling*. Ann Arbor; Michigan: ERIC Clearinghouse on Counseling and Personnel Services.

Locke, D. (2001). *The Handbook of Counseling*. Thousand Oaks; Calif.: Sage Publications.

로트니
[Rothney, John Watson Murray]

1906. ~ 1987. 7. 1.
학교상담 분야에서 큰 공헌을 한 미국의 심리학자.

로트니는 위스콘신대학교에서 심리학을 가르쳤다. 그는 지도 및 상담심리학, 상담가 교육에서 지속적인 영향력을 발휘한 학자 중 한 사람이며, 특히 학교상담과 관련한 종단연구가 유명하다. 그는 1930년대에 2,000여 명의 학교 아동을 대상으로 한 하버드 성장연구팀(Harvard Growth Studies)에서 함께했던 디어본(W. Dearborn)의 종단연구에 일찍부터 관심을 보였다. 그리고 1930년대 후반 비전과 학습동기부여에 대한 다트머스연구팀(Dartmouth Study on Vision and Motivation)에서도 작업을 같이 하였다. 함께했던 모든 개인과 기관에 큰 영향력을 발휘했던 로트니는 상담 분야에서 초기 종단연구자의 한 사람으로 청소년을 대상으로 한 단기(즉, 5년 이내) 상담의 긍정적인 효과를 발견하였다.

주요 저서

Rothney, J. W. M. (1968). *Methods of studying the individual child: the psychological case study*. Waltham; Mass: Blaisdell Pub. Co.

Rothney, J. W. M. (1972). *Adaptive counseling in schools*. Englewood Cliffs; N. J.: Prentice-Hall.

롬브로소
[Lombroso, Cesare]

1835. 11. 6. ~ 1909. 10. 19.
이탈리아의 의학자이자 형사인류학파의 창시자.

롬브로소는 베로나(Verona)의 부유한 유대인 집안에서 태어났다. 그의 집안은 랍비 전통을 면면히 이어 오고 있었고, 그러한 분위기 속에서 롬브로소는 파도바, 비엔나, 파리 대학교 등에서 문학, 언어학, 고고학 등을 수학하였다. 여러 학문을 섭렵하다가 결국 토리노(Torino)대학교에서 의과대학을 졸업한 뒤 신경정신의학자가 되었다. 1859년 오스트리아-이탈리아 전쟁 당시에는 군의관으로 복무하였다. 이후 1862년에 파비아에서 정신질환 전공 교수가 되었고, 나중에는 토리노대학의 의학 법률 및 정신과 교수가 되었다. 롬브로소는 시체를 사용해서 인체측정을 상세하게 연구하여 비정상성의 지표로서 두개골의 형태에 관한 연구를 집중하며 1876년에는 정신의학과 법의학을 강의하고, 1905년에는 범죄인류학 강좌를 신설하는 등 범죄에 관한 인류학적 연구에 몰두하였다. 1909년에 사망한 롬브로소는 19세기에 범죄의 원인을 발견하기 위해 연구한 인물로, 1876년에 출간된 『The Criminal Man』은 그의 대표 저서다. 자신의 책을 통하여 범죄자의 뇌를 해부한 연구결과에서 정상적인 삶을 산 사람들과는 다른 요소를 발견했음을 보여 주기도 하였다. 그에 따르면 범죄는 신호(stigmata)이며, 이러한 신호들은 두개골과 악구조의 비정상적인 면을 구성하고 있다. 또한 범죄를 저지른 사람들마다 범죄에 따라서 서로 다른 신체적 특징을 지녔다고도 주장하였다. 그는 범죄자의 두개골 383개를 해부하고, 5,907명의 체격을 조사한 결과 범죄자에게는 두개골이나 그 외 일정한 신체적 특징이 있음을 밝혀 범죄자의 인류학적 특징에 관한 이론을 착안하였다. 그러한 신체적 특징은 원시인에게서부터 있었던 것이 격세유전으로 나타나는 것인데, 그러한 특징을 지닌 사람은 선천적으로 범죄자가 될 수밖에 없다는 극단적인 주장을 하였다. 범죄자 중 약 3분의 1만이 소질로 말미암은 필연적 범죄를 저지른다 해도 이들은 사회적으로 위험한 존재이므로 국가가 이에 대한 대책을 강구해야 한다고 주장하기도 하였다. 롬브로소의 이 같은 실증주의적 범죄관은 근대학파의 형법이론 및 범죄의 자연과학적 연구, 범죄학 등이 성립할 수 있는 기반을 조성하였다. 롬브로소는 생물학적 결정론에 따라 '생래적 범죄자(anthropological criminology)'의 개념을 대중화하였다. 그의 관점에 따르면 대부분의 사람이 진화하는 반면, 폭력적 범죄는 그 반대 방향으로 발전하여 결국 사회 혹은 진화적 퇴행을 이룬다. 롬브로소는 범죄행동을 밝히기 위해서 과학적 방법론을 구사하여 인류학적, 사회학적, 경제적 자료를 종합하고 측정을 활용하면서 통계적 방법을 사용하는 연구를 하였다. 형법학에 실증주의적 방법론을 도입한 그의 공적은 높이 살 만한 점이다. 그의 이론은 실증적 범죄연구의 선두로서 범죄자의 생물학적, 유전학적 특이성을 찾아내고자 하는 현대의 자연과학적 범죄연구의 시발점이 되었다.

주요 저서

Lombroso, C. (2003). *The Criminal Woman, the Prostitute, and the Normal Woman*. New York: Duke Univ. Press.

Lombroso, C. (2006). *The Criminal Man*. New York: Mary Gibson & Nicole han Rafter.

Lombroso, C. (2010). *The Female Offender*. London: Nabu Press.

루소
[Rousseau, Jean Jacques]

1712. 6. 28. ~ 1778. 7. 2.
프랑스 계몽주의의 대표적 사상가이자 철학자.

루소는 제네바에서 시계공의 둘째 아들로 태어났다. 출생과 동시에 9일 만에 어머니를 여의고 10세가 되던 해에는 아버지마저 가출하였다. 1728년, 루소는 제네바를 떠나 바랑 부인(Madame de Warens)의 비호를 받으며 칼뱅파의 신교도에서 가톨릭으로 개종하였다. 그 후 1742년 파리로 나갈 때까지 자립을 하기 위해 여러 가지 일을 시도했지만 성공하지 못하였다. 이 기간에 노력한 흔적은 자연과학 · 교육 분야의 논문 · 시 · 음악 · 연극 등에 남아 있다. 파리에서 그는 1743년부터 1744년까지 베네치아 주재 프랑스 대사의 비서로 재직한 적도 있고, 비서와 가정교사로 일하면서 음악활동을 계속하는 동시에 디드로(Diderot), 달랑베르(d'Alembert)가 기획한 『백과전서(百科全書)』의 음악 항목의 집필을 담당하기도 하였다. 음악과의 인연이 지속되었고, 대표적인 작품은 1752년 퐁텐블로 궁전에서 루이 15세와 퐁파두르 부인(Marquise de Pompadour) 앞에서 공연한 '마을의 점쟁이'다. 1750년 「학문예술론」이 디종(Dijon) 아카데미의 현상 공모에서 입상했으며, 1745년에는 일생의 반려자가 된 테레즈 르바쇠르(Thérèse Le Vasseur)와 동거를 시작하여 1768년에 결혼하였다. 테레즈와의 사이에 5명의 자녀가 출생했는데, 이들을 모두 고아원으로 보냈다. 당시 이러한 일은 흔했지만, 이 사건은 루소의 마음에 무거운 짐이 되었다. 1778년 요독증이 재발하여 66세의 나이로 사망한 루소는 생존 당시와 사후에 평가가 달라진 인물이다. 루소가 생존했던 당시의 교육은 주로 기존의 사회를 안정적으로 영속화시키는 수단으로 인식되었고, 매우 보수적인 편이었다. 루소는 인간과 사회를 파멸로 이끌고 있는 당시 상황을 극복하고 진정한 인간 본성을 회복하기 위해서는 '자연으로 돌아가라.'고 주장하였다. 그리고 교육이 사회에 만연되어 있는 인위성을 타파하고 인간 본래의 자연성을 회복해야 인간으로서의 행복과 가치를 찾는 데 기여할 수 있다고 주장하였다. 또 시민혁명의 사상적 기초로, 모든 인간은 자유롭고 평등하며 자유와 평등을 보장하는 이상적 정치 체제는 민주주의라고 주장하였다. 그의 대표적인 학문적 작품을 살펴보면 다음과 같다. 『과학 예술론(Discourse on the Arts and Sciences)』(1750), '학문과 예술의 부흥은 인간성 순화에 도움이 되는가?'라는 제목의 아카데미 현상 공모에서 1등으로 당선된 작품으로, 이 논문에서 아카데미가 제기한 물음에 대한 부정적인 답변을 내놓았다. 여기서 루소는 귀족사회의 학문과 예술이 도리어 민중의 자유를 억압하는 수단으로 전락되고 있다는 것을 비판하고, 인간의 존엄성은 어떤 학문이나 예술보다 차원이 높음을 강조하였다. 그리고 귀족사회의 사치와 낭비, 부패로 얼룩진 근대문명을 살리기 위해서는 무지한 민중에게 근대의 학문을 나누어 주어야 한다고 역설하였다. 『인간 불평등 기원론(Discourse on Political Economy)』(1755)은 '인간 사이에서 불평등의 기원은 무엇인가, 그리고 그것은 자연법으로 정당화되는가?'라는 제목의 아카데미 현상 논문에 응모한 루소 제2의 작품으로, 1755년에 네덜란드에서 출판되었다. 제1부에서는 자연상태를 논하였는데, 자연상태란 누구에게 의존하지 않는 인간 본연의 고립된 모습으로 모든 사람이 자유롭고 평등하며 자기 보존과 연민이라는 본능에 의해서만 살아가는 행복하고 만족한 상태를 말한다. 제2부에서는 사회상태를 논하였는데, 인간은 자연상태에서는 자유롭고 행복하고 선량했지만, 자신의 손으로 만든 사회제도나 문화에 의해 부자유스럽고 사악한 존재가 되고 말았다고 주장하였다. 그리고 재산의 사유(私有)가 시작되고 산업이 발달하면서 불평등이 심해졌고, 국가는 빈부의 차이를 합법화한 것에 지나지 않는다고도 하였다. 다시 말하면, 인간의 자연상태가 파괴된 사회상태에서는 인간이 사회체제의 노예가 되고 빈부격차가 심해져 불평등을 초래하며 인간이 인간을 살육하는 비참함이 벌어진다는 것이다. 그러므로 루소는 인간의 자연이 선(善)임을 고집하고, 인간 본연의 자연으로 돌아갈 것을 호소하였다. 『에밀(Emile)』은 1762년 네덜란드에서 『사회 계약론(Du contrat social)』과 함께 출간된 작품이다. 사회상태가 지닌 비극적 상황에 대한 정치적 해결책으로 제시된 것이 『사회 계약론』이고, 이 안에서 교육적 해결책에 관련된 부분이 『에밀』이다. 『에밀』은 전편을 5부로 나누어, 에밀이라는 고아가

요람에서 결혼에 이르기까지 이상적인 가정교사의 지도를 받으며 성장해 가는 과정을 소설형식으로 전개한 것이다. 가톨릭의 근원악에 반대되는 인간의 성선설을 원리로 하여, 교육은 보물을 주입하는 것이 아니고 피교육자인 아동의 자연적 능력의 발휘를 방해하는 나쁜 환경을 제거하여 아동이 지닌 자연의 싹을 자유롭게 뻗어 나가도록 해야 한다는 소극적 교육 이론을 펼치고 있다. 그리하여 그는 영아, 유아의 취급에서 기저귀 사용을 반대하고 아기에게는 어머니 젖을 먹이도록 권하였다. 소년에게는 육체의 수련과 도덕교육을 중시하고, 지적 교육의 분야에서도 조기교육이나 서적 또는 언어에 의한 교육은 기피하면서 실물교육과 직업적 기술교육 위주로 할 것을 권장하였다. 즉, 당시 보편적으로 행해졌던 주입식 교육에 반대하고 전인교육을 중시했으며, 인간 중에서 가장 순수하게 자연성을 간직하고 있는 어린이에게 본래의 자연과 자유를 되돌려 줄 것을 주장하였다.

주요 저서

Rousseau, J. J. (2003). 에밀[*Emile ou l'Education*]. (김중현 역). 경기: 한길사. (원저는 1762년에 출판).

Rousseau, J. J. (2007). 사회계약론[*Du Contrat Social, ou Principes du Droit Politique*]. (정성환 역). 서울: 홍신문화사. (원저는 1762년에 출판).

Rousseau, J. J. (2008). 신 엘로이즈[*Julieou La Nouvelle H'eloise*]. (서익원 역). 경기: 한길사. (원저는 1761년에 출판).

르봉
[Le Bon, Charles-Marie-Gustav]

1841. 5. 7. ~ 1931. 12. 13.
프랑스 사회심리학자이자 사회학자.

르봉은 프랑스 노장 르 로트루(Nogent-le Rotrou)에서 태어났다. 처음에 그는 파리에서 의학을 전공하여 1866년에 졸업한 뒤 1870년대와 1880년대에 유럽, 아시아, 북아프리카 등지를 여행하였다. 그 기간에 고고학과 인류학에 관한 글을 쓰기도 하였다. 그러다가 1884년 『The World of Islamic Civilization』과 『The World of Indian Civilization』을 발표하는 등 이러한 과정을 거치면서 그의 관심은 사회심리학으로 확장되었다. 1895년에 발표한 『Psychologie des Foules』에서는 군중 내 개인의 성격은 군중의 색깔로 가려지고 집단적인 군중의 정신에 의해서 지배당한다는 주장을 하였다. 그의 군중심리학 연구는 현대사회심리학의 한 줄기를 형성하였다. 이성을 강조하는 18세기 합리주의 사상과는 달리, 르봉은 감정과 의지의 우위 및 민족적 요소가 갖는 영향력을 중시하였다. 또한 당대의 세기말적인 사회상황을 비판하여 군중의 시대라 명명하고, 군중의 행동은 개인 단독의 합리성과는 달리 맹목적인 감정에 휘말려 지적, 도덕적으로 저열화된다고 하였다. 그는 장차 도래할 민주주의 세계에 대해서도 회의적인 입장을 취하였다. 그가 보는 군중은 모든 개인이 군중 속에서 의식적인 인격을 완전히 상실하고, 조종자의 암시대로 행동하는 인간 집합체였다. 산업혁명 이후 두드러진 사회현상의 특징은 사람들을 더욱 이와 같은 군중상태로 몰아넣고 있다고 르봉은 말하였다. 그가 말한 군중의 개념은 오늘날의 그것과는 다르지만 그가 설명한 충동성, 맹신성, 군앙성, 편협성과 같은 군중의 부정적 특성은 오늘날까지 여전히 반복되어 사용되고 있다. 그는 국가 특성, 인종의 우월성, 종족행동, 군중심리학 등에 관한 저서를 남겼는데, 군중심리학에 대한 그의 연구는 20세기 전반에 중요한 획을 그었다. 또한 물질과 에너지의 속성에 관한 논쟁에도 기여한 바 있다. 그의 저서

『The Evolution of Matter』는 매우 유명하며, 『Lois Psychologiques de L'evolution des Peuples』는 일반 대중을 대상으로 한 르봉의 첫 번째 저서였다. 이외에도 30권이 넘는 저서를 출판하였다. 파리대학교에서 교수로도 재직한 르봉은 1931년 프랑스 Marnes-la-Coquatle에서 생을 마쳤다. 르봉은 군중심리학의 창시자로 평가를 받으면서 개인, 특히 고도로 발달된 문화 속에서의 개인은 자신의 비평적 능력을 상실하고 정동적이며 원시적인 방식으로 행위한다고 주장하였다. 발레리(P. Valery)나 베르그송(H. Bergson)과 같은 당대의 지성과 교분을 가지면서 자신의 이론을 넓혀 나간 그는 심리학뿐만 아니라 물리학, 정치학, 사회학, 위생학 분야까지 집필활동을 하였다.

주요 저서

Le Bon, C. M. G. (1913). *The Psychology of Revolution*. G. P. New York: Putnam's sons.

Le Bon, C. M. G. (1926). *The Psychology of Socialism*. New York: Transaction Books.

Le Bon, C. M. G. (1983). 군중심리[*The Crowd*]. (전남석 역). 서울: 동국출판사. (원저는 1977년에 출판).

Le Bon, C. M. G. (1990). *The French Revolution and the Psychology of Revolution*. New York: Transaction Books.

Le Bon, C. M. G. (2009). 군중의 심리학[*The Psychology of Peoples*]. (백승대 역). 서울: 제대로. (원저는 1974년에 출판).

리보
[Liebeault, Ambroise Augste]

1823. 9. 16. ~ 1904. 2. 18.
프랑스의 의사로 낭시학파의 창시자.

리보는 프랑스 로레인(Lowaine) 지방의 작은 마을 파비에르(Favières)에서 태어났다. 대가족 농가에서 태어난 그는 어려서 가톨릭 교육을 받았고, 1850년 26세의 나이로 스트라스부르크(Strasbourg)대학교 의과대학을 졸업하였다. 리보는 처음부터 최면술에 관심이 많았다. 낭시 근처의 퐁 생 빈센트에서 진료를 시작한 그는 환자의 동의를 얻어 최면을 치료에 도입하였다. 그곳이 후에 낭시의 의과대학 교수로 알려져 있던 베른하임(H. Bernheim)과 함께 만든 낭시학파의 중심지가 되었다. 리보는 낭시 교외에 클리닉을 열고 겉으로 보기에는 평범해 보이는 여러 만성질환을 가진 노동자 계급의 환자들을 최면과 암시로 치료하였다. 그러던 중 1882년 베른하임이 리보의 관점을 수정하여 임상에 적용하면서 리보는 갑자기 유명세를 탔다. 리보는 파리아(A. Faria), 베르트랑(A. Bertrand) 등에게서 간접적으로 영향을 받았고, 스코틀랜드의 의사 브레이드(J. Braid)의 사상에서도 강한 영향을 받았다. 낭시학파를 찾아온 프로이트(S. Freud)나 쿠에(E. Coue) 등에게는 영향을 미쳤는데, 특히 쿠에는 낭시에서 리보의 사상을 확장적으로 연구하였다. 그 외에도 베터스트랜드(O. Wetterstrand)에게 지대한 영향을 미쳤다. 1904년 80세의 나이로 세상을 떠난 리보는 신체증상에 대한 정신의 영향을 강조하면서 기존 최면치료의 틀을 깨고 치료사가 제시하는 긍정적 암시로 치료를 촉진하였다. 낭시학파는 최면으로 일어나는 현상은 정상적이며, 최면에 빨려들고 최면상태에서 보여 주는 신경증이나 심리적 · 정신적 현상들은 증명 가능한 것으로 여겼다. 그래서 낭시 학파를 샤르코(J. Charcot) 등의 파리학파(Paris School) 혹은 히스테리아학파(Hysteria School) 등과 차이를 두면서 최면학파(Suggestion School)라고도 하며, 리보를 현대 최면치료의 아버지로 보고 있다.

주요 저서

Liebeault, A. A. (1976). *Le Sommeil Provoque Et Les Etats Analogues*. St. Louis; Missouri: Ayer Co Pub.

Liebeault, A. A. (2010). *Ebauche De Psychologie*. London: Nabu Press.

Liebeault, A. A. (2010). *Therapeutique Suggestive, Son Mecanisme Preprietes Diverses Du Sommeil Prvoque Et Des Etats Analogues*. London: Nabu Press.

리스먼
[Riesman, David]

1909. 9. 22. ~ 2002. 5. 11.
미국의 사회학자이자 대중사회론의 대표자.

리스먼은 펜실베이니아 주 필라델피아(Philadelphia, Pensylvania)에서 태어났다. 하버드대학교를 졸업한 뒤 변호사로 활동했고, 버팔로 · 시카고 · 예일 대학교 등의 교수를 역임하였다. 사회학 및 사회과학 분야에 방대한 지식을 가지고 있어, 현대 미국 사회에 대하여 날카로운 비판을 시도하였다. 또한 새로운 연구방법으로서 학제적인 영역(사회학 · 문화인류학 · 사회심리학)에 문제를 설정하였고, 학문적 성과부터 대중문화의 첨단부분까지 중시하여 자료를 탐색하였다. 하지만 역사적 시야가 결여되었다는 결점으로 비판을 받기도 한다. 리스먼은 미국의 사회학자로서, 『The Lonely Crowd』로 이름을 알렸다. 이 책은 1920년대 이래로 변화한 미국 사회와 그에 따른 미국인들의 생활양식의 변화를 '사회적 성격(social character)'이라는 핵심 개념으로 분석한 것이다. 리스먼에 따르면 사회적 성격이란 개인의 행동과 사회구조 사이를 연결해 주는 징검다리로서의 사회가 그 구성원들에게 요구하는 주위 세계에의 동조양식이다. 그는 이 사회적 성격을 전통 지향형, 내부 지향형, 외부 지향형으로 구분하면서 세 유형이 차례대로 전자가 후자로 이행하는 발전론적 시각에서 해석하였다. 또한 세 유형의 사회적 성격을 인구학적 특징에 기초해서 분류한 3개의 사회에 대응시켰다. 즉, 전통 지향형은 인구의 고도증가 잠재력 국면에 있는 사회(전통사회)에, 내부 지향형은 과도기적 증가 국면에 있는 사회(근대사회)에, 외부 지향형은 초기 감소 국면에 있는 사회(현대사회)에 대응시켰다. 그리고 외부 지향형(타인 지향형)의 특징을 갖는 현대인이 사교성의 과잉동조 때문에 도리어 고독한 군중이 되고 있다고 지적하였다. 리스먼은 사회적 성격에 대한 세 유형의 특징을 기술한 다음, 각각의 사회적 성격을 어떻게 해석해야 할지에 대한 일련의 지침을 제시하였다. 그 지침은 인간을 또다시 세 가지 유형으로 나누는 것에 따르는데, 적응형 인간, 아노미형 인간, 자율형 인간이 그 하위유형이다. 적응형 인간은 전통 지향, 내적 지향, 외부 지향 등 지향성에 상관없이 사회의 요구에 순응하는 인간형이며, 아노미형 인간은 사회가 요구하는 규범에 대하여 동조능력을 상실한 인간이다. 그리고 자율형 인간은 자아의식이 높은 인간으로서 사회의 요구에 동조할 수 있는 능력이 있으면서도 동조 여부를 자유롭게 선택하는 인간형이다. 리스먼은 자율형 인간을 바람직한 인간상으로 보면서, 그러한 인간상의 실현에 많은 관심을 보였다. 또한 해박한 지식을 구사하여 문화, 교육 문제 등을 포함한 다방면에서 우수한 연구를 발표하였다.

주요 저서

Riesman, D. (1952). *Faces in the crowd: individual*

studies in character and politics. New Haven: Yale Univ. Press.

Riesman, D. (1955). *Individualism reconsidered*. Arden City; NY: Doubleday.

Riesman, D. (1964). *Abandance for what? Garden city*, New York: Doubleday.

Christophe, J. & Riesman, D. (1968). *The Academic Revolution*. Garden City, New York: Doubleday.

Riesman, D. (2009). 고독한 군중[*The lonely crowd*] (권오석 역). 서울: 홍신문화사. (원저는 1950년에 출판).

리츠
[Lidz, Theodore]

1910. 4. 1. ~ 2001. 2. 16.
미국의 정신의학자이며 정신분열증 치료로 유명한 인물.

리츠는 뉴욕에서 태어나 롱아일랜드에서 자랐다. 컬럼비아대학교 의과대학을 진학했고, 예일 뉴헤븐병원에서 인턴과정을 지낸 뒤, 런던의 퀸즈스퀘어(Queensesquare)에 있는 국립병원 신경과에서 어시스턴트로 일하였다. 레지던트과정은 존스홉킨스(Johns Hopkins)대학교에서 마치고, 마이어(A. Meyer)와 함께 수학하면서 그곳에서 개인력과 개인의 경험이 정신병과 신경증의 근원이 된다는 가설을 가지고 연구에 종사하였다. 레지던트 시절, 리츠는 독일 출신 정신과 의사를 만나 1939년에 결혼하였다. 두 사람은 평생을 동료이자 부부로서 많은 것을 나누었다. 1942년 리츠는 입대하여 뉴질랜드, 피지, 부르마 등에서 복무했는데, 피지에서는 정신과 의사가 리츠뿐이어서 콰달카날(Guadalcanal) 섬에서 온 수백 명의 정신질환자를 혼자 상대하였다. 1946년 존스홉킨스대학교로 돌아와 의학부 정신과장이 되었고, 심신조건에 관한 연구에 착수한 동시에 워싱턴-볼티모어 연구소(Washington-Baltimore Institute)에서 정신분석 수련을 받았다. 그곳에서는 설리번(H. Sullivan)과 프롬라이히만(F. Fromm-Reichmann) 등과 함께 수학하였다. 리츠는 아내인 루스 리츠(Ruth Lidz)와 함께 정신분열로 입원한 환자를 대상으로 정신병적 문제에 관한 연구를 실행하였다. 그 연구결과로 나온 논문은 리츠의 이후 연구에 출발점이 되었다. 1951년에 리츠는 예일대학교 교수로 가서 정신과 임상서비스 책임자를 맡아 정신의학부를 설립하였다. 그리고 플렉(S. Fleck) 등과 함께 힘을 모아 입원한 환자 중 17명의 정신분열증 환자와 가족, 비정신분열증 환자와 가족을 대상으로 한 종단연구를 시작하였다. 1950년대 후반까지 연구를 계속하여 리츠 등은 초기 성인기 정신분열증 발병에 관련된 부모관계에 관한 논문을 최초로 내기에 이르렀다. 정신분열증 원인에 관한 정신과적 연구가 유전과 신경전달물질의 기능으로 돌아서면서, 리츠는 가족 접근법이 치료에 훨씬 더 유용하다는 것을 주장하였고 정신분열증을 치료할 수 없는 평생의 문제로 보는 시각에 반대하였다. 그는 여러 예술가, 종교지도자, 과학자 등이 정신분열증을 앓았던 때가 있었음을 연구하여 약물이 정신분열증상을 완화할 수 있다는 사실은 어느 정도 인정하면서도, 심리치료의 성과를 더 강조하였다. 1970년에 리츠는 피지로 가서, 문화적 배경이 완전히 다른 환자들을 연구하고 토착적인 것을 수집하여, 검은 주술(black magic)에 관한 믿음으로 인한 편집증의 의미와 뉴기니 문화 맥락 내 인성발달에 관한 연구를 발표하였다. 몇 년 후 리츠 부부는 뉴기니에서 모은 자료를 예일의 피바디 자연사박물관(Peabody Museum of Natural History)에 기증하였다. 리츠는 1978년에 공식적 활동에서 물러났지만 환자를 계속 치료했으며, 강의와 출판도 1990년대까지 멈추지 않았다. 2001년 90세를 일기로 사망한 리츠는 정신질환에 대한 환경적 요인에 관한 연구를 평생 이어 간 인물이다. 그는 부모의 행동이 자녀의 정신질환을 유발할 수 있음을 보여 주었다.

주요 저서

Lidz, T. (1985). *Schizophrenia and the Family*. New York: Intl Univ. Pr Inc.

Lidz, T. (1986). 인간: 생의 주기를 통한 인간행동과 사회환경[*The Person: His and Her Development Throughout The Life Cycle*]. (정우식 역). 서울: 집문당. (원저는 1983년에 출판).

Lidz, T. (1989). *Oedipus in the Stone Age: A Psychoanalytic Study of Masculinization in Papua New Guinea*. Intl Univ.

Lidz, T. (1990). *Hamlet's Enemy: Madness and Myth in Hamlet*. New York: Intl Univ. Press.

Lidz, T. (1990). *The Origin and Treatment of Schizophrenic Disorders*. New York: Intl Univ. Press.

Lidz, T. (1992). *The Relevance of the Family to Psychoanalytic Theory*. New York: Intl Univ. Pr Inc.

리치몬드
[Richmond, Mary Ellen]

1861. ~ 1928.
'케이스워크의 어머니'로 불리는 미국의 사회사업가.

리치몬드는 1861년 미국 벨르빌(Belleville)에서 태어났다. 부모님은 그녀가 아주 어릴 때 돌아가셔서 할머니, 숙모와 함께 메릴랜드(Maryland) 주의 볼티모어(Baltimore)에서 성장하였다. 할머니는 강신론자 혹은 급진적인 여성참정권자로 잘 알려져 있었다. 그녀는 투표권 논의, 정치, 사회적 신념, 강신론 등에 대한 논의가 활발하게 이루어지는 것을 보면서 커 나갔다. 이러한 경험은 비판적인 사고능력 및 장애인과 저소득층을 좋은 방향으로 이끌겠다는 마음을 가지도록 만들었다. 그녀의 할머니가 학교교육 체계에 대한 믿음이 없었기 때문에 11세까지 가정교육을 받은 뒤에야 학교에 입학하였다. 그녀는 가정에서 독서를 많이 한 덕분에 스스로 교육에 전념하였고, 16세에 고등학교를 졸업하였다. 그 뒤로는 뉴욕 친척 집에서 살았는데, 가난과 병약함 때문에 힘든 날들을 보냈다. 뉴욕에서 2년여를 보낸 후 볼티모어로 돌아가 시저로 일했다. 그때 리치몬드는 유니테이언교(Unitarion Church)에 빠지게 되었고, 그 안에서 사람들과의 교류를 활발하게 한다. 1888년이 되면서 리치몬드는 자선조직회(Charity Organizalion Society: COS)의 재무부책임자로 활동한다. 이 조직에서 리치몬드는 가난하고 소외된 이웃들을 위해 많은 사회봉사를 경험했다. 그 경험을 바탕으로 그녀는 도움의 손길이 필요한 사람들의 가정을 직접 방문하는 쪽으로 방향을 잡았다. 다양한 사람들을 접하면서 리치몬드는 어떻게 곤경에 처한 사람들을 도울 수 있는지를 몸소 체험했고, 이는 후일 사회복지를 위한 공동체를 형성하기 위한 발판이 되었다. 그리고 이러한 경험들로 그녀는 뉴욕의 러셀세이지기금(Russell Sage Foamdation)의 자선조직단체 부서장에 올랐다. 이외에도 리치몬드는 학교 전문 사회복지사를 양성하기 위해 자선 단체와 국민회의(National Conference)에서도 연설을 하는 등 활발한 활동을 했다. 1899년에는 저소득층을 위한 우애방문에 대하여 현실적 제안을 담은 종합적인 프레젠테이션을 시행하기도 한다. 리치몬드는 미국의 자선조직협회 운동의 발전에 공헌한 사람으로, 우애방문활동의 자원봉사자를 전문적으로 교육·훈련하는 최초 방법론으로 '케이스워크(casework)'를 체계화하였다. 케이스워크란 사회진단, 사회치료라는 의학모델을 사용하여 사람과 환경의 조정에서 인격(personality)을 발달시키는 과정이라고 하였다. 그녀는 케이스워크의 어머니로 불린다.

주요 저서

Richmond, M. E. (1917). *Social Diagnosis*. New York: s.n.

Richmond, M. E. (1922). *What is Social Casework*. New York: Arno Press.

리커트
[Likert, Rensis]

1903. 8. 5. ~ 1981. 9. 3.
미국의 교육학자로서, 관리양식(management styles) 연구로 잘 알려진 조직심리학자.

리커트는 와이오밍(Wyoming) 주 샤이엔(Cheyenne)에서 태어났다. 아버지는 조지 리커트(George Likert)이고, 어머니는 코라 리커트(Cora Likert)로, 아버지가 유니언 퍼시픽 철도(Union Pacific Railroad)의 기술자였던 탓에 리커트도 1922년 분쟁의 분수령이었던 시기에 유니언 퍼시픽 철도에서 인턴으로 일하였다. 당시 노사 간의 의사소통이 되지 않는 것을 직접 목격한 것을 계기로 리커트는 조직과 조직원들의 행동에 관한 연구를 하게 되었다. 1926년 리커트는 미시간(Michigan) 대학교에서 사회학과를 졸업했는데, 1920년대 당시의 사회학은 상당히 실험적인 학문이었고, 여러 면에서 현대의 심리학과 겹치는 부분이 많았다. 1932년에는 컬럼비아대학교에서 심리학으로 박사학위를 받았다. 박사학위 논문주제는 태도 측정에 관한 측량 척도(survey scale)인 리커트 척도(Likert Scales)를 고안한 것이었다. 리커트는 1에서 5점까지의 이 리커트 척도로 세상에 널리 알려졌다. 미시간대학교 내 사회연구소(Social Research Institute)를 만들어 1946년부터 1970년까지 소장으로 재직한 뒤 은퇴한 리커트는 이후 렌시스리커트협회(Rensis Likert Associates)를 만들어 여러 단체에 자문을 맡았다. 교수로 재직하는 동안에는 조직에 관한 연구에 몰두해서, 1960년대와 1970년대에는 조직이론으로 저서를 내기도 하였다. 그의 이론은 일본에 큰 영향을 주었으며, 1981년 78세를 일기로 미시간 주의 앤아버(AnnArbor)에서 숨을 거두었다. 리커트는 작업 중심의 감독보다 피고용인 중심의 감독이 훨씬 더 생산적이라는 것을 연구로 보여 주었다. 또한 1960년대에는 관계, 몰두, 경영자 역할, 산업환경 내 부하직원 등으로 네 가지 관리체제의 틀을 잡기도 하였다. 상, 하위자 간의 의사소통을 기반으로 하여 인적 자원을 어떻게 활용하는가에 따라 착취적 권위체제(exploitive authoritative system), 자선적 권위체제(benevolent authoritative system), 자문적 체제(consultative system), 참여적 집단체제(participative group system)의 네 가지 체제를 설명한 것이다. 이외에 리커트는 연결 핀 모델(linking pin model)로도 유명하다.

주요 저서

Likert, R. (1967). *Human Organization Its Management and Value*. New York: McGraw-Hill.

Likert, R. (1976). *New Ways of Managing Conflict*. New York: McGraw-Hill.

Likert, R. (1987). 신경영이론[*New Patterns of Management*]. (김동기 역). 서울: 법문사. (원저는 1975년에 출판).

ㄹ

리프
[Ryff, Carol D.]

1950. ~
심리적 안녕과 노화 연구를 주도한 미국의 심리학자.

리프는 1978년 펜실베이니아(Pennsylvania) 주립대학교에서 인간발달로 박사학위를 받았고, 미국심리학회 성인 발달 및 노화 분과(APA, 20분과)와 미국 노년학학회(Gerontological Society)의 특별연구원으로 있다. 또한 노화연구소(Institute on Aging) 대표이며, 위스콘신 매디슨대학교 심리학부 교수다. 그녀는 심리적 안녕에 대한 연구에 중점을 두는데, 이 분야에서 그녀가 개발한 복합다층적 사정척도가 25개 이상의 언어로 번역되어 다양한 과학 분야의 연구에 사용되고 있다. 리프와 그 동료들에 의한 연구는 연령, 성별, 사회 경제적 지위, 민족성/소수민족 지위, 문화적 맥락 등과 또 경험, 위기, 연령에 따라 직면하는 전환기 등에서 심리적 안녕이 얼마나 다양한지를 다루고 있다. 심리적 안녕이 양호한 신체건강에 예방이 되느냐 하는 것도 리프의 주요 관심사 중 하나다. 현재 진행 중인 긍정심리학의 요인과 광역의 바이오마커(biomarker: 신경내분비, 면역, 심장혈관 등), 신경회로까지 연결시킨 것이 종단적 연구의 원천이기도 하다. 이러한 그녀의 대부분의 연구를 이끌어 가는 주제는 인간의 회복력, 즉 사람이 중요한 삶의 위기에 직면하여 자신의 안녕을 어떻게 유지하고 다시 획득할 수 있느냐 하는 것과 어떤 신경생물학적, 심리학적, 사회적 요인들이 이 같은 능력의 기반이 되느냐 하는 것이다. 심리적 안녕에 대한 리프의 모델은 여섯 차원을 아우르는데, 이는 심리치료전략을 강화하는 심리적 안녕을 발달시키는 데 도움이 된다. 이 치료적 접근은 몇 가지 무작위 통제연구에서 입증되었다. 환경 숙달, 자율성, 인격적 성장, 대인관계, 인생목표, 자기수용과 같은 안녕에 대한 여섯 가지 차원의 손상이 임상 실제에서 빈번하게 보인 것이다. 또 다르게 적용할 수 있는 중요한 분야는 회복과정과 관계가 있다. 리프의 연구는 전 세계적으로 상담 및 임상심리학, 정신의학, 심신의학 등을 위한 중요한 의미를 가진다. 이와 같은 연구 분야에서 120건이 넘는 활발한 저술 활동을 한 리프는 현재 미국 중년(Midlife in the United States: MIDUS)에 대한 종단적 연구를 하고 있으며, 이는 쌍생아를 포함한 미국의 전국 표집에 근거하고 있다. 전국 노화연구소에서 2천 6백 달러의 기금을 받아 진행하고 있는 MIDUS II는 통합 생체심리사회 과정으로 노화에 대한 건강연구를 위한 주요 포럼이 되었다.

주요 저서

Ryff, C. D. (2001). *Emotion, social relationships, and health*. Oxford: Oxford University Press.

Ryff, C. D., Brim, O. G., & Kessler, R. C. (2004). *How healthy are we?: A national study of well-being at midlife*. Chicago: Univ. Chicago Press.

린턴
[Linton, Ralph]

1893. 2. 27. ~ 1953. 12. 24.
미국의 문화인류학자.

린턴은 필라델피아에서 식당을 운영하는 퀘이커 교도의 집안에서 태어났다. 1911년에 스워스모어(Swarthmore) 대학을 입학한 린턴은 아버지의 권위에 대항하는 독립적인 성격의 소유자로 스스로의 삶

을 준비하는 대학생으로 살아갔다. 그는 고고학에 관심을 가지고 과테말라에서 고고학 발굴에도 참여하는 등 강한 의지를 보였다. 1915년에는 파이 베타 카파회의(Phi Beta Kappa) 자격을 얻었다. 이미 인류학자로 명성이 난 이후에도 린턴은 펜실베이니아 대학교에 들어가 스펙(F. Speck)과 함께 뉴저지 및 뉴멕시코 등지에서 고고학 분야의 작업을 하면서 동시에 연구를 하여 석사학위를 취득하였다. 후에 컬럼비아대학교에서 박사과정도 마쳤다. 제1차 세계 대전이 발발하면서 린턴은 프랑스 군에 입대하였다. 제대 후에 바로 미국으로 건너가 하버드대학교로 간 린턴은 그곳에서 후턴(E. Hooton) 등과 함께 연구를 하였다. 하버드대학교에서 1년간 강의를 한 뒤, 다시 현장에 뛰어들어 메사버드(Mesa Verde) 등을 돌아다녔다. 1922년에는 마르퀘시즈(Marquesas)로 돌아왔고, 1925년에야 마침내 하버드대학교에서 박사학위를 받았다. 1925년부터 1927년까지는 마다가스카르(Mada gascar)를 여행하면서 여러 가지 자료를 모았다. 이 같은 현장조사를 한 결과는 『The Tanala: A HIll Tribe of Madagascar』로 1933년 세상의 빛을 보게 되었다. 이후 린턴은 미국으로 돌아와서 위스콘신매디슨대학교에 자리를 잡아 인류학뿐만 아니라 사회학에까지 이론을 넓혀 나갔다. 그러다가 제2차 세계 대전이 발발하고 린턴은 전시계획에 가담하게 되었는데, 그의 이러한 역할은 나중에 『The Science of Man in the World Crisis』『Most of the World』 등으로 1945년에 출판되었다. 전쟁이 끝난 뒤에는 예일대학교로 갔다. 1946년부터 1953년까지 그곳 강단에 서면서 문화와 성격에 대한 집필활동도 계속하였다. 1950년에 린턴은 미국 예술 및 과학회(American Academy of Arts and Sciences)의 특별회원이 되었다. 심장병으로 1953년에 숨을 거둔 린턴은 신분과 역할의 의미를 구분하여 인류학에 족적을 남겼다. 그의 역작 『The Tree of Culture』는 1955년 그가 죽고 난 뒤에 출판된 책이다. 린턴은 20세기 중반에 인류학을 재구성한 인물로 평가받고 있다. 그는 고고학, 예술, 심리학 등 다방면에서 탁월한 학문적 업적을 남겼으며, 지위(status), 역할(role)이라는 개념을 최초로 도입한 인물로도 알려져 있다.

ㄹ

주요 저서

Linton, R. (1936). *The Study of Man*. New York: Appleton-Century.

Linton, R. (1955). *The Tree of Culture*. New York: Alfred A. Knopf.

Linton, R. (1956). *Culture and Mental Disorders*. Charles C. Thomas.

Linton, R. (2003). 문화와 인성[*The Cultural Background of Personality*]. (전경수 역). 경기: 한국학술정보. (원저는 1945년에 출판).

마르셀
[Marcel, Gabriel Honore]

1889. 12. 7. ~ 1973. 10. 8.
프랑스의 철학자로, 기독교적 실존주의의 선구자.

마르셀은 파리에서 정부 관리 및 외교관을 지낸 앙리 마르셀(Henri Marcel)의 외아들로 태어났다. 어머니는 그가 4세가 되던 해에 사망했는데, 그 사건은 마르셀이 죽음에 대하여 관심을 갖는 계기가 되었다. 마르셀은 아버지가 외교관이었기 때문에 유럽을 자주 여행하면서 교육을 받았고, 어머니 대신 이모의 손에 양육되었다. 그러다가 이모가 아버지와 재혼을 하였다. 어머니의 형제이자 아버지의 두 번째 부인인 마르셀의 이모는 엄격하고 곧은 성격으로 마르셀의 초기 성장과정에 큰 영향을 미쳤다. 마르셀은 학교에서 우수한 학생이었다. 성장기에 종교는 마르셀에게 큰 영향을 주지 않았고, 대신 이성적, 과학적, 도덕적 양심에 의한 양육을 받았다. 늘 가족의 지나친 관심과 사랑 속에서 학업적 성취를 강요당하는 예속과 속박의 성장기를 보내면서 여행을 즐기게 되었다. 그러다가 철학을 접하면서 공부에 흥미를 느끼게 되었고, '금요일 저녁(friday evenings)'이라는 모임에서 여러 유명 철학자와 교분을 나누었다. 1910년에는 21세의 나이로 교수자격 시험(agregation)에 통과하여 교편을 잡게 되었다. 하지만 그때까지도 그의 직업은 극작가와 편집자였다. 마르셀의 철학적 방법론은 독특하였다. 실존주의와 현상학을 널리 아우르는 것 같았지만 마르셀만의 색채가 뚜렷하였다. 그에게 철학은 추상화가 아니라 구체적 경험으로 시작되는 것이었다. 그는 일상의 언어를 통해서 철학적으로 말하는 것을 좋아하였다. 늘 철학적 언어로 왜곡되게 표현하지 말고 일상의 언어로 구체화하여 표현해야 한다고 주장하였다. 1919년 자클린 뵈네(Jaqueline Boegner)와 결혼한 마르셀은 아버지의 영향으로 무신론자였지만 1929년에 가톨릭으로 개종했고, 반유대주의에 반대하였다. 1947년 아내가 사망하고, 마르셀은 1973년에 파리에서 생을 마감하였다. 마르셀은 인간의 상호작용을 타자의 객관적 특성화에 연루되는 것으로 인식했지만, 두 개인이 서로의 주체성을 인지할 수 있는 상태인 '공유상태(communion)'의 가능성을 주장하였다. 그는 30여 편의 희곡을 쓴 작가면서 음악에도 조예가 깊었다. 또 기계문명으로 물든 비인간화된 사회 속에서 현대인의 투쟁에 관심을 두고 있었다. 그는 최초의 프랑스 실존주의자로 평가되기도 하지만, 사르트르(Sartre)와 같은 인물로 분류되기를 원치 않았다. 그의 저서 『The Mystery of Being』은 대중에게 잘 알려진 작품이며, 1913년에 출판된 『The Existential Background of Human Dignity』에서는 타인을 주체로서 대할 수 없는 사람의 예를 제시하였다. 마르셀은 기계적으로 돌아가는 사회와 현대의 물질주의로 멸절되어 가는 인간의 주체성을 보호하기 위해 고군분투하는 인간의 모습을 연구하였다. 과학적 이기주의가 인간 삶의 잘못된 시나리오가 되는 '신비로움'을 대치한다고 한 마르셀에게 인간 주체는 기계적 세상에 존재하는 것이 아니라 인간대상에 대체되는 것이다. 그는 『Man Against Mass Society』 등의 책에서 기술문명에 관한 비판적인 시각을 보여주었다. 그의 철학은 키르케고르(Kierkegaard)와 야스퍼스(Jaspers) 계열에 속하는 기독교적 실존주의라 할 수 있으며, 일체의 체계적 구축을 거부한다. 마르셀은 신은 객체화될 수 없는 너(thou)이며 참된 실재(實在)이고, 인간관계의 중심에 신은 거하며, 그곳에서만 희망으로 지탱되는 성실에 의해 자신과 타인의 자유가 실현된다고 하였다.

주요 저서

Marcel, G. H. (1948). *The Philosophy of Existentialism*. New York: Citadel.

Marcel, G. H. (1951). *Man Against Mass Society*. St. Augustine's Press.

Marcel, G. H. (1951). *Homo Viator*. St. Augustine's Press.

Marcel, G. H. (1951). *The Mystery of Being*. Toronto: Univ. of Toronto Lib.

Marcel, G. H. (1963). *The Existential Background of Human Dignity*. Massachusetts: Harvard Univ. Press.

Marcel, G. H. (1964). *Creative Fidelity*. New York: Fordham Univ. Press.

Marcel, G. H. (2005). *Music and Philosophy*. Marquette Univ. Press.

Marcel, G. H. (2008). *A Path to Peace*. Marquette Univ. Press.

Marcel, G. H. (2009). *Thou Shall Not Die*. St. Augustine's Press.

마시
[Marsh, Herbert W.]

교육심리학자.

마시는 1968년에 인디애나(Indiana)대학교에서 심리학을 전공하고, 이후 동 대학교에서 석사학위를 받은 뒤 UCLA로 가서 1974년에 심리학으로 박사학위를 받았다. 그 후 남부 캘리포니아대학교에서 평가연구서비스(Evaluation Research Services)의 대표로 지명되어 5년간 봉사하고, 1980년 호주 시드니로 가서 강의를 하다가 시드니대학교에서 선임강사가 되었다. 또한 1990년, 남부 시드니대학교로 갈 때까지 『Education』지의 편집자로 일하였다. 1997년 마시는 자기연구센터(SELF Research Centre)를 설립하고 전 세계의 자기(self) 개념에 대한 권위 있는 연구자들과 교류하였다. 그는 연구소의 소장으로 있다가 2006년 옥스퍼드대학교 교수로 임용되어 현재까지 재직 중이다. 마시는 70여 개 저널에 350편이 넘는 논문을 발표했고, 60여 편의 단행본 등 수많은 연구결과를 내놓았다. 마시는 전 세계적으로 가장 다작을 한 교육심리학자로 인정받고 있으며, 사회심리학과 고등교육에서의 세계 최고 10대 연구가 중 한 사람으로도 평가받고 있다. 게다가 심리학계에서 전 세계적으로 제자를 많이 양성한 인물 중 11위로 평가되었다. 그의 연구는 세계의 여러 저자에게 인용되고 있고, 많은 나라에서 그가 제시한 기준을 지키고 있다. 마시의 주요 연구 및 학자적 관심은 주로 자기개념과 동기구조에 집중되어 있다. 이는 교수의 효능성과 평가에 유용하게 쓰이는 이론이며, 측정이 될 수 있다. 자기개념(self-concept), 동기화(motivation), 교육능률의 학생평가 등에 관한 영향력 있는 연구를 선보인 인물로서, 마시는 동료들과 함께 다차원적인 자기기술질문지를 개발하였다. 이 척도는 다차원적인 검증을 한 점에서 하터척도와 비슷하고, 아동기에서 성인기까지 사용할 수 있으면서 신뢰도와 타당도도 높다. 각 차원은 연령별로 다양하고, 학업능력, 신체능력, 외모, 같은 성별이나 반대 성별 또래와의 관계, 부모와의 관계, 종교나 영성, 성실성, 정서 안정성, 일반적인 자기가치 등에 대한 자기평가로 점수를 산출한다. '완전히 그렇지 않다'부터 '완전히 그렇다'까지 관련 능력을 평가하는데, 피검사자 연령에 따라서 64~134문항까지 다양하게 적용한다. 점수 범위는 가장 어린 아동의 경우 5점, 청소년 및 성인의 경우 8점까지다. 이 척도는 자긍심을 검사할 때도 사용할 수 있으며, 다양한 인구에 적용이 가능하다.

주요 저서

Marsh, H. W., Craven, R. B., & McInerney, D. M. (2000). *International Advances in Self Research*. Charlottle; Carolina: Information Age Pub.

Marsh, H. W. (2005). *Multidimensional Student's Evaluations of Teaching Effectiveness*. Ohio State Univ. Press.

Marsh, H. W. (2005). *The New Frontiers for Self Research*. Charlottle; Carolina: Information Age Pub.

Marsh, H. W., Craven, R. B., & McInerney, D. M. (2008). *Self-Processes, Learning, and Enabling Human Potential: Dynamic New Approaches*. Charlottle; Carolina: Information Age Pub.

마이어
[Meyer, Adolf Anton]

1866. 9. 13. ~ 1950. 3. 17.
미국 정신의학협회 회장을 역임한 스위스 정신의학자.

마이어는 스위스 취리히(Zürich) 근교의 니덜메닌고우(Niedermeningeu)에서 태어났다. 포렐(A. Forel)과 함께 정신의학을, 모나코프(C. Monakow)와 함께 신경병리학을 공부한 뒤 취리히대학교에서 의학 박사학위를 취득하였다. 그러나 취리히대학교에서 안정적인 자리를 구하지 못하여 1892년 미국으로 이민을 갔다. 처음에는 시카고대학교 신경학과에서 근무하며 강단에도 섰다. 그때 시카고의 기능주의자 사상을 접하게 되었다. 1893년부터 1895년까지는 일리노이 주의 캔카키(Kankakee)에 새로 세워진 정신병원에서 병리학자로 근무하였다. 1902년 뉴욕주립종합병원(New York State Hospital System) 내 병리학연구소(Pathological Institute) 소장이 된 마이어는 그곳에서 환자 상세 기록 보유의 중요성을 강조하였다. 또한 크레펠린(E. Kraepelin)의 분류체계 및 프로이트(S. Freud)의 사상을 소개하는 등 미국 정신의학계를 형성해 나갔다. 마이어는 뉴욕주립종합병원에 근무하는 동안 성인성격에 성과 초기 양육방식의 영향의 중요성에 관한 프로이트의 사상을 받아들였다. 1904년에는 코넬대학교에서 최초의 정신의학부 교수가 되어 1909년까지 근무했고, 1910년부터 1941년까지 존스홉킨스대학교의 강단에 섰다. 이에 더해 1913년에는 존스홉킨스대학교의 헨리핍스 정신의학클리닉(Henry Phipps Psychiatric Clinic)의 책임자가 되었다. 1950년 숨을 거둔 그는 20세기 초반의 정신의학계에서 가장 중요한 인물로 평가받고 있다. 그의 관심은 환자에 관한 상세 사례기록을 수집하는 것이었다. 이를 토대로 인생 전반의 상황을 보면서 환자를 좀 더 잘 이해할 수 있도록 만든 것이다. 정신생물학에 관한 그의 사상도 큰 업적을 남겼다. 마이어는 모든 생물학적, 심리학적, 사회적 관련 요인을 탐색하고 기록하여 정신적으로 고통을 받고 있는 환자들에게 접근하고자 하였다. 따라서 그는 병력에 관한 상세 기록을 매우 중시했고, 환자가 양육된 환경적 · 사회적 배경을 주의 깊게 탐색하였다. 정신질환은 뇌 이상이 아니라 성격의 역기능으로 발병된다는 신념하에, 일상에서 환자의 기능적 요구는 그리 중요한 것이 아니라는 점을 강조하였다. 그는 사회적 요인을 강조하면서 심층면접을 중시했고, 어린 시절 의미 있는 타인의 영향에 관한 중요성을 지적하였다. 이외에도 비어스(C. Beers)에게 정신위생(mental hygiene)이라는 용어를 제안하였다. 마이어는 저서를 남기지 않았지만 미국 정신의학계에서 양산된 여러 논문과 저서에 중추적인 영향을 미쳤다.

주요 저서

Meyer, A-E. (1962). Der psychoanalytische Dialog: Seine methodischen Determinanten und seine grundsätzlichen Möglichkeiten zür Verifizierung und Validisierung psychoanalytisher Thesen. *Medizinische Welt, 47,* 2439-2445.

Meyer, A-E. (Ed.) (1981). *The Hamburg short psychotherapy comparison experiment. Psychotherapy and Psychosomatik.* Heidelberg: Asanger.

Meyer, A-E., v. Holtzapfel, B., Deffner, G., Engel, K., & Klick, M. (1986). Psychoendocrinology of remenorrhea in the late outcome of anorexia nervosa. *Psychotherapy and Psychosomatics, 45,* 174-185.

Meyer, A-E. (1990). Die Zukunft der Psychosomatik in der BRD: Eine Illusion? *Psychotherapie, Psychosomatik und Medizinische Psychologic, 40,* 337-345.

Meyer, A-E., Richter, R., Grawe, K., Schulenburg Graf v. d. JM., & Schulte, B. (1991). *Forschungsgutachten zu Fragen eines Psychotherapeutengesetzes.* Bonn; Bundesministerium für Jugend: Frauen und Gesundheit.

Meyer, A-E. (1998). Zwischen Wort und Zahl: Psychosomatische Medizin und Psychotherapie als Wissenschaft (hg.von F.-W. Deneke. A. Haag, H. Kächele, U. Lamparter U. Stuhr). Göttingen: Vandenhoeck & Ruprecht.

마이어
[Meier, Carl Alfred]

1905.4.19 ~ 1995.
스위스의 정신의학자이며, 융 학파 심리학자.

마이어는 스위스의 샤우프하우젠(Schaffhausen)에서 태어났고, 파리대학교 의과대학, 베니스대학교 등을 다니다가 1924년 취리히대학교 의과대학에 들어가 석사를 마쳤다. 1930년부터 1936년까지는 취리히대학교 부르크휠즐리 정신의학클리닉(Burghoelzli Psychiatric Clinic of Zürich University)에서 조교로 출발하여 지도자까지 되면서 연구소의 연구를 주관하였다. 1949년에는 취리히 기술연구소의 심리학 교수가 되었다. 1948년부터 1957년까지는 취리히의 융연구소 대표로 있었으며, 융연구소에서 나오는 학술지(Studien aus dem C. G. Jung Institute)의 편집도 담당하였다. 1957년에는 국제분석심리학협회(International Association for Analytical Psychology)를 창설하였다. 1959년 마이어는 『Jung and Analytical Psychology』를 집필하는 등 심리치료, 융의 분석, 그 외 여러 심리학적 주제에 관한 많은 집필활동을 벌였다. 특히 그는 무의식과 초감각적 인지 간의 관계에 대해서 관심이 많았다. 1995년에 사망한 마이어는 융의 후계자로서 후에 융학파 심리학으로 클리닉 및 연구센터를 여러 동료와 함께 세웠고, 초심리학에 관한 글을 쓰기도 하였다.

주요 저서

Meier, C. A. (1975). *Experiment und Symbol*. Berlin: Walter de Gruyter.

Meier, C. A. (1977). *Jung's Analytical Psychology and Religion*. Southern illinois: Univ. Press.

Meier, C. A. (1986). *Soul and Body Essays on the Theories of C. G. Jung*. California: Lapis Press.

Meier, C. A. (1990). *The Unconscious in its Empirical Manifestations*. Michigan: Sigh Press.

마이어스[1]

[Myers, Isabel Briggs]

1897. 10. 18. ~ 1980. 5. 5.
MBTI 성격유형검사 공동 개발자.

마이어스는 라이먼 브리그스(Lyman Briggs)와 캐서린 브리그스(Katharine Briggs) 사이에서 태어나 워싱턴에서 어린 시절을 보냈다. 아버지는 물리학자였으며, 마이어스는 어린 시절 학교를 다니지 않고 집에서 어머니에게 교육을 받았다. 마이어스가 부모에게 받은 영향은 이후 그녀의 업적에 지대한 영향을 미쳤다. 성장해서는 스와스모어(Swarthmore)대학교에서 정치학을 전공하면서 클래런스 마이어스(Clarence Myers)를 만나 1918년에 결혼하였다. 어머니 캐서린이 융의 저서 『Psychological Types』를 마이어스에게 추천해 준 것이 계기가 되어, 모녀가 함께 MBTI를 만들게 되었다. 나중에 마이어스는 메리 맥컬리(Mary McCauley)와 함께 자신의 연구 및 MBTI 검사를 직접 실행하였다. 1956년 마이어스는 교육적 검사 서비스(Educational Testing Service: ETS)에 자신의 검사를 제공하였다. 그녀는 1929년 『Murder Yet to Come』, 1934년 『Give Me Death』 등의 소설을 쓰기도 하였다.

주요 저서

Myers, I. B. (1985). MBTI 개발과 활용[*Manual: A Guide to the Development and Use of the Myers-Briggs Type Indicator*]. (김정택 외 역). 서울: 어세스타. (원저는 1929년에 출판).

Myers, I. B. (1995). *Murder Yet to Come*. Center for Applications of Psychological Type: Garrerille.

Myers, I. B. (1998). *Introduction to Type*. Cpp, Inc.

Myers, I. B. (2008). 성격의 재발견[*Gifts Differing: Understanding Personality Type*]. (정명진 역). 서울: 부글북스. (원저는 1995년에 출판).

마이어스[2]

[Myers, Jane]

노인 대상의 상담에서 선도적인 연구자이자 작가.

마이어스는 캘리포니아대학교에서 심리학으로 학사학위를, 플로리다대학교에서 상담자 교육으로 박사학위를 취득하였다. 그녀는 175건이 넘는 출판물의 저자로, 연구 관심 분야

는 신경과학, 생체자기제어, 웰니스, 발달상담, 다문화 웰니스 평가 및 상담 영역이다. 미국상담협회와 국제 명예상담협회의 회장을 역임한 그녀는 미국상담협회(ACA)에서 확장 연구상(Extended Research Award), 성공적인 연구상(Distinguished Research Award) 등 여러 부문에서 수상하였다.

주요 저서

Myers, J. (1991). *Empowerment for Later Life*. Ann Arbor, Michigan: ERIC Clearinghouse on Counseling and Personnel Services.

Myers, J., Ivey, A. E., Ivey, M. B. S., & Thomas, J. (2010). 발달상담과 치료: 전 생애 웰니스 증진[*Developmental Counseling and Therapy: promoting wellness over the lifespan*]. (명화숙 외 역). 서울: 하나의학사. (원저는 2005년에 출판).

마이켄바움
[Meichenbaum, Donald Herbert]

1940. 6. 10. ~
인지행동수정의 창시자.

캐나다 온타리오(Ontario)의 워털루(Waterloo) 대학교 명예교수로 재직 중인 마이켄바움은 미국 심리학자들이 보고한 북미 임상의 중 당대 가장 영향력 있는 심리치료사 10인에 선정되었다. 외상 후 스트레스 장애 치료 전문가이며, 북미, 중앙아메리카, 이스라엘, 일본, 구소련 등지에서 자신의 이론을 펼쳤다. 워크숍을 통해서 마이켄바움은 임상가, 연구자로서 폭력, 학대, 사고, 질환 등으로 고통받는 트라우마를 가진 모든 연령대의 환자집단을 만나 왔다. 마이켄바움은 많은 저서를 내기도 했는데, 『A Clinical Handbook/ Practical Therapist manual for Assessing and Treating Adults with Post Traumatic Stress Disorder, Stress Inoculation Training, Pain and Behavioral Medicine』『Facilitating Treatment Adherence』 등이 대표적이다. 『Cognitive Behavior Modification: An Integrative Approach』는 해당 분야의 고전으로 인정받고 있다. 마이켄바움은 스트레스와 대처(stress and coping)에 관한 플레넘 출판물의 편집자를 맡고 있기도 하다.

주요 저서

Meichenbaum, D. H. (1977). *Cognitive-behavior modification: An integrative approach*. New York: Plenum.

Meichenbaum, D. H. (1983). *Coping with stress*. London, Century/New York: Facts on File.

Meichenbaum, D. H., & Jaremko, M. (Eds.) (1983). *Stress reduction and prevention*. New York: Plenum.

Meichenbaum, D. H., & Bowers, K. (Eds.) (1984). *The unconscious reconsidered*. New York: Wiley.

Meichenbaum, D. H. (1985). *Stress-Inoculation training*. New York: Pergamon.

Meichenbaum, D. H., & Turk, D. (1987). *Facilitating treatment adherence: A practitioner's guidebook*. New York: Plenum.

Meichenbaum, D. H. (1988). *Exploring choices: the psychology of adjustment*. Scott: Foresman.

Meichenbaum, D. H., Price, R., Phares, E., McCormick, N., & Hyde, J. (1989). *Exploring choices: The psychology of adjustment*. Glenview (IL); Scott: Foresman and Company.

Meichenbaum, D. H. (1994). *A clinical handbook/ practical therapist manual for assessing and treating adults with posttraumatic stress disorder*. Waterloo; Ontario: Institute Press.

Meichenbaum, D. H. (1995). 인지적 행동수정의 통합적

ㅁ

접근[*Cognitive-behavior modification: an integrative approach*]. (여광응 외 역). 경기: 양서원. (원저는 1977년에 출판).

Meichenbaum, D. H. (1998). *Nurturing independent learners*. Cambridge: Brookline Books.

Meichenbaum, D. H., & Biemiller, A. (1998). *Nurturing independent learners*. Cambridge (MA): Brookline Books.

Meichenbaum, D. H. (2001). *Treating individuals with anger-control problems and aggression: A clinical handbook*. Water-loo; Ontario: Institute Press.

Meichenbaum, D. H. (2006). *Mixed anxiety and depression: a cognitive-behavioral approach*. Psychotherapy.net.

Turk, D., Meichenbaum, D. H., & Genest, M. (1983). *Pain and behavioral medicine*. New York: Guilford Press.

마투라나
[Maturana, Humberto R.]

1928. 9. 14. ~
칠레의 생물학자이자 철학자.

마투라나는 칠레 산티아고(Santiago)에서 태어났다. 1947년 리쎄오 마누엘 데 살라스에(Liceo Manuel de Salas)서 고등학교를 마친 뒤 칠레의 의과대학에서 공부를 시작했지만 같은 대학에서 생물학으로 학위를 마쳤다. 1954년에는 록펠러재단의 장학금을 받아 해부학과 신경생리학을 연구하였다. 이후 1958년 하버드대학교에서 생물학 박사학위를 취득하였다. 현재 칠레대학교의 인식생물학(Biology of Knowledge)센터에서 신경과학 분야의 연구를 진행하고 있으며, 생물학적 연구 프로그램 속에서 자신의 이론을 다듬어 나가며 평생을 바치고 있다. 마투라나는 플로레스(F. Flores)와 올알라(J. Olalla)가 말한 존재론적 가르침을 자기 작업에 통합하여 이론을 발전시켜 나갔다. 그의 작업은 철학과 인지과학, 그리고 가족치료에까지 확장되었다. 일찍이 그는 생물학자 웩스퀼(J. von Uexkuell)의 영향을 받았으며, 제자인 바렐라(F. Varela)와 함께 자기생성(autopoiesis)이라는 개념을 정의하여 사용하였다. 이 개념은 진화론에서도 엄청난 영향력을 발휘했고, 마투라나를 구성주의 인식론 혹은 급진적 구성주의의 창시자로 만들어 주었다. 이 개념이 신경생리학의 경험적 발견을 가능하도록 만들어 주었다. 그는 『Santiago Theory of Cognition』에서 "생명체는 인지체계이고 과정으로서의 삶은 인지의 과정이다."라고 말하면서 신경계가 있든 없든 모든 유기체는 존재가치가 있다고 주장하였다. 그는 실재가 객관적으로 존재하는 것으로 보이지만 그것이 하나의 감각적인 공통의 구성물이라는 테제를 입증하는 데 힘을 쏟고 있다. 마투라나는 자신의 연구소에서 인식생물학과 사랑의 생물학에 관한 연구를 계속하고 있다. 인간의 삶에 관한 새로운 관점을 형성해 나가고 있는 것이다. 그는 심리학, 언어사용, 경험, 일반적 충동 등이 인간의 삶의 방식을 추론하는 데 설명적 기반이 된다고 말하였다.

주요 저서

Maturana, H. R. (1980). *Autopoiesis and Cognition*. Municipality: D. Reidel Pub. Com.

Maturana, H. R. (1984). *The tree of knowledge. Biological basis of human understanding. With Francisco Varela Revised edition (92)*. The Tree of Knowledge: Biological Roots of Human Understanding.

Maturana, H. R. (1995). 인식의 나무[*Tree of Knowledge*]. (최호영 역). 서울: 자작아카데미. (원저는 1992년에 출판).

Maturana, H. R. (1999). *The Origins of Humanness in the Biology of Love*. Exter: Imprint Academic.

만하임
[Mannheim, Karl]

1893. 3. 27. ~ 1947. 1. 9.
헝가리에서 태어난 유대인 사회학자.

만하임은 헝가리 부다페스트(Budapest)에서 외아들로 태어났다. 아버지는 헝가리계 유대인, 어머니는 독일계 유대인이었다. 경제적으로 부유하지는 않았지만 안정된 중산층 집안에서 부다페스트의 인문계 중학교를 졸업하고, 부다페스트, 베를린, 파리, 하이델베르크 등지에서 공부하였다. 당시는 정치적 혁명과 문화적 개혁의 사상이 일고 있었고, 만하임은 사회과학회(Social-Science Society)에 가담하였다. 또 여러 지도적 사회개혁가들과 정당 지도자들을 포함한 급진적 지식인 모임인 프리메이슨단(Freemasons)에도 참여하였다. 1914년 게오르크 지멜(Georg Simmel)에 의해 출강한 만하임은 루카치(Lukács)의 영향을 깊이 받았는데, 군주제적 봉건질서를 배격하는 1918년 혁명으로 수립된 중도파 사회주의 가톨릭 정권이 1919년에 붕괴되자 많은 학생들이 공산당에 입당하였다. 하지만 만하임은 공산당에 입당하지 않고, 헝가리에서 폭정이 일어나자 1920년 독일로 망명하였다. 1922년 만하임은 「Structural Analysis of Epistemology」이라는 제목의 글로 박사학위를 받고, 1922년부터 1925년까지 유명한 사회학자인 막스 베버(Max Weber)의 형제인 독일의 사회학자 알프레트 베버(Alfred Weber) 밑에서 일하였다. 1926년 하이델베르크대학교에서 강의를 하게 된 만하임은 이후 1930년에는 요한 볼프강 괴테(Johan Wolfgang Goethe) 대학교에서 사회학 교수가 되었다. 1933년 나치 통치를 피해 영국에 정착했는데, 런던경제학회(London School of Economics)에서 사회학 강의를 맡기도 하였다. 1946년 교육연구소에서 교육부장을 역임한 만하임은 1947년 런던에서 사망하였다. 그는 20세기 전반에 가장 영향력 있는 사회학자 중 한 사람으로 손꼽히며, 고전적 사회학의 아버지라고 불리기도 한다. 또 지식사회학의 창시자로도 평가받고 있다. 만하임이 중점을 둔 것은 미래사회의 계획화로, 그의 일대기는 주로 헝가리 체류 시절(1919년까지), 독일 체류 시절(1919~1933년), 영국 체류 시절(1933~1947년)로 나누어 이야기한다. 만하임은 자신의 연구를 통해서 독일의 역사주의, 마르크시즘, 현상학, 사회학, 실용주의 등을 통합하려는 다양한 방법의 노력을 하였다. 또한 당대의 어떤 정치적 이념에도 찬성하지 않고 기본적 평등과 자유를 사회 전체 수준에서 계획하는 제3의 길을 모색하고자 하였다. 만년에는 종교적 신상 문제와 미래계획 사회에서의 종교의 역할, 사회변동과 기독교 정신의 변화양상에도 관심을 가졌다. 그는 영국에서 서구문명으로 전파된 전후 자본주의 사회의 설계자 중 한 사람으로 인정받고 있다.

주요 저서

Mannheim, K. (1936). *An Ideology and Utopia*. Kessinger Pub. Washington: Harvest Book.

Mannheim, K. (1940). *Man and Society in an Age of Reconstruction*. London: Routledge.

Mannheim, K. (1951). *Freedom, Power and Democratic Planning*. London: Routledge.

Mannheim, K. (1952). *Essays on the Sociology of Knowledge*. London: Routledge.

Mannheim, K. (1953). *Essays on Sociology and Social Psychology*. London: Routledge.

Mannheim, K. (1956). *Essays on the Sociology of Culture*. London: Routledge.

ㅁ

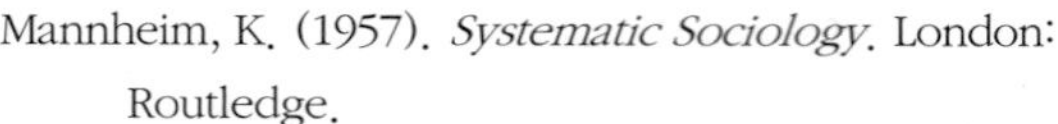

Mannheim, K. (1957). *Systematic Sociology*. London: Routledge.
Mannheim, K. (1982). *Structures of Thinking*. London: Routledge.
Mannheim, K. (1986). *Conservatism*. London: Routledge.

말러
[Mahler, Margaret Schoenberger]

1897. 5. 10. ~ 1985. 10. 2.
헝가리 출신의 의사, 전 세계적으로 유명한 정신분석학자.

말러는 헝가리 서부 작은 마을 쇼프론(Sopvoa)의 유대인 집안에서 태어났다. 말러의 부모님은 서로 사이가 좋지 않아 어린 시절 말러와 여동생은 힘든 시간을 보냈다. 어머니에 대해서는 좋지 않은 기억을 많이 가지고 있었고, 내과 의사였던 아버지를 따랐다. 아버지의 독려로 수학과 과학에 탁월한 능력을 보인 말러는 여고를 졸업한 뒤 부다페스트에 있는 바치우타이고등학교(Vaci Utai Gimnazium)에 들어갔다. 당시 여성이 정규교육을 받는 것은 드문 일이었다. 부다페스트에서의 경험은 말러의 삶과 진로에 지대한 영향을 미쳤다. 그 기간에 산도르 페렌치(Sandor Ferenczi)를 만나 무의식이라는 개념에 매료되어 프로이트의 저서를 접하게 되었다. 그녀는 1916년 9월, 부다페스트대학교에 들어가 미술사를 공부하다가 1917년에 의대로 전향하였다. 3학기를 수학하고 뮌헨(München)대학교로 가서 의학교육을 받았지만 유대인을 향한 비난 때문에 학교를 떠나고 말았다. 1920년 봄, 예나(Jena)대학교로 옮긴 뒤 놀이와 사랑이라는 것이 유아가 정신적으로 또 육체적으로 건강하게 자라는 데 얼마나 중요한 요소가 되는지 깨닫기 시작하였다. 1922년 우수한 성적으로 졸업하고, 의사 자격을 얻기 위해 비엔나로 갔다. 1926년에는 소아과에서 정신의학으로 전향하여 헬레네 도이치(Helene Deutsch)와 교육분석을 시작했고, 몇 년 후 말러는 분석가가 되었다. 그녀의 관심은 아동에게 있었다. 1936년 파울 말러(Paul Mahler)와 결혼한 뒤, 나치 통치 시절에 영국으로 건너갔다가 1938년 다시 미국으로 옮겼다. 말러는 뉴욕에서 의사 자격을 얻어 개인영업을 시작하였다. 1939년에 벤저민 스폭(Benjamin Spock)을 만나 1940년 아동분석세미나를 열고, 아동분석의 권위자로 등극하였다. 그리고 말러는 인간발달연구소(Institute of Human Development), 교육연구소(Educational Institute), 뉴욕 정신분석학회(New York Psychoanalytic Society) 등에 입회하였다. 1948년 아동기 정신분열증에 대한 사례를 임상에서 직접 연구하게 된 말러는 1950년 뉴욕에 있는 마스터아동센터(Masters Children Center) 내에 자신의 연구소를 설립하였다. 1952년에는 정상적인 아동발달경험에 관한 연구에 착수했으며, 1963년에 유아 정신병의 원인은 생후 1년부터 2년간에 있다는 사실을 발견하였다. 말러는 이 기간을 발달의 분리개별화 단계로 인식하였다. 1960년부터 1975년까지 그녀는 관찰연구를 하면서 분리개별화 과정의 4단계 발생을 입증하고, 각 단계별로 나타나는 전형적인 어머니와 유아의 상호작용 유형, 유아의 발달 유형 등을 밝혀 인간의 심리적 탄생과정을 보여 주었다. 1980년 버나드(Barnard)대학교에서 주는 공로상(Barnard Medal of Distinction)을 수상한 말러는 1985년 세상을 떠났다. 말러는 대상관계 이론의 발달적 측면에서 어머니와 아이의 상호작용을 가장 명확하게 밝힌 이론가다. 자폐증과 심각한 정신장애를 가진 청소년에 관한 연구로 어머니에 대한 아이의 초기 애착의 심리적 중요성을 강조하였다. 정신적으로 문제를 겪는 아동을 위해 평생을 정신분석에 바친 말러는 아동기의 심각한 정신적 문제를 더욱 건설적인 방법으로 연구했으며, 아동에 대한 환경의 중요성을 강조하였다. 특히 어머니-

유아의 2자 관계를 중요시했고, 초기 아동의 어머니와의 분리가 삶에 어떤 영향을 미치는지에 몰두하였다. 분리개별화(separation-individuation) 개념은 그녀가 정신분석 발달에 기여한 가장 큰 공로라고 할 수 있다. 그녀는 분리개별화라는 분리된 정체감을 형성하려는 아이의 원초적 노력과 어머니에게로 융합하려고 하는 욕구 간의 갈등을 알아냈다. 이 갈등을 해결하는 수준에 따라 병리적 영향 없이 삶을 얼마나 잘 살아갈 수 있는지가 결정되는 것이다. 말러의 발달단계는 정상적 자폐 단계, 공생 단계, 분리개별화 단계 등으로 구성되어 있다. 분리개별화 단계는 다시 분화, 실행, 재접근, 대상 항상성 수립과 같은 하위단계로 나누어진다. 또한 모자 공생 관계를 정의하면서 아동의 정신분열을 연구했고, 아동의 정상적 과정에서 자기표현과 대상표현을 구분하기도 하였다. 이처럼 그녀는 정상적인 아동기 발달에 관심을 가진 채 이론을 정립하여 아동발달에서의 분리개별화 이론(Separation-Individuation theory of child development)을 개발하였다. 그녀의 저서 『유아의 심리적 탄생: 공생과 개별화(The psychological birth of the human infant: symbiosis and individuation)』는 전 세계적으로 유명하다.

주요 저서

Mahler, M. S. (1966). Notes on the development of basic moods: The depressive affect. In R. M. Loewenstein (Ed.), *Psychoanalysis, a general psychology* (pp. 152-168). New York: International Universities Press.

Mahler, M. S. (1968). *On Human symbiosis and the vicissitudes of individuation*. Madison, CT: International Univ. Press.

Mahler, M., & Furer, M. (1968). *On human symbiosis and the vicissitudes of individuation*. New York: International University Press.

Mahler, M., Pine, F., & Bergman, A. (1975). *The psychological birth of the human infant: Symbiosis and individuation*. New York; London, Basic Books.

Mahler, M. S. (1979). *Infantile psychosis and early contributions*. New York: Jason Aronson.

Mahler, M. S. (1979). *Separation-individuation*. New York: Jason Aronson.

Mahler, M. S. (1979). *The selected papers of Margaret S. Mahler* (vols. I and II). New York, Jason Aronson.

Mahler, M. S. (1985). *Studien über die drei ersten Lebensjahre*. Stuttgart: Klett.

Mahler, M. S. (1997). 유아의 심리적 탄생: 공생과 개별화 [*The psychological birth of the human infant: symbiosis and individuation*]. (이재훈 역). 서울: 한국심치료연구소. (원저는 1968년에 출판).

말리놉스키
[Malinowski, Bronislaw Kasper]

1884. 4. 7. ~ 1942. 5. 16.
폴란드 출신의 영국 인류학자.

말리놉스키는 폴란드의 오스트리아 헝가리 영토인 크라쿠프(Kraków) 지방에서 태어났다. 폴란드 귀족 집안의 가장이었던 그의 아버지는 폴란드 방언과 슐레지엔(Schlesien) 민속을 연구해 당대에 상당한 명성을 얻고 있던 언어학자였다. 어머니는 부유한 지주가문 출신으로 역시 교양 있는 언어학자였다. 어려서부터 말리놉스키는 병약했지만 학업적 능력은 뛰어났다. 말리놉스키는 어려서 아버지를 잃고 어머니와 함께 지중해 일대를 여행하였다. 1908년, 야기엘로니안(Jagiellonian) 대학교에서 철학으로 박사학위를 받은 뒤, 수학과 물리학에도 몰두하였다. 그는 대학에 있는 동안에도 건강상태가 그리 좋지 못해서 몸져누웠는데, 회복이 되는 동안 프레이저(J. Frazer)의 『황금가지(The Golden Bough)』를 읽고 인류학자가 될 결심을 하였다. 이 책을 계기로 말리놉스키의 관심은 민족학으로 옮겨졌고, 라이프치히대학교로 가서 경제학자인 뷔허(K. Buecher)와 심리학자인 분트(W. Wundt)에게서 사사를 받았다. 1910년에는 영국으로 가서 셀리그먼(C. Seligman), 웨스터마크(E. Westermarck)가 있는 런던경제학파(London School of Economics)에서 공부하였다. 이때부터 런던에서 활동을 시작하였다. 1914년 파푸아뉴기니로 여행을 하면서 현장에서 사회적 상호관계에 대한 직접적인 연구를 하게 되었다. 뉴기니 남쪽 해안 지방 마일루족 사회를 6개월 동안 직접 조사한 이 연구는 제1차 세계 대전의 발발로 중단되었다. 나중에 학술논문으로 발표했지만 이론적 기반이 미비하였다. 그러나 이 논문으로 1916년에 런던대학교에서 박사학위를 취득하였다. 그는 1915년부터 1918년까지 뉴기니 근처 트로브리안드 제도로 옮겨 조사연구를 계속하였다. 프로이트의 오이디푸스콤플렉스에 관한 이론을 문화적 맥락에 적용하기도 하였다. 이 같은 현장에서의 경험을 모아서 1922년에는 『서태평양의 아르고선(Argonauts of Western Pacific)』이라는 저서를 출간하였다. 말리놉스키는 여러 언어를 구사할 수 있었기 때문에 원주민들과의 의사소통도 쉬웠다. 토착언어를 자유롭게 구사하면서 직접 면담을 기록했을 뿐만 아니라, 여러 반응과 그들의 행동에서 세세한 것까지 있는 그대로 기록하였다. 이러한 과정을 통해서 이상적인 행동규범과 실제 행동 간 분명한 차이를 보이는 사회제도를 마치 현장에서 보는 것처럼 묘사할 수 있었다. 1919년 호주에서 결혼한 그는 건강문제 때문에 카나리 섬으로 갔다. 1924년에는 런던대학교로 돌아와 인류학 강의를 맡았고, 『Anthropology』의 교정자가 되었다. 또 1927년에는 인류학회장이 되었다. 지적으로는 매우 열정적인 사회과학자에 속했던 말리놉스키는 당시 커다란 영향력을 갖고 있었고, 그의 연구회는 매우 유명하였다. 그는 유럽 대륙의 사회 이론에 정통했으며, 뒤르켕(Durkheim), 모스(Mauss)와 같은 사회학자로부터 영향을 받은 면도 있지만 그의 사상은 개인에 초점을 더 두었고 절대적인 사회개념은 거부하였다. 1933년에는 코넬대학교에서 강의를 했고, 3년 뒤에는 하버드에서 명예박사학위를 받았다. 1938년, 안식년을 얻어 미국으로 가서 예일대학교 비숍박물관 인류학 객원교수가 되었으며, 1939년에는 예일대학교에서 객원교수로 재직하였다. 1940년부터 1941년까지는 멕시코 농민 시장을 연구하고, 멕시코 인디언 사회의 변화에 관한 연구 계획도 세웠다. 1940년 발레타 스완이라는 예명을 가진 화가 안나 발레타 헤이먼 조이스와 재혼했는데, 그녀는 만년의 말리놉스키의 연구작업을 도왔으며 유작 출간을 주관하였다. 말리놉스키는 1942년 심장발작으로 사망하였다. 그는 사회인류학의 창시자로 인정받고 있으며, 참여자 관찰기법을 소개한 인물이다. 20세기 가장 중요한 인류학자 중 한 사람으로 손꼽히는 말리놉스키는 기능주의로 알려져 있는 사회 인류학파를 지향했으며, 균형 잡힌 체계를 형성하는 것이 사회가 잘 돌아가는 기본이 된다고 주장하였다. 그는 문화를 구조적으로 이해하였다. 그의 관점에서 문화는 물질적, 행동적, 정신적 요소가 함께 유기적으로 관련된 통합체이고, 닫힌 체계였다. 그는 인간이 이룩한 총체를 문화의 개념으로 보고, 문화적 양상과 제도를 폭넓게 살폈으며 친족관계, 결혼, 교환, 제의에 관한 기존의 주장들에 맞섰다. 말리놉스키는 사회와 문화 변동에 관한 연구작업을 적극 후원했고 행정가, 선교사, 사회사업가 등을 위한 교육사업에도 활발하게 참여하였다. 1930년대에 들어서는 아프리카에도 관심을 가져, 국제아프리카연구소와 밀접한 관계를 맺었다.

주요 저서

Malinowski, B. (1913). *The family among the*

Australian Aborigines: a sociological study. London: University of London Press.

Malinowski, B. (1922). *Argonauts of the Western Pacific: An account of native enterprise and adventure in the Archipelagoes of Melanesian New Guinea*. London: Routledge and Kegan Paul.

Malinowski, B. (1924). *Mutterrechtliche Familie und Ödipus-Komplex. Eine psychoanalytische Studie (in German)*. Leipzig: Internationaler Psychoanalytischer Verlag.

Malinowski, B. (1926). *Crime and custom in savage society*. New York: Harcourt, Brace & Co.

Malinowski, B. (1926). *Myth in primitive psychology*. London: Norton.

Malinowski, B. (1927). *Sex and Repression in Savage Society*. London: Kegan Paul, Trench, Trubner & Co.

Malinowski, B., & Leach, J. B. (1935). *Coral gardens and their magic*. London: Allen & Unwin.

Malinowski, B. (1948). *Magic, Science and Religion and Other Essays*. Glencoe, Illinois: The Free Press.

Malinowski, B. (1967). *A Diary in the Strict Sense of the Word*. New York: Harcourt, Brace & World.

Malinowski, B. K. (1987). *Sexual Life of Savages*. Boston: Beacon Press.

Malinowski, B. K. (1992). *Argonauts of The Western Pacific*. London: Routledge.

Malinowski, B. K. (1992). *Magic, Science and Religion and Other Essays*. Illinois: Waveland Press.

Malinowski, B. K. (2009). *Crime and Custom in Savage Society*. London: Routledge.

Malinowski, B. K. (2010). 미개사회의 성과 억압[*Sex and Repression in Savage Society*]. (한원상 역). 서울: 삼성출판사. (원저는 1982년에 출판).

매슬로
[Maslow, Abraham Harold]

1908. 4. 1. ~ 1970. 6. 8.
인본주의 심리학자.

매슬로는 뉴욕 브루클린(Brooklyn)에서 태어나고 자랐다. 러시아에서 이주해 온 유대인 집안의 7남매 중 장남이었는데, 그에 대한 부모님의 교육에 대한 열정이 높았다. 어린 시절 매슬로는 수줍음이 많고 소극적인 성격에 겁도 많았다. 선생님들과 친구들의 반유대주의 때문에 힘든 시간을 보내기도 하였다. 자기애적 성향이 강하고 흑인에 대한 편견에 사로잡혀 있던 어머니와는 적대적인 관계였다. 친구도 별로 없었기 때문에 자연스럽게 도서관에서 책에 묻혀 지냈다. 브루클린에서 가장 명문이었던 고등학교를 졸업하고, 부모의 권유로 뉴욕시립대학을 들어가 법학을 전공한 매슬로는 흥미를 느끼지 못한 채 1927년 코넬대학교로 옮겼지만 성적이 별로 좋지 않아 한 학기 만에 그만두었다. 이후 위스콘신대학교 대학원에 들어가서 심리학을 연구하였다. 1928년 첫 번째 결혼을 하고는 위스콘신대학교에서 심리학 교육을 받으면서 실험적 행동주의자가 되기로 마음먹었다. 위스콘신에서는 주로 행동과 성에 관하여 연구하였다. 1930년에 학부를 졸업한 뒤 1931년에 석사학위를 받았고, 1934년에는 박사학위까지 받았다. 졸업 후에는 뉴욕으로 돌아가서 손다이크(Thorndike)와 함께 컬럼비아에서 연구를 하였다. 그곳에서 매슬로는 인간의 성에 대한 연구에 더욱 관심을 집중하였다. 이후 브루클린(Brooklyn)대학교의 강단에 섰고, 당시 미국으로 이주해 온 유럽의 많은 지성들, 즉 아들러(Adler), 프롬(Fromm), 호나이(Horney) 등을 만나게 되었다. 1951년부터 1969년까지는 브랜디스(Brandeis)대학교의 심리학 부장을 맡았는데, 그때 골드슈타인(Goldstein)과 만났다. 캘리포니아에서 만년을 보내다가 1970년에 심장발작으로 사망한 매슬로는 인본주의 흐름에 앞장선 인물로 평가되고 있다. 그는 자기실현(self-actualization)이라는 개념을 앞세워서 인간의 잠재성에 집중하여 연구하고, 인간이 어떻게 하면 자신의 잠재성을 발현할 수 있는지를 탐색하였다. 인간에 대해서 전체적이고 역동적인 관점을 가지고 있었던 매슬로의 이론은 동기화 이론과 욕구위계이론이 가장 대표적이다. 매슬로에 따르면 인간의 행동은 기본적 욕구에 따라 동기화된다. 이러한 욕구들은 행동을 실행하게 하는 데 두 가지 원칙이 있는데, 첫째는 욕구가 충족되면 더 이상 행위하지 않는다이고 둘째는 욕구는 위계를 가지고 있다는 것이다. 동기화 이론에 따른 욕구위계 이론은 인간의 동기를 다섯 단계로 나누고, 가장 기초적으로는 생리적 욕구, 그다음에는 안정의 욕구, 그다음에는 사랑 및 소속의 욕구, 그다음에는 존중의 욕구, 마지막으로는 자기실현의 욕구 순으로 되어 있다. 이 욕구위계는 순서대로 일어나며, 모든 사람이 이와 같은 발달과정을 거치면서 가장 높은 단계까지 가는 것은 아니다.

주요 저서

Maslow, A. H. (1954, 1981). *Motivation und Persönlichkeit*. Reinbek: Rowohlt.

Maslow, A. H. (1962, 1985). *Psychologie des Seins: Ein Entwurf*. Frankfurt/M., Fischer.

Maslow, A. H. (1964, 1976). *Religions, Values and Peak-Experiences*. bzw Columbus, Ohio State University Press. New York: Penguin Books.

Maslow, A. H. (1966, 1977). *Die Psychologie der Wissenschaft: Neue Wege der Wahrnehmung und des Denkens*. München: Goldmann.

Maslow, A. H. (1968). *Toward a Psychology of Being*. New York: John Wiley & Sons.

Maslow, A. H. (1971). *The Farther Reaches of Human Nature*. New York: Viking Press.

Maslow, A. H. (1994). *Religions, Values, and Peak-Experiences*. New York: Penguin.

Maslow, A. H., Stephens, D. C., & Heil, G. (1998). *Maslow on Management*. New York: John Wiley & Sons.

Maslow, A. H. (2011). *Hierarchy of Needs: A theory of Human Motivation*.

맥그리거
[McGregor, Douglas Murray]

1906. ~ 1964. 10. 1.
MIT 슬로언 경영학부의 경영학 교수를 지냈으며, 1948~1954년까지 안티오크대학교 총장이었던 인물.

맥그리거는 1906년 디트로이트(Detroit)에서 태어나 평탄하게 대학까지 다니고, 1932년 웨인(Wayne) 주립대학교를 졸업한 뒤 하버드대학교에서 석사와 박사학위를 취득한 다음 바로 하버드대학교와 MIT에 출강하였다. 인도 캘커타 경영학교에서 교편을 잡기도 하였다. 안티오크대학교의 총장을 맡았지만 6년 후 MIT로 돌아와 임종까지 교수직에 머물렀다. 1960년에 발표한 『The Human Side of Enterprise』로 그는 교육계에 엄청난 영향을 미쳤고, 1964년 58세의 일기로 세상을 떠났다. 그는 저서를 많이 내지는 않았지만 그가 낸 저서들은 큰 반향을 일으켰다. 그의 저서를 보면, 피고용인들이 권위, 지시, 통제나 통합, 자기통제 등을 통하여 동기화되는 환경을 창조하는 접근법으로 X이론과 Y이론을 만들었다. Y이론은 매슬로(Maslow)의 인본주의 학파(Humanistic School of Psychology)에서 실제로 적용을 하였다. 맥그리거는 조직 내 인간의 완성과 자기실현의 가능성을 주창하면서 동기부여와 자기통제를 적절히 맞추어 조직목표를 이루어 나가야 한다고 말하였다. 현대의 경영학은 맥그리거의 영향을 많이 받고 있다. 역사상 가장 영향력 있는 사상가 중 한 사람으로 손꼽히는 맥그리거는 자발적 동기부여 이론을 주창하여 인사관리에 혁명을 불러일으켰다. 그는 직원들이 스스로의 개인적 성장에 책임을 져야 한다는 주장을 하면서 관리자가 강요하는 가짜 성장을 용납하지 않았다. 그에게 성장은 자연스럽고 유기적으로 일어나는 것이다. 맥그리거는 신뢰를 기반으로 열린 마음을 지닌 상사와 직원의 관계를 만들어 내는 사람이 진정한 리더라고 하였다.

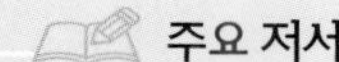
주요 저서

McGregor, D. M. (2005). *The Human Side of Enterprise*. New York: McGraw-Hill.

맨들러
[Mandler, George]

1924. 6. 11. ~

20세기 중반 소위 인지혁명이라 불리던 시대의 선도적 역할을 한 인물로, 인간의 감정적 반응은 자율신경계의 생물학적 환기에서 비롯된다는 입장에 서서 인간정신 내적 연구에 생물학적 적용 가치를 고려한 종합적 견해를 내세움.

맨들러는 비엔나에서 태어나 영국으로 이주한 뒤 독일의 침공으로 미국으로 가서 뉴욕대학교를 졸업하고, 1953년 예일대학교에서 박사학위를 받았다. 제2차 세계 대전 당시에는 미육군 정보원(U. S. Army Military Intelligence Service)과 대첩보 부대(Counter Intelligence Corps: CIC)에서 복무하였다. 종전 후 바젤(Basel)대학교에서 연구를 이어 가다가 하버드대학교와 토론토대학교에서 교편을 잡았다. 1950년대에 맨들러는 사라손(S. Sarason)과 함께 검사불안(test anxiety)에 대한 연구를 시작하여, 관련 저서를 출판하기도 하였다. 1965년에는 샌디에이고의 캘리포니아대학교 심리학부 창립의장(founding chair)이 되었고, 인간정보처리센터(Center for Human Information Processing: CHIP)의 초대회장이 되었다. 이 기관은 힌턴(G. Hinton), 노먼(D. Norman), 루멜하트(D. Rumelhart)와 같은 과학자들의 산실이 되었다. 1994년 맨들러는 공식적인 자리에서 물러나 런던대학교 초빙교수가 되었다. 2004년에는 샌디에이고 캘리포니아대학교에서 그의 업적을 기려 맨들러 홀(Mandler Hall)을 만들었으며, 2009년에는 비엔나대학교에서 명예박사학위를 받았다. 맨들러는 20세기 중반 인지혁명을 주도한 인물로서, 인지 및 정서, 자율신경계의 반응과 같은 분야에서 탁월한 공헌을 하였다. 그는 기억을 저장하고, 불러오고, 인식하는 과정에 대한 조직이론(organization theory), 이중과정 인식이론(dual process recognition theory), 현대심리학에서의 의식(consciousness) 역할의 회복 등의 이론을 발전시켰다. 또한 맨들러는 행동과학 고등연구센터(Center for Advanced Study in the Behavioral Sciences)의 특별회원이었으며, 미국심리학회로부터 윌리엄 제임스 상(William James Award)을 수상하는 등 화려한 이력을 가지고 있다. 맨들러는 마이어(Meyer)의 정서와 의미에 관한 이론을 발전시키면서 감정과 인지이론을 내세웠는데, 인간의 감정적 반응은 자율신경계 생물학적 환기로 비롯되며, 이때 일어나는 인간의 인지는 예견과 감각의 확인 사이에서 일어나는 지속적인 내면활동이라고 하였다. 환기는 기대의 지연이나 지각운동 셰마에 근거한 기대패턴에 따라 일어나는데, 이러한 셰마는 일어날 반응을 예측하기 위한 인간 인지의 자동 연상활동을 통하여 형성된다. 맨들러의 이론은 음악에 대한 인간의 감정적 반응이 자율신경계에 접근하여 연결된다는 사실을 적용한 것이다.

ㅁ

주요 저서

Mandler, G., & Kessen, W. (1959). *The Language of Psychology*. New York: John Wiley & Sons, Inc.

Mandler, G., & Mandler, J. M. (1964). *Thinking: From Association to Gestalt*. New York: John Wiley & Sons, Inc.

Mandler, G. (1975). *Mind and Emotion*. New York: Wiley.

Mandler, G. (1984). *Mind and Body: Psychology of emotion and stress*. New York: Norton.

Mandler, G. (1985). *Cognitive Psychology: An essay in cognitive science*. Hilsdale: N. J.

Mandler, G. (1997). *Human Nature Explored*. New York: Oxford Univ. Press.

Mandler, G. (2002). *Consciousness Recovered: Psychological functions and origins of conscious thought*. Amsterdam: John Benjamins.

Mandler, G. (2002). *Interesting Times: An encounter with the 20th century*. Mahwah: NJ.

Mandler, G. (2007). *A History of Modern Experimental Psychology: From James and Wundt to cognitive science*. Cambridge; MA: MIT Press.

머레이
[Murray, Henry Alexander]

1893. 5. 13. ~ 1988. 6. 23.
미국의 심리학자이며 TAT 개발자.

머레이는 뉴욕의 부유한 집안에서 3남매 중 둘째로 태어났다. 어렸을 때 눈에 문제가 생겨 9세 때 수술을 받았지만 결과가 좋지 않아 입체경적 시력을 잃었다. 이 사실을 알게 되면서부터 말을 더듬었다. 아버지와의 관계는 좋았지만 어머니와는 그리 사이가 좋지 않았는데 그 때문에 우울감을 오랫동안 겪기도 하였다. 머레이는 크로톤에서 예비학교를 마치고, 하버드대학교에서 역사를 전공한 뒤 컬럼비아대학교에서 생물학으로 1919년 석사학위를 취득하였다. 2년 동안 하버드대학교에서 생리학을 가르치다가 1927년에 케임브리지대학교에서 생화학으로 박사학위를 받았다. 30세가 되던 해에 그는 인생의 전환기를 맞았는데, 이때 크리스티나 모건(Christina Morgan)을 만나 결혼하였다. 결혼생활은 평탄치 못하였다. 이 같은 경험이 머레이의 갈등욕구이론의 근간을 이루게 되었다. 모건의 권유로 머레이는 1925년에 취리히에서 융을 만나기도 하였다. 그는 융과의 만남을 계기로 심층심리학을 하겠다는 결심을 하였다. 1927년 머레이는 보조지도자가 되었으며, 1937년에 하버드 심리클리닉(Harvard Psychological Clinic)의 책임자가 되었다. 1938년에는 『Exploration in Personality』를 출간하였다. 제2차 세계 대전 중, 머레이는 하버드를 떠나 육군 의료단체에 들어갔다. 이후 전쟁이 끝나고 다시 하버드대학교로 돌아와서 강의를 했으며, 1949년 동료들과 함께 하버드대학교 부속 심리클리닉(Psychological Clinic Annex)을 설립하였다. 1962년에 은퇴를 하고 명예교수로 위촉되며, 미국심리학회에서 주는 우수과학공로상(Distinguished Scientific Contribution Award)을 수상하였다. 또 미국심리학재단(American Psychological Foundation)으로부터 평생공로상(Gold Medal Award for Lifetime Achievement)도 받았다. 머레이는 95세의 나이로 1988년에 매사추세츠 케임브리지에서 세상을 떠났다. 그는 보스턴정신분석학회(Boston Psychoanalytical Society)를 만든 인물이며, '욕구'와 '억제'를 바탕으로 한 성격이론을 개발하였다. 또한 1935년 모건의 도움을 받아 주제통각검사(Thematic Apperception Test: TAT)를 개발한 것으로도 유명하다. 이와 같이 역사가, 문학비평가, 생물학자, 화학자, 의사, 심리학자, 성격이론가의 종합적 면모를 갖춘 인물로서, 그가 말하는 성격의 본질은 다섯 가지다. 첫째, 성격은 뇌에 기반을 둔다. 다시 말해 개인의 심리과정은 생리적 과정에 의존한다. 둘째, 성격은 유기체의 욕구로 나타나는 긴장과 관련이 있다. 긴장이 완전히 해소된 상태보다 긴장을 감소하기 위한 행동과정에서 만족을 얻는다. 셋째, 성격은 시간에 따른 종단적 본질을 가지고 있다. 개인의 성격은 지속적으로 발달하면서 생애과정에서 일어나는 모든 사건으로 구성된다. 넷째, 성격은 변화하고 발달한다. 성격은 진행현상이기 때문에 고정되어 있거나 정적인 것이 아니다. 다섯째, 성격은 종별 유사성을 가지면서도 개별 독특성을 함께 지니고 있다. 개인은 다른 사람들과 종별로 유사한 성격을 가지면서도 전혀 다른 면을 가지고 있다. 머레이는 체계적이고 과학적인 연구를 통해서 성격학(personology)이라는 용어를 만들기도 하였다. 그의 말하는 성격학의 골자는 욕구-압력(need-pressure) 이론에 있다. 유기체의 행동의 의미를 밝히기 위해서는 그 행동을 결정하게 만드는 내적, 외적 요인을 찾아야 한다. 그는 생리발생적 욕구로 흡기, 물, 음식물, 감성에의 욕구, 성, 수요, 호기, 배뇨 및 배변 등의 욕구, 독성, 서열, 냉한 등의 상해 회피의 욕구 등이 있다고 하였다. 이 이론에 입각해서 TAT를 고안한 것이다. 다양한 대인관계상의 역동적 측면을 파악하여 인물들이 등장하는 모호한 내용의 그림자극을 제시하고 그에 관한 이야기를 구성해 보도록 하는 방법과 과정으로, 개인의 과거 경험, 상상, 욕구, 갈등 등이 투사되는 것이 TAT다. 이 검사는 성격의 특징적인 면과 발달적 배경, 환경과의 상호관계 방식 등의 정보를 얻는 데 유용하다.

주요 저서

Murray, H. A. (1945). *A Clinical Study of Sentiments*. Virginia: Journal Press.

Murray, H. A. (1960). *Myth and Mythmaking*. New York: George Braziller.

Murray, H. A. (1971). *Thematic Apperception Test*. Massachusetts: Harvard. Univ. Press.

Murray, H. A., & Shneidman, E. S. (1981). *Endeavor in Psychology*. New York: HarperCollins Pub.

Murray, H. A., & McAdams, D. (2008). *Explorations in Personality*. Oxford: Univ. Press.

Murray, H. A. (2009). *A Stepson of Fortune*. New York: Cornell Univ. Library.

ㅁ

메닝거
[Menninger, Karl Augustus]

1893. 7. 22. ~ 1990. 7. 18.
미국의 정신의학자.

메닝거는 캔자스의 토피카(Topeka, Kansas)에서 태어나 워시번(Washburn)대학교, 인디애나(Indiana)대학교, 위스콘신매디슨(Wisconsin Madison)대학교 등을 다니다가, 하버드대학교 의과대학에 합격하고 1917년에 우수한 성적으로 졸업하였다. 그는 메닝거재단(Menninger Foundation)과 메닝거클리닉(Menninger Clinic)을 토피카에 설립한 메닝거 집안 출신으로, 캔자스에서 수련의를 시작하여 보스턴 정신병원(Boston Psychopathic Hospital)에 근무하면서 하버드 의대에 출강하였다. 1919년에 토피카로 돌아가 아버지와 함께 메닝거클리닉을 설립하였고, 1925년까지 메닝거 새니토리움을 세울 투자자를 모았다. 1930년에는 저서 『The Human Mind』를 출간하였고, 그 외에도 『The Vital Balance: Man Against Himself』『Love Against Hate』 등의 저서가 있다. 1952년에는 절친한 친구 중 한 명인 타르고닉(K. Targownik)이 클리닉에 들어오기도 하였다. 1941년에 메닝거재단이 만들어졌고, 제2차 세계 대전이 끝난 뒤 메닝거는 겨울 보훈병원(Winter Veterans Administration Hospital)을 토피카에 세우는 데 도움을 주었다. 이 기관은 세계에서 가장 큰 정신의학 교육센터로 성장하였다. 그는 또 일반체계연구회(Society for General Systems Research)의 초대회원이었다. 1981년에는 지미 카터(Jimmy Carter) 대통령으로부터 대통령 자유훈장(Presidential Medal of Freedom)을 받기도 한 그는 1990년에 사망하였다. 그는 문외한들에게 정신분석이론을 안내하는 저서와 정신의학과 과학의 관계를 탐색하는 책을 발표하였다. 그의 책은 실천적이면서도 이론적인 입장을 잘 보여 주었다. 온갖 마음의 문제를 안고 사는, 모든 사람들의 자아발견과 자기확인, 그리고 정신건강을 위한 일상의 지침서라 할 수 있는 『The Human Mind』라는 책을 출간하기도 하였다.

주요 저서

Menninger, K. A. (1930). *The Human Mind. Garden City*. NY: Garden City Pub. Co.

Menninger, K. A. (1938). *Man Against Himself*. New York: Harcourt, Brace.

Menninger, K. A. (1950). *Guide to Psychiatric Books; with a Suggested Basic Reading List*. New York: Grune & Stratton.

Menninger, K. A. (1952). *Manual for Psychiatric Case Study*. New York: Grune & Stratton.

Menninger, K. A. (1956). *Man Against Himself*. Boston: Mariner Books.

Menninger, K. A. (1958). *Theory of Psychoanalytic Technique*. New York: Basic Books.

Menninger, K. A. (1959). *A Psychiatrist's World: Selected Papers*. New York: Viking Press.

Menninger, K. A. (1963). *The Vital Balance: The Life Process in Mental Health and Illness*. New York: Viking Penguin.

Menninger, K. A. (1968). *Das Leben als Balance; seelische Gesundheit und Krankheit im Lebensprozess*. München: R. Piper.

Menninger, K. A. (1968). *The Crime of Punishment*. New York: Penguin Books.

Menninger, K. A. (1972). *A Guide to Psychiatric Books in English*. New York: Grune & Stratton.

Menninger, K. A. (1976). *The Human Mind Revisited: Essays in Honor of Karl A. Menninger*. Edited by Sydney Smith. New York: International Universities Press.

Menninger, K. A. (1988). *Whatever Became of Sin?* London: Bantam.

Menninger, K. A. (2007). *The Crime of Punishment*. Indiana: AuthorHouse.

Menninger, K. A. (2007). *Theory of Psychoanalytic Technique*. Montana: Kessinger Pub.

Menninger, K. A. (2010). 인간의 마음 무엇이 문제인가 [*The Human Mind*]. (설영환 역). 서울: 선영사. (원저는 1961년에 출판).

메를로퐁티
[Merleau-Ponty, Maurice]

1908. 3. 14. ~ 1961. 5. 3.
프랑스의 현상학 철학자.

메를로퐁티는 프랑스의 로쉬포르 쉬르 메르(Rochefort-Sur-Mer)에서 태어났고, 그가 5세 되던 해에 제1차 세계대전에서 아버지가 사망하였다. 파리에서 루이 드 그랑(Louis-le-Grand) 고등학교를 다닌 뒤, 사범대학인 에콜 노말 쉬페리에흐(École Normale Supérieure)에서 철학을 공부하면서 사르트르(Sartre)와 보부아르(Beauvoir)를 만났다. 1930년에 철학과를 졸업한 그는 에콜 노말 쉬페리에흐의 교사가 되었으며, 박사학위도 받았다. 박사학위 논문은 『The Structure of Behavior, La Structure du comportement』와 『Phenomenology of Perception, Phenomenologie de la perception』의 근간이 되었다. 제2차 세계 대전 중에는 보병대로 복무했고, 1945년부터 1948년까지는 리옹대학교에서, 1949년부터 1952년까지는 소르본대학교에서 아동심리학 강의를 하였다. 또 1952년부터 임종을 맞는 1961년까지 프랑스대학교의 철학부장을 지냈는데, 최연소 학부장이었다. 이외에도 1945년 10월에는 『Les Temps Modernes』이라는 학술지를 동료들과 함께 만들어 편집을 맡기도 하였다. 그러다가 1961년 53세의 나이에 갑자기 쓰러져 죽음을 맞았다. 메를로퐁티는 마르크스(Marx), 후설(Husserl), 하이데거(Heidegger) 등의 영향을 깊게 받았으며, 사르트르 및 보부아르와의 친분으로도 유명하다. 그의 철학은 인식이 세계를 이해하고 세계 속에 들어가는 데 기본 중 핵심이라는 가설을 중요하게 보고 있다. 자신의 철학적 통찰을 회화, 문학, 언어학, 정치학 등에 관한 저술로 표현하기도 하였다. 메를로퐁티는 자신의 현상학적 입장을 과학, 특히 기술심리학과 연관시킨 20세기 전반의 중요한 철학자다. 그의 이러한 관점이 현상학을 이식시켜 심리학과 인지과학의 결과물들을 현상학자들이 사용할 수 있도록 영향을 미쳤다. 메를로퐁티는 사르트르와 함께 실존주의 철학운동에 가담하고, 후설의 영향을 깊게 받은 그의 철학은 주체와 객체 간의 관계, 자기와 세계의 관계 등 양자관계를 밝히고자 하였다. 특히 몸의 의미 혹은 신체-주체(body-subject)가 몸을 단순히 정신의 질서에 의해서 기능하는 것으로만 폄하하던 당대의 철학적 경향에 따라 너무 경시되었다고 주장하였다. 그는 대자 주체와 즉자 객체를 명확하게 분류하지 않고 양자를 불가분의 융합적 통일 속에서 파악하고자 하였다. 이런 점에서 볼 때, 그의 철학을 두고 양의성(兩義性) 철학이라고도 한다. 메를로퐁티는 인식과 세계 내에서 구현된 내재성에 몰입하여 인식이 그 자체로 인지적이라는 주장을 하였다. 이 같은 사상은 그의 대표 저서인 『Phenomenology of Perception』에 잘 드러나 있다. 메를로퐁티는 당대의 철학적 주류를 비판하는 입장에서 합리주의자나 인간에 대한 데카르트식의 이해를 거부하였다. 그의 사상에는 다가오는 구조주의적 풍토 기반을 조성하고 시대적 교량역할이 담겨 있다는 평가도 받고 있다.

주요 저서

Merleau-Ponty, M. (1973). *Adventures of Dialectic*. Illinois: Northwestern Univ. Press.

Merleau-Ponty, M. (1973). *The Prose of the World*. Illinois: Northwestern. Univ. Press.

Merleau-Ponty, M. (1979). *Consciousness and the Acquisition of Language*. Illinois: Northwesten Univ. Press.

Merleau-Ponty, M. (1990). *Humanism and Terror*. Boston: Beacon Press.

Merleau-Ponty, M. (2001). *Husserl ant the Limits of Phenomenology*. Illinois: Northwestern Univ. Press.

Merleau-Ponty, M. (2002). 지각의 현상학[*Phenomenology of Perception*]. (류의근 역). 서울: 문학과 지성사. (원저는 1945년에 출판).

Merleau-Ponty, M. (2003). *Nature*. Illinois: Northwester Univ. Press.

Merleau-Ponty, M. (2004). 보이는 것과 보이지 않는 것[*Le Visible et L'Invisible*]. (남수인 외 역). 서울: 동문선. (원저는 1964년에 출판).

Merleau-Ponty, M. (2005). 간접적 언어와 침묵의 목소리[*Le Language indirect et les voix du silence*]. (김화자 역). 서울: 책세상. (원저는 1952년에 출판).

Merleau-Ponty, M. (2008). *The World of Perception*. London: Routledge.

Merleau-Ponty, M. (2008). 눈과 마음[*L'Oeil et l'Esprit*]. (김정아 역). 서울: 마음산책. (원저는 2006년에 출판).

Merleau-Ponty, M. (2008). 행동의 구조[*La Structure du comportement*]. (김웅권 역). 서울: 동문선. (원저는 1953년에 출판).

Merleau-Ponty, M. (2010). *Child Psychology and Pedagogy*. Illinois: Northwestern Univ. Press.

Merleau-Ponty, M. (2010). *Institution and Passivity*. Illinois: Northwestern. Univ. Press.

메리엄
[Merriam, Alan Parkhurst]

1923. 11. 1. ~ 1980. 3. 14.

20세기 후반 민족 음악학자로, 인류학적 관점 및 방법으로 음악을 연구해야 한다는 주장을 펼친 인물.

메리엄은 문화 속에서 음악에 대한 연구를 중심으로 하면서 민족 음악학 연구를 통해서 세 가지 관점의 모델을 제시하였다. 음악 개념화, 음악에 관련된 행동, 음악의 소리라는 세 가지 분석적 수준에서 음악이 연구되어야 한다고 주장한 그는 나중에 문화 속의 음악에서 문화로서의 음악으로 개념을 전환시켰다. 메리엄은 음악을 사용(use)과 기능(function)으로 구분하고, 사람이 음악을 채택하는 방법이나 상황과 연관되는 것은 사용으로, 음악이 사용되는 광의의 목적상 이유와 연관되는 것은 기능으로 정의하였다. 그는 1980년 3월 14일 폴란드의 항공기 사고로 사망하였다.

주요 저서

Merriam, A. P. (1967). *Ethnomusicology of the Flathead Indians*. Chicago: Aldine.

메스머
[Mesmer, Franz Anton]

1734. 5. 23. ~ 1815. 3. 5.

최면술의 창시자로 불리는 독일 의사.

메스머는 독일의 슈바벤(Swabia)에 있는 콘스탄츠(Constance) 호숫가 이츠낭(Iznang) 마을에서 태어났다. 자라서 비엔나로 이동하여 신학, 철학, 법률 등을 수학하다가 의학으로 전향하였다. 1766년에 박사학위를 받았는데, 박사학위 논문은 태양계

행성이 우리 신체에 영향을 주는 눈에 보이지 않는 광선을 방출한다는 고대 사상을 재구성한 것이다. 이 효과를 두고 메스머는 '동물자기(animal magnetism)'라고 불렀고, 그 광선을 '자성유체(magnetic fluid)'라 하였다. 메스머는 직접 비엔나에 학교를 세워 동물자기를 임상에 적용하였다. 그러던 중 손을 어떻게 두거나 환자에게 말을 건네는 것만으로도 '자성' 효과를 낼 수 있다는 사실을 발견하게 되었다. 성직자가 귀신을 쫓아내는 것으로 병을 치료한다는 것에 착안하여, 자기력이 아니어도 개인 체내의 어떤 힘으로 타인에게 영향을 줄 수 있다는 생각을 하였다. 이것이 바로 현대의 최면술이 탄생한 순간이다. 이 힘은 우주에 충만해 있고, 특히 사람의 신경계에 영향을 준다고 메스머는 주장하였다. 체내에 유체가 흐르고 있고, 이 유체는 자력에 영향을 받는다고 그는 말하였다. 질병은 이 유체의 흐름에 이상이 생겼을 때 발생하는데, 이 흐름과 자성에 정통한 사람은 이를 이용해서 병을 치료할 수 있다는 것이 기본 주장이었다. 하지만 이러한 그의 주장에 대하여 당대 비엔나의 의사들은 사기꾼으로 취급하였다. 1778년 메스머는 파리로 옮기고, 사람들의 인기를 끌게 되었다. 하지만 비엔나에서와 마찬가지로 파리 의사들의 비난을 면치 못하였다. 한편 최면술이라는 용어는 메스머가 만든 것은 아니다. 이 용어는 1843년에 이르러 영국의 과학자 제임스 브레이드(James Braid)가 처음 사용하였다. 메스머의 명성이 높아지면서 많은 사람들이 치료를 받기 위해 찾아왔는데, 그중에는 모차르트(Mozart)도 있었다는 이야기가 있다. 메스머의 인기는 몇 년 동안 계속되었지만, 1784년 루이왕 16세와 갈등을 겪는 과정에서 메스머의 방식이 과학적으로 증명할 수 없다는 결론에 이르렀다. 이 사건으로 메스머의 명성은 추락했고, 1785년 파리를 떠나 스위스로 갔다가 자신의 조국인 독일로

돌아갔다. 여생을 독일의 미어스부르그(Meersburg)에서 지내다가 1815년에 눈을 감은 메스머는 동물 자기 이론을 만들었다. 수많은 비난과 비판의 대상이 되었던 그의 사상과 연구는 후에 브레이드에게 이어져 1842년 최면치료에까지 연결되었다. '메스머(Mesmer)'라는 그의 이름에서 영어 동사 'mesmerize(최면을 걸다)'가 나왔다.

주요 저서

Mesmer, F. A. (1766). The Influence of the Planers on the Human Body.

Mesmer, F. A. (1814). *Mesmerism: The Discovery of Animal Magnetism*. Holmes Pub. Grou Lic.

Mesmer, F. A. (2011). *Mesmer BI SS*. Nabu Press.

메이
[May, Rollo-Reese]

1909. 4. 21. ~ 1994. 10. 22.
미국 출신 실존주의 상담사.

메이는 오하이오 주 에이다(Ada, Ohio)에서 태어났다. 부모의 이혼으로 동생이 정신분열증이 발병하는 등 불우한 어린 시절을 보냈다. 미시간 주립대학교를 거쳐 오벌린(Oberlin)대학교를 1930년에 졸업하고, 그리스로 가서 교편을 잡았다. 폴란드와 네덜란드에서는 예술공부도 하면서 순회예술가로 유럽을 여행하기도 하였다. 그 과정에서 에릭슨(Erikson)에 관심을 갖게 되었다. 프로이트(Freud)의 문하에 잠시 들었다가 이후 아들러(Adler)에게서 수학한 메이는 가톨릭 연합신학대학에서 신학으로 학위를 받았다. 하지만 결국 심리학을 전공하기로 정하고 컬럼비아 대학교에서 1949년에 임상심리학 박사학위를 취득하였다. 박사과정을 밟는 중 결핵으로 2년간 병원 신세를 졌는데, 그 기간에 키르케고르(Kierkegaard) 등의 책을 읽으면서 실존주의의 영향을 받게 되었다. 후에 메이는 샌프란시스코에서 세이브룩대학원 연구센터(Saybrook Graduate School and Research Center)를 설립했고, 1994년 사망하였다. 메이는 미국 인본주의의 영향을 받았는데, 유럽의 실존주의를 미국에 전파한 인물로 평가되며 인간에게 삶의 의미를 발견하도록 도와주는 것이 치료라는 입장에서 있었다. 문제의 해결이 아니라 존재문제를 더욱 심도 있게 보아야 한다고 여겼다. 메이는 틸리히(Paul Tillich)와 가까이 지내면서 철학과 사상을 나누기도 하였다.

주요 저서

May, Rollo-R. (1939, 1989). *The art of counseling*, rev. ed. New York, Gardner Press.

May, Rollo-R. (1950). *The meaning of anxiety*. The New York: Ronald Press Com.

May, Rollo-R. (1950, 1977). *The meaning of anxiety*, (rev. Ed.). New York: Norton.

May, Rollo-R. (1953). *Man's search for himself*. New York: Norton.

May, R., Angel, E., & Ellenberger, H. (Eds.) (1958). *Existence: A new dimension in psychiatry and psychology*. New York: Basic Books.

May, Rollo-R. (1966). *Symbolism in religion and literature*. New York: George Braziller.

May, Rollo-R. (1967). *Psychology and the human dilemma*. New York: Van Nostrand.

May, Rollo-R. (1969). *Love and will*. New York: Norton.

May, Rollo-R. (1972). *Power and innocence*. New York: Norton.

May, Rollo-R. (1975). *The courage to create*. New York: Bantam.

May, Rollo-R. (1981). *Freedom and destiny*. New

York: Norton.

May, Rollo-R. (1981). 사랑과 의지[*Love and will*]. (박홍태 역). 서울: 한벗. (원저는 1981년에 출판).

May, Rollo-R. (1983). *The discovery of being*. New York: Norton.

May, Rollo-R. (1983). 자유와 운명[*Freedom and destiny*]. (이정희 역). 서울: 우성출판사. (원저는 1981년에 출판).

May, Rollo-R. (1989). 카운슬링의 기술[*The art of counseling*]. (이봉우 역). 서울: 분도출판사. (원저는 1987년에 출판).

May, Rollo-R. (1991). *Existence*. New York: Basic Books.

May, Rollo-R. (1991). *The cry for myth*. New York: Norton.

May, Rollo-R. (2010). 자아를 잃어버린 현대인[*Man's search for himself*]. (백상창 역). 서울: 문예출판사. (원저는 1953년에 출판).

메이오
[Mayo, George Elton]

1880. 12. 26. ~ 1949. 9. 7.
호주의 심리학자이자 사회학자.

메이오는 호주 애들레이드(Adelaide)에서 태어났다. 집안의 기대를 한몸에 받고 의대를 진학하지만 흥미를 느끼지 못하고 영국으로 갔다. 영국에서는 호주 정치학에 관한 글을 쓰고 교편도 잡았지만, 결국 다시 호주로 돌아와 출판사업을 하다가 학업을 이어나갔다. 당시 스승은 철학자 미첼(W. Mitchell)이었다. 메이오는 1911년부터 1922년까지 퀸즐랜드(Queensland)대학교에서 강의를 했고, 1923년부터 미국의 펜실베이니아(Pennsylvania)대학교로 자리를 옮겼다. 록펠러재단의 후원을 받은 메이오는 여러 섬유회사에서 노동자들의 생산성을 저해하는 요인을 연구하고, 노동자 생산성 향상에 필요한 요인을 탐색하였다. 1926년에는 하버드대학교 경영학부에 자리를 잡아 1947년까지 재직하였다. 하버드대학교에서 그는 산업연구교수였다. 한편, 1913년 호주 브리즈번에서 매코넬(D. McConnel)과 결혼하여 슬하에 딸 2명을 두기도 하였다. 메이오는 인간관계 운동(Human Relations Movement)을 만든 사람으로 알려져 있으며, 호손연구(Hawthorne Studies)로도 유명하다. 1924년부터 1927년까지 시카고의 제너럴 일렉트릭사(General Electric Company)의 노동자를 대상으로 한 이 연구를 통해서 1930년대에 직업에서의 개별 인간의 행동이 집단의 중요성에 미치는 영향을 알아보고자 하였다. 메이오는 뢰슬리스버그(Roethlisberger)와 딕슨(Dicson)에게 실제 실험을 행하도록 하였다. 심도 있는 연구를 통해서 피로감과 단조로움이 직업 생산성에 영향을 미치고 이를 통제하기 위해서 필요한 요소들로 휴식시간, 노동시간, 작업장 분위기 등을 찾아냈다. 메이오는 작업장은 사회적 환경의 장이며, 그 안에서 사람들은 경제적 자기 이윤보다 더 많은 요인들에 의해서 동기화된다는 것을 발견하였다. 노동자에게 관심을 가져 주는 것이 노동자의 행위와 생산성에 영향을 미치고, 변화가 야기되며, 그렇지 못할 경우 생산성에도 악영향을 미친다는 사실을 알게 된 것이다. 이로써 경영자가 어떻게 해야 하는지를 확실하게 추론할 수 있었다. 이 실험으로 현대의 산업심리학 혹은 산업상담이 탄생하는 씨앗이 싹텄다. 그는 생산성 향상을 위한 여러 가지 방법에 대해 연구한 결과, 노동 집단의 사회적 양식에 직업 만족도가 많이 의존되어 있음을 발견하였다. 물리적 조건이나 재정적인 문제는 그리 큰 동기가 되지 못했던 것이다. 결국 노동자의 작업능력은 사회적 문제와 일의 내용에 따른다는 결론을 내고, 노동자의 감정적 논리와 경영자의 비용과 효율성의 논리 간에는 긴장이 따를 수밖에 없음을 보여 주었다. 1949년 서레이의 길포트(Guildford, Surrey)에서 세상을 떠난 메이오는, 일은 집단행위이며 인정과 안전의 욕구, 소속감 등이 노동자의 도덕성과 생산성에 물리적 환경조건보다 더 큰 영향을 미치고, 직장 내 정보집단들이 개별 노동자의 직업습관 및 태도를 통제하는 사회적 힘을 가지고 있다는 결론을 내렸다. 메이오의 이 같은 경영이론에 대해서 벨(D. Bell) 등의 사회학자들은 비판을 가하기도 하였다. 벨은 사람을 기계화시킨다고 메이오를 비판하면서 메이오가 인간의 능력이나 인간의 자유를 경시했다고 주장하였다.

주요 저서

Mayo, G. E. (1933). *The Human Problems of an Industrial Civilization*. London: Routledge.

Mayo, G. E. (1949). *The Social Problems of an Industrial Civilization*. London: Routledge.

메이플스
[Maples, Mary F.]

영성상담 분야의 지도적인 상담 교육자.

메이플스는 1977년부터 고등교육, 교육심리학 및 학교상담의 학생 계발 · 상담 책임자로 오리건 주립대학의 상담 및 교육심리학과에 재직하였다. 그는 도움을 주는 직업의 법적 및 윤리적 문제와 고등 교육의 개발 및 상담 영역에서 가르치고 있다. 미국상담협회(ACA)와 상담에서의 영적 · 윤리적 · 종교적 가치를 위한 협회(Association for Spiritual, Ethical, and Religious Values in Counseling: ASERVIC)의 회장을 역임하였다.

주요 저서

Maples, M. F. (1992). *Consulting with the Judiciary: A Challenging Opportunity for the Counselor Educator*. Ann Arbor, Mich: ERIC Clearinghouse on Counseling and Personnel Services.

모레노
[Moreno, Jacob Levy]

1889. 5. 18. ~ 1974. 5. 14.
루마니아 출신의 미국 정신과 의사로, 사회심리학자이자 사상가이며 교육자.

모레노는 루마니아 부쿠레슈티(Bucharest)에서 태어났다. 가족이 비엔나로 옮겨서 정착을 한 뒤 모레노는 비엔나에서 의학과 철학을 공부하고, 1917년 정신과 의사인 페첼(Petzel)의 지도를 받아 의과대학을 졸업하였다. 극에도 관심이 많았던 모레노는 극예술로 표현을 할 수 있겠다는 생각을 가지고 새로운 치료방법을 개발하였다. 모레노는 실험극(experimental theatre)이라는 것을 1920년대 비엔나에서 만들었다. 이는 역할극으로서, 참여하는 사람들이 자신의 성격과 함께 참여한 사람들이 지닌 서로 다른 면에 대해서 이해할 수 있도록 하는 것이었다. 1925년 모레노는 미국으로 가서 비컨(Beacon)에 정착하였다. 그는 사이코드라마로 계속 실험을 하면서 대인관계와 집단역동에 대한 연구를 거듭하였다. 정신병 환자나 수감된 사람들의 집단으로 치료를 하기도 하였다. 이러한 연구가 이어지면서 사회측정법(sociometry)의 근간을 마련하였고, 『Who Shall Survive?』라는 저서도 1934년에 출간하였다. 사회측정법이라는 기술은 집단 내에서 작동하는 상호작용에 대한 객관적 기술을 가능하게 했으며, 집단상호작용의 서로 다른 면모를 이론화시켰다. 1936년에는 비컨에 사이코드라마 극장을 세웠다. 이후 사이코드라마는 세계적으로 전파되기 시작하였다. 1950년, 모레노는 파리에 국제집단심리치료위원회(International Committee for Group

ㅁ

Psychotherapy)를 결성하고, 1964년 세계 최초로 세계사이코드라마회의(World Conference on Psychodrama)를 개최하였다. 미국과 유럽에서 이 기법이 성공을 거두면서 프랑스의 아동 정신분석학자들이 모레노의 사이코드라마 기법을 재구성하고 분석치료에 맞게 개조하면서 점차 발전해 나갔다. 1974년 미국 뉴욕에서 숨을 거둔 모레노는 사이코드라마의 창시자이며, 집단심리치료의 선구자로서 사회과학을 선도한 인물로 평가받고 있다. 그는 집단심리치료, 사회측정법, 사이코드라마 등 세 가지 기법을 체계화하고 그 발전에 힘썼다. 사이코드라마는 신경증 환자를 치료할 목적으로 개발된 즉흥극이고, 사회측정법은 집단의 구조와 집단 내 개인의 지위를 밝히는 방법이다. 이는 집단 내 개인에게 누구를 좋아하고 싫어하는지와 같은 대인관계에 관한 질문을 기반으로 한다. 모레노는 복잡한 집단조직도 간단한 형태의 것부터 단계별로 형성된다는 입장의 미시적 사회학을 수립하기도 하였다.

주요 저서

Moreno, J. L. (1932). *Group method and group psychotherapy*. New York: The National Committee of Prisons and Prison Labor [erw. Wiederaufl.

Moreno, J. L. (1934). *Who shall survive? A new approach to the problem of human interrelations*. Washington (DC): Nervous and Mental Disease Publishing.

Moreno, J. L. (Ed.) (1936). *The sociometry review*. Hudson(NY): The New York State Training School for Girls.

Moreno, J. L. (1946). *Psychodrama, vol. 1*. Beacon: Beacon House.

Moreno, J. L. (1950). *Group Psychotherapy*. Beacon: Beacon House.

Moreno, J. L. (1951). *Sociometry: Experimental method and the science of society. An approach to a new political orientation*. Beacon: Beacon House.

Moreno, J. L. (Ed.) (1956). *Sociometry and the science of man*. Beacon: Beacon House.

Moreno, J. L. (1957). *unter dem Titel: The first book on group psychotherapy*. Beacon: Beacon House.

Moreno, J. L., & Moreno, Z. T. (1959). *Psychodrama, vol. 2: Foundations of psychotherapy*. Beacon: Beacon House.

Moreno, J. L., & Moreno, Z. T. (1959). *Psychodrama, vol. 3: Action therapy and principles of practice*. Beacon: Beacon House.

Moreno, J. L. (Ed.) (1960). *The Sociometry reader*. Glenco (IL), The Free Press.

Moreno, J. L., Friedeman, A., Battegay, R., & Moreno, Z. T. (Eds.) (1966). *The international handbook of group psychotherapy*. New York: Philosophical Library.

Moreno, J. L. (1972). *Psychodrama1, 2, 3*. Beacon: Beacon House.

Moreno, J. L. (1987). *The essential Moreno: Writings on psychodrama, group method, and spontaneity* (ed, by J. Fox). New York: Springer.

Moreno, J. L. (2001). *Psychodrama und soziometrie*. Edition humanistische psychologie.

Moreno, J. L. (2006). 음악치료와 사이코드라마[*Acting Your Inner Music: Music Therapy and Psychodrama*]. (이정실 역). 서울: 학지사. (원저는 2003년에 출판).

Moreno, J. L. (2007). *Who Shall Survive*. Mental Health Resources.

모레노
[Moreno, Zerka T.]

1917.6.13 ~
제이콥 모레노(Jacob Moreno)의 부인.

남편인 제이콥 모레노와 함께 사이코드라마의 이론과 실제를 개발한 인물이다. 1950년대에는 남편과 함께 뉴욕대학교 부교수로 재직하였고, 남편 사후에는 30여 년간 전 세계를 돌며 사이코드라마를 가르치면서 제이콥 모레노의 사상을 더욱 깊이 있게 해 주었다.

주요 저서

Moreno, Z. T. (1951). *History of the sociometric movement in headlines*. Beacon House.

Moreno, J. L., & Moreno, Z. T. (1959, 1969). *Psychodrama, vols. 2+3*. Beacon (NY): Beacon House.

Moreno, Z. T., & Moreno, J. L. (1969-1971). *Group Therapy*. Beacon: Beacon House.

Moreno, Z. T., & Moreno, J. L. (1970). *Origins of Encounter and Encounter Groups*. Beacon House.

Moreno, Z. T. (1971). *Love Songs to Life: A book of poetry*. Beacon(NY): Beacon House.

Moreno, Z. T., & Moreno, J. L. (1975). *Psychodrama Second Volume Foundations of Psychotherapy*. Beacon: Beacon House.

Moreno, Z. T. (1982). *Psychodramatic Rules, Techniques and Adjunctive Methods*. Mental Health Resources.

Moreno, Z. T. (1987). Psychodrama, role theory, and the concept of the social atom. In J. K. Zeig (Ed.), *The evolution of psychotherapy* (pp. 341-358). New York: Brunner/Mazel.

Moreno, Z. T., Blomkvist, L. D., & Rützel, T. H. (2000). *Psychodrama, surplus reality and the art of healing*. London-Philadelphia: Routledge.

몬테소리
[Montessori, Maria]

1870. 8. 31. ~ 1952. 5. 6.
이탈리아 출신의 교육자, 철학자, 정신과 의사로 몬테소리 교육과 몬테소리 치료의 창시자.

몬테소리는 1870년 8월 31일 중부 이탈리아 안코나(Ancona) 주 키아라발레(Chiaravalle)에서 태어났다. 1890년부터 1892년까지 로마대학교에서 자연과학을 공부한 후 1892년부터 1896년까지 로마대학교에서 의학을 전공하여 이탈리아 역사상 최초의 여자 의사가 되었다. 그녀는 1897년 로마대학교 부속 정신병원에서 지적장애아를 치료하면서 그들의 정신병이 부모의 돌봄을 제대로 받지 못해 발생한 것으로 보고 이들의 문제를 의학적 문제가 아닌 교육적 문제로 인식하여 치료가 아닌 도움이 필요하다는 사실을 깨닫게 되었다. 그러한 인식하에 1897년부터 1898년까지 로마대학교에서 교육학, 생물학, 태아학, 임상의학, 실험심리학, 정신의학, 위생학, 인류학을 연구하였다. 1900년에서 1902년 동안은 국립특수아학교의 교장으로 취임하여 정신장애아를 위한 교육방법을 연구하였다. 그녀는 1902년에 특수학교를 사임하고 로마대학교에 재입학하여 교육학, 철학, 실험심리학, 인류학을 공부하였다. 1904년부터 1908년까지는 로마대학교 교육학부 교수로 임명되어 인류학, 생물학 강의를 하였다. 1907년에 몬테소리는 로마의 슬럼가 산로렌츠에서 어린아이들을 위한 학교인 '어린이의 집(카사 데 밤비니: Casa dei Bambini)'을 처음으로 열어 그곳에서 그때까지 연구했던 자신의 교육방법에 의한 교육을 실시하였다. 몬테소리의 교육철학은 개인의 자발성과 자기통제에 기반을 두는 것을 특징으로 한다. 유명한 몬테소리 교구, 활동, 교육방법들은 '어린이는 스스로를 가르친다.'는 것을 관찰한 몬테소리가 어린이들이 스스로를 창조하는 것을 돕기 위해서 만든 것이다. 그녀는 교육의 중심은 어린이가 되어야 한다는 것을 깨닫고 어린이의 발달수준과 흥미, 욕구에 맞추어 다양한 아동 발달영역에서의 균형 있는 학습을 하도록 도왔다. 몬테소리 교육의 목표는 교사 또는 어른이 어린이들에게 지식을 가르치는 것이 아니라 어린이들의 흥미와 발달을 존중하고 학습하고자 하는 자연스런 욕망을 길러 주는 것이다. 아동의 전인격적 발달을 돕는 것 이외에도 정상화와 일상생활경험을 통한 미래의 준비 등이 몬테소리 교육의 주요 교육목표다. 몬테소리 교육방법에 가장 큰 영향을 미친 학자는 프랑스의 지적장애아 전문가인 세강(Seguin)과 프랑스의 유명한 정신과 의사이며 1962년『아베롱의 늑대소녀(The wild boy of Aveyron)』의 저자인 이타르(Itard)다. 세강은 생리학적 방법(Psysiological method)을 창안하였고, 이타르는 자신의 환자 사례의 운영을 기초로 당시의 실험심리학(experimental psychology)을 장애아에게 적용한 최초의 학자였다. 당시 새로운 교육적 혁신을 이룬 몬테소리는 아동들이 자율성과 자발성을 배울 수 있도록 하며, 자기개발에 적합한 환경을 만들어 갈 수 있는 준비된 환경의 중요성을 강조하였고, 감각훈련이 모든 정신발달의 기초가 된다고 주장하였다. 그녀는 이러한 주장을 말이나 이론으로만이 아니라 실제 가능하도록 갖가지 교육도구(몬테소리 교구)를 고안하여 이론과 실제를 일치시키는 성과를 이루었다. 몬테소리 교육은 지적장애아뿐 아니라 정상아동에게도 효과를 인정받아서 이탈리아와 유럽뿐 아니라 인도, 미국 등지에서도 큰 인기를 끌었다. 몬테소리는 생전에 유럽, 인도, 미국 등지를 여행하면서 강의와 저술활동을 하였으며 몬테소리 교사훈련 프로그램을 마련하였다. 그녀는 1922년 이탈리아의 장학사로 임명되었으나, 파시스트의 통치로 1934년 고국을 떠나야 했다. 1936년 스페인 내전으로 네덜란드 암스테르담에 정착하였는데 1939년 제2차 세계대전이 일어나면서 히틀러 정권에 의해 그녀의 교육정책은 탄압을 받았다. 이후 인도로 갔다가 1946년 전쟁이 끝나고 유럽으로 돌아왔다. 1949년 노벨평화상 후보에 올랐으며 1952년 5월 6일에 네덜란드 노르트바이크안제(Noordwijkaan Zee)에서 사망하였다. 현재 몬테소리 교육은 그 효과가 높이 인정되고 있다. 그래서 유럽은 물론 미국, 캐나다, 러시아, 타이완, 일본, 인도 등 세계 여러 나라의 수많은 유치원 및 어린이집뿐만 아니라 초등학교, 중·고등학교에서도 그녀의 교육은 실시되고 있고, 또한 그 우수성에 대한 학문적 연구도 많이 이루어지고 있다. 최근에는 몬테소리 교육뿐 아니라 몬테소리 치료가 활발하게 연구되고 있다. 몬테소리가 지적장애아와 장애아동을 대상으로 치료했던 방법을 정상아동에게 적용시켜 몬테소리 교육을 발전시켰다면, 최근에는 몬테소리의 기본 교육원리를 장애아에게 적용하여 장애아의 회복과 발달을 위한 몬테소리 치료분야가 발달하고 있다.

주요 저서

Montessori, M. (1994). 어린이의 정신[*La mente del bambino*]. (조성자 역). 서울: 창지사. (원저는 1952년에 출판).

Montessori, M. (1995). 몬테소리의 어린이 발견[*Scoperta del bambino*]. (조성자 역). 서울: 창지사. (원저는 1966년에 출판).

Montessori, M. (1996). Montessori의 우주 교육: 인간의 잠재능력을 어떻게 교육할 것인가(조성자 역). 서울: 중앙적성출판사.

Montessori, M. (1996). 아이의 발견[*The discovery of the child*]. (이정순 역). 서울: 청목사. (원저는 1986년에 출판).

Montessori, M. (1998). 가정에서의 어린이[*Das Kind in der Familie*]. (이영숙 역). 서울: 다음세대. (원저는 1926년에 출판).

Montessori, M. (1998). 가정에서의 유아들[*Bambino in famiglia*]. (이영숙 역). 서울: 다음세대. (원저는 1956년에 출판).

Montessori, M. (1999). 몬테소리 교구의 이론과 실제. (허영림 역). 서울: 창지사.

Montessori, M. (1999). 몬테소리 교육법[*The Montessori Method*]. (이상금 역). 서울: 교문사. (원저는 1912년에 출판).

Montessori, M. (2001). Maria Montessori의 어린이를 위한 인격 형성(조성자 역). 서울: 창지사.

Montessori, M. (2009). 어린이의 비밀[*Il segreto dell'infanzia*]. (구경선 역). 서울: 지식을 만드는지식. (원저는 1936년에 출판).

Montessori, M. (2014). 흡수하는 마음[*La Mente del bambino*]. (정명진 역). 서울: 부글북스. (원저는 1952년에 출판).

Montessori, M. (2014). 흡수하는 마음[*The Absorbent Mind*]. (정명진 역). 서울: 부글북스. (원저는 1995년에 출판).

무스타카스 [Moustakas, Clark E.]

1921. 5. 26. ~ 2012. 10. 10.
미국의 심리학자이자 인본주의 및 임상심리학을 선도하고 있는 인물.

무스타카스는 그리스계 미국인으로 태어났다. 컬럼비아대학교에서 교육학과 심리학을 배우고, 교육학으로 박사학위를 취득하였다. 그는 인본주의심리학회(Association for Humanistic Psychology)와 『Journal for Humanistic Psychology』를 만드는 데 혁혁한 공로를 세웠다. 또한 인본주의 심리학에 관한 저서도 많이 집필하였다. 가장 최근에 출간한 저서로는 『Phenomenological Research Methods: Heuristic Research; Existential psychotherapy』와 『Interpretation of Dreams: Being-In, Being-For, Being-With』 『Relationship Play Therapy』 등이 있다. 무스타카스는 인본주의 연구센터(Center for Humanistic Studies: CHS)의 공동설립자이자 명예대표이며, 미시건의 전문 심리학부에 머문 채 디트로이트에 있는 메릴파머연구소(Merrill-Palmer Institute)에 1949년에 들어갔다. 1953년에 첫 번째 저서인 『Children in Play Therapy』를 출판하면서 놀이치료에 관한 자신의 이론을 정립하였다. 이후 랭크(O. Rank), 부버(M. Buber) 등이 말하는 만남의 의미에서 영향을 받아 자신의 놀이치료 및 실존주의 상담 연구와 실습에 접목하기도 하였다. 1956년에는 매슬로(A. Maslow), 로저스(C. Rogers) 등과 심리학 방향에 관한 책을 공동으로 집필하기도 하였다. 그는 주로 인간관계에 관한 연구를 했으며, 현대사회의 교육이 인간가치를 경시하고 인간의 참된 자아성장을 저해한다는 데 관심을 기울이면서, 진정한 교육은 교사와 학생의 순수한 인간적 대화를 통해 이루어진다고 주장하였다. 그는 학습은 삶에서 일어나는 아픈 갈등의 실제적 경험으로 이루어져야 한다는 것을 여러 사례를 들어 설명하였다. 인생에서 일어나는 경험이 우리가 표현할 수 있는 것보다 훨씬 더 방대하고 다양한 방법으로 진실을 우리에게 전해 주고 있다고 주장하였다.

ㅁ

주요 저서

Moustakas, C. (1951). *A directory of nursery schools and child care centers in the United States*. Detroit, MI: Merrill-Palmer School.

Moustakas, C. (1953). *Children in play therapy*. New York: McGraw-Hill.

Moustakas, C. (1956). The *teacher and the child: Personal interaction in the classroom*. New York: McGraw-Hill.

Moustakas, C., & Berson, M. (1956). *The young child in school*. New York: Whiteside.

Moustakas, C. (1959). Creativity, conformity and the self. In M. Andrews (Ed.), *Creativity and mental health*. New York: Syracuse University Press.

Moustakas, C. (1959). *Psychotherapy with children: The living relationship*. New York: Ballantine Books.

Moustakas, C. (1959). *The alive and growing teacher*. New York: Philosophical Library.

Moustakas, C. (1961). *Loneliness*. Englewood Cliffs, NJ: Prentice-Hall.

Moustakas, C. (1963). Situational play therapy. In H.

Peters, A. Riccio, & J. Tuaranta (Eds.), *Guidance in the elementary schools.* New York, NY: MacMillan.
Moustakas, C. (1967). *Creativity and conformity.* NY: D. Van Nostrand.
Moustakas, C. (1968). *Individuality and encounter.* Cambridge, MA: Howard A. Doyle.
Moustakas, C. (1969). Confrontation and encounter. In L. Natalico, & C. Hereford (Eds.), *The teacher as a person.* Dubuque, IA: W.C. Brown.
Moustakas, C. (1969). *Personal growth: The struggle for identity and human values.* Cambridge, MA: H. A. Doyle.
Moustakas, C. (1970). Loneliness and love. In B. Marshall (Ed.), *Experience in being.* Pacific Grove, CA: Brooks/Cole.
Moustakas, C. (1972). *Loneliness and love.* Englewood Cliffs, NJ: Prentice-Hall.
Moustakas, C. (1972). Sex and self. In E. Eldridge (Ed.), *Family relations.* Dubuque, IA: Kendall/ Hunt.
Moustakas, C., & Perry, C. (1973). *Learning to be free.* Englewood Cliffs, NJ: Prentice-Hall.
Moustakas, C. (1973). Loneliness. In F. T. Severin (Ed.), *Discovering man in psychology* (pp. 50-52). New York, NY: McGraw-Hill.
Moustakas, C. (Ed.). (1973). *The child's discovery of himself.* NY: Jason Aronson.
Moustakas, C., & Perry, C. (1973). *I wish I knew how it would feel to be free: Humanizing learning in public schools.* Detroit, MI: Merrill-Palmer Institute.
Moustakas, C. (1974). Alienation, education and existential life. In A. Kraft (Ed.), *The human classroom.* New York, NY: Harper & Row.
Moustakas, C. (1974). Conflict with a pupil. In L. Chamberlain & I. Carnot (Eds.), *Improving school discipline.* Springfield, IL: Charles C. Thomas.
Moustakas, C. (1974). *Finding yourself, finding others.* Englewood Cliffs, NJ: Prentice-Hall.
Moustakas, C. (1974). *Portraits of loneliness and love.* Englewood Cliffs, NJ: Prentice-Hall.
Moustakas, C. (1975). *The touch of loneliness.* Englewood Cliffs. NJ: Prentice-Hall.
Moustakas, C. (1977). *Creative life. New York.* NY: Van Nostrand.
Moustakas, C. (1977). *Turning points.* Englewood Cliffs. NJ: Prentice-Hall.
Moustakas, C. (1981). *Rhythms, rituals and relationships. Detroit.* MI: Center for Humanistic Studies.
Moustakas, C. (1990). *Heuristic research: Design, methodology and applications.* Newbury Park. CA: Sage.
Moustakas, C. (1994). *Existential psychotherapy and the interpretation of dreams.* Northvale. NJ: Jason Aronson.
Moustakas, C. (1994). *Phenomenological research methods.* Thousand Oaks. CA: Sage.
Moustakas, C. (1995). *Being-in, being-for, being-with.* Northvale. NJ: Jason Aronson.
Moustakas, C. (1997). *Relationship play therapy.* Northvale. NJ: Jason Aronson.
Moustakas, C., & Moustakas, K. (2004). *Loneliness, creativity and love: Awakening meanings in life.* Philadelphia, PA: XLibris.

미누친
[Minuchin, Salvador]

1921. ~
구조적 가족치료의 창시자.

미누친은 아르헨티나에서 태어나 1947년에 코르도바(Cordoba)대학교에서 의학박사학위를 수여받았다. 제2차 세계 대전 이후 아동 정신과 의사로 애커먼(N. Ackerman)에게 지도를 받았고, 1950년대 말 아동시설에서 가족면담을 시작하였다. 1960년대에는 뉴욕의 윌트위크(Wiltwyck) 학교에서 비행청

소년을 교정하는 정신과 의사로 일하면서 비행청소년의 가족을 치료하였다. 이때 애커먼과 잭슨(D. Jackson)이 중류가족을 치료한 반면, 미누친과 그의 동료들은 하류계층의 가족을 치료하게 되었다. 이 과정에서 당시 주요 대상은 경제적으로 부유한 계층이었기 때문에 가난하고 다양한 문제를 가진 소년들에게는 기존의 가족치료접근이 맞지 않다는 것을 알게 되었다. 그래서 그들에게는 수동적 방법이 아닌 좀 더 적극적이고 지시적인 방법이 필요하다는 사실을 감지했다. 즉, 치료사는 즉각적 개입과 행동을 주로 요구하는 방법으로 문제를 접근해야 한다고 생각한 것이다. 이후 미누친은 동료들과 함께 『Working with Families of the Poor』라는 책을 출판하였다. 그는 1965년 필라델피아 아동지도치료소(Philadelphia Child Guidance Clinic)의 원장이 되었고, 그곳에서 다른 동료들과 풍요로운 아이디어를 교환할 수 있었다. 그는 가족의 영역에 대해 주목하여 너무 친밀한 가정에서는 부모가 그들의 자녀에게 과하게 관여하고 있으며, 이와 반대로 몇몇 가정에서는 부모가 너무 관여하지 않고 자녀들과 거리가 멀다는 것을 알게 되었다. 그곳에서의 경험을 바탕으로 미누친은 1970년대 구조적 가족치료이론을 만들었다. 구조적 가족치료이론은 역기능의 가족들이 가지고 있는 여러 가지 특징을 기술하고 있다. 신체화 증상을 가진 가족은 특히 같은 종류의 특징을 가지고 있는데, 과보호, 지나친 엄격성, 갈등해결의 부재 등이 공통적인 특징이었다고 하였다. 그리고 신체화 증상 중에서도 거식증이 가족치료로 가장 잘 해결된다는 사실을 발견하였다. 그 후 펜실베이니아 의과대학 소아정신의학 임상교수를 역임한 그는 1974년 가족치료 분야에서 가장 유명한 『Families and Family Therapy』라는 책을 집필하였다. 미누친은 매우 적극적인 가족치료기법을 확립하여 '구조적 가족치료'를 만든 사람으로 알려져 있으며, 그가 치료한 거식증의 성공사례로 가족치료의 유효성이 전문가뿐만 아니라 일반에게도 널리 이해되었다.

주요 저서

Minuchin, S., Montalvo, B., Guernen, B., Rosman, B., & Schumer, F. (1967). *Families of the slums: An exploration of their structure and treatment*. New York: Basic Books.

Minuchin, S., Rosman, B., & Baker, L. (1978, 1981). *Psychosomatische Krankheiten in der Familie*. Stuttgart: Klett-Cotta.

Minuchin, S. (1988). 가족과 가족치료 [*Families and Family Therapy*]. (김종옥 역). 서울: 법문사. (원저는 1974년에 출판).

Minuchin, S., Minuchin, P., & Colapinto, J. (1988). 빈곤가족과 일하기[*Working with Families of the Poor*]. (김현수 외 역). 서울: 나눔의 집. (원저는 1998년에 출판).

Minuchin, S., Nichols, M. P., & Lee, Wai-Yung (2007). 부부 · 가족상담의 4단계 모델: 증상에서 체계까지 상담 사례의 적용[*Assessing Families and Couples: from symptom to system*]. 서울: 시그마프레스.

미드
[Mead, George Herbert]

1863. 2. 27. ~ 1931. 4. 26.
미국 출신의 철학자이면서 사회심리학자.

미드는 매사추세츠(Massachusetts)의 남부 해들리(Hadley)에서 태어나 1870년에 오하이오 오벌린(Oberlin)으로 이사하였다. 신중하고 예의 바르며 조용한 성품의 아이였던 미드는 1879년 오

벌린(Oberlin)대학교에 16세의 나이로 입학해서 문학, 시, 역사 등에 몰입하였다. 1881년에 아버지가 사망하고 어머니가 2년 동안 오벌린대학교에서 교편을 잡았으며, 1890년부터 1900년까지 남부 해들리의 마운트 홀리오크(Mount Holyoke)대학교 학장으로 재직하였다. 미드는 1883년 대학을 졸업한 뒤 4개월 정도 교편을 잡았다가 그만두고, 1887년까지 위스콘신 중부 철도회사(Wisconsin Central Rail Road Company)에 검사관으로 근무하였다. 1887년부터 1888년까지는 하버드대학교에서 석사과정을 밟았으며, 철학을 전공하면서 심리학, 그리스어, 라틴어, 독일어, 프랑스어 등을 공부하였다. 로이스(Royce)의 낭만주의 및 이상주의에 큰 영향을 받은 미드는 후에 미국 실용주의 운동의 핵심인물이 되었다. 1888년 여름 미드는 친구인 캐슬(Castle)과 함께 유럽을 여행하면서 라이프치히(Leipzig)에 잠시 정착하고는 그곳에서 철학과 생리학적 심리학으로 박사과정을 밟았다. 라이프치히에 있는 동안 다윈주의에 영향을 받아 분트(Wundt), 홀(Hall)과 함께 연구를 하게 되었다. 또한 홀의 권유로 1889년 베를린대학교로 옮겨가 생리학적 심리학과 경제학 이론에 전념하였다. 1891년 봄 미드의 박사학위 제안이 거절되었는데, 이후 미드는 박사학위를 받지 않았다. 그러고는 1891년 가을부터 미시건대학교에 재직하여 1894년까지 철학과 심리학을 가르치며 머물렀다. 시카고에서 여생을 보낸 미드는 1894년부터 1902년까지 철학과 조교수로, 1907년부터 세상을 떠나는 1931년까지는 정교수로 재직하였다. 아내인 헬렌 캐슬 미드(Helen Castle Mead)가 1929년 12월 25일 세상을 떠나자 미드는 그 충격으로 자리에 누웠고, 그도 1931년 시카고에서 숨을 거두었다. 미드는 퍼스(Peirce) 등과 함께 실용주의의 창시자로 평가받는다. 그는 헤겔철학의 영향을 받아 유기체와 환경 간의 생물학적 측면을 심리학 및 사회학에까지 적용하고 자신만의 독자적인 행동이론을 펼쳤다. 사회심리학에 대한 미드의 가장 핵심적인 공헌은 인간의 자기가 사회적 상호작용에서 어떻게 일어나는가, 특히 언어적 의사소통에서 상징적 상호작용을 어떻게 일으키는가에 관한 것을 보여 주려고 했다는 것이다.

주요 저서

Mead, G. H. (1938). *The Philosophy of the Act*. Chicago: Univ. Press.

Mead, G. H. (1967). *Mind, Self, and Society*. Chicago: Univ. Press.

Mead, G. H. (1982). *The Individual and the Social Self*. Chicago: Univ. Press.

Mead, G. H. (2002). *The Philosophy of the Present*. New York: Prometheus Books.

Mead, G. H. (2011). *Essays in Social Psychology*. New York: Transaction Pub.

Mead, G. H. (2001). *Play, School, and Society*. Peter Bern: Lang Pub.

Mead, G. H. (2011). *The Philosophy of Education*. Colorado: Paradigm Pub.

미드
[Mead, Margaret]

1901. 12. 16. ~ 1978. 11. 15.
문화 인류학자.

미드는 필라델피아 퀘이커 교도 집안에서 태어나 도일스타운(Doylestown)에서 자랐다. 아버지는 펜실베이니아대학교 교수였고, 어머니는 이탈리아 이주민을 연구하는 사회학자였다. 미드의 여동생은 태어나서 9개월 만에 사망하고 말았다. 1919년 드포(Depaw)대학교에 입학한 미드는 1년 후 바너드(Barnard)대학교로 옮겨 보애스(F.

Boas) 교수와 그 조교였던 베네딕트(R. Benedict)로부터 사사받아 인류학을 전공하였다. 첫 번째 결혼에 실패하고, 1928년 뉴질랜드 인류학자인 포천(R. Fortune)과 재혼하여 그와 함께 『Growing up in New Guinea』를 1930년에 발표하였다. 이는 태평양 제도의 삶을 관찰한 것이다. 1929년에는 컬럼비아대학교에서 박사학위를 받았다. 그러는 동안 미드는 태평양에서의 삶에 대한 연구를 계속하였다. 1936년, 영국의 인류학자인 베이트슨(G. Bateson)과 세 번째 결혼을 한 미드는 그와도 15년 후 또 이혼하였다. 미드가 처음으로 현장으로 여행을 한 것은 1925년, 사모아의 타우 섬이었다. 그곳에서 미드는 그 사회에 사는 여자아이들의 발달에 관한 것을 연구했고, 이는 1928년 『Coming of Age in Samoa』라는 결과물로 나옴으로써 미드의 이름이 알려지게 되었다. 사모아에서의 여자아이들이 어떤 문화와 성을 경험하고 어른이 되는지를 관찰 · 연구하여, 이를 미국 사회의 소녀들과 비교한 것이다. 이후 미드는 애드미럴티 제도, 뉴기니, 발리 등에서 현장조사를 하였다. 1926년부터는 뉴욕에 있는 미국자연사박물관(American Museum of Natural History)에서 일하였다. 제2차 세계 대전 중에는 국가연구회(National Research Council)의 섭생에 관한 위원으로 봉사하였다. 전쟁이 끝난 후 미드는 1949년에 『Male and Female: A Study of the Sexes in a Changing World』를 출간하였다. 이후에도 집필과 강의 활동을 멈추지 않았는데, 1959년 『An Anthropologist at Work』, 1971년 베네딕트와 함께한 연구로 『a Rap on Race』를 출판했으며, 볼드윈(J. Baldwin)과도 함께 연구하였다. 1969년 민족학의 명예관장으로 은퇴한 미드는 이외에도 바사르대학, 컬럼비아대학교 등에서 강의를 했고, 포드햄대학교 사회과학부장이 되어 인류학 교수가 되었다. 72세에는 미국과학발전협회(American Association for the Advancement of Science)의 회장으로도 선출되었으며, 1978년에 사망하였다. 뉴기니, 발리 등에 거주하는 원주민들이 청소년기에 겪는 문제, 성 행동 등에 관한 조사연구를 실시한 미드는 미국의 문화인류학에 심리학적인 방법을 적용하여 발전시키기도 하였다. 1960년대와 1970년대 전반에 세상에 이름을 떨친 작가이자 웅변가이기도 하다. 그녀는 남녀 간 성역할이 바뀐 한 원시 부족의 삶을 연구하면서 남녀의 차이는 생물학적 요소에 의해 타고난 것이 아니라, 사회적으로 강요되는 역할로 결정된다는 이론을 발표했는데, 이는 당시에 큰 이슈가 되었다. 이와 같은 생각은 여성해방운동에도 영향을 미쳤다. 미드는 인류학이라는 학문을 대중에게 알리는 데 큰 공헌을 했기 때문에 인류학의 어머니라고 불리기도 한다.

주요 저서

Mead, M. (1995). *Blackberry Winter*. Tokyo: Kodansha America.

Mead, M. (2001). *Growing Up in New Guinea*. New York: Harper Perennial Modern Classics.

Mead, M. (2001). *Male and Female*. New York: Harper perennial.

Mead, M. (2001). *Sex and Temperament*. New York: Harper Perennial.

Mead, M. (2008). 루스 베네딕트[*Ruth Benedict: a humanist in anthropology*]. (이종인 역). 경기: 연암서가. (원저는 2005년에 출판).

Mead, M. (2008). 사모아의 청소년[*Coming of Age in Samoa*]. (박자영 역). 경기: 한길사. (원저는 2001년에 출판).

민델
[Mindell, Arnold]

1940. 1. 1. ~

물리학과 심리학의 통합을 시도한 미국의 심리학자이자 물리학자.

민델은 1940년 미국 뉴욕에서 태어나 MIT에서

언어학과 공학을 전공하였고, MIT 대학원에서 이론 물리학 석사과정을 마쳤다. 1961년 그는 물리학 박사과정을 지원하기 위하여 스위스의 MIT라고 불리는 유명한 과학대학인 ETH (Eidgenosische Technische Hochschule)에 들어갔다. 당시 그는 아인슈타인의 뒤를 잇는 물리학자가 되고자 하였으며, 융(Jung)에 대해서 아는 것이 없었다. 민델은 박사과정 재학 중 취리히에서 다양한 전공자들을 만났는데, 그중 융학파에 속해 있던 심리학 전공자도 있었다. 그때 민델은 밤에 악몽을 꾸곤 했는데, 융학파로서 꿈분석 연구를 하던 한 친구의 도움을 받았다. 민델이 분석받은 첫 번째 꿈은 융과 물리학에 관한 것으로, 꿈속에서 만난 융은 민델에게 그의 인생에서의 과업은 심리학과 물리학의 관계를 찾는 것이라고 말해 주었다. 그때까지만 해도 민델은 심리학에 대해 잘 알지 못했고 꿈이라는 것 또한 전혀 중요하지 않다고 생각했는데, 그는 과학자들이 그러하듯이 일상적인 실재의 세계만을 확고하게 믿는 사람이었다. 하지만 결국 그는 1963년에 융연구소의 훈련생이 되어 연구소 소장인 리클린(Riklin)과 폰 프란츠(von Franz)로부터 교육분석을 사사받았다. 그는 1969년에 융학파 분석가의 자격을 얻었고, 리클린의 지도하에 동시성(synchronicity)에 관한 박사학위 논문으로 1971년 유니언대학원에서 박사학위를 받았다. 그가 공부한 언어학, 공학, 물리학의 개념들은 그 후 과정지향심리학(process-oriented psychology) 또는 프로세스워크(process work) 이론을 형성하는 데 결정적인 영향을 주었다. 민델은 초기에 융연구소에서 꿈분석에 관한 공부를 하면서, 특히 '자신의 몸에서 일어나는 여러 가지 현상이 꿈과 관계가 있는 것이 아닐까?'라는 의문을 갖고 심리학이나 물리학을 연구하였다. 그는 융학파의 꿈분석에서, 인과론적으로만 해석했던 프로이트(Frued)의 꿈분석과는 달리 목적론적 관점에서 접근하는 분석법을 배웠으며, 이를 다시 '신체증상'의 접근으로 확장하여 적용시켰다. 이를 통하여 민델은 1982년에 『드림바디(Dreambody)』라는 첫 책을 출간하였다. 이 책에서 그는 꿈꾸는 마음이 관계 속에서 무의식이나 이중신호를 어떻게 만들어 내는지, 꿈과 신체증상의 신호를 어떻게 알아차리는지를 발견하였고, 이러한 꿈꾸는 마음의 발견을 알아차리는 것이 개인, 그리고 개인 간의 관계를 더욱 쉽게 한다고 설명하였다. 그리고 『Dreambody in Relationship(1987)』과 『Working with the Dreaming body(1985)』 등을 통하여 '드림바디'를 활용한 관계치료, 개인치료 등의 사례와 치료기법 등을 제안하였다. 이후 민델은 개인치료의 이너 워크(inner work) 개념에서 확장하여 월드 워크(world work)나 플래닛 워크(planet Work)로 범위를 넓혔으며, 집단의 갈등치료, 평화유지를 위하여 통합적인 집단갈등 해결방법, 집단역동, 꿈꾸기, 영혼, 그리고 마음에 대한 시스템과 관계이론들을 제시하였다. 민델은 『The Leader as Martial Artist』『Sitting in the Fire』 등에서 공동체는 살아서 숨을 쉬고 있는 하나의 유기체로서 그 속에 소속된 사람들이 특수한 모습을 만들어 가며, 공동체 자체가 스스로 성장발달에 필요한 역할이나 정신들을 형성해 간다고 주장하였다. 이에 근원적인 민주주의(deep democracy) 개념을 도입하여 집단이나 공동체 안에 내재된 모든 모습에 열린 마음의 자세를 취하여 갈등을 회피하지 않고 그 분쟁 속에 들어가 변화하고 있는 새로운 다양한 모습을 발견하고자 하였다. 이를 통하여 개인은 집단, 사회, 국가, 지구, 우주와 연결되어 있으며, 개인의 치료는 곧 우주의 치료이고, 우주의 치료는 곧 개인의 치료가 되는 범 우주적 차원으로의 확장을 시도하였다. 또한 민델은 그의 꿈속에서 융이 제안했던 물리학과 심리학의 통합을 시도하였으며, 이러한 과정에서 2000년에 『Quantum Mind』를 출간하였다. 그는 현대물리학이 선형적인 측면에서 원인-결과의 인과율을 찾아가는 뉴턴 물리학적 관점에서, 유동적으로 변화 가능하며 다차원적인 측면을 다루는 양자물리학적 관점으로 변화해 가는 데 관심을 갖고 초자연적이며 신비적인 초과학적 현상에 대한 물리학적 해석을 시도하였다. 그는 이 책에서 알아차림에 대한 양자적 특성은 잠재의식적 경험에 대한 아주 미세하고 쉽게 보이지 않는 '나노' 성향과 '자기-반영'을 포함한다고 주장하였고, 이러한 양자적 특성은 비국소적인 측면을 지니고 있어서 초자연적인 현상에 대한 심리적 현상을 물리학적으로 이해하는 데 도움을 주었다. 최근 민델은 『Processmind』를 통하여 과정(process)에 대한 알아차림의 중요성과 개인 혹은 사회, 국가, 지구, 우주의 과정을 따라가면서 건강하게 나아가야 할 방향과 관점을 알아차리는 것의 중요성을 제안하였다. 민델은 현재 미국 포틀랜드(Portland)에 있는 프로세스워크센터에서 과정지향심리학에 대한 교육과 연구를 위해 힘쓰고 있으며, 자신이 개발한 다양한 개념들을 임상에 적용하여 그 효과성을 검증해 나가고 있다.

주요 저서

Mindell, A. (1982). *Dreambody: The Body's Role in Revealing the Self.* Portland, OR: Lao Tse Press.

Mindell, A. (1985). *Working with the Dreaming Body.* Portland, OR: Lao Tse Press.

Mindell, A. (1986). *River's Way: The Process Science of the Dreambody*, N. Y. & London: Viking-Penguin_Arkana.

Mindell, A. (1988). *City Shadow: Psychological Interventions Psychiatry.* N.Y. & London: Viking-Penguin_Arkana.

Mindell, A. (1989). *Coma: Key to Awakening.* Boston: Shambhala.

Mindell, A. (1989). *Inner Dreambody: Working on Yourself Alone.* New York: Penguin.

Mindell, A. (1990). *The Year I: Global Process Work with Planatary Tensions.* N.Y. & London: Viking-Penguin_Arkana.

Mindell, A. (1992). *The Leader as Martial Artist: An Introduction to Deep Democracy, Techniques and Strategies for Resolving Conflict and Creating Community.* San Francisco: Harper Collins.

Mindell, Amy & Arnold (1992), *Riding the Horse Bachwards: Process Work in Theory and Practice.* N.Y.: Penguin Books.

Mindell, A. (1995). *Metaskills.: The Spiritual Art of Therapy.* Santa Monica, CA.: New Falcon Press.

Mindell, A. (1995). *Sitting in the Fire: Large Group Transformation Using Conflict and Diversity.* Portland OR: Lao Tse Press.

Mindell, A. (2004). *The quantum mind and healing: how to listen and respond to your body's symptom.* Charlottesville, VA: Hampton Roads.

Mindell, A. (2010). 양자심리학[*Quantum Mind-The Edge between Physics and Psychology*] 양명숙, 이규환 역. 서울: 학지사. (원저는 2000에 출판됨).

Mindell, A. (2010). *Processmind.* Portland, OR: Lao Tse Press.

Mindell, A. (2011). 관계치료: 과정지향적 접근[*The Dream body in Relationship*]. (양명숙, 이규환 역). 서울: 학지사. (원서는 1987년에 출판됨).

Mindell, A. (2011). 명상과 심리치료의 만남[*Working on Yourself Alone*]. (정인석 역). 서울: 학지사. (원서는 1990년에 출판됨).

밀
[Meehl, Paul Everett]

1920. 1. 3. ~ 2003. 2. 14.
미국의 심리학 교수.

미네소타의 미니애폴리스(Minnesota, Minneapolis)에서 태어난 밀은 미네소타대학교를 다녔다.

1941년 학부를 졸업하고 1945년에 박사학위를 받아 심리학, 법학, 정신의학, 신경학, 철학 등의 주제로 평생 강단에 섰다. 밀은 선도적 위치의 철학자로 포퍼(K. Popper)의 반증주의(falsificationism)의 추종자였고, 통계적 영가설을 사용하여 과학이론을 평가하기 위한 검사는 단호히 반대하는 입장을 취하였다. 그는 영가설 검증은 심리학과 같은 분야에서의 과정 결여에 부분적으로 필요할 따름이라고 생각하였다. 밀은 미네소타 다면적 성격검사(Minnesota Multiphasic Personality Inventory: MMPI) 개발에 도움을 주었고, 특히 k척도 개발에 큰 공헌을 하였다. 1954년에 출판한 『Clinical vs. Statistical Prediction: A Theoretical Analysis and a Review of the Evidence』에서는 자료조합의 기계적 방법이 행동을 예측하는 데 임상적 방법보다 낫다는 주장에 대해서 면밀하게 분석하였다. 밀은 초기에는 루터파 신봉자였는데, 루터파 이론가들과 더불어 1958년 『What, Then, Is Man?』을 출판하기도 하였다. 1962년 미국심리학회 회장으로 선출되고, 그해에 정신분열증을 유전적 선상에서 이론화하기도 한 밀은 200편이 넘는 논문을 발표하고 여러 분야에서 다양하게 수상을 하였다. 2003년 세상을 떠난 밀은 예측의 기계적 방식이 정확하게 사용될 때 환자의 예후 및 치료에 대한 더욱 효율적인 결정을 만들 수 있다고 주장하였다. 밀은 임상의들이 유사한 결정을 해야 하는 상황에서 기계적 예측도구를 사용하는 것보다 훨씬 더 많은 실수를 할 수 있다고 하면서 임상에서 치료사들이 그들의 직관을 함부로 사용하는 것을 경고하였다. 임상과 기계적 예측의 효용성을 비교한 메타분석에서 밀은 기계적 자료의 조합과 예측이 임상의 그것보다 낫다는 것을 증명하였다.

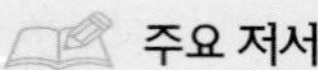

주요 저서

Meehl, P. E. (1973). *Psychodiagnosis: Selected Papers*. Minnesota: Univ. Press.

Meehl, P. E. (1991). *Selected Philosophical and Methodological Papers*. Minnesota: Univ. Press.

Meehl, P. E. (1996). *Clinical Versus Statistical Prediction*. Maryland: Jason Aronson.

밀그램
[Milgram, Stanley]

1933. 8. 15. ~ 1984. 12. 20.
미국의 사회심리학자.

밀그램은 뉴욕에서 태어나 1954년 퀸스(Queens)대학을 졸업하였다. 처음에는 정치학을 전공했지만, 심리학에 관심을 갖고 하버드대학교의 심리학 박사과정에 들어갔다. 그리고 저명한 심리학자인 올포트(G. Allport)의 지도를 받아 규율에 순종하는 인간의 특성을 주제로 한 논문으로 박사학위를 받았다. 1961년부터 1962년까지 예일대학교에서 큰 파장을 일으킨 '복종실험'을 실시하여 1963년 「Behavioral study of Obedience」라는 논문으로 실험결과를 발표하였다. 이후 그는 실험의 비윤리성 때문에 미국정신분석학회로부터 한 해 동안 자격정지를 당하기도 하였다. 10년 뒤인 1974년에 『Obedience to Authority』라는 책을 출간하였고, 그의 실험은 이후 여러 심리실험의 원형이 되었다. 뉴욕 시립대학 대학원에서 그에게 종신교수직을 제의하여 밀그램은 이를 받아들였다. 그는 프린스턴대학교에서 애시(S. Asch)와 함께 '사회 동조성'과 관련된 여러 가지 실험도 하였다. 밀그램은 세상의 모든 사람이 여섯 사람만 거치면 모두 연관을 맺고 있다는 '6단계 분리 이론'이나 인간의 공격성과 비언어적 의사소통 등 여러 분야를 연구하였다. 다큐멘터리 영화도 제작했는데, 예일대학교에서 시행한 실험을 다룬 「Obedience」, 도시의 삶이 인간의 행동에 미치는 영향을 다룬 「The City and the Self」 등의 작품을 남겼다.

주요 저서

Milgram, S. (2009). 권위에 대한 복종[*Obedience to authority: an experimental view*]. (정태연 역). 서울: 에코리브르. (원저는 1974년에 출판).

밀러
[Miller, Neal Elgar]

1909. 8. 3. ~ 2002. 3. 23.
존 달러드와 함께 동기화 이론을 개발한 미국의 심리학자.

밀러는 위스콘신(Wisconsin)의 밀워키(Milwaukee)에서 태어났다. 그의 아버지는 웨스턴 워싱턴(Washington) 주립대학 심리학과 교수였다. 워싱턴대학교를 1931년에 졸업한 밀러는 1935년에 예일대학교에서 심리학으로 박사학위를 받았다. 이후 1년 동안 비엔나 정신분석연구소(Vienna Psychoanalytic Institute)의 사회과학연구회 특별회원(Social Science Research Council Fellow)으로 있다가 1936년에 예일대학교 교수가 되었다. 예일대학교에서 30년간 재직하며 심리학과에서 제임스 롤런드 에인절 교수(James Rowland Angell Professor)가 되었고, 록펠러(Rockeféller)대학교에서 15년간을 더 교수생활을 하였다. 그러다가 1981년 록펠러대학교 명예교수가 되었으며, 1985년에는 예일대학교 연구위원이 되었다. 이와 같이 예일대학교와 록펠러대학교의 교수를 역임했고, 미국심리학회(American Psychological Association)의 대표를 지냈으며, 국립과학회(National Academy of Sciences)의 심리학 부장을 맡기도 했던 밀러는 2002년에 사망하였다. 그는 달러드(J. Dollard), 홀(C. Hall), 시어스(R. Sears) 등과 함께 동기, 공격성, 좌절, 갈등, 심리치료 등의 개념을 학습에 대한 행동주의 개념의 주 원칙에 적용하려는 연구를 하였다. 달러드와 함께 개발한 동기화 이론은 초기 행동 및 학습 강화 이론의 여러 요소를 조합하여 사회심리학적 동력에 대한 만족에 근거를 두고 있다. 밀러 연구의 대부분은 뇌와 정신약리학의 전기생리학을 다루고 있다. 밀러는 20세기에 가장 업적이 많은 행동신경과학자로 평가받는 인물이기도 하다. 프로이트 이론에 대한 연구를 시작으로 그는 행동기술에 대한 실험적 분석을 임상현상에 사용하였다. 이 같은 그의 관점은 1941년에 출간한 달러드와의 공저 『Social Learning and Imitation』으로 결실을 보았다. 이후 연구를 계속하여 『Personality and Psychotherapy』도 달러드와 함께 출간하였다. 그의 경험적 연구는 획득 가능한 공포를 보여 주면서 허기와 갈증과 같은 생체 항상성 욕동(homeostatic drives)이 어떻게 학습되는지를 증명하고 있다. 또한 동기와 욕동에 대한 이해를 연구하면서 전기적 및 화학적 뇌자극과 재부호화 등 신경생리학적인 기술을 적용하기도 하였다. 밀러의 이러한 연구는 바이오피드백(biofeedback)을 개발하는 데 기여하였다. 그는 자율신경계가 고전적 조건화에 영향을 받을 수 있다는 것도 발견하였다. 또 달러드 등과의 공동연구로 심리학적인 분석개념을 쉽게 이해 가능한 행동적인 용어로 전환시키기도 하였다.

주요 저서

Miller, N. E. (1964). *Social Learning and Imitation*. New Haven: Yale Univ. Press.

Miller, N. E. (1971). *Selected Papers on Learning, Motivation and Their Physiological mechanisms*. Chicago: MW Books.

ㅁ

바너드
[Barnard, Chester Irving]

1886. 11. 7. ~ 1961. 6. 7.
미국 행정가이자 경영이론과 조직연구에 혁신적인 저서를 남긴 인물.

바너드는 매사추세츠 주 몰던(Malden, Massachusetts)에서 태어나 농장에서 어린 시절을 보내고, 피아노 판매, 댄스 밴드 운영 등으로 돈을 벌어 가면서 하버드대학교에서 경제학을 전공하였다. 하버드대학교를 3년 만에 우수한 성적으로 졸업한 그는 1909년에 현재의 AT & T사인 미국 전화전보회사(American Telephone and Telegraph Company)에 입사하여, 1927년에는 뉴저지 벨 전화회사(New Jersey Bell Telephone Company)의 사장이 되었다. 또한 미국 대공황 당시 뉴저지 주의 구제제도를 지휘하기도 하였다. 1939년에는 미국예술과학학회(American Academy of Arts and Sciences)의 특별회원으로 선출되었고, 1942년부터 1945년까지 USO로 알려진 연합서비스 조직(United Service Organizations)의 대표를 맡았다. 경영에서 은퇴한 뒤에는 록펠러재단 대표로 1948년부터 1952년까지 봉사하였다. 그리고 1952년부터 1954년까지는 국립과학재단(National Science Foundation)의 회장으로 일하기도 하였다. 1950년대 말에는 일반시스템연구회(Society for General Systems Research)의 초대회원이 되었다. 1961년에 사망한 바너드는 조직을 인간활동에서의 협동체제로 바라보았다. 그는 조직이 효능성(effectiveness)과 효율(efficiency)이라는 두 가지 생존에의 필수기준이 부합되지 않는다면 오래갈 수 없다고 하였다. 효능성은 일반적인 방식으로 진술된 목표를 성취할 수 있느냐 하는 것인 반면, 효율은 어휘의 원래 의미와는 달리 조직이 개인의 동기를 안전하게 만들어 줄 수 있는 정도를 뜻한다. 조직이 구성원들의 동기를 안전하게 해 줄 수 있을 때 그 구성원들이 협력하여 목표를 이룰 수 있는 것이다. 바너드는 또 권위와 의욕에 관한 이론을 만들었다. 이 두 요소는 일곱 가지 핵심 규칙 안에서 의사소통체계의 맥락을 이루는데 그것은 다음과 같다. 첫째, 의사소통 통로를 한정하고 둘째, 모두가 의사소통 통로를 알아야 하고 셋째, 모두가 의사소통 공식 통로에 접근할 수 있어야 하고 넷째, 의사소통의 길은 최대한 짧고 직접적이어야 하고 다섯째, 의사소통센터는 사람들이 제공하는 능력에 적절해야 하고 여섯째, 의사소통의 길은 조직이 기능하는 때 방해가 되어서는 안 되고 일곱째, 모든 의사소통은 공인되어야 한다. 바너드는 인간조직에서의 활동에 초점을 맞춘 시각에서 새로운 인간관을 제시하였다.

주요 저서

Barnard, C. I. (1938). *The Function of the Executive*. Cambridge: Massachusetts, & London: Harvard University Press.

Barnard, C. I. (1948). *Organization and Management*. New York: Routledge. Taylor & Francis.

반두라
[Bandura, Albert]

1925. 12. 4. ~
캐나다 출신의 사회인지학습이론의 창시자이며 스탠퍼드대학교 심리학부 명예교수.

반두라는 캐나다 앨버타(Alberta) 주 북쪽의 전체 인구가 100명 정도밖에 되지 않는 작은 시골 마을 문데어에서 폴란드인 아버지와 우크라이나인 어머니 사이에서 태어났다. 6남매 중 막내인 반두라는 교사 2명과 전교생 6명인 작은 초등학교를 다녔는데, 회고하기를 교육적인 환경이 제한된 덕분에 학생들은 스스로 공부를 해야 했다고 하였다. 이때 반두라는 교재에서 배운 내용의 대부분은 시간이 지나면 기억 속에서 사라지는데, 자기주도적인 학습은 시간이 지날수록 큰 효과를 발휘하게 된다는 사실을 경험으로 깨달았다. 이 같은 초기 경험이 후에 반두라가 개인적 행위 주체성(personal agency)에 역점을 둔 이론을 펼치는 기반이 되었다.

고등학교를 졸업하고, 반두라는 캐나다 북부 알래스카 고속도로(Alaska Highway)의 침강을 막기 위한 보수작업에 참여하면서 다양하고 독특한 사람들과 접하게 되었고, 보통 사람들의 심리 및 정신병에 관하여 관심을 갖게 되었다. 1949년 반두라는 영국의 브리티시 컬럼비아(British Columbia)대학교에 입학하여 심리학 공부에 매진하여, 심리학부에서 볼로칸상(Bolocan Award)을 수상하였다. 졸업한 후로는 이론적 심리학에 더욱 관심을 보였다. 이후 1951년 미국 아이오와(Iowa)대학교에서 심리학 석사, 1952년 심리학 박사학위를 취득하였다. 아이오와 대학 시절에는 아더 벤톤(Arthur Benton), 윌리엄 제임스(William James) 등의 영향을 받으면서, 클락 헐(Clark Hull), 케네스 스펜스(Kenneth Spence) 등과 함께 연구를 하였다. 그때 사회학습이론에 관심을 보인 반두라는 당시의 이론이 너무 행동주의적인 설명에만 집중되어 있다는 것을 느꼈다. 초기에는 임상심리학에 흥미를 가졌지만, 후에 행동수정이론, 관찰학습, 자기효능감 등에 관한 연구로 옮겨 갔다. 그래서 반두라의 초기연구 중에는 심리치료과정, 아동의 공격성과 관련된 것이 있다. 아이오와에서는 지역 간호 전문학교에서 강의를 하고 있던 버지니아 반스(Virginia Varns)를 만나 결혼하였고, 슬하에 두 딸을 두었다. 반두라는 밀러와 달러드(Miller

ㅂ

& Dollard)가 쓴 『Social Learning Theory』의 영향을 받아 인지와 행동에 관심을 갖게 되었다. 아동의 공격적인 행동에 영향을 주는 요인에 관한 연구를 계속하면서, 그는 모방 학습의 핵심적인 의미를 파악하였고 수차례의 실험을 통해서 관찰과 모방에 의한 학습과정을 규명하였다. 모든 학위과정을 마친 다음, 1953년부터 현재에 이르기까지 그는 많은 연구를 수행하면서 셀 수 없는 논문을 발표하였다. 환경과 행위자(agent) 간의 상호적인 영향관계를 보여 주기 위한 정신적 현상과 상호 결정론 개념 등을 상세히 설명하면서 행동주의에 치우쳐 단순화되고 제한적이던 심리학계에 커다란 방점을 찍었다. 그는 정신적인 과정을 이론적으로 설명하는 동시에, 실제적인 방법을 제공하면서 정신분석과 관상학의 정신적인 구성개념에 반대하였다. 반두라는 졸업 이후 위치타캔자스지도센터에서 임상실습의로 잠시 머물렀다가 다음 해인 1953년에 스탠퍼드 대학교의 교수로 임용되었는데 현재까지 머물고 있다. 1974년에는 미국심리학회(APA)의 회장으로 선출되었고, 1980년에는 미국 서부심리학회장으로 선출되었다. 사회학습이론의 창시자로 불리는 반두라는 처음에는 사회적 행동과 동일시 학습(identificatory learning)의 선구자인 로버트 시어스(Robert Sears)의 영향을 받아 초기연구에서는 인간행동의 동기, 사고, 행위 등에 대한 사회적 모델링의 역할에 중점을 두었다. 그러다가 자신의 첫 박사 제자인 리처드 월터스(Richard Walters)와 함께 사회적 학습 및 공격성에 대한 연구를 하여, 1959년에 『Adolescent aggression』이라는 저서를 공동 출간하였다. 월터스와 연구를 계속하면서 1963년에는 『Social Learning and Personality Development』도 공동 출간하였다. 이어서 1973년에는 『Aggression: a social learning analysis』도 출간하였다. 당시는 스키너의 행동주의가 지배적인 시기였는데, 반두라는 보상과 처벌이라는 단순한 행동수정의 틀을 가진 고전적 조작 조건형성은 부적절한 경우가 많다고 보면서, 인간행동 중 많은 부분이 타인에게서 학습된다는 생각을 하였다. 또한 반두라는 아동의 생활 속에서 폭력에 대한 근원을 밝혀내어 심하게 공격적인 아동을 치료하는 방법을 분석하였다. 1961년, 반두라의 연구는 마침내 엄청난 파장을 몰고 오는 보보인형 실험에 이르렀다. 이 실험에서 그는 보보인형을 때리고 고함을 치는 공격적인 행동과 언어를 화면으로 보여 주었을 때, 그것을 본 아동들이 방에서 인형을 가지고 놀면서 인형을 때리고 고함을 치는 행위를 나타낸다는 결과를 얻었다. 이 연구는 모든 행동이 직접적인 강화나 보상으로 만들어진다는 행동주의의 주장과는 다른 것이었다. 아동은 강화나 처벌이 없어도 인형을 때리고 괴롭혔다. 이들은 단순히 관찰한 행동을 모방했을 뿐이다. 반두라는 이러한 현상을 관찰학습이라 하고, 효과적인 관찰학습은 주의(attention), 파지(retention), 재생산(reciprocation), 동기화(motivation) 등의 요소로 이루어진다고 보았다. 그는 사회학습이론 분야의 많은 연구를 수행했으며, 후에 그의 이론을 사회인지이론으로 바꾸어 부르게 되었다. 그의 이론은 환경 자체의 영향보다는 환경에 대한 인간의 반응으로서 자기조절 기제와 반응에 영향을 주는 동기에 관심을 가졌다는 점에서 인지이론으로 분류되며, 이러한 점이 급진적인 행동주의자인 스키너와 다르다. 그는 인간이 행동을 습득하는 것에 관심을 갖고 다른 사람의 행동을 관찰하고 모방하는 과정에 초점을 둔 것이다. 반두라는 인간에게는 경험을 상징화하는 능력이 있다고 주장하면서 이 능력이 환경을 조성하고 목적을 이루게 하는 태도, 문제해결, 결과에 대한 예측 및 비판, 시간과 공간을 넘나드는 타인과의 의사소통 등을 이해할 수 있도록 해 준다고 하였다. 이것이 그가 주장한 자기효능감 이론(the theory of self-efficacy)과 연결된다. 이와 같은 심리학과 학습이론에 대한 그의 혁혁한 공로는 1980년 미국심리학회에서 수여하는 우수과학공로상(Award for Distinguished Scientific Contributions), 1999년 손다이크

우수공로상(Thorndike Award for Distinguished Contribution), 2001년 행동치료발달협회(Association for the Advancement of Behavior Therapy: AABT)에서 수여하는 생애업적상(Lifetime Achievement Award), 2004년 미국심리학회 심리학상, 2008년 그라베마이어상(Grawemeyer Award) 등을 받은 것으로도 여실히 증명되었다. 반두라는 전 학문적 생애를 통하여 사회인지 이론 및 치료, 성격심리학 등 심리학의 여러 분야에 독보적인 공헌을 해 왔다. 특히 행동주의와 인지심리학 간의 전환에 큰 영향을 미쳤다. 그는 아직도 연구와 집필을 계속하고 있으며, 1995년에는 『Self-Efficacy in Changing Societies』, 1997년에는 『Self-Efficacy』 등을 출간하였다. 반두라의 업적은 1960년대 후반에 시작된 심리학의 인지적 혁명의 일부라는 평가를 받고 있다. 그의 이론들은 성격심리학, 인지심리학, 교육학, 심리치료 등에 헤아릴 수 없는 영향을 미치고 있다.

주요 저서

Bandura, A., & Walters, R. H. (1959). *Adolescent aggression*. New York: Ronald Press.

Bandura, A. (1962). *Social learning through imitation*. Lincoln: NE, University of Nebraska Press.

Bandura, A. (1969). *Principles of behavior modification*. New York: Holt, Rinehart & Winston.

Bandura, A. (1971). *Psychological modeling: conflicting theories*. Chicago: Aldine, Atherton.

Bandura, A. (1973). *Aggression: a social learning analysis*. Englewood Cliffs, N. J., Prentice-Hall.

Bandura, A. (1975). *Social learning & personality development*. Holt, Rinehart & Winston, INC: NJ.

Bandura, A., & Emilio Ribes-Inesta. (1976). *Analysis of delinquency and aggression*. New Jersey: Lawrence Erlbaum Associates, INC.

Bandura, A. (1977). *Social learning theory*. Englewood Cliffs, NJ: Prentice Hall.

Bandura, A. (1977b). Self-efficacy: Toward a unifying theory of behavioral change. *Psychological Review, 84*, 191-215.

Bandura, A. (1978). The self system in reciprocal determinism. *American Psychologist, 33*, 344-358.

Bandura, A. (1986). *Social foundations of thought and action: A social cognitive theory*. Englewood Cliffs (NJ), Prentice-Hall.

Bandura, A. (1989). Self-regulation of motivation and action through internal standards and goal systems. In L. A. Pervin (Ed.), *Goal concepts in personality and social Psychology* (pp. 19-85). Hillsdale (NJ), Lawrence Erlbaum.

Bandura, A. (1997). *Self-efficacy in changing societies*. Cambridge (MA), Cambridge University Press.

Bandura, A. (2000). Social cognitive theory: An agentic perspective. *Annual Review of Psychology, 52*, 1-26.

발린트
[Balint, Michael]

1896. 12. 3. ~ 1970. 12. 31.
헝가리 출신의 영국 정신분석학자이며 대상관계학자.

부다페스트에서 두 아들 중 맏이로 태어난 발린트는 아버지가 유대계 의사였다. 어려서부터 아버지의 일을 통해 의사와 환자의 관계에 관심을 가지게 되었다. 1914년에 부다페스트에 있는 셈멜웨이스(Semmel weis)대학교에서 의학을 공부하게 되지만 얼마 되지 않아 제1차 세계 대전이 발발하여 징집되었다. 러시아군에 배속되었다가 후에 이탈리아 군대로 편입되었는데, 1916년에 왼손 엄지에 부상을 입고 의가사 제대하였다. 그는 대학 재학 동안 명석한 두뇌를 바탕으로 신경정신의학, 철학, 화학, 물리학, 생물학 등에서 학위를 받았다. 당시 여자 친구이며 후에 아내가 된 앨리스 제클리 코바치(Alice Szekely Kovacs)의 권유로 프로이트의 저서, 『토템과 터부(Totem and Tabu)』를 읽은 발린트는 산도르 페렌치(Sandor Ferenczi)의 강연회에 그녀와 함께 참석하였다. 1919년 당시 페렌치는 정신분석학에서 세계 최고의 권위를 지닌 교수였다. 발린트는 원래 이름이 미할리 모리스 버그만(Mihaly Maurice Bergmann)이었는데, 1918년 21세 때 공식적으로 미첼 발린트라는 이름으로 개명하였다. 사회 속에서 더 나은 통합을 위해 유대인의 느낌이 나는 버그만이라는 이름을 발린트라는 좀 더 헝가리인다운 이름으로 바꾼 것이다. 이후 1920년에 앨리스와 결혼한 뒤에는 베를린으로 갔다. 베를린에서 발린트는 오토 바르부르크(Otto Warburg)의 생화학 연구소와 한스 작스(Hans Sachs)가 있던 베를린 정신분석연구소(Berlin Institute of Psychoanalysis)에서 일을 병행하였다. 그 외에 병원에서도 근무하였다. 그와 함께 앨리스도 정신분석교육을 받으면서 민영 박물관에서 일하며 생계를 도왔다. 발린트는 아내와 함께 한스 작스에게 정신분석을 받았는데, 그에 만족하지 못하고 부다페스트로 돌아와 산도르 페렌치에게 분석을 받으면서 자신만의 작업에 대한 연구물을 출판하기도 하였다. 특히 심신의학(psychosomatic medicine) 분야에 집중하였다. 분석이 끝난 이후에도 발린트는 페렌치와의 인연을 이어 가면서 그의 학생이자, 벗, 계승자, 문헌제작자 등으로 관계를 발전시켜 나갔다. 1931년에 발린트는 페렌치의 지도하에 있는 부다페스트 정신분석종합진료소장 대리가 되었고, 페렌치 사후에 진료소장의 자리에 올랐다. 하지만 1932년 헝가리에 정신분석을 유대인의 전유물이라는 시각을 가진 극우파가 집권하게 되면서 더 이상 작업을 이어 가지 못하였다. 1939년 1월에는 반유대주의의 탄압 때문에 영국의 맨체스터로 이주하였다. 그로부터 6개월 뒤 아내 앨리스가 대동맥 파열로 갑작스럽게 세상을 떠났다. 1944년에 재혼을 했지만 오래가지 못했고, 곧 파경을 맞았다. 맨체스터에 머무는 동안 발린트는 주로 아동심리학에 몰두하면서 심리학 석사 학위를 취득하고, 아동지도클리닉(Child Guidance Clinic)의 대표가 되어 1942년부터 1945년까지 일하였다. 또한 맨체스터노던병원의 정신과 명예 자문을 맡았고, 1945년에는 켄트(Kent)의 치셀허스트(Chiselhurst)에서 아동지도센터(Center for Child Guidance)에서 정신과 의사로도 일하였다. 1945년에는 부모님이 헝가리에서 나치에게 체포되어 죽음을 맞는 고통을 겪기도 하였다. 같은 해에 발린트는 런던에서 정신분석학자로 일하기 시작하였다. 1948년에는 타비스톡클리닉(Tavistock Clinic)에 입사했는데, 그곳에서 정신분석학자로 교육을 받으면서 당시 함께 일하던 동료 정신분석학자 에니드 알부(Enid Albu)와 1950년에 또 한 번 결혼을 하였다. 에니드는 사회복지사로서 부부문제를 다루는 일을 하고 있었다. 이후 발린트는 이 집단의 지도자가 되었는데, 이것이 발린트그룹(Balint Group)의 원조라 할 수 있다. 1950년에 헝가리에서 25년 전에 시작했던 GPs와 함께 지지적인 집단작업을 다시 시작한 발린트는 1951년부터 1953년까지는 영국정신분석학회(British psychoanalytical Society)에서 과학 부서장으로 봉사하다가, 1968년 회장이 되어 종신으로 그 자리에 있었다. 1950년부터 1961년까지 타비스톡클리닉의 정신과 자문으로 있었고, 1957년부터는 미국의 신시내티대학교 정신과 객원교수로 재임하였다. 또 1961년부터 1965년까지는 런던의 의과대 심리의학부 명예 조교수로 있으면서 대학원생의 교육세미나를 지도하였다. 발린트는 영국의 정신분석학에서도 독립적인 면모를 보이면서 발린트그룹이라는 집단을 형성하였다. 이는 의사들이 환자와의 관계에서 정신역동적인 요소를 논의하기 위해 모인 집단이다. 이런 세미나를 통해서 집단원들은 서로 치료를 하면서 실패하거나 잘못한 것을 논의하여 서로에게 정보를 주었다. 발린트는 1970년의 마지막 날, 12월 31일에 숨을 거두었다. 의사로서, 심리치료사로서, 교사로서, 작가로서, 인본주의자로서, 정신분석학자로서 20세기에 가장 영향력 있는 인물로 평가되고 있는 발린트 사후, 기존 집단의 활동은 발린트학회(Balint Society)라는 형태로 재정비되었다. 발린트의 정신분석에 관한 연구를 보면 확연한 일관성이 있는데, 그는 이러한 사상을 1924년부터 1968년에 출간한 역작인 『The Basic Fault』에까지 이어 가면서 발전시켰다. 이외에도 발린트는 원초적 사랑이라는 개념을 『Primary Love and psychoanalytic Technique』(1952)이라는 저서에서 소개하고, 1959년에는 기술을 적용하기도 하였다. 밀러의 이러한 연구는 『Thrills and Regressions』에서 선한 퇴행(benign regression)과 악한 퇴행(maliqnant regression)이라는 개념을 선보였으며, 원초적 나르시시즘의 존재에 관한 의문을 가지고 그에 관한 프로이트의 설명에서 모순을 지적하기도 하였다. 이는 1935년 「Critical Notes on the Theory of the Pregenital Organization of the Libido」라는 글에 실려 있다. 또 '오크노파일(ocnophile)'이라는 용어를 만들어서 대상에 집착해야 한다고 느끼는 성격을 설명하고, '필로바티즘(philobatism)'이라는 용어로는 방해물을 두려워하고 자신을 막고 있는 것에서 벗어나기 위한 개방된 공간을 찾으려고 하는 이들의 특성을 규명하기도 하였다. 발린트는 세 가지 정신적 영역을 구별했는데, 오이디푸스 영역(oedipal zone), 기본적 결함 영역(zone of the basic fault), 창조 영역(zone of creation)이다. 이외에도 일반 임상가들과 함께 교육적 훈련에도 노력을 기울였다. 1926년에 출판한 첫 번째 논문, 「On the Psychotherapies, for the Practicing Physician」은 이와 관련된 주제를 다루고 있다. 이 분야의 그의 작업은 1955년 『The Doctor, His Patient and the Illness』라는 저서에 실려 있다. 발린트는 평생 10권의 저서와 165편의 논문을 출판했는데, 제네바대학교 정신의학부에 그에 관한 기록이 남아 있다.

주요 저서

Balint, M. (1952). *Primary Love and Psycho-Analytic Technique*. New York: Routledge.

Balint, M. (1957). *Problems of Human Pleasure and Behaviour*. London & New York: Liveright.

Balint, M. (1957). *The Doctor, His Patient and The Illness*. London & New York: Churchill Livingstone.

Balint, M. (1968). *Baksic Fault: Therapeutic Aspects of Regression*. New York: Bunner/Mazel.

Balint, M., & Balint, E. (1959). *Thrills and Regressions*. London and New York: Karnac Books Ltd.

Balint, M., & Balint, E. et al. (1961). *Psychotherapeutic Techniques in Medicine*. London & New York: Tavistock Publications.

버넌
[Vernon, Ann]

아동 청소년상담전문가이자 인지정서행동치료사.

버넌은 아이오와(Iowa)의 노던아이오와(Northern Iowa)대학교 교수로 재직하고 있으며, 상담코디네이터다. 그리고 아동, 청소년 그리고 부모를 위한 개인상담을 실시하고 있다. 또한 중서부 인지정서행동치료연구소(REBT)의 소장이며 앨버트 엘리스(ALBERT ELLIS) 이사회의 부위원장이다. 그녀는 국제적으로 아동 및 청소년 대상 REBT를 적용하는 전문가로 인식되고 있으며, 이와 관련한 여러 권의 책과 논문을 집필하였다. 『Thinking, feeling, behaving』과 『A Journey through emotional, social, cognitive, and self-development』는 미국과 캐나다 등지에서 아동 및 청소년의 건강한 발달을 촉진하기 위한 정서교육 교육과정으로 활용되고 있다. 이외에 학교와 정신건강기관의 자문위원으로도 활동하고 있다. 버넌은 호주, 캐나다, 네덜란드, 미국뿐만 아니라 여러 라틴 아메리카 국가에서도 집중 훈련 및 감독 프로그램을 실시하고 있으며, 상담가들이 아동 및 청소년들을 상담하기 위한 전문지식을 개발하는 데 도움을 주기 위해 다수의 전 세계 워크숍을 개최하고 있다.

주요 저서

Vernon, A. (2005). 생각하기 느끼기 행동하기: 초등학생을 위한 사고 및 정서교육과정[*Thinking, feeling, behaving: an emotional education curriculum for children, grades 1-6*]. (박경애 외 역). 서울: 시그마프레스. (원저는 1989년에 출판).

Vernon, A. (2006). 생각하기 느끼기 행동하기: 중 · 고등학생을 위한 사고 및 정서교육과정[*Thinking, feeling, behaving: grades 7-12*]. (박경애 외 역). 서울: 시그마프레스.

Vernon, A. (2011). 아동과 청소년을 위한 인지정서행동치료[*Rational emotive behavior therapy over time, amer psychological assn*]. (박경애 외 역). 서울: 시그마프레스. (원저는 2011년에 출판).

버널
[Bernal, Martha E.]

1931. 4. 13. ~ 2001. 9. 28.
미국에서 최초로 라틴계 임상심리학 박사가 된 학자로 다문화적 입장에서 소수민족 심리학자들의 발전에 공헌한 인물.

멕시코에서 이주해 온 부모를 둔 버널은 미국 텍사스의 산 안토니오(Texas San Antonio)에서 태어났다. 어린 시절은 텍사스의 엘파소(Elpaso)에서 보냈는데, 그곳은 멕시코인에 대한 차별이 유독 심한 지

역이었다. 유치원 시절부터 모국어를 사용하면 벌을 받는 것을 알게 되었고, 자라면서 백인은 다른 소수민족의 우위에 서 있다는 사실을 생활에서 직접 느꼈다. 어린 시절부터 계속 이어지는 이 같은 사회적 불평등을 그녀는 멕시코 전통의 가족 가치관 안에서 보호받으며 견뎌 냈다. 버널은 자신이 자라면서 받은 대가족 내에서의 사랑과 같은 민족 친구들에게서 받은 정신적 지지를 바탕으로 자아를 강화시켜 나갔다. 멕시코의 전통으로는 대학 진학이 가치 있는 것도 아니었고 여성은 더욱 그랬지만, 엘파소고등학교를 졸업한 버널은 대학 진학의 뜻을 밝혔다. 결국 아버지의 재정적 지원을 받아 1952년 서부텍사스대학교[현재 엘파소에 있는 텍사스(Texas) 종합대학교]을 졸업하고, 1955년에 시러큐스대학교에서 석사학위를 받은 뒤 1962년에는 블루밍턴의 인디애나(Indiana)대학교에서 임상심리학 박사학위를 취득하였다. 대학원에서 스키너(Skinner)와 파블로프(Pavlov)의 학문에 영향을 받고, 롤런드 데이비스(Roland Davis), 아놀드 바인더(Arnold Binder)와 같은 인물의 영향도 받았다. 대학원에서의 경험으로 심리학 분야에서 여성과 소수민족에 대한 연구가 부족하다는 것을 인식한 버널이었지만, 졸업 이후 자신도 여성이라는 이유로 대학에서 자리를 얻지 못하는 부당함을 겪기도 하였다. 이후로 미국 공중의학서비스 박사 후 과정(U. S. Public Health Service Postdoctoral Fellowship)을 밟고 로스앤젤레스의 캘리포니아대학교 건강과학센터(Health Sciences Center)에서 인간정신생리학연구교육을 받았다. 1966년에는 국립정신건강연구소(National Institute of Mental Health: NIMH)에서 버널에게 연구소를 주어 순응반응(orienting responses)과 자폐아의 고전적 조건형성 등을 연구할 수 있는 기회

를 얻기도 하였다. 얼마 지나지 않아 버널은 교내에서 인종 차별주의와 성차별주의에 관해서 자신과 견해를 같이할 수 있는 사람을 찾기 시작하였다. 버널은 인종차별주의와 성차별주의가 전문가 집단 내에서도 아주 체계적으로 뿌리 깊게 박혀 있음을 실감하고, 이러한 행태가 더 넓은 범주의 사회에서 편견을 야기한다고 보았다. 이 같은 생각으로 그녀는 유색인종에 대한 중요한 문제 연구를 지휘하고 교육하는 것을 목표로 삼고, 미국심리학회(APA) 내의 유색인종의 지지를 받으면서 심리학 분야의 소수민족에 대한 위상을 높여 갔다. 버널은 자신의 경험에서 얻은 것을 십분 발휘하여 교육, 건강, 연구 등에서의 다양성에 대한 중요성을 인식하고는 여러 방법으로 미국심리학회 내의 구조적인 문제들에 맞서 나갔다. 1970년대에 들어서는 유색인종 학생들에게 대학원 교육을 받을 수 있는 기회를 더 많이 열어 주고자 하는 목표를 세운 뒤, 유색인종 학생들을 모집하여 그들이 교육을 끝까지 받을 수 있도록 온 힘을 쏟았다. 그녀의 사회적 행위 연구는 소수민족 심리학자들이 받는 기회 차별적 대우에 집중해서 그런 문제들을 조명하는 단계를 보여 주는 것으로 고안되어 있었다. 이 같은 작업은 1994년 『American Psychologist』와 1995년 『The Counseling Psychologist』에 실렸다. 버널은 미국 전역의 심리학 분야에서 소수민족 대학원생과 교수진이 얼마나 적은 수인지를 조사하고, 소수민족 교과과정의 중요성에 대해서도 밝혀 놓았다. 그녀는 폐암으로 2001년 숨을 거두었는데, 덴버대학교, 애리조나 주립대학교 등에서 NIMH가 수여하는 국가연구봉사상(National Research Service Awards)을 여러 차례 수상하기도 하였고, 그 외의 기관에서도 소수민족 사람들과 함께 일할 수 있도록 임상심리학자 교육연구에 대한 지원을 받았다. 버널은 심리학 분야에서 괄목할 만한 지도력을 발휘하면서 많은 공헌을 하였다. 소수민족사무위원회(Board of Ethnic Minority Affairs: BEMA) 입안에도 관여하여 설립에 참여하였고, BEMA의 교육 및 수련위원회(Education and Training Committee)의 위원으로 봉사도 하였다. 또한 현재 국립라틴심리학협회(National Latino/a Psychological Association)로 개명한 국립히스패닉심리학협회(National Hispanic Psychological Association: NHPA)의 대책본부운영위원회(Steering Committee Task Force) 설립에도 힘을 실었으며, NHPA 집행부 활동위원으로, 부대표로 일하기도 하였다. 이외에도 버널은 APA 제45분과 우수생애업적상(Distinguish Life Achievement Award), 히스패닉 연구센터상(Hispanic Research Center Lifetime Award), 캐럴린 앳뉴브 상(Carolyn Attneave Award) 등을 비롯한 수많은 상을 수상하였다. 버널은 다문화적 입장에 서서 소수민족 심리학자들이 심리학의 장으로 들어올 수 있는 문을 연 혁혁한 공을 세운 선구자로서 현재까지 심리학 분야에 영향을 미치고 있는 인물이다.

주요 저서

Bernal, M. E. (2005). Mexican American Identity & Martinelli P. C Florican to Press. (1993) Ethaic Identity, New York: State University of New York Press.

버로우
[Burrow, Trigant]

1875. 9. 17. ~ 1950. 5. 25.
미국의 정신분석학자, 정신과 의사, 심리학자로서, 프래트(Pratt), 실더(Schilder) 등과 함께 집단분석의 창시자.

버로우는 버지니아 노퍽(Virginia Norfolk)에서 프랑스계 부모에게서 넷째 중 막내로 태어났다. 그의 아버지는 식견 있는 프로테스탄트 자유주의 사상가였던 반면, 어머니는 종교적인 삶을 그대로 실천하고 사는 가톨릭 신자였다. 아버지는 큰 규모로 약국을 경영하고 과학적인 사고를 하는 사람이었다.

ㅂ

버로우는 포드햄(Fordham)대학교에 들어가 문학을 공부했는데, 이때부터 전통 가톨릭교회 교리에 회의를 갖기 시작하였다. 1895년에 졸업을 하고, 1899년 버지니아(Virginia)대학교 의과대학에 입학하였다. 1900년 의대를 졸업한 뒤 대학원에서 1년간 생물학을 공부하다가 1년 동안 유럽을 여행했는데, 비엔나에서 바그너야우레크(Wagner-Jaureg) 교수가 운영하는 정신의학 클리닉에 들어갔다. 미국으로 돌아와서는 존스홉킨스대학교에서 3년간 실험심리학을 공부하여, 1909년 주의과정(process of attention)에 대한 연구로 박사학위를 받았다. 이 논문은 나중에 버로우의 정신분석의 여정을 계속해서 이어 가는 출발점이 되었다. 이후 뉴욕 주립정신의학연구소(New York State Psychiatric Institute)에서 스위스의 정신과 의사인 아돌프 마이어(Adolf Meyer)와 함께 일하면서 극장 공연에 나가기도 하고, 미국에서 순회강연을 하고 있었던 프로이트와 융을 만나는 기회도 가졌다. 이를 계기로 버로우는 정신분석을 공부하기로 마음먹고, 같은 해 그의 나이 31세에 융에게 1년 동안 분석을 받기 위해 가족과 함께 취리히로 갔다. 하지만 경제적 곤궁 때문에 더 이상 진행하지 못하고 1910년에 미국으로 돌아와 볼티모어에서 1926년까지 정신분석학자로 일하였다. 그사이 어니스트 존스(Ernest Jones) 등이 1911년에 창설한 미국정신분석협회(American Psychoanalytic Association)에서 버로우는 1924년과 1925년에 대표로 활동하였다. 1911년부터 1918년까지 버로우는 8편의 정신분석에 관한 논문을 출판하였다. 유아기 전의식적 경험이 전생애의 정신(psyche)에 한 부분으로 남아 있음을 역설했는데, 그가 말하는 전의식이라는 것은 프로이트의 그것과는 달랐다. 이는 의식에 닿을 수 있는 부분이 아니라 의식에 앞선 영역이다. 1926년에는 분석 및 사회 정신의학연구소를 위한 라이프윈 재단(Lifwynn Foundation for Laboratory Research in Analytic and Social Psychiatry)을 만들고, 자신의 첫 책인 『Social Basis of Consciousness』를 출판하였다. 버로우는 점차 개인정신분석에서 집단분석으로 관심을 옮겨 동료와 함께 집중적으로 연구를 시작하였다. 버로우는 '지금-여기(here and now)'를 강조하면서 집단분석 혹은 사회적 분석은 즉각적인 순간에 즉시적 집단의 분석이라고 하였다. 그에 따르면, 집단의 모든 구성원은 분석가도 포함하여 자신의 과정을 관찰하는 관찰자가 되는 동시에 집단원의 다른 모든 이들에게서 관찰을 당하는 대상이 된다. 분석가라고 해서 특별한 위치를 갖는 것이 아니다. 1925년부터 1928년까지 버로우는 13편의 논문을 출판하였다. 그는 동료 분석가들을 설득하여 개인의 신경증적 구조를 사회의 신경증적 구조로 볼 수 있도록 만들고자 하였다. 만년에는 주의 과정에 대한 주제로 다시 돌아와 생리학 연구와 자기관찰을 통해서 개인이 사회의 구성원이 되어서 겪는 긴장의 과정을 보여 주었다. 버로우는 1950년에 코네티컷 웨스트포트(Westport, Connecticut)에서 숨을 거두었는데, 평생을 정신분석가이자 프로이트의 추종자로 살았다. 프로이트는 개인의 분석을 집단으로까지 확장시키는 것에 실패했다는 글을 남겼지만, 버로우는 그 작업을 완성한 것이다. 버로우는 뉴로다이나믹스(neurodynamics)라는 개념을 만들기도 하였다. 그는 '나-인격(I-persona)'은 사회적 영향에서 박탈당한 존재로서의 자기상이라고 하였다. 유아기 시절부터 사회는 선과 악이 되는 것에 대한 인지를 부여하고, 개인은 이를 사회적 이미지로 내사하여 사회의 요구로 받아들인다. 따라서 개인은 사회, 즉 세계와의 원초적 유기적 통일에서 분리되는 것이다. 집단분석에서 개인은 사회적 자기상의 힘을 인식하고 그 영향력을 극복할 수 있게 되면서 더 넓은 사회, 전체로서의 집단과 재통합할 수 있게 된다. 버로우가 촉발시킨 집단의 분석은 이후 여러 실험과 임상을 통하여 많은 테크닉을 개발할 수 있도록 하였다.

주요 저서

Burrow, T. (1926). Die gruppenmethode in der psychoanalyse. *Imago, 12*, 211-222.

Burrow, T. (1927). *The social basis of consciousness*. London: Kegan Paul.

Burrow, T. (1937). *The biology of human conflict: An anatomy of behavior, individual and social*. New York: Macmillan.

Burrow, T. (1949). *The neurosis of man*. London: Routledge and Kegan Paul.

Burrow, T. (1953). *Science and man's behavior*. New York: Philosophical Library.

Burrow, T. (1964). *Preconscious foundations of human experience*. New York: Basic Books.

버크
[Burke, Marry Thomas]

1929. ~ 2002.
영성상담의 선도자.

영성이 모든 발달 선상에서 가장 우위에 있는 수준이라고 주장하면서, 영성이 모든 인간의 부분들과 관련되어 있다는 이론을 바탕으로 하여 실제 상담에 임했던 버크는 국제 명예상담협회(Chi Sigma Iota)와 ASERVC의 회장을 역임하였다.

주요 저서

Burke, M. T., & Miranti, J. G. (1992). *Ethical and Spiritual Values in Counseling*. American Counseling Assn.

Burke, M. T., & Miranti, J. G. (1995). *Counseling: The Spiritual Dimension*. American Counseling Assn.

Burke, M. T. (2003). *Religious and Spiritual Issues in Counseling*. New York: Routledge.

번
[Berne, Eric]

1910. 5. 10. ~ 1970. 7. 15.
캐나다 출신의 정신과 의사이자 교류분석 창시자.

번은 캐나다 몬트리올(Montreal)에서 태어났는데, 출생 당시 이름은 에릭 레너드 번스타인(Eric Lennard Bernstein)이었다. 아버지인 데이비드 번스타인(David Bernstein)은 의사였고 어머니 사라(Sara)는 작가였으며, 번보다 다섯 살 어린 여동생이 한 가족이었다. 번의 가족은 캐나다에서 폴란드와 러시아로 이주를 했었고, 아버지와 어머니 모두 맥길대학교를 졸업하였다. 번은 유복한 어린 시절을 보내면서 아버지와의 관계가 특히 좋았다. 아버지가 왕진을 다닐 때면 늘 함께 다니곤 하였다. 그러다가 1921년 번이 11세 되던 해에 아버지는 38세의 젊은 나이로 결핵 때문에 사망하고 말았다. 아버지의 죽음은 어린 번에게 큰 충격을 주었다. 이후 홀로 된 사라는 작가와 편집자로 일하면서 두 아이를 키웠다. 사라는 번이 아버지의 뒤를 이어 의학공부를 하도록 종용하여, 자신들의 모교인 맥길대학교 의과대학에 들어가도록 뒷바라지를 하였고, 번은 그 기대에 부응하여 1931년 맥길대학교를 졸업하고 25세가 되던 1935년에는 박사학위도 취득하였다. 맥길대학교 재학 시절, 번은 필명으로 학생 신문에 기고를 하기도 하였다. 졸업 이후 뉴저지의 잉글우드병원에서 인턴생활을 하였고, 1936년에는 예일대학교 정신과에서 레지던트 생활을 시작했으며, 1938년 마침내 수련의 과정을 모두 마쳤다. 뉴욕에 있는 시온병원 정신과에서 임상 보조의(Clinical Assistant)로 일하게 된 번은 1939년 미국인으로 귀화한 다음 1943년에 이름을 에릭 번으로 바꾸었다. 번은 1940년에 코네티컷의 노워크(Norwalk, Connecticut)에서 개인 치료실을 열고, 그곳에서 첫 번째 부인이 되는 엘리노어(Elinor)를 만나 결혼을 하였다. 1941년에는 뉴욕 정신분석연구소(New York Psychoanalytic Institute)에서 정신분석가로서 교육을 받으며 파울 페더른(Paul Federn)에게 분석을 받았다. 이후 제2차 세계 대전이 발발하고, 번은 1943년에 군의관으로 입대하여 1946년까지 군 생활을 하였다. 군대에 있는 동안 번은 집단치료 실습을 하였다. 이 시기에 그가 작성한 정신의학 및 정신분석에 대한 비판적 시각을 담은 기록들은 후에 교류분석개발의 기반이 되었다. 유타의 옥덴에 있는 부쉬넬 국군병원에서 작업을 하다가 1945년에 제대한 번은 제대 직후 이혼을 하고 캘리포니아 카멜(California Carmel)로 돌아가기로 마음먹었다. 전쟁이 끝나고 번은 샌프란시스코 정신분석연구소(San Francisco Psychoanalytic Institute)에서 에릭 에릭슨(Erik Erikson)의 지도를 받으며 다시 연구를 시작하였다. 1947년에는 첫 번째 저서인 『The Mine in Action』을 출간하였다. 에릭슨에게 정신분석을 받은 지 얼마 되지 않아 젊은 이혼녀인 도로시 드 매스 웨이(Dorothy de Mass Way)를 만나 결혼을 하려고 했지만, 에릭슨이 교육적 분석을 마칠 때까지는 결혼할 수 없다고 하여 1949년으로 결혼을 미루었다. 에릭슨의 지도를 받는 동안 그는 샌프란시스코에 있는 몇 곳의 병원에서 집단치료사로 일하였고, 페더른의 자아상태모델(Ego State Model) 개념을 더욱 확장해 나가기도 하였다. 1949년에는 여러 저널에 실렸던 자신의 논문 6편을 모아 출판하기도 하였다. 번은 1950년대 초부터 샌프란시스코를 거점으로 자신이 구축하고 있던 정신치료이론을 내세운 세미나를 시작하여, 1958년에 이르러 샌프란시스코 사회정신의학세미나(The San Francisco Social Psychiatry Seminars)로 발전시켜 나갔다. 정신분석에 대한 연구를 계속하면서 번은 정통 정신분석에 대해서는 비판적인 입장에 서게 되었는데, 결국 1956년에는 샌프란시스코 정신분석학회 가입 신청을 거부당하였다. 같은 해 말, 어버이, 어른, 어린이 자아상태(Parent, Adult, Child Ego State)라는 세 개념을 처음으로 제시하고, 구조분석이라는 이름을 처음 사용한 2편의 논문을 발표하였다. 번은 더욱 자신만의 견해를 구축할 수 있는 연구에 박차를 가하고, 정신분석의 대안이 될 수 있는 새로운 방안을 찾는 데 주력하였다. 두 번째 부인인 도로시와의 15년간 결혼생활도 이혼으로 끝이 나고, 번은 정신의학이 문화적인 차이 속에서 어떻게 실현되어야 하는지에 대한 문제를 끌어안고 아시아, 아프리카, 남태평양 등지의 여러 국가를 여행하였다. 1967년에는 토리(Torri)와 세 번째 결혼을 하지만 오래가지 못하고 또 이혼하였다. 이후 1968년 비엔나에서 열린 집단심리치료 국제학술대회(The International Congress for Group Psychotherapy)에서 발표를 하게 되면서, 교류분석을 국제적인 위치에 올려놓았다. 번은 1970년 심장마비로 사망하였고, 사후에 『Beyond Games and Scripts』가 출간되었다. 번이 주장한 교류분석은 게임, 각본분석, 자아상태와 같은 새로운 개념들을 탄생시켰고, 번의 대표 저서인 『심리게임』이 전문적 독자뿐만 아니라 대중의 인기를 얻으면서 대중심리학이라는 미묘한 지위를 차지하게 되었다. 이로 인해 교류분석에 대한 왜곡된 해석도 많이 나왔지만, 번이 직접 편집인으로 활동한 『Transactional Analysis Bulletin』가 1962년부터 나왔고, 샌프란시스코와 몬테레이에서 번과 세미나를 함께 하던 동료들이 1964년에 교류분석학회(Transactional Analysis Association)를 창설하였다. 이후 학회의 회원이 미국 밖에서도 급속도로 늘어나면서 국제교류분석학회(International Transactional Analysis Association: ITAA)로 이름을 바꾸었다. 그 뒤로 샌프란시스코에서 열리던 세미나도 국제 규모로 면모를 달리하게 되면서 교류분석은 제 궤도에 오를 수 있었다. 교류분석에서는 인생 초기에 경험한 것으로 인해 내려진 결단의 영향을 내담자가 인식하면 새로운 결단을 내릴 수 있는 힘이 내담자에게 있다고 믿고, 예전의 결단으로 형성된 각본을 분석하여 새로운 각본을 만들어 나가도록 하는 것이 기본 원칙이다. 교류분석에서 말하는 자아상태는 정신분석에서 말하는 고정된 형태의 지형학적인 개념이 아니라, 현상적이고 관찰 가능하며 변화 가능한 개념으로 어버이 자아상태, 어른 자아상태, 어린이 자아상태로 구분할 수 있다. 이 자아상태들은 상황에 따라 역할을 달리한다. 교류분석은 시작은 번이 했지만, 그가 사망한 이후 여러 학자들의 다양한 도구와 실험적 적용방법의 개발로 더욱 체계적이면서도 구체적인 치료적 접근법으로 거듭났다.

주요 저서

Berne, E. (1947). *The Mind in Action*. New York: Simon & Schuster.

Berne, E. (1958). *Transactional analysis in psychotherapy*. New York: Grove Press.

Berne, E. (1961). *Transactional analysis in psychotherapy*. New York: Grove press.

Berne, E. (1961). *The Structures and Dynamics of Organizations and Groups*. New York: Grove Press.

Berne, E. (1961). *Transactional Analysis in Psychotherapy*.

Berne, E. (1963). *The structure and dynamics of organizations and group*. Philadelphia, Lippincott. [andere Ausgabe: New York: Grove Press, 1966; dt.: (1979) Struktur und Dynamik von Organisationen und Gruppen. München, Kindler].

Berne, E. (1964). *Games People Play: the Psychology of Human Relations*. New York: Pênquin Books.

Berne, E. (1964). *Games people play*. New York: Grove Press. [dt.: (1967) Spiele der Erwachsenen. Reinbek, Rowohlt].

Berne, E. (1966). *Principles of group treatment*. New York: Oxford University Press.

Berne, E. (1968). *The Happy Valley*. Random House Pub.

Berne, E. (1970). *Sex in human loving*. New York: Simon and Schuster. [dt.: (1974) Spielarten und Spielregeln der Liebe. Reinbek, Rowohlt].

Berne, E. (1972). What do you say after you say hello? Grove Press, New York. [dt.: (1973) Was sagen Sie, nachdem Sie 'Guten Tag' gesagt haben? Kindler, München].

Berne, E. (1973). *What Do You Say After You Say Hello?* Corgi Books.

Berne, E. (1975). *A Layman's Guide to Psychiatry and Psychoanalysis*. New York: Grover Press.

Berne, E. (1977). *Intuition and ego-states*. TA Press, San Francisco. [Es handelt sich um einen von McCormick herausgegebenen Sammelband von Bernes Studien überaktionsanalyse der Intution. Paderborn, Junfermann].

벌린
[Berlyne, Daniel E.]

1924. 4. 25. ~ 1976. 11. 2.

미적 인식에 관한 정서, 환기, 보상의 이론을 내세운 학자로, 쾌락에 관한 전도된 U자형 기능의 복합성(complexity)을 미학적으로 연구한 인물.

벌린은 영국의 맨체스터(Manchester) 근처 샐퍼드(Salford)에서 태어났다. 맨체스터 그래머 스쿨(Manchester grammar school)을 다녔고, 케임브리지대학교에 입학하여 1947년 학부를 졸업한 다음 1949년에는 석사학위를 취득하였다. 그러고는 스코틀랜드의 세인트앤드류스대학교에 적을 두었다. 1951년에

ㅂ

예일대학교에 들어가 2년 후 박사학위를 취득했는데, 박사과정 중에도 뉴욕 시티의 브루클린대학교에서 전 시간제 강사 자리에 있었다. 1953년 영국으로 돌아와서는 1956년까지 스코틀랜드 에버딘대학교 강단에 섰다가, 캘리포니아의 팔로 알토의 행동과학부 고급연구센터(Center for Advanced Study in the Behavioral Sciences)의 교수진에 합류하였다. 1957년부터 1958년까지 버클리의 캘리포니아대학교 초빙교수가 되었고, 다시 북미로 가서 1959년부터 1960년까지 메릴랜드의 국립정신건강연구소(National Institute of Mental Health) 초빙학자로 들어갔다. 그로부터 1년 반 뒤, 보스턴대학교의 조교수가 되었고, 1962년 1월에는 토론토대학교 조교수로 임용되었다. 파리에서 나토 하이네만 초빙교수로 예술학교에 있었던 1년을 제외하고는 그때부터 여생을 토론토대학교에서 보냈다. 벌린은 만년에 병을 얻어 몇 번의 수술을 거쳤지만 결국 아내 힐데 벌린(Hilde Berlyne)과 3명의 딸을 남겨 두고 1976년에 사망하였다. 그는 인간과 동물의 동기부여에 관한 실험심리학 분야에 핵심적인 기여를 한 인물이다. 7권의 저서를 출판 혹은 공동 출판하였으며, 150편이 넘는 논문과 단행본을 냈고, 캐나다 왕립회(Royal Society) 특별회원의 영예를 안는 등 여러 가지 수상경력도 있다. 이에 더해 미국 및 캐나다 심리학회의 여러 분과에서 특별회원으로 활동했고, 수많은 회의에 강사로 초빙되었으며, 캐나다 심리학회(Canadian Psychological Association), 일반심리학회(General Psychology), 미국심리학회(APA) 심리학 및 예술 분과, 국제경험적 미학회(International Association of Empirical Aesthetics) 등의 회장직을 맡기도 하였다. 이외에도 미국과 캐나다를 오가며 여러 단체의 책임자로 일하였다. 벌린은 탐색적 행동, 호기심, 심리학적 각성반응, 주의, 놀이 행동, 유머, 사고, 실험적 미학과 같은 실험심리학 분야에서 여러 놀라운 실험 및 이론적 공헌을 한 인물이다. 그는 인간과 동물 행동을 여러 동기원칙에 따라 연구하였다. 건강한 중추신경계 기능은 감각적 입력을 찾는 데 있다고 하면서 대상이 제공하는 미적 자극에 대한 가치평가가 대상 자체에 의한 것이 아니라 인간에게 얼마나 쾌락적 가치를 제공하느냐에 따라 평가된다고 하였다. 여기서 말하는 쾌락적 가치란 음악적 자극을 받을 때 내면에 형성되는 보상, 그에 의해 평가되는 가치, 그 과정을 통하여 유발되는 동기 등을 가리킨다. 그는 탁월한 동기 이론가였다. 벌린에 따르면, 인간에게 주어진 보상의 가치는 정서를 환기시키는 과정에 들어 있는 자극요소들의 최종 단계가 된다. 결국 정서 경험의 질, 행동 처리 과정에 질적 영향을 미치는 것이 보상의 가치다. 강한 보상 경험은 인간의 행동에 영향을 준다. 그는 유기체가 호기심을 어떻게 보여 주고 주변 환경을 어떻게 탐색하는지를 알고자 하였다. 왜 인간은 지식과 정보를 추구하고, 왜 그림을 보고 음악을 들으며, 사고의 방향성을 갖는가 등이 그가 가진 의문이었다. 벌린은 이 같은 다양한 의문으로 '대조동기이론(theory of collative motivation)'이라는 표제를 만들었다. 이 이론은 새로움, 복잡함, 놀라움, 부조화 등의 태도에서 자극이 어떻게 다른지를 추론해 내는 각성수준에 대한 파동의 쾌락적 효과에 관련되어 있다. 벌린은 이러한 자극 차원들을 그 영향이 현재의 자극이 과거 경험한 것과 대조되어 자극과 기대치 간의 불일치를 평가한다는 의미를 포함하는 작동의 의미와 연결시켜 '대조(collative)'라는 말을 만들어 냈다. 이러한 개념들은 욕동(drive)의 개념과 유사한 부분이 많다. 그가 보는 바에 따르면, 대조변인(collative variables)과 인간 및 동물의 행동은 반드시 기아, 갈증, 성욕 등을 충족시키는 것은 아니다. 1960년대 후반에 들어서면서 벌린은 대조동기모델을 미학적 현상에 적용하려는 생각을 가지면서, 1971년 마침내 『Aesthetics and psychobiology』를 출판하였다. 만년의 벌린은 실험미학에 대한 심리학적 관심에 몰두해 있었다. 그는 예술가, 역사학자, 미학자로서 여러 학문 분야에 공헌하면서, 실험미학 최고의 자리를 차지한 인물이라 할 수 있다. 또한 실험 심리학에서도 중요한 인물로서, 새로운 연구분야를 개척했다는 평을 받고 있다.

주요 저서

Berlyne, D. E. (1960). *Conflict, Arousal and Curiosity*. New York: McGraw-Hill Inc.

Berlyne, D. E. (1966). *Structure and Direction in Thinking*. Oxford, England: John Wiley & Sons.

Berlyne, D. E. (1971). *Aesthetics and Psychobiology*. New York: Appleton-Century-Crofts.

Berlyne, D. E. (1974). *Studies in the New Experimental Aesthetics: Steps Toward an Object Ive Psychology of Aesthetic Appreciation*. Oxford, England: Heimsplaere

Berlyne, D. E. (1978). *American Journal of Psychology March, 91*(1), 133-137.

베네딕트
[Benedict, Ruth Fulton]

1887. 6. 5. ~ 1948. 9. 17
인간의 사상과 행동의 의미를 심리학적으로 파악한 미국의 문화인류학자.

베네딕트는 베아트리체(Beatreice)와 프레더릭 풀턴(Frederick Fulton) 사이에서 1887년 뉴욕에서 태어났다. 어머니는 교사였고 아버지는 동종요법 및 외과 의사였는데, 아버지는 지나치게 열심히 연구와 일에 몰두한 나머지 1888년 젊은 나이에 세상을 등졌다. 어머니는 그 슬픔을 이기지 못한 채 매일을 고통에 빠져 자리보전을 하고 있었다. 그 영향으로 베네딕트는 사람들 앞에서 고통이나 눈물을 절대 보이지 않으려고 하였다. 베네딕트는 아버지만 잃은 것이 아니라 어머니까지 슬픔에게 빼앗겨 버린 것이다. 이러한 어린 시절의 상처 때문에 베네딕트는 자기만의 세계 속에서 살게 되었다. 그녀만의 세상은 아버지와 죽음, 그리고 아름다움과 연관되어 있었다. 4세가 되던 해 할머니의 임종을 지켜보게 되었는데, 이를 본 베네딕트는 자신이 본 중 가장 아름다운 장면이었다고 하였다. 아버지와 할머니의 죽음은 베네딕트에게 죽음의 미학을 탐닉하는 계기를 마련해 주었다. 어린 시절 베네딕트는 손에서 책을 놓지 않는 아이였고, 시를 쓰기도 하였다. 글을 쓰면서 가족의 인정도 받고 삶에 대한 통찰을 하게 되었다. 어린 시절 사랑하는 사람들의 죽음과 그녀의 글재주가 만나 탄생한 것이 그녀의 역작 『Patterns of Culture』이다. 이 책에는 푸에블로(Pueblo) 부족의 문화와 그들의 죽음과 애도양식, 좌절이나 애통함, 애도와 같은 개인의 죽음에 대한 반응 등이 담겨 있다. 성장하면서 어렸을 때의 기억들은 베네딕트를 정서적으로 움츠러들게 했고, 상상의 친구를 만들도록 하였다. 우울증도 생겼으며 짜증도 자주 냈다. 1895년 초등학교에 입학하면서 귀에 문제가 있다는 것을 알았고, 10세 무렵에 버펄로(Buffalo)로 이사를 하면서 전학도 하였다. 성 마거릿 아카데미(St. Margaret's Academy)에 들어간 후로는 홀어머니가 버는 돈으로 겨우겨우 생계를 이어 나가는 궁핍한 생활을 하였다. 게다가 베네딕트는 청력의 손상으로도 고통받고 있었다. 이러한 세월을 견디면서 베네딕트는 터질 듯한 감정을 겨우겨우 누르고 있었다. 1905년 배서(Vassar)대학교에 입학하여 영문학을 전공한 베네딕트는 열심히 공부했고, 자신의 꿈과 잠재적 능력을 발견해 가면서 과거의 궁핍함과 상처들을 극복해 나갔다. 그러나 1909년 대학을 떠나면서 다시 방황을 시작하였다. 처음에는 이리저리 여행을 다니다가 자선사업에 참여하기도 하고, 로스앤젤레스에서는 교사가 되기도 했지만 자신이 그대로 불만에 가득한 전형적인 독신 여성으로 늙어 버릴까 봐 두려웠다. 그러다가 젊은 생화학자 스탠리 베네딕트(Stanley Benedict)를 만나 결혼을 하였다. 베네딕트 부부는 동부로 이사하여 롱아일랜드에 정착하였다. 남편 스탠리는 뉴욕의 코넬 의과대학에 자리를 잡았다. 베네딕트도 사회연구 뉴 스쿨(New School for Social Research) 과정을 수학하면서 인류학에 빠져들어 1919년에는 컬럼비아대학교 대학원에 진학하였다. 그때 프란츠 보애스(Franz Boas)를 만났다. 이때부터 아메리카 인디언의 민담과 종교 등을 연구하였고, 1923년에는 박사학위를 취득하였다. 하지만 당시 동료들과 베네딕트는 상당한 견해차가 있었다. 그녀의 이론은 문학을 배경으로 하고 있었고, 그 덕분에 다양한 의미로 여러 차원에 대한 방법을 연구할 수 있었다. 종교, 신화, 상징주의 등을 아우르면서 문화에 대한 다양한 연구를 수행하면서 주어진 여러 가치관이나 신념의 중요성을 파고들었다. 1930년에는 컬럼비아대학교에서 조교수가 되었고, 1948년에는 인류학과 교수가 되었다. 그녀는 인종주의나 종교적 광신에 대해서는 반대 입장을 표명했고, 자신의 인류학적 지식을 바탕으로 그러한 편견에 정면으로 맞섰다. 이 같은 그녀의 연구 인생에서는 보애스가 아버지의 역할을 해 주었다. 여러 종족에 대한 연구를 거듭하면서 베네딕트는 그들 문화 간에 얼마나 현격한 차이가 있는지를 알게 되었다. 이에 따라 문화가 각 종족의 삶의 양식뿐만 아니라, 간단한 기술적 발달의 수준까지 결정한다는 확신을 갖게 되었다. 나아가 그녀는 개인과 사회 간의 역동에 대해서도 더 알고 싶어 하였다. 개별적인 존재인 인간과 사회에서 주어지는 의무나 관습이라 할 수 있는 문화 양식 간의 관계에 대해 연구를 계속하였다. 제2차 세계 대전이 발발하면서 베네딕트는 자신의 직업적 관심을 사회적 선에 대한 것과 연관시킬 수 있는 기회를 얻었다. 그녀는 일본 군대와 진주만 습격 등이 세계에 미친 영향과 여러 무고한 아시아 민족에게 어떤 결과를 가지고 왔는지를 직접 볼 수 있었다. 미국 정부의 지원을 받으면서 베네딕트는 일본 문화에 대한 연구를 하였고, 나아가 독일에 대한 연구까지 하였다. 연구의 결과로 『국화와 칼(The Chrysanthemum and the Sword)』이 세상에 나왔고, 그녀는 세계적인 명성을 얻었다. 이 책으로 베네딕트는 우리나라에까지 알려졌다. 진보적 자세로 삶과 연구에 일관했던 베네딕트는 1948년에 숨을 거두었다. 그녀는 인간의 사상, 행동에 대한 의미를 심리적으로 파악한 문화양식론의 입장에 서 있는 인물이었다. 인간의 사상과 행동의 의미를 심리학적으로 파악하고자 했으며, 슈펭글러(Spengler), 딜타이(Dilthey) 등의 문화유형학과 게슈탈트 심리학의 영향을 받아 문화양식론의 입장을 내세운 것이다. 이를 바탕으로 하여 그녀는 문화와 성격 연구 혹은 국민성 연구의 기반을 닦았다. 최근에는 베네딕트의 국가적 특성(national character)이라는 접근이 너무 주관적이라는 비판을 받기도 한다. 또한 계급 차이에 대해서는 간과했다는 시선도 있다. 하지만 베네딕트의 이론은 개인의 목표와 자신에게 주어진 문화적 명령 간의 상호작용 및 개인의 선택에 중점을 두고 있다. 그녀의 사상에는 보애스의 영향이 매우 크게 작용하였다. 베네딕트는 당시에는 그리 활발하지 않았던 여성학자로서, 마거릿 미드(Margaret Mead)와 함께 전문 여성으로서의 면모를 부각시키면서 전형적인 여성상을 부정하고, 남성의 전유물처럼 되어 있던 전문가의 세계에서 성공을 이룬 인물로 평가받고 있다.

주요 저서

Benedict, R. F. (1934). *Patterns of Culture*. New York: Houghton Mifflin.

Benedict, R. F. (2008). 국화와 칼[*The Chrysanthemum and the Sword*]. (김윤식 외 역). 서울: 을유문화사. (원저는 1943년에 출판).

베르트하이머
[Wertheimer, Maximilian]

1880. 4. 15. ~ 1943. 10. 12.
가현운동(apparent movement)에 관한 연구로 게슈탈트(형태주의) 심리학의 창시자 중 한 사람이 된 독일의 심리학자.

베르트하이머의 아버지는 경제적으로 성공한 교사로, 아들에게 평생 학습과 교수에 대한 관심을 심어 주었다. 베르트하이머는 1890년부터 1898년까지 프라하에 있는 뉴스태터 김나지움(Neustadter Gymnasium)에 다녔는데, 바이올린을 연주하고 교향악과 실내악을 작곡하는 등 음악에 타고난 재능을 보였다. 프라하대학교에 입학했을 때 그는 자유로운 학사 관리 덕분에 심리학, 음악, 철학, 물리학, 예술사 등 다양한 분야의 과목을 수강하였다. 처음에는 법학을 전공할 생각이었지만, 점차 법철학과 법정 증언에 관한 심리학 쪽으로 마음이 쏠렸다. 프라하대학교 시기에는 철학자 브렌타노(F. Brentano)의 게슈탈트 개념을 접하고는 사고에 깊은 영향을 받았다. 1901년 그는 베를린의 프리드리히 빌헬름(Friedrich-Wilhelms)대학교에서 심리학 공부를 하기 위해 프라하대학교를 떠났다. 독일을 여행하던 중 문득 '정지물(靜止物)도 움직이고 있는 것처럼 보이는 것(예, 영화)은 무엇때문일까?'라는 생각을 하게 되었다. 그래서 프랑크푸르트 역에 하차하여 프랑크푸르트대학교를 방문한 뒤 실험을 위해 피험자를 소개해 달라는 부탁을 하였다. 그때 쾰러(W. Koehler)가 코프카(K. Koffka)를 데리고 왔다. 당시 베르트하이머는 30세, 쾰러는 23세, 코프카는 24세였다. 세 사람은 게슈탈트 심리학의 공동연구자가 되었다. 이 실험을 출발로 나중에 게슈탈트(Gestalt) 심리학에 뿌리를 내리게 된 아이디어가 만들어지기 시작하였다. 게슈탈트는 독일어로 '형태' '모양'이라는 뜻이다. 이 학파는 마음에는 세상을 지각하는 방식에 영향을 주는 선천적 조직능력이 있다고 보고 우리가 어떤 법칙에 따라 세계를 패턴화하고 조직화시켜 지각하는지 이해하고자 하였다. 코프카, 쾰러, 신경학자 골드슈타인(K. Goldstein)과 함께 베르트하이머는 새로운 학술지 『Psychologische Forchological Research』를 만들었다. 이 학술지는 새로운 형태주의 연구를 알리는 역할을 하였다. 1934년에 그는 아내 앤(Anne)과 세 자녀를 데리고 뉴욕으로 이주하여 그곳에서 사회연구를 위한 새로운 학파(New School of Social Research)를 설립하였다. 그리하여 독일계 동료를 포함하여 유럽에서 망명한 많은 학자들의 관심을 끄는 데 성공하였다. 형태주의자들의 아이디어는 학습, 사고, 문제해결에 영향을 미쳤으며, 심리학에서 소위 '인지혁명(인간의 행동을 이해하는 데 주의, 의사결정, 문제해결, 기억 등을 강조하는 접근법)'의 출현에도 어느 정도 전조가 되었다. 문제해결과 사고에 관한 베르트하이머의 세미나는 '문제에 직면했을 때 왜 어떤 사람은 영리한 아이디어를 찾아내고 발명 및 발견을 하는 것일까? 무슨 일이 일어나는 것일까? 그리고 그러한 해결로 이끄는 과정은 무엇일까? 어떻게 도움을 주면 문제에 직면한 사람들이 창조적인 사람이 될 수 있을까?'라는 질문에서 출발하였다. 이 같은 질문에 답하기 위해서는 문제가 생기면 인지적으로 평형상태가 깨지고, 그 문제가 해결될 때까지 이러한 상태가 지속된다는 점을 이해하는 것이 중요하다고 베르트하이머는 생각하였다. 이러한 생각들은 임상학으로서가 아닌 기초 이론을 제공해 주었고, 그 후 정신분석 출신인 펄스(F. Perls)가 게슈탈트 심리학을 임상화하여 게슈탈트 치료를 개발하였다.

주요 저서

Wertheimer. M, Gregory A, Kimble., & Charlotte, W. (1991). *Portraits of Pioneers in Psychology*

ㅂ

Pbk. L. Erlbuum Associates.
Brettking. D. & Wertheimer. M. (2005). *Max Wertheimer & Gestalt Theory*. Transaction Pub.

베른하임
[Bernheim, Hippolyte Marie]

1840. 4. 27. ~ 1919. 2. 2.
정신분석 태동기 이전의 대표적인 최면학자이자 정신과 의사.

베른하임은 알자스의 뮐루즈(Mulhouse of Alsace)에서 태어나 그곳에서 어린 시절 교육을 받고, 스트라스부르(Strasbourg)대학교에 진학하였다. 대학에서는 의학을 공부하고 1870년 졸업을 한 뒤, 보불전쟁(Franco-Prussian war) 중에 프랑스에서 일하겠다는 마음을 먹었다. 1879년에는 낭시(Nancy)대학교 의학부에서 임상교수가 되었고, 그곳에서 후에 함께 일하게 될 앙부르와즈오귀스트 리보(Ambroise-Auguste Liebeault)를 만났다. 1882년 즈음에, 리보의 클리닉을 방문한 베른하임은 리보방식의 효능을 확신하고는 여러 감염성 질병을 앓고 있는 사람을 상대로 치료하면서 환자들에게 최면을 사용하기 시작하였다. 1884년 베른하임은 히스테리와 최면은 암시의 힘으로 일어나는 문화적 현상 이상의 그 무엇도 아니라는 살페트리에르병원의 입장을 신랄하게 비판한 공격적인 글을 출판하였다. 그는 열정적인 연구로 의학의 새로운 분야에서 이름을 널리 알렸는데, 국제적으로 인정을 받으면서 새로운 학파의 대변자가 된 베른하임은 유럽 전역에서 몰려오는 신경증 환자를 상대로 사설치료실을 운영하였다. 1889년 파리에서 개최된 최면학술대회(Congress on Hypnotism) 직전, 프로이트(Freud)가 로레인으로 베른하임을 만나러 갔다. 포렐(Forel)에게 보낸 편지에서 베른하임은 프로이트를 두고 '매력적인 젊은이'라는 표현을 사용한 적이 있다. 하지만 1888년 프로이트는 샤르코(Charcot)를 지지하는 쪽으로 돌아서서 베른하임을 비판하였다. 그러다가 1889년 이후 프로이트는 샤르코와 멀어지면서 베른하임의 사상 중 일부를 사용했지만, 낭시학파에 의해 세상에 알려진 암시이론에 대한 비판적인 자세는 고수하고 있었다. 나중에 프로이트는 로레인에서 만난 통찰력 있는 한 임상의에게서 받은 인상을 고백하였다. 1900년대로 들어서면서 낭시학파에서 샤르코의 입지는 더욱 굳건해진 반면, 베른하임의 입지는 점차 고립되었다. 리보의 방식과도 점점 멀어지면서, 1910년 베른하임은 은퇴를 한 뒤 파리로 갔다. 그는 1919년 2월 2일 파리에서 죽음을 맞았다. 베른하임은 최면은 단지 암시의 심리적 현상 중 하나일 뿐이라고 하였다. 심리치료라는 용어는 베른하임이 대중화하였는데, 이는 언어의 힘과 환자에 대한 의사의 영향력, 신체에 대한 환자 마음의 영향 등을 통합한 것이라 할 수 있다. 베른하임은 마음의, 마음에 의한 치료를 주장하였다. 그렇게 했을 때 신경질환뿐만 아니라 증상 억제나 완화, 기질병의 원인 등을 치료할 수 있다고 믿었다. 베른하임은 융통성 있고 절충적인 입장에 있는 치료사였으며, 필요에 따라 권위주의와 자유로움을 주는 자세를 넘나들면서 환자들에게 지시를 내리는 것을 피할 때도 있었다. 그는 시골 의사 리보의 연구로 최면에 흥미를 갖게 되었지만, 이후 오랜 연구와 경험을 통해서 리보의 방식을 정제하고 그 이면에 흐르는 이론을 개발하기에 이르렀다. 베른하임에게 암시란 관념운동성 자동증(ideomotor automatism)과 관념지각성 자동증(ideosensory automatism)을 일으키는 것과 같은 방식으로 하나의 아이디어가 수용되는 과정으로 여겼다. 베른하임은 인간은 암시 감응성(suggestibility)을 태어나면서부터 가지고 있다고 하면서, 환자의 신경을 안정시켜 이완이 된 상태에서는 경계가 풀리고, 경계가 풀리면 암시 감응성은 더 큰 힘을 발휘한다고 하였다. 베른하임의 이 같은 입장은 오늘날 심신의학이 꽃필 수 있는 뿌리가 되었다.

주요 저서

Bernheim, H. M. (1889). *Suggestive Therapeutics: A Treatise on the Nature and Uses of Hypnotism*. Thoemmes.

Bernheim, H. M. (1891). *New Studies in Hypnotism*. International Universities Press.

Bernheim, H. M. (1917). *Automatism et Suggestion*. Paris: s.n.

Bernheim, H. M. (1973). *Hypnosis and Suggestion in Psychotherapy: A treatise on the nature and uses of hypnotism*. Aronson.

베버
[Weber, Max]

1864. 4. 21. ~ 1920. 6. 14.
사회 과학의 방법론을 전개한 독일의 사회학자이자 경제학자.

베버는 독일 튀링겐 주 에르푸르트(Thuringia Erfurt)에서 상인 출신의 국회의원 아들로 태어났다. 그는 하이델베르크대학교, 베를린(Berlin)대학교 등 독일 각지의 4개 대학에서 철학 · 역사학 · 경제학을 공부하였다. 졸업을 한 뒤에는 재판소의 사법관 시보로 근무하면서 연구를 계속하였다. 1892년부터는 베를린대학교를 시작으로 프라이부르크(Freiburg)대학교, 하이델베르크(Heidelberg)대학교 등에서 강의와 연구에 종사하였다. 하이델베르크대학교 재직 중 심한 신경쇠약에 걸려 사표를 제출했지만 쉽게 수리되지 않았고, 유럽 각지에서 투병생활을 하다가 1902년경부터 다시 연구생활에 들어갔다. 그 후에는 사회과학 및 사회정책 잡지의 편집을 담당하면서, 1904년 「사회과학적 및 사회정책적 인식의 객관성(Die Objektivität sozialwissenschaftlicher und sozialpolitischer Erkenntnis)」, 1904년부터 1905년에는 「프로테스탄티즘의 윤리와 자본주의 정신(Die Protestanische Ethik and der Geist des Kapitalismus)」 등의 논문을 집필하였다. 제1차 세계 대전이 일어나자 군에 입대하였고, 퇴역 후에는 정치활동에 투신하였다. 베버는 패전 후 독일 민주당에 들어가 계몽활동을 펼치면서 뮌헨대학교에서 강의를 계속하다가 1920년 6월 갑자기 사망하였다. 베버의 방법론은 '이해의 사회학'으로 불린다. 이것은 사회를 분석하는 데 어떠한 행위의 동기를 분석하는 것이 중요하며, 이는 인과적으로 또 맥락적으로 어떠한 현상의 결과가 불가피했다는 점을 이해하는 것이다. 즉, 행위동기에 대한 분석을 통하여 현상의 결과를 이해하는 과정이다. 베버는 경제 결정론적인 마르크스(Marx)의 '사적 유물론'을 비판하며 연구를 진행해 나갔다. 이러한 맥락에서의 대표적인 연구결과로 『Die Protestanische Ethik and der Geist des Kapitalismus』를 세간에 내놓았다. 이 책의 주된 내용은 과거 전통 가톨릭에서는 개인과 신 사이에 중재자 역할을 하는 교회와 성직자가 있었는데, 청교도 혁명을 거치면서 개신교에서는 이제 개인이 기도를 통해서 직접적으로 신과 대면할 수 있게 되었다는 점을 분석한 것이다. 베버는 합리화 과정, 탈주술화 과정을 통하여 구원이라는 목적에 대한 수단에 불과했던 금욕 중시와 소명 의식, 그에 따른 합리화가 시간이 흐르면서 목적이 되는 전도현상이 나타난다고 하였다. 그래서 관료제(합리성)가 철의 법칙이 되고, 이 자체가 개인의 삶이자 동기가 된다고 하였다. 결국 베버가 생각하기에 미래의 인간은 가슴 없는 전문인, 머리 없는 향락인이 되는 것이었다. 「사회과학적 및 사회정책적 인식의 객관성」 등에서 보인 사회과학방법론은 그의 주된 성과물이라 할 수 있다. 여기서의 그의 방법론상 개념은 과학과 가치판단을 명확하게 구별하는 이른바 '몰가치성(沒價値性)'이고, 또 사회현상에 대해서 인식 주체가 하나의 문제의식을 가지고 주관적으로 구성하는 '이념형(理念型)'이다. 그는 이로써 여러 역사적 · 사회적 현상에 대한 과학적 인식이 가능하다고 보았다. 이념형이라는 개념은 실천적 가치판단에 입각한 이념형 내지 모범형의 개념과는 다르며, 인과 귀속의 방법적 수단으로서의 개념이다. 그것은 실제 현상을 구성하는 여러 요소 중 목적 합리성에 따라 선택된 요소를 모순 없는 연관 관계로 정리해 낸 사변적 구성개념이라 할 수 있다. 이것으로 해석학적인 이해를 이끌어 낼 수 있다. 그의 사회과학방법론은 오늘날 여러 사회과학분야에서 많은 영향을 미치고 있다.

주요 저서

Weber, M. (1995). 프로테스탄티즘의 윤리와 자본주의 정신 [*Die Protestanische Ethik and der Geist des Kapitalismus*] (권세원 역). 서울: 일조각. (원저는 1904~1905년에 출판).

Weber, M. (2003). 경제와 사회[*Wirtschaft and Gesellschaft, München und Leipzig: Verlag von Duncker & Humblot*] (박성환 역). 서울: 문학과 지성사. (원저는 1921~1922년에 출판).

베셀리우스
[Vescelius, Eva Augusta]

? ~ 1917. 1. 17.
20세기 초반 음악치료의 선구자적 역할을 한 인물.

음의 진동을 강조한 베셀리우스는 1903년 국립뉴욕치료모임(National Therapeutic Society of New York)을 창설하여 음악치료의 태동에 결정적인 영향을 미쳤으며, 음악치료에 관한 많은 저서를 남겨 이론적 기반도 공고히 하였다. 그녀는 건강과 질병에 관련된 기존의 개념과 당대의 개념을 기초로 삼아 이를 음악치료적 관점에서 재정립하고 이를 전파하는 데 힘을 쏟았다. 바셀리우스는 조화롭지 못한 선율을 조화롭게 하는 것을 치료로 보았다. 병든 사람의 불협화된 진동을 협화된 진동으로 변화시키는 것을 치료의 목표로 삼아, 건강한 사람은 잘 정돈된 진동이라고 여길 만큼 진동이라는 개념을 중요시하였다. 베셀리우스에 따르면 열병, 불면증 등의 치료에 음악치료가 탁월한 효과를 보이며, 그 외의 질병에서도 음악이 효과가 있다고 하였다.

주요 저서

Vescelius, E. A. (1918). *Music and Health*. Culver City, CA: Goodyear Book Shop.

Vescelius, E. A. (2007). *Music and Health and Drum Talk*. Kessinger Pub.

베이트슨
[Bateson, Gregory]

1904. 5. 9. ~ 1980. 7. 4.
20세기에 가장 영향력 있는 체계이론가 중 한 사람.

베이트슨은 영국의 그랜트체스터(Grantchester)에서 유전학자인 윌리엄 베이트슨(William Bateson)과 캐롤라인 베아트리체 더럼(Caroline Beatrice Durham)의 세 자녀 중 막내로 태어났다. 1917년부터 1921년까지 차터하우스(Chárterhouse) 스쿨을 다녔고, 1925년에는 케임브리지의 성 존스(Saint John's)대학교에서 생물학 학사학위를 받았다. 하지만 인류학에 대한 학업을 계속하기 위해 1927년부터 1929년까지 케임브리지에서 학업을 이어 나가면서, 1928년에는 시드니(Sydney)대학교에서 언어학 강의도 하였다. 1930년에 인류학으로 석사학위를 받은 베이트슨은 1931년부터 1937년까지 케임브리지의 성 존스대학교에서 펠로우(연구비를 받으면서 일하는 교수)로 재직하였다. 제2차 세계 대전 발발 이전 몇 년 동안은 남태평양의 뉴기니 섬과 발리 등에서 인류학에 대한 연구에 몰두하였다. 그러던 중에 미국 문화인류학자인 마거릿 미드(Margaret Mead)를 만나 결혼을 하였다. 두 사람 사이에서 태어난 딸인 메리 캐서린 베이트슨(Mary Catherine Bateson)도 나중에 인류학자가 되었다. 베이트슨은 제1차 세계 대전에서 큰 형을 잃었고, 아버지의 뒤를 이어 과학자가 되기를 바랐던 둘째 형은 기대와는 달리 시인이자 극작가의 길을 걷다가 아버지와 심한 갈등을 겪어 1922년 4월 22일 권총으로 자살을 하였다. 이후 베이트슨의 가족은 심한 아픔을 겪었고, 이로 인해 독자가 되어 버린 베이트슨은 아버지와 어머니의 모든 기대를 한 몸에 받는 상황이 되었다. 첫 번째 부인인 미드와 1950년에 이혼을 한 뒤, 1951년 시카고 감독교회 주교인 월터 테일러 섬너(Walter Taylor Sumner)의 딸 엘리자베스 베티 섬너(Elizabeth Betty Sumner)와 재혼을 했지만 1957년에 다시 이혼하였다. 그러고는 치료사이자 사회복지사인 로이스 캐먹(Lois Cammack)과 1961년에 또 한 번의 결혼을 하였다. 제2차 세계 대전이 끝나고 미국으로 건너간 베이트슨은 1956년에 미국 시민이 되었고, 윌리엄 어빙 톰슨(William Irwin Thompson)의 린디스판협회(Lindisfarne Association)의 회원이 되었다. 1970년대에는 샌프란시스코에서 현재는 세이브룩대학교인 인본주의 심리연구소(Humanistic Psychology Institute)에서 강의를 맡았다. 또한 산타크루즈에 있는 캘리포니아대학교의 크레스지(Kresge)대학교에서도 강의를 하면서 연구를 병행하였다. 1978년에는 캘리포니아 주지사인 제리 브라운(Jerry Brown)이 베이트슨을 캘리포니아대학교 이사회(Board of Regents of the University of California)에 입적시켰다. 이 자리에서 그는 종신으로 봉사하였다. 베이트슨은 처음에는 인류학자로서 많은 연구를 했는데, 힘든 과정에서 여러 지역을 전전하며 행했던 연구들에서 별 소득도 없이 낙담했다가, 뉴기니의 세픽강 원주민인 이아트멀(Tatmul)을 만나면서 뜻밖의 결과를 얻었다. 베이트슨의 연구는 늘 의사소통과 관계 혹은 사람 간의 상호작용에 대한 결과로 귀인되는데, 이들을 관찰하면서 '분열생성'이라는 용어를 개발하였다. 이아트멀의 의식(ceremony)에서 남녀가 서로 옷을 바꾸어 입고 역전된 역할을 하는 것을 볼 수 있는데, 그 의식은 아이가 처음으로 성인의 행위를 완수한 것을 축하하는 것이었다. 그때 아이의 외삼촌인 사람이 여자 옷을 입고 여자 흉내를 낸다. 베이트슨은 이러한 순환적 체계의 영향이 서로의 역할에 미칠 것이라고 확신하였다. 서로 순환적인 관계에서 영향을 주고받는 상황을 두고 베이트슨은 '순환논법(vicious circle)'이라고 이름 지었다. 이후에도 발리 등지에서 연구를 이어 나가면서 자신의 다양한 시각을 통합해 나갔다. 1980년 7월 4일 숨을 거둔 베이트슨은 인류학자이자, 사회과학자이며, 언어학자면서, 영상인류학자였고, 기호학자이며, 인공두뇌학자로서 무수하게 다양한 분야를 서로 연결시켰다. 그의 업적은 정신분열증에 대한 분석에서 단일 루프(single-loop) 학습 및 이중 루프(double-loop) 학습에 대한 이해의 범주까지 아우른다. 그와 사상을 함께하고 여러 공동 저작을 남긴 사람으로는 제이 헤일리(Jay Haley), 파울 와츠라비크(Paul Watzlawick), 메리 캐서린 베이트슨(Mary Catherine Bateson) 등이 있다. 베이트슨의 연구업적 중에서 가장 중요한 개념은 더블 바인드(double bind)라고도 하는 이중구속이다. 이는 베이트슨이 정신분열증에 대한 연구를 하면서 1950년대에 제시한 이론이다. 베이트슨이 보는 이중구속상태는 아무것도 할 수 없는 정신상태다. 예를 들어, 언어적으로는 아이에게 무언가 하라는 지시를 내리면서 동시에 그것을 부정하는 듯한 신체적 표현을 하게 되면 아이는 이러지도 저러지도 못하는 이중으로 구속된 상태가 되면서 어떤 결정을 하더라도 한쪽으로는 잘못된 결과를 예상해야 하기 때문에 아무것도 할 수 없는 상태가 된다. 이 같은 이중구속은 어머니와 자녀의 관계에서 아버지가 부재할 때 발생하기 쉽다. 현대에 와서 베이트슨의 이중구속이론은 아버지의 권위가 약해지거나 아버지가 부재하는 현대 가족상황을 마치 그대로 예견한 듯한 이론으로 평가받으면서, 영국의 반정신의학 및 가족치료에 큰 영향을 미쳤다. 이에 더해 베이트슨의 체계적인 과학적 시각은 에릭슨(Erickson)과 함께 그라인더와 밴들러(Grinder & Bandler)의 신경언어프로그래밍(Neuro-Language Programming: NLP)의 이론에도 큰 영향을 미쳤다. 캘리포니아 팔로 알토에 있는 정신연구소(Mental Research Institute: MRI)에 합류하면서 베이트슨은 제이 헤일리 등과 함께 사이버네틱스(Cybernetics) 개념으로 개인 간의 의사소통과정에 대한 연구를 더욱 심화시켜 나갔다. 그의 학제 간 연구는 만년에 이르면서 동물학, 심리학, 인류학, 인종학까지 아울렀다. 베이트슨의 연구들은 그의 영향력 있는 저서에 그대로 담겨 오늘날까지 많은 분야에서 그 힘을 발휘하고 있다.

주요 저서

Bateson, G. (1936). *Naven: A Survey of the Problems Suggested by a Composite Picture of the Culture of a New Guinea Tribe Drawn form Three Points of View*. Stanford: Stanford University Press.

Bateson, G. (1942). *Mind and Nature: A Necessary Unity*. New York: Hampton Press.

Bateson, G., & Mead, M. (1942). *Balinese Character: A Photographic Analysis*. New York: New York Academy of Sciences.

Bateson, G., & Ruesch, J. (1951). *Communication: The Social Matrix of Psychiatry*. New York: W. W. Norton & Company.

Bateson, G. (1972). *Steps to an Ecology of Mind: Collected Essays in Anthropology, Psychiatry, Evolution, and Epistemology*. Chicago: University of Chicago Press.

Bateson, G., Jackson, D. D., Haley, J., & Weakland, J. (1956). Toward a theory of schizophrenia. Behavior Science 1: 251-264 [dt:(1969)] Auf dem Weg zu einer Schizophrenie-Theorie. In G. Bateson D. D. Jackson, R. Laing T. Lidz, & L. Wynne(Hg), *Schizophrenie und Familie* (S 11-43). Frankfurt/M., Suhrkamp].

Bateson, G., Jackson, D. D., Laing, R., Lidz, T., & Wynne, L. (Hg) (1969). *Schizophrenie und Familie*. Frankfurt/M., Suhrkamp.

Bateson, G., & Bateson, M. C. (1988). *Angels fear: An investition into the nature and the meaning of the sacred*. London-Melbourne: Rider.

베텔하임
[Bettelheim, Bruno]

1903. 8. 28. ~ 1990. 3. 13.
오스트리아 출신의 미국 아동 심리학자 · 교육자.

베텔하임은 1903년 8월 28일 오스트리아에서 태어난 유대인이다. 그의 가족은 비엔나에서 목재사업을 하였고, 베텔하임도 목재사업을 도왔다. 부친이 돌아가시자 비엔나대학교를 떠나 가족사업을 맡아 하였다. 베텔하임은 첫째 부인 기나(Gina)와 함께 자폐아였던 팻시(Patsy)를 그의 집에서 7년간 돌보았다. 가족사업에 대한 의무를 마치고, 베텔하임은 30대가 되어서야 다시 비엔나대학교에 학생으로 복학하였다. 그는 철학부에서 학위를 땄는데, 임마누엘 칸트(Immanuel Kant)와 예술사(the history of art)에 대해 박사학위 논문을 썼다. 베텔하임이 공부할 당시, 오스트리아의 학술적 분위기는 심리학적 관점을 섭렵하지 않고서는 예술사에 관한 연구를 할 수 없다는 인식이 팽배했다. 그런 이유로 베텔하임은1938년 비엔나대학교에서 예술사에 관한 박사학위 논문을 쓰기 위해서 예술에 있어서 융학파의 원형유형과 프로이트의 전의식의 표현에 관한 연구를 해야 했다. 유대인이였지만, 베텔하임은 비교적 안전한 가정에서 성장하였으나, 1938년 4월 오스트리아가 대독일(Greater Germany)에 합병된 이후 그는 다른 오스트리아 유대인들과 함께 다하우(Dachau)와 부헨발트(Buchenwald)와 같은 강제수용소에 끌려가서 11개월을 복역하였다. 그는 부헨발트수용소에서 사회심리학자 페던(Ernst Federn)을 만나 친구가 되었다. 히틀러 생일(1939년 4월 20일)에 수백 명의 수감자들이 석방될 때 베텔하임도 함께 석방되었다. 그는 다차우와 부헨발트에서 겪은 자신의 관찰과 경험을 바탕으로, 강제수용소 생활의 스트레스와 개인적으로 나치 테러의 영향에 대한 인간의 적응을 연구했다. 베텔하임은 1939년 말에 이미 미국으로 이민을 간 그의 부인 기나를 만나기 위해 뉴욕으로 망명하였다. 뉴욕에 가자 이미 다른 사람을 만나 살고 있었던 부인과 이혼을 하고 그는 곧장 시카코로 거주지를 옮겼고, 1944년에 미국 시민이 되었고, 미국 부인과 결혼을 하였다. 시카코(chicago)대학교에서는 베텔하임을 심리학교수로 임명하였고, 그는 1944년부터 1973년에 퇴임하기까지 거기서 강의를 하였다. 그는 또한 정서장애아동을 치료하는 시카고대학교의 소니아 샹크만 장애아치료 학교(the University of Chicago's Sonia Shankma Orthogenic School)의 교장으로 근무하였다. 그는 환경 또는 분위기 치료(milieu therapy)를 위해 아동이 성인들과 강한 애착을 형성할 수 있도록 환경을 개선하고 좋은 분위기를 형성하는 데 노력을 하였다. 장애아의 정서적 고통과 혼란을 해소하고 그들이 사회적으로 유용한 역할을 할 수 있게 하기 위해 무엇을 치료할 수 있는지를 결정하기 위해 노력했다. 그의 글들은 정상적인 아이들과 함께 비정상아동을 효율적으로 다루기 위한 많은 통찰력을 제공했다. 그 결과 베텔하임은 정상아동과 비정상아동심리학에 관한 책을 저술하였고, 그 책들은 아동심리치료학과 교육학 분야에서 주요 저술로 인정받았다. 『The Empty Fortress』(1967), 『On autistic children; Children of the Dream』(1967), 이스라엘 키부츠에 있는 아이들의 공동양육을 치료하는 『The Informed Heart』(1960) 등의 저서가 있다. 베텔하임은 자신의 아내가 뇌졸중으로 고생하다 1984년에 죽은 후, 우울증으로 고생하다가 1990년에 자살로 생을 마감하였다.

주요 저서

Bettelheim, B. (1950). *Love Is Not Enough: The Treatment of Emotionally Disturbed Children.* New York: Free Press.

Bettelheim, B. (1954) *Symbolic Wounds; Puberty Rites and the Envious Male.* New York: Free Press.

Bettelheim, B. (1955). *Truants From Life; The Rehabilitation of Emotionally Disturbed Children.* Free Press.

Bettelheim, B. (1960). *The Informed Heart: Autonomy in a Mass Age.* The Free Press.

Bettelheim, B. (1962). *Dialogues with Mothers.* The New York: Free Press.

Bettelheim, B. (1967). *The Empty Fortress: Infantile Autism and the Birth of the Self.* The Free Press.

Bettelheim, B. (1969). *The Children of the Dream.* MacMillan Publishing Company.

Bettelheim, B. (1969). *Surviving & Other Essays.* Knopf; 1 edition

Bettelheim, B. (1974). *A Home for the Heart.* New York: Knopf.

Bettelheim, B. (1982). *On Learning to Read: The Child's Fascination with Meaning (with Karen*

Zelan). New York: Knopf.

Bettelheim, B. (1988). *A Good Enough Parent: A Book on Child-Rearing*. Vintage.

Bettelheim, B. (1990). *Freud's Vienna and Other Essays*. New York: Knopf.

Bettelheim, B. (1993). *The Art of the Obvious*. New York: Knopf.

Bettelheim, B. (2001). 프로이트와 인간의 영혼 [*Freud and man's soul: An Important Re-Interpretation of Freudian Theory*]. (김종주, 김아영 역). 서울: 하나의학사. (원저는 1983년에 출판).

Bettelheim, B. (2006). 옛이야기의 매력 1, 2 [*The Uses of EnchantmentThe Meaning and Importance of Fairy Tales*], (김옥순역) 서울: 시공주니어. (원저는 1976년에 출판).

Bettelheim, B. (2006). 이만하면 좋은 부모 [*A good enough parent*]. 서울: 창지사. (원저는 1987년에 출판).

벡
[Beck, Aron Temkin]

1921. 7. 18. ~
인지치료의 아버지로 인정받고 있는 미국 정신과 의사.

벡은 로드아일랜드 프로비던스(Rhode Island Providence)에서 러시아계 유대인 미국 이민자인 아버지 해리 벡(Harry Beck)과 어머니 엘리자베스 템킨(Elizabeth Temkin)의 세 번째 아들이자 막내로 태어났다. 그는 문학과 교육을 중시하는 가족 속에서 주관이 뚜렷하고 정치적 관심이 많은 부모의 양육을 받았다. 아동기에는 앞서 두 자녀를 잃은 어머니의 우울증적인 성향에서 비롯된 과잉보호와 미끄럼틀에서 떨어지면서 골절된 상처가 감염되면서 치명적인 질환으로 목숨까지 위태로워지는 상황에 처해 여러 면에서 불행했다고 볼 수 있다. 오랫동안 병약했던 탓에 여러 가지로 공포에 시달리며 학교를 자주 장기간 빠졌고, 그 때문에 또래보다 뒤처지게 되었다. 하지만 그는 결국 여러 문제를 극복하고 또래집단보다 1년 유급된 상황을 1년 더 앞선 상황으로 역전시켰다. 글쓰기를 좋아하고 지적인 면을 추구하던 아버지 해리 벡의 영향과 지지를 받으면서 아론은 호프(Hope) 고등학교 재학 중에 학교 신문 편집자를 맡기도 했고, 수석으로 졸업을 하였다. 브라운(Brown)대학교로 진학해서는 영어와 정치를 전공했지만 예술, 음악, 회계학 등 공학을 제외한 거의 전 분야의 강의를 탐닉했고, 인문학 분야에서 학문적으로 우수한 학생들의 모임인 파이 베타 카파 클럽(Phi Beta Kappa Club)의 회원이 되기도 하였다. 또한 학교 신문인 『Brown Daily Herald』의 편집자로서 일하기도 하였다. 아버지가 자기 소유의 점포를 운영하고 있었지만 그리 넉넉한 형편은 아니어서 세 아들은 대학 재학 중 스스로 용돈을 벌어야 했는데, 벡도 예일대 의과대학을 들어가기 전까지 갖가지 일을 하면서 학업을 이어 나갔다. 1942년 우수한 성적으로 브라운대학교를 졸업한 그는 예일대학교 의과대학에 입학하여 꾸준히 학문의 길을 걸었다. 1946년에 의과대학을 졸업한 뒤에는 로드아일랜드병원에서 수련을 받았고, 신경학을 전공으로 결정하여 본격적인 정신과 전공의의 삶을 살았다. 벡은 정신과 전공의가 되면서 자신이 겪은 아동기 어머니의 과잉보호에서 비롯된 불안과 목숨까지 위태로웠던 상황에서의 공포, 반복되는 수술로 인한 혈액 및 상처 공포증, 3세경에 앓았던 백일해와 만성 천식으로 인한 질식의 공포, 이후에 나타난 터널공포증 등을 인지적으로 해결하기 위해 노력하였다. 이렇게 자신이 겪은 여러 공포 증상과 불안 증상의 상태에 관한 연구를 거듭하면서 인지치료에까지 이르렀다. 여러 상황 때문에 그는 자신이 남들보다 뒤처진다고 생각을 했지만 그러한 사실이 그를 더욱 노력하게 만들었고, 비로소 모든 상황을 극복할 수 있었다. 이후 그는 자신의 아동기적 경험이 부정적 신념(Negative Belief)에서 비롯되었음을 발견하고, 자신과 유사한 사람들을 돕는 데 자신의 이론과 치료기법을 활용하여 인지치료의 창시자가 되었다. 이처럼 벡은 심리치료의 목표를 내담자가 당면한 현재 문제를 해결하고 역기능적인 사고와 행동을 수정하는 데 있다고 보았다. 그는 1953년에 정신과 의사 자격을 취득한 뒤, 1954년에는 펜실베이니아 의과대학 정신과 전임 강사가 되어 현재까지 명예교수로 재직 중이다. 그의 혁신적인 이론은 현대 우울증 치료에서 가장 많이 활용되고 있다. 펜실베이니아대학교에 있으면서 그는 동료들과 교제하면서 정신분석적 원리를 검증하기 위해 연구를 시작했는데, 우울을 자기 자신에게로 향하는 공격성의 표현 및 분노로 보는 프로이트의 견해에 반하는 연구결과를 얻게 되었고, 이로 인해 인지치료를 발전시키게 된 것이다. 여러 실험적 연구과 임상적 관찰을 통해서 벡은 정신분석적 모델을 포기하고 조지 켈리(George Kelly)의 연구에 힘입어 정신병리에 대한 비동기적 이론의 근거를 마련하고, 인지도식(schema)이라는 용어를 사용하였다. 이로 인해 벡은 수년 동안 여러 정신병 치료 단체에서 거절을 당하고 배척되는 등 어려움을 겪었다. 하지만 현재는 미국 10대 정신과의 중요한 사람으로 인정받고 있으며, 가장 영향력 있는 정신과 치료사 5명 중 한 사람으로 명시되어 있다. 1960년대 이후 벡과 그의 동료는 매우 다양한 정신과적 장애를 지닌 집단에 인지치료를 성공적으로 적용시키면서 벡의 치료가 많은 경험적 증거로 지지된 성격 및 정신병리에 관한 통합된 이론을 갖춘 정신치료체계임을 증명하였다. 인지치료가 다루는 가장 중요한 증상은 우울이지만, 여러 실험과 임상적 관찰로 불안장애, 물질남용 및 의존, 양극성장애, 부부치료, 위기대처 등을 포함하여 적용범위가 상당히 넓고 충실한 이론적 기초를 지녔으며 동시에 경험적 자료에 의해 그 효과를 현재까지 입증하고 있다. 인지치료는 인지가 행동에 영향을 미치고, 관찰(monitoring)을 통해서 인지가 변화할 수도 있다는 가정을 하고 있다. 따라서 사람들이 정보를 해석하는 관점을 바꿀 수 있도록 도와주면 그들의 감정 및 행동적 기능을 변화시키는 데 영향을 미치고, 그 효과는 장기간 지속되어 정신병리의 재발도 막을 수 있다고 주장하고 있다. 벡은 인지를 특정한 설명, 자기 명령 혹은 자기비판 등에 관한 특정 사고라 정의했고, 이러한 인지를 평가하기 위한 '역기능적 사고 기록표'와 '벡의 우울척도' 등 여러 평가도구도 개발하여 인지를 가시적으로 조작 가능하도록 만들었다. 이처럼 수많은 탁월한 업적으로 벡은 여러 공로상을 받았으며, 350편의 논문과 12권의 저서도 집필하였다. 게다가 직업의 최전선에 벡의 인지치료를 도입하여 『Cognitive Therapy and Research』라는 잡지가 1977년에 창간되었다. 벡은 내담자의 내적 세계를 중요시하는 구조적이고 능동적인 접근을 제공하였다. 인지치료를 개발함으로써 현재 중심적이고 문제 지향적인 구조화된 심리치료가 비교적 단시간에 우울과 불안을 다루는 데 매우 효과적일 수 있다는 것이 실제적으로 논증되었다. 벡의 공헌 중 또 하나는 자세한 사례개념화를 발달시켜 내담자가 자신의 세계를 바라보는 관점을 이해하게 된 것이다. 또한 개인적 경험을 논리적인 과학적 연구의 영역으로 이끌어 냈다는 것도 그의 혁혁한 공로일 것이다. 이에 더해 벡 우울척도(Beck Depression Inventory: BDI), 벡 무망감척도(Beck Hopelessnes Scale), 벡 자살사고척도(Beck Scale for Suicidal Ideation), 벡 불안척도(Beck Anxiety Inventory: BAI), 벡 청소년검사(Beck Youth Inventories) 등 우울 및 불안에 관한 척도를 개발하였다. 이 중에서 우울척도는 전 세계적으로 널리 활용되고 있다. 그는 현재 벡 인지치료 및 연구학회(Beck Institute for Cognitive Therapy and Research)의 명예대표이자 인지치료학회(Academy of Cognitive

Therapy)의 명예대표다.

주요 저서

Beck, A. T. (1967). *Anxiety disorders and phobias: A cognitive perspective*. New York: Basic.

Beck, A. T. (1967). *Cognitive therapy and the emotional disorders*. New York: International Press.

Beck, A. T. (1967). *Depression: Clinical, experimental, and theoretical aspects*. New York: Harper & Row.

Beck, A. T. (1967). *The diagnosis and management of depression*. Philadelphia: University of Pennsylvania Press.

Beck, A. T. (1970). *Depression: Causes and Treatment*. Philadelphia: University of Pennsylvania Press.

Beck, A. T., Resnick, H. L. P., & Lettieri, D. J.(Eds.) (1974). *The Prediction of suicide*. Bowie(MD), Charles Press.

Beck, A. T. (1976). *Cognitive therapy and the emotional disorders*. New York: International Press.

Beck, A. T., Rush, A. J., Shaw, B. R., & Emery, G. (1979). *Cognitive therapy of depression*. New York: The Guilford Press.

Beck, A. T., & Emery, G. (1985). *Prisoners of hate: The cognitive basis of anger, hostility, and violence*. New York: Harper Collins.

Beck, A. T., & Emery, G.(with/Greenberg R. L.) (2005). *Anxiety disorders and phobias: A cognitive perspective*. New York.

Beck, A. T. (1988). *Love is never enough*. New York: Harper & Row.

Beck, A. T., & Freeman. A. (1990). *Cognitive therapy of personality disorders*. New York: Guilford Press.

Beck, A. T., Wright, F. W., Newman, C. F., & Liese, B. (1993). *Cognitive therapy of substance abuse*. New York: Guilford Press.

Beck, A. T. (1999). *Prisoners of hate: The cognitive basis of anger, hostility, and violence*. New York: Harper Collins.

벨락
[Bellak, Leopold]

1916. ~ 2002.
검사 및 이상심리학 분야에서 잘 알려진 정신과 의사이며, 정신분석학자이자 심리학자.

벨락은 오스트리아 비엔나(Vienna)에서 태어났다. 유대인 집안에서 태어나 나치 통치를 피해 1938년 미국으로 망명하였고, 1943년에 귀화하였다. 제2차 세계 대전 중에는 국군 의무 부대(Army Medical Corps)에 복무하였다. 이후 비엔나대학교에서 3년간 의학을 공부하다가 보스턴대학교와 하버드대학교에서 장학금을 받아 가며 심리학을 연구하게 되었다. 1939년과 1942년에 두 대학에서 모두 석사학위를 받았고, 1944년 뉴욕 의과대학에서 의학 박사학위를 받은 뒤 워싱턴에 있는 엘리자베스병원과 뉴욕 정신분석 연구소에서 좀 더 교육을 받았다. 1941년부터는 라치몬트(Larchmont)에서 개인사무실을 열고 정신의학과 정신분석을 시작하였다. 1971년부터 1988년까지는 예시바(Yeshiva)대학교의 알베르트 아인슈타인 의과대학에서 근무하다가 83세가 되던 해 라치몬트 근처의 요양원에서 폐렴으로 사망하였다. 벨락은 주제통각검사(Thematic Apperception Test: TAT)를 사용하여 무의식적 환상에 관한 심리적 주제들을 밝혀낸 인물로 유명하다. 그가 스스로 아동에게 적용할 수 있는 아동용 주제통각검사(Children's Apperception Test: CAT)를 개발하기도 하였다. 200편이 넘는 학술논문과 40여 권의 저서를 출판했고, 많은 곳에서 강의를 했으며, 단기 및 응급 심리치료와 성인 주의력결핍장애 등에 관한 광범위한 집필활동도 하였다. 미국심리학회에서는 1993년 우수전문가공로상(Distinguished Professional Contributions to Knowledge)을 벨락에게 수여하였다. 자신의 책 제목과 동일한 '고슴도치 딜레마(The porcupine Dilemma)'로 이름을 떨치기도 했는데, 이 이론은 피부를 따뜻하게 하려고 지나치게 가까이 가면 서로의 가시 때문에 상처가 나고, 너무 떨어지면 체온이 떨어질 수밖에 없다는 우화를 바탕으로 한 현대인의 인간관계 과소화에 대한 분석이었다. 그는 검사를 심리측정의 도구로만 여긴 것이 아니라 정신분석학적 입장에서 검사의 결과에 관한 연상을 요구하는 등 검사를 심리치료과정에서 활용하는 방법을 고안하기도 하였다.

주요 저서

Bellak, L. (1948). *Dementia praecox: the past decade's work and present status*. Oxford, England: Grune & Stratton.

Bellak, L., & Bellak, S. S. (1949). *Children's apperception test*. Oxford, England: C P S Co.

Bellak, L. (1961). *Contemporary european psychiatry*. New York: Grove Press.

Bellak, L. (1964). *A Handbook of community psychiatry and community mental health*. Oxford, England: Grune & Stratton.

Bellak, L. (1965). *Emergency psychotherapy and brief psychotherapy*. Oxford, England: Grune & Stratton.

Bellak, L. (1967). *The broad scope of psychoanalysis*. Oxford, England: Grune & Stratton.

Bellak, L. (1969). *Progress in community mental health*. Oxford, England: Grune & Stratton.

Bellak, L. (1969). *The schizophrenic syndrome*. Oxford, England: Grune & Stratton.

Bellak, L. (1975). *Overload: the new human condition*. Human Sciences Press.

Bellak, L. (1976). *Geriatric psychiatry*. Oxford, England: Grune & Stratton.

Bellak, L. (1993). *Psychoanalysis as a science*. Needham Heights, MA: Allyn & Bacon.

Bellak, L., & Abrams, D. M. (1993). *The thematic apperception test, the children's apperception test, and the senior apperception technique in clinical use*. Needham Heights, MA: Allyn & Bacon.

Bellak, L., & Peri, F. (1994). *Crises and special problems in psychoanalysis and psychotherapy*. NJ: Jason Aronson Inc.

보스
[Boss, Medard]

1903. 10. 4. ~ 1990. 12. 21.
스위스의 정신분석적 정신과 의사로서, 현존재 분석(Deseinsanalysis)의 취리히학파를 창시한 인물.

보스는 스위스 세인트 갈렌(Saint Gallen) 지방에서 태어났다. 2세 때 가족이 취리히로 이사를 했고 이후 계속 그곳에 머물렀다. 행정관이었던 아버지를 둔 보스의 어린 시절 꿈은 의사나 화가가 되는 것이었다. 자라면서 화가라는 꿈은 접고 의학을 공부하기로 결심한 뒤, 1925년에 프로이트(Freud)를 만나게 되었다. 보스는 취리히대학교에서 의학공부를 했는데, 의대를 다니던 시절 유진 블로일러(Bleuler)에게 크게 영향을 받았다. 보스가 수학하던 20세기 초에 취리히는 심리학 연구의 선구적 역할을 하는 도시였고, 보스는 그곳에서 정신과의 수련을 받은 뒤 1928년에 취리히대학교 의과대학을 졸업하였다. 보스는 최초의 실존심리학자로 빈스방거(Binswanger)와 하이데거(Heidegger)의 저서를 접하면서 자신만의 심리학적 모델을 만들어 나갔다. 1946년에는 하이데거를 직접 만날 수 있었고, 이 만남은 그가 확실히 개념을 잡는 계기가 되었을 뿐만 아니라 후에 그의 작업의 밑거름이 되었다. 보스는 하이데거를 벗이자 정신적 스승으로

ㅂ

여기며 존재론적이면서 현상학적인 철학을 기반으로 하여 현존재 분석이라는 독특한 방법의 심리치료접근을 시작하였다. 의사자격을 얻은 다음 취리히 종합정신병원, 부르크휠츨리대학교 병원의 정신병리학과 등에서 일하기도 하였고, 런던의 신경질환 국립병원 및 심리분석연구소에서는 존스(Jones)와 함께 일하기도 하였다. 1947년에는 취리히대학교 의과대학 교수로 취임하였고, 1954년에 심리치료학 명예교수가 되었다. 미국 하버드대학교에서도 여러 학기 동안 강의를 한 보스는 1990년에 숨을 거두었다. 보스는 데카르트 심리학과 뉴턴의 물리학을 전제로 하는 현대 의학과 심리학이 인간 존재에 대한 부적절한 가설을 세우고 있다는 생각을 하고, 의학과 심리학에 실존적 기반을 세워야 한다고 주장하였다. 이 주장은 1979년에 출간한 『Existential Foundations of Medicine and Psychology』에 체계화되어 있다. 또한 그는 꿈에 대한 현상학적 접근을 시도한 심리치료사로도 널리 알려져 있다. 그가 사용한 현상학이라는 용어는 일반론적인 의미 이상의 것으로, 20세기 초 존재 그대로의 관찰된 현상의 본질적 구조를 설명하기 위한 철학적 운동을 말한다. 보스에게 꿈에 대한 현상학적 접근이란 프로이트와 융으로 대표되는 정신분석학자들이 설명한 관찰되지 않는 더 깊은 내면의 내용과 겉으로 드러난 내용은 구별을 하지 않고 환자들이 드러내는 내용에 관해서만 꿈을 분석하는 것을 뜻한다. 보스는 꿈을 그렇게 분석해야 꿈을 꾼 사람이 고군분투하고 있는 쟁점을 발견할 수 있다고 생각하였다. 이러한 문제들이 일단 발견되어 명확해지고 나면, 환자는 자신이 처한 상황을 변화시킬 수 있는 선택을 할 수 있는 위치를 점하게 된다는 것이 보스의 주장이다.

주요 저서

Boss, M. (1958). *The Analysis of Dreams*. New York: Philosophical Library.

Boss, M. (1977). *I Dreamt Last Night*. New York: Gardner Press.

Boss, M. (1982). *Psychoanalysis and Daseinsanalysis*. New York: Da Capo Press.

Boss, M. (1983). *Existential Foundations of Medicine and Psychology*. New York: J. Aronson.

보스조르메니나기
[Boeszoerményi-Nagy, Ivan]

1920. 5. 19. ~ 2007. 1. 28.
헝가리 출신 미국인 정신과 의사이며 가족치료의 창시자 중 한 사람.

보스조르메니나기는 헝가리의 부다페스트(Budapest)에서 유명한 판사가문의 2남 중 맏이로 태어났다. 그는 어린 시절 대부분을 사촌, 이모, 삼촌, 외조부와 함께 지냈다. 이 같은 대가족 형태의 생활은 훗날 그의 이론에 초석이 되었다. 1948년 피터 파즈메니(Péter Pázmány) 대학교에서 정신의학을 전공하고, 부다페스트대학교 신경과학클리닉에서 조교로 있다가 헝가리를 떠났다. 처음에는 오스트리아 잘츠부르크에 정착하여 유엔 국제난민기구(United Nations International Refugee Organization)에서 일하였다. 1950년에는 시카고로 가서 의학 수련의 과정을 마치고 정신분열증의 생화학적 근원을 연구하였다. 박사학위를 취득한 뒤, 1957년에는 필라델피아에 있는 펜실베이니아 동부 정신의학연구소(Eastern Pennsylvania Psychiatric Institute)에 들어갔다. 그곳에서 가족관계와 정신분열증의 관계를 연구하였다. 이 연구소는 정신분열증 치료에 집중하여 1960년대에는 미국에서 가장 큰 가족치료 연구소로 발돋움하였다. 미국 전역과 해외 일부 지역에서도 많은 치료사들이 이 연구소로 와서 배우고 수백이 넘는 가족이 이 연구소에서 치료를 받았다. 보스조르메니나기는 20년이 넘게 이곳에서 가족치료를 이끌었다. 1974년부터 1999년까지 보스조르메니나기는 하네만대학교 가족치료학부 주임교수로 재직하였다. 이후 1999년에 은퇴를 한 뒤에도 명예교수로 남았고, 2007년 펜실베이니아 글렌사이드(Glenside)에서 숨을 거두었다. 그는 대학교 대학원 교육과정에 처음으로 결혼 및 가족치료를 도입시킨 사람이기도 하다. 또한 미국가족치료학회(American Family Therapy Association)의 전신인 미국가족치료연구회(American Family Therapy Academy)를 만든 인물이며, 펜실베이니아의 앰블러(Ambler)에서 사설 가족치료클리닉인 맥락적 성장연구소(Institute for Contextual Growth)를 설립하기도 하였다. 이 연구소는 현재 그의 아내인 캐서린 듀커먼나기(Catherine Ducommun-Nagy)가 운영하고 있다. 보스조르메니나기는 미국뿐만 아니라 세계적으로도 수많은 영예를 안았다. 필라델피아 정신의학학회(Philadelphia Psychiatric Association)로부터 다니엘 블레인 상(Daniel Blain Award), 생애 공로상(Life Time Achievement Award) 등을 수상하였고, 미국 가족치료학회에서도 가족치료에 대한 공로상(Distinguished Achievements in Family Therapy)을 수상하였으며, 미국 결혼 및 가족치료학회(American Association for Marriage and Family Therapy)에서 가족치료 전문가 공로상(Distinguished Professional Contribution to Family Therapy)을 수상하였다. 이외에도 명예 회원이었던 유럽 가족치료협회로부터 2001, 유럽 가족치료협회(EFTA) 부다페스트 회의에서 가족치료 우수 공로상(Outstanding Contribution to the Field of Family Therapy)을 수상하였다. 가족치료 분야에서의 그의 공로에 답하여 스위스 베른대학교 의과대학에서는 명예박사학위를 수여하는 등 여러 기관에서 그의 공로를 인정하고 있다. 보스조르메니나기는 모국과의 관계도 계속 돈독히 하여 1978년 헝가리 프로 보노에서 워크숍을 하는 등 헝가리의 심리치료학과 가족치료의 발전을 도모하였다. 보스조르메니나기는 가족치료 및 개인심리치료에서 맥락적 접근을 발달시켰다. 그가 주장하는 맥락적 접근법은 개인과 가족의 생활과 발달에 개인의 심리 차원, 대인 간 차원, 실존적 차원, 체계적 차원, 세대 간 차원 등을 통합한 종합적 모델이다. 이 접근법에서는 윤리적 혹은 정의(justice) 차원을 강조하였다. 특히 친밀한 관계 내에서 양육하는 이의 역할, 긴밀성, 충성, 죄의식, 공정성, 책임, 신뢰도 등을 세대 내에서 그리고 세대 간에서 중요하게 여겼다. 그의 이론에서는 관계적 윤리(relational ethics)를 단순히 규범적 기준이나 심리적 현상이나 관점 등으로 보지 않았다. 그가 말하는 관계적 윤리는 구체적인 결과를 가진 기본욕구 및 실제 관계에서 도출되는 객관적인 존재론적 및 경험적 기반을 가지고 있으며, 생산적이거나 파괴적인 방법 양면 모두에서 해석적이고 동기적인 역동이 작용하는 것이다. 보스조르메니나기가 남긴 저서들은 아직까지 가족치료 분야에 큰 영향을 미치고 있는데, 1965년 『Intensive Family Therapy: Theoretical and Practical Aspects』, 1973년 『Invisible Loyalties: Reciprocity in Intergenerational Family Therapy』, 1986년 『Between Give and Take: A Clinical Guide to Contextual Therapy』, 1987년 『Foundations of Contextual Therapy: Collected Papers of Ivan Boeszoerményi-Nagy, MD』, 1991년 『Handbook of Family Therapy』 등 많은 저서를 동료와 함께 혹은 혼자서 출판하였다.

주요 저서

Boeszoerményi-Nagy, I. (1965). *Intensive Family Therapy: Theoretical and practical aspects*. Hagerstown, Md., New York: Harper & Row.

Boeszoerményi-Nagy, I. (1973). *Invisible Loyalties: Reciprocity in intergenerational family therapy*. Hagerstown, Md., Harper & Row.

Boeszoerményi-Nagy, I. (1986). *Between Give and Take: a clinical guide to contextual therapy*. New York: Brunner/Mazel.

Boeszoerményi-Nagy, I. (1987). *Foundation of Contextual Therapy*. New York: Brunner/Mazel.

ㅂ

보웬
[Bowen, Murray]

1913. 1. 31. ~ 1990. 10. 9.
미국 정신과 의사로서 조지타운대학교 정신의학부 교수면서, 가족치료의 선구자이자 체계적 치료의 창시자.

보웬은 테네시 웨이벌리(Tennessee Waverley)의 작은 마을에서 5남매 중 맏이로 태어났다. 그의 아버지 제스 스웰 보웬(Jess Sewell Bowen)은 마을의 행정관이었다. 어린 시절을 웨이벌리에서 보내고 1934년 녹스빌의 테네시(Tennessee in Knoxville)대학교를 졸업하였다. 3년 후인 1937년에는 같은 대학의 의과대학에서 석사학위를 받았다. 그 후 1938년에는 뉴욕시티에 있는 벨뷔(Bellevue)병원에서 인턴생활을 하였고, 1939년부터 1941년까지는 뉴욕의 밸할라에 있는 그래슬랜드(Grassland)병원에 있었다. 수련의 과정을 마친 보웬은 제2차 세계 대전 중인 1941년부터 1946년까지 5년간 군 복무를 하였다. 전쟁 중 그의 관심사가 외과에서 정신과로 바뀌게 되었다. 군인들을 관찰하면서 정신질환이 훨씬 절박하고 가치 있는 목표라고 생각하게 된 것이다. 제대 이후 메이요의료원 외과에서 일하게 되었지만 1946년부터 그는 캔자스의 토피카(Topeka of Kunsas)에 있는 메닝거재단(Menninger Foundation)에서 정신과 특별연구원이 되었고, 동시에 개인 정신분석을 시작하였다. 그는 1954년까지 메닝거재단에서 정신과 공부를 계속하였다. 그런 뒤에 메릴랜드 베데스다에 있는 국립정신건강연구소(National Institute of Mental Health: NIMH)에서 5년간의 독자적인 연구 프로젝트를 시작하였다. 이는 후에 그의 이름을 따서 '보웬이론(Bowen Theory)'이라고 명명된다. 당시 가족치료(family therapy)는 주이론에서의 부산물일 뿐이었는데, 보웬은 정신분열증 자녀를 가진 부모에 대한 연구를 처음으로 시작하였고, 이것이 모든 아동에게도 제공될 수 있는 차원일 것이라고 생각하였다. 가족치료라는 분야를 정의한 이후 보웬은 이 새로운 이론을 기존 개념에 통합하고자 하였다. 이 같은 시도는 예전에는 찾아볼 수 없던 것이었다. 게다가 보웬의 개념은 프로이트의 이론에 접목되어 있었다. 보웬은 NIMH를 떠난 뒤 1959년에 조지타운대학교 의학센터의 정신의학부 하프타임(half-time) 교수가 되어 가족 프로그램(Family Programs)의 책임자를 맡았다. 1975년에는 조지타운 가족센터(Georgetown Family Center)를 만들었다. 그곳에서 종신으로 책임자의 자리를 맡았고, 메릴랜드 체비 체이스(Maryland Chevy Chase)에 있는 자신의 집이자 사무실에서 사설 정신의학 임상도 계속하였다. 이외에도 보웬은 메릴랜드대학교를 비롯한 여러 의과대학의 초빙교수로도 활동하였다. 보웬은 학자이자 연구자였고, 임상가이자 교사였으며, 작가이기도 하였다. 그는 쉴 새 없이 인간행동과학을 향한 행보를 이어 갔고, 사람을 모든 인생의 한 부분으로 보았다. 보웬은 미국 가족치료학회(American Family Therapy Association)의 창설자로서 1978년부터 1982년까지 초대 회장을 역임하였고, 1985년 6월에는 메닝거재단에서 올해의 동문(Alumnus of the Year)의 자리에 올랐으며, 1985년 12월에는 피닉스의 에릭슨재단(Erickson Foundation), 심리치료 발전을 위한 회의(Evolution of Psychotherapy Conference)의 교수가 되었다. 만년까지 활발한 연구와 활동을 하던 보웬은 1990년에 숨을 거두었다. 그는 독자적인 사상을 가진 몇 안 되는 인물 중 한 사람으로 평가받고 있다. 인간의 행동을 설명하는 이론을 선보인 최초이자 유일한 인물로서, 그의 가족체계이론은 가족을 정서적 단일체로 보는 이론으로 그 단일체 내에서의 복잡한 상호작용을 설명하는 체계를 사용하였다. 그는 정신의학과 사회학의 주류에 맞설 수 있었고, 자신이 인간 행위에 대해 정립한 생각을 굳힐 수 있었던 용기 있는 인물이었다. 인간행동에 대한 그의 새로운 이론을 위한 노력 덕분에 프로이트 이론을 완전히 새로운 심리치료 방식으로 대치시킬 수 있었다. 다문화 간 전승, 가족구성원 간의 분화 등 독자적인 보웬 개념은 가족체계이론뿐만 아니라 여러 이론과 심리치료 접근법에 영향을 미치고 있으며, 정서 체계에 대한 지식과 그 정서 체계가 관계 내에서 어떻게 움직이고 그 안에서 자기를 어떻게 정의하는지를 알 수 있도록 하였다. 보웬이론의 기반은 연대감과 개별성 간의 평형에 영향을 미치는 여덟 가지 연동 개념에 있다. 정서적, 생물학적, 환경적 영향력을 세대를 거듭하면서 가족 단일체 안에서 개인이 적응해 나갈 요소로 본 것이다. 보웬 가족체계이론의 여덟 가지 기본 개념은 다음과 같다. 첫째, 자기분화의 수준, 둘째, 핵가족, 셋째, 가족 투사 과정, 넷째, 다세대 전승과정, 다섯째, 형제 간 출생순서, 여섯째, 삼각관계, 일곱째, 정서 단절, 여덟째, 사회적 정서 과정이다. 보웬은 인간의 행위에서 체계적인 기원을 보고, 이를 개인 정신 안의 내적 기제라는 프로이트적인 관점에 대비시켰다. 정신분석은 과학적 기준에 적합하지 않다고 본 것이다. 보웬은 자신의 독자적인 이론 구축을 위해서 평생을 노력했고, 그 결과로 인간의 정서 체계의 '규칙(rules)'을 상세하게 들여다볼 수 있도록 하였다.

주요 저서

Bowen, M. (1966). The use of family theory in clinical practice. *Clinical Psychiatry, 7*, 345-374.

Bowen, M. (1969, 1984). Die Familie als Bezugsrahmen fűr die Schizophrenieforshung. In G. Bateson, D. D. Jackson, R. Laing, T. Lidz, & L. Wynne (Hg), *Schizophrenie und Familie* (S 181-219). Frankfurt/M., Suhrkamp.

Bowen, M. (1978). *Family therapy in clinical practice*. New York: J. Aronson.

보이티우스
[Boethius, Anicius Manlius]

475 또는 480. ~ 524 또는 525.

6세기 초 로마 말기 철학자로, 음악이 인간의 도덕성 발달에 영향을 준다고 주장한 학자.

보이티우스는 아우구스티누스와 함께 중세 음악 미학을 대표하는 음악 이론가로 손꼽히는 인물이다. 보이티우스는 로마 귀족 집안에서 태어났지만 어린 시절 아버지를 여의고 다른 귀족 집안에 입양되었다. 양부인 심마쿠스(Symmachus)의 영향으로 문학과 철학을 접하고, 아테네에서 유학하였다. 나중에 심마쿠스의 딸과 결혼한 그는 5세기 이탈리아를 지배하던 동고트족 테오도리쿠스(Theodoricus) 치하에서 재상의 자리까지 올랐지만 당시 혼란스러운 정쟁에 휩싸여 투옥되었다가 파비아(Pavia)에서 처형되었다. 그는 음악에 관한 명료한 체계를 세우면서 신체적 기술에 대한 이성의 완전한 지배를 전제로 하여, 음악은 감각적 성질이 아닌 음향적 요소로 음 현상을 일으켜 인간의 이성에 호소한다는 주장을 하였다. 보이티우스는 우주 혹은 천체의 음악(Musica Mundana), 소우주 혹은 인간의 음악(Musica Humana), 소리울림 혹은 도구의 음악(Musica Instrumentalis)의 세 가지로 분류하여 음악은 우주의 울림이면서, 인간의 이성이 그 실재를 인식할 수 있고, 천체 운행의 비례와 음 체계를 구성하는 협화음의 관계로 표현되며, 수학적 음 체계로 구성된다고 주장하였다. 그리스 철학의 수 개념과 우주론적 음악관, 플라톤의 이데아 사상 등을 받아들인 그는 음악을 수학의 한 지류로 본 스콜라철학을 기반으로 해서 음악에 대한 이론을 정립하였다. 천체의 음악을 가장 근원적이며 완전한 진정한 음악으로 보고, 인간의 음악은 천체의 음악을 모방한 것이라 생각하였다. 음악을 하는 사람들은 명상을 통해서 음악의 체계를 사유하며 천체의 음악체계를 인식하고, 영혼과 육체의 조화로서의 내면적 음악인 인간의 음악을 탄생시켰으며, 도구의 음악으로 표현할 수 있는 것이다. 그렇게 인식된 대상인 음악과 인식하는 자인 사람이 동화되어 윤리적 삶으로 나아갈 수 있다는 것이 보이티우스의 음악적 원리라 할 수 있으며 대표 저서인 『The Consolation of Philosophy』는 세계적인 철학 입문서로 유명하다.

주요 저서

Boethius, A. M (2011). 철학의 위안 [*The Consolation of Philosophy*] (박병덕 역). 서울: 육문사.

볼비
[Bowlby, John]

1907. 2. 26. ~ 1990. 9. 2.
영국 정신의학자이자 정신분석가.

볼비는 런던의 중산층 가정에서 6남매 중 넷째로 태어났다. 아버지인 안토니 볼비(Sir Anthony Bowlby)는 일등 준남작(first Baronet)으로 왕가의 의사였다. 당시 볼비의 집안 정도에서는 대부분 그랬듯이 그도 유모 손에서 자랐다. 볼비는 어린 시절 통상 하루에 한 시간 정도밖에 어머니를 볼 수 없었다. 당시의 그 정도 사회계급에 속한 보통의 다른 어머니들처럼 볼비의 어머니도 자식에게 부모가 너무 관심을 많이 보이고 사랑을 쏟으면 버릇없이 자라게 된다는 생각을 가지고 있었다. 그런 볼비에게 유모는 어린 시절 내내 중요한 애착대상이 되었다. 볼비는 후에 유모가 떠났을 때 자신은 어머니가 떠난 듯한 상실을 느꼈다고 회고하였다. 7세가 되던 해에는 기숙학교에 입학했는데, 『Separation: Anxiety and Anger』에서 볼비는 기숙학교에서의 생활이 얼마나 끔찍했었는지를 말해 주고 있다. 어린 시절의 이 같은 경험이 볼비에게는 상당히 민감하게 느껴졌고, 평생 영향을 미쳤다. 볼비는 케임브리지대학교의 최대 단과대학인 트리니티(Trinity)대학에 들어가서 심리학과 전임상(pre-clinical) 과학을 수학하면서 우수한 능력을 인정받았다. 1928년 대학을 졸업한 뒤, 부적응 아동 및 비행아동과 함께 일을 하다가 22세가 되어 런던 유니버시티 대학병원에 들어가서 26세에 의사자격을 취득하였다. 의학부에 있는 동안에도 볼비는 정신분석연구소(Institute for Psychoanalysis)에 적을 두고 있었다. 의과대학을 모두 마친 다음에는 모즐리병원(Moseley hospital)에서 성인 정신과 의사 수련을 받았다. 1937년, 그의 나이 30세에 정신분석학자가 되었고, 제2차 세계 대전이 발발했을 때는 왕립의료봉사단(Royal Army Medical Corps)의 중령으로 있었다. 전쟁이 끝난 뒤 타비스톡클리닉(Tavistock Clinic)의 부국장이 되었고, 1950년부터는 세계보건기구(World Health Organization: WHO)의 정신건강 자문으로 일하였다. 일찍부터 볼비는 부적응 아동 및 비행아동과 작업하면서 아동발달에 관심을 갖고 있었고 런던의 아동지도클리닉(Child Guidance Clinic)에서 본격적인 일을 시작하게 되었다. 특히 전쟁을 겪으면서 부모나 가까운 이들과 어쩔 수 없이 떨어져야 했던 여러 가지 경우와 고아원, 탁아소 등에서 성장한 아동의 정서적 문제를 보면서 그 같은 관심은 더욱 커졌다. 이는 자신의 어린 시절의 경험과도 연계되어 있었다. 1950년대 후반, 볼비는 출생부터 시작되는 인간의 애착 발달에 대한 근본적인 중요성을 보여 주는 관찰적, 이론적 작업에 착수하였다. 건강한 가족발달과 병리적 가족발달 양측 모두가 보여 주는 가족

간 상호작용적 양식을 찾고자 한 것이다. 그는 애착 곤란이 세대 간 어떻게 전승되는지를 밝히는 데 주력하였다. 1990년에 숨을 거둔 그는 아동발달에 대한 관심이 많았고 애착이론(attachment theory)이라는 새로운 이론을 펼쳐서 유명해졌다. 애착이론은 애착행위가 근본적으로 박해자로부터 유아를 보호하기 위한 진화생존전략이라는 생각을 전제로 하고 있다. 볼비의 제자인 메리 에인스워스(Mary Ainsworth)는 볼비의 이론을 더욱 확장하여 그의 사상을 직접 시험해 보는 등 볼비가 제시한 애착양식을 증명해 보이기도 하였다. 볼비는 프로이트의 정신분석의 영향을 받은 임상가로 진화이론, 대상관계 이론, 체계이론 등을 종합하여 애착이론이라는 새로운 이론을 만들어 냈다. 초기 심리학자들이 애착을 충동 혹은 강화된 특성 정도의 부수적인 요소로 본 반면, 볼비는 애착을 선천적으로 갖고 태어나는 행동체계로서 일차적인 것으로 보았다. 볼비에 의한 애착은 양육자와 얼마나 가까운 상태에 있는가를 바탕으로 한 양육자와의 상호작용을 통해서 발달된다. 양육자와 정서적으로 연대하며 형성해 나가는 의미 있는 결합은 기본적 생존전략이며, 이는 선천적으로 중추신경계에 고정되어 있기 때문에 계속해서 양육자와 근접성을 유지하고자 하는 것이다. 유아에게 애착대상자, 즉 양육자는 유아의 안전기지로 이용된다. 이 같은 안전보장이 있어야만 아동의 건강한 심신의 발달을 보장받을 수 있다. 이와 같은 볼비의 애착관계 이론은 진화론, 비교행동학, 행동제어시스템 등을 기반으로 구성되어 있다.

주요 저서

Bowlby, J. (1951). *Maternal care and mental health*. Geneva, World Health Organization.

Bowlby, J. (1960b). Grief and mourning in infancy and early childhood. *Study of the Child 15*, 9-52.

Bowlby, J. (1968). *Attachment and Loss 1*. New York: Basic Books.

Bowlby, J. (1969). *Attachment and loss*. Wol. 1: Attachment. london, The Hogarth Press [dt.: (1975) *Bindung*: Eine Analyse der Mutter-Kind-*Beziehung*. München, Kindler].

Bowlby, J. (1969). *Attachment*. New York: Basic Books.

Bowlby, J. (1973). *Attachment and Loss 2*. New York: Basic Books.

Bowlby, J. (1973). *Attachment and loss*. Vol. 2: Separation, anxiety and anger. London: The Hogarth Press [dt.: (1976) Trennung: Psychische Schäden als Folgen der Trennung von Mutte und Kind. München: Kindler].

Bowlby, J. (1973). *Separation: anxiety and anger*. New York: Basic Books.

Bowlby, J. (1979). *The making and breaking of affectional bonds*. London: Tavistock [dt.: (1982) Das Glück und die Trauer: herstellung und Lösung affektiver Bindungen. Stuttagrt, Klett-Cotta].

Bowlby, J. (1980). *Attachnent and loss. Vol. 3: Losss, sadness and depression*. London: The Hogarth Press [dt.: (1983) Verlust, Trauer und Depression. Frankfurt/M.: Fischer].

Bowlby, J. (1988). *A secure base*. London: Routledge [dt.: (1995) *Elternbindung und Persönlichkeitsentwicklung: Therapeutische Aspekte der Bindungstheorie*. Heidelberg, Dexter].

Bowlby, J. (2005). *The making and breaking of affectional bonds*. London, New York: Routledge.

부버
[Buber, Martin Mordechai]

1878. 2. 8. ~ 1965. 6. 13.
독일의 유대인 사상가이자 유대교 종교 철학자.

부버는 오스트리아 비엔나에서 태어났다. 아버지

카를 부버(Carl Buber)는 농업에 종사하고 있었고, 어머니 엘리제(Elise)는 1881년 가족 곁을 떠났다. 어머니가 떠난 뒤에 부버는 조부모가 계신 우카리나로 가게 되었는데, 그곳은 당시 오스트리아 헝가리 제국의 영역이었다. 할아버지인 살로몬 부버(Salomon Buber)는 당시 유명한 랍비문학가인 동시에 사업가였다. 세상의 여러 종교에 관심을 가지고 있었던 할아버지에게서 부버는 헤브라이어와 유대의 신비주의(Zionism)에 대해서 배웠다. 어린 시절을 할아버지와 함께 지내면서 부버는 미드라쉬와 랍비의 문학을 접하였다. 집에서는 이디시어와 독일어를 같이 사용하였다. 1892년에 부버는 아버지가 계신 렘부르크(Lehmbruck)로 돌아왔다. 그 시절 부버는 카발리즘에 매료되어 있었는데, 특히 신은 한 개인이 자신만의 사고를 통해서 이해할 수 있다는 개념에 젖어 있었다. 이 같은 부버의 개인적인 종교관으로 전통적인 유대교의 관습과는 점점 멀어지게 되었고, 칸트(Kant), 키르케고르(Kierkegaard), 니체(Nietzsche)와 같은 인물의 저서를 탐독하였다. 특히 키르케고르와 니체의 사상에서 영향을 많이 받아, 1896년부터는 비엔나, 취리히, 베를린 등지에서 철학, 예술사 등을 공부하였다. 대학 시절 부버는 광범위한 독서를 하면서 독일 고전 이상주의와 19세기 낭만주의 철학에 탐닉하였다. 이 과정에서 도스토옙스키의 문학에서도 영향을 받았다. 그의 나이 21세 무렵인 1899년, 소설가이자 작가로서 출판 일을 하고 있던 파울라 빈클러(Paula Winkler)와 결혼하였다. 1904년에는 독일 신비주의라는 주제로 박사학위를 받았다. 부버는 유대인들의 시온주의 운동에 적극적으로 가담하는 모습을 보이기도 했는데, 1901년 시온주의 운동의 기관지였던 『Die Welt』를 창간하여 폐간이 되는 1924년까지 당시 독일 유대인들의 가장 중요한 대변인 역할을 맡기도 하였다. 부버는 혁신적이고 시적인 집필양식으로 하시디즘, 성경해석, 형이상학적 대화 등을 펼쳐 나갔다. 문화적 시온주의자로서 부버는 유대인들과 독일 교육공동체, 이스라엘 국민 모두를 위해서 적극적으로 활동하였다. 또한 팔레스타인 지방에서의 양 국가 문제해결을 위해 확고한 신념을 가지고 지지를 표방하기도 하였다. 1924년부터 1933년까지 부버는 프랑크푸르트대학교에서 유대 종교철학을 가르쳤고, 1920년에는 로젠츠베이그(Rosenzweig)와 함께 『Freies Jüdisches Lehrhaus』를 설립하여 히틀러의 박해 아래 고통받고 있던 유대인들에게 큰 힘이 되기도 하였다. 히틀러 통치 원년에는 독일에 머물렀다가 1938년에 이주한 뒤 그때부터 예루살렘의 헤브루대학교에서 강의를 하였다. 1951년까지 헤브루대학교에 머물다가 1952년 미국으로 가서 여러 대학교와 학생 단체에서 강의를 하였다. 같은 해 『Two Types of Faith』를 출간하여 종교적 사상을 펼쳐 보이기도 하였다. 부버의 사상은 그의 조부에게서 영향을 받은 유대적 신비주의를 바탕으로 한 유대적 인간관의 재현이라고 할 수 있다. 그가 보는 유대적 인간관은 관계 내에서 형성되는 것이었다. 여기에서 그의 '나와 너 관계'가 나오고, 이를 중심으로 한 그의 철학의 중추가 되는 종교적 실존주의가 성립되었다. 이를 확장하여 그는 사회와 국가의 관계를 짚어 나가면서 마르크스주의를 비판하고, 이상주의적인 유토피아에의 길을 탐색하였다. 부버는 성경에 대한 연구도 그치지 않았다. 성경연구를 함께하던 로젠츠베이그가 1929년에 사망한 이후에도 계속하여 『Die Schrift』라는 15권의 방대한 저서를 출간하기도 하였다. 1953년에 부버는 독일문학에서의 최고 명예인 괴테상(Goethe Prize)을 수상하는 영예를 안았다. 또 2년 뒤에는 독일 도서무역연합 평화상(German Book Trade Association Peace Prize)을 수상하였다. 부버는 제2차 세계 대전에 대한 책임을 단 한 번도 독일 민족에게 물은 적이 없다. 그는 전쟁을 여러 요인으로 발생한 결과로 본 것이다. 1958년에 아내가 숨을 거두고, 부버는 더욱 종교와 민족의 문제를 교차해 가면서 연구와 강의, 집필 등에 매진하다가 1965년 세상을 떠났다. '나와 너 관계(I-Thou relationship)'와 '나와 그것 관계(I-It relationship)'의 구별에 중점을 둔 대화의 철학(philosophy of dialogue), 종교적 실존주의(religious existentialism)로 부버는 세계적인 주목을 받았다. 그는 현대사회의 인간상실, 인간소외 문제, 이에 대한 해결방법 등을 고민하면서 나와 너 관계를 설정하고, 참된 관계만이 현대인의 실존 부재를 해결할 수 있다고 믿었다. 부버는 '만남'이라는 용어를 철학적으로 처음 사용한 인물로서, 삶을 만남으로 보면서 대화, 관계, 만남, 사이 등의 용어로 만남을 정의하고자 하였다.

주요 저서

Buber, M. M. (1988). *Knowledge of Man*. Humanity Books.

Buber, M. M. (1991). *Eclipse of God*. Harper & Brothers.

Buber, M. M. (2000). 나와 너 [*Ich und du*]. (김천배 역). 서울: 한국기독교서회.

Buber, M. M. (1995). *The Legend of the Baal-Shem*. Princeton University Press.

Buber, M. M. (2009). 열계단 [*The Ten P & The Way of Man*] (강선보 역). 서울: 대한기독교서회. (원저는 1987년에 출판)

Buber, M. M. (2007). 인간의 문제 [*Dag Problem des Menscher*]. (윤석빈 역). 서울: 길. (원저는 1948년에 출판).

분트
[Wundt, Wilhelm Max]

1832. 8. 16. ~ 1920. 8. 31.
실험심리학의 창시자로 알려져 있는 독일의 심리학자로 철학자이자 문화사가.

분트는 만하임(Mannheim)의 네카라우에서 루터교 성직자의 아들로 태어났다. 당시 아버지 교회의 한 젊은 성직자가 분트의 교육을 담당하였다. 13세가 되던 해에 브루흐잘 김나지움(Bruchsal Gymnasium)에 입학했는데, 친구를 잘 사귀지 못하고 체벌도 많이 받았으며 담임 선생님은 분트를 학문적으로 실패한 학생으로 취급하였다. 이후 하이델베르크 리케이온(Heidelberg Lykeion)으로 옮긴 그는 첫해에 아버지가 돌아가셨지만, 형과 사촌이 다니는 이 학교로 옮기자 성격적으로나 학문적으로 서서히 좋아졌다. 그 후 튀빙겐(Tübingen)대학교 의예과에 입학했으며, 1년 뒤에는 하이델베르크대학교로 옮겨 그곳에서 매우 뛰어난 의과생으로 인정받았다. 하이델베르크대학교를 떠난 후 1871년에 교수직을 얻어 다시 돌아오기까지, 분트는 1867년 바덴의회 의원을 포함해 정치활동을 하였다. 그는 하이델베르크에서 보낸 짧은 기간에 매우 영향력 있는 책인 『Principles of Physiological Psychology』를 출간하였고, 취리히대학교에서 잠시 철학교수로 일하였다. 1875년에는 라이프치히(Leipzig)대학교에서 생리학교수로 재직했는데, 여생을 그곳에서 보냈고 죽기 8일 전 자서전을 완성하였다. 라이프치히대학 학장으로 임명되던 해 분트는 실험심리학을 하기 위해 콘빅트(Convikt)에 실험실을 세웠는데, 그 실험실은 한때 아우구스투스 플라츠(Augustus platz)대학교 내에 있었다. 7년 뒤 실험실의 공식명칭은 '실험심리학 연구소'가 되었다. 분트는 재직 중에 새로운 실험심리학을 만들어

ㅂ

전파하고자 노력했는데, 그가 심리학 역사상 가장 많은 글을 쓴 작가 중 한 명이라는 사실에서 알 수 있다. 1881년에는 심리학 잡지 『Philosophische Studien』을 간행하여 실험심리학을 궤도에 올려놓았다. 분트는 『Principles of Physiological Psychology』에서 생리학과 심리학의 제휴, 즉 생리학적 심리학 혹은 오늘날 실험심리학이라고 부르는 새로운 과학의 등장을 주장하였다. 그에게 심리학의 목적은 인간의 모든 경험을 연구하는 것으로, 핵심 사상은 즉각적(immediate) 경험과 중재적(mediate) 경험의 구별이다. 분트의 주장에 따르면, 물리학과 같은 학문은 실제 현상을 측정하기 위해 특별한 도구를 개발하고 사용하는 중재적 경험을 근거로 한다. 예를 들어, 빛의 파장을 측정하기 위해 분광계를 사용하고 이러한 장치가 세상의 경험을 중재한다. 이 중재적 경험은 일반적으로 직접 경험하는 빛과는 다르다. 그래서 분트에게 심리학은 경험에 근거하여 세상을 연구하는 학문이며, 특히 발생하는 즉시 이루어지는 즉각적 경험으로서 의식을 연구하기 위해 실험 기법을 사용하는 학문이라 할 수 있다. 분트는 또한 언어, 신화, 습관 등을 검토하여 민족의 혼을 탐구하려는 시도를 했는데, 1900년부터 1920년까지 전 10권으로 출간한 『민족심리학(Völkerpsychologie)』이 그 성과물이다.

주요 저서

Wundt, W. M., & Klinger, M. (1915). *Karl Lamprecht: ein Gedenkblatt*. Leipzig: Hirzel.

Wundt, W. M. (1919). *System der Philosophie*. Leipzig: Hirzel.

브라운
[Brown, Duane]

현존인물
직업 및 진로상담 분야의 선두 주자.

브라운은 퍼듀(Purdue)대학교에서 학부를 졸업하고, 동 대학에서 석사학위와 박사학위를 모두 받았다. 대부분 전공은 진로발달 및 상담이었다. 3년간 『Counselor Education and Supervision』의 편집을 맡았고, 그 외에도 다른 학술지의 편집위원으로 활동하였다. 브라운은 노스캐롤라이나 진로발달학회(North Carolina Career Development Association), 노스캐롤라이나 상담교육자 및 수퍼바이저학회(North Carolina Association of Counselor Educators and Supervisors), 노스캐롤라이나 상담학회(North Carolina Counseling Association), 전국진로발달학회(National Career Development Association) 등의 기관에서 활동하였고, 아직 활동 중인 곳도 있다. 그는 진로발달 관련 업적으로 두 번이나 노스캐롤라이나 진로발달학회에서 주는 앤더슨상(Roy N. Anderson Award) 외에도 여러 가지 상을 받았다. 노스캐롤라이나(North Carolina)대학교 채펄 힐 캠퍼스(Chaper Hill Campus)의 명예교수인 브라운은 그 대학교에서 25년간 강단에 섰다. 현재는 사설 상담에서 은퇴한 상태다. 브라운은 25권의 도서와 100편이 넘는 단행본 및 논문을 발표하였다. 또한 미국 항공(American Airlines)에서 미항공 본 프로그램(AAir Born Program)의 책임교육자로 활동하면서 비행공포에 관한 세미나를 수십 차례 행하고 있다.

주요 저서

Brown, D. (2002). *Career Choice and Development*. Jossey-Bass.

Brown, D. (2002). *Introduction to the Counseling Profession*. Allyn & Bacon.

Brown, D. (2004). *Designing and Leading Comprehensive School Counseling Programs: Promoting Student Competence and Meeting Student Needs*. Belmont, C. A.: Thomson Books/cole! Brooks Cole.

Brown, D. (2009). *Flying Without Fear: Effective Strategies to Get You Where You Need to Go*. New Harbinger Pub.

Brown, D. (2010). *Psychological Consultation and Collaboration*. New Jersey: Prentice Hall.

Brown, D. (2011). *Career Information, Career Counseling, and Career Development*. New Jersey: Prentice Hall.

브랜든
[Branden, Nathaniel]

1930. 4. 9. ~
캐나다 출신 심리치료사.

캐나다 온타리오(Ontario) 주에서 태어난 브랜든은 여자 형제에 둘러싸인 독자였다. 고등학교까지 캐나다에서 다녔고, 로스앤젤레스의 캘리포니아대학교에서 심리학을 전공하고, 뉴욕대학교에서 1973년에 석사학위를 받은 뒤, 캘리포니아대학원(California Graduate Institute)에서 박사학위를 취득하였다. 그런데 CGI는 국가공인이 아닌 주정부 승인 학교였기 때문에 미국심리학회에서는 준회원밖에 되지 못하였다. 1950년대 브랜든은 에인 랜드(Ayn Rand)의 팬으로, 여러 방면으로 연락을 시도해서 결국 랜드를 만나 그때부터 18년간의 인간적 · 직업적 관계를 만들다가 연인이 되었지만 결혼은 하지 못하였다. 수년간 객관주의 운동(Objectivist movement)의 선구자로 여겨졌던 브랜든은 1958년에 나타니엘 브랜든 연구소(Nathaniel Branden Institute)를 설립하고 강연과 교육세미나를 통해 객관주의를 미국 전역에 알리고자 하였다. 1965년에 브랜든은 아내와 이혼을 했는데 그때까지 브랜든은 랜드와 가까운 관계를 맺고 있다가 결국 여자 문제로 두 사람의 관계가 파경을 맞아, 랜드는 객관주의 운동에서 브랜든을 축출하고 '객관주의자(The Objectivist)'라는 서간문을 출판하여 브랜든과 완전히 절연하였다. 브랜든은 그에 대한 답을 발표하면서 두 사람의 연령차가 도저히 어쩔 수 없는 장벽이었다고 주장하였다. 이후 두 사람은 끝까지 화해하지 않았다. 1970년대 브랜든은 캘리포니아로 가서 패트리샤 스콧(Patrecia Scott)과 결혼했지만 1977년 뜻밖에 스콧이 간질성 발작으로 보이는 사인으로 사망하였다. 1978년에는 데버스 이스라엘(Devers Israel)과 세 번째 결혼을 했지만 또 이혼하였다. 그러고는 바로 네 번째 부인 레이 호튼(Leigh Horton)을 맞았다. 1989년에 브랜든은 당시 자신의 삶에 대한 이야기를 출판했고, 이 회고록의 제목은 『Judgment Day』이었다. 1990년, 브랜든은 이 책을 『My Years with Ayn Rand』이라는 제목으로 개정판을 출간하였다. 같은 해, 데이비드 켈리(David Kelley)의 열린 체제(open system)로서 객관주의 개념을 지지하는 논문을 쓰기도 하였다. 브랜든은 객관주의자의 윤리 기반에 지지하면서, 자신의 저서 『Honoring the Self』에서 랜드의 메타 윤리 이론을 대적했다. 심리학자로서 브랜든은 자아존중감(self-esteem)의 중요성을 강조하였다. 건강한 심리적 상태를 유지하기 위해 자아존중감을 필수 요건으로 꼽은 것이다. 치료사로서 브랜든은 문장완성검사(sentence completion test)를 무의식적 사고 및 감정을 파악하는 도구로 개발하였다. 현재 캘리포니아 로스앤젤레스에서 집필활동과 심리치료를 하고 있는 브랜든은 1990년 국가자아존중감위원회(National Council for Self Esteem)의 자문위원이 되었다. 이 위원회는 현재 국가자아존중감협회(National Association for Self-Esteem)로 개명하였다. 브랜든의 자아존중감에 관한 관점은 여타의 자아존중감 운동과는 차이가 있다. 그는 자아존중감을 실제 성취의 결과로 보았는데, 다른 쪽에서는 자아존중감을 성취와는 별개의 긍정적 자기가치감으로 보고 있다. 브랜든은 인본주의적 관점에서 자아존중감에 관한 심리학 분야를 개척한 인물로 유명하다.

주요 저서

Branden, N. (1983). *The Romantic Love Question and Answer Book*. New York: Bantam.

Branden, N. (1985). *Honoring the Self: Self-Esteem and Personal Transformation*. New York: Bantam.

Branden, N. (1985). *If You Could Hear What I Cannot Say*. New York: Bantam.

Branden, N. (1988). *How to Raise Your Self-Esteem*. New York: Bantam.

Branden, N. (1989). *Judgment Day*. Houghton Mifflin.

Branden, N. (1993). *The Art of Self Discovery*. New York: Bantam.

Branden, N. (1995). *The Six Pillars of Self-Esteem*. New York: Bantam.

Branden, N. (1997). *Taking Responsibility: Self-Reliance and the Accountable Life*. Touchstone.

Branden, N. (1998). *A Woman's Self-Esteem*. San Francisco: Jossey-Bass.

Branden, N. (1998). *Self Esteem at Work*. San Francisco: Jossey-Bass.

Branden, N. (1999). *My Years with Ayn Rand*. San Francisco: Jossey-Bss.

Branden, N. (1999). *The Art of Living Consciously*. New York: Fireside.

Branden, N. (2001). *The Psychology of Self-Esteem*. New York: Jossey-Bass.

Branden, N. (2008). *The Psychology of Romantic Love*. Tarcher.

브램머
[Brammer, Lawrence M.]

상담과정의 여섯 단계를 제시한 상담학자.

현재 미국 워싱턴에 있는 워싱턴 시애틀대학교의 명예교수로 재직 중인 브램머는 인생에서 누구에게나 일어날 수 있는 일들, 예를 들어 탄생, 죽음, 질병, 결혼, 이혼, 실직, 이사, 이직, 졸업, 승진 등의 문제의 변화에 대해서 주로 이야기한다. 그는 변화를 긍정적인 사건, 부정적인 사고로 변화시키는 사건, 스트레스를 처리하고 선택하고 우선순위를 정하는 방법 등으로 보았다. 이처럼 브램머는 정상적인 사람들이 겪는 발달적 문제로 인한 역기능적인 사건들을 연구하였다. 브램머는 상담과정을 면접하는 것으로 시작하였다. 일단 면접을 통해서 문제를 진술하는 과정을 거친 다음, 문제와 상담의 목표를 명료화하고, 상담관계와 과정을 구조화하고, 더욱 심도 있는 관계를 구축하고, 감정 · 행위 · 사고 등을 탐색하고, 구체적인 행동계획을 세워 그 행동을 실천하도록 한 뒤 평가하고, 상담을 종결하는 순으로 상담과정을 나누었다. 브램머가 중요하게 생각한 것은 변화에 대처하는 안전하고 생산적인 방법과 변화를 생활의 활력소와 평범한 일상을 탈출할 수 있는 도구로 보는 방법이었다.

주요 저서

Brammer, L. M. (1982). *Joys and Challenges of Middle Ages*. Burnham Inc. Pub.

Brammer, L. M. (1984). *Outplacement and Inplacement Counseling*. New Jersey: Prentice Hall.

Brammer, L. M. (1989). *Therapeutic Psychology: Fundamentals of Counseling and Psychotherapy*. New Jersey: Prentice Hall College Div.

Brammer, L. M. (1990). *How To Cope With Life Transitions: The Challenge of Personal Change*. New York: Rougledge.

Brammer, L. M. (1992). *Therapeutic Counseling and*

Psychotherapy. New York: Prentice Hall.
Brammer, L. M. (2002). *The Helping Relationship: Process and Skills*. Boston: Allyn & Bacon.

브렌타노 [Brentano, Franz Clemens Honoratus Hermann]

1838. 1. 16. ~ 1917. 3. 17.
독일의 심리학자로서 작용심리학파의 창시자.

브렌타노는 독일 보파르트(Boppard) 근처, 라인 강변의 마리엔부르크(Marienburg)에서 태어났다. 그의 집안은 강한 종교적 성향을 띤 지적인 게르만 이탈리아 가문이었다. 유명한 시인인 클레멘스 브렌타노(Clemens Brentano)가 그의 숙부다. 브렌타노는 유년 시절부터 종교적인 집안 분위기에서 자라면서 성직자가 되는 꿈을 키웠으며, 고등학교 때 이미 철학에 관심을 가지고 아리스토텔레스, 스콜라철학 등에 영향을 받아 왔다. 뮌헨대학교, 뷔르츠부르크대학교, 베를린대학교, 뮌스터대학교 등에서 철학을 배웠고, 베를린에서는 트렌델렌부르크(Trendelenburg)와 함께 아리스토텔레스를 연구하면서 콩트(Comte)와 영국 경험철학을 연구하였다. 1862년에는 튀빙겐(Tübingen) 대학교에서 '아리스토텔레스의 존재에 대한 이해(On the Several Senses of Being in Aristotle)'란 주제로 박사학위를 받았다. 어렸을 때부터 마음에 품어 온 대로 브렌타노는 1864년에 가톨릭 사제가 되었지만, 동시에 뷔르츠부르크(Würzburg) 대학교에서 학자의 길을 계속 걸었다. 1867년 브렌타노는 「Psychology of Aristotle」이라는 제목의 교수자격 논문(Habilitationsschrift)을 내어 1873년에 마침내 뷔르츠부르크대학교 정교수가 되었다. 이 기간에 브렌타노는 가톨릭교회의 교리 때문에 내적 갈등이 더욱 깊어졌다. 그는 교황의 무오류설(papal infallibility)에 깊은 회의를 갖고 있었다. 교수가 된 지 얼마 되지 않아 사제직과 교수직에서 모두 물러났고, 이후 브렌타노는 심리학의 토대가 되는 분야들에 대한 광범위한 연구를 시작하였다. 1874년에 『Psychology from an Empirical Standpoint』라는 제목의 첫 결과물이 나왔고, 이어서 1911년에 『Classification of Mental Phenomena』가 두 번째로 나왔다. 이 시리즈의 세 번째는 『Sensory and Noetic Consciousness』로, 브렌타노의 사후인 1928년에 오스카 크라우스(Oskar Kraus)가 출판하였다. 첫 번째 저서가 나온 1874년부터 1895년까지 비엔나대학교 교수로 재직했는데, 그동안 브렌타노는 후설(Husserl), 마이농(Meinong), 에렌펠스(Christian von Ehrenfels), 슈타이너(Steiner), 프로이트(Freud) 등을 가르쳤다. 그곳에서 제자들과 함께 작용심리학(act psychology)이라는 분야를 완성하였다. 그의 작용심리학 사상은 라이프니츠 유리론에서 유래한 단자론이다. 또한 브렌타노는 제자인 후설과 함께 현상학을 탄생시키기도 하였다. 그는 일종의 방법론으로 현상학을 정의하면서 내성을 통해서 자연스럽게 관찰할 수 있는 직접적 경험으로 보았다. 그의 견해에 따르면, 이는 심리 원소로 분석되는 것이 아니다. 이 현상학으로 브렌타노는 게슈탈트 심리학의 이론적 기초를 쌓는 동시에 분트의 내용 심리학과 원소주의에 반대하였다. 비엔나대학교 재직 시절에는 그의 저서에 대한 비판이 끊이지 않았다. 이후 그는 집필활동을 접고 미학을 비롯한 다양한 주제의 강의에 전념하였다. 강의 내용은 『Evil as Object of Poetic Representation』, 『The Origin of the Knowledge of Right and Wrong』 등으로 출판되었다. 『The Origin of the Knowledge of Right and Wrong』은 1902년에 그의 저서 중에서 최초로 영어로 번역되기도 하였다. 브렌타노는 리벤(Lieben)과의 결혼문제 때문에 1880년 오스트리아 시민권과

ㅂ

교수직을 모두 잃기도 하였다. 당시 오스트리아-헝가리 제국의 법률상 사제가 결혼을 하는 것은 불법이었다. 그 후로는 강사로서만 대학에 머물렀다. 1895년 아내의 죽음 이후, 오스트리아에 대한 실망감으로 비엔나 신문 「Die neue freie Presse」에 '오스트리아에 대한 나의 마지막 바람(My Last Wishes for Austria)'이라는 제목으로 3편의 기사를 실었다. 이 글들은 브렌타노의 철학적 위치와 심리학에 대한 그의 접근법의 개요를 보여 주기도 하지만, 오스트리아의 사제에 대한 제도적 상황을 강도 높게 비판하고 있었다. 은퇴 이후 1896년 브렌타노는 이탈리아 플로렌스(Florence)로 가서 1897년 루프레흐트(Ruprecht)와 재혼을 하였다. 브렌타노는 늘 편견 없는 과학적 방식으로 비판적인 사고를 할 수 있어야 한다고 학생들을 가르쳤고, 학교나 전통의 고답적 방식에 비판적인 자세를 지니고 있었다. 이 같은 자세로 타인과의 논의나 개선에 대한 토의 같은 것을 무시하게 되었고, 점차 고립되어 갔다. 이는 그의 시력 문제 때문에 더해졌다. 눈이 거의 보이지 않는 지경이 되면서 그의 아내가 책을 읽어 주고 대필을 하게 되었다. 그럼에도 불구하고 그는 집필을 멈추지 않았다. 1907년에는 심리학에 대한 짧은 글들을 모아 놓은 『Untersuchungen zur Sinnespsychologie』를 출간하였고, 1911년에는 『Psychology from on Empirical Standpoint』 제2권을 출간하였다. 또한 아리스토텔레스 철학을 해석한 『Aristotle and his World View』라는 저서도 있다. 『Aristoteles Lehre vom Ursprung des menschlichen Geistes』에서는 1860년대에 시작된 첼러(Zeller)와의 논쟁을 계속하였다. 브렌타노는 아리스토텔레스에 대한 첼러의 해석을 비판적인 견지에서 보았다. 브렌타노는 제1차 세계 대전이 발발하면서 취리히로 간 뒤 그곳에서 1917년에 숨을 거두었다. 그는 분트(Wundt)의 내용심리학을 반대하면서 작용심리학과 형질학의 발전을 꾀하여 형태심리학이라고도 하는 게슈탈트 심리학의 이론적 선구자가 되었다. 이로써 프로이트, 후설, 트바르도프스키(Twardowski), 마이농(Meinong, Alexius)과 같은 인물들에게 영향을 미쳤다. 과학적 심리학의 기반을 닦는 것을 목표로 했던 브렌타노는 심리학을 두고 정신현상학의 과학이라고 하였다.

주요 저서

Brentano, F. (1973). *Psychology from an Empirical Standpoint*. New York: Routledge.

Brentano, F. (1981). *On the Several Senses of Being in Aristotle*. California: Univ. Press.

Brentano, F. (1982). *Descriptive Psychology*. London & New York: Routledge.

Brentano, F. (2009). *The Foundation and Construction of Ethics*. London & New York: Routledge.

Brentano, F. (2009). *The Origin of Our Knowledge of Right and Wrong*. New York: Routledge

Brentano, F. (2010). *Untersuchungen Zur Sinnespsychologie*. London; Nabu Press.

브로이어
[Breuer, Josef]

1842. 1. 15. ~ 1925. 6. 20.
오스트리아의 의사이자 생리학자이며, 프로이트의 스승.

브로이어는 비엔나에서 태어났다. 몇몇 저자들에 따르면 그의 정확한 이름은 조셉 로버트 브로이어(Josef Robert Breuer)라고 한다. 그의 아버지는 비엔나에 있는 유대인 공동체에서 종교학을 가르치던 레오폴트 브로이어(Leopold Breuer)다. 브로이어는 4세가 되는 해 어머니를 여의고, 외조모 손에 양육되면서 8세가 될 때까지 아버지에게 교육을 받았다. 이후 비엔나의

아카데믹 고등학교(Academic Gymnasium)에 입학해서 1858년에 고등학교를 졸업하였다. 그해 비엔나대학교 일반 학과에 입학하여 1년 동안 수학하다가 1859년에 의대로 들어갔다. 1864년에 의대를 졸업한 다음, 1867년에 박사학위를 받고 바로 비엔나 의료클리닉(medical clinic)으로 들어가서 당시 내과의사였던 요한 리터 폰 오폴처(Johann Ritter von Oppolzer)의 조수로 일하였다. 이때 브로이어는 헤링(E. Hering)과 함께 호흡에 대한 체온조절(temperature regulations of respiration)이라는 생리학적 물음에 대한 연구에 착수하였다. 이 연구는 열조절과 호흡의 기능에 관한 것으로 후에 헤링-브로이어 반사(Hering-Breuer reflex)로 불리게 되었다. 1868년 마틸드 알트만(Mathilde Altmann)과 결혼하고 슬하에 다섯 자녀를 두었다. 1871년 오폴처가 사망하자 브로이어는 조수직을 사임하고 개인 연구소를 열었다. 이 시기에 내이(內耳)의 조직과 기능에 관한 매우 획기적인 연구를 하였다. 후에 이 연구는 마흐-브로이어 흐름(Mach-Breuer flow) 혹은 내이 미로임파 이동설(shift theory of the endolymph of the inner ear)로 불렸다. 이 연구로 1875년 내과의로서의 자격을 회복한 그는 베를린대학교의 교수 자격(venia legendi)을 얻어 강의를 하게 되었다. 그로부터 10년이 지난 뒤 자신의 연구소에 일이 너무 많아지는 등의 이유로 대학을 떠나게 되었다. 내이에 관한 연구 이후 1870년대 후반부터 브로이어는 히스테리 증상에 대하여 연구하였다. 그러다가 1880년에 팔다리 마비 증상과 무감각증, 시각 및 언어 곤란을 앓고 있었던 안나 오(Anna O)라는 예명으로 유명한 베르타 파펜하임(Bertha Pappenheim)이라는 여인을 접하면서 히스테리 증상을 직접 관찰하게 되었다. 이 사례로 브로이어는 안나 오가 자신에게 말을 하는 것으로 증상이 완화되는, 소위 '굴뚝 청소(chimney sweeping)'라고 하는 과정을 목격하였다. 이로써 프로이트학파의 정신분석의 초시로 공인되고 있는 대화 치료(talking cure)가 등장하였다. 브로이어는 프로이트의 스승으로서 정신분석의 초석을 닦은 인물로 우리에게 더 많이 알려져 있다. 어니스트 존스(Ernest Johns)에 따르면, 안나 오에 대한 이야기를 전해 들은 프로이트는 상당한 관심을 보였고 브로이어에게 깊은 인상을 받았다. 이에 대해 프로이트는 1909년 『Five Lectures on Psycho-Analysis』라는 책에서 대화치료과정이 브로이어에게서 시작되었음을 직접 밝히고 있다. 프로이트를 만난 이후 브로이어는 안나 오에 관한 이야기를 직접 사례연구로 만들어서 다른 사례연구와 함께 1895년 『Studies on Hysteria』라는 책을 출판하였다. 이 책은 프로이트 이론의 기반이 되었을 뿐만 아니라 정신분석 실제에도 큰 영향을 미쳤다. 특히 판타지, 히스테리아, 카타르시스의 개념 및 그 방법 등에서 영향을 많이 받았다. 브로이어는 이보다 한 해 앞선 1894년에는 비엔나과학학회(Vienna Academy of Science)의 회원으로 선출되기도 하였다. 1896년, 브로이어는 프로이트와 결별했는데, 이는 아동기 유혹을 당한 기억이 과연 사실인가에 관해 프로이트와 뜻이 달랐기 때문이다. 두 사람이 결별한 후 본인들은 서로 학문적인 대화를 나누지 않았지만 두 사람의 가족들은 오래도록 친밀한 관계로 남았다. 1925년 숨을 거둔 브로이어는 문화적인 관심도 많았으며, 생물학자로서의 업적도 남아 있다. 어빙 얄롬(Irving Yalom)은 브로이어의 삶과 안나 오와의 관계를 다룬 소설인 『When Nietzsche Wept』를 쓰기도 했는데, 이는 2007년에 영화로도 만들어졌다. 브로이어의 학설과 이론적 입장은 후에 10여 년을 그의 제자이자 동료였던 프로이트의 정신분석 속에 녹아들어 있다.

주요 저서

Breuer, J., & Freud, S. (1895). *Studien über Hysterie*. Leipzig; wien: Franz Dueticke.

Breuer, J., & Ebner-Eschenbach, M. (1969). *Ein Briefwechsel*, 1889-1916. Wien: Bergland-verlag.

ㅂ

브루너
[Bruner, Jerome Seymour]

1915. 10. 1. ~
인지심리학 및 인지학습이론 발달에 큰 공헌을 한 미국 심리학자.

브루너는 뉴욕 교외에서 태어났는데, 부모는 폴란드에서 미국으로 이민 온 헤르만 브루너(Herman Bruner)와 로즈 글룩만 브루너(Rose Gluckmann Bruner)다. 브루너의 어린 시절은 유복했지만, 태어날 당시에는 앞을 보지 못한 상태였다. 2세 때까지 두 번의 백내장 수술을 한 끝에 브루너는 시력을 얻을 수 있었다. 13세가 되던 해에는 아버지를 여의고, 16세 때는 친구와 같이 모터보트를 사서 경주에 나가 우승을 한다. 1933년에 고등학교를 졸업한 뒤, 듀크대학교에 들어가 심리학을 전공한 그는 1937년 학부를 졸업하고 하버드대학교 대학원에 들어갔다. 1939년에 석사학위, 1941년에 고든 올포트(Gordon Allport)의 지도를 받아 박사학위를 받았다. 제2차 세계 대전 중에는 아이젠하워 장군 휘하에서 유럽연합 원정부대 최고 본부 심리전 분과(Psychological Warfare Division of Supreme Headquarters Allied Expeditionary Force Europe)에서 복무하였다. 전쟁이 끝난 1945년부터 하버드대학교에서 심리학을 가르치다가 1952년에는 정교수가 되었다. 1950년대 전반까지 브루너의 연구는 지각심리학 '뉴룩파'의 선봉의 자리에서 지각에 미치는 요구, 가치관, 성격 특성 등의 개인적 요인의 영향을 연구하였고, 이후에는 의견의 형성, 개인적 요인 이외의 사회심리적 현상의 기초가 되는 지각, 사고, 학습, 언어 등의 문제로 관심을 옮기면서 이른바 인지혁명의 핵심 인물 중 한 사람이 되었다. 그가 심리학 분야로 입문을 할 당시의 심리학은 크게 인식연구와 학습분석으로 대별되어 있었다. 전자는 정신적이면서 주관적인 반면 후자는 행동적이면서 객관적이었다. 당시 하버드대학교 심리학부는 정신물리학이라고 하는 연구 프로그램을 따르는 행동주의자들이 지배적인 상황이어서 감각에 대한 연구라는 입장으로 심리학을 보아 물리적 힘이나 자극에 사람이 어떻게 반응하는가가 주 관심이었다. 이러한 관점에 브루너는 반기를 들고, '뉴룩(New Look)'이라는 새로운 인지이론을 내놓았다. 뉴룩은 즉각적으로 일어나는 것이 아니라 해석과 선택이라 할 수 있는 정보처리과정의 형태라는 이론을 바탕으로 하고 있다. 이는 사람이 세상을 어떻게 보고 해석하며, 자극에 어떻게 반응하는가에 관심을 가져야 하는 것이 심리학이라는 입장이다. 브루너 이론의 틀에서 학습이란 학습자가 자신의 현재 혹은 과거 알고 있는 것에 기초하여 새로운 아이디어나 개념을 구성하는 능동적 과정이다. 학습자는 자신의 인지적 구조에 의해서 정보를 선택하고 변형하며 가설을 구성하고 결정을 한다. 인지적 구조, 다시 말해 도식(schema) 혹은 정신적 모델은 개인이 주어진 정보를 넘어설 수 있도록 하는 의미 및 조직을 제공해 준다. 브루너가 제시한 사고의 기본 양식은 두 가지다. 첫째, 내러티브 양식(narrative mode)은 정신이 일련의 행동 지향적이고 세부적으로 움직일 수 있는 사고에 관여를 하고, 사고가 이야기 혹은 '재미있는 극(gripping drama)'의 형태를 취하게 한다. 둘째, 패러다임 양식(paradigmatic mode)은 정신이 체계적이고 범주적인 인식을 이룰 수 있도록 하는 특정적인 것을 넘어서, 사고가 지엽적 작동인에 의해 연결되는 명제로 구조화되도록 한다. 이 같은 그의 사상은 1956년에 출판한 『A Study of Thinking』에 잘 나와 있다. 1960년에는 밀러(George Miller)와 하버드에서 인지연구소(Center for Cognitive Studies)를 열고 심리학이 인지처리과정이라는 확신을 가지고 연구를 계속하였다. 브루너의 이론은 철학과 인류학에서 비롯된 것으로서, 이 연구소에서는 심리학뿐만 아니라 철학, 인류학 그 외에도 관련 학문의 후학이 많이 배출되어 인지과정연구에 공헌을 하였다. 브루너의 학문적 심리학에 대한 공헌은 수도 없지만, 그의 업적은 교육학에서 가장 많이 알려져 있다. 주로 인지연구소에서 이루어진 그의 연구들은 미국의 교육정책이나 교육환경 등에 큰 영향을 미치고 있다. 1959년 저명한 과학자, 학자, 교육자들이 모여 미국 내 학교의 전체적인 교육과정 개편을 시도한 국립과학회(National Academy of Sciences)의 대표를 브루너가 맡기도 하였다. 당시의 연구에 대한 결과물은 1960년에 『The Process of Education』이라는 책으로 출판되어 바로 베스트셀러가 되면서 19개 국어로 번역되었다. 이후 브루너는 대통령 과학자문위원회(President's Science Advisory Committee)의 교육위원으로 지명을 받았다. 1972년에는 인지연구소 문을 닫고, 잉글랜드로 옮겨 가서 옥스퍼드대학교 울프선(Wolfson) 대학의 심리학 교수 및 연구원이 되었다. 이즈음부터 그의 연구는 초기 유아의 인지발달로 초점이 바뀌었다. 1980년에 미국으로 돌아와 잠시 하버드대학교에 있다가 1981년에는 뉴욕에 있는 새사회연구소(New School for Social Research)의 조지 허버트 미드(George Herbert Mead) 교수직에 오르는 동시에 뉴욕인문학연구소(New York Institute for the Humanities)의 대표가 되었다. 말년에는 뉴욕대학교 법학부 선임연구원(senior research fellow)으로 재직하면서, 왕성한 연구와 집필 활동을 계속하였다. 1986년에는 『Actual Minds』『Possible Worlds』『Baby Talk』 등을 출간하였고, 1990년에는 『Acts of Meaning』이라는 강의록을 출판하였다.

주요 저서

Bruner, J. S. (1957). *Contemporary approaches to cognition: a symposium held at the University of Colorado*. Massa Harvard Univ. Press.

Bruner, J. S. (1983). *In search of mind: essays in autobiography*. New York: Harper & Row.

Bruner, J. S. (1986). *A study of thinking*. New Jersey: Transaction Books.

Bruner, J. S. (1986). *The Process of education*. 서울: 배영사.

Bruner, J. S. (1987). *Making sense: the child's construction of the world*. Methuen.

Bruner, J. S. (2006). *In search of pedagogy*. New York: Routledge.

Bruner, J. S. (2010). 이야기 만들기: 법, 문학, 인간의 삶을 말하다 [*Making stories: law, literature, life*]. (강현석 외 역). 경기: 교육과학사. (원저는 2002년에 출판).

ㅂ

브루시아
[Bruscia, Kenneth E.]

음악치료 학자.

브루시아는 미국 필라델피아 템플(Temple)대학교 음악치료학과 교수다. 그에 따르면 음악은 개인이 작곡, 즉흥, 연주, 감상 기술을 사용하는 소리를 통하여 의미와 미를 창출하는 인간제도다. 이러한 의미와 미는 소리 그 자체에 의한 내적 관계와, 소리와 인간경험의 외적 관계에서 파생된다고 하였다. 이에 따라 그는 음악치료를 치료사가 환자를 도와 건강을 회복시키고자 하는 음악적 경험과 관계들을 통하여 역동적인 변화를 이끌어 내는 체계적인 치료과정으로 보았다. 브루시아는 음악치료를 심리학, 사회복지, 전통적인 심리치료, 예술, 교육, 음악, 철학, 오락 등 수많은 영역이 함께 어우러진 복잡한 분야로 보고, 인간이 내는 모든 소리와 심지어 침묵에서 비롯되는 것들까지 포함하는 다양한 관점을 소화하고, 소리와 주변의 우연적 상황 사이의 구조적이고 조직적인 관계를 파악하여 음악을 정의해야 한다고 하였다. 이처럼 브루시아는 체계적인 과정을 강조하였고, 음악치료의 정의를 내리기가 쉽지 않은 것은 음악과 치료라는 두 단어가 전혀 다른 배경에서 나왔기 때문이라는 주장도 하였다. 브루시아는 음악치료를 교육적 · 의료적 · 치유적 · 심리치료적 · 오락적 · 생태적으로 나누고 있다. 교육적 치료는 사회 적응에 필요한 지식이나 행동, 기술을 얻는 데 도움을 주고, 의료적 치료는 신체적 건강을 증진 · 회복하는 데 초점을 맞춘다. 치유적 영역은 개인 내면 및 개인과 우주 간의 조화를 회복하려는 목적에서의 진동, 소리, 음악의 보편적 특성의 모든 사용을 포함한다. 심리치료적 영역에서는 개인의 감정이나 자기만족, 통찰력, 정신적인 부분의 변화를 대상으로 한다. 오락적 영역은 사회적 · 문화적 활동에서 개인적 즐거움과 유흥, 참여를 중시하고, 생태적 영역은 가족이나 직장, 지역사회, 문화 등 어떤 집단의 태도에 주의를 집중하는 모든 작업을 포함한다.

주요 저서

Bruscia, K. E. (1998). 음악치료의 즉흥연주모델[*Improvisational Models of Music Therapy*]. (김군자 역). 경기: 양서원. (원저는 1987년에 출판).

Bruscia, K. E. (2002). *Guided Imagery and Music: the Bonny Method and Beyond*.

Bruscia, K. E. (2003). 음악치료[*Defining Music Therapy*]. (최병철 역). 서울: 학지사. (원저는 1989년에 출판).

Bruscia, K. E. (2006). 음악 심리치료의 역동성[*The Dynamics of Music Psychotherapy*]. (최병철 외 역). 서울: 학지사. (원저는 1998년에 출판).

브루어
[Brewer, John Marks]

1877. ~ 1950.
지도 분야의 선구자.

모든 교육은 학생들이 학교환경 밖에서 살아갈 수 있도록 준비하는 데 초점을 두어야 한다고 주장한 인물이다. 그의 주장에 따르면, 내담자의 직접 결정에서 상담자는 자신들의 책임도 일부 있다는 것을 인식하고 있어야 한다.

주요 저서

Brewer, J. M. (1933). *Education As Guidance*. London: Macmillan.

Brewer, J. M. (1943). *Occupations Today*. Cambridge: Ginn & Co.

Brewer, J. M. (2009). *A Selected Critical Bibliography of Vocational Guidance*. Memphis; Jennessee: General Books LLC.

Brewer, J. M. (2009). *The Vocational-Guidance Movement: Its Problems and Possibilities*. New York: Cornell Univ. Library.

브리그스
[Briggs, Katharine Cook]

1875. ~ 1968.
MBTI 성격유형검사를 만든 인물 중 한 사람.

브리그스는 학자 집안 출신으로, 미시간(Michigan)대학교에서 수학하였다. 그녀의 이론과 논문들은 여러 학술지와 정기 간행물에 발표되었다. 1923년에 출판된 융의 저서를 읽고성격 이론에 관심을 갖게 된 브리그스는 자신의 딸 이사벨 마이어스(Isabel Briggs Myers)에게 융의 저서와 이론을 소개해 준 다음, 둘이서 함께 성격검사를 만들었다. 브리그스는 인간발달에 관한 이해와 실용적인 방법으로 모든 사람에게 적용 가능한 성격 이론을 만드는 것에 평생의 열정을 쏟아 부었다.

주요 저서

Briggs, K. C. (1993). *Myers-Briggs type indicator: Form G self-scorable*. Minnesota: Consulting Psycholgists Press.

블룸
[Bloom, Benjamin S.]

1913. 2. 21. ~ 1999. 9. 13.
유태계 미국인 교육심리학자로, 교육목표 분류와 완전학습(mastery-learning)에 대한 이론에 업적을 남긴 인물.

블룸은 펜실베이니아(Pennsylvania)의 랜스포드(Lansford)에서 태어났는데, 그의 부모는 러시아에서 이민을 왔다. 아버지는 사진 액자를 만드는 사람이었고 어머니는 전업주부였다. 블룸은 랜스포드의 공립학교에 입학해서 1931년에 졸업했고, 그 졸업식에서 졸업생 대표가 되었다. 1931년 가을에 펜실베이니아 주립대학교에 입학한 뒤 4년 만에 심리학 석사까지 마쳤고, 대학을 졸업하고는 펜실베이니아 주립 구제기관(Pennsylvania State Relief Organization)에서 연구자로 1년간 일하였다. 그러다가 워싱턴 D.C.로 옮겨 미국청소년위원회(American Youth Commission)에서 비슷한 일을 맡아서 하였다. 그곳에서 일하는 동안 타일러(R. Tyler)를 만났다. 블룸은 타일러에게 깊은 인상을 받아 그와 함께 연구를 하기로 결정하였다. 1939년 여름에는 시카고대학교에서 박사학위를 밟기 시작하였고, 그런 중에 소피(Sophie)를 만나 1년 뒤에 결혼을 하였다. 1942년 3월에 시카고대학교에서 박사학위를 받은 그는, 1940년부터 시카고대학교 고시위원회(Board of Examinations) 출제위원을 맡아 1943년까지 봉사를 하였다. 1943년부터 1959년까지는 대학교 시험관직을 맡았다. 1944년, 시카고대학교 교육학부 교수가 되었고 1948년에는 전국 대학 및 대학교 회의를 소집해서 시험관들이라면 모두 경험하는 광범위한 목표학습 결과를 분류할 수 있는 규범을 고안하는 가능성에 대하여 논의하였다. 그 뒤 8년이 지나 『The Taxonomy of Educational Objectives: The Classification of Educational Goals, Handbook I: The Cognitive Domain』을 출판하였다. 블룸은 교육적 목표는 인지적 복합성에 따라 구성될 수 있다는 가정을 하였다. 블룸의 관심은 사고와 그 사고의 발달에 있었다. 브로더(Broder)와 작업을 함께 하면서는 대학생들의 사고과정에 대한 연구를 하였다. 블룸은 소리 내어 생각하기(thinking-aloud)라는 프로토콜을 사용하여 블랙박스에 대하여 통찰하는 중요한 기반을 마련하였다. 연구진이나 시험관으로 있던 시절 블룸의 연구는 시험, 측정, 평가 등에 집중되어 있었는데, 1959년부터 1960년까지는 평가를 하는 자리에서 물러나 캘리포니아 팔로 알토에 있는 스탠퍼드대학교 행동과학 심화연구센터(Center for Advanced Study in Behavioral Sciences)에서 1년간 일하였다. 이 센터에서의 작업으로 블룸은 『Stability and Change in Human Characteristics』를 출간하였다. 이 책은 몇 가지 영역의 연구에 대한 확장적 고찰로 구성되어 있는데, 이를 통해서 블룸은 인간의 특성에 환경적 요인이 영향을 미칠 수 있는 정도가 시간이 지날수록 줄어든다는 것을 보여 주고 있다. 성장을 할수록 인간의 특성은 안정되어 가는 것이다. 블룸의 분류학은 존슨 대통령 당시 미국 정부의 1965년 헤드 스타트 프로그램(Head Start program)에 큰 영향을 미치기도 하였다. 1968년에는 「Learning for Mastery」이라는 중요한 소논문을 낸 뒤 1970년대에 들어서서 이 주제로 학교 학습에 대해 본격적인 이론을 펼쳤다. 이로써 1984년 그가 '두 가지 시그마 문제(two sigma problem)'라고 명명한 것에 대해 교사들이 해결할 수 있는 길을 열었다. 1984년에 블룸은 자신의 가장 주된, 그리고 마지막 연구에 돌입하였다. 그는 사람이 선택한 분야에서 최고 경지에 이른 사람들이 보여 준 과정을 밝혀 설명하면서, 그들이 어떻게 자신의 능력을 충분히 발휘할 수 있었는지를 증명하였다. 이 연구결과는 개인이 출생 당시 타고난 특성으로만 능력의 수준이 결정되지 않음을 확인시켜 주었다. 1999년에 숨을 거둔 그의 주요 연구주제는 학교에서 배울 수 있는 교육목표에는 어떤 것이 있는가, 출생 시 확보되는 지능 및 동기와 같은 특성들은 어느 정도까지 경험으로 재형성할 수 있는가, 교실에서 전체 학생을 한 명의 교사가 가르칠 때 일대일 학습에서 얻을 수 있는 만큼 결과를 산출할 수 있는가, 선택 분야 내에서 최고 수준의 성취를 어떻게 이룰 수 있는가 등이었다. 블룸은 이 같은 물음에 대한 답을 얻기 위해 50여 년간의 연구 인생 대부분을 시카고대학교에서 보냈다. 블룸의 중심 주제는 대부분의 학생들이 학교에서 배우고자 하는 것을 완전히 습득할 수 있다는 것이다. 교육이 그 정도의 우수성을 지니기 위해서는 배우고자 하는 것을 분명하게 전달하고, 배워 가는 과정에서 학생들에게 피드백을 주면서, 여유 시간을 주고 필요할 때 도와주어야 한다. 블룸은 교육자들에게 가능성의 세계를 열어 준 인물이다. 모든 학생은 어떤 집단이든 상관없이 배울 수 있고, 그 배움에서 훌륭한 결과를 낼 수 있다. 블룸에 따르면, 재능이라는 것은 특별한 소수에게 부여되는 것이 아니라 교육과 양육으로 발전되어 가는 것이다. 이러한 블룸의 학설은 1976년 『Human Characteristics and School Learning』, 1985년 『Developing Talent in Young People』 등에서도 확인할 수 있다.

주요 저서

Bloom, B. S. (1956). *Developing talent in young people*. New York: Ballantine Books.

Bloom, B. S. (1956). *Early learning in the home*. New York: ERIC.

Bloom, B. S. (1956). *Taxonomy of educational objectives 1, 2*. New York: Longman.

Bloom, B. S. (1956). *The environment and school learning*. Illinois: s.n.

비고츠키
[Vygotsky, Lev Semenovich]

1896. 11. 17. ~ 1934. 6. 11.
구소련 심리학의 대표적 발달이론을 구축한 심리학자.

비고츠키는 벨라루스 보르샤(Belarus Borsa)의 유복한 유대인 가정에서 태어나 차별을 받으며 성장했지만, 부모님이 유대인으로서 풍부한 문화, 지적인 가정 환경을 조성해 주었다. 비고츠키의 성장배경은 나중에 그의 사회인지론에 반영되었다. 모스크바대학교에 입학해 법학을 전공하다가, 재학 중 러시아 혁명을 경험한 그는 대학 시절에 철학, 사회과학, 심리학, 언어학, 문학, 미술 등 광대한 영역의 지식을 익혔다. 이는 훗날 그의 심리학 연구에 기초가 되었다. 1918년 대학을 졸업한 뒤 고멜(Gomer)로 돌아가 교직에 종사하면서 학문을 계속한 비고츠키는 1925년에 예술의 심리학(The psychology of art)으로 박사학위를 받았다. 1924년부터 1934년까지는 모스크바 실험심리연구소에서 본격적으로 연구활동을 해 나갔다. 그는 10년 정도의 짧은 연구활동 기간에 발달심리학 분야를 시작으로 폭넓은 분야에서 수많은 실험적 · 이론적 연구를 하다가 37세의 젊은 나이에 결핵으로 사망하였다. 비고츠키의 저서는 1953년 스탈린이 사망하기까지 출판이 금지되었지만 러시아 심리학에 많은 영향을 주었고, 1960년대에 비고츠키의 『Thought and Language』가 영어로 번역되면서 서방 심리학자들이 비고츠키에 대하여 관심을 보이기 시작하였다. 비고츠키는 마르크스(Marx) 이론의 영향을 받아 정신활동의 사회문화적 측면에 주목했으며, 인지발달론을 중심으로 폭넓은 업적을 남겼다. 그에 의하면 정신활동은 특정한 사회에서 공유 · 축적된 도구를 매개로 이루어지는데, 그중에서도 사고를 직접적으로 매개하는 언어를 중시하였다. 또한 발달은 사회적 상호작용 과정에서 타인을 모방하고 이를 내면화하면서 고등정신능력을 향상시킴으로써 이루어진다고 보았다. 즉, 아이가 어른과 대화를 하는 가운데 어른이 사용하는 언어를 모방하면서 점차 독자적으로 자신의 사고를 매개할 수 있는 과정을 발달로 파악한 것이다. 이를 정신활동의 정신 간 기능으로부터 정신 내 기능으로의 이행이라고 불렀다. 아이가 어른과의 공동 활동에서 사용하는 언어의 수준과 아이 혼자서 사용할 수 있는 언어의 수준 사이에는 간격이 있는데, 이것이 바로 근접발달영역이다. 이 영역에 교육적 지원이 이루어질 때 개입효과가 크다. 요컨대 그는 교육이 발달을 촉진하고 선도하는 것으로 보아, 성인에 의한 교육을 중시하였다. 그리고 개체는 애초부터 사회적 존재이며, 외적 커뮤니케이션을 통하여 형성된 언어활동이 내면화(사적 언어의 획득)됨으로써 개인의 독립적인 활동이 영위된다고 보았다. 이와 같은 비고츠키의 이론은 발달을 자생적인 것으로 간주하는 피아제(Piaget) 교육론을 비판하는 입장에 있다고 할 수 있다.

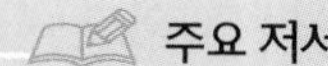
주요 저서

Vygotsky, L. S. (1934). *Thinking and Speech.*

Vygotsky, L. S. (1981). The instrumental method in psychology. In J. V. Wertsch (Ed.), *The concept of activity in Soviet Psychology.* New York: Sharpe.

Vygotsky, L. S. (1986). *Thought and Language.* Massachusetts: MIT Press.

Vygotsky, L. S., & Cole, M. (2000). (비고츠키의) 사회 속의 정신: 고등심리과정의 발달[*Mind in society: the development of higher psychological processes*]. (황해익 외 역). 경기: 양서원. (원저는 1978년에 출판).

Vygotsky, L. S. (2011). 사고와 언어[*Thought and language*]. (윤초희 역). 경기: 교육과학사. (원저는 1962년에 출판).

Vygotsky, L. S., Knox, Jane E., Stevens, Carol B., R Teber, Robert W., Carton, & Aaron S. (2002). *The Collected Works of Ls Vygotsky*, Berlin: Kluwer Academic Publishers.

비네
[Binet, Alfred]

1857. 7. 8. ~ 1911. 10. 18.
최초로 실용 가능한 지능검사를 만든 프랑스의 심리학자.

비네는 프랑스 니스(Nice)에서 의사인 아버지와 화가인 어머니 사이에서 독자로 태어났다. 어릴 때 부모님이 이혼하고, 비네는 어머니와 함께 파리로 갔다. 파리에서 법률학교(law school)에 입학한 뒤 1878년에 졸업한 비네는 다시 소르본(Sorbonne)대학교에서 자연과학을 배웠다. 법대 졸업 후 비네는 과학에 관심을 보였지만 정규

교육 과정에는 뜻이 없었고, 혼자서 파리의 국립도서관을 찾아다니면서 심리학 저서들을 탐독하였다. 그는 인간지능 작용으로 연상의 법칙을 설명할 수 있을 것이라 생각한 밀(Mill)의 사상에 매료되었다가 그 사상에 한계가 있음을 발견하였다. 1883년에는 페레(Fere)를 만나 그를 통하여 샤르코(Charcot)와 조우하였다. 당시 샤르코는 살페트리에르의 책임자였다. 그렇게 1883년부터 1889년까지 살페트리에르 병원 신경과에서 연구원으로 근무하였다. 그곳에서 비네는 7년간 샤르코의 가르침으로 대학교육에서 제공되던 교육을 모두 받을 수 있었다. 당시 최면을 연구하던 샤르코에게 강한 영향을 받은 비네는 최면에 관한 논문을 4편이나 발표하기도 하였다. 하지만 샤르코의 최면연구가 과학적으로 증명되지 못했고, 인정을 받지 못하였다. 두 딸이 출생한 이후 비네는 자신의 연구에 박차를 가해, 21년간 200편이 넘는 논문과 저서를 출간하였다. 1890년, 비네는 살페트리에르를 떠나 아동발달에 관심을 갖게 되었다. 이에 1891년 소르본의 생리심리학 연구소(Laboratory of Physiological psychology)에 들어가 1년간 무보수로 일한 뒤 1894년에는 대표가 되어 임종까지 그곳에서 일하였다. 연구소에서는 인간의 정신과정에 관한 연구를 할 수 있었다. 또한 그곳에서 시몽(Simon)을 만나 그의 수퍼비전을 담당한 것을 계기로 오랫동안 협력관계를 유지하였다. 당시 두 사람은 『French journal of psychology』를 함께 만들었다. 1899년 비네는 아동심리학 연구(Psychological Study of the Child)의 자유회(Free Society)의 회원이 되었다. 비네를 비롯한 이 회의 구성원들은 지체 아동을 위임받아 과학적인 방법으로 아동을 연구하였다. 비네는 이들의 학습능력 측정을 위한 수단으로 『Experimental Studies of Intelligence』를 1903년에 출판하였다. 책을 출판한 이후 시몽과 비네는 지능검사에 관한 연구를 이어 갔다. 1905년, 마침내 비네-시몽 척도(Binet-Simon Scale)가 지능을 측정하는 새로운 검사방법으로 세상에 나왔고, 1908년에는 개정판을 내어 3~13세 아동의 지능을 연령별로 검사할 수 있게 되었다. 하지만 연구를 거듭하면서 자신들의 척도에 관한 한계를 밝히게 되어, 이들은 지능의 다양성을 강조하면서 계속해서 지능에 관한 연구에 몰두하였다. 신판 스탠퍼드비네 척도(The New Stanford-Binet Scale)는 전 아동의 교육적인 면을 다루기에는 그것만으로는 부족하다고 보아 비네는 다시 연구에 들어갔다. 그래서 재개정하여 스탠퍼드 비네-시몽 지능측정 개정확장판(The Stanford Revision and Extension of the Binet-Simon Scale for Measuring Intelligence)이 나왔다. 비네는 평생 아동, 특히 3세부터 18세까지를 대상으로 한 연구에 매진하였다. 1911년 숨을 거두었는데, 임종하기 직전에 비네-시몽 척도 제3판이 나올 정도였다. 비네-시몽 척도는 과거에도 또한 현재에도 세계에서 가장 널리 쓰이는 지능검사 중 하나다. 비네는 아동에 관한 연구만 한 것이 아니라, 성적 행위에 관한 연구를 하면서 에로틱 페티시즘(erotic fetishism)이란 용어를 사용하여 옷 조각 같은 인간이 아닌 대상에 관한 성적 관심을 설명하기도 하였다. 또 당시 파리에서 가장 유명했던 수상가(手相家)인 당퀴세(Valentine Dencausse)의 능력에 관한 연구도 하였다. 비네는 체스를 두는 사람이 눈을 감고도 말의 위치와 그 이동경로를 기억, 판단하여 체스놀이를 할 수 있는 능력을 보고 다양한 연상기호 형태로 얼마든지 기억이 가능함을 밝히기도 하였다. 최초의 실용 가능한 지능검사를 만든 사람으로서 비네는 학교 교과과정에 적응하는 학생들의 능력을 밝히려는 목적으로 검사를 만들었다. 비네-시몽 검사는 오늘날까지 가장 널리 알려진 지능검사로 인정받고 있다. 이외에도 비네의 업적으로는, 보니스(Beaunis)와 더불어 프랑스 최초의 심리학 실험실을 만든 공로를 인정받았으며, 최초의 심리학 학술지 『L'Anne psychologique』를 만들기도 하였다.

주요 저서

Binet, A. (1905). *On Double Consciousness: Experimental psychological studies*. Chicago: The Open Court Pub.

Binet, A. (1914). *Mentally Defective Children*. Paris: s.n.

Binet, A. (1969). *The Experimental Psychology of Alfred Binet*. New York: Springer Pub. Co.

Binet, A. (1973). *The Development of Intelligence in Children*. New York: Arno.

Binet, A. (1998). *The Psychology of Reasoning: based on experimental researches in hypnotism*. London; New York: Thoemmes Press.

비어스
[Beers, Clifford Whittingham]

1876. 3. 30. ~ 1943. 7. 9.
미국 정신위생운동의 선구자.

코네티컷(Connecticut)의 뉴해븐(New Haven)에서 태어난 비어스는 형제가 5명이었는데, 이들은 모두 심리적으로 문제가 있었다. 그는 1897년 예일대학교 셰필드(Sheffield) 과학부를 졸업하고, 보험업계에서 일을 시작했지만 1900년에 자살시도를 했고, 이 일로 정신병원에 가게 되었다. 그때 우울증과 편집증, 조울증 등의 진단을 받았다. 3년 동안 공공기관과 사설기관에 갇혀 지내면서, 비어스는 정신병으로 고통받는 환자들이 사람으로서의 존중도 받지 못하고 치료도 효율적으로 이루어지지 않는 것을 목격하였다. 불만을 제기해도 무시당하고, 기관에 서면으로 직접 불만을 제기하려고 하면 검열을 당하였다. 1900년 9월부터 1903년까지 자신이 세 군데 정신병원 치료기관에서 직접 환자로서 이러한 열악한 환경을 경험했다. 1908년에는 정신병원에서 겪었던 일을 풀어낸 『A Mind That Found Itself』를 출간하였다. 이 책은 당시 이름을 떨치고 있던 심리학자이자 철학자였던 윌리엄 제임스(William James)에게 크게 인정받았을 뿐만 아니라 대중에게서도 대대적인 반향을 일으켰다. 이 책을 출판한 뒤로 비어스는 의료계의 대폭적인 지지를 받으면서 정신질환에 관한 치료 및 태도의 개선 운동과 관련한 선도적 인물로 인정을 받았다. 같은 해, 비어스는 코네티컷정신위생회(Connecticut Society for Mental Hygiene)를 창설하였다. 이 기관은 정신질환을 앓고 있는 환자의 치료개선을 위한 여러 가지 활동을 주관하면서 정신질환에 관한 대중의 의식을 고양하는 데 힘을 쏟았다. 1909년 비어스는 전국정신위생위원회(National Committee for Mental Hygiene)를 조직하고 1939년까지 그곳에서 봉사하였다. 또한 1928년에는 미국정신위생재단(American Foundation for Mental Hygiene) 설립에 앞장서기도 하였다. 정신위생에 관한 광범위한 활동을 죽음 직전까지 행하던 비어스는 1943년에 숨을 거두었다. 비어스의 영향은 미국을 넘어 1918년 힝크스(C. Hincks)가 캐나다에 정신위생회를 비롯하여 캐나다 국립정신위생위원회(Canadian National Committee for Mental Hygiene) 등을 창설하도록 했고, 1930년에는 정신보건에 관한 국제대표자회의를 조직하는 데도 힘을 미쳤다. 3년 후 사회과학국가연구소(National Institute of Social Science)의 정신보건 분야에서는 비어스의 업적을 기려 상을 주기도 하였다.

주요 저서

Beers, C. W. (1928). *A Mind that Found Itself*. New York: Doubleday.

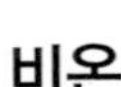

비온
[Bion, Wilfred Ruprecht]

1897. 9. 8. ~ 1979. 11. 8.
영국의 정신분석학자.

비온은 인도 연합 주 마트라(Sumatra)에서 태어나 8년 동안은 인도에서 자랐다. 1905년에 영국으로 유학을 간 뒤 그곳에서 10년간 지내다가 입대하였다. 비온은 개신교 선교사 집안 출신으로, 토목기사였던 아버지는 위그노교의 스위스 칼뱅주의자였고 어머니는 앵글로 인디언이었다. 이 같은 종교적 배경이 다른 유럽인들과는 다른 생활을 하도록 했고, 이로 인해 어린 비온은 매우 다른 두 문화를 모두 접할 수 있었다. 이는 후에 비온이 자신의 이론을 구축하는 데 많은 영향을 주었다. 어린 시절의 이러한 양극단적 문화경험은 비온에게 한 개인이 한 집단의 구성원이면서도 개별성을 가지고 있음을 인식하도록 만들었다. 이는 제1차 세계 대전으로 더욱 강화되었다. 당시 왕립 전차 연대에서 군복무를 한 비온은 무공훈장(Distinguished Service Order)과 레지옹 도뇌르 십자기사 훈장(Croix de Chevalier of the Legion D'honneur)을 받기도 하였다. 전쟁에서의 경험은 비온에게 테러와 공포, 의존, 사랑, 증오 등에 관한 이해를 더욱 신장시키고, 후에는 정신병적 환자들과의 깊은 교감을 끌어내는 힘의 바탕이 되었다. 1919년부터 1921년까지는 영국 옥스퍼드의 퀸스(Queen's)대학교에서 역사를 공부했는데, 그때 프로이트의 저서에 관심을 갖게 되었고 후에 1924년부터 1930년까지 런던의 유니버시티 대학병원에서 의학을 공부하면서 심리학에 관하여 더욱 깊게 공부하였다. 비온은 1916년에 출간된 제1차 세계 대전의 참상을 담은 윌프레드 트로터(Wilfred Trotter)의 『Instincts of the Herd in Peace and War』를 읽고 깊은 인상을 받았다. 이로 인해 비온은 인간의 집단행위에 대한 관심이 더욱 깊어졌다. 당시 비온은 외과 의학에서 최우수상(Gold Medal), 진단의학에서 우수상(Silver Medal)을 수상하였다. 1938년에는 존 릭맨(John Rickman)과 함께 분석을 시작했지만 제2차 세계 대전의 발발로 중단되고 말았다. 전쟁 중에도 입대하여 노스필드병원 등 여러 군대병원에서 봉사를 했는데, 이때 처음 노스필드 실험(Northfield Experiment)을 하게 되었다. 그는 정신과 군의관으로 있으면서 집단치료에서의 새로운 접근법을 선보이기도 하였다. 1945년에 멜라니 클라인(Melanie Klein)과 다시 분석을 시작하였고, 1950년에는 영국 정신분석학회 준회원 자격을 얻었다. 타비스톡(Tavistock)에서의 전체 집단은 전쟁의 정신적 피해자 치료에서의 새로운 방법을 보여 주었다. 집단역동에서의 이러한 비온의 선구적 입장뿐만 아니라 타비스톡 집단에 관련된 것까지 담아 비온은 1961년에 『Experiences in Groups, London: Tavistock』을 출간하였다. 이 책은 집단심리치료와 1960년대에 시작된 참만남집단(encounter group) 운동에 큰 영향을 주었고, 여러 분야에서 집단이론 적용에 시금석이 되었다. 전쟁이 끝나고 비온은 타비스톡으로 돌아와 새롭게 타비스톡 인간관계 연구소(Tavistock Institute of Human Relations)로 정비한 다음 계획위원회(Planning Committee)의 대표가 되었다. 또한 정신분석에 대하여 더욱 깊이 관심을 보이면서 정신분열환자에 대한 분석에 멜라니 클라인의 이론을 활용하여 클라인 학파의 선두주자가 되기도 하였다. 만년에는 캘리포니아의 로스앤젤레스에서 지내다가 사망 직전 영국으로 돌아와 1979년 옥스퍼드에서 눈을 감았다. 비온의 이론은 분석적 만남의 현상에 기반을 두고 있으며, 클라인이나 프로이트의 이론과는 근본적으로 달랐다. 비온은 사고와 생각을 수학적이면서 과학적인 관점에서 이해하고자 한 것이다. 비온의 명성은 영국뿐만 아니라 전 세계적으로 퍼져 나갔고, 집단심리치료에 가장 큰 영향을 미친 인물 중 한 사람으로서 그의 정신분석에 뿌리를 둔 집단역동이라는 혁신적인 사상과 이론은 1970년대 이후 큰 반향을 불러일으켰다.

주요 저서

Bion, W. R. (1956). *The Spiral Flame*. Nottingham: Ritter Press.

Bion, W. R. (1965). *Transformations*. New York: Basic Books.

Bion, W. R. (1973). *Wilhel, Reich: The evolution of his work*. London, Vision Press. [dt.: (1981, 1995) Wilhelm Reich. Bern, Scherz].

Bion, W. R. (1987). *Lifestreams: Am introduction to biosynthesis*. London: Routledge. [dt.: (1991) Berfreite Lebensenergie: Einführung in die Biosynthese. München, Kösel].

Bion, W. R. (1987). *Psicoterapia del corpo*. Rom: Astrolabia.

Bion, W. R. (1989). *Biosynthese-therapie*. Oldenburg: Transform.

Bion, W. R. (1990). *Biosynthese*. In J. Rowan, & W. Dryden (HG), *Neue entwicklungen der Psychotherapie* (S 169-197). Oldenburg: Transform.

Bion, W. R. (1994). *Clinical seminars and other works*. London: Karnac Books.

Bion, W. R. (1997). *War memoirs*. London: Karnac Books.

비트겐슈타인
[Wittgenstein, Ludwig]

1889. 4. 26. ~ 1951. 4. 29.
오스트리아의 논리철학자로 제 개념의 논리적 분석 및 해명을 주제로 하는 분석철학의 창시자 중 한 사람.

비트겐슈타인은 비엔나에서 유대계 오스트리아 집안에서 태어났다. 아버지가 오스트리아 철강 산업에서 두드러진 위치를 차지하고 있었기 때문에 집안은 부유하고 예술에 대한 이해가 깊었다. 비트겐슈타인은 14세까지 집에서 교육을 받다가 린츠(Linz)에서 3년간 학교를 다닌 뒤, 베를린(Berlin)에서 공학을 공부하였다. 1908년 맨체스터(Manchester)대학교에 연구생으로 등록했는데, 그곳에서 그는 제트반사 항공기 엔진을 설계하였다. 프로펠러를 설계하는 동안 그의 관심은 공학에서 수학으로 바뀌었고, 나중에는 수학의 철학적 토대로 바뀌었다. 청년 시절 쇼펜하우어(Schopenhauer)의 『The World as Will and Representation』을 읽은 뒤 작품의 관념론 철학에 영향을 받은 비트겐슈타인은 러셀(Russell)의 『The Principles of Mathematics』를 통하여 프레게(G. Frege)의 실재론적 수학철학을 알게 되었다. 1912년부터는 케임브리지 트리니티(Cambridge Trinity)대학에서 러셀의 지도 아래 5학기를 보냈다. 그곳에 머무는 동안 철학자 무어(G. Moore)와 경제학자 케인즈(J. Keynes)와 사귀었다. 군 복무 기간에는 자신의 철학사상을 배낭 속에 넣어 다니던 수첩에 기록했는데, 이 글의 대부분은 1950년 그의 지시로 없애 버렸다. 그러나 세 편이 남아 사후에 출판되었다. 또한 이 메모에서 그가 생전에 출판한 유일한 철학 책인 『Logisch-philosophische Abhandlung』이 탄생하였다. 그는 자신의 수첩에서 최고의 사상들을 골라내어, 만족스러운 결과가 나올 때까지 다시 정리하면서 그 책을 집필하였다. 그가 예비로 정리한 것 가운데 하나는 최근에 발견되어 『원논고』라는 제목으로 출간되기도 하였다. 『논리철학론』(Logisch-Philosophische Abhandlug)의 2천 단어는 한나절에 읽을 수 있는 분량이지만 수년 동안 연구를 한다고 하여도 그것

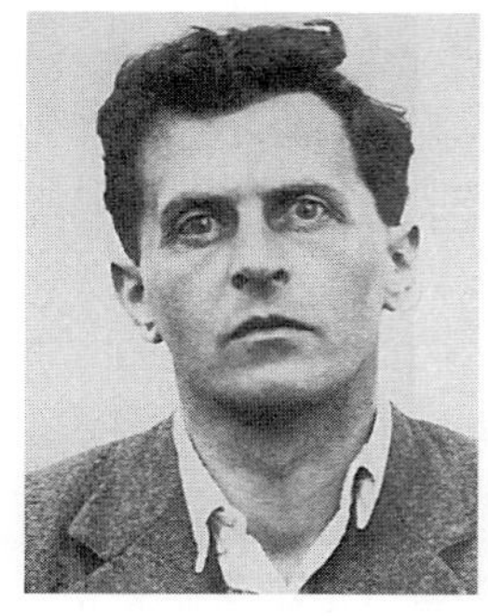

ㅂ

을 완전하게 이해한다고 주장할 수 있는 사람은 거의 없을 것이다. 그 책은 정상적인 방식의 장으로 구분되어 있지 않고 번호가 매겨진 일련의 문단으로 되어 있는데, 그 문단들은 단일한 한 문장 이상을 포함하지 않고 있기도 하다. 가장 유명한 문단 2개는, "세계는 사례들의 총체다."와 "말할 수 없는 것에 대해서는 침묵해야만 한다."이다. 어떤 문단은 쉽게 이해할 수 있는 다른 말로 바꾸는 것보다 음악으로 바꾸거나 조각으로 설명하는 것이 더 쉬울 수도 있다. 문단의 표현은 간결하고 단순하여 수식이 없고 예가 적다. 많은 부분이 언어의 본성과 언어의 세계에 대한 관계를 말하고 있는데, 이는 비트겐슈타인의 일생을 통한 철학적 주 관심사였다. 그것이 전하는 중심 이설은 '의미의 그림 이론'이다. 이 이론에 따르면 언어는 세계를 그리는 명제들로 이루어진다. 명제들은 사고의 지각 가능한 표현이며, 사고는 사실의 논리적 그림이다. 비트겐슈타인에게 명제와 사고는, 은유적인 의미에서가 아니라 그림이다. 1930년 초는 비트겐슈타인의 생애에서 가장 다작을 했던 시기인데, 2권의 저서 『철학 논평(Philosophical Remarks)』과 『철학 문법(Philosophical Grammar)』을 썼지만 출판은 하지 않았다. 그는 이 책에서 『논고』의 특징적 이설 몇 가지를 철회하였다. 또한 1939년에는 영국 케임브리지대학 교수로 재직하면서 일상언어 분석에서 철학의 의의를 발견하였다. 이후 1953년에 출간한 『Philosophische Untersuchungen』로 일반 철학계는 케임브리지 강의실 밖에서 발전한 철학과 개인적으로 유포된 노트들의 내용을 직접 알 수 있었다. 비트겐슈타인은 평생 어느 특정한 철학 학파에 소속된 적이 없었고, 당대의 유행 사조를 경멸하였다. 그러나 원했든 원치 않았든 간에, 그는 자신의 작품으로 하나의 새로운 사상공동체를 창조하였다. 그는 최소한으로 책을 출판했고, 어떤 식으로든 대중에 알려지는 것을 피하였다. 그러나 영국의 분석철학계(分析哲學界)에 그가 끼친 영향은 크다. 그의 사상은 중·후기로 옮겨 가면서 사상적 변화가 나타났고, 언동도 점차 신비성을 드러내기 시작하여 그의 철학은 형이상학적인 깊은 요소를 포함하고 있었다.

주요 저서

Wittgenstein, L. (1958). *Philosophische Untersuchungen*. New York: Macmillan.

Wittgenstein, L. (2000). 논리철학론[*Logisch-philosophische Abhandlung*]. (이영철 역). 서울: 천지. (원저는 1922년에 출판).

빈스방거
[Binswanger, Ludwig]

1881. 4. 5. ~ 1966. 2. 7.
스위스 출신의 정신과 의사이며 실존심리학의 선구자.

스위스 트루가우(Thurgau)의 크로이츨링겐(Kreuzlingen)에서 태어난 빈스방거는 조부가 크로이츨링겐에 있는 '벨뷔요양소(Bellevue Sanatorium)'를 만들었고, 숙부는 예나대학교 정신과 교수였던 오토 빈스방거(Otto Binswanger)다. 빈스방거의 아버지도 선친의 뒤를 이어 벨뷔요양소의 책임자가 되었다. 빈스방거는 학창 시절을 독일의 콘스탄츠(Constance)에서 지냈고, 로잔느(Lousanne), 하이델베르크(Heidelberg), 취리히(Zürich) 등지에서 의학을 공부하였다. 그는 의사의 가족이 환자 치료를 도울 수도 있다고 하는 아버지의 혁신적인 클리닉 운영방식으로 일찍이 정신과적인 학문과 접할 수 있었을 뿐만 아니라, 아버지의 가르침이 법이었던 환경 속에서 성장하였다. 1906년에는 오이겐 블로일러(Eugen Bleuler)가 맡아 재직 중이던 취리히의 부르크횔츨리 정신의학클리닉(Burghölzli Psychiatry

Clinic)에서 일하게 되었고, 1907년에는 취리히대학교에서 칼 융(Carl Jung)에게 박사학위를 받았다. 융의 지도를 받으면서 프로이트학파와 인연을 맺었다. 1907년 융은 빈스방거를 프로이트(Freud)에게 소개하였다. 이후 프로이트와 빈스방거의 관계는 끝까지 지속되었다. 1911년, 빈스방거는 조부의 벨뷔요양소의 의료 책임자가 되었다. 1920년대 초부터는 에드문트 후설(Edmund Husserl)과 마르틴 하이데거(Martin Heidegger), 마르틴 부버(Martin Buber) 등의 사상에 심취하여, 프로이트의 견해와는 다소 차이가 있는 실존적 문제로 시선을 돌렸다. 실존주의 철학의 영향을 받으면서 빈스방거는 초기 프로이트의 입장에서 보던 정신분석의 방법을 실존철학적 관점으로 돌려, 현상학적이고 비판적인 방법들을 정신의학에 적용하였다. 그는 1956년까지 벨뷔요양소의 책임자로 있으면서 많은 연구논문과 저서를 출판하였고, 1966년에 숨을 거두었다. 프로이트와 평생 돈독한 관계를 유지했지만, 그의 정신분석학은 프로이트와는 다른 독자적인 인간학적 노선으로 '현존재 분석'이라고 명명하였다. 이는 세계 내에서 타자와 함께 존재하는 인간의 현존재를 대상으로 한다. 빈스방거의 정신분석은 인간의 정신을 지형학에 비추어 보던 결정론적인 프로이트의 입장과는 달리 인간의 실존을 그대로 수용하는 현존재 분석으로, 세계 내 타자와의 관계를 중시하고 있다. 빈스방거가 보는 불안은 현존재의 근본적인 구조에서 유래하는데, 그 구조적 결함을 수용하는 것을 극복의 전제로 삼았다. 빈스방거에 따르면 현존재의 이러한 적극적 존재 형태는 '사랑에 의한 세계 초월의 존재'다. 그는 자신만의 이론적 입장을 구축하지 않고 존재에 대한 설명과 관점을 치료에 통합시키고자 하였다. 다른 실존심리학자들과 마찬가지로 치료를 하는 데 내담자의 세계관을 발견하는 것과 그 세계가 내담자에게서 어떻게 나타나는지에 관한 문제를 중점적으로 다루었다. 이는 내담자가 저마다 지니고 있는 시간, 공간, 자기, 개별성, 사회, 그 외의 인식적 혹은 관념적 경험에 대한 이해를 담고 있었다. 실존치료의 본질은 치료사와 내담자 간의 관계에 있는데, 이는 타인에게 어떻게 마음을 열고 있는가 하는 문제였다. 빈스방거는 이 문제를 두고 '마주침(encounter)'이라고 하였다. 그는 실존적 사상과 심리치료를 결합한 최초의 정신과 의사로서, 이 같은 개념은 1942년에 출간한 『Basic Forms and the Realization of Human Being-in-the-World』에 잘 나타나 있다. 이 책에서 빈스방거는 실존적 정신분석을 인간 존재의 개별적인 근본 특성에 대한 인류학적 접근을 통해서 경험적 과학으로 설명하고 있다. 실존주의에 대한 그의 연구에서 가장 유명한 주제는 거식증(anorexia nervosa) 환자였던 엘렌 웨스트(Ellen West)에 관한 것이었다. 특히 그의 가장 유명한 논문집인 『Dream and Existence』은 미셸 푸코(Michel Foucault)가 프랑스어로 번역을 하였다. 현존재 분석의 선두주자로 평생을 바친 빈스방거의 이론과 방법들은 메다드 보스(Medard Boss)와 롤로 메이(Rollo May) 등에게 이어졌다.

ㅂ

주요 저서

Binswanger, L. (1962). *Existential analysis and psychotherapy*. New York: Dutton.

Binswanger, L. (1963). *Being-in-the-world*. New York: Basic Books.

Binswanger, L. (1992). *Tram und existenz*. Verlag Berlin: Gachnang & Springer.

Binswanger, L. (1994). *Der mensch in der psychiatrie*. Berlin: Asanger.

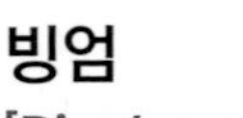

빙엄
[Bingham, Rosie Phillips]

1949. ~
유색 인종 여성 최초로 멤피스대학교 학생복지부(student affairs) 부대표(vice president)가 된 인물.

빙엄은 가난한 부모와 11명의 형제와 함께 미시시피에서 어린 시절을 보냈다. 부모의 결단력과 실천적인 성품을 이어받았을 뿐만 아니라 여러 형제들과 함께 자란 환경의 영향으로 그녀는 결단력이 강하고 상상력이 풍부한 사람으로 자랄 수 있었다. 어려서부터 영특하다는 말을 들어온 데다가, 지적인 능력이 가난에서 벗어날 수 있는 길이라는 믿음으로 책에 탐닉하였다. 빙엄은 일리노이 주에 있는 엘름허스트(Elmhurst)대학교에서 사회학과 교육학을 전공하였고, 오하이오(Ohio) 주립대학교에서 상담 및 지도로 석사학위를 받았으며, 상담심리학으로 박사학위를 취득하였다. 1972년 오하이오 주립대학교에서 교편을 잡았다가 1978년에는 플로리다(Florida)대학교로 자리를 옮겼다. 빙엄은 플로리다대학교의 상담센터에서 부대표로 있다가 1985년 멤피스대학교 학생개발센터(the Center for Student Development)의 센터장으로 임명되었다. 이후 1993년에는 학생복지 및 학생개발부(Student Affairs/Student Development)의 부대표 대리가 되었다가 2003년에 드디어 학생복지부 부대표로 선출되었다. 빙엄은 이 부서의 사명을 '참여와 실행을 통한 배움(Students Learning through Engagement and Involvement)'으로 천명하였다. 멤피스대학교와 플로리다대학교 재임기간에 빙엄은 여러 학생을 대상으로 한 연구를 하면서 진로상담이 학생들의 안녕감 및 학업성취도에 미치는 영향을 실감하게 되었다. 그로 인해 빙엄은 직업상담에 관심을 이어 가면서 여러 논문과 저서를 펴내기도 하였다. 특히 다문화 직업상담과 관련되는 주제에 관심이 높았다. 빙엄이 심리학 분야에 미친 영향은 지대하다. 그녀는 대학교 및 대학의 상담센터장으로서, 또 여러 협회의 대표로 봉사를 했을 뿐만 아니라 국제상담서비스협회(International Association of Counseling Services), 미국심리학회 제17분과(상담심리학회), 전문업무이사회(Board for Professional Affairs), 윤리위원회(Ethnics Committee) 등에서도 봉사하였다. 이외에도 여러 상담 및 심리학 관련 기관에서 지도적 역할을 담당하였다. 빙엄은 집필활동도 활발했는데, 많은 논문과 단행본을 출판했으며, 공동 집필한 저서도 있었다. 그녀의 학자적 관심은 주로 다문화 직업상담에 집중되어 있었고, 소수민족 직업상담의 근간이 되는 모델을 제공하기도 하였다. 빙엄은 전문가들이 다문화 정보를 얻는 데 직접적인 도움이 되는 두 가지 도구를 워드(Ward)와 함께 출판하기도 하였다. 게다가 Journal of Counseling and Development, Journal of Counseling Psychology 등의 편집을 맡기도 하였다. 현재는 Journal of Clinical Psychology과 Journal of Career Assessment 등의 이사회에 속해 있다. 이외에도 미국심리학회 제1분과, 제17분과, 제35분과 등의 특별 회원이며, 제45분과와 제51분과의 회원으로 활동 중이다. 미국 내에서 선두자리에 있는 심리학자로서 빙엄은 1999년 창시한 다문화 심리학 과학, 연구, 실무 등을 다루는 국가 다문화 회의 및 정상회담(National Multicultural Conference and Summit)을 공동으로 설립 · 조직하였다. 또한 2004년에는 여성의 경제적 자립을 위한 기관인 그레이터멤피스 여성재단이사회(Board of the Women's Foundation for a Greater Memphis)의 회장이 되었다.

주요 저서

Bingham, R. P. (1998). *Developing student support groups: a tutor's guide*. Farnham(UK): Gower.

사티어
[Satir, Virginia]

1916. 6. 26. ~ 1988. 9. 10.
가족상담운동의 선구자이자 가족치료교육의 1인자.

사티어는 미국 위스콘신 주에서 독일 계통의 농가에서 태어났다. 그녀의 가정에서는 어머니와 아버지의 사회적 출신이 달라 언쟁이 많았다. 어머니는 고상한 상류 계층이었고, 아버지는 수공업자와 농부 출신이었다. 아버지는 알코올중독자였고, 재단사로서 장애인들의 의복을 만드는 작업실을 운영하는 어머니는 남편을 책임감 없는 사람이라고 비난하였다. 시골의 농장에서 자란 어린 시절의 경험은 사티어 모델의 치료적 신념과 방법론에 큰 영향을 끼쳤다. 3세 때 혼자서 글을 깨우치고, 9세에는 학교 도서관의 모든 책들을 통독하였다. 16세에 고등학교를 조기 졸업한 뒤 밀워키(Milwaukee) 교육대학원(현 위스콘신대학교)에 입학했고, 졸업 후 초등학교 교사로 근무하였다. 교사로 있는 동안 학생들의 문제 뒤에는 문제가족이 있다는 사실을 발견하고 학생들의 문제를 해결하기 위해 부모들을 적극적으로 설득하였다. 그러나 교사로서 한계를 경험한 후에 가족에 대한 연구를 더 하고자 시카고대학교 대학원에 입학하여 박사학위를 취득하였다. 사회복지사로서 의료와 사회적 부양 망에서 벗어난 소외된 사람들을 대상으로 한 다양한 실습경험을 하였다. 1951년 고전적 개인 중심적 접근법으로 치료했던 한 젊은 정신분열 여성을 치료하게 되는데 가족구성원에게서 결정적인 도움을 얻게 되는 경험을 한다. 1955년부터 가족역동에 관한 과정이 일리노이 주의 정신병연구소에서 열렸고, 이어서 수년간 가족치료에 더욱 몰두하였다. 1958년 캘리포니아로 이사하고 그레고리 베이트슨(Gregory Bateson)을 연구하는 그룹과 접촉하여 가까워지면서, 1959년 잭슨(Jackson)과 리스킨(Riskin)과 함께 팔로 알토(Palo Alto)에서 정신탐구연구소(MRI)의 공동창설자가 되었다. 여기서 활동한 후에는 의사소통이론 기본개념의 정립과 발전에 공헌하였다. 사티어는 특히 모든 행동은 의사소통이며, 의사소통은 메시지 전달과 메시지에 대한 메시지인 메타커뮤니케이션의 두 차원으로 이루어지는 것임을 주장하였다. 사티어는 이론보다 가족치료 실시나 교육에 관심이 있었으며, MRI에서 가족치료에 대한 교육을 처음으로 실시하였다. 그 후 사티어는 에솔렌 성장센터(Esalen Growth Center)의 책임자가 되어, 형태심리학, 감수성 훈련, 마사지 댄스치료 등 전통에서 벗어난 다양한 치료기법들을 흡수하면서 경험적 가족치료모델을 발전시켰다. 그가 지향한 가족치료의 방향은 인간의 역기능을 기능적인 것으로 바꾸는 것으로, 역기능의 기능을 인간의 자아존중감, 의사소통 및 대처유형, 가족규칙, 지역사회와의 연계성에서 발견하였다. 이와 같은 사티어의 입장은 인본주의적 가치가 농후한 것으로서 인간의 성장과 정서, 자기가치를 강조한 것이며, 분명한 의사소통을 통한 가족 내에서의 자존감과 자아가치의 형성에 초점을 맞춘 것이었다. 그리고 가족의 커뮤니케이션 유형이 개인의 성장에 영향을 미친다고 보았다. 요컨대, 사티어는 의사소통을 지배하는 가족의 규칙과 사회와의 연결 및 관련성 등을 주요한 치료의 주제로 삼았던 것이다. 사티어는 분명한 의사소통을 통한 가족 내에서의 자존감과 자아가치의 형성에 초점을 맞춘다. 그녀의 가장 중요한 이론적 공헌에는 다음과 같은 것들이 있다. 다섯 가지의 커뮤니케이션 형태들(회유형, 비난형, 초이성형, 산만형, 일치형) 그리고 자기가치에 대한 개념(정서적 'pot'), 성장, 삼위일체, 그리고 일체(Kongruenz)에 관한 묘사, 방법론의 확장 발전과 내적 부분들을 다루는 일, 그리고 체계적 가족치료사들의 레퍼토리로 가는 돌파구를 발견한 일련의 명상에 의한 창조적인 기법들이 있다. 사티어는 명상과 가족치료, 가족치료사 전문가 훈련 프로그램 실시를 통해 미국과 캐나다 멕시코, 유럽, 중앙아메리카와 남아메리카, 홍콩 등 전 세계적으로 가족치료를 전파하였다.

주요 저서

Satir, V. (1964). *Conjoint Family Therapy*. CA: Science and Behavior Books.

Satir, V. (1976). *Making contact*. Berkeley, Calif: Celestial Arts.

Satir, V., & Bandler, R. & Grinder, J. (1976). *Changing with families*. Palo Alto, CA: Science and Behavior Books.

Satir, V. (1978). *Your many faces*. Berkeley, Calif: Celestial Arts.

Satir, V. (1983). *Conjoint family therapy*. Palo Alto, CA: Science and Behavior Books.

Satir, V., & Baldwin, M. (1983). *Satir step by step: a guide to creating change in families*. Palo Alto, CA: Science and Behavior Books.

Satir, V. (1988). *The new peoplemaking*. Palo Alto, CA: Science and Behavior Books.

Satir, V., Gomori, M., Banmen, J., & Gerber, JS. (1991). *The Satir model: family therapy and beyond*. Palo Alto, CA: Science and Behavior Books.

Satir, V., Stachowiak, J., Taschman, HA. (1994). *Helping Families to Change*. Northvale, N.J: Jason Aronson.

Satir, V. (2001). *Self Esteem*. Berkeley, Calif: Celestial Arts.

삭스
[Sacks, Oliver]

1933. 7. 9. ~
세계적인 신경학자이자 작가.

삭스는 영국 런던(London)에서 태어났고, 부모가 모두 의사였다. 그는 옥스퍼드대학교를 다니며 의학 학위를 받았다. 1960년대에 미국으로 이주한 그는 샌프란시스코에서 인턴생활을 하고, UCLA에서 레지던트 과정을 마쳤다. 1965년 뉴욕에 정착한 후에는 브롱크스(Bronx) 지역에 있는 베스 에이브러햄 병원에서 기면성 뇌염 환자를 치료하였다. 삭스는 당시로서는 실험적이었던 L-도파를 사용하여 많은 기면성 뇌염 환자의 치료에 성공하였다. 이러한 시도는 1973년에 출간한 『Awakenings』의 모티브가 되었고, 유명한 극작가 핀터(H. Pinter)의 연극 '일종의 알래스카(A kind of Alaska)'와 로버트 드니로가 주연을 맡은 할리우드 영화 '사랑의 기적'에도 영감을 주었다. 현재 삭스는 신경과 개업의면서, 알베르트 아인슈타인 의과대학과 뉴욕 의과대학의 신경학과 겸임교수로 재직하고 있다. 또한 '가난한 이들의 작은 자매회'라는 종교단체의 상담신경학자이며, 여러 대학에서 명예박사학위를 받았다. 삭스의 소설에 가까운 독특한 병력작성법은 인간의 의식과 두뇌 기능을 탐구하는 가장 통찰력 있는 방식 중 하나로 평가받고 있다. 삭스는 신경병 환자들의 병력을 작성하면서 그들의 병리적 상태뿐 아니라 내면의 감추어진 부분까지 파고들어 질병 때문에 달라진 인간의 존재방식을 들여다보았다. 전 세계 22개국에 번역, 소개되고 영화화되기도 한 『Awakenings』와 『The Man Who Mistook His Wife for a Hat and Other Clinical Tales』 『An Anthropologist on Mars』는 이와 같은 방식으로 쓰인 뇌신경병 환자들의 독특한 초상화다.

주요 저서

Sacks, O. (1991). 소생[*Awakenings*]. (최승자 역), 서울: 대흥. (원저는 1990년에 출판).

Sacks, O. (2000). *Seeing Voices: A Journey into the World of the Deaf*. New York: Vintage Books.

Sacks, O. (2004). 엉클 텅스텐: 꼬마 올리버의 과학 성장기[*Uncle Tungsten: Memories of a Chemical Boyhood*]. (이은선 역). 서울: 바다출판사. (원저는 2001년에 출판).

Sacks, O. (2005). 화성의 인류학자[*An Anthropologist on Mars*]. (이은선 역). 서울: 바다출판사. (원저는 1996년에 출판).

Sacks, O. (2006). 아내를 모자로 착각한 남자[*The Man Who Mistook His Wife for a Hat and Other Clinical Tales*] (조석현 역). 서울: 이마고. (원저는 1985년에 출판).

샌포드
[Sanford, Nevitt]

1909. ~ 1995.
학생 발달 영역의 선구자이자 미국의 심리학자.

샌포드는 버지니아(Virginia)에서 태어나 컬럼비아대학교에서 석사학위를, 하버드대학교에서 심리학으로 박사학위를 취득하였다. 그는 1935년에 하버드심리클리닉 직원으로 합류했고, 1940년에 캘리포니아대학교에서 심리학 교수가 되었으며, 1961년에는 스탠퍼드대학교에서 재직하였다. 그는 자기 민족중심주의와 유대인 배척 운동에 관심을 가져 사회조건이 독단적인 편견을 더 강화시키는 사회제도와 개인의 상호작용에 대하여 연구하였다. 1950년대와 1960년대 초에

ㅅ

그는 『The American College』와 『Where Colleges Fail』을 출판하면서 고등교육의 주요 연구에서 중요한 역할을 담당하였다. 샌포드는 『The American College』에서 학생들이 정규교과와 병행교과를 포함하는 환경적 요인 때문에 대학 시절의 성장에서 뛰어나거나 혹은 억제되어 있다는 발달이론을 주장하였다.

주요 저서

Sanford, N. (1962). *The American College: a psychological and social interpretation of the higher learning*. New York: Wiley & Sons.

Sanford, N. (1969). *Where Colleges Fail: a study of the student as a person*. San Francisco: Jossey-Bass Inc., Publishers.

샤르코
[Charcot, Jean-Martin]

1825. 11. 29. ~ 1893. 8. 16.
현대신경의학의 창시자.

샤르코는 프랑스 파리에서 태어났다. 그의 집안은 샹파뉴 출신으로, 할아버지와 아버지는 자동차 개조를 업으로 하는 코치빌더(coach-builder)였다. 어릴 적 샤르코는 말이 없는 성격이었고, 이 성품은 어른이 되어서도 계속되었다. 어린 시절부터 의학에 관심을 보인 샤르코는 회화에도 관심이 적지 않았으며, 관찰력도 뛰어났다. 이 같은 성향 때문에 그는 교사와 과학자로서 뛰어난 역량을 발휘할 수 있었다. 일찍부터 의사가 되기로 결심하고, 1853년에 파리대학교 의과대학을 졸업한 뒤 1858년에 파리병원의 의사가 되었다. 1862년 샤르코의 나이 37세에는 사르페토리에르병원에서 수석의사로 임용되어 만성질환, 노인병, 신경계통 질환 등에 관한 연구와 강의를 시작하였고, 33년 동안 재직하였다. 1862년에는 더비스(Durvis)와 결혼하여 슬하에 2명의 자녀를 두었다. 교수로서의 그의 명성은 전 유럽에 퍼졌다. 1882년에 사르페토리에르병원에서 유럽 최초로 신경의학클리닉을 설립한 그는 종국에는 그 병원의 대표 자리까지 오르게 되었다. 샤르코는 주로 신경의학에 관심을 집중하면서 다발성 경화증에 관한 연구에 몰두하였다. 1870년에 발발한 프랑코-프러시안 전쟁으로 샤르코는 연구를 중단했다가 전쟁이 끝난 뒤 히스테리아에 대한 연구를 하였다. 1872년에 파리대학교 의과대학에서 병리해부학 교수가 되어 1882년 신경의학의 최고 권위자가 될 때까지 신경계 질환을 연구하는 대표적인 학자로 이름을 떨쳤다. 1885년에는 프로이트가 그의 제자가 되었다. 1893년 프랑스의 모르방(Morvan)에서 사망한 샤르코는 수많은 논문과 책을 출판하였다. 그중에서도 1874년에 출간된 『사르페토리에르 신경계 질환 강의집』이 유명하다. 이를 비롯한 그의 저서는 프로이트 등에게 지대한 영향을 미쳤다. 샤르코는 19세기 의학자이자 과학자로서 20세기까지 큰 영향을 미친 스승으로서, 또 과학자로서 평가되고 있다. 지금은 루게릭병으로 불리는 'Amyotrophic Lateral Sclerosis(ALS)'를 처음 기술한 의학자이기도 한 그는 히스테리의 기질적 요인을 밝히기 위한 시도로 최면술을 사용하였다. 또한 운동 실조나 그와 관련된 문제들로 인대와 관절면이 부서지는 것을 처음으로 기술하는 업적도 남겼는데, 이를 '샤르코 관절'이라고 부른다. 이외에도 특정 신경기능을 담당하는 뇌의 부위를 밝혀내서 대뇌를 부위별로 구분해 내는 선구자적 역할을 하였고, 뇌에 영양분을 공급하는 작은 동맥들이 확장되어 생기는 속립성 동맥류도 발견했는데 이것이 뇌출혈과 관계있다는 것까지 밝혀냈다. 신경 병리학자로서 샤르코는 신경조직 해부, 뇌 질환, 관절장애와 중추신경계 질환과의 관계를 보여 준 연구업적을 가지고 있지만, 오늘날에는 프로이트의 영향으로 히스테리 연구로 더 유명하다. 또 샤르코에 의해서 최면치료가 정신의학에 도입되었다.

주요 저서

Charcot, J. M. (1878). *Clinical lectures on diseases of the nervous system*. London: The New Sydenham Society.

Charcot, J. M. (1887). *Les Demoniaques Dans L'Art*. Whitefish; montana: Kessinger Publishing.

샤퍼
[Shaffer, Robert H.]

1915. 9. 13. ~

미국상담협회의 전신인 미국 인성지도협회의 초대회장이자 대학 학생 후생과 학생 사무 분야의 선구자.

샤퍼는 미국 인디애나 주 델파이에서 태어났다. 1932년에 고등학교 졸업하고 총장이 수여하는 장학금을 받으며 드포대학교에 들어간 그는 시그마 카이(Sigma Chi)에서 드포대학교의 리더와 회원으로 있으면서 대학의 학생 클럽과 연관된 다양한 활동을 하였다. 또 미국 대학 사교 클럽인 알파 파이 오메가(Alpha Phi Omega: APO) 전국 조직과 프러터니티 관리위원회(Interfraternity Council: IFO)의 회장을 역임하였다. 1936년 그는 사회과학 학위를 받고 드포대학교를 졸업하였다. 이후, 뉴욕 시로 옮겨와 미국 보이스카우트 후생 책임자의 보조원이 되었다. 1939년에는 컬럼비아대학교에서 석사학위를 받았고, 1945년 뉴욕대학교에서 박사학위를 받았다. 샤퍼는 그 후에 뉴욕의 인터내셔널 하우스(International House: IH)에서 일했는데, 그곳에서 아내를 만나 1940년에 결혼을 하였다. 1941년 인디애나대학의 학교사업 학과장의 보조자로서 그의 첫 번째 학생 관련 업무를 맡았다. 샤퍼는 1943년 군대를 위해 인디애나대학교를 떠났고, 캠프 리, 피터즈버그(Petersburg), 버지니아(virginia), 하와이(Hawaii), 보스턴(Boston) 등지에서 복무하였다. 그러다가 1946년 학교사업 및 교육과 관련한 업무, 학생 주임의 보조자 직책을 맡기 위해 블루밍턴(Bloomington)으로 돌아왔다. 초기 인디애나대학교에서 그는 학생들의 건강, 주택, 재정지원 및 교육문제에 관련한 다양한 경험을 하였다. 1948년에는 미국 대학인사협회(ACPA)의 비서로 선출되었고, 1951년부터 1953년에는 현재 미국상담협회의 전신인 미국 인성지도학회(American Personnel and Guidance Association)의 초대회장을 역임하였다. 1955년부터 1969년까지 인디애나에서 학생 주임으로 근무한 샤퍼는 인디애나대학교에서 교직원 연결 프로그램뿐만 아니라 학생과 연구사무실을 제안하기도 하였다. 그는 개인적으로 시간을 들여 유학생들과 함께 태국, 아프가니스탄, 사우디아라비아, 말레이시아의 유학생과 관련된 문제에도 노력을 기울였다. 그가 출판한 수많은 간행물은 학생업무 분야의 지표가 되고 있으며, 자신의 경험을 바탕으로 국가교육 및 정부기관에 자문을 해 주고 있다. 1956년 그는 성별이 아닌 기능으로 학생 업무를 나누어 조직했는데, 이 같은 접근법은 기숙사 생활, 오리엔테이션, 재정지원, 상담, 직업 배치 및 학생 건강과 같은 다양한 부서를 생성시켰다. 베트남 전쟁, 민권운동, 여러 많은 이슈에 대한 학생시위가 있을 때 그는 학생과 교직원 모두의 존경을 얻는 방법으로 문제에 접근한 인물이기도 하다. 샤퍼가 이끈 또 다른 혁신 정책으로는 대학원생을 위한 외부 프로그램을 만든 것을 들 수 있다. 이로써 학생들은 교실에서 배운 것을 적용하여 실질적인 경험을 체득할 수 있었다. 1960년대 후반, 샤퍼는 NASPA 저널의 편집자로 봉사를 갔으며, 1969년에는 대학 학생 후생 관리과의 회장이 되었고 1981년에 은퇴하였다. 이와 같이 다양한 업적을 남긴 그의 연구는 미국 사회에서 놀라온 성장과 사회 · 정치적 변화를 보여 주었던 시기인 1940년에서 1981년까지의 40여 년간 이루어졌다. 그는 학생 업무 분야에 있는 사람은 단순히 관리자와 관료가 아니라 '인간발달 전문가'여야 한다고 믿었으며, 대학의 학과장과 관련 분야에 있는 사람으로서 학생들에게 훌륭한 영향을 주기 위해서는 인간발달에 대하여 이해하고 있어야 한다는 주장을 펼쳤다.

주요 저서

Shaffer, R. H., & Martinson, W. D. (1966). *Student personnel services in higher education*. New York: Center for Applied Research in Education.

서스톤
[Thurstone, Louis Leon]

1887. 5. 29. ~ 1955. 9. 29.
심리학에 수학적 기법을 도입하여 심리학에 많은 기여를 한 미국의 심리학자.

서스톤은 시카고에서 태어나 1912년 코넬(Cornell)대학교에서 기계공학 석사학위를 받은 뒤, 처음에는 에디슨(T. Edison)의 연구실에서 조수로 근무하였다. 그 후 미네소타(Minnesota)대학교에서 공학을 가르치는 한편, 실험심리학에 흥미를 느껴 연구를 시작하였다. 시카고대학교에서 학습곡선에 대한 논문으로 1917년 박사학위를 받은 그는, 이 대학에 심리검사 실험실을 설립하였다. 그 후 카네기멜론(Carnegie Mellon)대학교 공과대학 교수와 심리학 교수로 8년을 재직한 뒤, 1924년에 시카고대학교에 돌아와 28년 동안 교수로 일하였다. 1928년 미국심리학회 회장, 1936년 심리검사학회 초대회장을 역임한 서스톤은 1952년에 대학 교수직을 사퇴하고, 만년에는 노스캐롤라이나(North Carolina)대학교에서 연구에 전념하였다. 그가 활동하던 20세기 전반은 지능의 구조에 대한 논쟁이 성행했는데, '지능이란 모든 문제해결과 관련되는 일반 요인(G)과 해당 문제해결에만 관련되는 특수 요인(S)이라는 두 가지 요인으로 구성되어 있다.'는 두 가지 요인설과 '지능은 다수의 요인으로 구성된다.'는 다요인설의 입장이 있었다. 서스톤은 스피어만(Spearman)의 '두 가지 요인설'에 방법적 결함을 제기하면서 후자의 다요인설 입장을 취하였다. 1931년에는 일반 요인을 기본 능력으로 바꾸어 기본 능력 학설을 제시한 '다중요인분석'에 관한 논문을 발표하였다. 그는 인간의 능력을 약간의 기본 능력으로 나눌 수 있고, 요인들이 상호결합하여 독립적인 지능통합체를 형성한다고 주장하였다. 서스톤이 말하는 기본 능력은 어떤 일을 할 때 절대로 없어서는 안 될 능력을 가리키며, 지각속도, 공간능력, 수적 능력, 추리력, 말의 유창성, 기억력, 그리고 언어이해라는 일곱 가지를 들었다. 현재 널리 이용되고 있는 지능검사인 웩슬러식 지능검사에서는 전체적 지능지수 외에 언어성 지능지수, 동작성 지능지수의 하위척도로 지능지수를 산출하는 것으로 되어 있다. 그런 만큼 이것은 다요인설의 영향을 받은 것으로 볼 수 있다. 그러나 서스톤의 연구는 지능에만 머물지 않았고 사회적 태도에 관한 연구를 수행하였다. 사회적 태도의 측정법에서도 감각의 정신물리적 측정법을 적용한 등현간격법(等現間隔法)을 고안하여 태도척도에 객관성을 구하였다. 이와 같이 서스톤은 다양한 심리현상의 배후에 잠재하는 구조를 찾는 것에 관심이 있었다고 볼 수 있다. 이러한 맥락에서, 현재 심리학 연구에서 가장 빈번하게 이용되고 있는 통계방법인 요인분석에서 요인 축의 회전을 고안하였다. 그는 심리학의 수량적 분석법을 개발하고 심리학을 실제적 문제에 적용하는 데 중요한 업적을 남겼다.

주요 저서

Thurstone, L. L. (1947). *Multiple-factor analysis.* Chicago: Univ. Press.

Thurstone, L. L. (1957). *Primary mental abilities.* Chicago: Univ. Press.

Thurstone, L. L. (1959). *The measurement of values.* Chicago: Univ. Press.

설리번
[Sullivan, Harry Stack]

1892. 2. 21. ~ 1949. 1. 14.
대인관계 이론을 발전시킨 미국의 정신과 의사.

설리번은 아일랜드 이민자의 자손으로 노르위치(Norwich)에서 태어났다. 시카고의 의학전문학교를 졸업하여 의사가 된 이후에는 화이트(White)에게 정신분석을 배웠다. 그는 미국 정신과 의사로 정신분석훈련을 받기는 했지만, 정신분열병 환자를 치료하면서 정통파와는 다른 인간성 존중, 대화적 관계를 중시하는 심리치료를 개척하고, 후에 미국에서 집단심리치료, 가족치료가 발전하는 기반을 닦는 데 기여하였다. 설리번은 1920년대에 정신분열 환자의 연구에서 폭넓게 끌어낸 통찰을 바탕으로 자신의 대인관계 정신분석을 발전시켰다. 동시대 사람들처럼 설리번도 프로이트(Freud)의 정신분석에 별로 매력을 느끼지 못하고 있었고, 설리번의 통찰은 대부분 그 자신의 관찰에서 비롯되었다. 그의 이론과 경험은 정신분석과 많은 유사점을 가지고 있지만 프로이트의 그것과는 달랐다. 설리번의 정신분열증 환자 연구는, 정신분열증의 증상들은 의미가 없다고 단언했던 크레펠린(Kraepelin)이 표현한 전통 정신병리학의 방법을 받아들이지 않고, 반대로 정신분열의 증상들이 의미 있다고 생각하였다. 설리번에게는 성격(personality)이 사람 안에 있는 것이 아니라, 오히려 개인 간 상호작용과 다른 사람과의 대인관계에서 계속적으로 펼쳐지는 어떤 것으로 설명하였다. 프로이트처럼 설리번은 환자를 돕기 위해 치료관계를 사용했는데, 프로이트가 리비도적 에너지를 자유롭게 만드는 방법으로 사용한 반면, 설리번은 환자가 자신과 다른 사람 사이에서 일어난 대인관계 과정을 깨닫게 하는 방법을 사용하였다. 이 기초적인 전제들에서, 설리번은 시대를 앞서 나가 불안, 동기, 자기의 구조에 대한 세련된 이론을 개발하였다. 크게 인정을 받지는 못했지만, 그는 오늘날 정신분석치료의 이론과 경험의 거의 모든 분야에 깊게 영향을 미쳤다. 정신분석학자들은 설리번의 이론을 발전시켰고, 설리번의 이론을 치료상황에 실제적으로 적용하는 방법을 발전시켰다. 설리번의 연구는 또한 랭(Laing)과 같은 현대심리학자들에게 중대한 영향을 미쳤다. 랭의 연구에서 입증되었듯이, 설리번의 이론은 특히 정신분석 치료에서 실존주의-현상학적인 경향과 인본주의 경향의 이론과 실제에도 잘 맞는다. 최근 수십 년 동안의 자기심리학 운동에서도 그 영향력을 행사하였다.

주요 저서

Sullivan, S. H. (1940). *Concepts of modern psychiatry.* New York: Norton.

Sullivan, S. H. (1947). Therapeutic investigation in schizophrenia. *Psychiatry, 10,* 121-125.

Sullivan, S. H. (1953). *The interpersonal theory of psychiatry.* New York: Norton.

Sullivan, S. H. (1954). *The psychiatric interview.*

ㅅ

New York: Norton.
Sullivan, S. H. (1956). *Clinical studies in psychiatry*. New York: Norton.
Sullivan, S. H. (1962). *Schizophrenia as a human process* (ed. by H. S. Perry). New York: Norton.
Sullivan, S. H. (1964). *The fusion of psychiatry and social science* (ed. by H. S. Perry). New York: Norton.
Sullivan, S. H. (1972). *Personal psychopathology*. New York: Norton.
Sullivan, H. S., & Mullahy, P. (1973). *The beginnings of modern American psychiatry: The ideas of Harry Stack Sullivan*. Boston: Houghton Mifflin.
Sullivan, H. S., & Chrzanowski, G. (1977). *Interpersonal approach to psychoanalysis*. New York: Gardner Press.

셀리그먼
[Seligman, Linda]

1944. ~ 2007.
장애 및 DSM 영역에서 주요 저자이자 권위자.

셀리그먼은 컬럼비아대학교에서 상담심리학으로 박사학위를 받았다. 그녀는 대학원에서 안구운동 둔감법 및 재처리, 인지행동치료, 의학적 치료에 대한 대안적 접근법과 같은 분야에서 집중적인 훈련을 받았다. 또한 정신과 병원, 대학상담센터, 지역사회 정신건강센터, 약물남용 치료 프로그램, 위탁관리 및 수정을 포함하여 다양한 임상경험을 하였다. 그리고 「Journal of Mental Health Counseling」의 편집자로 있었고, 버지니아 주의 정신건강상담자학회 회장을 맡기도 하였다. 1986년에는 조지메이슨대학교에서 최고 교수상을 수상하였고, 1990년 미국 정신건강상담자협회는 그녀를 올해의 연구자로 선정하였다. 셀리그먼은 주로 정신장애의 진단 및 통계편람(DSM)을 사용하는 진단 및 치료계획에 대해 가르쳐 왔는데, 수년간 미국상담학회를 대신해 미국 전역을 다니면서 임상가들에게 DSM의 활용을 훈련시켰다. 더불어 여러 학교, 대학교, 사업체, 그리고 정신건강기관 등에 꾸준히 도움을 주었다. 그녀가 집필한 『Diagnosis and Treatment Planning in Counseling』 제3판은 2004년도에 북클럽에서 선정한 행동 과학분야의 주요 저서이기도 하다. 그녀는 월든(Walden)대학교에서 임상심리학, 상담심리학, 그리고 건강심리학을 가르쳤고, 존스홉킨스(Johns Hopkins)대학교와 조지메이슨(George Mason)대학교에도 출강하였다.

주요 저서

Seligman, L. (1985). 무기력[*Helplessness*]. (윤진 역). 서울: 탐구당. (원저는 1975년에 출판).
Seligman, L. (1991). *Learned Optimism*. New York: Pocket Books.
Seligman, L. (1994). *What You Can Change and What You Can't*. New York: Knopf.
Seligman, L. (1996). *The Optimistic Child*. New York: Harper Perennial.

셀리에
[Selye, Hans]

1907. 1. 26. ~ 1982. 10. 16.
스트레스 학설의 제창자로 유명한 캐나다의 내분비학자.

셀리에는 오스트리아 비엔나(Vienna)에서 태어나 1929년 프라하(Prague)에서 의학 및 화학 박사가 되었다. 1931년에 존스홉킨스(Johns Hopkins) 대학교에서 록펠러재단 장학금을 받으면서 연구생활을 시작한 그는 이후 몬트리올의 맥길(Mcgill)대학교

로 옮겨 가 1936년 그곳에서 스트레스에 관한 연구를 시작하였다. 1945년에는 'Université de Montréa'에 가입하면서 40번의 어시스트와 15,000번의 동물실험도 하였다. 그는 15편의 논문과 1,700개의 연구, 7권의 책을 펴낸 엘리트 그룹의 과학자이기도 하다. 1982년 캐나다 몬트리올의 퀘벡에서 죽음을 맞이한 그는 1949년에 처음으로 노벨상 후보에 오르기도 하였다. 셀리에는 생체의 스트레스 상태를 부신피질(副腎皮質) 호르몬의 반응으로 증명했는데, 일반적으로는 더욱 넓은 의미에서 스트레스라는 말이 사용되고 있다. 그는 스트레스를 '불쾌하거나 쾌적한 환경조건에서 요구하는 신체적 특이 현상의 응답'으로 정의하였다. 그러고는 신체가 유해한 상황으로부터 자신을 방해하려는 일반화된 시도를 일반 적응 증후군이라 하면서 경고(alarm), 저항(resistance), 탈진(exhaustion)의 3단계로 구분하여 설명하였다. 스트레스의 초기에는 경고반응이 나타나는데, 이때에는 흔히 입과 혀가 헐고, 두통, 미열, 피로, 식욕부진, 무력감, 근육통, 관절통 등의 증상이 나타나며 심신의 저항력이 떨어진다. 스트레스가 경고단계에서 해소되지 않고 더 지속되면 저항단계에 이른다. 그러면 뇌하수체에서 부신피질자극호르몬(ACTH)과 부신에서 부신피질호르몬(steroid)이 분비되어 스트레스반응을 완화시키려 한다. 이때에는 스트레스에 대한 저항력이 높아지고 스트레스 초기에 나타났던 증상들이 사라진다. 신체의 저항에도 불구하고 스트레스가 지속되면 마지막으로 탈진단계에 이른다. 이때에는 뇌하수체나 부신에서 호르몬 분비가 더 이상 충분히 이루어지지 않기 때문에 스트레스에 대한 신체 저항력이 상실되고 초기단계에서 보였던 여러 증상이 다시 나타난다. 그러나 이제는 회복이 불가능하기 때문에 질병으로 발전하거나 심할 경우 사망으로 이어질 수 있다. 스트레스가 오래 지속되면 신체의 균형이 깨어져 심장병, 편두통, 위궤양, 고혈압, 알레르기 등 여러 가지 정신신체적 질환이 나타날 수 있고, 심리적 불균형 때문에 불면증, 불안, 환각, 망상이 나타나기도 한다. 그는 이러한 연구를 통하여 심장질환과 고혈압은 스트레스 유발 호르몬 시스템의 신경쇠약 증세가 소위 '적응의 질병(diseases of adaptation)'으로 이어진 것이라는 것을 증명하였다. 최근 정신생리적 질환(심신증)의 발생에는 특히 사회심리적 스트레스(일, 환경, 대인관계 등)가 중요한 인자로 밝혀지고 있으며, 현대인의 심신의 건강을 위해 스트레스 대책을 세우는 것이 중요한 문제로 대두되고 있다.

주요 저서

Selye, H. (1974). *Stress without distress.* New York: A signet book.

Selye, H. (1975). *From dream to discovery: on being a scientist.* New York: Arno Press.

Selye, H. (1976). *The stress of life.* New York: McGraw-Hill.

셀버
[Selver, Charlotte]

1901. 4. 4. ~ 2003. 8. 22.
감각적 각성(sensory awareness)의 제창자.

셀버는 1930년대에 독일인 진들러(Gindler)에 의한 전감각 신경조직의 각성(alerting of the entire sensory nervous system)을 배운 뒤 미국으로 건너가 감각적 각성이라고 이름을 붙였다. 1940년대에 셀버와 함께 감각적 각성을 연구한 동료에는 정신분석학자인 프롬(E. Fromm), 게슈탈트 치료사인 펄스(F. Perls)가 있다. 셀버는 1950년대에 철학자이자 동양학자인 와츠(Watts)와 만났고,

와츠는 '이것은 살아 있는 선(禪)이다(Living Zen).' 라는 격찬을 셀버에게 하였다. 1971년에는 브룩스(Brooks)와 함께 감각적 각성재단을 설립하여 세계 각지에서 워크숍을 실시하였다. 그녀의 목표는 자신의 삶을 잘 보존하여 문서화하는 것이었다. 이후 1995년에는 샌프란시스코에 있는 일체형 연구를 하는 캘리포니아연구소에서 명예박사학위를 수여받았고, 2003년 캘리포니아의 뮤어 비치에서 학생들과 친구가 지켜보는 가운데 102세의 나이로 세상을 떠났다. 그녀는 감각각성 에솔렌 마사지(Esalen Massage)의 기초를 만들어 댄스 치료 및 심리치료에 상당한 공헌을 하였다.

주요 저서

Selver, C., & Brooks, C. V. M. (2007). *Reclaiming Vitality and Presence* and presence: Sensory awareness as a practice for life. Berkeley: North Athantic Books. Pub Group West.

셀비니-팔라촐리
[Selvini-Palazzoli, Mara]

1916. 8. 15. ~ 1999. 6. 21.
체계적 가족치료에서 밀라노모델의 창시자.

셀비니-팔라촐리는 부유한 상인 가정에서 어린 시절을 보냈다. 밀라노(Milan) 의과대학 내과 전문의를 목표로 의학을 공부하여 신경성 식욕부진증으로 진단받은 환자들을 전공으로 삼았다. 그러다가 심리치료에 관심을 보이면서 그에 대해 눈을 떠 전공분야를 바꾸기로 결심하고 정신과 전문의가 되기 위해 학업을 시작하였다. 이에 1950년부터 베네데티(Benedetti)에게 정신분석 수업을 받았다. 또한 프롬(Fromm), 설리번(Sullivan), 페어베언(Fairbairn), 건트립(Guntrip)과 치료사-내담자 관계에 대한 관심이 큰 존재분석의 영향을 받았다. 그녀의 치료는 효과적이었지만 장기간이 소요되었고, 완전한 치료가 되지 않아 좌절하고 있던 중 좀 더 효과적인 치료를 위해 노력하는 과정에서 베이트슨(Bateson), 헤일리(Haley), 와츠라비크(Watzlawick) 등 여러 이론가의 저서를 접하였다. 그러고는 가족치료를 이탈리아에서 최초로 실시했고, 자신만의 고유의 접근방법을 개발하기 시작하였다. 이러한 과정에서 동료들과 밀라노학파를 형성하고 발전시켰으며, 1967년 밀라노에 가족연구센터를 설립하였다. 그곳에서 식이장애 아동을 치료하면서 정신분석적 모델을 꾸준히 사용했고, 가족 전체를 참여시키지는 않으면서 가족의 하위체계를 따로 만났다. 또한 개인에서부터 의사소통과 가족 내부의 관계에 대한 연구분야의 출판이 늘어났으며, 가족역할에 대한 첫 가설도 가지게 되었다. 1971년에는 미국의 단기 전략적 가족치료접근법을 적용했고, 정신분석적 접근에서 벗어나 미국의 MRI 그룹 개념과 치료기법을 도입하였다. 정신분석훈련을 받은 체킨(Cecchin)과 프라타(Prata)가 추가로 합류하여 기존 2명의 치료자와 함께 4명이 밀라노 팀을 만들기도 하였다. 이 팀은 주로 거식증 자녀와 그 가족을 치료했고, 나중에 정신분열증 자녀와 그 가족까지 치료하였다. 이 활동에는 체계적 패러다임(Paradigma)을 다루는 것, 치료자의 태도변화(더 많은 활동, 선동자로서의 역할), 전략적 사고가 그 중심에 있다(가족이 인식하는 'Spielzuege'-합동 패스 작전). 셀비니-팔라촐리는 1975년에 베스트셀러가 된 『Paradox and Counterparadox』를 출간하고 방법론에서 계속적으로 발전해 나갔다. 그녀가 내세우는 순환적인 질문, 긍정적인 함축, 역설적인 종결 논평, 증상처방(아무것도 변화시키지 않는 가족 안에서의 처방), 비언어적인 중재, 가족의식으로부터의 처방은 체계적인 행동양식의 구성요소다. 가족에서 치료적 체계로 관심이 이동하여 치료의 동기 및 치료에 연계된 맥락에 집중하였다. '가설 설정, 순환성, 중립성'(1981)이라는 제목의 글은 밀라노팀의 마지막 공동출판물이자 그 팀의 절정을 이룬 작품이었다. 1980년부터 팀이 분열되었는데, 셀비니-팔라촐리는 자신의 학자정신과 독립적인 견해('학설은 제한적이다') 때문에 프라타와 새로운 연구소를 설립하여 학교, 정신병원, 기업 등의 여러 조직으로 활동영역을 넓혀 갔다. 1982년에는 시릴로(Cirillo), 소렌티노(Sorrentino) 및 자신의 아들인 마테오(Matteo)와 함께 'Nuovo Centro per lo Studio della Famiglia'의 새로운 팀을 결성하였다. 이를 통해 정보획득의 전략으로서 '불변의 처방'을 발전시키고 부부로서의 부모와의 치료에 집중하였다. 그리고 더 많은 협력에 크게 거리를 두는 자세로 변화하였고, 다시 개인에 더 많은 무게를 두었다. 셀비니-팔라촐리의 연구목표는 심리적 장애로부터 사회적 병인론을 설계하는 것이었다. 그녀는 그러한 장애의 진전이 두 부모의 상호작용과 강하게 연관되어 있다고 주장하였다. 또 그 같은 상호작용은 두 사람의 원가족의 배경에 원인이 있다. 증상 전달자는 부모 사이의 역할의 중간 역할자로 간주되었다. 거기에서 자녀는 소위 부모 중 더 약한 한쪽으로부터 더 나쁜 영향을 받는다는 것이다. 치료의 목표는 하위체계 사이에 분명한 경계선을 설정하는 것이며, 부모의 우열 미정 상태를 깨트리고 가려진 역할을 공개하는 것이다. 가장 중요한 업적은 팀의 작용 양상이다. 그녀는 정보획득의 가능성과 치료적 도구, 체계 내 정보순환성의 표현양식으로서의 순환적 질문, 치료기간 중에 전개되거나 폐기된 가설로 만들어지는 행동양식(Vorgangsweise)을 정리하였다. 가족에 맞서는 치료자의 태도로 중립성의 개념을 중시했으며, 한편으로는 정보의 획득으로서 그리고 다른 한편으로는 치료자적 기법으로서의 처방에 이용하였다.

주요 저서

Selvini-Palazzoli, M. (1978). *Paradox and counter-paradox: a new model in the therapy of the family in schizophrenic transaction*. New York: J. Aronson/ [New York, N.Y.]: Distributed by Scribner Book Companies.

Selvini-Palazzoli, M. (1978). *Self-starvation: from individual to family therapy in the treatment of anorexia nervosa*. New York: Jason Aronson.

Selvini-Palazzoli, M. (1986). *The hidden games of organizations*. New York: Pantheon Books.

Selvini-Palazzoli, M. (1988). *The work of Mara Selvini Palazzoli*. Northvale, N.J.: Aronson.

Selvini-Palazzoli, M. (1998). *Magersucht: Von der Behandlung einzelner zur Familientherapie*. Stuttgart: Klett-Cotta.

ㅅ

셀던
[Sheldon, William H.]

1898. 11. 19. ~ 1977. 9. 17.
신체유형학을 개척한 미국의 심리학자이자 고전학자.

셀던은 잉글랜드(England) 워릭(Warwick)에서 태어나, 브라운대학교와 콜로라도대학교를 다녔다. 그는 시카고대학교에서 1926년 철학 박사학위를, 1933년 의학박사학위를 받았다. 그 후 노스웨스턴대학교, 시카고대학교, 위스콘신대학교에서 강의를 하였다. 1938년에 하버드대학교로 옮겨 간 그는 실험 심리학자 스티븐스(Stevens)와 물리적 인류학자 후턴(Hooton)과 함께 기초적인 연구를 많이 하였다. 1947년부터 1959년까지는 컬럼비아 의과대학 체질실험실의 책임자로 있었다. 셸던은 인체측정학을 사용하여 신체유형의 종류를 개발한 개척자로서, 그의 유형학은 소화기관, 뼈와 근육, 신경과 피부조직의 상호발달에 기초를 두고 있다. 즉, 생물학적 유전과 심리학적 성향과 사회행동 간에 밀접한 관계가 있다는 가정을 둔 이론이다. 이와 같이 그는 신체 계측에 입각해서 체격유형의 성분을 발생학적 근거와 연결하여 내배엽성(內胚葉性), 중배엽성(中胚葉性), 외배엽성(外胚葉性)으로 나누어 설명하였다. 첫째, 내배엽성은 부드럽고 둥글고 행동이 느리고 태평스럽고 자아에 몰두하고 낙관적이다. 둘째, 중배엽성은 근육, 골격, 활동 기관이 발달하고 동체가 굵고 가슴이 넓고 정열적이고 무감각하고 자기주장형이고 모험심이 강하고 공격적이다. 셋째, 외배엽성은 여위고 몸집이 섬세하고 골격이 가늘고 긴 편이며, 어깨가 축 처지고 코가 뾰족하고 자기반성적이고 민감하고 신경질적이다. 각각 크레치머(Kretschmer)의 비만형, 투사형, 세장형에 대응한다고 할 수 있다. 또한 체격성분과 지질성분과의 상관분석에서 내배엽성과 내장 긴장형, 중배엽성과 신체 긴장형, 외배엽성과 두뇌 긴장형 사이에 각각 높은 상관이 있다는 것을 발견하였다. 이러한 연구결과는 체격과 기질이 공통된 생물학적 성분을 갖는다는 것을 시사하였다. 또한 셸던은 또 다른 분야인 고전학(고대부터 근대까지 사용된 화폐, 메달 등을 대상으로 연구하는 학문)에서, 초기 미국의 많은 센트를 광범위하게 목록화한 첫 번째 저작인 『Penny Whims』를 남기기도 하였다.

주요 저서

Sheldon, W. H. (1940). *The Varieties of Human Physique: An introduction to constitutional psychology*. New York: Harper & Brothers.

Sheldon, W. H. (1954). *Atlas of Men*. New York: Harper and Brothers.

Sheldon, W. H. (1958). *Penny Whimsy: A Revision of Early American Cents, 1793-1814 (1 ed.)*. New York: Harper & Row.

손다이크
[Thorndike, Edward Lee]

1874. 8. 31. ~ 1949. 8. 9.
실험실에서 동물의 행동을 연구한 최초의 심리학자로, '학습의 시행 착오설'의 제창자.

손다이크는 매사추세츠(Massachusetts)주의 윌리엄즈버그(Williamsburg)에서 감리교 목사였던 아버지 밑에서 네 자녀 중 둘째 아들로 태어났다. 그는 근면한 학생이었으며, 웨슬리언(Wesleyan)대학교 3학년 재학 때 심리학이라는 말을 처음 접하였다. 하버드대학교에 입학할 때는 영문학 학위를 따려고 했지만 졸업은 심리학으로 하였다. 그는 브라운(Brown)대학교의 실험심리연구실 설립자인 델라베르(E. Delabarre)의 지도를 받고, 하버드대학교에서 프래그머티즘의 창시자인 제임스(W. James) 밑에서 동물실험에 종사하였다. 손다이크의 박사학위 논문은 동물 학습에 대한 실험연구로 커텔(J. Cattell)의 지도를 받았으며, 현대 비교심리학의 기본 자료로 사용되고 있다. 손다이크는 하등동물과 인간 모두에게 학습은 시행착오의 과정이라는 입장을 정리해 나갔다(후에 그는 선택과 결합이라는 용어를 선호함). 이전에는 연합심리학의 영향으로 학습은 관념연합에 의한 것이며, 관념이 있은 후에 행동이 생긴다고 생각하였다. 그러나 그는 관념연합 이전에 어떤 충동이 있고, 그것에 따라 행동이 생겨나며, 그 후 우연적으로 성공한 행동이 정착하여 학습이 성립된다고 주장하였다. 이 같은 주장에 기초가 된 것은 고양이, 개, 병아리를 대상으로 문제의 상자(어떤 절차, 예를 들면 페달을 밟는 등 밖으로 나오도록 하는 장치)를 사용한 실험이었다. 이 실험은 공복의 동물을 이 상자에 넣은 다음 밖에 보이는 곳에 먹이를 두고, 이 동물이 상자에서 탈출하는 데 어느 정도 시간이 걸리는지 보는 것이다. 그 결과, 처음에는 쓸데없는 행동에 많은 시간을 보냈지만 점차 빨라지는 것을 알 수 있었다. 이 실험결과로 도출된 것이 '손다이크의 법칙'인데, 효과의 법칙과 연습의 법칙이다. 전자는 반응이 만족스러운 결과를 초래하면 그것은 반복되지만, 반응이 불쾌한 결과를 초래하면 반복되지 않는다는 것이다. 후자는 주어진 상황에서 반응이 좀 더 많이 이루어지면 그것을 더욱 반복하는 경향이 있다는 것이다. 그리고 두 가지 기제를 제안했는데, 첫 번째 기제는 행동의 결과로부터 발생한다는 것이다. 두 번째 기제는 둘 혹은 그 이상의 자극을 시공간적으로 인접하게 제시하는 것이 유기체가 두 자극을 연합하는 데 영향을 미친다는 것이다. 그의 연구가 특별하게 주목을 끈 이유는 그가 인간의 본성을 밝히기 위한 수단으로 연구를 했다기보다는 연구 자체를 위해 동물행동을 연구한 첫 번째 심리학자였기 때문이다. 동물의 지능에 관한 로매니스(G. Romanes)의 연구처럼, 초기 연구자들의 논쟁은 대부분 일화적이었다. 모건(C. Morgen)은 동물의 정신적 삶을 의인화해서 설명하는 로매니스의 경향을 바로잡았고, 미국 심리학자 워시번(M. F. Washbum)은 다양한 종(種)의 의식수준을 수량화하기 위한 모건의 노력을 체계화한 것이었다. 이러한 맥락에서 볼 때, 손다이크의 연구는 매우 혁신적인 것이다. 그러나 그의 아이디어를 전체적으로 수용하는 것은 긍정적이지 못하였다. 밀즈(W. Mils)는 동물의 자연서식지를 벗어난 곳에서 이루어진 동물연구는 아무 의미가 없다고 비판하였다. 거스리(E. Guthrie)는 학습이 운동근육 및 신체적 운동에 관한 것이고, 자극과 운동 간의 시간적 인접성이라는 하나의 원리만 필요하다고 주장하였다. 거스리는 손다이크가 정당성이 없는 이론을 설계하고, 학습이 무엇에 관한 것인지 간과한 채 소위 학습의 법칙을 만드는 데만 몰입해 있다고 주장하였다. 손다이크의 동물연구 중 다수, 특히 행동을 객관적으로 기술해야 한다는 그의 주장은 왓슨(Watson)과 스키너(Skinner)의 사상에 대한 전조가 되었다. 손다이크의 법칙들은 대부분의 학습이론에서 수정된 형태로 도입되었고, 이후 조건화의 관점에서 도구적 조건형성에 포함되었다. 또한 그 후 미국 심리학의 주류였던 행동주의 심리학 발전에 큰 영향을 주었다.

주요 저서

Thorndike, E. L. (1906). *The Principles of Teaching: based on psychology*. New York: Seiler.

Thorndike, E. L. (1915). *Educational Psychology*. New York: Columbia Univ. Teachers College.

Thorndike, E. L. (1922). *Psychologie der Erziehung*. Jena: Gustav Fischer.

쇼스트롬
[Shostrom, Everett]

1921. ~ 1992.
개인 지향성 검사(Personal Orientation Inventory: POI)와 유명한 치료 영화 '글로리아(Gloria)'의 기획자 겸 제작자.

쇼스트롬은 미국심리학회 32분과(인간심리학)의 전 의장이었고, 실제 내담자를 대상으로 정신요법 교육영화를 만드는 작업을 개척하였다. '글로리아'라는 영화는 글로

ㅅ

리아라는 이름을 가진 내담자가 로저스(Rogers)와 펄스(Perls), 그리고 엘리스(Ellis)에게 개별회기로 상담을 받는 내용이 담겨 있다.

주요 저서

Shostrom, E. (1960). *Therapeutic Psychology: Fundamentals of Counselling and Psychotherapy*. New Jersey: Prentice-Hill.

Shostrom, E. (1968). *Man, The Manipulator: the inner journey from manipulation to actualization*. New York: Bantam Books.

쉬
[Sue, Derald Wing]

다문화상담의 초기 지지자인 미국의 심리학자.

쉬는 오리건 주 포틀랜드에서 중국계 미국인 가정에서 태어났다. 그는 주로 백인들이 사는 곳에서 성장했는데, 인종문제로 괴롭힘과 놀림을 많이 당한 것으로 알려졌다. 오리건대학교에서 박사학위를 받고, 1960년대에 폴리나(Paulina)와 결혼하여 두 자녀를 둔 그는 컬럼비아대학교 교육대학 상담 및 심리치료학과 교수로 재직하고 있으며, 빌 클린턴 대통령 재임 당시 인종문제에 관한 대통령 자문위원회에서 일하기도 하였다. 또한 아시아미국심리학회(Asian American Psychological Association)의 공동설립자 및 초대회장, 미국심리학회(American Psychological Association)의 상담심리학 분과장 등을 역임하였다. 쉬는 현대상담과 심리치료이론은 다양한 문화권에서 살고 있는 사람들의 광범위하고 복잡한 문제를 설명하고 예측하는데는 부적합하다고 보았다. 그래서 그 이론으로 다양한 문화에서 생활하는 사람들에게 쉽게 적용할 수 없기 때문에 상담전문가들이 여러 다문화주의 상담을 해야 한다고 주장해 왔다. 그는 미국에서 가장 영향력 있는 다문화 학자로 꼽히고 있으며, 『Counseling the Culturally Diverse: Theory and Practice』『Overcoming our Racism』『Understanding Abnormal Behavior』 등 문화적 유능성과 미묘한 인종차별에 대한 여러 가지 책을 집필하고 150여 편의 논문을 출판하였다.

주요 저서

Sue, D. W., Sue, D., & Sue, S. (1986). *Understanding abnormal behavior: Study guide*. Boston: Houghton Mifflin.

Sue, D. W. (2006). 다문화 사회복지실천[*Multicultural social work practice*]. (이은주 역). 서울: 학지사. (원저는 2005년에 출판).

Sue, D. W., Allen, E. I., & Pacific, G. (2008). 다문화상담의 이론과 실제[*Theory of multicultural counseling and therapy*]. (김태호 외 역). 서울: 태영. (원저는 1996년에 출판).

Sue, D. W., & Sue, D. (2011). 다문화상담: 이론과 실제[*Counseling the culturally diverse: theory and practice*]. (하혜숙 외 역). 서울: 학지사. (원저는 1999년에 출판).

슈나이드먼
[Shneidman, Edwin S.]

1918. 5. 13. ~ 2009. 5. 15.
미국 최초의 포괄적인 자살예방센터의 설립자이자 심리학자.

슈나이드먼은 유대계 미국의 심리학자로 1958년부터 1960년까지 사우스캘리포니아(Southern California)대학교 교수로 근무하면서 동료 파베로우(Farberow) 박사와 함께 로스앤젤레스 자살예방센터(Suicide

Prevention Center: SPC)의 공동지도자로 근무하였다. 1966년부터 1969년까지는 국립정신건강연구소(National Institute of Mental Health, NIMH)의 예방연구센터 부장으로 있었으며, 그사이 하버드대학교 객원교수를 겸임하였다. 또한 1969년부터 1970년까지 스탠퍼드대학교에서 행동과학 부문의 강의를 했고, 그 후 캘리포니아대학교 로스앤젤레스 캠퍼스에서 사망학(thanatology) 교수로 활약하였다. 로스앤젤레스에 있는 자신의 집에서 91세의 나이로 사망한 슈나이드먼은 투영법의 연구자로도 유명하지만, 자살학(自殺學)의 제창과 자살방지활동에도 큰 성과를 보였다. 그는 훌륭한 이론가임과 동시에 실천가이며, 자살현상을 과학적으로 실증하고 그것에 입각한 이론을 만들고자 하였다. 현대 자살론을 철학, 종교의 분야가 아닌 심리학적인 것이어야 한다고 생각한 그는 여러 가지 새로운 개념을 발표하였다. 그중 하나는 심리학적 부검(psychological autopsy)에서 자살자 혹은 의심이 있는 자의 과거를 인간관계 중심으로 심리학적으로 면밀히 검토한 것이다. 그 결과 자살은 돌발적으로 생기는 것이 아니라 반드시 전구증상(前驅症狀)이 있다는 것을 발견하였다. 그러고는 자살기도자는 죽고 싶다고 하는 반면 도움을 받고 싶어 하는 모순된 두 가지 심리를 갖고 있다는 결론을 내렸다. 이것이 자살방지의 최대의 과학적 근거가 되었다. 그는 또 자살학이라는 학문체계를 생각하고, 자살의 배경을 심리학적 · 생물학적 · 사회학적으로 고찰하는 원동력을 만들었다. 그에 의하면 자살방지를 명확히 하는 데는 이에 관련된 기관이 반드시 필요하다고 생각해, 로스앤젤레스 자살예방센터(SPC)를 설립하였다. 현재 이 기관은 명실공히 세계 자살연구 치료 및 애프터케어, 계몽운동의 중심이 되었다. 이처럼 슈나이드먼은 종래의 학자와 같이 학문에만 치중하지 않고 저널리즘을 통하여 계몽운동에도 열중했는데, 자살예방센터에서 제작한 자살방지 활동영화는 블루리본상을 획득하기도 하였다. 그의 연구는 이론가, 작가, 강사들이 학제적 분야로 자살연구를 확립하는 데 기여하였고, 아직도 널리 통용되는 여러 개념을 고안했다는 점에서 아주 중요한 학자로 기억되고 있다.

주요 저서

Shneidman, E. S., & Farberow, N. L. (1957). *Clues to Suicide*. New York: Blakiston Division.

Shneidman, E. S., & Toynbee, A. (1974). *Deaths of Man*. Maryland: Penguin books Inc.

Shneidman, E. S. (1985). *Definition of Suicide*. New York: Wiley.

Shneidman, E. S. (1993). *Suicide as Psychache*. Northvale, N.J.: J. Aronson.

슈워츠
[Schwartz, Barry]

1946. ~
미국의 심리학자.

슈워츠는 뉴욕대학교에서 1968년 학부를 졸업하고, 1971년 펜실베이니아대학교에서 박사학위를 받은 직후, 펜실베이니아에 있는 스워스모어(Swarthmore)대학교의 심리학과 조교수가 되었다. 현재는 동 대학에서 도윈 카트라이트(Dorwin Cartwright) 교수로 재직하면서 사회이론과 사회행동학(Social Theory and Social Action)이라는 과목으로 강의를 하고 있다. 슈워츠

人

는 학습, 동기, 가치, 결정 등에 관한 논문을 다수 발표했으며, '선택의 패러독스(the Paradox of Choice)' 라는 이론으로 유명해졌다. 같은 제목의 저서 『The Paradox of Choice: Why More Is Less』에서 자신의 이론을 잘 설명하고 있다. 슈워츠는 소비자의 선택을 소거시킬 때 소비자의 불안을 감소시킬 수 있다고 주장하였다. 이는 오르테가이 가세트(Ortegay Gasset)의 저서 『The Revolt of the Masses』에서 먼저 제시한 이론이다. "선택에 대한 자율과 자유는 인간복지에 필수적이며, 선택은 자유와 자율의 필수요소다. 현대인은 과거보다 훨씬 더 자주 선택을 해야 한다. 하지만 이것이 결코 심리적으로 득이 되지는 않는다."라고 슈워츠는 자신의 책에서 말하였다. 여기서 슈워츠는 현대심리학의 여러 장면에서 목표달성 성공과 실패에 행복이 어떤 영향을 미치는가와 관련된 것들을 집적시켜 자신의 이론을 형성하였다. 슈워츠는 소비자가 최상의 선택을 하는 데에는 여섯 단계를 거친다고 보았다. 첫째, 자신의 목표를 이해한다. 둘째, 각 목표에 관한 중요성을 평가한다. 셋째, 선택사항들을 검토한다. 넷째, 선택사항들이 자신의 목표에 부합하는지 평가한다. 다섯째, 가장 적합한 선택사항을 고른다. 여섯째, 목표를 다듬는다. 그는 또 선택의 문제가 어떤 전략에 따라 어떻게 행복의 여러 심리적 형태에 영향을 미치는지도 설명했는데, 선택과 행복, 자유 혹은 의무, 2차 결정, 놓친 기회 등이 그것이다.

주요 저서

Schwartz, B. (1982). *Behaviorism, Science, and Human Nature*. New York: Norton & Com.

Schwartz, B. (1987). *The Battle for Human Nature: Science, Morality and Modern Life*. New York: Norton & Com.

Schwartz, B. (1991). *Learning and Memory*. New York: Norton & Com.

Schwartz, B., Wasserman, E., & Robbins, S. (1992). 학습과 기억의 심리학[*Psychology of Learning and Memory*]. (신현정 역). 서울: 성원사. (원저는 1978년에 출판).

Schwartz, B. (2001). *Psychology of Learning and Behavior*. New York: Norton & Com.

Schwartz, B. (2001). *The Costs of Living*. UK: Xlibris, Corp.

Schwartz, B. (2005). 선택의 패러독스[*The Paradox of Choice: Why More is Less*]. (형선호 역). 경기: 웅진닷컴. (원저는 2003년에 출판).

Schwartz, B. (2010). *Practical Wisdom*. New York: Riverhead Hardcover.

슈터바
[Sterba, Richard]

1898. 5. 6. ~ 1989. 10. 24.
프로이트(Freud)의 기본적인 가르침을 추구한 초창기 정신분석가.

슈터바는 비엔나에서 태어나 1916년 중등교육기관에서 졸업 바로 직전에 징집되어 군대에 들어갔고, 나중에 대위로 승진하였다. 그는 군대에 있는 동안 정신분석학에 흥미를 느꼈고, 전쟁 후에 비엔나대학교에서 의학공부를 시작해 1923년에 졸업하였다. 다음 해 자금을 충분하게 준비하지 못한 채 히치만(Hitschmann)과 교육분석을 시작했고, 분석기간에도 일체의 돈을 내지 않았다. 이로 인해 그는 미래에 무료로 환자들을 분석하겠다고 생각하였다. 그의 첫 번째 감독분석가는 신경과 조크(R. Joke)였고, 분석 6개월 후에 환자 치료를 시작하였다. 1926년에 슈터바는 하트만(Hartmann)과 결혼하여 부부가 함께 그해 말에 열린 비엔나 정신분석학회의 교육연수회에 참석하였다. 슈터바는 1925년에 준회원, 1928년에 정회원이 되었었다.

1926년 「Über latent, negative Übertragung」이라는 제목의 논문을 발표한 그에게 라이히(W. Reich)는 심리분석학 외래진료소에서 수련할 수 있는 기회를 주었다. 그는 병원을 떠나 바이브링(G. Bibring)과 에드워드 크로넨골드 병원(Edward Krohnergold Hospital)에서 근무하였다. 1929년에는 교육분석가가 되었고, 1931년에 심리분석출판사에서 심리분석학 사전을 편찬할 것을 제안받았다. 이 프로젝트로 그가 편찬한 사전 5권은 제2차 세계 대전 이전에 출간되었다. 슈터바는 1938년 당시 나치가 점령한 오스트리아에 있었다. 비엔나 정신분석협회 이사회의 일원으로서, 비엔나 심리분석협회의 이사 멤버로서 슈터바는 영국으로 이민 간 안나 프로이트(A. Freud)의 보호를 위해 나라를 떠날 것을 발표하였다. 아리아인인 슈터바는 나치의 환영을 받았지만, 비엔나 대학교의 신경정신병학 병원 근무와 파시스트 후원을 받는 비엔나정신분석협회의 제안을 모두 거부하였다. 결국 슈터바는 1938년 3월 16일에 오스트리아를 떠났고, 처음에는 스위스에 있다가 1939년에 미국으로 갔다. 그때 존스(E. Jones)와 안나 프로이트는 요하네스버그(Johannesburg)로 이민을 간 뒤 그곳의 심리분석협회를 도와줄 것을 슈터바에게 제안하였다. 하지만 남아프리카 정부는 그들의 비자를 거부했고, 이러한 계획을 저지당해 디트로이트(Detroit)에 정착하였다. 그러고는 1945년 디트로이트의 웨인(Wayne) 주립대학 의과대학의 정신과 교수로 임명되었다. 슈터바는 심리분석 프로필을 전공하고 미켈란젤로의 연구를 출판하였다. 그리고 아내와 함께 베토벤 자서전도 편찬하였다. 임상학적 문제가 있는 그의 가설인 '자아의 치료상 분열(a therapeutic split of the ego)'은 논란이 일기도 하였다. 1931년 그는 비엔나 심리분석연구소에서 가르쳤던 것을 기반으로 독일어판 리비도 논문을 출판하였다. 1942년에는 리비도의 심리분석학 이론을 소개하는 영어 번역본을 출판하였다. 이후 1982년에 비엔나 정신분석학자에 대한 회고록을 출판한 그는 이처럼 자신의 연구를 바탕으로 많은 글을 썼으며, 1987년에 출간된 『The Collected Papers(논문집)』에는 슈터바에 관한 많은 것들이 실려 있다. 그는 미시간의 그로스 포인트(Grosse Pointe)에서 숨을 거두었다.

주요 저서

Sterba, R. (1942). *Introduction to the Psychoanalytic Theory of the Libido: Nervous and Mental Disease Monographs, No. 68*. Springer-Verlag: Nervous and Mental Disease Monographs.

Sterba, R. (1986). *Richard Sterba: The Collected Papers*. Melbourne: North River Pr.

ㅅ

슈텡겔
[Stengel, Edwin]

1902. ~ 1973.
오스트리아-영국의 정신과 의사이자 심리학자.

슈텡겔은 오스트리아 비엔나에서 일란성 쌍둥이로 태어났다. 1926년 비엔나대학교 의과대학을 졸업하고 해부학을 비롯하여 정신병리학, 신경학, 정신병학을 배운 뒤 정신분석수련을 받아 동 대학 정신 신경과 강사가 되었다. 1938년에는 오스트리아를 떠나 영국으로 이주하여 연구와 진료에 임하였다. 그는 브리스틀(Bristol)과 에든버러(Edinburgh)에서 일을 했는데, 그곳에서 모즐리(Maudsley) 논문을 출판하며 자살시도와 관련한 성격의 개척 작업을 시작하였다. 그는 논문에서 자살은 개인적인 고민의 결과로 발생하므로 자살을 시도하는 사람은 심각하게 다루어져야 하고, 그들을 존중하고 적절한 치료를 시도해야 한다고 이야기하였다. 그 후 런던(London)대학교 정신과 교수가 되었고, 이어서 1956년부터는 신설한 셰필드(Sheffield)대학교 의과대학 정신과 교수가 되었다. 1967년 퇴임하여 명예교수가 된 슈텡겔은 1973년 병으로 사망하였다. 신경학과 정신병학에 관한 논문을 다수 내놓은 그는 자살에 관한 연구를 1950년에 시작했는데, 특히 자살 분류, 미수(未遂)와 기수(旣遂)를 구별하여 연구하는 것이 중요하다고 강조하였다. 나아가 병원의 틀 속에서 치료형 커뮤니티의 개념을 주장하면서, 그것을 발전시켜 사회서비스를 확대해 나갈 것을 강력하게 호소하였다. 슈텡겔은 의료인으로는 드물게 인도주의 성향이 강한 학자로서, 세계적으로 자살예방학자로도 존경받으며 1969년의 제5회 국제자살예방학회가 런던에서 열렸을 때 회장을 맡기도 하였다.

주요 저서

Stengel, E. (1974). *Suicide and Attempted Suicide*. New York: Aronson.

Stengel, E., & Cook, N. G. (1982). *Attempted Suicide: its social significance and effects*. Westport, Conn.: Greenwood Press.

슈톨체
[Stolze, Helmuth]

1917. 7. 16. ~ 2004. 12. 23.
육체 중심의 정신치료방식인 정신집중 운동요법의 창시자.

슈톨체는 독일 린다우 보덴제(Lindau Bodensee)에서 태어나 1938년부터 1942년까지 의학을 공부하여 국가고시 및 박사학위를 취득하였다. 이후 마리아(Maria)와 결혼하여 브레이그(Braig)를 낳았고, 1943년부터 1945년까지 군의관 및 군인병원 신경과 의사로 근무하였다. 1948년부터 1952년까지는 신경학, 신경병리학, 심리학을 계속 교육했는데, 연구소와 별도로 정신요법 교육도 계속하였다. 1950년에는 전문의로 인정받아 1952년부터 뮌헨의 자기 병원에서 정신요법 의사로 정착하였다. 1953년 헬러스(G. Hellers)의 작업방법과 제자가 된 진들러(E. Gindler)와 처음 만난 슈톨체는 경견완 증후군(Cervikalen Syndromen) 환자의 임상적 관찰에 근거하고 육체적 · 심리적 그리고 게슈탈트의 상징적인 관찰방식을 결합하여 『Das obere Kreuz』를 출간하였다. 여기서부터 정신집중 운동요법(KBT)의 신체 중심적 정신치료방식이 소개되었다. 1958년에는 린다우(Lindau)의 정신치료 주간(Lindauer Psychotherapiewochen)에 이 방법을 소개했는데, 이처럼 '정신집중 운동요법'이라고 명명한 것은 마이어(J. Meyer)와 그라프(C. Graef)의 협의의 결과였다. 1971년 뮌헨 제2 의과대학에서 정신치료 강의를 위촉받아 교수자격을 취득한 슈톨체는 1972년에 이르러 '인식의 형상범위(Gestaltkreis des Begreifens)'를 통해서 KBT의 이론적 기초를 세웠다. 또한 1978년에 비정규 교수로 임명되었고, 1979년에는 프로이트(Freud)의 연구논문 「회상함, 반복함, 독파함」과 연관시켜 KBT의 행동을 통한 기억활동의 촉진을 입증하였다. 그는 이 같은 교육 중심적, 성향 중심적(schulen- und richtungen übergreifenden)인 심화교육 행사를 확대하면서 린다우의 정신치료 주간을 관리하였다. 한편, 1961년부터 1964년까지 슈톨체는 독일 의사 전체에게 정신치료를 확산하는 데 대하여 연구하였으며, 1974년에서 1975년에는 독일 연방공화국의 정신의학과 정신치료 상황에 대한 연방정부 연구집회 회원으로서 국내외 다수의 전문단체의 표창을 받고 명예회원이 되었다. 정신요법의 심화교육을 위하여 출판, 강연, 세미나, 그리고 강좌에서 KBT의 개선 발전을 위한 다양한 활동을 펼치기도 하였다. 슈톨체의 KBT는 오늘날 연구모임들에 의하여 독일, 오스트리아, 스위스, 슬로바키아 및 이탈리아 등지로 알려졌으며, 100여 개 이상의 병원과 수많은 개인진료소에서 행해지고 있다. KBT의 근원은 한편으로는 운동교육학의 시초인 진들러이며, 다른 한편으로는 메를로퐁티(Merleau-Ponty)와 부이텐디크(Buytendijk)의 현상학이다. 이 현상학은 이론적으로 심층심리학과 바이츠제커(Weizsaecker)의 인지/운동에서의 자동조절시스템(Gestalt-und Regelkreis), 피아제(Piaget)의 사고/언어에 관한 이론에 근거를 두고 있다. 이는 전반적인 치료방법이며 인도주의적 정신요법이라 볼 수 있다.

주요 저서

Stolze, H. (1953). *Das obere Kreuz: Psychotherapie bei Erkrankungen der Halsregion*. München: Lehmanns.

슈퍼
[Super, Donald E.]

1910. ~ 1994.
직업발달이론의 구축과 관련 연구분야의 세계적 학자.

슈퍼는 하와이 호놀룰루(Hawaii Honolulu)에서 태어났다. 옥스퍼드대학교를 졸업하였고, 그곳에서 경제학, 역사학, 사회학, 정치학, 심리학 등 다양한 분야를 폭넓게 공부하였다. 졸업한 뒤에는 짧은 기간 클리블랜드(Cleveland)에 있는 팬대학교에서 시간강사를 하였고, YMCA에서 주사보로 근무하며 직업소개를 담당하기도 하였다. 그 후 25세 때에는 전미청소년관리본부가 자금을 지원하는 '클리블랜드 가이던스 서비스'라는 새로운 시설의 소장으로 취임하였다. 그 무렵 슈퍼는 자신이 무엇을 하며 살아야 할지 고심하였고, 그 결과 직업심리학을 연구하겠다는 결정을 하게 되었다. 그래서 특별연구생 장학금을 받아 컬럼비아(Columbia)대학교 교육학부에 입학하였다. 컬럼비아대학교 수료 후, 1938년부터 1942년까지 클라크(Clark)대학교의 교육심리학 조교수로 근무했으며, 재직 중인 1940년에는 컬럼비아대학교에서 박사학위를 취득하였다. 1942년부터 1945년까지 공군에서 근무하며 공군 공무원 선발을 위한 심리학적 조사반에서 검사 개발을 담당하였다. 또한 그는 병원의 임상심리 실장으로서 정신치료와 재활도 맡고 있었다. 1945년부터 1975년까지는 컬럼비아대학교에서 교수로 재직하였고, 퇴직 후 명예교수로 지냈다. 1950년대에 진로개발이론을 제창한 슈퍼는 진로의 유형에 관한 연구를 계속하여 1957년 『The Psychology of Careers』를 출간하였다. 1973년부터 1985년까지는 국제교육·직업지도협회 회장, 명예 회장을 지냈을 뿐만 아니라 1983년 이래 'Work Importance Study'라는 국제조사 프로젝트를 조직하여 주재하였고, 1995년에는 『Life Roles, Values, and Careers』를 간행하였다. 그의 이론 중에는 자기개념이란 것이 있는데, 이는 '나는 어떤 존재인가, 나는 어떻게 살아가고 싶은가' 등 스스로에 대해 어떤 생각(인지구조)을 가지고 있느냐 하는 자기이미지를 말한다. 그리고 긍정적인 자기개념은 적극적으로 행동하는 에너지원이 되고 적응이나 성장을 재촉한다고 보았다. 반면, 자기개념이 낮고 부정적인 경우에는 자신이 없고, 자존감이 낮으며, 행동이 소극적이라고 하였다. 이러한 자기개념이 현실과 정확하게 일치하는 경우도 있지만, 비현실적이고 부정확하며 잘못된 인지에서 왜곡된 것일 수도 있다. 슈퍼는 특히 직업에 대한 자기개념을 직업적 자기개념이라 명명하고, 이는 직접 선택을 통하여 이루어진다고 하였다. 이와 같이 슈퍼는 평생을 진로연구에 바치며 진로개발이론을 만들었을 뿐만 아니라, 진로유형에 대해서도 광범위하게 연구를 수행하였다. 그는 진로지도 관계자 사이에는 유명하지만 상담 관련 사람들에게는 그다지 알려져 있지 않다. 그러나 상담심리학자로서나 상담발전사에 큰 공헌을 했는데, 그는 직업발달이론의 구축과 관련 연구에서 세계적인 학자다.

주요 저서

Super, D. E. (1957). *The psychology of careers: an introduction to vocational development*. New York: Harper & Brothers.

Super, D. E. (1963). *Career development: self-concept theory, essays in vocational development*. New York: College Entrance Examination Board.

Super, D. E., & Super, C. M. (1988). *Opportunities in psychology careers*. Lincolnwood, Ill., U.S.A.: VGM Career Horizons.

슐츠
[Schultz, Johannes Heinrich]

1884. 6. 20. ~ 1970. 9. 19.
생태적(자생적) 심리치료의 창시자.

슐츠는 유년과 소년 시절에 절대적인 아버지의 영향을 강하게 받았는데, 아버지는 다른 한편으로 그의 너그러운 마음씨 때문에 교회에서 어려움을 겪었다. 1902년 로잔(Lausanne)에서 의학 공부를 시작한 슐츠는 이후 괴팅겐(Goettingen)에서 공부하였다. 학생 신분으로 이미 최면을 경험했고, 공부를 하는 동안에는 야스퍼스(K. Jaspers)와 만났다. 또한 생리학자이자 철학자인 페르본(Ferbon)은 훌륭한 선생님이었다. 슐츠는 그의 영향으로 '유기체적 감각 속의 난치의 생리학자(슐츠는 정신신체 의학적인 것을 유기체적으로 대신하였다)'가 되었다. 1909년에는 두뇌해부학자인 포그트(H. Vogt)와 함께 프랑크푸르트 두뇌연구소에서 활동하며 프로이트와 처음 접촉하였고, 이후로도 여러 번 만났다. 1911년 붐케(O. Bumke)의 정신병 치료편람에 최면술에 대한 기고를 했으며, 1913년부터 1914년에는 예나(Jena)에 있는 정신병원에서 빈스방거(O. Binswanger)의 조교로 있었다. 1919년 『정신질병 치료-심리치료(Die Seelische Krankenbehandlung-Psychotherapie)』라는 저서를 발간한 뒤에는 예나 대학교의 특별교수로 임용되었다. 이 책의 제2판 서문에서 슐츠는 처음으로 의사들의 심리묘사와 의료적 행동에 대한 요구사항을 드러내기도 하였다. 1920년 자연요법 치료기관인 라만요양소의 수석의사가 되었고, 그 무렵 자율긴장이완훈련이 발전하기 시작하였다. 자율긴장이완이 강조되면서 생명학의 의미는 더욱더 중시되었다. 그는 1932년에 『자율긴장이완법(Autogenic Training)』을 출판했는데, 이 책은 지금까지 19판이나 출간되었다. 여기에는 '존재가치'가 언급되어 있고, 이것은 후에 생명학적 정신치료의 기초가 되었다. 1936년 슐츠는 나치주의 시대에 괴링(M. Goeing)이 운영한 심리학 연구를 위한 독일 연구소와 정신분석을 위한 정신치료에 관여했으며, 전쟁이 끝날 때까지 프로이트(Freud)와 그의 제자들에 대하여 언급하였다. 그는 신경증 분류에서 구심적 신경증과 원심적 신경증을 구분하고, 계층별 교육연구에 따라 '특이한, 주변적, 계층적 그리고 핵심적 신경증'으로 실제와 가깝게 분류하였다. 1945년까지는 베를린에 체류하면서 종전을 기다렸고, 1950년 린다우의 심리치료 주간을 창설할 때 주도적으로 참여하였다. 그는 『생태적 정신치료』에서 심리치료 의사들에 의한 내면적 대등, 타인의 본질 속에서 그리고 모든 인생관계에서 타인의 이해, 의사들의 진실 의무, 환자 언어의 습득, 그리고 진실 어린 동정 등을 요구하였다. 1955년 『신경증 학설의 근본 문제(Grundfragen der Neurosenlehre)』라는 저서에서는 호나이(K. Horney), 호프슈테터(P. Hofstätter), 리만(P. Riemann)의 생각에 동조한다는 내용을 강조하였다. 여기서 핵심 요점은 생태학(Bionomie)이며, 원초적인 반응과 세 방향의 근본적 행동, 즉 접근, 정지, 도주다. 그의 설명 이후 자율긴장이완(주로 초기 단계)은 영어, 프랑스어, 이태리어, 그리고 일본어 언어권에서 의학과 심리학에서 기초정신치료법으로 발전하였고, 이 같은 기초정신치료법을 가지고 보다 심각한 경우와 간단한 경우를 구분하였다. 1959년에 그는 겝자텔(Gebsattel), 빅터(Viktor), 프랑클(V. Frankl)과 공동으로 5권의 『신경증 의학 교본』을 발간하였다. 그는 1970년 목숨이 다할 때까지 신경과 개업의로서 쉬지 않고 일을 했으며, 린다우의 심리치료 주간에서 그리고 베를린에서 출판활동과 함께 강의를 하였다. 슐츠는 자율훈련법(자기최면적 기법)에 의하여 뇌간부의 기능조정을 도모하는 주의집중성 이완법의 창시자로서, 신경증을 외인성 신경증, 생기인성변 신경증, 심리인성층 신경증, 성격인성핵 신경증으로 분류한 것으로도 알려져 있다. 또 일찍부터 인간을 심신일여적 존재라고 늘 생각했고, 현대 심신의학의 기초를 다진 한 사람으로 알려져 있다.

주요 저서

Schultz, J. H. (1932). *Das Autogene Training*. Stuttgart: Thieme.

Schultz, J. H., & Luthe, W. (1959). *The Autogenic Training*. Stuttgart: Thieme.

스니그 & 콤즈
[Snygg, Donald & Combs, Arthur. W.]

1904. ~ 1967. & 1912. ~ 1999.
미국에서 자기 이론 및 현상학적 접근법을 개척한 심리학자.

여러 가지 이론 중에는 지나치게 간결하고 명확하면서 실용적이기 때문에 주목을 받지 못하는 경우가 있는데, 그중 가장 대표적인 이론이 스니그와 콤즈의 성격이론이다. 비록 이 이론은 인문주의에서 소리 없이 영향을 미치고 있지만, 다른 이론들이 가지고 있지 않은 에너지가 넘쳐흐르고 있다. 로저스(Rogers)의 이론이 더 근본적이고, 켈리(Kelly)의 이론이 더 과학적이며, 유럽의 현상학이 더 철학적이라고 이야기하고 있지만 이 이론 또한 상당한 가치가 있다. 그들의 접근방법은 인간의 행동을 지각의 함수로 본 점이다. 즉, 인간의 행동은 소위 객관적인 세계에 직접 영향을 받는 것이 아니라 객관적 세계를 사람이 어떻게 받아들이는가라는 수취방식(지각, 인식, 현상학적 장)의 세계로 규정된다고 생각하였다. 행동유기체의 모든 행위는 현상의 장(phenomenal field)과 관련이 있다고 본 것이다. 현상의 장이란 우리의 주관적인 현실로, 우리가 물리적 사물과 사람, 그리고 우리의 행동, 생각, 이미지, 환상, 감정, 아이디어 정의, 자유, 평등 등을 포함하여 인식하는 것을 의미한다. 스니그와 콤즈의 이론은 다른 이론보다 심리학에서의 진정한 주제인 현상의 장을 가지고 있다고 할 수 있다. 우리가 인간의 행동을 이해하고, 예측하고자 한다면 현상의 장이 필요하다. 우리가 직접 관찰할 수 없기 때문에 우리는 보이는 것에서 추론해야 한다. 행동을 기록하고, 다양한 테스트를 하고, 사람들끼리의 대화 등에서 스니그와 콤즈는 다양한 방법을 제공한다. 만약 우리가 다양한 관찰자료를 가지고 있다면, 사람들의 현상의 장을 이해할 수 있을 것이다. 모든 사람의 기본적인 욕구는 보호하기와 현상적 자아를 강화하는 것이고, 동기부여는 장의 모든 부분의 특성이 그들의 욕구를 따를 때 가질 수 있는 것이다. 현상적 자아(phenomenal self)는 사람들 자신이 개인적으로 소유한 것을 보는 것이다. 현상적 자아를 보는 것은 일생을 거치며 개인의 신체적 발달에 기회를 주고(사람들이 보는 것), 문화를 육성하고(사람들이 경험하는 것), 그리고 다른 개인적인 경험 등을 발달시키는 것이라 할 수 있다. 『개인의 행동 방식(Individual behaviour)』의 공동저자로서 두 사람은 렉키(P. Lecky)와 함께 미국에서 자기 이론 및 현상학적 접근법의 개척자라 할 수 있다.

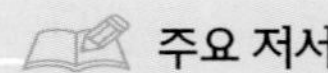

주요 저서

Snygg, D., & Combs, A. W. (1949). *Individual behaviour: a new frame of reference for psychology*. New York: Harper.

스위니
[Sweeney, Thomas J.]

국제 명예상담협회(Chi Sigma Iota)의 창시자이자 상담자 자격과 상담직업의 강력한 옹호자.

스위니는 2남매 중 둘째로 태어나 자신의 성장과정 속에서 아들러 상담이론과 방법에 관심을 갖게 되었다. 둘째 아이로서 최선을 다한 그의 이력은 그가 이룬 성취에서 쉽게 알 수 있다. 스위니는 애크런(Akron)대학에서 학사학위를 취득하였고, 위스콘신(Wisconsin)대학교에서 석사학위를, 상담교육 박사학위는 오하이오(Ohio) 주립대학교에서 받았다. 18년이 넘는 기간을 중학교와 고등학교의 상담자와 교사, 교장으로 지내 왔다. 그 후 오하이오대학교 교수로 재직하면서 응용행동과학 및 교육리더십에 대한 책임자이자 상담교육의 프로그램 코디네이터로 활동하였다. 현재는 오하이오대학교 상담교육학과 명예교수이며, 자문가, 저작자, 그리고 국제 명예상담협회(Chi Sigma Iota)의 소장을 맡고 있다. 그는 끊임없이 전문적으로, 특히 개인심리학과 생활양식의 적용에 대한 실제적인 장점에 대하여 저술, 교육, 자문 활동을 펼치고 있다. 이처럼 미국상담학회(ACA) 회장을 역임하고, 주 · 국가 공인 상담자이며 공인 전문임상상담자인 그는 상담자들이 전문직으로 성장하는 데 도움을 주는 여러 활동을 했으며, 상담자 자격과 인정에 관한 미국상담학회 입장을 저술하기도 하였다. 그는 아들러(Adler)와 드라이커스(Dreikurs)의 강좌를 토대로 만든 TV 강좌와 영상물 시리즈인 'Coping With Kids'로 주와 국가에서 주는 상을 수상하였다. 그때부터 아들러 심리학의 방법과 기법들을 노인상담 프로그램에 통합하여 그들을 상담하는 국가 영상물 시리즈의 제작을 도왔다. 스위니는 이외에도 미국상담학회와 상담자 교육과 수퍼비전을 위한 학회(The Association for Counselor Education and Supervision: ACES)에서 수여하는 상을 포함하여 많은 상을 받았다.

주요 저서

Sweeney, T. J. (1968). *Selective retention practices in secondary school counselor education*. Rockville, Maryland: ERIC.

Sweeney, T. J. (2005). 아들러 상담이론과 실제[*Adlerian counseling: a practitioner's approach*]. (노안영 외 역). 서울: 학지사. (원저는 1998년에 출판).

Sweeney, T. J., Ivey, A. E., Ivey, M. B., & Myers, J. E. (2010). 발달상담과 치료(전 생애 웰니스 증진)[*Developmental counseling and therapy: promoting wellness over the lifespan*]. (이정숙 외 역). 서울: 하나의학사. (원저는 2005년에 출판).

스쿠프
[Schoop, Trudi]

1904. ~ 1999. 7. 14.
무용치료의 선구자로서 무용가이자 연극인이며 팬터마임 예술가.

스쿠프는 스위스신문 편집자의 딸로 태어났다. 그는 어린 시절 평화로운 가정환경에도 불구하고 알 수 없는 공포감을 느껴 강박적 행동을 반복하였다. 그러다가 스스로 그 공포감을 몸을 통해 탐색하고 느끼며, 또 움직임으로 표현해 냄으로써 극복했다. 그녀는 1930년대에 공연을 했는데, 솔 휴록(Sol

Hurok)의 단장으로 있으면서 미국 순회공연을 하였다. 당시 그녀는 여성 찰리 채플린이라고 불렸다. 스쿠프는 제2차 세계 대전 중 스위스에 머물렀고, 종종 안티-파시스트 공연을 하였다. 전쟁이 끝난 뒤 순회공연을 재개했지만, 1947년에 무용단을 해산하고 로스앤젤레스, 캘리포니아로 이동하여 정신분열증 환자들을 위한 치료로서의 무용을 탐구하였다. 특히 인간표현의 이해와 유머감각을 정신치료에 활용하였다. 스쿠프는 1930년대 스위스 취리히(Zürich)대학교 정신과 병원에서 환자들을 위한 무용공연을 했던 경험을 바탕으로, 몇 년 후 케르뮤셀이 운영하는 병원에서 집단치료와 개인치료를 실시한 바 있다. 케르뮤셀은 스쿠프의 팬터마임 공연에서 인간행동의 본능적인 파악이 정신치료에 어떻게 이용되는지를 보고, 스쿠프에게 병원 환자들의 심리치료를 맡긴 것이다. 여기서 스쿠프는 개인 치료의 첫 번째 내담자인 메리(Mary)라는 신체 건강한 흑인 여성을 만났다. 매일 일정한 시간 동안 메리의 옆에서 그녀와 보조를 맞추며 함께 걷고 움직였다. 2주 후 스쿠프가 메리의 동작에 다른 반응을 보이기 시작하자, 메리는 잠깐 동안이었지만 손을 뻗어 스쿠프의 손을 잡았다. 메리는 말을 거의 하지 않은 채 항상 분노로 가득한 동작을 했었는데, 한 달 동안의 소통으로 스쿠프에게 자신의 세계를 열어 보인 것이다. 즉, 스쿠프는 동작을 통한 무의식적 의사소통과 개입이라는 한 달간의 작업으로 메리의 세계로 들어가는 경험을 하게 된 것이다. 그 후 메리는 집단에 참여하였다. 집단작업은 참여자들이 서로에게 자극이 되고 그에 따라 반응하는데, 이러한 집단작업을 통하여 집단원들은 삶의 상황을 표현하고 소속감과 책임감을 배우며, 또한 타인을 통하여 자신의 문제가 자신만의 문제가 아니라는 사실을 깨닫게 되는 것이다. 스쿠프는 이와 같은 무용치료에 대한 자신의 경험을 토대로 『Won't you join the dance?』를 집필하였다. 그리고 환자들이 고립에서 빠져나와 인간적인 접촉에 움츠러들지 않고 반응하는 데 도움을 주는 움직임을 사용하는 신체-자아 기법을 발전시켰다. 스쿠프는 체계적인 치료이론보다는 창의적 무용에 더 많은 관심을 가지고 있었고, 환자들에게 새로운 동작경험을 제시해 줌으로써 그들이 자신의 감정을 표현할 수 있도록 만들었다. 스쿠프가 시도한 그 같은 방식은 동작이 정신병 환자를 재교육하는 데 사용할 수 있다는 것을 증명해 주었으며, 이러한 사실은 무용 그 자체가 정신병 환자에게서 본질적으로 특정 치료적 가치가 있음을 증명한 것이다.

ㅅ

주요 저서

Schoop, T. (2009). 춤동작을 통한 마음치료[*Won't you join the dance?: a dancer's essay into the treatment of psychosis*]. (류분순 역). 서울: 하나의학사. (원저는 1974년에 출판).

스클레르
[Sklare, Gerald]

해결중심 학교상담에서 유명한 저자.

스클레르는 웨인(Wayne) 주립대학에서 학사, 석사, 박사학위를 취득하였다. 현재 그는 루이빌(Louisville) 대학교에서 교육 및 상담 심리학과 교수로 재직하고 있다. 오클랜드 지역 상담가학회(Oakland Area Counselors Association)와 미시간 학교상담가학회(Michigan School Counselors Association) 회장을 역임하였으며, 2004년부터 2005년까지는 켄터키상담학회(Kentucky Counseling Association) 회장으로 있었다. 2000년 루이빌대학에서 레드 애플상(Red Apple Award) 수상과 함께, 2003년 학생들에게 조언을 해 준 것으로 그는 공헌을 인정받았다. 스클레르는 단기상담의 전문가로서 효과적인 교육, 집단작업, 상담 기법, 해결중심 단기상담(Solution-Focused Brief Counseling: SFBC)에 대한 강연을 많이 펼쳤다. 그리고 상담저널에서 여러 간행물을 집필했는데, 그중 『Brief Counseling That Works』은 베스트셀러가 되어 여러 나라에서 번역되었다.

주요 저서

Sklare, G. (2001). 단기상담: 학교상담자를 위한 해결중심적 접근[*Brief counselling that works: a solution-focused approach for school counselors*]. (송현종 역). 서울: 학지사. (원저는 1997년에 출판).

스키너
[Skinner, Burrhus Frederick]

1904. 3. 20. ~ 1990. 8. 18.
미국의 행동주의 심리학자.

스키너는 펜실베이니아(Pennsylvania)의 서스퀴해나(Susquehanna)에서 태어났고, 그의 부모는 그에게 옳고그름에 대한 확실한 감각이 몸에 배도록 엄격한 교육을 하였다. 스키너는 자서전에서, 어머니는 자신이 올바른 길에서 벗어나면 사람들이 어떻게 생각할지에 대해 생각해 보도록 하여 행동을 통제하려 했다고 밝혔다. 주일학교를 다니면서 12~13세쯤에 종교적 권위라는 것이 일종의 행동 강화기제에 불과하다는 생각을 하기 시작했다는 그의 회상으로 볼 때, 스키너 개인에게는 종교교육이 행동형성에 크게 작용하지 않은 듯하다. 1926년에는 영어 전공으로 해밀턴(Hamilton)대학교를 졸업하였고, 그 후 러셀(Russell)의 논문에서 왓슨(Watson)의 행동주의에 자극을 받아 심리학 전공으로 하버드대학교 대학원에 진학하였다. 그곳에서 심리학부가 행동과학보다는 마음의 구조주의 이론에 경도되어 있다는 것을 발견하였다. 스키너는 동료인 켈러(Keller)의 지원을 받으면서 환경의 작용에 대한 행동, 즉 반사행동(예, 음식은 개의 침을 분비시킨다)의 타당성을 보여 주는 몇 가지 연구를 시작하였다. 이것은 파블로프(Pavlov)의 과학에 해당하는 내용이었지만 연구결과는 새로운 장치(예, 스키너 상자)를 만들어 냈다. 그는 1931년에 박사학위를 받았지만 연구원으로 하버드에 남아 그곳에서 반응행동과 조작행동을 구분하였고, 조작행동에 대한 연구를 하였다. 브리지먼(Bridgman)에게서 용어조작법을 배웠으며, 퍼스(Peirce)를 읽으면서 실제적인 철학적 실용주의(예, 성공적으로 작동하는 것이 진실이다-truth as successful working)의 경향을 갖게 되었다. 1938년에는 학위논문을 체계화하여 『The Behavior of Organisms』를 집필하였다. 행동의 실험분석에 대한 이 독창적인 설명은 심리학에 대한 그의 가장 중요한 공헌에 포함되며 새로운 분야, 즉 행동분석의 토대가 되었다. 1945년 스키너는 인디애나(Indiana)대학교로 옮겨서 정교수이자 심리학과 학과장이 되었다. 이 시기에 그는 자기과학에 대한 철학, 즉 급진적인 행동주의를 체계화하였다. 이후 1948년에 하버드대학교로 돌아가, 비둘기 실험을 하였다. 1953년에는 『Science and Human Behavior』를 출판했는데, 이 책은 개인행동(예, 자기통제와 사고), 사회적 상호작용(예, 공격성), 문화적 실천(예, 교육과 행정)에 대한 해석을 제시하면서 그것을 변화시키는 방법을 서술하고 있다. 이 연구는 행동치료와 응용행동분석의 토대가 되었다. 스키너는 1974년에 하버드대학교에서 명예교수로 은퇴하였으며, 같은 해에 자신의 체계를 개관한 『About Behaviorism』을 출간하였다. 은퇴 후에도 그는 여전히 적극적으로 활동하였다. 자신의 과학을 생물학과 통합하였고, 인지에 관한 모의실험 연구를 했으며, 이상적인 사회와 자신의 과학이 가진 철학적 함의에 관하여 강연하였다. 또 언어와 의식에 관한 글을 썼다. 1990년 백혈병으로 사망한 스키너는 행동주의 학습이론의 가장 뛰어난 선구자로 널리 알려져 있다. 그는 인간의 행동이 반응행동(response behavior)보다는 조작행동(operant behavior)에 의해 더 많이 좌우된다고 보았으며, 조작적 조건형성 및 그와 관련된 다양한 원리와 방법('스키너의 상자'로 불리는 조작적 조건화 상자)을 제시하였다. 즉, 스키너는 왓슨이 처음 설명한 행동주의 분야를 확장시켜 파블로프와 왓슨이 설명한 조건화된 반사로서의 수동적 조건형성과 손다이크(Thorndike)의 효과의 법칙에 바탕을 둔 조작적 조건형성 간의 차이를 설명하였다. 조작적 조건형성 이론은 인간의 행동이 환경에 대한 자극보다는 행동의 결과에 따라 변화된다고 보고, 환경을 조작하여 그러한 행동의 반응비율에 영향을 미칠 수 있도록 한 이론이다. 인간행동에 대한 스키너의 관점은 인간이 자신의 운명을 스스로 결정하는 자유로운 행위자가 아니며, 인간의 행동이 개인의 선택에 의해 지배된다는 가정도 있을 수 없다고 보았다. 즉, 인간은 자신의 행동을 스스로 창출하는 존재가 아니라 환경적 상황에서 행동목록을 습득해 온 유기체이며, 개인의 행동은 자신이 속해 있는 객관적 세계에서 겪은 과거의 경험 또는 현재의 경험으로 결정된다는 것이다. 그렇다고 스키너가 선천적이고 유전적인 요인이 행동에 영향을 준다는 사실을 전적으로 부인한 것은 아니다. 하지만 이것들은 조작으로 변형하기가 어렵기 때문에 경험적 실증이 불가능한 것을 연구할 필요는 없다고 보고 이들을 거부한다는 것이다. 또한 유전적 소질에 따른 행동이라도 이것이 행동의 예측에는 유용하지만 조작이 불가능하기 때문에 실험적 분석이나 통제에는 무가치하다고 하였다. 이에 따라 그의 학문적 관심은 인간행동 중 조작이 가능한 행동에 한정되었다. 스키너의 이론은 행동주의 학습이론의 범위를 상당히 넓혀 주었으며, 과학적인 실험연구를 통하여 인간행동의 발달과 관련된 구체적이고 명확하면서도 유용한 지식을 제공해 주었다. 특히 정적 강화, 강화계획, 행동조성과 같은 일련의 뛰어난 연구는 사회생활에서 실용적인 가치와 효과성이 입증되어 다양한 분야에서 널리 활용되고 있다. 이러한 뛰어난 학문적인 업적에도 불구하고 그의 이론은 몇 가지 측면에서 비판을 받고 있다. 첫째, 인간의 행동에 대한 환경의 결정력을 지나치게 강조하여 행동에 영향을 미치는 인간의 내적 · 정신적 특성을 간과하였다. 즉, 인간의 발달에 영향을 주는 요인은 매우 다양하기 때문에 환경의 영향으로만 설명할 수는 없으며, 인간의 의지, 동기, 욕구, 감정, 갈등, 사고, 자발성, 창조성 등을 함께 고려해야 한다는 것이다. 둘째, 인간을 조작이 가능한 대상으로 보고 있기 때문에 인간의 자유와 존엄성을 배제할 수 있다는 것이다. 또한 동물실험의 결과를 그대로 인간에게 적용했는데, 인본주의 입장에서 보면 지나치게 비인간적이라는 비판이 있다. 셋째, 인간의 모든 행동이 조작을 통해서 변화될 수 있다고 보는 것은 인간을 지나치게 단순화, 객관화, 과학화했다는 것이다. 인간의 행동은 개인차가 있고 연령에 따라 다르게 나타나며 독특성이 있기 때문에, 인간의 행동을 객관화하거나 예측하기는 어렵다. 또한 이 이론은 접근법이 단순하여 복잡한 행동 특성을 설명하는 데 한계점을 가지고 있다. 이러한 비판을 받고 있지만 스키너는 지금까지도 많은 영향을 미치고 있다. 스키너의 행동분석학은 행동변화, 교육공학, 발달행동분석, 행동약리학, 특수교육의 지도 등 여러 분야에 응용되고 있다. 다른 한편으로 스키너는 오늘날 매우 중요한 사회사상가로 평가받고 있는데, 그가 이룩한 학습심리학 분야에서의 연구성과를 토대로 새로운 인간관 및 사회관을 제시했던 것에서 그 이유를 찾을 수 있다.

주요 저서

Skinner, B. F. (1938). *The behavior of organisms.* New York: Appleton Century-Crofts.

Skinner, B. F. (1948). *Walden two.* New York: Macmillan.

Skinner, B. F. (1953). *Science and human behavior.* New York: Macmillan.

Skinner, B. F. (1957). *Verbal behavior.* New York: Appleton Century-Crofts.

Skinner, B., & Ferster, C. B. (1957). *Schedules of reinforcement.* New York: Appleton Century-Crofts.

Skinner, B., & Holland, J. G. (1961). *The analysis of behavior.* New York: McGraw-Hill.

Skinner, B. F. (1971). *Beyond freedom and dignity.* New York: Appleton Century-Crofts.

Skinner, B. F. (1989). *Recent issues in the analysis of behavior.* Columbus (OH): Merrill Publishing.

Skinner, B. F. (2008). 자유와 존엄을 넘어서[*Beyond freedom and dignity*]. (정명진 역). 서울: 부글북스. (원저는 1971년에 출판).

스탠리
[Stanley, R. Strong]

1939. ~
사회심리학을 상담과정에 적용한 미국의 상담 심리학자.

스탠리는 미네소타 뷰트(Minnesota butte)에서 태어나 몬태나(Montana)대학교에서 학사학위를 받고, 1966년 미네소타대학교에서 박사학위를 받았다. 미네소타대학교의 수많은 교수(예, Lloyd Lofquist, Kurt Lewin, Karl Weick, Elliot Aronson, Leon Festinger, Marvin Dunnette)에게 영향을 받은 그는 상담을 사회적 조직화로 보게 되었다. 그는 처음부터 상담심리학의 특성에서 환멸과 매력을 번갈아 가며 느꼈는데, 이 때문에 산업심리학자로 잠깐 일한 뒤 상담심리학 교수가 되었다. 그 후 학사관리직을 맡았고, 이 같은 그의 경향은 상담심리학과 사회심리학을 모두 가르치는 것에서 가장 두드러지게 볼 수 있었다. 스탠리는 미네소타의 학생생활연구소에서 베르디(Berdie)와 함께하였으며, 미네소타의 심리학부 교직원으로 있었다. 네브래스카-링컨(Nebraska-Lincoln)대학교에서는 딕슨(Dixon), 클레본(Claiborn)과 함께하였으며, 2000년 은퇴할 때까지 20년 동안 재직한 버지니아 코먼웰스(Virginia Commonwealth)대학교에서는 키슬러(Kiesler), 워딩턴(Worthinton)과 함께하였다. 이러한 그의 지위와 여러 경험은 동료, 학생들과 함께 생산적인 협력을 할 수 있는 기회가 되었다. 스탠리가 사회심리학 분야의 연구결과와 이론적 모델을 상담심리학 분야에 적용한 것은 이 전문분야의 발전에 큰 영향을 주었다. 1960년대 초반 동안 상담심리학자의 훈련에서는 특성에 기초한 개입, 요인심리학(factor psychology), 공감이해의 기술개발, 무조건적인 긍정적 존중, 조화를 매우 강조하였다. 그 결과 교실수업에서는 흔히 상담자가 내담자에게 영향을 주어야만 하는가에 대한 토론이 많았다. 이 같은 토론은 종종 길어지고 격렬하게 진행되었지만 뚜렷한 해결책이 나오지 않았다. 그러다가 상담을 '대인 영향 과정'으로 본 스탠리의 1968년 논문과 대인 영향에 대한 그의 후속연구로 이러한 논쟁을 종결지었다. 1969년에 스탠리가 사회심리학 이론과 연구를 상담과정에 적용하면서 상담심리학은 오늘날 볼 수 있는 응용 심리 과학으로 진화하기 시작하였다. 스탠리와 슈미트(Schmidt)는 함께 미네소타에 있을 때 매우 생산적인 협력관계에 있었다. 스탠리가 발표한 '상담: 대인 영향 과정'에 기초하여, 이들은 상담심리학 연구에 힘을 실어 주는 일련의 개념적, 방법론적 유사연구(analogue studies)를 수행하였다. 초기연구는 영향과정에서 상담자의 전문성, 대인 매력, 신뢰성에 대한 내담자의 인식이 중요하다는 것을 보여 주었다. 거의 40년 후인 오늘날 이러한 측면들은 치료과정에서 기초가 되는 것으로 받아들여지고 있으며, 서로 다른 심리치료접근법의 효과성에 기초가 되는 공통요인으로 입증되고 있다. 스탠리와 슈미트는 또한 이러한 변인이 실험실 상담과 유사한 상황에서 연구될 수 있다는 것을 보여 주었다. 이 연구는 비록 소급된 비판을 받기 쉽지만, 상담과정에 대한 심리학자의 이해를 높이는 파생(derivative) 연구를 자극하였다. 스탠리의 영향은 동료, 학생들의 생산적인 활동에 힘입어 매우 확장되었다. 딕슨(Dixon), 로페스(Lopez), 웜바흐(Wambach), 리히텐베르크(Lichtenberg), 델(Dell), 히세커(Heesacker), 클레본, 헤프너(heppner), 틴슬리(Tinsley) 등은 지난 30년 동안 가장 영향력 있고 생산적인 학자들로, 스탠리에게 훈련을 받으면서 그의 영향이 미쳤으며 사회적 영향, 사회적 힘, 점진적 변화해석모델에 대한 연구를 계속 발전시켰다. 스탠리의 사회적 영향모델은 상담심리학을 발달시킨 주요 이론 중 하나로 평가받고 있으며, 나아가 이 모델에 자극을 받은 경험적 연구는 상담과정을 매우 영향력 있게 체계화한 연구로 인정되고 있다. 스탠리의 관심 연구 영역은 주기적으로 바뀌었다. 그는 상담의 변화과정을 이해하기 위해 발견과 입증 사이를 오갔는데, 그는 연구결과에서 확인된 예외를 이해하고자 했고, 이로 인해 다른 이론들의 원리와 구인을 통합하게 되었다. 주기적으로 변화한 관심 영역은 대부분 사회심리학에서 일어난 변화와 병행되었다. 그는 초기에 하이더(Heider)의 부조화 이론을 상담에 적용하였으며, 그의 연구는 상담에 영향을 주는 귀인이론의 적용에까지 확장되었다. 스탠리는 의사소통체제, 인상관리, 사회적 영향, 귀인 연구와 이론을 통합하려 했고, 그 결과는 클레본과 공동 저작한 『Change Through Interaction』에 요약되어 있다. 또한 후기에는 역설적 개입, 리어리(Leary)의 대인분류 도식, 사회적 구성주의에서 제시된 여러 개념을 통합하였다. 스탠리는 인간에게 변화할 수 있는 능력이 있다는 인간의 자유의지를 굳게 믿었다. 이 신념에 따라 사람이 어떻게 변화에 성공할 수 있고, 상담이 어떻게 이 과정을 도울 수 있을지에 관한 학문적인 연구를 하는 데 헌신할 수 있었다. 30년 넘게 이루어진 그의 상담심리학에 대한 공헌은 학계의 소중한 유산이 되었다.

주요 저서

Stanley, R. S., & Chuck, C. (1982). *Change Through Interaction*. New York: Wiley.

ㅅ

스턴
[Stern, Daniel N.]

1934. 8. 16. ~
현대 정신분석적 발달심리학의 주목받는 저자이자 정신의학자.

스턴은 뉴욕에서 출생하여 스위스 정신요법 의사이며 소아정신과 전문의사인 스턴(N. B. Stern)과 세 번째 결혼하여 모두 5명의 자녀를 낳았다. 알베르트 아인슈타인 의과대학에서 의학 공부를 한 그는 1960년에 박사학위를 취득하였다. 1960년부터 1971년까지는 뉴욕 컬럼비아대학교에서 내과, 정신의학, 정신분석의학의 일반 의사로 활동하였고, 1962년부터 1964년에는 공공의료시설(국립정신건강연구소, 국립심장연구소)에서 군복무를 하였다. 1971년 컬럼비아 정신분석센터에서 정신분석교육을 수료한 뒤 그곳에서 대학강사로 근무하다가, 1976년까지 조교수를 거쳐 뉴욕주립정신의학연구소 발달과정과 과장, 그리고 컬럼비아대학교 정신의학과의 조교수로 재직하였다. 이와 같은 활동의 결과로 1977년에는 첫 저서인 『The first relationship: infant and mother』를 출간하였다. 1976년부터 1987년 사이에는 조교수로, 그리고 뉴욕 병원-코넬 메디컬센터 정신의학과 정규교수로 재직하였다. 동시에 코넬 메디컬센터 정신의학과의 발달과정연구 부서 책임자로 있었다. 한편, 그를 세상에 널리 알린 책 『The interpersonal world of the infant』가 1985년에 출간되었다. 1987년부터 1989년까지 스턴은 미국 로드아일랜드 주 프로비던스(Providence)에 있는 브라운(Brown)대학교의 정신의학 교수로 있었고, 1987년부터 스위스 제네바대학교의 교육심리학 학부에서 심리학 정규교수를 맡았다. 1990년 이후에는 코넬대학교 의료연구소 뉴욕병원(NY)에서 정신의학 임시교수를 하고 있다. 1995년부터 그는 보스턴정신분석연구소(Boston Psychoanalysis center[Institute])에 객원강사로 있으면서, 이 심리치료의 변화과정에 대한 연구들을 하기 시작하였다. 스턴은 자신의 정신분석과 발달심리학에 몰두하게 된 동기를 유아 시절 장기간의 병상생활과 연관시켰다. 그의 업적은 여러 차례 수상으로 인정을 받았다. 특히 1991년 미국 의료작가협회의 첫 번째 상을 수여받았고, 1994년 벨기에의 몽스-에노(Mons-Hainault)대학교에서 명예박사학위, 그리고 1996년 지그문트 프로이트 재단과 프랑크푸르트 정신분석연구소의 지그문트 프로이트 상을 수상하였다. 또한 스턴은 전 세계에서, 특히 유럽과 미국에서 강사 위촉을 받고 있으며 많은 전문학술단체(특히, 세계유아정신건강학회)와 전문잡지(발달과 정신병리학 잡지, 심리언어학 연구 잡지, 유아·어린이·사춘기 정신치료 잡지)의 고문으로 활동하고 있다. 이러한 활동을 통하여 경험적 발달심리학의 성과를 통합적이고 혁신적으로 정신분석과 정신치료이론 및 실제에 접목하였다. 그는 어머니/아버지와 아이뿐만 아니라 치료사와 환자 간 상호작용의 과정을 설명하였고, 갓난아이는 출생 후 바로 이미 상대적으로 자신과 대상을 구별하는 상태라고 주장하였다. 이는 대상과 함께 이루어진 어떤 공생적 융합이 자아의 본질적 상태가 아니라는 것을 의미한다. 이에 더해 스턴은 갓난아이는—출생하자마자 동시에 상대적인—자신과 자기대상에 대한 전체적인 감각을 생성하는 상태에 있다는 것을 보여 주었다. 그리고 자기 자신이나 자기대상이 분열되지도 않고 부서지지도 않은 것을 경험하며, 이전에 서로 관련되어 있는 것으로 경험한다고 주장하고 있다. 그의 생리학적 감정적 상태의 변화를 넘어 연속적인 사람으로 동일시할 수 있다. 마찬가지로 그는 하루 중에도 시시각각 다르게 보이고 다르게 행동하는 어머니를 항상 같은 어머니로 인지할 수 있다고 보았다. 스턴은 이것으로 잘 설명된 판단과 대안을 말러(Mahler)의 초기 인간적 존재로서의 공생이론으로 연결시킨다. 동시에 임상적 현상의 근원이 여러 가지 관점(체계이론, 정신분석, 대상관계이론, 행동)에서 분석되고 여러 가지 정신요법적 활용 가능성과 연결되면서 자아감정이론이 발달하였다. 스턴은 모성의 경험에서 모자치료요법에 상응하여 고려해야만 하는 어머니/아버지와 자식 간 관계와 관련된 특별한 상황을 인식하였다. 결국 그는 어른들에게는 언어의 도움 없이 정신치료를 하고, 그 진행과정을 연구하면서 발달심리학적 인식과 관점을 보다 많이 이용하는 데 전념했다고 할 수 있다.

주요 저서

Stern, D. N. (1985). *The interpersonal world of the infant: a view from psychoanalysis and developmental psychology*. New York: Basic Books.

Stern, D. N. (1995). 첫 번째로 맺는 관계-유아와 어머니[*The first relationship*]. (곽덕영 역). 서울: 학문사. (원저는 1977년에 출판).

Stern, D. N. (2010). 갓난아기가 쓴 일기: 아기가 보고, 느끼고, 경험하는 모든 것[*Diary of a baby*]. (이근 역). 서울: 미래사. (원저는 1990년에 출판).

Stern, D. N., & Stern, N. B. (2010). 좋은 엄마는 만들어

진다: 여성이 엄마가 되면 어떻게 변하게 되는가![*The Birth of a Mother*]. (이근 역). 서울: 미래사. (원저는 1998년에 출판).

스톡턴
[Stockton, Rex]

집단작업 분야의 주요 연구자이자 저자이며, 집단작업전문가학회(Association for Specialists in Group Work)의 지도자.

스톡턴은 1959년 동부 뉴멕시코(New Mexico) 대학교에서 심리학 학사학위를, 동 대학에서 1960년 석사학위를 받았다. 1968년 볼 주립대학교에서 임상심리학과 교육행정으로 교육학 박사학위를 받았다. 1971년부터 현재까지 인디애나(Indiana)대학교에서 상담, 교육, 심리 분야를 가르치며 여러 활동 및 연구를 진행하고 있다. 스톡턴의 연구팀은 집단역동 및 치료변화의 요인 측면을 체계적으로 조사하였다. 또 다른 연구의 초점은 그룹의 리더를 위한 다양한 교육방법을 조사하는 것이다. 스톡턴은 집단상호작용의 복잡함을 설명하기 위해 집단현상을 연구한 최초의 집단상담 연구자 중 한 사람이다. 그의 연구결과들은 집단작업을 위한 최상의 지침을 개발하기 위해 활용되고 있다. 이 작업은 미국상담학회(American Counseling Association)와 집단작업 전문가 학회의 탁월한 작업상(Eminent Career Award)의 주요 연구상을 수상하는 결과를 낳았다. 또한, 그는 미국심리학회(American Psychological Association)와 미국상담학회의 회원이다. 스톡턴은 집단상담에 대한 교육절차 개발에도 적극적으로 참여하였다. 그는 지역적, 전국적 및 국제적으로 광범위하게 출판활동을 했고, 많은 워크숍을 실시하였다. 그리고 스톡턴은 주, 국가, 국제 수준의 상담 조직 구성에 적극적으로 참여하였다. 그는 미국상담학회와 미국심리학회의 부문 회장과 상담을 위한 연구 및 평가위원회(the Research and Assessment Corporation for Counseling)의 회장을 역임하였다. 이러한 그의 활동들은 그가 상담의 발전에 대해 전세계적인 관점을 가지게 하였다. 스톡턴의 강력한 연구와 교육을 배경으로, 아프리카 상담 및 교육학회(African Association of Guidance and Counselling)의 요청에 따라 그는 아프리카 사하라 이남 지역에서 프로그램을 시작하였다. 이 프로젝트는 에이즈와 관련된 집단작업에 참여하는 서비스 인력을 양성하기 위한 것이다. 이 훈련의 모델은 아프리카 사하라 사막 이남 이외의 다른 지역에도 확장·개발되고 있다.

주요 저서

Stockton, R., Day, S., & Kivlighan, Dennis M. (2007). *Groups in practice*. New York: Lahaska Press.

스트롱
[Strong, Edward K. Jr.]

1884. ~ 1963.
직업흥미검사의 창시자이자 미국의 심리학자.

스트롱은 스탠퍼드(Stanford)대학교의 명예교수이자 스탠퍼드 직업흥미 연구책임자를 역임하였다. 1927년에 그가 검사를 개발한 이후, 이는 세계에서 가장 광범위하게 사용되는 진로평가도구의 하나인 스트롱 흥미검사로 발전되었다. 스트롱은 오랜 기간의 연구와 경험을 통하여 특정 직업에 만족하며 직업생활을 해 나가는 사람들에게는 공통적인 흥미패턴이 있음을 파악하였고, 이를 바탕으로 검사를

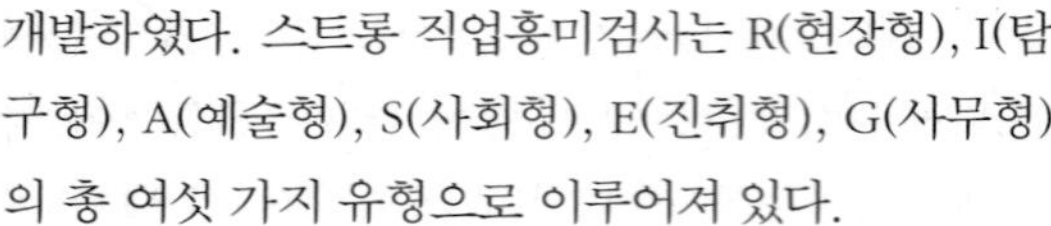

개발하였다. 스트롱 직업흥미검사는 R(현장형), I(탐구형), A(예술형), S(사회형), E(진취형), G(사무형)의 총 여섯 가지 유형으로 이루어져 있다.

주요 저서

Strong, E. K. Jr. (1943). *Vocational interests of men and women*. Stanford University, Calif.: Stanford University Press; London: H. Milford, Oxford University Press.

스트리플링
[Stripling, Robert]

1915. ~ 1991.
상담에서 전문가와 박사학위의 기준을 발전시킨 선구자.

스트리플링은 두 수준에 관한 상담 프로그램의 인증에서 추진력을 발휘하여, 상담 및 관계교육프로그램 인증 위원회(Council for the Accreditation of the Counseling and Related Educational Programs, CACREP)를 설립하였다.

스티어린
[Stierlin, Helm]

1926. 3. 12. ~
독일의 대표적인 가족치료사.

스티어린은 독일의 만하임(Mannheim)에서 태어났다. 그는 야스퍼스(K. Jaspers)나 프롬라이히만(F. Fromm-Reichmann)의 지도를 받아 정신분석가로 교육받았고, 미국의 가족치료사로 활동한 적도 있다. 또한 이론적 연구와 임상실천의 양면에서 활약하고 있다. 특히 청년기의 부모, 자녀 분리에 의한 가족관계의 변화를 설명하기 위해 원심적 가족패턴(centrifugal family pattern)과 구심적 가족패턴(centripetal family pattern)이라는 두 가지 개념을 제창한 것으로 알려져 있다.

주요 저서

Stierlin, H. (1977). *Psychoanalysis and family therapy: selected papers*. New York: J. Aronson.

Stierlin, H. (1981). *Separating parents and adolescents: a perspective on running away, schizophrenia, and waywardness*. New York: J. Aronson.

스피어만
[Spearman, Charles Edward]

1863. 9. 10. ~ 1945. 9. 17.
최초의 지능 2인자설을 제창한 영국의 심리학자.

스피어만은 둘째 아들로 태어났는데, 할아버지가 영국 재무부의 고급관리였던 알렉산더 영 스피어만 경(A. Y. Spearman)이었다. 1897년 제대하기 전까지 15년 동안 미얀마 전쟁, 보어전쟁 등 몇몇 식민지 전쟁에 참가했던 스피어만은 처음에 철학에 몰입했지만, 당시 그에게 가장 익숙한 학파인 연합주의자에 대한 매력을 그다지 느끼지 못하였다. 그리고 그는 철학이 주로 심리학을 통하여 제대로 발전할 수 있다는 확고한 신념을 가지게 되었다. 그래서 분트(Wundt)와 퀼페(Külpe) 등에게서 실험심리학을 배웠고, 1907년 런던대학교에서 실험심리학 강사 자리를 얻었다. 그 후 런던대학교 심리학 · 논리학 교수로 임용되었다. 1923년부터 1926년까지 영국심리학회 회장을 역임하였으며, 1928년부터는 학과장으로 취임하여 1931년까지 그 자리를 지켰다. 은퇴 후에는 손다이크(Thorndike)의 단일특질위원회에서 지능의 본질에 대한 일반적인 견해를 정립하기 위하여 노력하였다. 스피어만은 일반요인(g)과 특수 요인(s)을 구별하는 최초의 지능 2인자설(知能二因子說)을 발전시켰으며, 자신의 이론을 검증하기 위해 새로운 통계기법을 고안한 심리학의 거장 중 한 사람이다. 심리적 현상의 측정에 대한 골턴(Galton)의 접근법과 스피어만이 중시한 지능검사의 개발은 당시 독일 사상에서 특별한 인기를 얻지는 못하였다. 그러나 스피어만은 그것에 고무되어서 객관적으로 결정하고 측정한 '일반지능'이라는 원고를 미국심리학회지에 실기 위해 독일에서 보내기도 하였다. 여기서 그는 모든 심리적 경향성, 특히 소위 심리검사를 좀 더 포괄적이고 흥미로운 심리적 활동과 연결시켜 주는 심리적 경향성을 명확하게 파악하기 위해 상관심리학을 제시하였다. 이 이론에 따르면, 모든 지적 행동을 수행하기 위해서는 특정 개인의 모든 지적 활동에 일정하게 적용 가능한 일반지능과 각 활동마다 특수하고 강도도 서로 다른 특수지능의 조합이 필요하다. 그래서 어떤 사람이 일반지능이 필요한 과제를 수행할 수 있다면, 그 사람은 비슷한 일반지능을 요구하는 또 다른 과제에서도 비슷한 수준의 수행을 보일 것이라고 주장하였다. 정의상, 특수지능을 요구하는 과제의 수행을 예측하는 것은 덜 정확할 것이다. 그러나 스피어만은 일반지능을 모든 과제수행에 영향을 미치는 것으로 봄으로써 특수지능이 높은 과제수행을 예측하는 것은 우연적인 수준보다 유의미하게 높을 것이라고 설명하였다. 결국 스피어만은 한 사람의 지적 능력에 관한 가장 중요한 정보는 그 사람의 일반지능에 대한 평가치라고 결론지었다. 스피어만의 가장 큰 업적 중 하나는 대규모의 자료를 줄이고 그 안에 잠재된 구조를 밝히기 위해서 통계적 절차, 즉 4요인 차이법을 개발해서 자신의 이론에 적용하는 데 성공했다는 점이다. 그는 다양한 심리검사들 간의 상관패턴을 연구하여 거의 모든 상관이 정적임을 발견했고, 그 현상을 정적 다양성이라고 언급하였다. 정적 다양성의 효과가 매우 크기 때문에 그가 자료를 요인분석했을 때 하나의 강력한 제1요인이 나타났다. 스피어만은 이 결과를 기반으로 지표균등원리를 만들었다. 즉, 척도가 균등하다는 것은 각 척도를 일반지능의 지표로 사용할 수 있다는 의미다. 그는 검사의 신뢰도와 관련하여 스피어만-브라운(Spearman-Brown) 공식과 스피어만 순위 상관계수 등을 제시하여 심리검사 영역에 많은 공헌을 하였다. 또한 스피어만은 심리학 연구를 위해 영국에 역동적이고 국제적으로 인정받는 학교를 설립하는 데 기여하였다. 『British Journal of Psychology』가 출판한 첫 논문 증보판에 실린 20개의 논문 중 12개가 스피어만과 함께 일을 했거나 그의 밑에서 공부한 사람들의 논문이라는 사실에서, 그가 심리학 연구발달에 얼마나 많은 영향을 끼쳤는지 알 수 있다.

주요 저서

Spearman, C. E. (1923). *The Nature of Intelligence and the Principles of Cognition*. London: Macmillan.

Spearman, C. E. (1927). *The Abilities of Man*. New York: s.n.

Spearman, C. E. (1937). *Psychology Down the Age*. London: s.n.

ㅅ

스피츠
[Spitz, Rene A.]

1887. 1. 29. ~ 1974. 9. 11.
비엔나 출신의 정신분석학자.

스피츠는 비엔나(Vienna)에서 태어나 부다페스트(Budapest)대학교에서 의학을 배우고, 프로이트(Freud)에게 직접 지도를 받았다. 그 후 미국으로 건너가 정신분석학의 지도적 역할을 수행하였고, 더불어 정신분석의 발달가설을 영유아의 객관적 행동관찰이라는 방법으로 실증하고자 하였다. 특히, 생후 3개월에 누구나 인간의 얼굴을 인지하면 웃는 무차별 미소, 생후 8개월이 되어 어머니와 그 외 알아볼 수 없는 사람과의 구별에서 생기는 8개월 불안(낯가림) 등의 연구로 유명하다.

주요 저서

Spitz, R, A. (1983). *Dialogues from infancy: selected papers*. New York: International Universities Press.

슬라브슨
[Slavson, Samuel Richard]

1890. 12. 25. ~ 1981. 8. 5.
집단심리치료의 선구자.

슬라브슨은 러시아에서 태어나 미국으로 이주한 뒤 뉴욕 시립대학교, 컬럼비아대학교 등을 거쳤다. 처음에는 학교교육에 힘써 아동심리학을 연구했지만, 나중에는 정신위생과 심리치료 영역에서 활약

하였다. 특히 1934년부터 1956년까지 뉴욕의 유대인구호협회에서 새로운 집단심리치료를 개발한 것이 유명하다. 또 1957년부터 1964년까지는 국제집단심리치료학회의 회장을 역임하였다. 슬라브슨의 집단심리치료는 프로이트 정신분석학의 연장선상에 있다. 그가 문제 아동이나 청년을 보는 관점은, 직 · 간접으로 애정을 거부당한 것이며 사회적 기아의 상태에 놓여 있는 것이라고 하였다. 따라서 이를 치료하기 위해서는 자유롭고 허용적인 분위기의 집단이어야 하는 것이다. 이를 통해 죄책감, 열등감, 적의 등의 감정이 정화되고 자아강화, 현실음미 및 승화가 촉구될 수 있다. 그의 방법은 발달수준에 따라 다음과 같이 진행된다. 유아에게 유희 집단치료, 아동에게 활동 집단치료, 중증 아동에게 활동 면접 집단치료, 청년 이상에게 분석적 집단치료 등을 적용하였다. 특히 비행 소년 소녀를 정서장애자로 취급한 점이 획기적인 업적으로 인정받고 있다.

주요 저서

Slavson, S. R. (1947). *The practice of group therapy*. New York: International Universities Press.

Slavson, S. R. (1954). *Re-educating the delinquent through group and community participation*. New York: Harper & Brothers.

Slavson, S. R. (1960). *Psychotherapists in action*. New York: Grune & Stratton.

Slavson, S. R. (1973). *Psychotherapy: Clinical, research, and theoretical issue*. New York: Jason Aronson.

Slavson, S. R. (1979). Specific vs. nonspecific factors in psychotherapy. *Archives of General Psychiatry, 36,* 1125-1136.

시어스
[Sears, William]

1939. 12. 9. ~
미국의 소아과 의사로 육아에 관련된 저서를 30권 이상 출간한 인물.

시어스는 일리노이(illinois)의 알토(Alto)에서 태어났다. 시어스는 아버지가 아니라, 할아버지의 영향을 받으면서 자랐다. 하버드대학교 의과대학 소아과에서 의학을 전공한 시어스는 보스턴 소아과(Children's Hospital Boston)와 토론토(Toronto)에 있는 어린이 환자 병원(Hospital for Sick Children)에서 임상의 교육을 받았다. 30여 년간 소아과 의사로 일한 그는 현재 어바인 캘리포니아(Califonia-Irvine)대학교 의학부 소아과 임상 조교수로 재직하였다. 그는 유아말(Baby Talk)과 부모 역할(Parenting)에 관한 학술지 등에서 의학 및 양육 자문으로 활동하면서, 'Parening.com'이라는 웹사이트의 소아과 전문의로도 활약하고 있다. 또한 공신력을 인정받은 여러 방송에 초빙되기도 하였다. 그러다가 1997년 대장암 수술을 받고, 방사선 치료 및 약물치료까지 받았다. 아내인 마사 시어스(Martha Sears)와는 8명의 자녀를 두었다. 2009년 현재, 캘리포니아 샌클레멘트(Sanclemente)에 거주하면서 캘리포니아의 카피스트라노(Capistrano) 해변에서 시어스 가족 소아과(Sears Family Pediatrics)를 아들들과 함께 운영하고 있다. 시어스는 발달심리학에서의 애착이론을 기반으로 애착양육(Attachment Parenting)이라는 말을 만들었다. 그는 양육자와 유아 간에 건강한 애착형성을 위한 여덟 가지 이상 목표(ideals)를 제시했는데, 출생 준비(preparation for childbirth), 감정적 반응성(emotional responsiveness), 수유하기(breastfeeding), 입히기(babywearing), 편안한 공동 수면(co-sleeping safely), 잦은 장기간의 분리 금지하기(avoiding frequent and prolonged separations between parents and a baby), 긍정적 훈육(positive discipline), 가족생활 균형 유지(maintaining balance in family life)가 그것이다. 이와 같이 제시하면서 시어스는 원칙을 고수하는 훈육을 따르기보다는 유아의 욕구 반영에 창조적이 될 것을 주문하였다. 표면적으로 시어스가 주장하는 애착양육은 안전한 애착을 지지하기 위한 반응에 초점을 두고 있다. 애착양육은 유아가 자신의 욕구를 부모에게 전달하고 부모는 그에 즉각적으로 부합할 수 있도록 하는 것이 유아의 생존에 필수적이라는 이론이다. 시어스는 유아 및 아동은 정신적 능력이 완전하지 못하다는 주장을 하면서, 생후 첫 1년 동안 유아의 욕구와 소망은 단 하나이며 모든 유아에게 동일하다고 하였다. 그러한 욕구가 부합되지 못했을 때, 유아의 발달에 치명적인 영향을 미친다고 보았다.

주요 저서

Sears, W. (1997). *The Pregnancy Book*. Boston: Little, Brown and Company.

Sears, W. (2000). *The Birth Book*. Boston: Little, Brown and Company.

Sears, W. (2000). *The Breastfeeding Book*. Boston: Little, Brown and Company.

Sears, W. (2001). *What Baby Needs*. Boston: Little, Brown Books for Young Readers.

Sears, W. (2003). *The Baby Book: Everything You Need to Know About Your Baby from Birth to Age Two*. Little, Brown and Company.

Sears, W. (2003). 애착의 기술[*The Attachment Parenting Book*]. (김세영 역). 경기: 푸른육아. (원저는 2001년에 출판).

Sears, W. (2004). 현명한 부모는 아이를 스스로 변하게 한다[*The Discipline Book: How to Have a Better-Behaved Child From Birth to Age Ten*]. (최성일 외 역). 경기: 동녘라이프. (원저는 1995년에 출판).

人

Sears, W. (2005). *The Baby Sleep Book: The Complete Guide to a Good Night's Rest for the Whole Family*. Boston: Little, Brown and Company.

Sears, W. (2009). 까다로운 내 아이 육아백과[*The Fussy Baby Book*]. (강도은 역). 경기: 푸른육아. (원저는 1996년에 출판).

Sears, W. (2010). 자존감 높은 아이로 키우는 애착 육아[*Successful Child*]. (노혜숙 역). 경기: 푸른육아. (원저는 2002년에 출판).

Sears, W. (2011). *The Portable Pediatrician: Everything You Need to Know About Your Child's Health*. Boston: Little, Brown and Company.

쏜
[Thorne, Frederick Charles]

1909. 5. 30. ~ 1978. 2. 22.
미국의 임상심리학, 심리학자.

쏜은 뉴욕에서 태어나, 보수적인 가족환경에서 교육을 받았지만 어릴 때부터 반항적인 성향을 보였다고 한다. 그의 임상심리학에 대한 관심은 어린 시절부터 가족과 자신을 둘러싼 다양한 대인관계 문제를 관찰하면서 시작되었다. 1934년 컬럼비아대학교에서 정신물리학으로 박사학위를 받은 뒤, 롱아일랜드대학교에서 전임강사가 된 그는 코넬 의과대학에 들어가 1938년 의학박사학위를 받았다. 그곳에서 쏜은 내적 일관성을 가진 절충적인 방법을 발견하였다. 의학박사학위를 받은 뒤 버몬트 주(Vermont)의 브랜든(Brandon)에 있는 학교의 정신적 결함에 대한 심리클리닉 책임자가 되었고, 이후 버몬트대학교 교수로 재직하였다. 그의 원고는 보통의 저널지에 허용되지 않았는데, 그러한 이유로 쏜은 임상심리학 관련 학회지를 설립하기도 하였다. 그는 내담자중심(비지시적) 상담을 비판하면서 자신의 입장을 지시적이라고 불렀다. 펜실베이니아대학의 스나이더(W. Snyder)와 논쟁을 벌인 것으로 유명한 쏜의 입장은 비지시적인 것과의 겸용을 주장한 것으로서, 절충파의 원류로 간주할 수 있다. 그 원리로는 상담은 일체 과학적 지식이나 기술에 의하여 조직되어야 한다는 점, 부적응의 원인 해명과 치료가 목표라는 것을 들고 있다. 이를 위한 기본적 기술로는 라포(rapport)의 형성, 수용과 해석, 비현실적인 태도에 대한 객관적 논의, 새로운 인생철학의 도입 등이 사용된다.

주요 저서

Thorne, F. C. (1950). *Principles of personality counseling*. Brandon: Journal of Clinical Psychology.

쏜디
[Szondi, Leopold]

1893. 3. 11. ~ 1986. 1. 24.
운명분석학(運命分析學)을 창시한 심층심리학자.

쏜디는 1893년 헝가리에서 태어났다. 정신과 의사로 1944년에 나치를 피해 스위스로 이주한 그는 1958년에 창설한 국제운명심리학회의 회장을 역임했고, 1969년에는 쏜디 연구소를 주재하면서 활동을 확장 · 심화해 나갔다. 1986년 죽을 때까지 50년에 걸친 심층심리학자로서의 그의 생애는 유럽에서 고전적 정신분석학파의 최고 거인이라고도 할 수 있을 만큼 다채로운 활동을 펼쳤다. 쏜디는 프로이트(Freud)가 발견한 개인적 무의식, 융(Jung)이 말하는 집단적 무의식 사이에 그 틈을 메우는 무의식으로 가족적 무의식을 발견하였다. 이 세 가지의 통합 자체가 그의 생의 테마이며 그의 운명분석학(Fate analysis)으로서의 심층심리학이었다. 그의 방대한 논문의 양과 질은 독특한 면이 많아서 동일 계통에서 확실하게 인정받고 있다고 말하기는 어렵다. 그러나 오늘날의 상담가가 프로이트와 더불어 한번은 관심을 가져야 할 견해를 밝히고 있다고 할 수 있다.

주요 저서

Szondi, L. (1944). *Schicksalsanalyse*. Basel: Schwabe.

Szondi, L. (1972). *Lehrbuch der Experimentellen Triebdiagnostik*. Bern: Verlag Hans Huber.

아들러
[Adler, Alfred]

1870. 2. 7. ~ 1937. 5. 28.
오스트리아 출신의 유대계 의사이며 개인심리학의 창시자.

알프레트 아들러는 비엔나 근교 펜칭(Penzing)에서 유대인 중산층 상인인 아버지 레오폴트 아들러(Leopold Adler)와 어머니 파울린(Pauline)에게서 4남 2녀 중 둘째 아들로 태어났다. 어린 시절 구루병 때문에 4세가 되어서야 걸음마를 시작하였고, 폐렴 때문에 목숨이 위험한 상황도 겪었다. 게다가 아들러는 3세 때 자기 침대 옆에서 동생이 죽는 것을 경험하였는데, 자신의 병약함과 동생의 죽음은 아들러가 아주 어린 시절부터 의학에 관심을 갖는 원인이 되었다. 아들러는 형에 대해서는 열등감에서 비롯된 경쟁심이 심했고, 동생이 생겼을 때는 어머니의 사랑을 동생에게 빼앗겨 버렸다. 그런 이유로 아버지의 보살핌을 받으면서 아버지와 친밀한 관계를 유지하게 되었다. 이 같은 경험에 따라 프로이트(Freud)의 오이디푸스콤플렉스를 받아들이기가 어려웠다. 학창 시절 아들러는 매우 평범한 학생으로, 수학시험에 낙제하여 재수강을 받기도 했고 선생님에게 상급 학교 진학을 포기하고 구두제화공 기술을 배우라는 권유도 받았다. 그때 선생님과 상담을 했던 아들러의 아버지는 선생님의 의견과는 달리 아들러가 학업을 계속할 수 있도록 격려해 주어 결국 최우수 학생으로 졸업할 수 있도록 만들었다. 이후 1888년 명문 비엔나대학교에 입학해서 의학을 공부하게 되었다. 대학 재학 시절, 정치, 경제, 사회학 등을 두루 섭렵하였고, 사회문제와 사회적 신분에 대해서도 관심을 가져 마르크스의 저서를 특히 많이 읽었다. 1895년에 비엔나대학교에서 의학박사 학위를 취득한 아들러는 대학 시절에 사회주의 학생연합(Sozialistischen Studentenverein)의 회원으로 활동하기도 하였다. 그곳에서 1897년에 러시아에서 온 지적인 사회주의 운동가 레이샤 엡스타인(Raissa Epstein)을 만나 결혼을 하였고, 3명의 딸과 한 명의 아들을 두었다. 아들러는 1898년에 안과 의사로 첫 개업을 하였다. 안과의사로 일하면서 눈이 나쁜 사람일수록 탐욕스러운 독서가가 되기를 원한다는 놀라운 사실에 주목했고, 모든 인간의 발전은 사람들이 무의식중에 자신의 열등성을 극복하려고 열심히 노력하는 가운데 이루어진다는 진리를 발견하였다. 그 후 일반 내과에서 신경학과 정신의학으로 전환하였다. 아들러의 병원이 있던 곳은 비엔나의 하층민이 살던 곳으로, 주변에는 유원지와 서커스 공연장이 있었다. 아들러를 찾는 환자 중에는 당연히 서커스를 하는 사람도 있었는데, 그들을 통해서 특수한 강점과 약점을 발견하면서 '기관 열등'이나 '보상'과 같은 개념에 대하여 통찰할 수 있었다. 1902년 가을, 프로이트는 아들러를 자신의 토론 그룹에 초대했고 후에 이 모임은 1910년 아들러가 의장이 된 비엔나 정신분석학회(Vienna Psychoanalytic Society)로 발전하였다. 초기에 프로이트와 아들러는 조화로운 관계였지만, 프로이트가 자신의 이론에 대한 엄격한 충성과 획일화를 요구한 것이 원인이 되어 아들러는 의장직을 맡은 1년 후인 1911년에 정신분석학회를 탈퇴하였다. 인간의 기본 동기에 대해서 아들러는 권력에의 의지를 표명했는데, 이것이 프로이트의 쾌락원칙과 대립하여 나타난 결과였다. 프로이트와 결별한 뒤, 아들러는 평소 교류가 많았던 사회주의자를 중심으로 사회주의적이고 교육적인 이념을 강조하는 '학생자유정신분석연구회(Society for Free Psychoanalytic Inquiry)'를 결성하였다. 1912년에는 개인심리학이라는 용어를 사용하여 이 기관을 개명하고서는 개인심리학회(Society for Individual psychology)로 창설하였다. 아들러는 군의관으로 제1차 세계 대전에 참전한 뒤, 이후 오스트리아 정부의 요청으로 신경증 학생과 그들 부모가 상담을 받을 수 있는 아동상담소를 설립하였다. 이는 현재 지역사회 정신치료소의 선구자적 역할을 한 것으로 볼 수 있다. 그때 아들러는 교사, 사회사업가, 의사, 그리고 다른 전문가들을 양성하는 현장실습 장소로 비엔나의 공립학교에 최초의 아동상담소를 설립하였다. 그곳에서 부모교육, 부모상담 프로그램, 교사교육, 집단상담의 새로운 장을 개척하였다. 당시 혁명적인 시도로 평가된 아들러의 아동상담소는 비엔나와 전 유럽에 걸쳐 빠르게 확산되었다. 아들러는 미국, 네덜란드, 프랑스, 스웨덴, 벨기에, 체코, 독일, 유고슬라비아, 영국, 스코틀랜드 등을 순회하면서 수없이 많은 강연을 하였고, 그 가운데 많은 추종자들을 만났다. 1926년 미국에서의 첫 순회강연을 가진 이후로 아들러는 미국 방문이 잦아졌다. 유럽에 대한 나치의 압제가 시작되었던 1935년, 사회적으로 평등한 사회에 관한 급진적이고 정치적으로 수용될 수 없는 개념을 가졌던 아들러는 미국으로 망명하였다. 그 뒤 1937년 스코틀랜드 애버딘(Aberdeen)에서 애버딘대학교 초청으로 실시한 3주간의 순회강연 도중에 사망하였다. 아들러는 의사, 교사, 부모와 같은 많은 청중 앞에서 집단치료와 가족치료를 실시함으로써 내담자와 공식적으로 일한 최초의 사람이었다. 그는 다른 전문가들이 상담상호과정을 직접관찰하여 배울 수 있도록 하기 위해 이러한 모의실험 상황(demonstration)을 이용하였다. 아들러의 죽음 이후, 그의 연구에 관한 관심은 점점 퇴조되었고, 아들러의 제자들은 나치 정권과 제2차 세계 대전으로 유럽 대륙과 그 외 지방으로 흩어져 버렸다. 그들 중 상당수는 미국으로 건너갔고, 미국에서 그들은 프로이트 심리학의 대립으로 보이는 아들러의 사상에 대한 아주 심한 거부반응을 볼 수 있었다. 그러다가 제2차 세계 대전 이후에 개인심리학은 다시 르

네상스를 맞이하였다. 루스(V. Lous), 라트너(J. Rattner), 스펄버(M. Sperber), 특히 드라이커스(R. Dreikurs)와 그의 많은 미국 동료와 학생들에 의해 아들러의 개인심리학은 재조명받기 시작했고, 그 후 엄청난 발전을 이루었다. 이처럼 아들러는 프로이트를 비롯한 비엔나 정신분석학회의 핵심 구성원 중 한 사람으로서 정신분석 운동을 일으킨 주요 인물이다. 게다가 정신분석의 장을 떠나 심리치료 및 성격 이론에서 개인심리학이라는 새로운 학파를 창설한 최초의 인물로도 평가되고 있다. 아들러는 상담 및 심리치료 분야에서 20세기에 가장 중요한 인물로서, 후학에게 독보적인 영향을 미쳤다. 롤로 메이(Rollo May), 빅토르 프랑클(Viktor Frankl), 에이브러햄 매슬로(Abraham Maslow), 앨버트 엘리스(Albert Ellis) 등이 그의 영향을 받은 대표적인 인물들이다. 아들러의 저서는 진보적이면서 당시로서는 혁신적인 내용으로, 후에 카렌 호나이(Karen Horney), 해리 설리번(Harry Sullivan), 에리히 프롬(Erich Fromm)과 같은 신프로이트학파에도 깊은 통찰을 일으켰다. 아들러는 다양한 양식의 정신병리를 예방할 수 있는 방법으로 사회적 관심과 민주적 가족구조에서의 자녀양육을 강조하였다. 그의 개념 중 가장 중요한 열등감 콤플렉스는 자긍심의 문제와 인간 건강에 미치는 부정적인 영향에 대해서 설명하고 있다. 아들러는 출생순서에 따른 각 인물이 지니는 일반적인 특성에 대해서도 논하면서 맏이와 둘째, 막내나 외동 등의 특성이 성격에 미치는 영향을 밝히기도 하였다. 니체(Nietzsche)의 철학에 뿌리를 두고 있는 권력에의 의지는 니체의 그것과는 달리 좀 더 나은 변화를 위한 인간의 창조적인 힘에 초점을 둔 개념이다. 아들러는 전체성(holism)에 대한 주장을 펼치면서 인간은 나누어질 수 없는 전인적 존재라는 주장도 했는데, 이러한 그의 이론은 후에 인본주의 심리학에서 크게 조명되었다. 또한 맥그로우힐(McGraw-Hill) 사의 『세계인물백과사전』(1973)에서는 아들러를 가족치료와 지역정신의료를 최초로 실시한 인물로 기록하고 있다. 아들러의 개인심리학은 세계 대전 당시 군의관으로서의 경험에 입각하여 자기중심적인 우월의 논리를 넘어서는 공동체감을 중시하면서, 인간을 하나하나의 요소로 분할할 수 없는 통합적인 존재로 인식하고 개인의 독자성을 중시하는 시각을 가지고 있는 분야이다. 또한 그는 남성과 여성 간의 힘의 역동이 인간심리 이해에 결정적이라는 생각을 가지고 페미니즘적 입장에 선 최초의 심리학자이기도 하다. 개인심리학에서 말하는 심리치료나 심리교육은 내담자의 공동체의식을 개발하고, 사적인 견해를 계승하는 것을 목표로 한다. 개인심리학의 영향은 현대까지 지대하게 퍼져 있는데, 자녀양육, 결혼 및 가족치료, 학교상담, 인간관계 개선, 부모교육 및 부모상담 등 수많은 분야에서 찾아볼 수 있다. 오늘날 개인심리학은 다양한 현대의 사고체계 및 심리치료 접근의 선구로 인식되고 있다. 알프레트 아들러는 현재 프로이트, 융과 나란히 인간의 무의식과 심리역동에 대한 중요성을 역설하고, 심층심리학의 혁신적인 분야를 창설한 세 사람 중 한 명으로 평가받고 있다.

주요 저서

Adler, A. (1904). *The physician as educator. In Healing and education: Medical-educational papers of the society for Individual Psychology*. Chicago: International Publications.

Adler, A. (1907). *Study of organ inferiority and its physical compensation: A contribution to clinical medicine* (S. E. Jelliffe, Trans.). New York: Moffat Yard.

Adler, A. (1924). *The practice and theory of individual psychology*. New York: Harcourt, Brace & World.

Adler, A. (1927). *Understanding human nature*. New York: Greenberg.

Adler, A. (1929). *The case of miss R.: The interpretation of a life study*. New York: Greenberg.

Adler, A. (1931). *What life should mean to you*. New York: Blue Ribbon Books.
Adler, A. (1936). Love is a recent invention. *Esquire Magazine, 4*(1). 36, 128.
Adler, A. (1938). *Social interest*. London: Faber & Faber.
Adler, A. (1954). *Understanding human nature* (W. B. Wolf, Trans.). New York: Fawcett Premier. (Original work published 1927).
Adler, A. (1964). *Problems of neurosis* (original work published 1929). New York: Harper Torchbooks.

아레돈도
[Arredondo, Patricia]

1945. 7. 17. ~
다문화상담 분야에서 탁월한 능력을 발휘한 라틴계 심리학자이자 임파워먼트 워크숍의 창시자.

아레돈도는 멕시칸계 미국인으로 오하이오의 로레인 지방에서 성장하였다. 그곳은 당시 라틴계 인구가 별로 없었다. 미국 이민 제2세대인 아버지와 제3세대인 어머니 사이에서 태어났는데, 할머니는 멕시코의 오악사카(Oaxaca) 출신 자포티 인디언(Zappotee Indian)이었다. 이 인디언들은 나중에 오하이오 클리블랜드(Cleveland) 근처의 작은 마을에서 강철제조 노동자로 일하게 되었다. 이처럼 미국에서 살았던 가족들의 경험이 아레돈도의 치료작업에 정신적인 바탕이 되기도 하였고, 많은 정보의 근간이 되기도 하였다. 아레돈도는 켄트(Kent) 주립대학교 스페인어학과와 신문학과에서 학사학위를 받고, 보스턴(Boston) 대학교에서 상담 석사학위를 받은 다음, 보스턴대학교 상담심리학과에서 박사학위를 받았다. 졸업 이후 처음에는 보스턴대학교 상담심리학부 조교수로 첫발을 내디딘 아레돈도는 자신의 학자적 자질에 대해 고민하였다. 그녀는 자신이 소수 민족이며 여성이기 때문에 교수직에 오를 수 있었던 것이 아닐까라는 생각을 하게 되었다. 1985년에 아레돈도는 학교를 떠나 보스턴에 자리를 잡고 법인 자문회사인 임파워먼트 워크숍의 창립자이자 대표로서 일을 시작하였다. 이 활동을 통해서 아레돈도는 기업가이면서도 개인영업을 하는 심리학자, 기관 자문 등의 역할을 수행하였다. 교육워크숍과 사정, 경영자문, 경영훈련 등에 관한 다양한 선도적 입장으로 서비스 영역을 제공하는 여러 조직에서 일한 것이다. 아레돈도의 자문회사는 작업장 문화를 평가하고, 작업장의 다양성을 저해하는 요소를 처리하며, 작업장의 다양성을 증대시키기 위한 사업전략을 제공하는 일 등에 역점을 두었다. 임파워먼트 워크숍으로 아레돈도는 개인적으로도 전문가적으로도 성공에 대한 감을 익힐 수 있었다고 하였다. 이 워크숍은 주로 다문화적 조직발달을 중심으로 다루었다. 아레돈도는 1999년까지 임파워먼트 워크숍의 대표를 맡았고, 이후에는 애리조나(Arizona) 주립대학교에서 2007년까지 재직하였다. 그후 아레돈도는 위스콘신대학교 밀워키의 교육학부 상담심리학과 교수이며, 평생 교육학부 학자이자 학술부 부총장으로 재직하고 있다. 또 밀워키 공동체 전역에서 헬렌 베이더 비영리연구소 리더십상담(Helen Bader Nonprofit Institute Leadership Council), 도시건강 인구센터(Center for Urban Health Population)에서 봉사하고 있으며, 사회발전위원회(Social Development Commission)의 위원이기도 하다. 아레돈도는 주요 네 분야에서 학자적 역량을 발휘한 것으로 평가되고 있다. 즉, 다문화상담 능력 개발, 고등 교육에서의 라틴계 문제에 대한 연구, 다양성에 중점을 둔 조직변화에 대한 자문, 이주집단에 대한 연구 등을 주제로 여러 역작을 광범위하게 출판하였다. 그녀는 5권의 저서를 집필 및 공동집필하였고, 무려 100여 편이나 되는 논문과 단행본을 출간했을 뿐만 아니라 영어와 스페인어 두 가지 언어에 능통하여 두 언어로 된 교육 비디오와 DVD로 다문화상담사 교육자료를 만들기도 하였다. 최근 연구는 주로 처음 자기 집을 소유하게 된 라틴계 이주민에 관한 내용이다. 아레돈도는 여러 국가적 혹은 지역적 기관에서 지도적인 자리를 맡아 왔는데, 미국상담학회(American Counseling Association) 대표, 소수민족 문제에 대한 심리학적 연구회(Society for the Psychological Study of Ethnic Minority Issues)인 미국심리학회(American Psychological Association) 제45분과 대표, 국립라틴계심리학회(National Latina/o Psychological Association) 대표, 다문화상담 및 발달학회(Association of Multicultural Counseling and Development) 대표, 보스턴라틴계전문가회(Latino Professional Network of Boston) 대표 등을 역임하고, 현재는 피닉스 광역시의 다양성리더십연합(Diversity Leadership Alliance)의 이사회에 몸을 담고 있다. 또한 히스패닉계 고등교육자 미국학회(American Association of Hispanics in Higher Education)의 논문 시상위원으로도 활동 중이다. 아레돈도는 탁월한 공헌으로 여러 차례 수상도 했다. 미국심리학회의 제17분과와 45분과의 특별회원의 지위를 얻었고, 샌디에이고대학교에서 명예박사 학위를 받았다. 또한 다문화상담 분야에서의 혁혁한 공로를 인정받아 미국상담학회에서는 '살아 있는 전설(Living Legend)'이라는 호칭을 내리기도 하였다. 2009년에는 미국심리학회 제45분과에서 평생공로상(Lifetime Achievement Award)을 수여하였다. 아레돈도는 소수민족과 여성이기 때문에 갖게 된 기득권과 장벽을 허물고 그 분야의 개척자가 되어 경영 및 학문계에 큰 영향을 미쳤다. 그녀는 2006년에 미국학생연합(American Students Union) 고위관리 중 최고의 자리에 오른 라틴계 인사가 되기도 하였다. 그녀는 혁혁한 공로를 이룬 최고의 여성이자 최고의 라틴계 인사이며, 리더십 역할에 대해서도 명실상부한 선두주자라 할 수 있다. 그러나 그녀의 업적은 여기서 그치지 않는다. 임파워먼트의 사명과 문화가 직업에서 어떻게 개인의 힘으로 작용하게 되는지를 후학들이 연구하면서 이어 나가고 있다.

주요 저서

Arredondo, P. (1996). *Successful Diversity Management Initiatives: A Blueprint for Planning and Implementation*. California: Sage Pub.

Arredondo, P. et al. (1999). *Key Words in Multicultural Interventions: A Dictionary*. Westport: Greenwood.

Arredondo, P. (2006). *N. A. Fouad & P. Arredondo. Becoming Culturally Oriented: Practical Advice for psychologists and Educators*. Washington: APA.

아리에티
[Arieti, Silvano]

1914. 6. 28. ~ 1981. 8. 7.
정신분열증에 관한 당대 최고의 정신과 의사.

아리에티는 이탈리아 피사(Pisa)에서 태어났다. 1932년에 피사에 있는 리세 갈릴레오(Lycee Galileo)를 졸업하고, 1938년에 피사대학교에서 의학박사학위를 취득하였다. 지역병원에서 인턴생활을 시작했는데, 무솔리니의 인종정책이 점점 심해지면서 반유대주의 법률을 견딜 수 없어 결국 이탈리아를 떠나 미국으로 망명하였다. 미국으로 건너간 아리에티는 뉴욕 주립 정신의학연구소와 병원(New York State Psychiatric Institute and Hospital)에서 연구비를 받아 2년간 연구를 한 뒤, 웨스트 브렌트우드(West brentwood)의 필그림

(Pilgrim) 주립병원에서 1941년에 레지던트가 되었다. 1953년에는 뉴욕 주립대학교 의과대학의 조교수가 되었고, 1961년 뉴욕 의대의 정교수로 승진하였다. 아리에티는 총 7권의 방대한 분량의 정신의학 참고서인 『American Handbook of Psychiatry』의 주 편집자도 되었다. 1946년부터 1952년까지 윌리엄 앨런슨 화이트 연구소(William Alanson White Institute)에서 정신분석훈련을 받기도 했는데, 이후에는 윌리엄 앨런슨 화이트 정신분석회(William Alanson White Psychoanalytic Society)의 교육 수퍼바이저 및 회장직을 맡아 일하였다. 그는 여러 정신분석 저널의 편집을 책임지기도 했고, 미국정신분석학회(American Academy of Psychoanalysis)와 정신분석의사회(Society of Medical Psychoanalysists)의 대표를 역임하기도 하였다. 1975년에는 질병에 대한 심리학적 기원의 중요성을 설파한 책인 『Interpretation of Schizophrenia』으로 국가도서상(National Book Award)을 수상하였고, 그 후 의사들이 정신분열증을 가진 이들의 마음상태를 이해할 수 있는 방법을 개발하였다. 이듬해인 1976년에는 『Creativity: The Magic Synthesis』라는 저서에서, 창조성에서 비롯된 행위가 어떻게 진행되는지를 파악하는 정교한 이론의 개요를 잡아냈다. 프로이트(Freud)가 병들고 무의식적인 마음의 '일차적(primary)' 정신 과정과 논리적이고 통합된 사고의 '이차적(secondary)' 과정에 대한 정의를 내렸는데, 아리에티는 일차적 과정과 이차적 과정이 수용 가능한 예술적 재현을 일으킬 수 있는 제3의 과정이 있다고 주장하였다. 아리에티는 창조적인 사람과 정신분열증이 있는 사람은 일차적 과정(primary process)에서는 매우 큰 연관성이 있지만, 창조적인 사람은 정신분열증자와 달리 자신의 창조적인 사고를 합리적이고 논리적인 양식의 그다음 과정으로 연결하여 새로운 것을 만들어 낼 수 있는 능력이 있다고 하였다. 만년에는 유대주의의 도덕적 근원에 관심을 가져, 제2차 세계 대전 발발 당시 피사의 유대 공동체 지도자였던 주세페 파르도 로케스(Giuseppe Pardo Roques)에 대한 단편 『The Parnas』를 쓰기도 했는데, 그 책에서 그는 로케스의 정신질환에 대해 말하고 있다. 아리에티는 1981년에 뉴욕병원에서 암으로 사망하였다. 그의 아들인 제임스와 데이비드는 각각 버지니아와 안나폴리스에서 의사로 일하고 있고, 손자들도 의사다. 아리에티는 정신분열증과 창조성에 관한 이론을 광범위하게 펼친 정신분석학자다. 그의 이론은 정신질환의 트라우마 모델(trauma model of mental disorders)이라고 불리는데, 이는 당대의 정신질환에 대한 의학적 모델의 주류와는 대비되는 이론이었다.

주요 저서

Arieti, S. (1967). *The Intrapsychic Self: Feeling, Cognition and Creativity in Health and Mental Illness*. New York: Basic Books.

Arieti, S. (1972). *The Will To Be Human*. New York: Quad-rangle.

Arieti, S., & Chrzanowski, G. (1974). *New Dimensions in Psychiatry*. San Francisco: John Wiley & Sons Inc.

아버클
[Arbuckle, Dugald S.]

? 1912. ~
상담에서 인간의 권리를 주창한 인본주의적 실존주의 심리치료사.

아버클은 실존주의 및 인본주의 상담 관련 주제의 많은 저서를 출간한 인물로서, 1959년부터 1960년까지 미국상담학회장을 역임하였다. 그는 심리치료뿐만 아니라 교육에도 실존적 인본주의 사상을 반영하였다. 심리치료와 상담의 개념은 구분하지 않고 같은 것으로 보았지만, 상담과 지도의 개념은 구분하였다. 아버클에 따르면 지도는 정상적인 사람을 교육적 · 직업적 선택을 할 수 있도록 도와주는 관계로 도출되는 개념으로 일반적인 상담과는 기반부터 다르다고 보았다.

주요 저서

Arbuckle, D. S. (1958). *Guidance and Counseling in the Classroom*. Boston: Allyn & Bacon.

Arbuckle, D. S. (1962). *Pupil Personnel Services In American Schools*. Boston: Allyn & Bacon.

Arbuckle, D. S. (1967). *Counseling and Psychotherapy: An Overview*. New York: McGraw-Hill.

Arbuckle, D. S. (1971). *Counseling: Philosophy, Theory and Practice*. Boston: Allyn & Bacon.

Arbuckle, D. S. (2007). *Teacher Counseling*. Whitefish, MT: Kessinger Pub.

아브라함
[Abraham, Karl]

1877. 5. 3. ~ 1925. 12. 25.
독일의 정신분석학자이며 프로이트(S. Freud)의 최고의 제자 중 한 사람.

아브라함은 독일 브레멘(Bremen)에서 태어났다. 그의 아버지 나탄 아브라함(Nathan Abraham)과 나탄의 사촌이자 아내였던 그의 어머니 아이다는 유대교 교사였다. 그의 가정은 부유하고 문화적으로 교양 있는 유대인의 분위기가 배어 있었다. 아브라함은 어린 시절 부모의 종교에 대한 거부감을 가지고 있었고, 일찍부터 심리학과 언어학에 관심을 가져 평생 인간에 대한 지대한 관심을 보였다. 기초정규교육 과정을 거치지 않은 채 부모의 지도하에 가정에서 교육을 받은(home-schooling) 그는 1896년 뷔르츠부르크(Würzburg), 베를린(Berlin), 프라이부르크 임 브라이스가우(Freiburg im Breisgau) 등지에 있는 대학교 의과대학에서 수학했다. 1901년에 졸업을 한 뒤 베를린에 있는 정신병원에 처음 발을 들여놓았고, 1904년에는 오이겐 블로일러(Eugen Bleuler)가 맡고 있던 취리히의 부르크휠츠 정신병원에서 근무하게 되었다. 그곳에서 융(C. Jung)을 만나 프로이트의 정신분석 방법을 접했다. 이때부터 아브라함은 아동의 성과 정신분열증에 관한 논문집필로 연구를 시작하였다. 1906년 헤드비히 버그너(Hedwig Burgner)와 결혼을 하고, 이듬해인 1907년 프로이트를 만났다. 이로써 아브라함은 프로이트가 가장 신뢰하는 협력자이며 가장 친밀한 벗들 중 한 사람이 되었다. 아브라함은 초기 정신분석학자 중에서 가장 안정된 인물로 평가를 받았으며, 프로이트에게 융의 배신을 경고한 인물이기도 하였다. 그는 상징과 신화에 관심이 많았는데, 1909년에는 신화학과 소망충족에 대한 논문을 발표하기도 하였다. 프로이트가 예술에 대한 정신분석적인 입장으로 해석을 하면서 아브라함도 1911년 프로이트와 같은 방식으로 이탈리아 화가 조반니 세간티니(Giovanni Segantini)에 대해 작업을 한 뒤 저서를 내기도 하였다. 또 우상 파괴주의자인 이집트 파라오 아멘호테프 4세(Amenhotep IV)에 대한 논문에서도 동일한 역사적 접근을 사용하였다. 제1차 세계 대전 중에는 독일 군대 정신병원장으로 근무했다. 이 경험으로 그는 전쟁 신경증에 대한 관심을 갖게 되지만, 세균성 이질에 걸려 건강이 나빠졌고 전쟁이 끝난 뒤에 아브라함은 여러 주요 환자들을 분석하였다. 프로이트와의 만남 이후, 독일로 돌아와 1910년 베를린정신분석연구회(Berlin Society of Psychoanalysis)를 창설하고, 1914년에서 1918년까지 국제정신분석학회(International Psychoanalytical Association)의 대표를 역임하였으며, 1925년에 재임되기도 하였다. 이 같은 아브라함의 선구적 역할과 종합병원의 창설은 베를린이 주요 정신분석 임상, 연구, 훈련센터 등의 메카가 되는 데 결정적 역할을 하였다. 여러 정신분석 후학이 이곳에서 교육을 받곤 하였다. 아브라함은 폐렴과 수술에 따르는 폐 감염, 폐암 등으로 건강이 더욱 악화되면서 스위스에서 요양을 하던 중 1925년, 48세의 이른 나이로 죽음을 맞았다. 이후 그의 의학 논문들을 블룸즈버리(Bloomsbury) 출판사의 레너드 울프(Leonard Woolf)가 영어로 번역하였으며, 그의 딸인 힐다 아브라함(Hilda Abraham)도 주목받는 정신분석학자가 되었다. 칼 아브라함은 프로이트와 협력하여 조울증에 관한 연구를 해서 1917년 프로이트의 역작 『애도와 우울(Mourning and Melancholia)』을 내는 데 도움을 주었고, 1924년부터 1925년까지는 멜라니 클라인(Melanie Klein)의 정신분석을 맡기도 하였다. 주로 성격발달 및 정신질환에서 유아의 성이 어떤 역할을 하는지를 연구한 아브라함은 심리성적발달이 특정 지점에 고착되어 있으면 정신질환이 일어날 확률이 크다는 주장을 하였다. 구강기에 아이들이 대상과의 첫 번째 관계가 어떻게 발달하느냐에 따라 다가올 미래 현실에서의 관계들이 영향을 받는다고 하였다. 아브라함에 따르면, 구강기 및 항문기 단계에서 비롯되는 것들이 성격 특성과 정신병질을 결정한다. 아브라함은 또한 문화에도 관심을 보였는데, 다양한 신화를 분석하면서 꿈과의 관계를 보여 주었다. 우울증과 정신질환에서 가장 주목받을 만한 초기 이론가인 아브라함의 이론들은 라캉(Lacan)의 저서를 통한 예술 역사학적 관심을 새롭게 하면서 재조명되었다. 그리고 아브라함은 프로이트의 가장 충실한 제자였으며, 정신분석에서 프로이트의 고전적 원칙에서 벗어난 적이 없었다. 그는 초기 정신분석학에서 아주 중요하고 영향력 있는 인물로 평가되고 있다.

주요 저서

Abraham, K. (1909). *Dreams and Myths: A study in folk-psychology*. London: The Hogarth press and the Institute of psychoanalysis.

Abraham, K. (1911). *Giovanni Segantini: A psycho-analytical study*. London: The Hogarth Press and the Institute of Psychoanalysis.

Abraham, K. (1912). Amenhotep IV (Ichnaton): Psychoanalytische Beiträge zum Verständnis seiner Persönlichkeit und des monohteistischen Atonkultes. *Imago 1*, 334-360

Abraham, K. (1916). Untersuchungen über die früheste prägenitale Entwicklungsstufe der Libido. *Internationale Zeitschrift für psychoanlyse 4*, 71-97.

Abraham, K. (1920). *The Cultural Significance of Psycho-analysis*. London: The Hogarth Press and the Institute of Psychoanalysis.

Abraham, K. (1921). Klinische Beiträge zur Psychoanalyse aus den Jahren 1907~1920. Leipzig: internationaler Psychoanalytischer Verlag.

Abraham, K. (1924). *The Influence of Oral Erotism on Character-formation*. CT: International Universities Press.

Abraham, K. (1924). *A Short Study of The Development of The Libido*. New York: New York University Press.

Abraham, K. (1925). *Giovanni Segantini?: Ein psychoanalystischer Versuch*. Wien: Deutidke.

Abraham, K. (1925). *Psychoanaltische Studien zur Charakterbildung*. Leipzig-Wien-Zürich: Intermationaler Psychoanalystischer Verlag.

Abraham, K. (1927). *Selected Papers of Karl Abraham*. London: Hogarth Press and Institute.

Abraham, K. (1971). Psyhoanalytische studien: Gesammelte Werke(hg. von J. Cremerius). Frankfurt/M., Tischer[(1999) Gieβen: Psychosozial Verlag.

Ferenczi, S., & Abraham, K. (2007). *Psychoanalysis and The War Neuroses*. Whitefish: Kessinger Publishing.

아사지올리
[Assagioli, Roberto]

1888. 2. 27. ~ 1974. 8. 23.
이탈리아 출신의 심리학자이며, 인본주의자이자 예지자.

유대계 중산층 집안의 아사지올리는 이탈리아 베니스(Venice)에서 태어났다. 아버지 로베르트토 마르코 그레고(Roberto Marco Grego)는 아사지올리가 2세 때 세상을 떠났고, 어머니가 알레산드로 에마누엘레 아사지올리(Alessandro Emanuele Assagioli)와 재혼하면서 아사지올리라는 성을 갖게 되었다. 그는 어려서부터 미술, 음악과 같은 여러 면에서 또래보다 창의적인 면모를 발휘하였다. 이러한 자질이 후에 정신종합이라는 그의 연구분야에 크게 영향을 미쳤다. 18세가 되었을 때 그는 모국어인 이탈리아어를 비롯해서 영어, 프랑스어, 러시아어, 그리스어, 라틴어, 독일어, 산스크리트어 등 8개 국어를 구사할 수 있었다. 부모의 격려와 권유, 또 언어능력 덕분에 아사지올리는 그 나이에 러시아를 비롯한 여러 나라로 마음껏 여행을 하면서 각국의 사회체제와 정책 등에 대하여 배움을 넓혀 갔다. 그때의 경험으로 그는 국제적 감각을 익히고 광범위한 국제적 교류를 할 수 있었다. 아사지올리는 어려서부터 이탈리아의 대문호 단테의 종교적 서사시인 『신곡』과 플라톤의 저서를 애독하였을 뿐만 아니라, 서양인들에게 동양종교를 이해시키는 데 큰 역할을 한 '신지학협회(Theosophical Society)'의 회원이었던 어머니의 영향으로 신지학과 독일 출신 비종교학자인 뮬러(Müller)의 저서를 접할 수 있어서 동양의 신비주의에 탐닉하는 등 종교적인 정신을 가지고 특정 종교에 대한 편견 없이 여러 종교에 개방된 자세로 여러 시각을 받아들일 수 있었다. 어려서부터 신비주의에 관심이 있었던 아사지올리였지만, 과학적인 접근에 대한 관심도 그에 못지않았다. 양극단적인 관심을 모두 충족시킬 수 있는 길을 모색하다가 그는 대학에서 정신의학을 전공하게 되었다. 그런데 정신의학이라는 학문이 자신의 관심을 충족시켜 줄 것이라 생각했지만, 당시의 정신의학에서는 뇌의 신경조직, 기능장애, 약물, 수술 등에 치우쳐 있어서 마음의 문제는 도외시되고 있음을 절감하였다. 이로써 아사지올리는 자신만의 견해를 쌓아야 한다는 생각을 갖게 되었다. 그는 1910년 플로렌스(Florence)에 있는 고등학습 및 고급임상연구소(Institution of Higher Learning and Advanced Practice)에서 신경학과 정신의학에서 자신의 첫 번째 학위를 받았다. 정신분석훈련을 받으면서 그 이론이 전체적인 것을 다루기에는 부족하다는 생각을 하고는 사랑, 지혜, 창조성, 의지 등이 정신분석에 포함되어야 하는 중요한 요소라고 보았다. 당시 아사지올리는 정신분석을 비판하는 논문을 집필하고 있었는데, 이 논문에서 그는 전체주의적인 접근을 보여 주었다. 그는 박사논문에서 프로이트 이론의 편협성에 대해 비판적인 입장을 드러낸 뒤, 1911년에는 정신심리학 교육을 시작하면서 사이코신테시스(psychosynthesis), 즉 정신종합이라는 개념에 대한 자기이론의 기반을 차곡차곡 쌓기 시작하였다. 그러고는 볼로냐 국제철학학회에서 무의식에 관한 독자적인 견해를 발표하였다. 하지만 아사지올리의 이론이 프로이트와 융의 이론에서 많은 영향을 받은 것은 부정할 수 없었다. 프로이트와 아사지올리는 일면식도 없는 사이지만 두 사람의 견해에는 공통점이 많았다. 아사지올리는 자신의 사이코신테시스를 이해하는 데는 융의 이론이 더욱 밀접한 관련이 있다는 생각을 하였다. 이탈리아에서의 수학을 마치고 스위스로 건너간 그는 취리히의 부르크횔츨리(Burghölzli) 정신병원에서 정신의학수련을 받았다. 그때의 경험으로 아사지올리는 이탈리아에서 처음 정신분석훈련을 펼쳤던 사이코신테시스 연구소

(Instituto di Psicosintesi, Institution of Psychosynthesis)를 열었다. 이후 1922년에 넬라(Nella)라는 여성과 결혼하여 아들을 얻었고, 일라이오 아사지올리(Ilario Assagioli)라고 이름을 지었다. 1927년에는 「A New Method of Treatment-Psychosynthesis」라는 영문으로 된 논문을 발표하고, 자신의 독자적인 입장을 피력하였다. 1938년 유대인이면서 인본주의적인 글을 썼다는 이유로 무솔리니의 파시스트 정부는 그를 체포하였고, 결국 아사지올리는 수감생활을 하였다. 한 달이 넘게 독방생활을 하다가 풀려났는데, 이 수감생활에서 그는 매일의 명상으로 자신의 의지를 훈련하였다. 그는 절망적인 순간에 내면의 자기(inner-Self)를 들여다보는 기회를 얻은 것이다. 제2차 세계 대전 중에는 이탈리아 플로렌스(Florence) 지방에 있던 아사지올리 가족의 농장이 폐허가 되었고, 그는 가족과 함께 지하로 피신하였다. 전시의 열악한 생활환경 속에서 아들인 일라이오 아사지올리는 28세의 젊은 나이로 목숨을 잃었다. 종전이 되고, 아사지올리는 사이코신테시스, 정신종합이라는 이론으로 자신의 일을 본격적으로 시작하였다. 종전 이후 몇 년 동안 아사지올리는 사이코신테시스에 헌신하면서 유럽, 북미 등에서 여러 기관을 창설하였다. 1965년 브리튼에 정신종합 및 교육위원회(Psychosynthesis & Educaiton Trust)를 창설한 것은 현재까지 그 명맥을 이어 가고 있다. 아사지올리는 연구와 개인적 생활 모두에서 훌륭한 삶을 영위하다가 1974년에 사망하였다. 그는 사이코신테시스라는 심리학 운동을 창시했는데, 이는 현대에서도 그의 기술을 배우고 있는 치료사와 심리학자에 의해서 발전하고 있는 분야다. 아사지올리가 말하는 사이코신테시스는 정신분석(psychoanalysis)에 대응되는 개념으로, 마음의 구조는 수직적으로 상승하며 발전하거나 수평적으로 범위를 넓혀 가며 발전해 갈 수 있다는 이론을 기반으로 한다. 즉, 하위에 있는 무의식에서 중간무의식, 상위무의식으로, 혹은 초의식, 의식영역, 의식적 자기 혹은 나(I), 초월적 자기, 집합적 무의식 등으로 나아갈 수 있는 것이다. 사이코신테시스의 주요 목표는 개인의 모든 기능과 특성을 조화, 종합하여 하나의 큰 전체로서 기능할 수 있도록 하는 데 있다. 이 이론의 최대 특징은 정신분석이나 행동주의에는 결여된 인간정신의 전체로서의 기능을 인정하고, 이를 종합적으로 발휘할 수 있도록 해 주는 의지(will)의 힘에 중점을 두었다는 점이다. 이 같은 면에서 보면, 사이코신테시스는 '의지의 심리학'이라고 할 수도 있다. 그의 사이코신테시스 이론은 현대까지 영향을 미치면서 내적 평화와 조화를 탐색하는 여러 통섭적인 심리학적 접근의 기반이 되고 있다. 1995년 8월에는 정신종합발전학회(The Association for the Advancement of Psychosynthesis: AAP)가 미국에서 비영리조직으로 창설되어, 전 세계적으로 200명이 넘는 회원을 보유하고 있다. 2007년에는 위키 의지 프로젝트(The Will Project Wiki)가 만들어졌는데, 이는 아사지올리가 살아생전에 제안한 의지 프로젝트(Will Project)에 기반을 둔 것이다. 의지 프로젝트는 아사지올리가 출판한 『The Act of Will』를 기초로 한 논문 60여 편으로 구성되어 있다.

주요 저서

Assagioli, R. (1965). *Psychosynthesis: A Collection of Basic Writings*. California: Synthesis Center.

Assagioli, R. (1974). *The Act of Will*. California: Synthesis Center.

Assagioli, R. (1993). *Transpersonal Development: The Dimension Beyond Psychosynthesis*. London: Thorons Publishing.

아스클레피오스
[Asclépios]

고대 그리스의 유명한 의사로, 그리스 신화와 로마 신화에 나오는 의학과 치료의 신으로 추앙된 인물.

아스클레피오스는 아폴로(Apollo)와 코로니스(Coronis)의 아들이다. 코로니스가 이스키스(Ischys)와 부정을 저질렀다는 까마귀의 말에 속아 아폴로는 코로니스를 죽이는데, 나중에 자신의 잘못을 알고 후회와 분노에 휩싸여 까마귀를 흰색에서 검은색으로 바꾸어 버린 다음, 죽은 코로니스의 몸에 잉태되어 있던 아이를 꺼내어 살렸다. 이 아이가 바로 아스클레피오스다. 아폴로는 현자 켄타우로스 케이론(Centaurs Cheiron)에게 아이를 키우게 하였고, 케이론은 아스클레피오스에게 의술을 가르쳐 죽은 자까지 살려 낼 수 있게 만들었다. 그의 죽음에 대해서는 아스클레피오스가 죽은 자를 살려 낸 대가로 황금을 받았다는 이유로 제우스의 노여움을 사 죽었다는 설, 죽은 자를 자꾸 살려 내서 저승에 갈 사람이 없다는 하데스(Hades)의 하소연으로 제우스가 벌을 내려 죽였다는 설 등 여러 가지 이야기가 있다. 아들이 죽자 아폴로는 제우스에게 벼락을 만들어 준 키클롭스(Cyclops)를 죽이고, 이로 인해 아폴로는 테살리아(Thessalia)의 왕 아드메토스(Admetus) 밑에서 1년간 양치기로 살면서 속죄를 하게 되며, 제우스는 아스클레피오스를 별자리로 만들었다. 그 별자리가 뱀주인 자리다. 아스클레피오스는 죽은 후 의학의 신으로 추앙받았다. 그는 정서장애를 가진 사람에게 음악을 처방했다고 전해진다. 아스클레피오스 사후, 그의 이름을 딴 의료센터 아스크레피온(ASKLEPION) 병원이 설립되었는데, 그곳은 세계 최초로 정신치료를 실시한 곳이다. 또한 초기 에게 문명을 꽃피운 페르가몬(Pergamon)의 중요한 의료센터로 다른 병원과 치료방법이 달랐다고 한다. 물과 진흙, 스포츠, 연극, 도서관 등을 매개로 하여 치료행위를 했다는 기록이 있다. 뱀 한 마리가 몸으로 감아 기어오르는 지팡이를 아스클레피오스의 지팡이라 하여 그의 상징이 되었다. 이 때문에 독 없는 뱀이 환자의 침상 아래를 기어들게 하는 치료의식이 행해지기도 하였다. 가장 유명한 아스클레피오스의 신전은 펠로폰네소스(Peloponnesos) 북동부의 에피다우루스(Epidaurus)에 있는 신전이다. 그 외에도 의학의 아버지인 히포크라테스가 의사로서 처음 시작한 코스 섬(Kos Island), 트리칼라(Tricolor), 페르가뭄(Pergamum) 등지에도 있다. 원래 히포크라테스 선서는 "아폴로와 아스클레피오스와 히기에이아(Hygeia)와 파나케이아(Panacea)와 그 밖의 모든 신 앞에 선서하노니……."라는 말로 시작되었으나, 후에 종교적 문제 때문에 그 문구는 삭제되었다. 아스클레피오스는 1995년부터 2001년까지 그리스화 1만 드라크마 뒷면에 새겨져 있었다.

아이비
[Ivey, Allen]

1933. ~
다문화주의 및 사회정의 분야의 개혁가.

아이비는 1933년, 경기 침체가 심하던 시절에 태어났기 때문에 당시의 다른 보통 아이들처럼 경제적 곤란을 겪으며 어린 시절을 보냈다. 가족 중심적인 집안에서 자라면서 느꼈던 감각적 경험이 아이비의 삶에 큰 영향을 미쳤다. 아버지는 시골의 작은 식료품 가게를 운영하였다. 학교에서는 아이들에게 늘 인종차별적인 언어로 멸시를 당했는데, 아이비는 어릴 때부터 생존과 소외의 문제를 몸소 느끼며 성장하였다. 아이비는 미국으로 이주한 케르나우(Kernow) 출신 제2세대다. 자신이 소수 민족 출신이었기 때문에 다문화 운동에 적극 앞장서야 한다는 사명을 가지고 있었다. 1951년 스탠퍼드대학교에 입학한 아이비는 처음에 음악을 전공했지만, 가장 훌륭했던 미국심리학회 회장 중 한 사람인 힐가

드(E. Hilgard)의 강의를 듣고는 심리학 분야로 관심을 전환하였다. 그렇게 대학 재학 중 심리학과 더불어 통계학도 공부하였다. 1955년 스탠퍼드에서 연구기금(fulbright grant)을 받으면서 상담에 대한 맥락적 접근을 배우고, 대학원까지 마친 다음 덴마크로 갔다. 그곳에서 '사회복지: 탈시설화(Social Work: Deinstitutionalization)'라는 주제로 연구를 시작하였다. 이후 하버드대학교에서 박사과정을 밟으면서, 보스턴대학교에서는 학생 활동 지도를 맡았다. 박사학위를 취득한 뒤에는 보스턴대학교에서 학생지도를 정식으로 담당하였다. 25세에 펜실베이니아로 간 아이비는 벅넬대학교(Bucknell University) 상담센터를 만들었다. 또한 1963년부터 1968년까지는 콜로라도 포트콜린스의 콜로라도 주립대학교에서 상담센터장을 맡았다. 1966년에는 상담사 교육을 위한 행동목표 교과과정을 개발했는데, 이 교과과정의 주요 부분은 인종에 대한 이해였다. 1968년 이후 매사추세츠대학교로 간 아이비는 프랑스 정신분석학자인 라캉(J. Lacan)의 저서에서 영향을 받아, 이때부터 프로이트(S. Freud)의 정신역동상담에 대한 인식을 달리하고 무의식적 사고과정을 다문화 문제와 연결시켰다. 1960년대 후반에는 마이크로상담(microcounseling)이라는 기술을 동료들과 함께 개발하였다. 연구의 초기 개발 목적은 유능한 상담사 양성이었지만, 진행과정 중에 임상에서나 일반적인 사회관계 내에서도 의사소통 개선 및 촉진을 이루어 내고 서로 다른 문화 간 소통에도 도움이 된다는 것을 밝혔다. 마이크로상담은 통문화적 시점에서 사물을 인식하는 자세를 견지하고 있다. 마이크로(micro)라는 용어는 아이비의 말에 따르면 인식적이고 계획적으로 통합된 체계를 일컫는 것으로, 아주 세밀하게 체계화되어 있다. 게다가 다루기 용이한 소단위로 구성되어 있어 단계별 형식의 학습이 가능하다. 아이비는 특정 이론에 치우치지 않고 개인 면담, 맥락, 라캉 사상, 프로이트, 인지행동치료, 프랑클(V. Frankl)의 로고 테라피 등 모든 분야를 아우르면서 다문화주의적 상담에 적용시켜 나갔다. 최근에는 가난에 대한 것에 관심을 쏟고 있다. 그의 사상은 발달상담 및 치료에 큰 영향을 미쳤고, 특히 다문화 문제에 대해서는 혁혁한 공로를 세웠다. 다문화상담에서 명예, 존중, 사회정의, 평등과 같은 가치를 위해 노력하고 있다. 아이비의 이론은 다문화, 기술교육, 발달상담, 상담이론 등에 영향을 주었으며, 피아제(J. Piaget)의 발달이론에 바탕을 둔 치료적 접근으로 발달상담 및 치료를 만들어 냈다. 또한 기존의 상담이론과 다문화주의 간의 관계를 명확하게 밝힐 수 있는 길을 터주었으며, 문화 중심 기능 개념의 발전을 이끌었다. 현재 아이비는 마이크로교육협회(Micro Training Associates)를 설립하고 회장을 맡고 있으며, 15권의 저서와 130편의 논문, 그리고 교재용 테이프 등이 여러 언어로 번역되어 상담학계에 큰 영향을 미치고 있다.

주요 저서

Ivey, A. (1971). *Microcounseling: Innovations in Interviewing Training*. Oxford, England: Charles. C. Thomas.

Ivey, A. (1982). *Basic Attending Skills*. Microtraining Associates.

Ivey, A. (1987). *Counseling and Psychotherapy: Integrating skills, theory, and practice*. New Jersey: Prentice_ Hall.

Ivey, A. (1993). *Counseling and Psychotherapy: A Multicultural Perspective*. Boston: Allyn & Bacon.

Ivey, A. (2000). *Intentional Group Counseling: a Microskills approach*. Pacific Grove, CA: Brooks/Cole Thomson Learning.

Ivey, A. (2003). *Intentional Interviewing and Counseling: facilitating client development in a multicultural society*. Thomson/Brooks/Cole.

Ivey, A. (2007). 다문화상담의 이론과 실제[*Theories of Counseling and Psychotherapy: A Multicultural Perspective*]. (김태호 외 역). 서울: 태영출판사.

(원저는 2006년에 출판).

Ivey, A. (2008). *Essentials of Intentional Interviewing: counseling in a multicultural world*. Thomson Learning.

Ivey, A. (2010). 발달상담과 치료: 전 생애 웰니스 증진 [*Developmental Counseling and Therapy: promoting wellness over the lifespan*]. (명화숙 외 역). 서울: 하나의학사. (원저는 2005년에 출판).

아이젱크 [Eysenck, Hans-Jurgen]

1916. 3. 4. ~ 1997. 9. 4.
독일 출생의 영국 심리학자로서 인격연구에 실험적 방법을 적용한 인물.

아이젱크는 독일 베를린에서 태어났다. 어머니는 배우였고, 아버지는 야간업소에서 일하고 있었는데, 아이젱크가 2세 정도 되었을 때 이혼을 해서 아이젱크는 할머니 손에서 자랐다. 18세가 되어 할머니 품을 떠날 무렵에는 나치 통치 시절이었다. 아이젱크는 유대인들에게 적극적으로 동조하고 있어서 늘 위험한 상황이었다. 그런 이유로 1930년대 나치에 반하여 영국으로 간 뒤, 다시 고국으로 돌아오지 못하였다. 영국으로 간 초기에는 독일인이라는 이유 때문에 직장을 구하지 못해서 전쟁 중에는 계속 임시직으로 전전하였다. 그래도 영국에서 학업을 계속하여 1940년에 런던대학교에서 심리학으로 박사학위를 받았다. 그런 다음 심리학부의 버트(Sir Cyril Burt) 교수에게 수퍼비전을 받고, 버트와는 이후 평생을 같이하였다. 제2차 세계 대전 당시에는 응급병원에서 심리학자로 봉사하면서 정신과적 진단의 신뢰성에 관한 연구를 하였다. 이때부터 아이젱크는 평생 주류 임상심리학에 반하는 위치에 서게 되었다. 그러다가 『Personality and Individual Differences』라는 학술지의 창설 편집인이 되어서 80권이 넘는 저서와 1,600편이 넘는 논문을 출간하였다. 종전이 된 이후에는 1955년부터 1983년까지 런던대학교 연합 대학 중 하나인 킹스(King's) 대학에서 교수가 되었고, 동시에 베들레헴 왕립병원(Bethlehem Royal Hospital)과 협력관계에 있던 정신의학 연구소(Institute of Psychiatry)의 심리학부 대표가 되어 일하였다. 1997년 런던의 호스피스병원에서 뇌종양으로 사망한 아이젱크는 성격에 관한 현대의 과학적 이론에 크게 기여한 인물이자, 유능한 교수였다. 그의 아들 마이클 아이젱크(Michael Eysenck)도 저명한 심리학 교수다. 아이젱크는 인간의 성격은 생물학적으로 결정되어 있고, 이는 유형, 특성, 타고난 반응, 특수 반응 등으로 구성되어 서열적으로 배치되어 있다고 주장하였다. 그의 이론은 주로 물리학과 유전학에 근거를 두고 있다. 학습습관에 중점을 둔 행동주의자였지만 유전적 요인에서 성격 차이가 비롯된다고 믿은 것이다. 따라서 그의 주요관심은 기질에 있었다. 아이젱크의 방법은 요인분석이라는 통계적 기술을 주로 하였다. 즉, 정신병적 성향, 외향성, 신경증적 성향 등 세 가지 기본 성격 요인을 설명하고, 학습이론에서 조건형성 개념을 사용하여 개인별 생리적 기능의 차이를 설명하였다.

주요 저서

Eysenck, H-J. (1947). *Dimensions of Personality*. Transaction Pub.

Eysenck, H-J. (1954). *The Psychology of politics*. London: Routledge & Kegan Paul.

Eysenck, H-J. (1956). *Sense and nonsense in psychology*. London: Penguin Books.

Eysenck, H-J. (1960). *Behavior therapy and the neuroses*. Oxford: Pergamon Press.

Eysenck, H-J., & Eysenck, S. B. G. (1964). *Manual of the Eysenck personality inventory*. London: University of London Press.

Eysenck, H-J. (1965). *Fact and fantasy in psychology*. London: Penguin Books.

Eysenck, H-J. (1967). *The biological basis of personality*. Springfield(IL), Charles, C.: Thomas.

Eysenck, H-J. (1970). *The structure of human personality* (3rd ed). London: Methuen.

Eysenck, H-J. (1971). *Race, intelligence, and education*. London: Maurice Temple Smith.

Eysenck, H-J. (1973). *The inequality of man*. London: Maurice Temple Smith.

Eysenck, H-J. (1979). *The structure and measurement of intelligence*. New York: Springer.

Eysenck, H-J., & Kamin, L. J. (1981). *The battle for the mind*. London: Macmillan/Paperback Pan Books.

Eysenck, H-J. (1985). *Decline and fall of the freudian empire*. London: Viking.

Eysenck, H-J. (1995). *Genius: The Natural History of Creativity*. Cambridge: Cambridge Univ. Press.

Eysenck, H-J. (1995). *Mindwatching: Why We Behave the way We do*. Prion.

Eysenck, H-J. (2002). *The Dynamics of Anxiety & Hysteria*. New Jersey: Transaction Pub.

Eysenck, H-J. (2006). *The Biological Basis of Personality*. New Jersey: Transaction Pub.

Eysenck, H-J. (2009). *Complete Nutrition: How to Live in Total Health*. London: Carlton Pub.

아이크호른
[Aichhorn, August]

1878. 7. 27. ~ 1949. 10. 13.
오스트리아 출신의 정신분석학자이자 사회교육자.

오스트리아 비엔나에서 출생한 아이크호른은 비엔나 기술전문대 기계공학과를 거쳐 비엔나대학교 철학부의 화학분야에서 교직을 이수하였다. 20세가 되던 해 쌍둥이 형제가 사망하였고, 그는 1906년 헤르마인 레흐너(Hermine Lechner)와 결혼을 하여 슬하에 두 아들을 두었다. 대학을 끝까지 마치지 못하고 중단한 뒤, 1908년까지 초등학교 교사로 근무하면서 의학과 심리학에 심취하였는데, 특히 지능지수의 개념을 창안한 사람으로 알려진 윌리엄 스턴(William Stern)에게 매료되었다. 1907년에는 군대 소년복지관(military settlements)에 초빙되어 기관의 문제들을 정면으로 해결해 나가기도 하였다. 이듬해인 1908년 그는 소년복지관 건립 및 운영을 위한 새로운 위원회장이 되어, 교육기관에 군대정신이 침투하지 못하도록 심혈을 기울였다. 이후 10년간 그 기관에서 헌신하고, 이상주의적인 추종자들과 함께 오스트리아 오베르홀라브룬(Auvers Hollabrum)에서 비행청소년들을 위한 기관을 조직하였다. 제1차 세계 대전이 끝난 뒤 로베르 오스트리아(Lower Austria)의 청소년 문제 교육센터 건립의 책임을 맡으면서 아이크호른은 정신분석 연구에 전념하였다. 여기서 성공을 거두어 프로이트의 딸인 안나 프로이트(Anna Freud)의 추천으로 1922년 비엔나 정신분석 연구소(Vienna Psychoanalytic Institute)에서 정신분석훈련을 받게 되었다. 훈련을 시작한 지 얼마 되지 않아, 아이크호른은 비엔나정신분석학회(Vienna Psychoanalytic Society)에서 아동 지도 서비스를 시작하였다. 이 학회에서 그는 '요양 시설에서의 교육에 관하여'라는 주제로 첫 번째 강연을 하였다. 당시 안나 프로이트, 빌헬름 호퍼(Wilhelm Hoffer) 등과 교류를 이어 갔고, 파울 페더른(Paul Federn)에게는 교육분석도 받았다. 1923년 이후에는 비엔나의 여러 지역 청소년 관청에서 교육상담을 주재하였고, 비엔나 정신분석학회의 외래진료시설에서 안나 프로이트, 빌헬름 호퍼 등과 공동으로 정신분석적 교육과정과 세미나를 개최하기도 하였다. 1925년에는 그의 대표작으로 알려진 『Wayward Youth』가 국제정신분석 출판에 발표되었다. 그 책에는 과거 오베르홀

라브룬 등지에서의 자기 경험에 대한 이야기도 담겨 있었다. 1931년부터 1933년까지는 도로시 버링햄(Dorothy Burlingham)이 설립한 비엔나의 한 실험학교에서 안나 프로이트, 피터 블로스(Peter Blos), 에릭 에릭슨(Erick Erikson) 등과 함께 강의를 하였다. 1932년에는 비엔나 정신분석학회의 교육상담직 책임자가 되었고, 학회에 2년제 교육과정을 개설한 뒤 직접 그 과정에 참여하여 '정신분석적 교육을 위한 저널'을 공동으로 발행하였다. 제2차 세계 대전이 끝나고 비엔나정신분석학회를 다시 열기 위해서 법적 절차를 밟은 다음 나중에 아우구스트 아이크호른협회(August Aichhron Gesellschaft)로 개명하였다. 1947년 아이크호른은 청소년 복지사업의 공로를 인정받아 연방 대통령으로부터 'Professor h.c.'라는 호칭을 수여받고, 2년 후인 1949년에 뇌혈전증으로 사망하였다. 아이크호른은 정신분석을 교육에 접목한 정신분석적 교육의 창시자로 평가되고 있다. 그는 비행청소년과 혜택을 받지 못한 청소년을 위해 노력한 점을 높이 인정받았다. 훈련과 교육을 통해서 얼마든지 긍정적인 결과를 이끌어 낼 수 있다고 주장한 아이크호른은 아주 열정적이면서 예술적인 감각을 지닌 심리학자로 널리 알려져 있다. 또한 문제를 지니고 있는 청소년의 반사회적 경향을 다루고, 공격적인 성향에 대처하는 데 천부적인 소질이 있었던 것으로도 유명하다. 그는 드러나는 비행과 잠재적 비행 간에는 분명한 차이가 있다고 믿었고, 초기 아동-부모 관계의 곤란이 청소년의 반사회적 행동을 야기한다고 생각하였다. 1925년에 집필한 아이크호른의 『Wayward Youth』는 아직도 영향력 있는 저서로 평가받고 있으며, 현재 뉴욕에는 '청소년 거주 보호 아우구스트 아이크호른 센터(August Aichhorn Center for Adolescent Residential Care)'가 있다.

주요 저서

Aichhorn, A. (1936). *Wayward Youth*. New York: Viking Press.

Aichhorn, A. (1972). *Erziehungsberatung und Erziehungshilfe: 12 Vortraege Ueber Psychoanalytische Paedagogik*. Hamburg: Rowohlt.

Aichhorn, A. (1974). *Psychoanalyse und Erziehungsberatung*. Frankfurt: Fischer-Taschenbuch-Verlag.

아지리스
[Argyris, Chris]

1923. 7. 16. ~
미국 출신 행동과학자이자 경영학자.

아지리스는 미국 뉴저지 뉴워크(New Jersey newark)에서 태어나 어빙턴(Irvington)에서 자랐다. 제2차 세계 대전 중에는 미육군 통신병으로 있다가 소위로 전역한 뒤 클락(Clark)에 있는 대학교에 진학하여 쿠르트 레빈(Kurt Lewin)을 만났다. 1947년에 심리학부를 졸업하고, 캔자스(Kansas)대학교 심리학 및 경제학과에서 석사학위를 취득한 다음 코넬(Conell)대학교에서 1951년 조직행동으로 박사학위를 받았다. 당시 수퍼바이저는 윌리엄 화이트(William Whyte)였다. 아지리스는 탁월한 능력을 인정받아 1951년에 바로 예일대학교 교수로 임용되어 1971년까지 재직하였다. 그 후로 하버드대학교에서 교육 및 조직 행동 전공의 제임스 브라이언트 코난트(James Bryant Conant) 교수 자리에 앉았다. 아지리스는 그 후 매사추세츠의 케임브리지에 있는 모니터 사(Monitor Company)의 대표이자, 하버드대학교 경영대학의 명예교수를 지냈다. 그는 성숙한 구성원과 근대 조직이 요구하는 자질 사이에서 일어나는 특수 갈등을 경험으로 분석하여 미성숙, 성숙 이론을 세운 조직이론가다. 또한 행동과학의 편에서 경영조직론을 펼쳤고, 조직발전(organization development) 기법을 주장한 사람 중 한 명이다. 아지리스는 연구 초기에는 형식적인 조직구조, 통제체제, 관리 등이 사람에게 미치는 영향에 대한 탐색을 하였다. 이 연구는 1957년 『Personality and Organization』, 1964년 『Integrating the Individual and the Organization』 등의 저서로 출판되었다. 그후 그의 관심은 조직변화, 특히 조직 내 고위관리의 행동을 탐색하는 것으로 옮겨 가, 『Interpersonal Competence and Organizational Effectiveness』(1962), 『Organization and Innovation』(1965) 등을 출간하였다. 그다음 단계에서 아지리스는 연구가이자 행동가로서의 행동과학자의 능력을 발휘하여 여러 가지 연구성과를 내놓았다. 즉, 1970년 『Intervention Theory and Method』, 1980년 『Inner Contradictions of Rigorous Research』, 1985년 『Action Science』 등의 저서가 그것이다. 이때의 아지리스는 인간이 단순한 행동만이 아니라 추론을 하는 정도가 진단과 행동의 근간이 될 수 있다는 것에 관심을 두고 있었다. 이후 그의 이 같은 관심은 『Theory in Practice』(1974), 『Organizational Learning』 (1978), 『Organizational Learning II』(1996) 등의 저서로 확인할 수 있다. 이에 더하여 그는 자신의 사고를 『Overcoming Organizational Defenses』(1990), 『Knowledge for Action』(1993) 등의 저서에서 펼치기도 하였다. 집필과 연구뿐만 아니라 아지리스는 교사로서도 영향력을 발휘하였다. 행동과학이라는 입장에서 아지리스는 경영조직론을 전개하고, 개인과 조직의 통합을 탐색하여 조직 내 인간 소외 극복을 위해 노력했으며, 조직의 미래를 바라보는 시각에서는 관료제의 쇠퇴를 꼬집으면서 현대가 조직 내 인간성 회복을 위한 발아기라는 주장을 하였다. 그는 개인의 인간적 발달은 그 사람의 작업 상황에 영향을 받는다는 가설을 두고 연구를 이어 나갔다. 예일대학교 재직 당시, 작업환경 내 관리방식이 개인의 행동 및 성장에 미치는 영향을 살펴보기 위해 산업조직을 분석하기도 하였다. 아지리스는 인간을 미성숙한 어린 아이로 취급하는 문화와 성숙한 성인으로 대접하는 문화 간의 차이에서 미성숙, 성숙 이론의 맥락을 찾아내기도 하였다. 맥그리거(Mcgregor)의 XY 이론에서 보는 조직의 관료적 가치체계와 새롭게 부각되는 인간적 가치체계를 비교 연구하여 미성숙, 성숙 이론(Immaturity-Maturity Theory)으로 발전시켰다.

주요 저서

Argyris, C. (1962). *Interpersonal Competence and Organizational Effectiveness*. Homewood: Dorsey Press.

Argyris, C. (1964). *Integrating the Individual and the Organization*. Hoboken, NJ, John Wiley & Sons Inc.

Argyris, C. (1970). *Intervention Theory and Method*. New York: Addison-Wesley.

Argyris, C. (1970). *Personality and Organization*. New York: Harper Torchbooks.

Argyris, C. (1974). *Theory in Practice*. San Francisco: Jossey-Bass Social and Behavioral Science.

Argyris, C. (1980). *Inner Contradictions of Rigorous Research*. Carolina: Academic Press.

Argyris, C. (1985). *Action Science*. San Francisco: Jossey-Bass Social and Behavioral Science.

Argyris, C. (1990). *Overcoming Organizational Defenses*. New Jersey Prentice Hall.

Argyris, C. (1992). *Organizational Learning*. Oxford: Blackwell.

Argyris, C. (1993). *Knowledge for action*. San Francisco: Jossey-Bass Inc.

안나
[Anna O]

1859. ~ 1936.
프로이트(S. Freud)와 브로이어(J. Breuer)의 공저인 『히스테리 연구(Studies on Hysteria)』에 등장하는 브로이어의 환자.

안나의 실명은 베르타 파펜하임(Bertha Pappenheim)으로, 오스트리아 출신의 유대인 여성학자다. 브로이어에게 치료를 받으러 온 1880년에 안나는 21세였고, 브로이어는 1882년까지 그녀를 치료하였다. 안나 생활의 대부분은 병든 아버지를 간호하는 일에 소요되고 있었고, 계속 기침을 하는 증상이 있었는데 신체적인 원인은 없는 상태였다. 듣는 능력과 말하는 능력의 손실로 의사소통에 문제가 있었고, 나중에는 함묵증이 되었다가 후에 입을 열게 되었을 때는 원래 쓰던 독일어가 아닌 영어로만 이야기를 하였다. 아버지가 사망한 뒤, 안나는 식사를 하지 않는 등 여러 이상한 모습을 보였다. 손과 발에 감각을 잃는 등 마비증상이 나타나고, 비자발적 경련까지 일어났다. 이외에도 환시, 터널 시야(tunnel vision) 등의 증상도 있었다. 이러한 모든 증상에 신체적 원인은 여전히 없었다. 안나는 동화적 환상, 극적인 기분 변동, 몇 번의 자살시도까지 보이고 있었다. 브로이어는 이러한 안나를 당시에는 히스테리아(hysteria)라고 불리던 신체화 현상으로 진단을 내렸다. 치료를 하는 중에 안나는 자발적 최면(spontaneous hypnosis) 상태에 빠지는데, 브로이어는 이 같은 가수(假睡) 상태에 빠졌을 때 안나가 낮의 환상경험이나 그 밖의 일을 설명하는 것을 볼 수 있었다. 그 과정이 지나고 나면 안나의 증상이 호전되었다. 브로이어는 이 현상을 두고 '굴뚝청소(chimney sweeping)' 혹은 '대화치료(talking cure)'라고 이름 지었다. 그 시간 중에는 정서적 사건이 환기되어 특정 증상에 의미를 부여하기도 하였다. 예를 들어, 물을 마시지 않으려고 했던 일이 있었는데 이는 그 전에 개가 입을 댄 잔의 물을 어떤 여자가 마시는 것을 본 적이 있기 때문이었다. 그 기억이 일어나자 심한 구역질이 일었고, 그러고 나서는 물을 마시게 되었다. 브로이어는 굴뚝청소 과정이 카타르시스를 일으킨다고 보았다. 그녀를 치료한 것이 통상 정신분석의 시초로 평가된다. 또한 안나의 치료에서 전이(transference) 현상이 처음 관찰되었다. 안나는 자신이 브로이어의 아기를 가졌다고 생각을 하였고, 실제로 입덧과 같은 임신증상이 나타나기도 하였다. 이 일로 브로이어는 치료를 중단하였다. 이후 안나의 상태는 더 나빠졌고, 결국 보호시설로 보내졌다. 안나의 치료를 중단한 지 11년, 브로이어는 프로이트와 함께 히스테리아에 관한 저서를 출간하였다. 이 책에서는 모든 히스테리아가 외상적 경험의 결과이며, 이는 세계에 대한 이해를 통합시킬 수 없을 때 나타나는 것이라고 설명하고 있다. 외상의 경험에 적합한 정서적 표현이 결핍되었을 때, 신체화로 나타난다는 것이 그들의 주장이었다. 프로이트는 후에 브로이어가 발견하지 못한 것을 안나의 사례에서 발견했는데, 모든 히스테리 신경증(hysterical neuroses)에는 숨겨진 성적 욕망이 있다는 사실이다. 현대에 이르러 프로이트의 재해석에서, 안나에 대한 오진을 말하는 이가 많다. 그들은 실제로 안나는 측두엽 간질(temporal lobe epilepsy)을 앓은 것인데, 브로이어와 프로이트가 신경학적인 진단을 내렸다고 주장하는 것이다. 실제로 보호시설에서 오랜 세월을 보낸 안나는 회복이 되어 독일 최초의 사회복지사가 되는 등 활발한 활동을 펼친 인물이 되었다. 1936년에 사망한 그녀는 유대인 여성연맹(League of Jewish Women)의 창시자이기도 했지만, 자신의 업적보다는 프로이트의 이론 안에서 정신분석을 출발시킨 인물로 더욱 널리 이름을 알렸다.

안스바허
[Ansbacher, Heinz Ludwig]

1904. 10. 21. ~ 2006. 6. 22.
아들러(A. Adler)의 이론에 정통한 독일계 미국 심리학자.

독일 프랑크푸르트(Frankfurt)에서 태어난 안스바허는 고등학교를 마치고 중개회사에서 일을 하다가 1924년에 스페인, 쿠바, 멕시코 등지를 거치면서 증기선의 막일을 해 가며 미국으로 건너가서 월스트리트에 자리를 잡고 일을 하게 되었다. 뉴욕에서 아들러의 강의를 듣고는 그를 찾아가서 자신의 일과 인간관계 문제로 개인상담을 받았다. 아들러의 집에서 세미나를 들으면서 심리학에 대한 관심이 타올랐고, 아들러는 안스바허가 대학원에 입학하도록 종용하였다. 그러던 중에 비엔나대학교에서 박사학위를 받고 아들러 심리학에 영향을 받은 개인심리학자 로웨나 리핀(Rowena Ripin)을 만나 1934년 결혼을 하였다. 자신의 삶의 방향을 전환하기로 마음을 먹은 안스바허는 컬럼비아대학교에 들어가 1937년 심리학 박사학위를 취득하였다. 그의 박사학위 논문은 우드워드(R. Woodward)의 지도 아래 사물의 통화적 가치에 영향을 받은 수의 개념에 관한 것이었다. 이 논문은 1939년 미국심리학회 회장 취임사에서 인용되기도 하였다. 1940년부터 1943년까지 그는 브라운대학교의 교수로 재직하였고, 또한 월터 헌터(Walter Hunter)와 함께 심리학 초록(Psychological Abstracts)의 편집을 맡기도 하였다. 제2차 세계 대전 당시에는 전쟁정보 사무소(Office of War Information)에서 독일인 수감자를 인터뷰하는 일을 하면서 독일 군인심리학에 대한 몇 편의 논문을 썼다. 그 외에도 심리학 분야에서 여러 일을 이어 나가다가 1946년이 되어 베르몽(Vermont)대학교 교수로 임용되어 여생을 바쳤다. 1956년에는 아내인 로웨나 리핀과 함께 현재까지도 개인심리학의 기본서로 인정을 받고 있는 『The Individual Psychology of Alfred Adler: A Systematic Presentation in Selections from His Writings』를 집필하였다. 1958년에는 개인심리학 소식지의 편집장 자리를 물려준 뒤 『Journal of Individual Psychology』를 정기 간행물로 새롭게 정비하였다. 안스바허 부부는 아들러에 관한 저서를 출간하면서 16년간 개인심리학 저널의 편집을 맡았다. 이 저널은 미국 밖의 아들러학파 사람들에게 큰 환영을 받았다. 또한 수준 높은 학문적 규범을 가지고 전체주의적이면서 현상적이며, 목적론적이고, 장이론적이며, 사회적 지향성을 지닌 심리학 및 관련 분야가 아들러의 개인심리학의 전통을 이어 나갈 수 있도록 헌신했다는 평가를 받았다. 안스바허 부부는 평생을 아들러 학파의 학자로서, 또한 아들러 학파의 사상을 따르는 초기 추종자들을 이끄는 리더로서 혼신의 노력을 다하였다. 1964년 『Superiority and Social Interest』, 1978년 『Cooperation Between the Sexes』 등은 『The Individual Psychology of Alfred Adler』과 함께 개인심리학에 관한 안스바허의 주요 저서로 손꼽히고 있다. 1980년에 부부가 함께 베르몽대학교에서 명예박사학위를 받기도 하였다. 안스바허는 2006년 6월 22일 101세의 일기로 생을 마감하였다. 안스바허의 탁월성과 그에 대한 평가는 독일의 키엘(Kiel)대학교에서 객원 교수로 모신 것과 북미아들러심리학회(North American Society of Adlerian Psychology)의 대표로 봉사했던 것으로도 충분히 파악할 수 있다. 안스바허는 아들러의 핵심적인 원칙—사람들이 생의 목표를 찾을 수 있도록 도와주면서 격려하기—을 평생 실천하며 살았던 인물이다.

ㅇ

주요 저서

Ansbacher, H. L. (1956). *Individual Psychology of Alfred Adler*. New York: Basic Books.

Ansbacher, H. L. (1964). *Superiority and Social Interest: Alfred Adler: A Collection of Later Writings*. Illinois: Northwestern University Press.

Ansbacher, H. L. (1974). *Individual Psychology*. In: Arieti, S. (Ed.), *American handbook of psychiatry, vol. 1: The foundations of psychiatry* (2nd ed). (pp. 789-808). New York: Basic Books.

Ansbacher, H. L. (1977). *Individual Psychology*. In R. Corsini (Ed.), *Current personality theories* (pp. 45-82). Itasca (IL), Peacock.

Ansbacher, H. L., & Ansbacher, R. (Eds.) (1978). *Cooperation Between the Sexes: Writings on women and men, love and marriage, and sexuality*. Garden City (NY): Anchor Books.

Ansbacher, H. L. (1982). *Co-Operation Between the Sexes: Writings on Women and Men, Love and Marriage, and Sexuality*. New York: Norton & Company.

알렉산더
[Alexander, Franz Gabriel]

1891. 1. 22. ~ 1964. 3. 8.
심신의학과 정신분석범죄학의 창시자로 평가되는 헝가리 출신의 미국 의사이자 정신분석학자.

알렉산더는 헝가리 부다페스트에서 태어났다. 평생 그가 자랑스러워했던 그의 아버지는 부다페스트대학교의 철학사 교수인 베르나르 알렉산더(Bernard Alexander)로, 철학과 셰익스피어에 대한 글로 당대에는 유명했던 인물이다. 알렉산더는 부다페스트대학교와 괴팅겐(Göttingen)대학교, 영국 케임브리지(Cambridge) 생리학연구소 등에서 의학을 배웠고, 1912년 부다페스트대학교에서 의학으로 학위를 받았다. 이후 3년 동안 생리학으로 유명한 탱글(Tangl) 교수 지도하에 있는 실험병리학연구소(Institute for Experimental Pathology)에서 일하면서 뇌의 대사에 관한 3편의 실험연구를 출판하였다. 제1차 세계 대전 당시에는 군의관으로 있다가, 나중에 부다페스트대학교 정신의학클리닉에서 일하게 되었다. 그러면서 프로이트(Freud)의 저서를 독파하여 정신분석학 방법이 정신의학과 의학 전반에서 정신과 생물학적인 과정에 대한 미래 연구의 핵심이 될 것이라고 믿게 되었다. 그는 한때 칼 아브라함(Karl Abraham)이 이끄는 저명한 독일 정신분석학자들의 모임에 카렌 호나이(Karen Horney), 헬레네 도이치(Helene Deutsch) 등과 함께 참여하였고, 막스 아이팅곤(Max Eitingon) 박사가 문을 연 베를린정신분석연구소(Berlin Psychoanalytic Institute)의 최초 수학생 중 한 사람이기도 하였다. 그리고 1924년에는 베를린 정신분석연구소의 강사가 되었다. 당시의 경험은 1927년 출간한 그의 첫 번째 저서인 『전인격에 대한 정신분석(The Psychoanalysis of the Total Personality)』의 밑거름이 되었다. 이후 미국으로 이주한 그는 1930년에 시카고대학교 로버트 허친스(Robert Huchins)에게 초빙되어 정신분석학 초빙교수가 되었다. 그러고는 많은 연구를 출판했는데, 1923년 『The Castration Complex in the Formation of Character』와 1943년 『Fundamental Concepts of psychosomatic Research』가 출판되는 20년 동안 거의 20편의 논문을 출판하면서 정신분석의 제2세대라는 작업 주제로 여러 부문에 공헌을 하였다. 1950년대 말에는 일반체계연구회(Society for General Systems Research)의 창립회원이 되었다. 이러한 많은 연구를 남긴 알렉산더는 1964년 캘리포니아 팜 스프링에서 사망하였다. 초기 알렉산더는 범죄를 저지르는 성격에 대한 이해와 진단 등 범죄학분야에 정신분석학을 적용하는데 관심이 많았다. 베를린에 머물던 시절, 그는 휴고 슈타우브(Hugo Staub)와 같은 법률가와 함께 범죄학에 관한 정신분석적 연구인 『The Criminal, the Judge, and the Public』이라는 저서를 1929년에 출판하기도 하였다. 같은 해에 베를린정신분석연구소에서 판사와 변호사를 위한 범죄학 세미나를 개최하기도 하였다. 이러한 그의 관심으로 말미암아 1931년에는 보스턴의 베이커 판사 기념재단(Judge Baker Foundation)의 초청을 받아 윌리엄 힐리(William Healy)와 함께 범죄심리학에 대한 연구에 착수하게 되었다. 이 연구의 결과물로 『Roots of Crime』을 1935년에 출판하였다. 1932년에 시카고로 돌아간 알렉산더는 정신분석학에 대한 정신과 의사들의 수련 및 연구를 위해서 그해 창설된 시카고정신분석연구소의 초대소장이 되었다. 그곳에서 처음 알렉산더가 관심을 기울인 주요 연구는, 소화기계의 궤양과 같은 신체기관의 질환이 심리적 요인으로 일어날 수 있다는 것이었다. 이는 20세기 정신신체의학의 가장 중요한 작업 중 하나라고 말할 수 있다. 그는 궤양이나 대장에서의 염증과 같은 질환을 '생장하는 신경증(vegetative neurosis)'이라고 이름 지은 뒤, 이는 스트레스 상황이 지속적으로 반복되면서 발생하는 인간 신체의 생리적 반응이라고 하였다. 또한 위장병, 천식, 부정맥, 고혈압, 심인성 두통, 편두통, 피부질환, 갑상선 기능 항진, 류머티즘 관절염 등에 관한 연구도 이어 나갔다. 알렉산더는 당시 의학이 가진 편견을 증명하는 작업도 함께 수행하면서, 1950년에 의학저널 『Psychosomatic Medicine』에서 19세기 과학적 의학의 태동 이후 인간의 심리가 건강 및 질환에 영향을 미친다는 사실이 간과되었음을 주장하기도 하였다. 몸과 마음의 관계를 처음 밝힌 사람은 프로이트지만, 이를 임상 실제에서 적극적으로 활용한 사람은 알렉산더다. 알렉산더는 가장 과학적인 방법으로 당대의 과학적 맹신으로 굳어진 과학적 편견에 맞섰다. 그의 방법의 특이성은 우선 집단적인 정신분석적 연구였다는 사실이다. 그때까지 정신분석적 연구는 개별임상장면에서 이루어지는 개인치료였다. 이러한 연구방법 때문에 정신분석연구에 관한 결과를 내기 위해서는 수년을 기다려야 하는 시간적인 문제가 있었다. 그러나 알렉산더의 집단적인 방법은 여러 정신분석학자가 유사한 종류의 사례들을 동시에 연구할 수 있도록 만들어서, 시간적인 문제를 해결할 수 있게 하였다. 또 하나의 특징은 신체적 질병에 숨은 정서적 요인들은 특정 속성이 있다는 것을 가정하고 실행했다는 것이다. 이전에는 정신과 신체의 연관성에 대한 면밀한 분석이 이루어지지 않았다. 알렉산더의 연구 때문에 막연하던 것들이 실제 임상의 결과로 구체적인 이론을 구성하게 되었다. 정신과 신체의 연관성에 관한 여러 연구를 통해서 알렉산더는 자신의 성격이론의 주축을 만들고, 이를 일반화해 가면서 프로이트의 성적 발달단계에 따른 특성에 관한 것을 더욱 확장시켜 갔다. 그의 이 같은 견해들은 국제정신분석저널(International Journal of Psycho-Analysis)에 『The Logic of the Emotions aunt its Dynamic Background』 제목으로 1935년에 발표되었다. 위궤양에 관한 연구로 시작된 정신신체의학으로 알렉산더는 평생을 이어 가면서 이 분야 발전에서의 독보적인 선구자가 되었다. 1939년에는 『정신신체의학(Psychosomatic Medicine)』이라는 저널을 발간하였고, 눈을 감을 때까지 편집자로서 일하였다. 알렉산더의 정신신체에 관한 연구는 정신신체연구의 방법론을 발전시켰으며, 1953년에는 연구를 더욱 확대시켜 여러 특정 질환에 관련된 다양한 정서적 패턴에 관한 개념의 타당성을 통계적인 방법으로 검사가 가능하도록 만들었다. 그는 숨을 거둘 때까지 『Psychosomatic Medizine』을 집필하면서 정신과 신체적인 연관성에 대한 견해를 피력하고, 실험적인 타당성을 더욱 공고히 하기 위해 노력하였다.

주요 저서

Alexander, F., & Staub, H. (1929). *The criminal, the judge, and the public: A psychological analysis*. New York: Collier Books.

Alexander, F. (1960). *The Western mind in transition: an eyewitness story*. New York: Random House.

Alexander, F. (1961). *The Scope of psychoanalysis 1921~1961: selected papers*. New York, Basic Books.

Alexander, F. (1966). *Psychoanalytic pioneers*. New york, London: Basic Books.

Alexander, F., & Sheldon, T. (1966). *The history of psychiatry: an evaluation of psychiatric thought and practice from prehistoric times to the present*. New York: Harper & Row.

Alexander, F., & Healy, W. (1969). *Roots of crime: psychoanalytic studies*. Montclair NJ: Patterson Smith.

Alexander, F., & French, M. T. (1980). *Psychoanalytic therapy: principles and application*. Lincoln: University of Nebraska Press.

Alexander, F. (1984). *The medical value of psychoanalysis*. New York: International. Universities Press.

Alexander, F. (1987). *Psychosomatic medicine: Its principles and applications*. New York: Norton.

알렌
[Allen, Frederick]

오토 랭크(Otto Rank)의 이론을 아동의 놀이치료에 적용한 인물.

태프트(Taft), 무스타카스(Moustakas) 등과 함께 아동의 출생 시 심리적 상처(birth trauma)가 성장한 후에 아동이 긍정적인 인간관계를 맺는 데 걸림돌이 된다는 견해를 피력하였다. 알렌은 태프트와 함께 관계 놀이치료(Relationship Play Therapy) 이론을 소개했는데, 이는 아동 발달단계 중 출생의 심리적 상처가 분리-분화에 두려움을 느끼게 만들고, 이러한 분화의 곤란은 관계 갈등을 일으킨다는 오토 랭크의 이론을 바탕으로 한 치료이론이다. 태어날 때의 부정적 경험이 양육자와의 분리개별화 과정에서 곤란을 겪게 하여, 이 같은 과정이 아동들에게 관계에 대한 문제를 일으킨다는 것이다. 알렌은 아동의 몸과 소유물을 신체적 공격에서 보호해 주는 놀이치료사가 자신을 수용한다는 느낌을 아동에게 주기 때문에, 아동이 치료경험과 다른 관계를 구분할 수도 있다고 말하였다. 알렌의 관계치료는 놀이치료사와 아동의 감정적인 관계를 중시하는데, 이 치료는 아동의 자유와 힘으로 선택하도록 하는 것이 핵심이다.

알트마이어
[Altmaier, Elizabeth Michel]

1952. ~
건강 심리학 분야를 개척한 상담심리학자.

기술자인 아버지와 전업 주부인 어머니를 둔 알트마이어는 뉴욕에서 태어났다. 그녀의 형제는 삶에서 직업에 대한 의미를 크게 두지 않았지만, 알트마이어는 학창 시절부터 가능성을 인정받아 당시 여성에게는 여러 면에서 제한적이었던 영역으로 진로 방향—교육분야와 간호—을 모색할 수 있었다. 그녀는 대학 시절 휘튼(Wheaton)대학교 심리학부 교수 중 한 사람의 영향을 받아 그의 지지 속에서 심리학 대학원으로 진학을 하였다. 1973년 휘튼대학교에서 학사학위를 받았고, 1977년 오하이오 주립대학교에서 상담심리학 박사학위를 취득하였다. 오하이오 주립대학교 시절 알트마이어는 학자로서의 자기 능력에 눈을 뜨고, 상담심리학 전통에 입각해서 연구를 이어 오던 당대 연구가들의 입장에서 탈피하여 자유로운 방식으로 자신만의 연구방향과 전문가적 경향을 모색해 나갔다. 일반적인 방식에서 탈피한 모험적인 연구로 알트마이어는 건강심리학(health psychology)이라는 분야를 개척하였고, 많은 사람들의 인정을 받았다. 이후 오하이오 주립대학교의 상담 및 자문 서비스에서 임상과정을 수료하고, 1977년에 플로리다(Florida)대학교에서 처음 부임하였다. 1980년까지는 그곳에서 강의를 계속했고, 그러다가 현재의 아이오와(Iowa)대학교로 옮기게 되었다. 알트마이어는 상담심리학 분야에서의 명실상부한 선구자로, 고정된 연구방법을 벗어나 연구 가능성이 있는 모든 길을 탐색하려 했으며, 여러 분야에서 건강심리학과 약학의 관련성을 적용한 교육 및 훈련에 앞장섰다. 알트마이어의 초기연구는 화학치료를 받고 있는 암 환자를 위한 불안조절이었다. 이 연구에서 그녀는 다양한 암 환자의 스트레스와 통증조절 대처전략으로 상당한 성공을 거두고, 미국 국립보건원 기금을 받아 몇 년 동안 연구를 지속하면서 발전을 이어 나갔다. 만성요통을 앓는 환자에 관한 연구에도 힘을 기울여 관련 저서를 내기도 했으며, 의학적 간호 임상에서도 막대한 공헌을 하였다. 게다가 의대 입학위원회에서도 요직을 맡아 훈련 사이트에서 지원자의 자격과 성공 가능성 예측—의학적 임상에서 환자와의 상호작용 등—등을 평가하고 질적 향상을 돕는 데 기여를 하였다. 전반적으로 평가를 해 보면, 알트마이어는 심리학 교육 및 훈련이라는 일반적인 영역뿐만 아니라, 그 외의 영역에서도 기금으로 환산했을 때 1백 5십만 달러 이상의 연구에 참여하였다. 이 같은 실적 덕분에 알트마이어는 2003년 미국심리학회(APA) 17분과에서 건강심리학 분야의 뛰어난 업적에 시상하는 도로시 부즈 블랙 상을 수상하였다. 알트마이어는 30년여 동안 아이오와 대학상담 심리학부에서 APA 인가 프로그램 핵심 교수진으로 재직하고 있다. 또한 그녀는 공중보건대학에서 보조 강사(secondary faculty)로도 임용되어 있다. 알트마이어는 학과장, 학장, 부학장 등을 역임하면서 대학 내에서 여러 관리직을 맡기도 하였고, 미국체육학회(National Collegiate Athletic Association: NCAA)에도 가입하여 학문, 적성, 순응 자문위원회에서 봉사를 하며, NCAA 자격위원회에서는 아이오와대학교에서 지역 수준의 봉사도 하였다. 2001년부터는 유아교육 대학상담 심리학 프로그램 교수로서 대학 대표 운동선수를 위해 봉사하고 있으며, 이러한 일을 함으로써 대학교와 빅텐회(Big Ten Conference), 미국체육학회를 연결해 주는 역할을 하고 있다. 알트마이어의 주된 업무는 대학이 모든 학생 선수를 위해서 학문과 운동의 적절한 균형을 유지할 수 있도록 뒤에서 힘을 실어 주는 것이다. 이에 2005년에는 아이오대학교와 교수회에서 그녀의 공헌과 대학을 위한 봉사의 답례로 제이 브로디 상을 수여하기도 하였다. 이처럼 알트마이어는 여러 각도에서 심리학 공동체에 폭넓은 기여를 하였다. APA에서는 인가 위원회장을 역임했고, 심리전문가의 전문성 및 경력 인증위원회 회원으로 봉사했으며, 과학 및 기술에서의 여성 발의권을 위한 자문심사위원단에서도 일하였다. 상담심리학회와 상담심리학훈련프로그램위원회(CCPTP)에서도 임원을 맡았고, 아이오와심리학협회 윤리위원회 의장직도 역임하였다. 또한 알트마이어는 학자로서도 공헌한 바가 크다. 200권이 넘는 저서를 출판했는데, 6권의 책과 14편의 단행본 논문, 90개의 추천기사, 80개의 연구발표 등 많은 연구물을 발간하였다. 게다가 『APA 임상연구요람』의 편집자이기도 했고, 『Journal of Counseling Psychology』 『Modern Psychology』와 같은 저널의 편집 업무도 맡았다. 최근에도 그녀는 국제적인 대학 운동선수를 위해 일하고 있으며, 여러 분야의 교수진으로서도 봉사하고 있다.

주요 저서

Altmaier, E. M. (1983). *Helping Student Manage Stress*. San Francisco: Jossey Bass.

Altmaier, E. M. (1994). *Intervention in Occupational Stress: A Handbook of Counselling for Stress at Work*. California: Sage Publications Ltd.

Altmaier, E. M. (2003). *Setting Standards in Graduate Education: Psychology's Commitment to Excellence in Accreditation*. Washington: American Psychological Association.

Altmaier, E. M. (2011). *The Oxford Handbook of Counseling Psychology*. London: Oxford University Press.

애덤스
[Adams, Jay Edward]

1929. 1. 30. ~
권면적 상담의 창시자이며 성경중심 기독교상담학자

애덤스는 볼티모어(Baltimore)에서 태어났다. 존스홉킨스(Johns Hopkins)대학교에서 헬라어를 전공하고, 개혁신학교(Reformed Episcopal Theological Seminary)에서 신학을 전공했으며, 템플 실천신학부(Temple University)에서 신학으로 석사학위를 취득한 뒤, 미주리(Missouri)대학교에서 설교술(preaching)로 박사학위를 받았다. 이후 목사가 된 동시에 웨스트민스터 신학부(Westminster Theological Seminary)의 신학교수가 되었다. 그는 설교, 기독교상담, 성경연구 등과 관련하여 100여 권의 저서와 설교문을 발표하였다. 상담분야에서의 정규 교육과 훈련은 거의 받지 않았지만 독학으로 상담 관련 공부를 하고, 이를 바탕으로 정신건강과 상담에 관심을 갖게 되었다. 저서 『Competent to Counsel』에서 애덤스는 기독교인이 일반 상담사보다 훨씬 더 상담에 적합한 능력을 가지고 있다고 주장하였다. 당시 기독교 신학과 심리학의 활발한 교류가 일어나면서 목회상담운동이 대두되자, 그는 세상 학문이 신학에 무분별하게 적용되는 것을 강하게 반대하였다. 그러고는 자신의 신학적 배경을 기반으로 해서 권면적 상담(nouthesis counseling)이라는 접근법을 주창하였다. 이는 성경 안에서 상담이 이루어져야 한다는 입장이다. 이 상담과정은 성경으로만 상담을 하고자 하기 때문에 일반 목회상담이나 기독교상담과는 입장이 다르다. 그는 세상의 학문인 심리학은 기독교 신학 안에 어떤 자리도 차지해서는 안 되고, 오로지 성경의 권위에 순종하여 그 원리와 방법 안에서만 상담이 이루어져야 한다고 주장한다. 이러한 방법을 통해서만이 인간은 하나님과의 관계를 회복할 수 있고, 인간의 정서적·영적 문제를 야기하는 죄성을 지닌 인간의 모습에서 하나님이 원하는 새로운 모습으로 거듭날 때 삶의 모든 문제와 고통이 해결된다고 하였다. 권면적 상담은 세 가지 주요 단계로 구성되어 있다. 첫째, 직면하기(to confront), 둘째, 숙고하기(to have concern), 셋째, 변화로 나아가기(to lead to change)다. 애덤스는 펜실베이니아 필라델피아의 기독교상담 및 교육재단(Christian Counseling and Educational Foundation), 국립권면상담사학회(National Association of Nouthetic Counselors), 영원한 말씀(Timeless texts) 등을 창설하는 데 핵심적인 역할을 했고, 현재까지 저서를 발표하고 있다. 애덤스는 성경을 기반으로 한 목회신학의 새로운 부흥을 꾀하는 데 지대한 영향을 미친 인물로 평가받고 있다. 애덤스의 권면적 상담은 현재 미국 내 유수의 신학대학교와 일반대학교의 기독교 관련 학과에서 정규과목으로 채택하고 있다. 『Competent to Counsel』은 현재 16개 언어로 번역되어 있다. 애덤스의 관점은 기존의 목회상담을 비판적 입장에서 보고 있기 때문에 기독교상담 전반의 반성과 분석을 가능하게 하였다.

주요 저서

Adams, J. E. (1986). *A Theology of Christian Counseling*. Grand Rapids, MI: Zondervan.

Adams, J. E. (1986). *Competent to Counsel*. Zondervan.

Adams, J. E. (1986). *Handbook of Church Discipline*. Grand Rapids, MI: Zondervan.

Adams, J. E. (1986). *How to Help People Change*. Grand Rapids, MI: Zondervan.

Adams, J. E. (1986). *Marriage, Divorce, and Remarriage in the Bible*. Grand Rapids, MI: Zondervan.

Adams, J. E. (1986). *Preaching with Purpose*. Grand Rapids, MI: Zondervan.

Adams, J. E. (1986). *Solving Marriage Problems*. Grand Rapids, MI: Zondervan.

Adams, J. E. (1986). *The Biblical View of Self-Esteem, Self-Love, and Self-Image*. Harvest House Pub.

Adams, J. E. (1986). *The Christian Counselor's Casebook*. Grand Rapids, MI: Zondervan.

Adams, J. E. (1986). *The Christian Counselor's Manual*. Grand Rapids, MI: Zondervan.

Adams, J. E. (1989). *Christian Living in the Home*. P & R Pub.

Adams, J. E. (1998). *The Christian's Guide to Guidance*. Timeless Texts.

Adams, J. E. (1998). *The Heart of Anger*. Calvery Press.

Adams, J. E. (2010). *How to Overcome Evil*. P & R Pub.

애커먼
[Ackerman, Nathan Ward]

1908. 11. 22. ~ 1971. 6. 12.
미국 정신과 의사이자 정신분석학자로서 가족치료의 창시자.

러시아 베사라비아(Bessarabia)에서 약사였던 아버지 데이비드 애커먼(David Ackerman)과 어머니 베르타 그린버그 애커먼(Bertha Greenberg Ackerman) 사이에서 태어났다. 애커먼 가족은 1912년 미국으로 건너와 1920년에 귀화하였다. 그는 뉴욕 공립학교를 다녔고, 1929년 컬럼비아대학교에서 인문학을 전공한 뒤, 1933년 동 대학교에서 의학 박사학위를 취득하였다. 이후 1933년부터 1934년까지 뉴욕에 있는 몬테피오레(Montefiore) 병원과 1935년 메닝거(Meininger) 클리닉 및 캔자스(Kansas)의 토피카(Topica)에 있는 요양소 등에서 인턴생활을 하다가 1937년에는 메닝거 아동지도클리닉의 정신과장이 되었다. 애커먼은 1937년 10월에 그웬돌린 힐(Gwendolyn Hill)과 결혼하여 슬하에 두 딸을 두었다. 이후 14년 동안 애커먼은 뉴욕에 있는 유대인 후원회(Jewish Board of Guardians)의 정신과 주임 의사로도 일하였다. 이 기간에 그는 뉴욕에 있는 여러 기관에서 다양한 직위를 가지고 일하였다. 제2차 세계 대전 중에는 적십자재활클리닉에서 정신과 의사로 활동하면서, 1944년 막스 호르크하이머(Max Horkheimer)가 최초로 설립한 과학연구 분과에서 고문으로 일하기도 하였다. 전쟁이 끝난 뒤에는 컬럼비아대학교 정신과 임상교수를 맡았으며, 이후 컬럼비아대학교 부설 뉴욕 사회복지학부(New York School of Social Work)에서 강의를 하였다. 그뿐만 아니라 1944년부터 1948년까지 방문 간호 서비스(Visiting Nurse Service)와 지역사회 봉사회(Community Service Society)에서도 강의를 하였다. 또한 애커먼은 툴란(Tulan)대학교, 노스캐롤라이나(North Carolina)대학교 등 여러 대학교의 정신과 초빙교수로도 활동하였다. 1952년에는 워싱턴 D.C.에서 열린 백악관 주재 아동에 대한 회합(White House Conference on Children)의 회원이 되었다. 그는 1950년에 마리 야호다(Marie Jahoda)와 함께 반유대주의에 대한 저서를 공동 집필하기도 하였다. 1955년에

ㅇ

는 미국 교정정신의학협회(American Orthopsychiatric Association)에서 주최하는 가족치료 분야의 발전을 꾀하기 위한 회합에서 가족진단에 대한 회의를 최초로 조직했으며, 1957년에는 가족정신건강클리닉(Family Mental Health Clinic)을 뉴욕에서 창립하였고, 1958년에는 『가족생활의 정신역동(The Psycho Dynamics of Family Life)』이라는 가족관계 치료에 관한 저서를 최초로 출판하였다. 또한 1960년에는 가족연구소(Family Institute)를 뉴욕에 창설하는 등 활발한 활동을 펼치다가 1971년 사망하였다. 그의 사후, 가족연구소는 애커먼연구소(Ackerman Institute)로 개명되었다. 애커먼은 미국 유대인회(American Jewish Committee)의 지원을 받아, 반유대주의와 정서장애에 대한 정신분석적 해석을 시도하여 그 현상을 분석하고, 가능한 해결책을 제시하기도 하였다. 그는 정신분석 훈련을 받은 정신과 의사였지만 가족치료의 심리 사회적 접근방법의 중요성에 대해서 일찍부터 감지하고 있었다. 따라서 가족치료의 할아버지라고 불릴 만큼 가족치료에서는 가장 중요한 인물 중 한 사람으로 평가받고 있다. 처음에 그는 정신과 의사가 어린이를 다루고 사회사업가가 그 어머니를 만나는 아동지도의 모델을 따랐다. 그러다가 1940년대 중반에는 부모와 자녀를 함께 만나는 시도를 하였다. 애커먼은 가족의 전반적인 조직을 이해하는 탁월한 능력으로 가족구성원의 행동적인 상호작용 속에 숨어 있는 각각의 마음과 정신을 볼 수 있었다. 이 같은 자신의 강점을 이용하여 그는 가족의 방어 작용을 벗겨 내고 가족구성원의 감정을 표현할 수 있도록 해 주는 혁신적인 개입양식을 활용하였다. 다양한 경험을 바탕으로 실직자들의 정신건강 문제를 다루면서, 애커먼은 환경과 정신이 모두 정서적 문제에 영향을 줄 수 있다는 확신을 갖게 되었다. 또한 볼비(J. Bowlby)의 실험을 활용해서 가족 면담을 하는 중에도 이를 아동지도 치료에서의 주요 치료 형식으로 인식하였다. 그의 가족면담은 부모-자녀 2세대에 관한 메타 세대로서 조부모를 함께 연관시켰다. 가족을 진단 및 치료의 단위로 보았고, 가족을 연구하기 위해 가정방문도 하였다. 애커먼은 정신적 내계, 대인관계, 가족체계를 세 가지 요소로 두고, 의사들에게 가족 원조가 필요하다고 강하게 주장하였다. 그는 사회적 역할 개념을 중요시했지만, 그가 말하는 사회적 역할이란 행위자의 인격 적응 단위로 보고 실천적으로는 사회적 자기의 개념과 같은 의미로 보았다. 애커먼은 자신의 아이디어와 이론적 접근법을 다른 전문가들과 공유하면서 1938년에는 『The Unity of the Family』와 『Family Diagnosis: An Approach to the Preschool Child』 등을 출판하기도 했는데, 이 저서들은 가족치료 운동에 큰 영향을 미쳤다. 그는 돈 잭슨(Don Jackson), 제이 헤일리(Jay Haley) 등과 더불어 최초의 가족치료 저널인 『Family Process』를 만들기도 했으며, 이는 오늘날까지 이 분야의 사상을 이끄는 선도적인 역할을 하는 저널로 자리 잡고 있다. 그는 집필 활동을 계속하면서 『Treating the Troubled Family』를 1966년에 출판하였고, 이외에도 『Exploring the Base of Family Therapy』와 같은 저서를 공동 집필하였으며, 전문 저널에 100편이 넘는 논문을 실었다. 애커먼은 체계이론에서 비롯된 당시로서는 상당히 진보적인 사상을 접목시켜 개인 심리치료에서의 통찰을 끌어내고, 이에 대한 통합을 시도한 최초의 전문가 중 한 사람으로 손꼽힌다. 가족치료에 정신역동적 입장을 접근시킨 것은 그의 가장 큰 공헌으로 인정받고 있다.

주요 저서

Ackerman, N. W. & Ackerman, M. J. (1950). *Anti-Semitism and Emotional Disorder: A Psychoanalytic Interpretation*. New York: Haper & Brothers.

Ackerman, N. W. (1958). The psychodynamics of family life: Diagnosis and treatment of family relationships. New York: Basic Books.

Ackerman, N. W. (1966). *Treating the Troubled Family*. New York: Jason Aronson.

Ackerman, N. W., Beatman, F. L., & Sherman, S. N. (Eds.) (1967). *Expanding theory and practice in family therapy*. New York: Family Service Association of America.

Ackerman, N. W., Lieb, J., & Pearce, J. K. (Eds.) (1970). *Family therapy in transition*. Boston: Little Brown & Co.

Ackerman, N. W., & Franklin, P. F. (1975). Familiendynamik und die Umkehrbarkeit von Wahnbildung: Eine Fallstudie in Familien-therapie. In I. Boszormenyi-Nagy, L. Framo (Hg), *Familientherapie: Theorie und Praxis, 2.* Teil (S 9-52). Reinbek, Rowohlt.

Lakos, M. H., & Ackerman, N. W. (2011). *The Treatment of A Child and Family*.

앤더슨
[Anderson, Tom]

미국의 미술비평가이며 미술교육학자.

몬태나(Montana) 출신으로 플로리다에서 살고 있는 앤더슨은 매리 베스 맥브라이드(Mary Beth McBride)와 결혼하여 두 딸을 두고 있다. 앤더슨은 탤러해시(Tallahassee)에 있는 플로리다 주립대학교 미술 교육부 교수다. 오리건(Oregon)에 있는 미술 교사 공립학교(public school art teacher)에 재직한 바 있으며, 시카고에서 상업적 미술가로도 활동했었다. 그는 밀브란트(Milbrandt), 가버(Garber), 배릿(Barrett) 등과 함께 교육을 통하여 미술작품을 감상, 이해하고 또 경험하면서 관객과 학생들이 작품의 의미와 가치를 내면화하고 판단하는 중에 특정 세계관과 통찰력을 경험한다는 가설에 동의하였다. 배릿과 함께 앤더슨은 미술비평을 통한 미술교육을 소개했지만, 모더니스트인 펠드먼(Feldman)의 이론을 계승하여 다원론적 미적 해석을 바탕으로 하는 '개인의 지식과 경험'을 위한 '즐거움과 유희적 쾌락'을 주는 '작품 자체의 감상'이라는 배릿의 입장과는 달리, 앤더스은 밀브란트, 가버와 함께 미술교육에서 개인과 타인, 타문화를 이해하도록 비교문화적으로 접근하는 세계화와 다문화주의 시대를 지배하는 포스트모던 이론과 현대미술에 맞는 미술비평교육을 강조하였다. 이는 실용주의적 입장에서 미술의 사회적 기능에 대한 발견이며, 인간의 삶과 경험에서 미술작품이 갖는 의미와 가치에 대한 새로운 시각의 조명이었다. 앤더슨은 서양의 형식주의적인 비평이 유럽 중심의 가치체계에 기반을 두고 있기 때문에 주변적 문화와 실용적 기능을 위해 만들어진 비서구권 예술작품에 그대로 적용하는 데는 무리가 있다고 주장하면서, 비교문화적 비평의 입장을 내세웠다. 그는 비교문화적 비평은 작품을 통해서 작가가 속한 본래 문화를 발견할 수 있다고 했는데, 이는 특정 문화가 인간에게 의미 있는 중요한 모든 통찰력을 제공할 수는 없다는 포스트모더니즘적이고 실용주의적이며 다문화주의적인 전제를 바탕으로 한 주장이다. 앤더슨을 비롯한 미술교육자들은 미술과 미술교육이 인간의 삶을 변화시킬 수 있다고 주장하였다. 그들은 개인에게 의미 있는 미술작품을 경험하면 그 사람의 가치관과 행동방식을 바꾸게 되고, 그로 인해 사회에 긍정적인 변화를 가져올 수 있다는 입장을 내세우고 있다. 앤더슨은 경험론 교육학자인 듀이(Dewey)에서 시작되어 아이스너(Eisner)로 이어지는 미술비평교육의 맥을 이은 사람이다. 그는 미술비평교육이 미술작품의 평론만 위한 것이 아니라 예술이 어떻게 인간 본질과 삶에 영향을 미치는가를 찾는 과정이라고 하였다. 그가 말하는 미술비평에서는 미술에 대하여 이야기하고 쓰는 것이 주요 과정인데, 이런 체계화된 훈련은 현대미술을 이해하는 데 필수요건이 된다. 미술작품에 대하여 이야기하고 쓰고 읽는 모든 것이 작가와 관객, 작품과 삶, 개인과 타인과의 의사소통을 위한 다리를 만들어 준다는 듀이의 주장에 따라, 앤더슨은 미술작품의 이해와 감상, 평가 등으로 미술비평이 개인의 사고와 문화를 이해하도록 해 주며, 나아가 타문화를 이해하려는 호기심과 동기를 제공하여 공동체 인식 및 다문화 사회와 세계에 대한 세계적인 시민의식(global citizenship)을 가질 수 있도록 도움을 준다고 하였다. 이처럼 지적인 사고와 시각적 경험을 통한 감성적 공감으로 미술작품과 미술비평은 결국 학생과 관객에게 관용(tolerance)을 교육하는 것이라고 하였다. 밀브란트와 함께 개발한 앤더슨의 미술비평은 반응/인상, 서술/묘사, 해석, 평가 등 네 가지 과정으로 되어 있다. 반응이란 미술작품을 처음 대했을 때 갖는 첫인상으로, 호감을 갖거나 호기심이 생길 때 나타난다. 첫인상에서 관심이 생기면, 관객은 미술작품의 시각적 형태에 대한 서술적 혹은 묘사적 관찰을 하게 된다. 그다음에는 작품의 의미에 대한 관객 개인의 주관적 해석을 하고, 그 작품이 무엇을 담고 있는지에 대한 답을 스스로 찾고자 한다. 이 단계가 미술비평에서 작품을 주의 깊게 관찰하고 여러 가지 사고를 종합하는 가장 중요한 과정이라 할 수 있다. 마지막은 평가의 단계로 나아간다. 전문적인 지식을 갖추지 못한 일반 관객이라 하더라도 작품의 이해와 해석의 과정을 통해서 그 작품이 지니고 있는 가치와 영향에 대한 판단과 평가를 할 수 있다. 이 단계로 관객은 미술과 미술작품에 대한 관심을 지속시키고 심화시켜 나가는 것이다. 앤더슨은 70편이 넘는 논문, 비평, 단행본 등을 출간했는데, 『Real Lives: Art Teachers and Cultures of School』이라는 저서도 있다. 1995년에는 아동게르니카평화벽화프로젝트 국제자문위원회(International Advisory Committee of the Children's Guernica Peace Mural Project)를 공동 창립하고 현재까지 회원으로 활동하고 있다. 그는 국제적인 교수 및 봉사활동을 이탈리아, 스페인, 쿠웨이트, 일본 등지까지 펼치고 있으며 대만, 한국, 캐나다, 호주 등에서도 앤더슨의 이론을 수학하는 사람들이 있다. 일을 하는 내내 미술과 교육의 사회적 기반에 특별한 관심을 기울였으며 미술 비평, 미학적 탐색, 특히 삶을 위한 미술 등에서 핵심적인 활동을 지속적으로 펼치고 있다.

주요 저서

Anderson, T. (2000). *Real Lives: Art Teachers and the Cultures of Schools*. London: Heinemann.

Anderson, T. (2004). *Art for Life: Authentic Instruction in Art*. New York: McGraw-Hill Humanities/Social Sciences/Languages.

앨러스
[Allers, Rudolf]

1883. 1. ~ 1963. 12.
정신과 전문의로서 철학자이자 개인심리학자.

앨러스는 그라일리치(Grailich) 가의 아우구스타(Augusta)와 유대인 의사인 마르쿠스 아벨레스(Marcus Abeles)의 아들로 태어났다. 1901년에 비엔나대학교에서 의학 공부를 시작하여 1906년 의학 박사학위를 취득했고, 2년간 인턴실습을 마친 뒤 학업을 계속하여 정신과 의사가 되었다. 1907년에는 아벨레스(Abeles)라는 성을 앨러스(Allers)로 바꾸었다. 1908년 크롤라 마이트너(Crola Meitner)와 결혼하여 1920년에 아들 울리히(Ulrich)를 낳았다. 의학 공부를 하면서 프로이트(Freud)의 저서에 관심을 보인 그는 마침내 프로이트 만년의 마지막 제자로 합류하였다. 1908년에 정신과 의사 자격을 얻어 뮌헨(München)에 있는 독일대학교 정신병원에서 근무하다가, 1913년에는 뮌헨대학교의 정신과 전임강사가 되었다. 제1차 세계 대전이 발발하자 앨러스는 오스트리아 군대의 외과 군의관으로 복무하게 되었다. 당시의 경험을 바탕으로 그는 머리에 총상을 입은 환자에 대한 저서를 집필하기도 하였다. 또 화학연구실에서 일하면서 연구한 내용을 몇 편의 논문으로 남기기도 하였다. 1918년에서 1938년 사이 20년 동안은 비엔나대학교의 의학부에서 정신의학 전공으로 강의와 연구를 병행하였다. 그는 의학 심리학 부장을 역임하였고, 1920년부터 사설 심리치료 자문 일을 맡기도 하였다. 그러는 동안 평소 프로이트의 비과학적인 사상에는 동조하지 않았던 앨러스는 아들러(Adler)와 가까워지면서 개인심리학에 심취하였고, 개인심리학 학회, 의학심리학학술학회 등에서 강연하면서 개인심리학 관련 국제잡지에도 많은 기고를 하였다. 1924년에는 비엔나 제9구역에 있는 독일 가톨릭사복지사업단의 협회 교육상담소를 관리하면서 개인심리학의 교육학적 첫 단계에 도입하였다. 1925년에는 심층 학문적 연구를 목적으로 설립한 의학 전문 그룹의 의장이 되었고, 1926년부터 1927년까지 개인심리학회 이사회 의장을 대행하였다. 그러다가 1927년에 아들러와 실질적 문제로 심하게 다툼이 일어 학회를 탈퇴하고 말았다. 그 후 앨러스는 북부 이탈리아의 가톨릭대학교(the great Catholic University)의 창시자 중 한 사람인 아고스티노 지멜리(Agostino Gemelli) 대주교의 초청을 받아 이탈리아 밀란에 있는 사크로 쿠오레대학교(Sacro Cuore University)에서 1934년에 철학 박사학위를 취득하였다. 앨러스는 심리학과 정신의학에 대한 관점 및 그 근간에 주축을 이루는 것은 인류학과 철학적인 문제들이라는 것을 정확하게 이해하고 있어야 한다는 믿음을 가지고 있었다. 1938년, 히틀러의 독재를 피해서 미국으로 건너가 미국 가톨릭대학교(The Catholic University of America)의 철학교수 제의를 수락하였다. 평생을 가톨릭 신자로 살아온 앨러스는 1948년에는 미국 워싱턴 D.C.에 있는 조지타운(Georgetown)대학교에서 철학교수로 임용되었다. 그리고 1960년에는 명예 법학박사학위를 받았다. 그는 워싱턴철학클럽(Washington Philosophical Club) 및 미국형이상학회(Metaphysical Society of America)의 회장을 역임하였고, 가톨릭철학학회(The Catholic Philosophical Association)에서 토마스 아퀴나스 상(Thomas Aquinas Medal)을 받기도 하였다. 또한 프랑스, 오스트리아, 스위스 등에서 1955년과 1956년에는 객원교수로도 활동하였다. 1957년에 교수 정년을 맞이했지만, 그는 세상을 떠날 때까지 계속해서 가르치는 일을 멈추지 않았다. 조지타운대학교는 카멜리테 수녀들이 가정 요양을 목적으로 만든 가정 솔라이룸에서 국제적인 명성을 가진 학자들이 수업을 할 수 있도록 한 캐럴 마노르 아치다이오시산 하우스(Carroll Manor Archdiocesan House)에 있는 요양소로 학생을 보내 앨러스의 가르침을 받도록 하였다. 그는 1963년 12월 18일 80세의 나이로 워싱턴 D.C.에서 숨을 거두었다. 초기에는 프로이트의 제자였고, 이후 아들러와 13년간 함께 일했고, 의미치료(logotherapy)의 창시자인 빅토르 프랭클(Victor Frankl)의 스승이었던 그는 정신의학, 철학, 인류학 등의 조화를 이루고, 프로이트, 하이데거, 아우구스티누스 등과 실존주의, 현상학, 토마스 아퀴나스의 신학 등 여러 관점을 결합하여 인간의 정신세계에 관한 자신만의 독특한 견해를 수립하였다.

앳킨슨
[Atkinson, Donald Ray]

1940. 2. 10. ~ 2008. 1. 11.
상담, 임상, 학교심리학 통합 프로그램 교육 교수이자 다문화 상담의 선구자.

앳킨슨은 유니온(Union) 시티에서 태어나 위스콘신(Wisconsin)의 바라부에서 어린 시절을 보냈다. 인디애나와 위스콘신 등지의 중서부 미국에서 보낸 어린 시절은 가난으로 점철되어 있었

다. 그의 부모는 생활고 해결을 위해서 무슨 일이든 해야 했다. 앳킨슨은 15세에 류머티즘열(rheumatic fever)을 앓았고, 하나밖에 없던 형제도 어린 나이에 뇌성마비로 목숨을 잃었다. 고등학교를 졸업하고는 미국 해군에 입대하였고, 위스콘신 주립대학으로 가서 1964년에 교사 교육으로 학사학위를 받았다. 그때까지도 앳킨슨 집안의 형편은 좋아지지 않았고, 동생 사후에 앳킨슨 가족에게 지급된 보험금으로 대학을 다녔다. 당시 그는 파이 시그마 엡실론 클럽(Phi Sigma Epsilon Fraternity)의 회원이었고, 우수한 성적으로 체육학에서 발시티 레터(varsity letter)를 받기도 하였다. 잠시 위스콘신의 메노미니 폴스(Menominee)의 작은 고등학교에서 근무하다가, 위스콘신대학교 밀워키(Milwaukee)에 들어가 학업을 이어 나갔다. 1966년에는 지도 및 상담학에서 석사학위를 받았고, 1970년 매디슨(Madison)의 위스콘신대학교에서 박사학위를 받았다. 박사과정 중에 앳킨슨은 첫 번째 부인과 만나 결혼하여 지미와 로버트라는 두 아들을 얻지만, 얼마 되지 않아서 첫째 아들 지미 앳킨슨의 심각한 발달장애 때문에 그 스트레스를 견디지 못한 부인이 떠나고 혼자서 두 아들을 키웠다. 이후 미네소타 무어해드(Minnesota Moorhead) 주립대학의 대학상담센터에 잠시 머물렀다가 앳킨슨은 샌타바버라의 캘리포니아대학교(UCSB)로 가서 1972년 상담심리학 프로그램 학부의 조교수가 되었다. 1975년부터 1979년까지는 사범대학 부학장으로 일하였고, 1979년부터 1989년까지는 상담심리학 프로그램 교육부장을 맡았다. 그러다가 1989년에 교육과 멘토링, 연구지도에 전념하기 위해서 관리직을 모두 사임하였다. 2002년에는 UCSB에서 퇴임한 뒤 명예교수 직함을 받았다. 앳킨슨이 UCSB 재직 초기에는 상담심리학 프로그램이 그 분야의 주요 연구를 다루던 『상담심리학 저널(Journal of Counseling Psychology: JCP)』에서 그리 중요한 자리를 차지하지 못하였다. 후에 UCSB가 1983년 10위, 2000년 9위 등 JCP 출판의 최고 순위 기관으로 부상했는데, 이는 앳킨슨의 연구업적에 따른 결과였다. 게다가 앳킨슨은 다문화상담 능력에 관한 경험적 연구문헌의 업적으로 지난 20여 년을 지나오면서 최고 4위의 자리까지 점하게 되었다. 그에 더하여 『다문화상담 및 발달에 관한 저널(Journal of Multicultural Counseling and Development)』에서의 연구는 1985년부터 1999년까지 10위에 올랐고, 1988년부터 1997년까지 JCP의 소수 인종 및 민족 연구에 대한 최고 순위 기고자로 평가받았다. 학자이며 전문가로서의 삶뿐만 아니라 앳킨슨은 개인적인 삶에서도 가족의 중요성을 몸소 실천하며 모범을 보여 주었다. 늘 자연 속에서의 활동을 즐겼고, 가족과 이웃을 돌보는 삶을 산 앳킨슨은 2008년 1월 11일 췌장암으로 가족의 품에서 숨을 거두었다. 앳킨슨은 30여 년간 상담분야에 몸을 담아, 다문화상담 심리학 분야에서의 혁신적인 작업과 특유의 지도력을 발휘했던 유색인종 박사과정 학생교육으로 널리 정평이 나 있다. 앳킨슨은 다문화상담 분야의 선구자라 할 수 있다. 그는 다문화상담의 필요성이 부각되어 주목을 받기 이전부터 다문화상담에 대한 연구를 해 왔으며, 상담심리학 분야에서 과소평가되고 있던 집단의 여러 학생을 지도하였다. 그의 학생들은 그의 생애에서 대단한 자부심이 되었다. 앳킨슨은 평생동안 동료 심사를 거친 저널논문을 109편 출판하였고, 3권의 저서를 냈으며, 15편의 단행본을 출간하였다. 그의 혁혁한 업적으로 여러 가지 상을 수상하기도 하였다. 또한 미국심리학회(APA) 제17분과인 상담심리학회(Society of Counseling Psychology)의 특별회원, 미국심리학회 제45분과인 소수민족 문제에 대한 심리학적 연구회(Society for the Psychological Study of Ethnic Minority Issues)의 특별회원, 미국심리학연구회(American Psychological Society)의 특별회원이었다. 2000년에는 제17분과 심포지엄에서 '밀레니엄 시대의 다문화 학자' 중 한 사람으로 인정받기도 하였다. 2001년에는 제45분과에서 주는 우수연구공로상

(Distinguished Career Contributions to Research)을, 2005년에는 국립 다문화 회의 및 정상 회담에서 대통령 표창과 엘더(elder) 공인 메달을 받았다. 상담심리학회에서도 학회의 최고상인 레오나 타일러상(Leona Tyler Award)을 수상하였다.

주요 저서

Atkinson, D. R. (1998). *Counseling American Minorities* (5th ed.). *New York:* McGraw-Hill.

Atkinson, D. R., & Hackett, G. (1998). *Counseling Diverse Populations* (2nd ed.). *New York:* McGraw-Hill.

야스퍼스
[Jaspers, Karl Theodor]

1883. 2. 23. ~ 1969. 2. 26.
독일의 정신과 의사이자 철학자.

야스퍼스는 1883년 독일 북부 올덴부르크(Oldenburg)에서 태어났다. 그의 집안은 북부 독일의 자유주의 사상의 문화적 분위기로 둘러싸여 있었고, 야스퍼스는 북부 독일의 프로테스탄티즘의 정신을 물려받았다. 야스퍼스는 어려서부터 철학에 관심을 가지고 있었지만 변호사였던 아버지의 영향을 받아 대학에서는 법률을 전공하였다. 이에 하이델베르크(Heidelburg)대학교, 뮌헨(München)대학교 등에서 법률을 배운 야스퍼스는 법학에는 흥미를 잃고 1902년에 의학으로 전공을 바꾸어 괴팅겐(Göttingen)대학교, 하이델베르크대학교에서 의학을 공부하면서 범죄학 관련 주제에 몰두하였다. 1909년 의대를 졸업하고 하이델베르크에 있는 정신과 병원에서 일을 하게 되었는데, 그는 정신적 질환에 대한 당시의 접근법에 불만을 가지게 되었다. 그러고는 정신과적 접근법을 개선하는 것이 자신의 사명이라고 생각하기에 이르렀다. 1913년에는 하이델베르크대학교에서 임시로 심리학을 가르쳤으며, 1916년에 정식교수가 되었다. 하이델베르크대학교에 있는 동안 그는 『General Psychopathology』를 출판하여 자신이 가지고 있던 정신과적 질환에 대한 의견을 피력하였다. 이 책에서 야스퍼스는 여러 심리학적 방법을 검토하여 기존의 독단론적인 입장을 비판하고, 상대화된 과학적 인식방법을 제기하였다. 당시 하이델베르크에서 교수로 있던 막스 베버(Max Weber)를 만나 가까워진 그는 1919년에 『Psychologie der Weltanschauungen』을 발표하였다. 이때부터 심리학에서 철학으로 관심이 옮겨 갔다. 1921년에 철학교수가 되고부터는 철학에 몰두하여 『Der geistige Situation der Zeit』(1931), 『Philosophie』와 같은 저서를 출간하면서 실존철학자로서의 면모를 과시하였다. 40세 무렵에는 시선을 철학에서 심리학으로 다시 돌려 정신의학적인 연구주제를 더욱 확장시켜 나갔다. 이때부터 철학자로 이름을 알리면서 독일을 비롯한 유럽에서 명성이 자자해졌다. 1933년 나치가 통치를 하게 되면서 야스퍼스는 아내가 유대인이라는 이유로 멸시를 받았고, 1937년에는 강단에서 강제로 물러나게 되었다. 1938년에는 출판물까지 금지를 당했지만 여러 친구들 덕분에 연구는 계속할 수 있었다. 야스퍼스는 1938년 프랑크푸르트에서의 강연을 모아 『Philosophy of Existence』라는 제목으로 출판하기도 하였다. 하지만 야스퍼스 부부는 하이델베르크가 미군에 의해 해방이 되는 1945년 3월 30일까지 포로수용소에서 죽음의 위협 속에 있었다. 1948년 스위스의 바젤(Basel)대학교로 가게 된 야스퍼스는 그곳에서 눈을 감는 1969년까지 철학분야에서 명성을 날렸다. 만년에도 왕성한 집필활동은 멈추지 않고 계속 이어 갔다. 야스퍼스의 사상은 키르케고르(Kierkegaard), 니체(Nietzsche) 등에게서 영향을 받아 나중에 라캉(Lacan), 허쉬(Hersch), 아렌트(Arendt) 등에게 영향을 주었다. 그는 실증주의적 과학에 대한 과신을 경고하면서, 근원적 불안에 노출된 인간의 비합리성을 간파하여 본래적 인간존재의 양태를 전개해 나가는 실존철학으로 기대를 구원하는 방법을 구가하였다. 인간존재를 규명하는 철학적 사색은 추상적 사유에서 그치는 것이 아니라 인간 존재에 대한 근원을 탐색해 들어가는 활동이므로, 철학은 '철학한다(Philosophieren)'는 일이라고 야스퍼스는 말하였다. 이러한 철학적 사색은 세계, 실존, 초재(超在) 등의 세 존재 차원을 순서대로 거치면서 존재에 관하여 규명할 수 있다. 이처럼 야스퍼스는 현대의 신학, 정신의학, 철학 등에 지대한 영향을 미친 인물로, 정신과에서 수련의 과정을 마친 후에 철학적 연구에 돌입하면서 혁신적인 철학적 체계를 발견하고자 하였다. 야스퍼스는 독일의 실존주의자 중 가장 중요한 인물 중 한 사람으로 평가받고 있다.

주요 저서

Jaspers, K. T. (1948). *The Question of German Guilt*. New York: Random House.

Jaspers, K. T. (1971). *Philosophy of Existence*. Penssilvania: Univ. of Pennsylvania Press.

Jaspers, K. T. (1979). 철학적 신앙. (신옥희 역). 이화여자대학교출판부.

Jaspers, K. T. (1989). 계시에 직면한 철학적 신앙[Der philosophische glaube Angesichts der offen barung]. (신옥희 외 역). 서울: 분도출판사.

Jaspers, K. T. (1990). 비극론 인간론 외 [Die geistige Situation der Zeit]. 경기: 범우사.

Jaspers, K. T. (1997). *General Psychopathology*. Maryland: The Johns Hopkins Univ. Press.

Jaspers, K. T. (1997). 대학의 이념[*Die Idee der Universitat*]. (이수동 역). 서울: 학지사. (원저는 1946년에 출판).

Jaspers, K. T. (1999). 이성과 실존[*Reason and Existenz*]. (황문수 역). 경기: 서문당. (원저는 1996년에 출판).

Jaspers, K. T. (2003). *Way to Wisdom: An Introduction to Philosophy*. Yale Univ. Press.

Jaspers, K. T. (2004). 야스퍼스의 불교관. (정병조 역). 경기: 한국학술정보.

Jaspers, K. T. (2005). *Myth & Christianity: An Inquiry into the Possibility of Religion Without Myth*. *New York:* Prometheus Books.

Jaspers, K. T. (2005). 위대한 사상가들: 소크라테스, 석가모니, 공자, 예수[*Socrates, Buddha, Confucius, Jesus: From The Great philosophers*]. (권영경 역). 서울: 책과함께. (원저는 1957년에 출판).

Jaspers, K. T. (2009). 철학학교 비극론 철학입문 위대한 철학자들 [Kleine Schule des Philosophischen Denkens Über das Tragische Elnführung in die philosophie(Die) groben philosophen]. (전양범 역). 서울: 동서문화사.

Jaspers, K. T. (2010). *Mann in the Modern Age*. London: Routledge.

야콥슨
[Jacobson, Edith]

1897. 9. 10. ~ 1978. 12. 8.
독일의 정신분석학자이자 의사.

야콥슨은 독일의 하이데나우(Heidenau)에서 태어났으며, 아버지는 의사였고 어머니는 음악가였다. 예나(Jena), 하이델베르크(Heidelburg), 뮌헨(München) 등에서 의과대학을 다니다가 1922년 뮌헨대학교에서 학위를 받은 뒤 하이델베르크에 있는 대학병원에서 소아과 인턴으로 3년간 근무하였다. 인턴기간 중 정신분석에 관심을 갖게 되어, 아동의 성(childhood sexuality)에 관한 사례를 관찰하였다. 이후 1925년 베를린정신분석연구소에서 오토 페니켈(Otto Fenichel)을 분석가로 하여 교육을 받기 시작하였다. 1930년에는 베를린정신분석학회 회원이 되고, 1934년 베를린연구소에서 교육분석가로 지명되었다. 1930년대에는 자신의 환자에 대한 정보를 주지 않았다는 이유로 나치에 의해 투옥되기도 하였다. 수감생활을 하던 중에 그레이브스병과 당뇨로 고생하였다. 그러다가 라이프치히(Leipzig)에서 병원에 후송되었을 때 친구의 도움으로 독일에서 탈출하여 1941년 미국으로 건너갔다. 그곳에서 뉴욕정신분석학회 및 연구소(New York Psychoanalytic Society and Institute)의 일원이 되었다. 수용소에서의 체험이 이인증, 우울증 등에 관한 정신분석학적 연구로 꽃필 수 있었던 야콥슨은 1978년 뉴욕에서 숨을 거두었다. 야콥슨은 하르트만(H. Hartmann)의 자아심리학 이론을 받아들이고 대상관계론적 관점을 더하여 대상관계론적 자아심리학을 펼쳤다. 또한 그의 영유아 자아발달이론은 말러(M. S. Mahler)와 발달심리학에서 그 뿌리를 찾을 수 있다. 야콥슨은 자아와 초자아의 기능, 그 발달에 바탕이 되는 동일시 과정, 우울 중에서의 자아와 초자아의 역할 등을 이론과 임상에서 연구하였다. 하르트만과 더불어 야콥슨은 자기표현(self-representation)이라는 개념을 정신분석이론에 접목시켰는데, 특히 우울증과 정신증 환자들의 자기표현에 관심이 많았다. 이와 관련한 야콥슨의 논문집 『Depression: Comparative Studies of Normal Neurotic, and Psychotic Conditions』가 1971년에 나왔고, 1964년에 출간한 『The Self and the Object World』는 야콥슨의 가장 주된 이론적 저서다. 야콥슨은 경계선 환자와 정신병 환자들의 억압과정을 관찰하여 이들이 대상관계, 자아기능, 초자아 구조 및 기능 등에서 얼마나 심각한 문제를 일으키는지 밝혀냈다. 야콥슨의 연구는 엄격한 정신분석이라는 이론의 틀 안에 자기발달과 정신적 표현이라는 개념을 획기적으로 접목시켰을 뿐만 아니라 욕동이론과 구조이론, 대상관계이론 등을 인지, 발달적 통합 등에 삽입하여 현재까지 영향력을 미치고 있다. 즉, 그는 정체감 및 자긍심 발달과 우울 및 정신분열증에 관한 치료에 정신분석적 사상을 적용한 인물로서, 정신분석의 3구조 모델을 대상관계이론에 통합시켜 욕동(drive theory)을 고안해 내어 오이디푸스기 이전의 내담자에 대한 치료적 가능성을 열어 주었다.

주요 저서

Jacobson, E. (1964). *The Self and The Object World. New York:* International Univ. Press.

Jacobson, E. (1967). *Psychotic Conflict and Reality. New York:* International Univ. Press.

Jacobson, E. (1971). *Depression: Comparative studies of normal, neurotic, and psychotic conditions. New York:* International Univ. Press.

ㅇ

얄롬
[Yalom, Irvin D.]

1931. 6. 13. ~
미국 출신의 실존주의적 심리치료사.

얄롬은 러시아에서 제1차 세계 대전 직후 미국으로 이민 온 러시아계 유대인으로, 워싱턴(Washington)에서 태어났다. 그의 부모는 공식적인 교육적 배경이 없었고, 생존을 위한 처절한 삶의 현장에서 시간을 보내기 일쑤였다. 이런 그에게 책, 주로 소설은 피난처이자 지혜와 영감의 근원이 되었다. 1952년 조지워싱턴(George Washington)대학교를 졸업하고 1956년 보스턴(Boston)대학교에서 의학 박사학위를 취득한 그는 의과대학에 있으면서 정신의학 공부는 소설가 톨스토이(Tolstoi)와 도스토옙스키

(Dostoevsky)가 가진 인간에 대한 번뇌나 고민과 유사하다는 것을 느꼈다고 피력하였다. 이후 얄롬은 1962년 스탠퍼드(Stanford)대학교 의과대학 강사를 시작으로 교수, 병원 정신과 과장, 의학센터 컨설턴트로 지냈으며, 1994년 이후로는 동 대학의 명예교수로 있다. 그는 1974년에 임상 심리와 연구에 대한 공헌으로 에드워드 스트렉커 상(Edward Strecker Award)을 수상하였고, 1979년에는 미국정신의학회에서 주는 재단기금상을 받았다. 또한 2000년에는 심리학과 종교에 기여한 학문적 업적으로 오스카 피스터 상(Oscar Pfister Prize)을 수상했는데, 시상식에서 그는 종교와 심리학은 대립각을 세우고 있기도 하지만 동시에 인간이 가진 문제를 고민하고 해결하려는 같은 짐을 지고 있다고 말하였다. 얄롬은 인간이 무의식적으로 죽음을 부정하면서 소위 '사랑'이나 '행복'을 추구하려는 것은 잘못된 것이며, 이러한 부정 때문에 사람은 진정한 삶의 의미를 누리지 못하는 병리현상에 시달린다고 주장하였다. 또한 4개의 궁극적 관심, 즉 죽음, 자유와 책임, 고립, 무의미에 관심을 둔 실존 치료를 개발하였다. 얄롬의 입장을 정리하면 다음과 같다. 첫째, 죽음은 불안의 가장 근본적인 원천이며 삶과 죽음, 존재와 비존재는 상호적이다. 실존적 갈등은 죽음의 불가피성에 대한 자각과 삶을 지속하려는 소망 간의 갈등으로 빚어진다. 둘째, 자유는 책임을 가정한다. 인간은 의미 있게 세상에 참여할 책임과 동시에 자신의 삶에 대한 책임도 있다. 자유롭게 태어난 인간은 안정되고 구조화된 세상에 살지 못하여 갈등한다. 셋째, 고립은 세 가지 유형, 즉 대인관계적 고립과 개인 내적 고립 및 실존적 고립이 가정된다. 대인관계적 고립은 다른 사람들과 차단된 정도에 따라 고독을 경험하는 것이고, 개인 내적 고립은 자신에 대한 자각으로부터 봉쇄되거나 자신의 부분과 해리된 것이며, 실존적 고립은 개인이 세상에 홀로 와서 살다가 떠난다는 인간조건에 뿌리를 둔 것으로서 고립의 가장 근본적인 형태다. 실존적 갈등은 자신의 근본적 고립에 대한 자각과 접촉, 보호, 그리고 전체의 부분이 되고자 하는 소망 간의 갈등이다. 넷째, 무의미는 삶의 의미가 무엇인가의 질문에 대한 내적 갈등이다. 실존적 갈등은 전혀 의미가 없는 세계에서 자신의 의미에 대한 욕구를 어떻게 발견할 것인가에 대한 내적 갈등이다. 집단작업과 실존주의에 관한 얄롬의 저작은 상담에 큰 영향을 미쳤고, 『Love's executioner』와 같은 유명한 저작은 대중에게도 치료과정에 대한 통찰력을 주었다.

주요 저서

Lieberman, M. A., Yalom, I. D., & Miles, M. B. (1973). *Encounter groups: First facts*. New York: Basic Books.

Yalom, I. D. (1983). *Inpatient group psychotherapy*. New York: Basic Books.

Yalom, I. D., & Vinogradov, S. (1989). *Concise guide to group psychotherapy*. Washington (DC): American Psychiatric Press.

Yalom, I. D. (1998). *The Yalom reader*. New York: Basic Books.

Yalom, I. D. (2005). 나는 사랑의 처형자가 되기 싫다[*Love's executioner*]. (최윤미 역). 서울: 시그마프레스. (원저는 1989년에 출판).

Yalom, I. D. (2007). 실존주의 심리치료[*Existential psychotherapy*]. (임경수 역). 서울: 학지사. (원저는 1980년에 출판).

Yalom, I. D. (2008). 집단 심리치료의 이론과 실제[*Theory and practice of group psychotherapy*]. (최해림, 장성숙 역). 서울: 하나의학사. (원저는 1975년에 출판).

Yalom, I. D. (2010). 엄마와 삶의 의미[*Momma and the meaning of life*]. (최웅용 외 역). 서울: 시그마프레스. (원저는 1999년에 출판).

에건
[Egan, Gerald]

1986. ~
유능한 상담자, 『The Skilled Helper』의 저자이며, 조직발달과 심리학자.

에건은 조직발달 및 심리학 교수다. 그는 10여 권의 저서를 출판했는데, 대표 저서인 『The Skilled Helper』는 현재 세계에서 가장 널리 활용되는 상담 전문서적으로 손꼽히고 있다. 자신이 북미에서 경험한 이들을 바탕으로 해서 집필한 이 책은 사람들의 이해를 돕고 타인과의 의사소통에 필요한 요소를 구축하기 위한 두문자어(acronym), 'SOLER'를 사용하고 있다. SOLER란 정면으로 바로 앉아서(Sitting squarely), 열린 자세를 하고(Open posture), 필요시에는 앞으로 구부리기도 하며(Leaning forward), 눈을 맞추고(Eye contact), 몸을 충분히 편안하게 이완하여(Relaxed body) 표현하는 과정을 머리글자로 만든 말이다. 에건은 이 같은 작은 기술(micro skills)들이 다른 사람과 작업을 할 때 서로 관계를 맺고 보호해 줄 수 있는 감각을 만들어 낸다고 생각하였다. 세계 여러 조직 및 기관에서 상담을 하고 있는 에건에 따르면, 유능한 상담자는 상담과정에 관하여 완전하게 인식적으로 이해하고, 심리학에 관한 단단한 이론적 기반을 가지고, 임상경험이 있고, 공인된 교육과정을 모두 마친 사람이다. 에건은 내담자를 도와줄 수 있는 광범위한 모델을 제공할 수 있어야 하며, 내담자가 문제에서 벗어나서 발전의 기회를 갖는 방법을 배울 수 있게 하고, 내담자 스스로 더 나은 의사결정을 할 수 있도록 함과 동시에 변화에 대한 책임도 질 수 있도록 하며, 긍정적이고 유익한 관계를 발전시켜 나가도록 하는 것이 상담자의 역할이라고 말하였다.

주요 저서

Egan, G. (2009). 유능한 상담자[*The Skilled Helper*]. (제석봉 외 역). 서울: 학지사. (원저는 1999년에 출판).

Egan, G. (2011). 제럴드 이건의 상담기술연습서: 유능한 상담자 동반 워크북[*Outlines & Highlights for the Skilled Helper*]. (서미진 역). 센게이지러닝코리아(Cengage Learning). (원저는 1975년에 출판).

에드워드
[Edwards, Allen Louis]

미국의 심리학자이며 정신 및 심리평가 전문가.

텍사스(Texas) 주에서 태어난 에드워드는 노스웨스턴(Northweston)대학교에서 철학박사학위를 취득한 뒤 오클랜드(Oakland)대학교, 메릴랜드(Maryland)대학교, 워싱턴(Washington)대학교 등에서 심리학 교수를 역임하였다. 미국심리학회 회장, 정신측정학회(Psychometric Society) 회장, 미국심리학회 평가 및 측정학회 부회장 등을 역임한 그는 정신 및 심리평가 전문가로서 그 분야에 관한 저서와 논문을 다수 발표하였다. 에드워드 성격 선호 검사(Edwards Personal Preference Schedule), 성격 연구 양식(Personality Research Form) 등의 성격검사도 만들었는데, 이 검사들은 현재 연구에서 많이 사용되고 있다.

주요 저서

Edwards, A. L. (1957). *Techniques of Attitude Scale Construction*. N. J. : Prectice-Hall.

Edwards, A. L. (1970). *The Measurement of Personality Traits by Scales and Inventories*. Holt, Rinehart and Winston.

Edwards, A. L. (1971). *Probability and Statistics*. Holt, Rinehart & Winston of Canada Ltd.

Edwards, A. L. (1973). *Statistical Methods*. Holt, Rinehart & Winston of Canada Ltd.

Edwards, A. L. (1974). *Statistical Analysis*. Holt,

Rinehart & Winston of Canada Ltd.

Edwards, A. L. (1976). *Introduction to Linear Regression and Correlation*. W. H. Freeman & Co Ltd.

Edwards, A. L. (1979). *Multiple Regression and the Analysis of Variance and Covariance*. W. H. Freeman & Co Ltd.

Edwards, A. L. (1982). *The Social Desirability Variable in Personality Assessment and Research*. Greenwood Press.

Edwards, A. L. (1984). 교육 및 심리 실험설계법[*Experimental Design in Psychological Research*]. (김호권 외 역). 서울: 배영사. (원저는 1966년에 출판).

에릭슨
[Erickson, Milton Hyland]

1901. 12. 5. ~ 1980. 3. 25.
미국의 심리학자, 정신과 의사, 최면치료사.

에릭슨은 네바다(Nevada) 주의 한 광산촌에서 태어났다. 그는 태어날 때부터 색맹이었다. 9형제 중 셋째였던 그는 위스콘신의 로웰(Lowell)에서 성장하였다. 그의 집안은 중산층의 농가였고 어렸을 때는 아버지 같은 농부가 되려는 마음을 먹고, 8세 때부터 소젖 짜는 일을 하는 등 농장 일을 도왔다. 에릭슨은 어렸을 때 발달장애와 난독증이 있었지만 오히려 이를 모두 극복한 경험이 그에게 중요한 영감을 주었다. 17세 되던 해 소아마비에 걸렸고, 신경마비 상태가 너무 심해서 의사로부터 거의 사망 선고를 받기도 하였다. 이 같은 사건을 겪으면서 에릭슨은 자동최면 경험을 하였고, 이는 에릭슨의 삶에 지대한 영향을 미쳤다. 병에서 회복된 후에도 에릭슨은 거의 병상에 누워 지내야만 했고 말도 하지 못했는데, 이때 그는 비언어적 의사소통의 중요성을 강하게 실감하였다. 그런 중에서도 1919년 고등학교를 졸업하고 고학으로 의과대학까지 마쳤다. 에릭슨은 생명까지 위협받는 심각한 전신마비 증상도 겪었지만 이를 극복하는 과정에서 적극적이고 굳은 의지를 발휘하는 태도를 갖게 된 것이다. 그는 자신의 신체에서 근육의 움직임으로 인한 신체에 새겨진 기억(body memories)을 회상하면서 그것에 집중하여 천천히 자기 몸을 통제할 수 있는 능력을 갖게 되었다. 그는 의식 외에 존재하는 마음속에 저장된 무의식적 정보를 활용할 수 있는 도구로 최면에 관심을 보였다. 대학 졸업 이후 콜로라도(Colorado) 종합병원에서 인턴과정을 마치고 박사학위를 받은 에릭슨은 1930년부터 1934년까지 매사추세츠 주 워세스터주립병원(Worcester State Hospital)에서 정신과 의사로 일하였다. 그 후 1935년부터 1939년까지는 미시간 주 시립병원에서 정신과장으로 근무하였다. 1950년대 초, 인류학자이자 인공두뇌학자였던 베이트슨(G. Bateson)이 에릭슨을 의사소통연구의 자문으로 영입하여, 이때부터 헤일리(J. Haley), 밴들러(R. Bandler), 그라인더(J. Grinder) 등과 함께 일하였다. 1970년에는 실제 임상에서 은퇴하고 자신의 집으로 찾아오는 전 세계의 제자들에게 가르침을 주었다. 에릭슨은 1980년 79세의 나이로 숨을 거두었지만 그의 영향력은 심리학, 정신의학, 심리치료, 최면치료, 교육학, 의사소통 등에서 여전히 큰 힘을 발휘하고 있다. 그는 다른 일반 심리학자들과는 달리 자신만의 상담 및 심리치료이론을 만들지 않고, 개인의 특성을 기반으로 한 치료적 의사소통을 해야 한다고 주장하였다. 이 같은 이유로 실제 현대심리학에서의 그의 공헌에 비해 지명도는 그다지 높지 않다. 에릭슨은 주로 가장 중요하게 손꼽히는 최면치료사로 알려져 있다. 그는 미국 피닉스 애리조나(Phonenix Arizona)에서 영업을 한 정신과 의사이자 최면치료사로서, 현대에서는 그를 가족치료 전문가로 분류하기도 한다. 그는 미국임상최면연구회(American Society for Clinical Hypnosis)의 초대회장이었으며, 미국정신의학회(American Psychiatric Association)의 특별회원이기도 하였다. 그의 접근법은 무의식적인 정신에 창의적이고 해결 지향적인 방법을 사용한다는 점이 특징이다. 그의 방법들은 단기치료, 전략적 가족치료, 가족체계치료, 해결중심단기치료, 신경언어프로그래밍 등에 큰 영향을 미치고 있다. 에릭슨은 무의식적인 정신의 힘에 대한 사례로서 주로 자신의 경험을 많이 끌어왔는데, 시드니 로젠(Sidney Rosen)은 에릭슨의 자전적 이야기를 담아서 『My Voice Will Go With You』를 출판하기도 하였다.

주요 저서

Erickson, M. H. (1976). *Hypnotic Realities: The Induction of Clinical Hypnosis and Forms of Indirect Suggestion*. Irvington Pub.

Erickson, M. H. (1981). *Experiencing Hypnosis: Therapeutic Approaches to Altered States*. Irvington Pub.

Erickson, M. H., & Rosen, S. (1982). *My Voice Will Go With You*. New York & London: Norton & Com.

Erickson, M. H., & Rossi, E. A. (1989). *The February Man: Evolving Consciousness and Identity in Hypnotherapy*. New York: Brunner/Mazel Pub.

에릭슨
[Erikson, Eric Homberger]

1902. 6. 15. ~ 1994. 5. 12.
심리학자이자, 정신분석학자.

에릭슨은 독일의 프랑크푸르트(Frankfurt)에서 태어났다. 그러나 에릭슨이 태어나기 전부터 부모가 헤어져 있던 상태였으며, 덴마크 출신인 어머니가 독일에 와서 에릭슨을 낳았다. 에릭슨이 태어나고 얼마 되지 않아 아버지는 사망했고, 젊은 유대 여성이었던 어머니 혼자 에릭슨을 키우다가 에릭슨이 3세 때 유대인 소아과 의사와 재혼하였다. 에릭슨은 어릴 적부터 뛰어난 학생이었고, 고대역사와 미술을 좋아하였다. 학교 졸업 후 대학 진학을 바로 하지 않고 유럽여행을 했는데, 여행 중 1927년에 프로이트(S. Freud)의 딸인 안나 프로이트(A. Freud)를 만나게 되었다. 그녀는 에릭슨에게 아동분석가가 될 것을 제안하였고, 에릭슨은 25세의 나이에 안나 프로이트가 운영하던 학교에서 아이들을 가르치게 되었다. 27세가 되어 에릭슨은 미국의 미술가이며 작가인 여성과 결혼하였다. 1933년에는 비엔나정신분석연구소를 졸업하고, 독일이 나치 치하에 들어가면서 아내와 함께 덴마크로 갔다가 다시 미국으로 넘어왔다. 미국 보스턴에 자리를 잡고 아동정신분석학자가 된 에릭슨은 매사추세츠 일반병원(Massachusetts General Hospital), 하버드 의과대학, 심리클리닉 등에서 일하였다. 1936년, 에릭슨은 예일대학교 교수가 되어 인간관계연구소(Institute of Human Relations)에서 일하면서 의과대학 강의를 하였다. 1950년에는 캘리포니아대학교를 떠나, 10년 동안 오스틴리그센터(Austen Riggs Center)에서 근무하였다. 1960년대에 들어와 에릭슨은 다시 하버드대학교로 돌아와서 인간발달을 전공으로 교수 자리에 앉아 1970년 퇴직할 때까지 머물렀다. 에릭슨은 만년에 이르기까지 집필활동을 하면서 정신분석에 기반을 둔 성격이론을 세상에 알리고, 1994년 사망하였다. 그가 만든 8단계의 심리사회적 발달단계는 아동발달 분야에서 선도적 역할을 하였다. 그에 따르면 각 단계마다 과업을 거치며 획득되는 요소가 있다. 첫 번째 단계는 생후 1년

ㅇ

까지로 신뢰와 불신의 단계이며, 이때 획득되는 것은 희망이다. 두 번째 단계는 생후 3세까지로 자율성과 수치심 및 의심의 단계이며, 의지를 획득한다. 세 번째 단계는 6세까지로 솔선과 죄의식의 단계이며, 목적성을 획득한다. 네 번째 단계는 근면과 열등감의 단계이며, 능력을 획득한다. 다섯 번째 단계는 청소년기에 해당하는데 정체성과 역할혼미의 단계이며, 이때는 성실성을 획득한다. 여섯 번째 단계는 친밀성과 고립의 단계이며, 획득해야 할 것은 사랑이다. 일곱 번째 단계는 중년기에 해당하는데 생산성과 침체의 단계이며, 이때는 돌봄(caring)을 획득해야 한다. 마지막 단계는 노년기에 해당하는데 자아 통합과 절망감의 단계이며, 이때 획득해야 할 것은 지혜다. 이 같은 에릭슨의 성격 발달단계 중 가장 중점적인 연구를 거친 것은 청소년기다. 그리고 성년 이후의 단계에 대해서는 비판도 많다. 그의 저서 중 가장 잘 알려진 『Childhood and Society』(1950)를 비롯한 『Identity: Youth and Crisis』(1968) 등에 그의 사상이 잘 나타나 있으며, 이외에도 『Gandhi's Truth』(1969)에는 생애주기에서 후반기에 적용되는 이론이 설명되어 있다. 이 책으로 에릭슨은 퓰리처상(Pulitzer Prize)과 국가도서상(National Book Award)을 수상하였다. 1973년에는 국립인문장려재단(National Endowment for the Humanities)에서 에릭슨을 인문학에서는 최고의 영예인 제퍼슨 강연자(the Jefferson Lecture)로 뽑았다. 그는 인간은 모두 동일한 욕구를 가지고 있고, 그 욕구는 사회문화적 환경에 의해 충족될 수도 혹은 좌절될 수도 있다고 하였다. 특히 인간정서발달에서 사회적 관계에서 발생하는 심리적 특성을 강조하고는 자신의 이론을 심리사회적 발달이론(Psycho-Social Development Theory)이라 하였다. 에릭슨은 부모, 형제, 친구 등과의 대인관계가 정서발달에 중요한 사회 심리적 관계라고 강조하면서, 이러한 대인관계의 질이 정서발달을 결정한다고 보았다. 그는 연령별로 특징적인 정서상태가 나타난다고 생각하여 인간의 일생을 8단계로 나눈 것이다. 각 단계에서는 상충되는 양극의 정서를 경험하는 갈등을 겪으며 정서발달을 이루게 된다.

주요 저서

Erikson, E. H. (1939). Observations on sioux education. *Journal of Psychology, 7,* 101-156.

Erikson, E. H. (1943). Observations on the Yurok: Childhood and world image. *University of California Publications in American Archaeology & Ethnology, 13,* 256-302.

Erikson, E. H. (1950). *Childhood and Society.* New York: Norton & Com.

Erikson, E. H. (1958). *Young Man Luther: A Study in Psychoanalysis and History.* N.Y.: Norton & Com.

Erikson, E. H. (1959). *Identity and the life cycle: Selected papers.* New York: International Universities Press York.

Erikson, E. H. (1964). *Insight and Responsibility.* New York: Norton & Com.

Erikson, E. H. (1968). *Identity: Youth and Crisis.* New York: Norton & Com.

Erikson, E. H. (1969). *Gandhi's Truth.* New York: Norton & Com.

Erikson, E. H. (1974). *Dimensions of a New Identity.* Norton & Com.

Erikson, E. H. (1975). *Life History and the Historical Moment.* New York: Norton & Com.

Erikson, E. H. (1977). *Toys and Reasons.* New York: Norton & Com.

Erikson, E. H. (1955, 1980). *Identity and the Life Cycle.* New York: Norton & Com.

Erikson, E. H. (1982). *The Life Cycle Completed.* New York: Norton & Com.

에메
[Aime]

라캉(J. Lacan)이 학위논문에서 '자벌 편집증(自罰偏執症, paranoia d'autopunition)'이라는 질환 개념을 제창하는 계기가 되었던 여성 환자.

에메는 가난한 농가에서 여섯 형제 중 셋째로 태어났다. 정신병적 경향을 가진 어머니를 대신해서 맏언니가 부모역할을 하였고, 에메를 포함한 형제들의 뒷바라지를 하였다. 맏언니는 에메와 대조적으로 강인한 성격의 소유자였는데, 에메는 그녀를 전반적인 면에서 어머니 역할로 인식하였다. 이것이 후에 망상의 발전에 결정적인 의미를 갖게 되었다. 에메는 28세 때 첫 임신을 하였고, 이때 일과성으로 미완성 비체계적 해석망상을 보였으며, 사산(死産)한 후에 친구인 여성에게 체계화된 피해망상을 보였다. 나아가 30세에 사내아이를 출산하고, 계속해서 해석경향(解釋傾向)이 재연되었으며, 33세에 파리로 가서 라캉이 상태기(priode d'tat)라고 부르는 망상의 다산기로 이행하였다. 즉, 여자배우나 여류작가라고 하는 앞서 말한 맏언니, 즉 에메의 자아망상을 상징하는 여성박해자가 아들을 저격했다는 망상으로 결정화(結晶化)되었다. 결국 38세 때 유명 여배우를 습격하는데, 구금 20일째에 망상의 갑작스러운 소거(消去)를 보였다. 라캉은 망상의 자연치유에 주목하여, 그것이 외재화(外在化)된 스스로의 자아망상에 대한 공격으로 간접적인 자벌욕구의 만족에서 유래한다고 보았다.

에인스워스
[Ainsworth, Mary Dinsmore Salter]

1913. 12. 1. ~ 1999. 3. 21.
캐나다 출신의 발달심리학자이자 핵심 애착이론가.

에인스워스는 오하이오주 글렌데일(Glendale)에서 중산층의 사업가 아버지에게서 3녀 중 장녀로 태어났다. 그녀의 부모는 두 사람 모두 디킨슨(Dickinson)대학교를 졸업했는데, 아버지는 역사학을 전공하여 석사학위를 취득하였다. 그는 에인스워스가 5세가 되던 해인 1918년에 캐나다 토론토로 이주하였다. 에인스워스의 부모는 교육열이 강하였다. 부모의 교육에 대한 열정으로 일찍 윌리엄 맥두걸(William McDougall)의 저서 『Character and the Conduct of Life』를 접하여 심리학에 관심을 가지게 되었다. 그녀는 1929년 토론토(Toronto)대학교에서 심리학부의 'honors program(우등생 지도과정)'에 들어가서 1935년에 학사학위를 취득한 뒤, 이듬해인 1936년에는 석사학위를 취득하였고, 1939년 박사학위까지 모두 토론토대학교에서 마쳤다. 제2차 세계 대전 중에는 토론토대학교에서 강의를 하다가 1942년 캐나다 여군에 지원하여 1945년에 소령으로 전역하였다. 전쟁이 끝나고는 토론토로 돌아와서 성격심리학과 행동연구에 관한 강의를 계속하다가, 1950년 레오나르드 에인스워스(Leonardo Ainsworth)와 결혼하여 함께 런던으로 자리를 옮기고, 레오나르드는 그곳에서 대학원 과정을 마쳤다. 에인스워스는 런던에서 볼비(Bowlby)의 연구보조자 모집광고를 보고 응모해 채용된 다음 40년 동안 볼비와 공동연구를 이어 갔다. 영국에 있는 동안 에인스워스는 타비스톡클리닉(Tavistock Clinic)의 연구팀으로 참여하여 아동발달에서 모성분리의 영향에 관한 연구를 하였다. 이 연구에서, 불안정한 어머니-아이의 유대관계를 정상적인 어머니-아이 관계에 비교해 보았을 때 어머니라는 인물이 주는 영향의 결여로 '역기능적인 발달 영향'이 나타난다는 것을 알 수 있었다. 1954년 남편이 우간다로 전근을 가게 되어 그곳에서 체류한 2년(1954~1955) 동안에는 생후 첫 1년간의 어머니와 아이의 상호관계에 대한 자

연 그대로의 종단적 관찰을 하였다. 이 연구는 1967년 『Infancy in Uganda』라는 책으로 출간되었다. 이 책에서 그녀는 볼비가 책에서 개관해 놓은 애착 단계에 관해 서술하였다. 우간다의 연구에서 에인스워스는 아이들의 서로 다른 애착유형에 관심을 갖기 시작했으며, 또한 아이들이 어떻게 자신의 어머니를 안전 기지로 삼아 외부세계를 탐색하는지에 대해서도 연구하였다. 실제로 볼비는 영아의 안전기지행동에 대한 에인스워스의 견해를 인정해 주었다. 1955년 미국 볼티모어(Baltimore)로 돌아온 에인스워스는 진단에 관한 작업을 하면서 세퍼드 프랙 병원에서 임상심리학자로 일하였다. 1958년부터는 존스홉킨스(Johns Hopkins)대학교를 시작으로 해서 여러 대학교를 다니며 강의도 하였다. 볼티모어에서부터 에인스워스는 중류층 가정 23명의 아기와 그 어머니에 대한 연구를 시작했는데, 애착의 양상에 관하여 서술하였다. 이 연구는 발달심리학에서 엄청난 양적 연구가 일어나게 하는 촉발제가 되었다. 볼티모어 연구에서 그녀는 제자들과 함께 생후 1년 동안 아기와 어머니를 함께 관찰하기 위해서 3주마다 4시간씩 방문관찰을 하였다. 그 아기들이 생후 1년이 되었을 때는 새로운 환경에서 어떻게 행동하는지를 관찰하기 위해서 존스홉킨스대학교의 놀이방으로 오도록 하였다. 그녀는 아기들이 외부세계를 탐색할 때 어떻게 어머니를 안전기지로 삼는지 관찰하면서, 두 번의 짧은 격리에 대한 반응을 살펴보았다. 이러한 종단적 연구로, 그녀는 안정애착이 아동의 신호와 요구에 대한 어머니의 민감성에 따르는 산물이라는 생각을 하게 되었다. 에인스워스의 주장은 다른 연구자들로부터 매우 일관적인 지지를 받았다. 이후 1950년대 말부터는 남편과의 관계에 문제가 불거져 1960년대 초에 이혼을 하고, 우울증을 앓기도 하였다. 그러던 중 친구인 요제프 리히텐베르크(Joseph Lichttenberg)의 추천으로 장기간의 정신분석을 성공적으로 받았다. 그때부터 에인스워스는 정신분석의 가치와 오이디푸스콤플렉스 및 무의식의 의미에 관하여 확신을 갖게 되었다. 1970년대에 들어서 그녀는 동료들과 함께 낯선 상황 절차(Strange Situation Procedure)를 개발했는데, 이는 연구의 이론적 · 실제적 기반이 탄탄하고 타당성이 높아 양육자에 대한 유아의 애착유형과 양식을 평가하는 훌륭한 도구가 되었다. 에인스워스는 여러 대학에서 강의를 하다가 1974년에 버지니아(Virginia) 대학교에 정착한 뒤, 70세 정년퇴임까지 나머지 학문적 생애를 모두 그곳에서 보냈다. 그 후에도 연구와 출판을 멈추지 않았고, 그 같은 업적들로 1985년 아동발달 우수공헌상(Award for Distinguished Contributions to Child Development), 1989년 우수과학공헌상(Distinguished Scientific Contribution Award) 등을 미국심리학회로부터 수상하였다. 또한 1998년에는 미국정신분석학회에서 주는 멘토링상(Mentoring Award) 및 생애과학공로상(Award for Lifetime Scientific Achievement)도 수상하였다. 그로부터 1년이 채 되지 않은 1999년 3월에 심장발작으로 버지니아의 샤로테스빌에서 생을 마감하였다. 에인스워스는 초기 정서적 애착에 대한 저서 『The Strange Situation』으로 이름을 세상에 널리 알렸고, 볼비와 함께 애착이론의 창시자로 평가받고 있다. 에인스워스의 이론은 경험적으로 증명이 된 이론으로, 생후 첫 1년간 아이와 어머니의 교류는 애착의 질에 매우 결정적인 요인이 된다는 것을 보여 주었다. 에인스워스는 생의 막바지에 이르러 어머니의 해결되지 않은 트라우마와 해체된 애착과 관련하여 관심을 갖기도 하였다. 지금까지도 심리학자들은 에인스워스가 창안해 낸 '20분 동안의 낯선 상황'이 가장 간단명료하면서도 강력한 행동 예측력을 가진 연구 방법이라고 평가하고 있다. 또한 에인스워스는 아이에게 민감하게 반응해 주는 것이 어떻게 아이가 다른 사람에 대한 필요와 자기독립성을 균형 있게 발달시키는지를 보여 주었다.

Ainsworth, M., & Bowlby, J. (1965). *Child Care and the Growth of Love*. London: Penguin Books.
Ainsworth, M. (1967). *Infancy in Uganda*. Baltimore: Johns Hopkins.
Ainsworth, M., Blehar, M., Waters, E., & Wall, S. (1978). *Patterns of Attachment*. Hillsdale, NJ: Erlbaum.

에픽테토스
[Epiktétos]

55. ~ 135.
2세기경 로마제정시대 스토아학파의 대표적인 철학자.

소아시아 출신 노예신분이었으나 네로에 의해 노예신분에서 해방되었고, 로마에서 학교를 다녔지만 90년에 로마에서 추방되어 후에 그리스 니코폴리스에서 자신의 학교를 만들어 강의를 하였다. 그는 노예 시절 고문을 받아 불구가 된 몸이었지만 노예신분에서 해방되자 청년들에게 철학을 가르쳤다. 에픽테토스는 실천을 중시하는 철학을 주창하였다. 이와 같은 그의 사상은 의지의 철학이라 할 수 있다. 있는 그대로의 자연을 인식하고 우리의 의지를 그에 일치시키기 위한 수련이 철학이라고 주장하였다. 도미티아누스(Domitianus) 황제의 철학자 추방령으로 로마에서 추방된 뒤, 그리스 서해안 니코폴리스(Nicopolis)로 가서 학교를 세운 그는 자유로울 수 있는 최대의 존재를 신으로 간주하였다. 그는 저서를 남기지 않았지만 제자인 아리아노스(Arrian)가 그의 강의를 간추려 『Discourses』『Handbook』 등을 남겼다. 135년경 숨을 거둔 에픽테토스의 가르침은 사고, 논리, 물리학, 윤리학 등을 중시하는 초기 스토아학파의 사상에 근거를 두고 있다. 하지만 『Discourses』나 『Handbook』을 보면 거의 윤리학에 집중되어 있다. 또한 그의 진짜 이름은 알려져 있지 않은데, 에픽테토스라는 말은 그리스어로 '배운 자(acquired)'라는 의미를 가지고 있다. 에픽테토스는 철학을 아무 방해 없이 소망과 혐오를 쓸 수 있는 방법을 배우는 것이라고 생각하였다. 진정한 교육이란 개인의 의지나 목표에 속하는 순전히 개인적인 것일 뿐임을 인식하는 것이라고 하였다. 그는 신이 선한 왕이나 아버지 역할을 하여 인간 개인에게 외적 요소에 의해서 강제되거나 왜곡될 수 없는 의지를 부여했다고 주장하였다. 이 같은 철학자로서의 면모 외에, 정치적 이론가로서 에픽테토스는 인간을 신과 인간에 정통한 거대한 체계 내에 존재하는 한 구성원으로 정의하였다. 각 개인은 원래 자신이 통치하는 자치주의 한 시민이지만, 그와 동시에 신과 인간의 거대 도시 내의 한 구성원이기도 하다. 정치적 도시는 이를 비슷하게 흉내 낸 것일 뿐이다. 모든 인간은 자신의 합리성의 덕목으로 신의 아들이 되어 천부적으로 신성을 가진 종족이다. 따라서 인간은 신의 의지, 다시 말해서 자연의 의지에 따라 자신의 도시와 자신의 삶을 운영할 수 있는 법을 배울 수 있다. 에픽테토스는 이러한 사상을 직접 실천하는 삶을 영위하면서 아주 검소한 생활을 했으며, 평생을 홀로 살았고 재산도 거의 없었다. 그는 사후에 3,000드라크마 화폐에 얼굴이 새겨졌다. 그는 당시 스토아학파의 학설들을 거의 모두 절충하는 입장에 있었고, 아우렐리우스(Aurelius), 파스칼(Pascal) 등 근세뿐만 아니라 이후의 후학들에게도 큰 영향을 미쳤다.

엑슬린
[Axline, Virginia M.]

1911. ~ 1988.
심리학자로서 인간중심 놀이치료 선구자이고, 『딥스』의 저자.

엑슬린은 오하이오(Ohio) 주립대학교를 거쳐 컬럼비아(Columbia)대학교에서 수학을 했으며, 오하이

ㅇ

오 주립대학교와 뉴욕 의과대학, 컬럼비아대학교, 시카고대학교 등에서 학생들을 가르쳤다. 그녀의 대표적인 저서는 세계적으로 유명한 『딥스(Dibs In Search of Self)』다. 또한 『놀이치료(Play Therapy)』의 저자이기도 한 엑슬린은 놀이치료의 대가로 정평이 나 있다. 놀이치료의 출발은 정신분석에서 비롯되었다고 할 수 있지만, 놀이치료가 크게 도약하게 된 것은 칼 로저스(Carl Rogers)의 인본주의 상담 이론을 놀이치료에 적용한 비지시적 혹은 아동 중심 놀이치료이론이 고개를 들면서부터다. 이러한 인본주의 철학을 기반으로 한 비지시적 놀이치료의 대가가 바로 엑슬린이다. 그녀는 1940년대에 내담자중심접근(client-centered approach)의 개념을 놀이치료에 도입하였다. 아동은 타고난 성장의 힘을 가지고 있다는 것을 인식하고 놀이를 통하여 이 성장의 힘을 활용하도록 해서 아동과 그 아동을 둘러싸고 있는 환경 간의 불균형을 해소하고 아동 스스로 자연스럽게 자기성장을 할 수 있도록 도와줄 수 있다는 기본적인 철학을 보여 주었다. 엑슬린의 이 같은 적용은 상당한 성공을 거두었고, 이후 많은 학자와 전문가가 놀이치료의 이론과 기법을 확장해 나가는 근간이 되었다. 엑슬린의 비지시적 놀이치료에는 여덟 가지 기본 원칙이 있다. 첫째, 치료사는 아동과 따뜻하고 친절한 관계를 형성해서 가능한 한 빨리 라포를 형성해야 한다. 둘째, 치료사는 아동을 있는 그대로 수용해야 한다. 셋째, 치료사는 이러한 아동과의 관계에서 아동에게 허용된다는 감정을 구축할 수 있도록 해서 아동이 자신의 감정을 완전히 자유롭게 표현하도록 해야 한다. 넷째, 치료사는 아동이 표현하는 감정에 면밀한 주의를 기울여 인식하고 아동이 자신의 행동 속에서 통찰을 얻을 수 있도록 아동의 감정을 반영해 주어야 한다. 다섯째, 치료사는 할 수 있는 기회만 주어진다면 아동이 자신의 문제를 해결할 수 있는 능력이 있다는 사실에 진실된 믿음과 존중을 가지고 그 마음을 계속해서 지니고 있어야 한다. 여섯째, 치료사는 어떤 방식으로라도 아동의 행동이나 대화를 지시하지 않아야 한다. 아동이 길을 이끌고 치료사는 따르도록 한다. 일곱째, 치료사는 치료과정을 서두르지 않아야 한다. 치료사는 치료가 점진적인 과정임을 인식해야 한다. 여덟째, 치료사는 치료가 현실세계에 머물러야 할 때와 아동이 관계 내 책임을 인식해야 할 때만 제재를 할 수 있다. 엑슬린은 놀이치료에서 부모와 아동의 관계를 중요하게 다루었으며, 특히 관심을 가진 것은 일반적인 발달단계보다 뒤떨어지거나 이상행동을 보이는 아동에 대한 상담이었다. 그녀의 견해에 따르면, 명백한 신체적 손상의 경우가 아니라면 아동의 문제는 대부분 심리적인 문제이며, 그중에서도 특히 가정에서 비롯된 문제인 경우가 많다. 엑슬린은 『딥스』에서 아동의 문제가 선천적인 것이 아니라 정서적인 혼란스러움에서 비롯되는 과정과 외부에서 강요되는 방식이 아니라 내부에서 자유롭게 드러내는 언어적, 비언어적 표현을 수용하여 아동 스스로 자아를 탐색하는 길을 찾을 수 있는 비지시적 놀이치료의 실제 사례를 잘 보여 주고 있다.

주요 저서

Axline, V. M. (1947). *Play Therapy*. London: Ballantine Books.

Axline, V. M. (1964). *Dibs in Search of Self*. New York: The Random House Pub.

엘리스
[Ellis, Albert]

1913. 9. 27. ~ 2007. 7. 24.
미국의 심리학자로 합리적 정서 행동치료(rational emotive behavior therapy: REBT)의 창시자.

미국 피츠버그(Pittsburg)의 유대인 집안에서 3남매의 맏이로 태어난 엘리스는 뉴욕에서 성장하였다. 아버지는 사업 때문에 집에 잘 머물지 않았고, 가정

경제는 그리 넉넉지 못하였다. 어머니는 자기주장이 강하고 말이 많은 성격이었으며 자식에게 정이 많지 않았다. 엘리스는 어머니를 양극성장애를 가진 자기중심적인 사람이라고 하였다. 엘리스가 4세 되던 해 가족이 모두 뉴욕으로 이주해서 줄곧 그곳에서 생활했는데, 5세 때 병원에 입원한 이후 여러 해 건강이 좋지 않은 상태에서도 동생들에게 부모역할을 하였다. 이처럼 엘리스는 어린 시절에 시련이 많았다. 부모가 자식을 제대로 돌보지 않았고, 엘리스의 건강상태도 좋지 않았던 것이다. 게다가 성격까지 부끄러움을 심하게 타는 등 지극히 내성적이었다. 12세가 되었을 때는 부모가 이혼을 하였다. 이러한 어려움을 겪으면서 엘리스는 독서에 몰두하게 되었고, 이로 인해 지적 능력이 향상되었다. 그의 REBT 이론은 자신이 어린 시절에 겪은 문제들을 치유하기 위해 개발한 것으로 보인다. 엘리스는 상업고등학교를 졸업하고, 뉴욕 시립대학교에서 경영학을 전공하였다. 처음에는 작가의 꿈을 가지고 잡지사에 입사했지만 그의 글은 거의 출판되지 못하였다. 이후 1943년과 1947년에 컬럼비아대학교에서 임상심리학으로 석사 및 박사학위를 취득하였다. 엘리스는 정신분석이 치료에서 가장 깊이 있고 효과적인 방법이라는 생각에 프로이트(S. Freud)에게 관심을 갖게 되었다. 정신분석교육을 받으면서 고전적 정신분석을 임상에서 활용하였다. 1947년 박사학위를 받은 뒤, 헐벡(R. Hulbeck)과 함께 개인분석과 수퍼비전 프로그램을 시작한 엘리스는 처음에는 뉴저지 주 정신위생클리닉(New Jersey Mental Hygiene Clinic)에서 임상심리학자로 근무하였다. 1950년대 초반까지 비교적 충실하게 정신분석 심리치료를 수행하다가 엘리스는 정신분석에 회의를 느껴 1953년 정신분석과 결별을 고하고, 스스로를 합리적 혹은 이성적 치료사라 칭하기 시작하였다. 그때부터 훨씬 능동적이면서 지시적인 새로운 심리치료를 주창하였다. 1955년에 합리적 치료(Rational Therapy)라는 새로운 접근법을 발표한 다음, 정서적 고통을 해결하는 새로운 방법을 실현하였다. 엘리스는 합리적 분석과 인지적 재구조를 통해서 사람들이 스스로 비합리적 신념에 굴복하고 있음을 자각하고는 더욱 합리적인 구성으로 나아갈 수 있다고 생각하였다. 엘리스는 이 새로운 방법을 치료사들에게 전파하기 시작했고, 1959년에는 『How to Live with a Neurotic』을 출간하였다. 1960년에는 미국심리학회에 자신의 새로운 접근법을 발표하였다. 그 이론이 환영을 받지 못했지만, 엘리스는 1959년 비영리기관으로 자신의 연구소인 '합리적 생활연구소(Institute for Rational Living)'를 설립하였다. 이 연구소는 1968년에 뉴욕주 이사회(New York State Board of Regents)에서 교육연구소 및 심리클리닉으로 인정을 받았다. 1960년대 엘리스는 미국의 성 혁명(American Sexual Revolution)의 발기자 중 한 사람으로 인식되기도 하였다. 자신의 저서 『Sex Without Guilt』에서 엘리스는 성적 표현에 대한 종교적 금기가 필요 없으며 정서적 건강에는 해로울 때도 있다는 의견을 피력하였다. 또한 그는 종교적 심리학자로도 정평이 나 있고, 1971년에는 미국 인본주의자학회(American Humanist Association)에서 올해의 인본주의자로 지정되기도 하였다. 엘리스는 REBT가 무신론과는 무관하며, REBT 전문가들이 종교적이기도 하다는 사실을 언급하면서 만년에는 종교에 대한 반대적 입장을 누그러뜨렸다. 여러 방면에서 활발한 활동을 하던 엘리스는 2006년 93세의 나이에 병상에 누워, 2007년에 숨을 거두었다. 엘리스는 합리적 정서 행동치료라는 이름을 내세우기 시작하면서 매년 200여 차례의 강연과 워크숍을 진행했고, REBT의 이론과 적용에 관해서 50여 권의 저서와 600편이 넘는 논문을 발표하였다.

주요 저서

Ellis, A. (1951). *The Folklore of Sex*. Oxford: Charles Boni.

Ellis, A. (1951). *The Homosexual in America*. NY: Greenberg.

Ellis, A. (1954). *The American Sexual Tragedy*. NY: Twayne.

Ellis, A. (1957). *How To Live With A Neurotic*. Oxford: Crown Pub.

Ellis, A. (1958). *Sex Without Guilt*. NY: Hillman.

Ellis, A. (1960). *The Art and Science of Love*. NY: Lyle Sutart.

Ellis, A. (1961). *A Guide to Rational Living*. N. J. Prentice-Hall.

Ellis, A., & Abarbanel, A. (1961). *The Encyclopedia of Sexual Behavior*. NY: Hathorn.

Ellis, A., & Harper, R. A. (1961). *Creative Marriage*. NY: Lyle Stuart.

Ellis, A. (1962). *Reason and Emotion in Psychotherapy*. NY: Lyle Stuart.

Ellis, A. (1974). *Humanistic Psychotherapy*. NY: McGraw.

Ellis, A. (1977). *Anger: How to Live With and Without it*. NJ: Citadel Press.

Ellis, A., & Greiger, R. (1977). *Handbook of Rational-Emotive Therapy*. NY: Springer Pub.

Ellis, A. (1985). *Overcoming Resistance: Rational-Emotive Therapy with Difficult Client*. NY: Springer Pub.

엡스턴
[Epston, David]

1944. 8. 30. ~
뉴질랜드의 가족치료사로 이야기치료의 창시자 중 한 사람.

엡스턴은 1944년 캐나다 온타리오 피터버러(Ontario Peterborough)에서 태어나 그곳에서 자랐다. 브리티시 컬럼비아(British Columbia)대학교를 다

녔고, 1963년 19세의 나이로 캐나다를 떠나 1964년 뉴질랜드에 정착하였다. 1969년에 오클랜드(Auckland)대학교에서 사회학 및 인류학을 전공한 뒤, 1971년에는 에든버러(Edinburgh)대학교에서 공동체 발달(Community Development)로 학위를 받았다. 1976년 영국 워릭(Warwick)대학교에서 응용사회연구(Applied Social Studies)로 석사학위를 취득한 다음, 1977년에 사회복지공인자격(Certificate of Qualification in Social Work, CQSW)을 취득하였다. 뉴질랜드에서 엡스턴은 오클랜드(Auckland) 병원의 선임 사회복지사로 일을 시작하여, 1981년부터 1987년까지 오클리의 장로교 지원단체(Presbyterian Support Services)가 운영하는 레즐리센터(Leslie Centre)에서 가족치료사 자문으로 일하였다. 1970년대에 엡스턴은 화이트(M. White)와 함께 호주와 뉴질랜드에서의 가족치료를 확대해 나갔는데, 이 두 사람은 자신들의 사상을 1980년대를 거쳐 1990년대까지 발전시켜 나갔다. 그 결과물로 『Narrative Means to Therapeutic Ends』라는 저서를 세상에 내놓았다. 이는 현재 이야기치료(narrative therapy)로 알려진 치료법에 관한 최초의 책이다. 이후 엡스턴은 1997년에 로보비츠(D. Lobovits), 프리만(J. Freeman) 등과 함께 집필한 『Playful Approaches to Serious Problems』를 출간하고, 이어 '이야기 접근법(Narrative Approaches)'이라는 웹사이트를 열었다. 1996년 캘리포니아의 존에프케네디대학교의 전문심리학 대학원에서 명예 문학 박사학위를 받은 엡스턴은, 호주 및 뉴질랜드 가족치료저널(Australian and New Zealand of Family Therapy)에서 가족치료에 관한 우수한 업적으로 특별상(Special Award for Distinguished Contributions to Family Therapy)을 수상하기도 하였다. 현재는 오클랜드 가족치료센터의 공동 책임

자로 재직 중이며, 존에프케네디대학교 초빙교수다. 그는 오랜 벗이자 동료인 화이트와 함께 이야기치료를 만들어 낸 사람으로 평가받고 있다.

주요 저서

Epston, D., & White, M. (1990). *Literate Means to Therapeutic Ends*. New York: Norton.

Epston, D., & White, M. (1992). *Experience, Contradiction, Narrative and Imagination: Selected Papers of David Epston & Michael White, 1989~1991*. South Australia: Dulwich Centre Pub.

Epston, D., Freeman, J., & Lobovits, E. (1997). *Playful Approaches to Serious Problems: Narrative therapy with children and their families*. New York: Norton.

Epston, D., Maisel, R. L., & Borden, A. (2004). *Biting the Hand That Starves You: Inspiring resistance to anorexia/bulimia*. New York: Norton.

Epston, D. (2008). *Down Under and Up Over: Travels with narrative therapy*. Stylus Pub.

오쿤
[Okun, Barbara]

포괄적이고 과정 지향적인 맥락에 근거하여 다양한 조력기술과 상담 관련 저서의 저자.

오쿤은 노스이스턴(Northeastern)대학교에서 상담심리학 교수로 있다. 또한 그녀는 하버드대학교 의과대학에서 임상강사이며, 다양한 구성원들과 임상심리 및 가족치료 연습을 해 오고 있다. 오쿤의 저서 중 몇 권은 매우 성공적이었으며, 여러 출판사에서 검토위원으로 있을 뿐만 아니라 다양한 전문논술과 기사를 작성하였다. 또한 매사추세츠 심리학회 분기별 저널과 여성건강에 관해서, 그리고 여러 저널에서의 세이지시리즈 편집장을 역임하였다. 오쿤은 가족심리에 대한 칼럼과 미국심리학회의 가족심리학 부문의 소식지도 작성하였다. 그녀가 집필한 책 중 크게 성공한 것으로는 『Effective Helping』과 『Understanding Diverse Families』 등이 있다. 오쿤은 카라카스(Caracas)에서 파오로 로사쏘(Paolo Losasso)의 토크쇼와 뉴잉글랜드 지역의 라디오 토크쇼에도 출연하여 심리치료에 대한 내용으로 수년간 광범위하게 미디어 활동을 하고 있다. 이를 통해 오쿤은 삶의 마지막 순간에 돌보아 주는 것(end-of-life care)과 관련된 문제와 현대의학이 죽음을 애도하는 과정을 어떻게 변경시켰는지에 대해서 이야기한다. 20년 전에는 치명적인 질병의 진단을 받은 경우 일반적으로 단 몇 주 또는 몇 개월밖에 살 수 없었지만, 오늘날은 의료의 진보로 많은 사람들이 진단을 하고 몇 년 후까지 살 수도 있다. 이와 같은 상황에서 그녀의 주요 관심사는 가족들이 예상했거나 예기치 못한 수명에 도달했을 때 대처하는 법에 관한 것이다. 그녀의 저서 『Saying Goodbye: How Families Can Find Renewal Through Loss』는 오늘날 가족의 죽음에 따른 슬픔에 대한 새롭고 결정적인 텍스트다. 이 책에서는 우리가 출산을 위해 계획을 하는 것처럼 죽음에 대한 계획이 필요하고, 이것 역시 삶의 일부라고 주장하고 있다. 또한 가족체계의 관점에서 연장 불치병을 다루는 모델을 제안하는 데 중점을 두었다.

주요 저서

Okun, B. (1976). *Effective Helping*. North Scituate, Mass.: Duxbury Press.

Okun, B. (1996). *Understanding Diverse Families: What Practitioners Need to Know*. New York: Guilford Press.

Okun, B. (2011). *Saying Goodbye: How Families Can Find Renewal Through Loss*. New York: Berkley.

ㅇ

올슨
[Olson, David H.]

1940. ~
결혼과 가족치료 분야에서 세계적인 권위자인 미국의 가족심리학자.

올슨은 세인트 올라프(Saintolaf) 대학에서 학사학위를, 펜(Penn) 주립대학교에서 박사학위를 받았다. 1968년 이후로는 미네소타(Minnesota)대학교 가족사회과학부에서 가족심리학 연구에 종사였다. 그는 현재 미네소타 주립대학교의 석좌교수로서, 25권의 저서와 100편이 넘는 연구논문을 출판하였다. 30여 년의 역사를 가진 생활혁신(Life Innovations) 연구소의 설립자이자 CEO이기도 하다. 생활혁신연구소에서는 'PREPARE- ENRICH' 검사와 커플 체크업처럼 커플관계 강화를 돕는 다양한 검사 및 자료를 연구 및 출판하고 있다. 올슨은 미국결혼과 가족치료학회(American Association of Marital and Family Therapy: AAMFT), 미국심리학회(American Psychological Association: APA)와 가족관계 국가자문위원회(National Council on Family Relations, NCFR)의 연구원이다. 그의 수준 높은 연구와 창의적인 저작은 높은 평을 받아 국가전문기관(AAMFT, APA, AFTA, ACA, ACME)으로부터 많은 상을 받았다. 올슨은 가족과 심리학의 연결을 위해 노력을 아끼지 않는 미국에서 지도적인 가족심리학자로, 그의 핵심 연구주제는 다음과 같다. 첫째, 가족에 관한 연구 이론과 실천을 통합하는 것이다. 둘째, 부부와 가족에 관한 질문지 조사법의 개발이다. 박사과정 중에 개발한 '혼전 태도 척도'는 혼전 조사를 위한 준비와 부부관계의 질을 향상시키는 것이 목적이었다. 셋째, 가족 적응성, 응집성 척도(FACES)와 임상 평정척도(CRS)로 구성된 부부 가족원환(家族圓環) 모델이 있다. 이러한 실증적 연구를 바탕으로 올슨은 '스트레스 · 건강의 다면적 시스템 사정(MASH) 모델'을 제시하였다. 이 모델은 스트레스가 시스템에 충족을 주고 대응자원을 활성화하며 자원의 효과는 적응성 수준을 결정한다는 관점을 가지고 있다. 다면적 시스템 모델이라는 것은 개인, 부부, 가족, 직장의 각 수준에 적용 가능하기 때문이다. 올슨은 '건강, 스트레스, 프로필(HSP)' 질문지로 스트레스, 시스템, 대응자원, 적응성의 네 가지 차원을 개인, 부부, 직장이라는 다(多) 시스템 수준에서 사정하는 방법을 제시하였다.

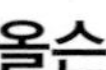

주요 저서

Olson, D. H. (1980). *Inventory of marriage and family literature*. Beverly Hills: Sage.

Olson, D. H. (1994). *Marriage and the family: diversity and strengths*. Mountain View, Calif: Mayfield Pub. Co.

Olson, D. H., Amy K., & St. Paul. (2003). 건강한 부부관계 만들기[*Empowering couples: building on your strengths*]. (21세기 가족문화연구소 역). 경기: 양서원. (원저는 2000년에 출판).

Olson, D. H., Knutson., Luke A., & Amy K. (2007). 행복한 결혼 건강한 가족[*Building relationships: developing skills for life*]. (21세기 가족문화연구소 역). 경기: 양서원. (원저는 1999년에 출판).

올젠
[Ohlsen, Merle, M]

1914. ~
집단상담영역을 개척한 선구자.

1950년부터 1969년까지 일리노이(Illinois)대학교 교육대학 교수로 재직했고, 1959년부터 1960년까지는 학생인사교육협회를 포함한 국가기관의 회장직을 맡았다. 또한 1969년부터 1970년에는 미국

상담협회(American Counseling Association)의 회장을 역임하였으며, 1977년부터 1978년까지 집단작업의 전문가협회에 있었다. 그는 초등학교와 중등학교의 지도상담, 집단상담, 교육심리학과 상담을 연관 지어 설명한 여러 글을 발표하였다.

주요 저서

Ohlsen, M. (1966). *Counseling Children in Groups.* Rockville, Maryland: ERIC.

Ohlsen, M. (1970). *Group Counseling.* New York: Holt, Rinehart and Winston.

Ohlsen, M. (1979). *Marriage Counseling in Groups.* Champaign, Ill.: Research Press.

올포트
[Allport, Gordon Willard]

1897. 11. 11. ~ 1967. 10. 9.
미국의 성격심리학자이자 사회심리학자.

올포트는 인디애나 몬테주마(Indiana Montezuma)에서 존 에드워즈(John Edwards)와 넬리 에디스 올포트[Nellie Edith (Wise) Allport] 사이의 네 아들 중 막내로 태어나 6세가 되던 해 가족이 이사를 하면서 클리블랜드(Cleveland) 공립학교를 다녔다. 아버지는 집에서 클리닉과 병원을 겸하고 있던 시골 의사였다. 병원이 집과 함께 있었기 때문에 올포트는 간호사뿐만 아니라 환자들까지 한곳에서 살았다. 그러다 보니 형제들은 모두 자연스럽게 아버지를 거들어 환자를 돌보거나 간호사를 도와주는 일이 잦았다. 올포트의 어머니는 유치원 교사로서, 지적 발달 및 종교의 가치에 대해서는 강조하곤 하였다. 올포트는 수줍음이 많고 혼자 보내는 시간이 많은 평범한 아이였다. 태어날 때부터 발가락이 8개밖에 없어서 고등학교 시절에는 친구들의 놀림감이 되기도 하였다. 청소년기부터 인쇄사업을 한 그는 자신이 다니던 고등학교 신문의 편집자로 일하기도 하였다. 1915년에는 글렌빌(Glennville) 고등학교에서 18세에 학반 2등으로 졸업하여, 하버드대학교에 입학하고 장학생이 되었다. 당시 하버드에는 형인 플로이드 헨리 올포트(Floyd Henry Allport)가 심리학 박사과정을 밟고 있었다. 플로이드 헨리 올포트는 집단오류, 동조행동 등의 연구로 유명한 인물이다. 올포트는 자신이 자란 가정환경에서의 도덕적 가치관과 분위기와는 사뭇 다른 하버드대학교에서의 생활을 힘겨워하기는 했지만 1919년에 철학과 경제학에서 학사학위를 취득하였다. 올포트가 사회심리학과 성격심리학을 결합시키는 데 관심을 갖게 된 것은 하버드 재학 시절 사회봉사를 하면서였다. 하버드대학교를 졸업한 이후에도 베를린대학교, 함부르크대학교, 케임브리지대학교 등에서 수학한 뒤, 터키 이스탄불(Istanbul)의 로버트(Robert) 대학교로 가서 경제학과 철학을 1년 동안 가르치고, 이듬해 하버드대학교로 돌아와 1922년 심리학 박사를 취득하였다. 1924년에는 하버드대학교 사회과학 강사로 임명이 되었고, 6년 뒤 심리학 교수가 되었다. 올포트가 22세 때 비엔나로 가서 프로이트(Freud)를 만난 적이 있는데, 그와의 짧은 만남 이후 올포트는 프로이트의 이론이 무의식을 강조하여 인간을 지나치게 깊이 파헤치려는 경향이 있고, 당대 주류였던 행동주의 이론은 인간의 관찰 가능한 행동만 너무 강조하여 인간의 심층적인 측면을 살피지 않는 경향이 있다는 견해를 가지게 되었다. 그는 대학원 시절에도 인간행동에 관하여 남들과 다른 독특한 견해를 가지고 있었다. 올포트는 1930년에 하버드대학교 조교수로 임용되어 1942년에는 정교수가 되었고, 만년에는 사회윤리학 교수로 활동하기도 하였다. 이에 더해 『Journal of Abnormal and Social Psychology』의 편집장을 역임하기도 하고, 미국 교육과학문화기관을 위한 위원회(Commission for the United Nations Educational Scientific and Cultural Organization)의 회장도 역임하였다. 1939년에는 미국심리학회(APA)의 대표로 선출되었으며, 1943년에는 동부심리학회(Eastern Psychological Association)의 대표로도 선출되었다. 또 1944년에는 사회문제에 관한 심리학연구회(Society for the Psychological Study of Social Issues)의 대표로도 일하였다. 그의 업적은 1963년 미국심리학기금(American Psychological Foundation)의 금메달(Gold Metal Award)과 1964년 미국심리학회의 우수과학공헌상(Distinguished Scientific Contribution)의 수상으로 증명되기도 하였다. 1967년 10월 9일 케임브리지(Cambridge)에서 폐암으로 사망한 올포트가 내리는 성격의 정의는, 개인의 특유한 행동과 사고를 결정하는 심신적 체계인 개인 내 역동적 조직이다. 초기 올포트는 개인특질과 공통특질을 제안하였다. 개인특질은 개인의 독특한 성격을 나타내는 것이고, 공통특질은 특정 문화에 속한 다수의 사람이 공유하는 것이다. 후에 그는 특징유형 명칭에 따른 혼란을 피하기 위해 공통특질을 '특질'로, 개인특질을 '개인적 성향(personal dispositions)'으로 명명하였다. 개인적 성향에는 주특질(cardinal traits), 중심특질(central traits), 이차적 특질(secondary traits) 등이 속해 있는데, 개인의 거의 모든 생활에 영향을 미치는 지배적 특질은 주특질, 타인이 언급하는 개인의 특성은 중심특질, 주특질이나 중심특질보다 덜 두드러지고 일관되지 않는 영향력이 적은 특질은 이차적 특질로 보았다. 그는 성격연구에 대한 접근방법을 자신의 사회적 관심과 연결시켰고, 휴머니즘의 영향력을 심리학에 연결하고자 하였다. 이에 올포트는 성인의 동기가 유아적 추동에서 발달하지만 이러한 동기들은 유아적 추동에서 독립적이 된다는 이론으로도 유명하다. 그의 접근법은 유아적인 정서와 경험의 문제보다는 성인의 성격문제를 더 중시한다. 그는 자아의 중요성과 성인성격의 독특성을 강조하면서 자아는 각 개인 내부를 인지할 수 있는 구조이며, 성격의 통일성, 높은 수준의 동기, 기억의 지속성을 설명해 준다고 하였다. 또한 건강한 성격이란 성숙된 성격이라고 하였다. 성숙된 성격을 가진 사람들은 자아의식을 확대해 나가고, 타인과 온정적인 관계를 유지하며, 정서적으로 안정되어 있고, 현실을 있는 그대로 지각하면서 자신의 일에 몰두하여 과업 지향적으로 행동하고, 자신을 객관적으로 이해하려 하고, 통일된 인생철학을 갖는 등의 경향성을 보인다. 올포트가 말하는 사천오백 가지 특성 목록은 모두 이 세 가지 범주 안에 들어간다. 현재 올포트는 세계적인 인격심리학자로 인정받고 있으며, 사회심리학자로서의 명성도 함께 가지고 있다.

주요 저서

Allport, G. W., & Vernon P. E. (1933). *Studies in Expressive Movement*. New York: Macmillan.

Allport, G. W. (1935). *Attitudes, in A Handbook of Social Psychology*. Worcester, MA: Clark University Press.

Allport, G. W. (1937). *Personality: A Psychological Interpretation*. New York: Holt, Rinehart & Winston.

Allport, G. W., & Postman, L. (1948). *Psychology of Rumor*. Oxford, England: Henry Holt & Co.

Allport, G. W. (1950). *The Individual and His Religion: A Psychological Interpretation*. Oxford, England: Macmillan.

Allport, G. W. (1954; 1979). *The Nature of Personality*. Reading, MA: Addison-Wesley Pub. Co.

Allport, G. W. (1955). *Becoming: Basic Considerations for a Psychology of Personality*. New Haven: Yale University Press.

Allport, G. W. (1960). *Personality & Social Encounter*. Boston: Beacon Press.

Allport, G. W. (1961). *Pattern and Growth in Personality*. New York: Harcourt College Pub.

Allport, G. W. (1965). *Letters from Jenny*. New York: Harcourt Brace Jovanovich.

Allport, G. W. (1968). *The Person in Psychology*. Boston: Beacon Press.

와츠라비크
[Watzlawick, Paul]

1921. 7. 25. ~ 2007. 3. 31.
심리치료에서 구성주의의 주창자이자 가족치료 발전에 공헌한 독일의 심리학자.

와츠라비크는 오스트리아 빌라흐(Villach)에서 태어났다. 그는 언어학을 비롯하여 커뮤니케이션, 문학, 철학 등 다양한 분야의 경력을 가지고 있다. 1949년 베니스대학교에서 심리학과 철학을 공부했고, 그해 철학박사학위를 받았다. 또 취리히(Zürich)에 있는 융연구소에서 심리치료의 연구와 정신분석가 훈련을 받았지만 정신분석적 심리치료의 결과에 대한 회의와 실망으로 그 같은 경향에서 벗어나, 1960년경 사티어(Satir)가 설립한 캘리포니아의 정신연구소(MRI) 일원이 되었다. 그리고 스탠퍼드대학교 메디컬센터 정신의학 행동과학부 임상교수로 재직했으며, 세계적으로 가족치료학계를 이끌었다. 1991년부터 1993년까지는 스위스 루가노(Lugano)에서 의사소통학 교수를 역임하였다. 비트겐슈타인(Wittgenstein)의 연구자로서 'MRI의 철학자'라는 별명이 붙을 정도로 높은 평가를 받았으며, 'as if 철학'을 전개하기도 하였다. 와츠라비크는 의사소통이 행동에 미치는 영향에 관심이 많았고, 치료는 문제해결중심이었으며, 특히 MRI의 단기치료에 흥미를 보였다. 단기치료의 특징은 내담자의 현재 구체적인 문제를 치료하는 것으로, 이는 그가 치료경험에서 발견한 사실, 즉 작은 문제의 해결이 가족의 다른 전반적인 문제에 긍정적으로 영향을 미친다는 사실의 발견에 근거한 것이었다. 와츠라비크는 내담자의 문제를 잘못된 현실인식에서 기인하는 것이라고 보았다. 다시 말해, 현실인식은 내담자가 세상과 맺는 관계이며 세상에 대한 내담자의 이미지라는 것이다. 이러한 관계와 이미지는 내담자의 언어를 통하여 표현된다. 따라서 내담자의 문제를 해결하기 위해서는 내담자의 현실인식을 수정해야 하고, 이러한 수정은 구체적으로 언어를 수정함으로써 가능하다는 것이다. 그런 만큼 와츠라비크에게 치료의 목적은 내담자의 언어와 의사소통방법을 변화시키는 것이다. 이렇듯 와츠라비크는 포스트모더니즘 사상을 제대로 계승·발전시켰다. 구성주의, 변화의 이론, 커뮤니케이션 어용론(御用論) 등은 그의 사상적 배경을 이루고 있는 대표적 이론들이다. MRI에서 이중구속이론(Double Bind Theory)을 정립했으며, 급진적 구성주의를 포함한 여러 과학적 업적에 영향을 주었다. 이중구속이론으로 대표되는 팔로 알토 그룹의 연구가 그 후 치료 측면만 발전시켜 가는 경향에 반해, 그는 구성주의(構成主義)의 본래의 이론적 측면을 살려 발전시켰다. 이러한 사고방식을 밀라노학파를 중심으로 한 유럽에 전한 것도 큰 공헌 중 하나다. 또한 가족치료 분야에서 중요한 착안을 했다는 것도 또 다른 업적이라 할 수 있다.

주요 저서

Watzlawick, P., Bavelas, J. B., & Jackson, D. D. (1967). *Pragmatics of Human Communication*. New York: Norton.

Watzlawick, P., Weakland, J. H., & Fisch, R. (1997). 상담과 심리치료를 위한 변화: 문제형성과 문제해결[*Change: Problem Formation and Problem Resolution*]. (김정택 외 역). 서울: 중앙적성출판사. (원저는 1974년에 출판).

Watzlawick, P. (2002). 황홀한 불행을 꿈꾸고 싶다[*The*

ㅇ

Situation is Hopeless, but not Serious]. (김미영 역). 서울: 시아출판사. (원저는 1983년에 출판).

왈롱
[Wallon, Henri]

1879. 6. 16. ~ 1962. 12. 1.
유물론적 관점에서 아동의 발달문제를 연구한 프랑스의 심리학자.

왈롱은 파리에서 태어난 프랑스의 철학자로서, 심리학자이자 교사이며 정치인이었다. 고등 사범학교에서 철학을 이수한 뒤, 파리대학 의학부에서 정신의학을 전공하고 1908년 의학박사가 되었다. 이후 1908년부터 1931년까지 정신적 지진아 아동을 위해 일하였고, 1925년에는 아동정신생물학 연구실을 개설하였다. 1928년부터 국립직업지도연구소의 교수로 재직했으며, 1937년부터 1949년까지는 콜레주 드 프랑스(College de France) 교수로 아동심리학과 교육심리학을 강의하였다. 제2차 세계 대전 중에는 대독(對獨) 저항운동에 참가하였고, 전후에는 문교부 장관과 국회의원으로서 물리학자 랑주뱅(Langevin)과 함께 1947년에 교육 개혁안을 작성하기도 하였다. 그는 정치와 심리학 두 가지 분야에서 활동을 했는데, 마르크스주의자로서 과학연구에서 발달심리학 분야의 정치적 직무를 다하였다. 왈롱은 이상아(異常兒)의 연구에서 출발하여 이상의 원인을 생물학적 조건과 함께 사회적 조건까지 거슬러 올라갔다. 즉, 유물변증법(唯物辨證法, 변증법적 유물론)의 입장에서 심리학을 연구하였다. 그는 바빈스키(Babinski)에게 신경학을 배웠고, 심리생물학적 관점에서 아이들의 감정과 행동의 발달을 탐구하였다. 특히 생물학적 성숙을 중시하였고 감정은 감각과 사회행동을 매개로 하는 적응적 기능을 갖춘 생리적 과정이라고 생각하였다. 그의 연구에서 보이는 유물론적 접근방법은 발생 인식론적 입장인 피아제(Piaget)와 곧잘 대비되고 있다.

주요 저서

Wallon, H. (1942). *De l'acte à la pensée*. Paris: Flammerion.

Wallon, H. (1976). *Les origines de la pensée chez l'enfant*. Paris: Presses Universitaires de France.

왈츠
[Walz, Garry]

ERIC-CASS의 설립자이며, 상담학 관련 서적을 다수 집필한 미국의 심리학자.

왈츠는 1966년에 미시간(Michigan)대학교에서 정보센터를 설립하고, 1993년부터 2004년까지는 노스캐롤라이나(North carolina)대학교에서 모든 ERIC 정보센터를 위한 교육중단기금 부서를 맡았다. 미시간대학교의 명예교수였던 그는 미국상담학회(American Counseling Association)와 상담자교육 및 수퍼비전학회(Association for Counselor Education and Supervision)의 회장을 역임하였고, 상담 및 인간개발재단(The Counseling and Human Development Foundation)의 회장이기도 하였다. 그는 ACA의 길버트와 캐슬린 렌 인도주의 상, 국립직업개발학회(The National Career Development Association)의 전문경력상, ACA의 고유전문서비스상 등 다양한 수상경력도 가지고 있다.

주요 저서

Walz, G., & Wall, J. E. (2004). *Measuring Up: Assessment Issues for Teacher, Counselors, and Administrators*. Amer Counseling Assn.

Walz, G., & Bloom, J. W. (2005). *Cybercounseling and Cyberlearning: an encore*. Austin, TX: Pro-Ed.

왓슨
[Watson, John Broadus]

1878. 1. 9. ~ 1958. 9. 25.
미국의 행동주의 심리학의 개척자.

왓슨은 남부캘리포니아(South Califonia)의 그린빌(Greenvill)에서 태어났다. 홀어머니 밑에서 자란 그는 어린 시절에 상당한 말썽꾸러기였다. 1903년 시카고(Chicago)대학교에서 심리학 박사학위를 취득한 그는, 1908년부터 1920년까지 존스홉킨스(Johns Hopkins)대학교의 심리학 교수로 재직하였다. 왓슨의 가장 잘 알려진 실험은 앨버트라는 소년을 대상으로 한 흰쥐 실험이다. 이는 앨버트라는 11세 소년을 희고 털이 많은 쥐를 두려워하도록 소년이 쥐를 만지려고 할 때마다 큰 징을 울려 조건형성시킨 것이었다. 소년은 그 소리에 너무나 놀라 급기야 쥐를 무서워하기 시작했을 뿐만 아니라 희고 털이 난 다른 대상에게도 일반화된 공포를 보였다. 그래서 소년은 산타클로스의 수염까지 무서워하였다. 1913년에 발표한 논문 「행동주의자가 보는 심리학(Psychology as a Behaviorist Views It)」은 경력의 전환점이 되는 것이었는데, 이는 인간기능의 이해에 대한 새로운 접근인 행동주의의 시작을 알리는 것이었다. 여기서 그는 관찰 가능한 행동은 적절한 심리학 주제가 될 수 있으며, 모든 행동은 환경사건을 통하여 통제될 수 있다고 주장하였다. 특히 환경사건이 반응을 유발한다는 자극-반응 심리학을 주창하였다. 왓슨의 행동주의에서 행동은 심리적 자극과 반응의 관점에서 기술되었으며, 의식이나 무의식적 정신활동의 개념은 거부되었다. 이와 관련하여 가장 유명한 책은 『Psychology: from the standpoint of a behaviorist』다. 그는 여기서 행동주의에 대한 사고를 더욱 명확하게 나타내었다. 그러다가 그는 1920년 결혼문제와 관련하여 부득이 존스홉킨스대학교를 그만두었고, 그 후 20년간 광고 회사에 근무하면서 광고에 대한 심리학적 접근에서 큰 공헌을 하였다. 또한 잡지에 많은 글을 기고했고, 1928년에는 자녀양육법에 관한 저서인 『The Psychological Care of the Infant and Child』를 출간하여 베스트셀러가 되면서 양육의 바이블이 되기도 하였다. 왓슨은 아이들을 자꾸 안아 주거나 무릎에 앉히면서 사랑을 표현해서는 안 된다고 생각했는데, 애정표현을 많이 하면 아이들의 의존성만 길러지고 정서적으로 불안해진다고 믿었다. 그는 또 아이들은 엄격하고 규칙적으로 길러야 한다고 보아 화장실에 가는 시간까지 정해 놓고 정확하게 그 시간에 용변을 보도록 강요하였다. 이와 같이 왓슨은 1910년대 당시 심리학의 주요한 방법이었던 내관(內觀)을 배제하고 객관적인 행동의 관찰을 중시하는 행동주의를 제창하였다. 또 행동의 형성에 대해서는 환경요인을 중시하면서 갓난아기를 12명 보내 주면 원하는 어떤 분야의 전문가로든 다 훈련시켜 만들어 줄 수 있다고 호언하였다. 이것은 나중에 수정되어 행동치료이론의 기초가 되었다. 또한 자신의 아이들의 공포증과 관련하여 행동치료의 선구가 되는 연구를 수행하였다. 왓슨의 행동주의는 다음과 같은 특징을 보였다. 그는 행동을 분자행동이라는 요소로 분해하면서, 그것의 구성으로 만들어지는 것이라고 보았다. 행동의 요소, 단위는 자극에 대한 반응이며, 가장 간단한 것이 반사다. 그리고 복잡한 행동도 자극반응 간 결합의 복합체로 이해할 수 있다고 보았다. 그 같은 사고방식은 이후 여러 가지 수정이나 반론을 불러일으키면서 헵(D. Hebb), 톨만(E. Tolman), 헐(C. Hull) 등 신행동주의 심리학을 낳는 원천이 되었다.

주요 저서

Watson, J. b. (1914). *Behavior: an introduction to comparative psychology*. New York: Holt.

Watson, J. b. (1924). *Psychology: from the standpoint of a behaviorist*. Philadelphia, London: J.B. Lippincott.

Watson, J. b. (1925). *Behaviorism*. New York: W. W. Norton.

욘테프
[Yontef, Gary]

현대 게슈탈트 치료이론을 완성한 게슈탈트 심리치료사.

욘테프는 1965년 펄스(Perls)와 심킨(Simkin)에게 게슈탈트 치료 수련을 받았고, 그 후 게슈탈트 치료사로 활동하고 있다. 그는 캘리포니아 주립대학(UCLA) 심리학과 교수로 재직했으며, 로스앤젤레스 시 심리학자협회 직업윤리위원장과 로스앤젤레스 게슈탈트연구소(GTILA) 소장 및 운영위원장을 역임하였다. 그는 제이콥스(Jacobs)와 함께 태평양 게슈탈트연구소를 공동 창립해서 운영하는 한편, 산타 모니카(Santa Monica)에서 개인클리닉도 운영하고 있다. 현재 미국에서뿐만 아니라 국제적으로 매우 활발한 강의와 교육, 수퍼비전 활동을 펼쳐 나가고 있다. 현 국제 게슈탈트 저널과 게슈탈트 리뷰의 편집위원이며, 영국 게슈탈트 저널의 편집위원회에 조언자로서 활동하고 있다. 그는 주로 펄스와 심킨의 영향을 받아 관계적이고 과정적인 게슈탈트 치료를 발전시켰으며, 또한 게슈탈트에 관한 50여 편의 논문 및 책을 단독 또는 공동 저술하였다. 그의 저서 『알아차림, 대화 그리고 과정(Awareness, dialogue and process)』은 대표적인 게슈탈트 치료이론서로 인정받고 있다.

주요 저서

Yontef, G. (2008). 알아차림, 대화 그리고 과정. 게슈탈트치료에 대한 이론적 고찰[*Awareness, dialogue and process: Essays on gestalt therapy*]. (김정규 · 김영주 · 심정아 역). 서울: 학지사. (원저는 1993년에 출판).

우볼딩
[Wubbolding, Robert]

현실치료, 선택이론의 주요 저자이자 연구자이며 훈련자 중 한 사람.

우볼딩은 30년 동안 현실치료 전문직 종사자로 일해 왔고, 글래서(W. Glasser)와 함께 연구하여 현실치료의 토대를 만들었다. 현재 오하이오(Ohio)에서 현실치료센터의 책임자를 맡고 있다. 그는 이전에 미군을 위한 약물 및 알코올 남용 프로그램에 자문역할을 담당하기도 하였다. 또한 수많은 워크숍을 진행하는데, 이 워크숍은 교육 및 상담 분야뿐만 아니라 사업전문가들에게도 적용이 가능하다. 우볼딩이 진행하는 워크숍의 가장 주된 목적은 참가자가 즉시 내담자, 고용자, 학생들의 부정적인 행동을 긍정적인 행동으로 바꾸어 줄 수 있는 기법을 가질 수 있도록 도움을 주는 것이다. 우볼딩에 따르면 현실치료는 사람들이 자신의 삶을 보다 잘 통제하도록 돕는 방법이라고 하였다. 그리고 사람들이 바라고 원하는 것을 확인하고 분명하게 하도록 한 뒤 이것을 현실적으로 얻을 수 있는지 평가하도록 하는 것이다. 현실치료는 사람들이 자신의 행동을 검토하고 분명한 기준을 세워 통제하는 것을 도와주기 위해 고안된 것이다. 그래서 사람들이 긍정적인 계획을 수립하고, 그 결과 자신감과 보다 나은 자기확인, 인간관계, 좀 더 효율적인 삶의 계획 등을 행할 수 있도록 한다. 이처럼 현실치료는 사람들에게 역경에 대처하고, 개인적인 성장을 이룩하고, 또 그들의 삶을 더 효과적으로 통제하는 데 사용할 수 있는 자조적 도구(Selp-help tool)를 제공해 주는 것이다. 우볼딩은 욕구 및 바람탐색(Want), 행동탐색(Doing), 평가(Evaluation), 계획(Planing)의 WDEP 체계사용기법을 발달시켜 현실치료의 발달에 공헌하였다.

주요 저서

Wubbolding, R. (2002). 21세기와 현실요법[*Reality Therapy for the 21st Century*]. (박애선 역). 서울: 시그마프레스. (원저는 2000년에 출판).

Wubbolding, R. (2008). 현실요법의 적용[*Using Reality Therapy*]. (김인자 역). 서울: 한국심리상담연구소. (원저는 1988년에 출판).

울만
[Ulman, Elinor]

1910. ~ 1991.
미술치료(art therapy)라는 용어를 처음으로 사용한 미술치료사이자 미술교육자.

울만은 미술가로 활동한 인물로, 이러한 경험을 바탕으로 하여 미술치료를 실시하였다. 워싱턴(Woshington) D.C.에 있는 종합병원에서 미술치료를 했는데, 그곳에서는 미술교사의 입장에서 치료를 실시하였다. 울만이 미술치료라는 용어를 사용한 것은 1961년 『Bulletin of Art Therapy』 창간호에서였다. 여기서 미술치료가 교육, 재활, 정신치료 등 다양한 분야에서 널리 사용되고 있으며, 어떤 영역에서 활용되든 공통된 의미는 시각예술이라는 수단으로 인격의 통합 혹은 재통합을 돕기 위한 시도로 규정하였다. 울만은 '치료에서의 미술(art in therapy)'이라는 치료를 중시하는 나움부르크(Naumburg)의 입장과 '치료로서의 미술(art as therapy)'이라는 미술을 중시하는 크레이머(Kramer)의 입장을 통합하는 관점을 취하였다. 그리하여 미술치료는 미술과 치료 양자에 충실해야 하는 것임을 주장하였고, 나움부르크와 크레이머의 입장을 결합하여 치료와 창조성(therapy and creativity)이라는 통합된 견해를 표명하였다.

주요 저서

Ulman, E., & Dachinger, P. (Ed.) (1996). *Art Therapy in Theory and Practice*. US: ERIC.

울페
[Wolpe, Joseph]

1915. 4. 20. ~ 1997. 12. 4.
행동치료 창시자의 한 사람으로 체계적 둔감법을 개발한 정신과 의사이자 심리학자.

울페는 요하네스버그(Johannesburg)에서 태어나, 비트바테르스란트(Witwatersrand) 대학교에서 의학박사를 취득한 뒤 정신과를 개업한 의사였다. 그는 행동과학 연구를 위한 센터가 있는 스탠퍼드(Stanford)대학교에 머물렀고, 1960년에 버지니아(Virginia)대학교에 자리 잡게 되면서 영구적으로 미국에 이주하였다. 그의 인생에서 가장 영향력 있는 경험 중 하나는 1944년 남아프리카공화국 군의관으로 입대한 것이었다. 그는 이때 전쟁 신경증 환자를 치료하는 과정에서 종전의 정신분석적 이해방식에서는 설명할 수 없는 많은 신경증 사례를 체험했는데, 이것이 연구의 원동력이 된 것이다. 프로이트(S. Freud) 정신분석의 충실한 신봉자였던 그는 1944년 군의관으로 있으면서 말리놉스키(B. Malinowski)의 저서나 발렌타인(C. Valentine)의 『영유아기의 심리학(The Psychology of Early Childhood)』 등을 접하면서 정신분석에 대한 믿음이 흔들리게 되었다. 파블로프(I. Pavlov)와 헐(C. Hull)의 심리학에서 보다 확고한 기반을 찾아 점차 실험 신경증 연구를 진행해 나간 울페는 1947년부터 고양이를 사용한 신경증 형성 실험, 나아가 신경증 고양이를 치료하는 실험을 시행하였고, 신경증이 학습에 기인한다는 결론을 얻었다. 그는 이 연구를 통하여 불안과 공포는 각기 길항하는 새로운 반응을 학습하는 것에서 소거될 수 있다는 역제지 이론을 확립하여 행동치료 중에서도 가장 많이 보급된 신경증 치료법인 체계적 둔감법을 개발하였다. 체계적 둔감법에 의한 공포증 치료의 기본 원리는 불안반응과 길항반응(근육이완반응 등)을 단계적으로 감소시키는 것이다. 이러한 체계적 둔감법은 공포증의 신경증 치료에서 효과가 뚜렷하여 기본적인 치료기법으로 자리매김하였다. 그는 『Psychotherapy of Reciprocal Inhibition』과 『The Practice of Behavior Therapy』 등의 여러 저서를 통하여 임상기법으로서의 행동치료의 실천적 치료방법을 확립하였다.

주요 저서

Wolpe, J. (1958). *Psychotherapy by reciprocal inhibition*. Stanford (CA): Stanford University Press.

Wolpe, J. (1964). *The conditioning therapies: The challenge in psychotherapy*. New York: Holt, Rinehart and Winston.

Wolpe, J., & Lazarus, A. A. (1966). *Behavior therapy technique*. New York: Pergamon.

Wolpe, J. (1969). *The practice of behavior therapy*. New York: Pergamon.

Wolpe, J. (1976). *Theme and variations: A behavior therapy casebook*. New York: Pergamon Press.

Wolpe, J., & Reyna, L. J. (1976). *Behavior therapy in psychiatric practice: The use of behavioral procedures by psychiatrists*. New York: Pergamon Press.

Wolpe, J., & Wolpe, D. (1981). *Our useless fears*. Boston: Houghton Mifflin.

Wolpe, J. (1986). Individualization: The categorical imperative of behavior therapy practice. *Journal of behavior therapy & experimental psychiatry, 17*. 145-153.

Wolpe, J., & Wolpe, D. (1988). *Life without fear*. Oakland (CA): New Harbinger Publications.

웜폴드
[Wampold, Bruce Edward]

1948. 11. 25. ~
맥락적 심리치료모델을 제시한 미국의 심리상담학자.

웜폴드는 워싱턴 올림피아(Washington Olympia)에서 태어났다. 워싱턴대학에서 수학 학사학위를 받았으며, 여러 해 중고등학교에서 수학을 가르치면서 레슬링 코치를 담당하였다. 이후 하와이(Hawaii)대학교에서 교육심리학 분야의 교육학 석사학위를 받은 뒤, 캘리포니아대학교에서 앳킨슨(Atkinson)의 지도로 상담심리학 박사학위를 받았다. 웜폴드는 앳킨슨 외에도 허버트(Hubert), 레빈(Levin), 패튼(Patton), 설린(Serlin)에게 많은 영향을 받았다. 그후 위스콘신매디슨대학교의 상담심리학부에서 정교수로 있었다. 웜폴드는 1983년 이후 심리학자 면허를 소지하였고, 2001년 이후로는 미국전문심리학위원회의 상담심리학 자격증도 소지하고 있다. 그의 심리치료에 관한 맥락적 모델은 심리치료의 효능과 관련한 지배적인 패러다임의 대안을 제시하고 있다. 현재 흔히 사용하는 심리치료모델(의료 모델로 널리 알려진)은 치료의 효과에 대한 여러 심리치료이론의 설명에서 주장되고 있는 구체적인 기법을 옹호한다. 웜폴드의 연구는 심리치료의 효과가 모든 진지한 심리치료에 공통적인 요인 때문이라는 점을 경험적으로 보여주며, 이 같은 증거를 기초로 상황적 모델을 제시하였다.

주요 저서

Wampold, B. E. (1994). *Social Interaction in Science Environments(microform)*. Wisconsin: s.n.

Wampold, B. E. (2001). *The Great Psychotherapy Debate: models, methods, and findings*. Mahwah, N.J.: Lawrence Erlbaum Associates.

웩슬러
[Wechsler, David]

1896. 1. 12. ~ 1981. 5. 2.
미국의 주요 지능검사를 개발한 유대인계 심리학자.

웩슬러는 루마니아(Romania) 레스페디에서 태어나, 6세 때 가족이 모두 뉴욕으로 이주하였다. 1916년 뉴욕 시립대학에서 학사학위, 1917년 컬럼비아대학교에서 석사학위를 받았고, 1925년에 컬럼비아대학교에서 우드워스(Woodworth)의 지도 아래 박사학위를 받았다. 웩슬러는 제1차 세계 대전 중 군대에서 사정에 관한 활동을 했는데, 이 활동의 일부분은 보링(Boring) 밑에서 한 것이었다. 그는 1919년에 런던대학교로 옮겨 스피어만(Spearman), 피어슨(Pearson)과 함께 공부했는데, 스피어만과 피어슨은 지능의 성질과 측정에 관심이 있었다. 당시 스피어만은 이미 2요인 지능이론을 발표한 상태였다. 1920년에 파리대학교의 라피크(Lapique)와 피에롱(Pieron)의 지도 아래 정신 전기적 반응(후에 학위논문 주제가 됨)을 연구하는 2년제 장학금을 받기도 한 웩슬러는 박사학위를 받은 뒤 커텔(Cattell)에게 심리학 법인(The Psychological Corporation)의 직무대행비서로 일해 보라는 제의를 받았다. 이를 받아들여 활동하다가 1927년 임상실습실을 열기 위해 사임하였다. 1932년에는 벨뷔 심리측정병원의 최고 심리학자로 임명되었고, 다음 해 뉴욕대학교의 의과대학에서 임상교수로 임명되었으며, 1967년까지 이 두 역할을 맡아 활동하였다. 1981년 뉴욕에서 사망한 웩슬러는 지능의 이론과 평가에 공헌한 것으로 알려져 있다. 웩슬러 지능관의 특징은 종래 학자와 비교했을 때 상당히 폭넓게 생각했다는 것이고, 그가 개발한 검사는 지능의 구조뿐만 아니라 인격의 특징까지 진단할 수 있도록 만들어졌다는 점이다. 그는 자신의 풍부한 임상경험을 기반으로, 당시의 지능사정이론이 너무 단순하고 사용되는 사정도구가 너무 제한적이라는 생각을 하게 되었다. 그 결과 지능을 합목적적으로 행동하고 이성적으로 사고하고 자신의 환경에 효과적으로 대처하는 전반적인 능력으로 보게 되었다. 이 같은 웩슬러의 관점에서 지능은 여러 능력의 통합과 더불어 의욕과 성격 등 비인지적 요인이 포함되어 있는 것이었다. 이로써 그는 성인과 아동의 지능을 사정하는 도구를 개발하기에 이르렀다. 웩슬러의 성인용 지능검사도구는 1939년에 웩슬러-벨뷔 지능검사(Wechsler-Bellevue Scale of Intelligence)라는 이름으로 나왔으며, 1942년에 웩슬러-벨뷔 II(Wechsler-Bellevue II)(군대 웩슬러)로 이름을 바꾸었다. 이 검사는 1955년에 웩슬

ㅇ

러 성인용 지능검사(WAIS)로 이름이 다시 바뀌었으며, 1981년과 1997년(WAIS-III)에 개정되었다. 웩슬러의 아동용 지능검사(WISC)는 1949년에 나왔는데, 1974년(WISC-R)과 1991년(WISC-III), 2003년(WISC-IV)에 개정되었다. 그는 더 어린 아동을 위해 1967년에 웩슬러 미취학 및 초급 지능검사(WPPSI, 현재 WPPSI-III)를 개발하였다. 또 1945년에는 웩슬러 기억검사(WMS, 현재 WMS-III) 등의 도구도 개발하였다. 웩슬러는 심리검사의 한계를 인식하고 있었고, 자신의 검사가 다른 사정기법과 함께 사용되어야 한다고 믿었다. 심리학에서 웩슬러의 업적은 종래 비네식의 연령척도에 의한 지능검사와는 달리, 편차지수 개념을 도입한 진단적 지능검사를 개발했다는 점이다. 종래의 지능지수(IQ)는 미국 인구의 대표 표집의 수행에 기초한 정신연령점수를 계산하였다. 이 정신연령점수를 피험자의 생물학적 나이로 나눈 것이 IQ다. 하지만 나이가 들수록 인지 처리속도는 크게 감소하므로 이렇게 산출한 IQ는 나이가 들수록 점점 더 유용성이 떨어진다. 웩슬러는 다양한 연령집단에 따른 규준을 개발하고, 피검사자의 수행을 유사 연령대의 수행과 비교함으로써 이 문제를 해결하였다. 이러한 웩슬러의 편차지수는 성인지능을 가장 의미 있게 나타내는 것으로 널리 채택되고 있다.

주요 저서

Wechsler, D. (1939). *The measurement of adult intelligence*. Baltimore: Williams and Wilkins.

Wechsler, D. (1949). *Wechsler intelligence scale for children*. New York: The Psychological.

위니콧
[Winnicott, Donald Woods]

1896. 4. 7. ~ 1971. 1. 28.
영국의 소아과 의사이자 영국학파의 정신분석가.

위니콧은 영국 프리머스(Primus)에서 태어나 케임브리지대학교를 졸업한 뒤 런던의 성 바솔로뮤(St. Bartholomews) 병원에서 연수과정을 거쳤다. 그 후 런던의 패딩턴 그린(Paddington Green) 병원의 소아과 과장으로 40년간 근무하였다. 그는 1930년대 초 정신분석 분야에 입문하여 30대 후반부터 스트레이치(J. Strachey) 등의 교육분석이나 클라인(M. Klein) 등의 수퍼비전을 받았다. 특히 클라인의 영유아기의 모자를 둘러싼 대상관계 사고방식에서 많은 것을 배웠다. 그는 자신이 처음으로 받았던 소아과적 훈련과 정신분석적 일을 통합하는 데 나머지 인생을 바쳤다. 그리고 안나 프로이트(A. Freud)의 자아심리학에도, 클라인의 대상관계론에도 속하지 않고 독자적인 이론을 만들어 냈다는 이유로 독립학파(중간학파)라고도 불렸다. 위니콧은 프로이트의 유아성욕(리비도)이나 클라인이 말하는 아이들의 무의식적 증상을 중시하는 내적 대상론과 달리 영유아와 실제 어머니의 양육관계, 특히 의존성의 발달을 중시하였다. 그가 말하는 '충분히 좋은(good enough) 어머니'라는 것은 육아에 자연스럽게 몰두할 수 있고, 충분히 아이들을 끌어안으며 아이들이 성장함에 따라서 적절한 시기에 떨어져 나가는 어머니다. 또 그는 어머니와의 미분화된 관계에서 절대 의존하고 있는 일자관계(一者關係)에서 분화한 이자관계(二者關係)로 나아가는 이행기(移行期)를 중심으로 거기서 이행대상의 의의를 설명하였다. 이행대상이란, 어머니가 아이를 맡는 환경과 분리불안에 대한 방어로서 여기서 대상은 어머니, 신체 일부, 담요와 봉제 인형 같은 중간 대상을 말한다. 한편 위니콧은 인간의 발달단계를 3단계로 나누어 설명했는데, 첫 단계는 '절대적 의존기(최초 몇 주)'로 어머니의 보살핌이 절대적으로 필요한 시기다. 이때 아이는 어머니의 보살핌을 통하여 전능성을 경험하는데, 이 전능성의 환상으로부터 건강하고 참다운 자기가 형성된다. 그는 아이가 어머니로부터의 적절한 환경이 주어지지 않으면 본래의 자발성과 창조성을 억압하고 참된 자기(true self)가 아니라 거짓자기(false self)를 발달시킨다고 보았다. 두 번째 단계는 '상대적 의존기(6~24개월)'로 아이는 자신을 엄마로부터 독립하여 인식하면서 동시에 불안을 느낀다. 이때 필요한 것은 엄마가 아이를 얼러 주는 환경으로, 이것은 통합을 촉진하고 외부 대상이 존재함을 인식하도록 해 준다. 마지막 단계인 '독립을 향해 가는 시기'는 성인기까지 계속되는데, 실제적인 도움 없이도 스스로 행동할 수 있으며 개인 존재로서 독립을 추구하는 참된 자기를 확립할 수 있다. 그는 교육분석의 분석가로서 성인에게도 중요한 일을 했지만, 주요 공헌은 아이들과 관련된 일이라 할 수 있다. 그가 소개한 난화기법(squiggle method)은 아이의 내면세계를 이해하는 데 중요한 수단이 되었다. 위니콧은 영국정신분석학회의 회장을 역임한 바 있으며, 정신분석과 아동분석의 학술활동에서 큰 역할을 하였다.

주요 저서

Winnicott, D. W. (1931). *Clinical notes on the disorders of childhood*. London: Willam Heinemann.

Winnicott, D. W. (1958). *Collected papers: Through paediatrics to psycho-analysis*. London: Tavistock Publications; New York: Basic Books.

Winnicott, D. W. (1964). *The child, the family and the outside world*. Harmondsworth: Penguin Books.

Winnicott, D. W. (1965). *Collected papers: The maturational processes and the facilitating environment*. London: Hogarth Press and the Institute of Psycho-Analysis.

Winnicott, D. W. (1971a). *Playing and reality*. London: Tavistock Publications.

Winnicott, D. W. (1971b). *Therapeutic consultations in child psychiatry*. London: Hogarth Press and the Institute of Psycho-Analysis.

Winnicott, D. W. (1986). *Home is where we start from: Essays by a psychoanalyst*. London: Pelican Books.

Winnicott, D. W. (1987a). *Babies and their mothers*. London: Free Association Books.

Winnicott, D. W. (1987b). *The spontaneous gesture: Selected letters of D. W. Winnicott*. London/Cambridge (MA): Harvard University Press.

Winnicott, D. W. (1988). *Human nature*. London: Free Association Books/New York: Schoken Books.

Winnicott, D. W. (1992). *Through pediatrics to psychoanalysis*. New York, NY: Brunner/Mazel.

Winnicott, D. W. (2001). *The child and outside world: studies in developing relationships*. London: Routledge.

위크랜드
[Weakland, John H.]

1919. ~ 1995.
MRI 창설 멤버의 한 사람으로, 분열병 발생요인으로서의 이중구속이론을 발전시킨 심리학자.

위크랜드는 미국 남부캐롤라이나(South Carolina) 주 찰스턴(Charleston)에서 태어났다. 그는 코넬(Conell)대학교를 16세에 들어갈 만큼 우수한 학생이었고, 화학공학으로 학위를 받은 뒤 산업분야의 연구에 참여하였다. 그러다가 미드(Mead), 베네딕트(Benedict)와 함께 문화에 대하여 연구하는 중 베이

ㅇ

트슨(Bateson)이 컬럼비아대학교에서 인류학 연구를 할 수 있도록 그를 이끌어 주었다. 이렇듯 그의 관심이 사회학과 인류학으로 바뀌면서 학문적 연구주제는 중국문화, 가족, 성격, 정치적 행동 등으로 변화되었다. 그는 학위논문을 고쳐 쓰도록 요청받았지만 이를 거부하고, 컬럼비아(Columbia)대학교에서 박사학위를 취득하지 않기도 하였다. 위크랜드는 1954년부터 1960년까지 MRI(Mental Research Institute, 정신건강 연구소)에서 활동한 팔로 알토 그룹에 참여하였다. 그때 에릭슨(Erikson), 잭슨(Jackon)과 더불어 최면술과 정신병리적 행동, 가족치료 등을 연구하였다. 팔로 알토 그룹의 의사소통에 관한 연구는 학문적인 관심에서 시작되었다. 원래 계획에는 문제가족의 치료가 포함되지 않았지만, 정신분열병 환자가족의 의사소통을 연구하면서 일부 연구자들이 이들 가족의 문제와 고통의 해결에 관심을 보이기 시작하였다. 이러한 의도로 개발된 치료모델이 단기치료(brief therapy)였는데, 위크랜드는 이 치료활동의 주도자 중 한 사람이었다. 1959년부터는 개인적으로 단기 가족치료(brief family therapy)를 실시하였다. 그 후 MRI에서 임상인류학자이자 가족치료사로 활동하였으며, 단기치료센터에도 관여하였다. 또한 스탠퍼드 의과대학에서 정신의학 및 행동과학 분야의 명예교수로 있기도 하였다. 위크랜드는 많은 저서와 논문을 발표하였다. 그가 가장 중요하게 여기는 저서는 와츠라비크(Watzlawick), 피쉬(Fisch)와 공동으로 집필한 『Change』인데, 여기서 그는 단기치료를 체계화하고 변화이론을 구체화하였다.

주요 저서

Weakland, J. H., Fisch, R., & Lynn, S. (1982). *The Tactics of Change: Doing Therapy Briefly*. San Francisco, Calif.: Jossey-Bass.

Weakland, J. H., Watzlawick, P., & Fisch, R. (1995). 상담과 심리치료를 위한 변화: 문제형성과 문제해결 [*Change: Problem Formation and Problem Resolution*]. (김정택 외 역). 서울: 중앙적성출판사. (원저는 1974년에 출판).

Weakland, J. H., & Wendel, R. (1995). *Propagations: Thirty Years of Influence From the Mental Research Institute*. New York: Haworth Press.

윌리엄슨
[Williamson, Edmund Griffith]

1900. 8. 14. ~ 1979. 1. 30.
1930년대 초기상담이론, 지시적 상담접근법을 발전시킨 상담의 선구자.

윌리엄슨은 1925년 일리노이(Illinois)대학교에서 문학학사학위를 받은 뒤 1926년에 미네소타(Minnesota)대학교 대학원에 진학하여 패터슨(Patterson)의 지도를 받았다. 1931년에는 미네소타대학교에서 박사학위를 받았고, 1932년에 심리학 조교수가 되어 동 대학교 검사국 초대 책임자가 되었다. 1941년에는 교수로 승진하여 학생처장을 맡았다. 그는 미국 직업심리학회의 상담분과 전문위원을 맡기도 했으며, 1969년 퇴직할 때까지 40년 이상을 미네소타대학교에서 재직하였다. 1967년부터 1968년까지는 미국상담학회의 회장을 역임하였다. 윌리엄슨은 아이비(Ivey), 칼크허프(Carkhuff)와 더불어 절충적 · 능동적 · 효율적 상담모델을 제시한 최초의 상담심리학자인데, 그의 상담이론의 핵심은 라포 형성, 자기이해, 설명 및 조언, 실행의 지원에 관한 것이다. 그는 이 방식을 지원하는 상담이론으로 특성-요인 상담을 제창하였으며, 이를 바탕으로 한 학생상담 프로그램을 미국에서 처음으로 전개하였다. 윌리엄슨의 특성-요인 상담은 『How to Counsel Students: A Manual of Techniques for Clinical Counselors』에 잘 나타나 있다. 그의 상담 철학은 모든 인간의 발달은 사회적인 것이어서 인간은 서로 영향을 주고받지 않고는 성장, 발달하지 않는다는 것이다. 그리고 인간의 상호작용 속에서 잠재능력을 개발하고 개인의 독자성과 자유의 존중을 추구하였다. 특성-요인 상담은 지시적 상담, 이성적 지시적 상담, 상담자 중심 상담 등 다양한 용어로 표현되며, 이러한 명칭에서도 알 수 있듯이 이 이론은 개인의 특성과 요인, 이성, 상담자의 지시, 직업의 선택을 포함한 의사결정을 강조하고 있다. 미네소타대학교를 중심으로 발전된 이 방법은 상담자가 내담자의 특성과 직업의 특성을 서로 맞추어 직업을 선택하도록 돕는 것도 중시하였다. 윌리엄슨과 달리(Darley)는 1937년에 『Student Personnel Work』를 통하여 미네소타 학파의 견해를 밝히기도 하였다. 그러고는 1938년에 『Student Guidance Technique』을 출판하여 앞의 저서에 대한 견해를 요약하면서 주로 상담과정의 바탕이 되는 검사도구에 대해 논의하였다. 다음 해인 1939년에는 『학생상담의 방법(How to Counsel Students)』을 출간하여 고등학생 및 대학생의 적응 문제를 돕는 상담의 원리와 상담기술, 문제영역별 유형들을 구체적으로 설명하였다. 한편, 『Student Personnel Work』에서는 특성-요인 상담의 기술과 과정에 대해서 다음과 같이 6단계로 제시하고 있다. 첫째, 분석(analysis)이다. 학생을 이해하는 데 필요한 자료와 검사결과를 여러 가지 도구와 기술로 모은다. 누가기록부를 조사해 보고 교사나 학부형을 만나서 이야기를 듣고, 가족사, 건강기록, 학교역사, 직업이나 직업경험, 사회적 또는 오락적 흥미를 알아본다. 누가기록이나 면접의 결과, 자서전, 일화기록, 그리고 각종 검사를 분석하는 데는 특별한 심리 측정도구를 활용할 수 있다. 둘째, 종합(synthesis)이다. 분석해서 모은 자료를 체계적으로 정리, 조직하여 내담자의 특성이 명백히 드러나도록 종합한다. 그리고 문제에 대한 정보의 적절한 연관성을 검토한다. 셋째, 진단(diagnosis)이다. 얻은 정보나 인상으로 상담자는 내담자의 문제에 대하여 그 성질과 원인에 대한 결론을 내린다. 넷째, 예진(prognosis)이다. 개인이 가진 문제가 앞으로 어떻게 발전될 것인지 예측한다. 다섯째, 상담(counseling)이다. 상담자가 내담자의 바람직한 적응을 위하여 도움을 주는 과정이다. 이때 상담자는 내담자의 문제해결을 위하여 암시, 격려, 충고, 재보증(reassurance), 설명, 지도(instruction) 등 모든 기술을 동원한다. 여섯째, 추후과정(follow-up)이다. 상담을 받은 학생이 어떻게 적응하고 있는지, 또는 새로운 문제를 겪고 있는지 확인하고 도와주는 과정이다. 상담자는 상담에 대한 결과를 평가하고 앞으로의 상담과정에 도움을 얻는다. 이상의 6단계는 고정적이거나 배타적이지 않고 몇 단계가 중첩되거나 제외될 수도 있는 융통성이 있다. 이처럼 윌리엄슨은 로저스(Rogers)와 함께 미국 상담의 개척자로서, 학생상담 방법에 관한 저서를 출간하여 상담발전에 공헌한 인물이다.

주요 저서

Williamson, E. G. (1939). *How to Counsel Students.* New York: McGraw-Hill.

Williamson, E. G. (1965). *Vocational Counseling: Some historical, philosophical and theoretical perspective.* New York: McGraw-Hill.

ㅇ

윌버
[Wilber, Ken]

1949. 1. 31. ~
동양사상과 서양의 심리학과 심리치료 간의 장점을 접목하고 통합한 이론가.

윌버는 1949년에 오클라호마(Oklahoma)에서 태어났다. 과학과 수학에 특히 관심이 많았던 그가 듀크(Duke)대학교 의과대학에 입학한 뒤 『도덕경』을 비롯한 동양사상을 접하면서 많은 영향을 받게 되었다. 그는 듀크대학교를 떠나 네브래스카(Nebraska)대학교에 등록하여 화학 및 생물학 학사학위와 생화학 석사학위를 받았다. 1977년에는 첫 책인 『의식의 스펙트럼(The Spectrum of Consciousness)』을 출간하면서 동서양의 마음과 의식에 관한 서로 다른 이론들과 나아가 마음의 치료와 정신적인 해방에 관한 많은 입장을 정리하였다. 그 후 심리학을 비롯한 사회과학과 인문학, 예술, 신학, 종교학, 자연과학 등을 통합하여 인간과 세계의 본질적인 문제와 해결을 향한 이론들을 만들고 있다. 윌버는 자신이 자아초월심리학자라기보다는 통합심리학(integral psychology)자 혹은 통합이론가로 불리기를 원한다. 그는 1998년 통합연구소를 설립하여 통합 이론의 적용을 위해 노력하고 있다. 심리치료와 관련하여 일찍이 『의식의 스펙트럼』과 『무경계(No Boundary)』에서부터 심리치료의 핵심을 정리하고 통합해 왔으며, 현재에는 『통합적 삶의 연습(Integral Life Practice)』으로 그 영역을 넓혀 왔다. 특히 명상과 심리치료 간의 상관관계를 잘 정리해 놓고 있다. 윌버의 공식 홈페이지는 www.kenwilber.com이다.

주요 저서

Wilber, K. (2005). 무경계[*No boundary: Eastern and Western approaches to personal growth*]. (김철수 역). 서울: 무수. (원저는 1979년에 출판).

Wilber, K. (2006). 의식의 스펙트럼[*The spectrum of consciousness*]. (박정숙 역). 경기: 범양사. (원저는 1977년에 출판).

Wilber, K. (2008). (켄 윌버의) 통합심리학: 의식 · 영 · 심리학 · 심리치료의 통합[*Integral psychology: consciousness, spirit, psychology, therapy*]. (조옥경 역). 서울: 학지사. (원저는 2000년에 출판).

융
[Jung, Carl Gustav]

1875. 7. 26. ~ 1961. 6. 6.
스위스 출신 정신과 의사로, 분석심리학의 창시자.

융은 1875년 스위스의 산간 지방인 케스윌(Kesswill)에서 복음주의 개혁 목사의 아들로 태어났다. 어린 시절 융의 어머니는 괴팍하고 우울한 성격에 혼자서 지낸 경우가 많았기 때문에 융은 주로 아버지와 시간을 보냈다. 융의 어린 시절 기억 중에는 어머니 방에서 머리가 떨어진 유령 같은 것이 나오는 것을 보았다는 것도 있었다. 어린 시절의 많은 시간들을 꿈의 의미와 초자연적 환상과 같은 경험을 하며 지냈다. 그러한 아동기 경험들이 나중에 그의 이론에 중요한 역할을 하였다. 어머니가 알 수 없는 병으로 몇 달간 입원 치료를 받는 동안 융은 이모 집에 가 있다가 다시 아버지의 사저로 돌아왔는데, 그처럼 어머니의 양육을 충분히 받지 못한 점과 어머니의 우울 경향이 어린 융에게 많은 영향을 미쳤다. 여동생이 태어나기 전까지 오랜 기간 독자로서, 혼자 있는 시간이 많았던 융은 내성적인 성격을 갖게 되었다. 가족사를 살펴보면, 융의 할아버지가 괴테의 사위였다는 설도 있지만 확인된 바는 없다. 여하튼 학창시절에 접한 괴테의 파우스트는 융에게 깊은 영향을 미쳤다. 셰익스피어의 햄릿이 프로이트(Freud)에게 상징적인 인물이었다면, 융에게는 괴테의 파우스트(Faust)가 그러한 인물일 것이다. 융은 12세에 스위스 바젤에 있는 기숙학교에 들어갔는데 정신을 잃는 사고 때문에 학교를 더는 다닐 수 없었다. 그때부터 집에서 6개월간 머물다가, 아버지에게서 라틴 문법을 배웠다. 그 과정에서도 세 번이나 정신을 잃었고, 결국 스스로 그 문제를 이겨 내긴 했지만 후에 융은 그때 자신이 신경증이 무엇인지 경험했다고 진술하였다. 융이 성장하는 동안 가장 즐거웠던 일은 자연을 탐구하고, 희곡 · 시 · 역사 · 철학 등의 분야에 관한 책을 읽는 것이었다. 처음에는 고고학을 공부하다가, 정신병과 성격적 질환에 대한 독서에 몰입하게 되면서 1895년 바젤대학교 의과대학에 진학하였다. 1900년에는 취리히에 있는 정신병원에서 오이겐 블로일러(Eugen Bleuler)와 함께 일하게 되었다. 1903년, 「On the Psychology and Pathology of So-Called Occult Phenomena」라는 논문으로 박사학위를 받고 같은 해 엠마(Emma)와 결혼을 하였다. 융은 1900년에 발표된 프로이트의 『The Interpretation of Dream』을 읽은 뒤 프로이트의 정신분석에 관심을 갖게 되었다. 융은 자신의 정신분열증에 대한 연구를 「The Psychology of Dementia Praecox」라는 논문으로 발표하고, 또한 1906년에 「Study in Word Association」을 발표한 뒤 그 사본을 프로이트에게 보내 그때부터 두 사람의 교류가 시작되었다. 1907년 융은 프로이트를 만나기 위해 비엔나로 갔고, 프로이트는 융을 정신분석학파의 왕자로 여기게 되었다. 두 사람은 서로를 매우 존중하면서 의지하였다. 하지만 융은 시간이 흐를수록 프로이트의 학설을 모두 수용할 수 없었고, 특히 프로이트가 성 이론을 교리화 하려는 의도를 도저히 받아들일 수 없음을 절감하였다. 1909년 미국 여행 중에 두 사람의 거리를 좁힐 수 없음을 확인하면서, 각자의 꿈을 분석하며 결별의 수순을 밟았다. 융은 무의식 속에는 종교적, 정신적 욕구를 비롯한 여러 종류의 욕구가 담겨 있다고 생각하면서, 1912년에 『Psychology of the Unconscious』를 발표하여 자신과 프로이트의 이론적 견해 차이를 공식적으로 드러냈다. 이는 두 사람 결별의 발화점이 되었다. 프로이트와의 결별이 융에게는 학자적 삶의 전환점이 되었다. 1913년, 마침내 융은 프로이트와 완전히 결별하고 자신의 이론을 분석심리학(analytical psychology)이라 명명한 다음, 자신의 순수 이론적 체계를 설명할 때 복합심리학(complex psychology)이라는 명칭을 사용하였다. 이는 자신의 이론이 단순한 의식에 관한 심리학 혹은 모든 것을 본능적인 요소의 파생물로만 보는 프로이트의 정신분석학 등과는 차별화된 지극히 복잡한 정신적 맥락(psychic context)에 관한 것임을 강조하기 위한 용어였다. 그러나 프로이트와의 결별로 융은 지지기반을 잃었고, 내적 혼란이 일어나 개인적인 심리상태도 고통을 받는 시기가 닥쳤다. 제1차 세계대전이 발발하여 융은 군의관으로 봉사하였다. 그 경험은 융에게는 자기탐색의 고통스러운 과정이었지만 자신의 이론에 대한 기반을 굳건히 하는 계기로도 작용하였다. 융은 자신의 심리적 · 정신적 고통을 거부하지 않고 오히려 이를 매개로 해서 더 깊은 심연으로의 내면여행을 경험하였다. 이 과정에서 그는 태고의 상징과 심상들을 만나게 되었고, 고대로부터 온 악마, 유령, 알 수 없는 형상 등과 대화를 하였다. 융은 몇 년간의 고통스러운 과정을 보내면서, 자신의 내적 의문이 원하는 답을 찾았다. 그는 후에 자신이 만난 상징들을 '만다라(Mandala)'라고 불렀다. 이 그림은 통일성, 전체성, 즉 존재의 중심에 이르게 되는 통로를 나타내는 것이었다. 이때부터 융은 무의식과 그 상징에 관한 탐구에 몰입하였다. 지속적으로 꿈과 환상을 탐색했으며, 여러 문화권의 신화와 예술을 폭넓게 연구하면서 보편적이고 무의식적인 갈망과 긴장의 표현을 발견하기 위해 노력하였다. 1933년, 융은 일반의학 심리치료학회(General Medical Society for Psychotherapy)의 대표로 지명되기도 하였고, 전쟁이 끝난 뒤에는 전 세계를 돌아다니면서 여행을 하고, 1946년 공식적으로 모든 활동에서 은퇴하였다. 1961년 취리히 퀴스나흐트(Küssnacht)의 자택에서 임종한 융은 자신의 학설을 분석심리학(Analytical Psychology)이라고 이름 지어 체계적인 이론을 구축하고 집단무의식, 원형, 개성화 등의 개념을 만들었으며, 동서양의 종교적 체험을 연구하였다. 특히 신화나 민담, 전설에 대한 융의 연구는 이후 많은 분야의 학문과 예술에 영향을 미쳤다. 또한 그의 성격에 대한 외향성과 내향성 연구는 후에 성격유형을 밝히는 MBTI 검사의 시발점이 되었다. 이처럼 융은 무엇보다 프로이트의 후계자로서 지목받은 인물로 유명했으며, 프로이트와 함께 현대 심층심리학의 기반을 구축한 인물로, 집단무의식(collective unconsciousness)이라는 개념을 만들었다. 이 개념은 심리학뿐만 아니라 철학 및 예술에도 큰 영향을 미쳤다. 프로이트의 성 에너지에 대한 견해 차이로 두 사람은 결별하게 되었는데, 이는 정신분석학 사상 가장 큰 사건으로 기록되고 있다.

주요 저서

Jung, C. G. (1933). *Modern Man in Search of a Soul*. London & New York: Routledge.

Jung, C. G. (1953). *The Collected Works of C. G. Jung[1-20]*. Princeton: Princeton Univ. Press.

Jung, C. G. (1957). 기억, 꿈, 사상[*Memories Dreams Reflections*]. (조성기 역). 경기: 김영사.

Jung, C. G. (1995). 융의 생애와 사상. (이기춘 외 역). 서울: 현대사상사.

Jung, C. G. (2005). Analysis of unconsciousness. (설영환 역). 서울: 선영사.

Jung, C. G. (2008). 대지는 영혼을 가지고 있다 - 융기본저작집 1-9[*The Earth Has a Soul*]. (한국융연구원 C. G. 융저작번역위원회 역). 서울: 솔. (원저는 2002년에 출판).

Jung, C. G. (2009). *The Red Book*. Norton & Com.

Jung, C. G. (2009). 인간과 상징[*Man and His Symbols*]. (이윤기 역). 경기: 열린책들. (원저는 1964년에 출판).

Jung, C. G. (2010). 심리학과 종교. (이은봉 역). 서울: 창.

Flournoy, T. (1899, 1994). *From India to the planet Mars: A case of multiple personalities with imaginary languages* (ed. by S. Shamdasani, with foreword by C. G. Jung and commentary by M. Cifali, translated by D. Vermilye). Princeton: Princeton University Press.

Jarrett, J. L. (Ed.) (1988). *Nietzsche's Zarathustra: Notes of the seminar given in 1934-1939 by C. G. Jung, 2vols*. Princeton (NJ): Priceton University Press.

Shamdasani, S. (Ed.) (1996). *The psychology of kundalini yoga: Notes of the seminar given in 1932 by C. G. Jung*. Princeton (NJ): Princeton University Press.

제임스
[James, William]

1842. 1. 11. ~ 1910. 8. 26.
미국의 심리학자이자 철학자이며 의사.

뉴욕에서 태어난 제임스는 아버지가 철학과 신학에 조예가 싶어 자녀들에게 심도 있는 교육을 할 수 있었다. 그는 소설가 헨리 제임스(Henry James)와 수필가 앨리스 제임스(Alice James)와 형제로도 유명하다. 제임스는 어려서부터 유럽을 자주 여행하면서 명문학교들을 다니고, 문화와 예술에 젖어서 생활하였다. 화가가 되고 싶어 했던 제임스의 바람과는 달리 아버지는 과학이나 철학을 권했는데, 원래 허용적이고 자유로운 성격을 지녔던 아버지는 결국 그림 공부를 허락하였다. 그러나 헌트(W. Hunt)와 함께 1년 정도 그림 공부를 하다가 제임스는 화가의 꿈을 포기하고 하버드(Harvard)대학교로 들어가 화학공부를 하였다. 가정형편이 어려워지면서 제임스는 스스로 재정문제를 해결해야 한다는 것을 절감하고는 다시 의대로 전향하였다. 하지만 건강문제와 심각한 우울증으로 고생을 하면서 약 2년간 프랑스와 독일에서 지내게 되었다. 이 시기에 헬름홀츠(H. Helmholtz)와 함께 공부하면서 심리학에 대한 관심을 키워 나갔다. 이후 1869년에 하버드대학교에서 석사학위를 취득한 뒤, 1875년에 하버드대학교에서 심리학 강의를 시작한 이래 35년간 하버드 강단에 섰다. 1869년 하버드 의대를 졸업한 후에도 우울증은 계속 심해졌는데, 1878년 앨리스 기븐스(Alice Gibbons)와 결혼한 뒤 우울증이 없어지고, 그때부터 열정을 다해 일을 하였다. 1910년 68세의 일기로 사망한 제임스는 심리학이 과학으로 발아를 시작하던 무렵, 교육심리학, 종교심리학, 신화주의, 실용주의 철학 등에 지대한 영향을 미쳤다. 그는 물리학, 심리학, 철학 분야의 독창적 사상가로, 1890년에 출간한 1,200쪽이 넘는 저서 『The Principles of Psychology』는 물리학과 심리학, 철학, 인간의 반응 등을 조합한 걸작으로 정평이 나 있다. 제임스는 미국에서 최초로 실험심리학 연구소를 창설한 인물이며, 실용주의 개념에 대해 많은 연구를 하기도 하였다. 또한 분트(Wundt) 등의 구조주의에 반대하면서 기능주의를 내세웠다. 제임스는 무엇(what)이 아니라 왜(why)에 관심을 두었다. 이 같은 제임스의 입장은 미국의 실용주의와 맞아떨어져 미국 심리학의 특징으로 자리매김하였다. 더불어 끊임없이 변화하는 일련의 의식의 본체는 인격적 의식이라는 주장을 하여 인격문제의 중요성을 내세우면서 미국 인격심리학의 출발이 되었다는 평가도 받고 있다. 이외에도 제임스-랑게 정서이론(James-Lange Theory of Emotion)을 제안하였다. 이 이론에 따르면 정서는 물리적 반응에 대한 인간의 해석에 따라 야기되는 것이다. 이와 같이 자신의 풍부한 경험을 바탕으로 제임스는 심리학 분야를 더욱 확장시킨 인물로 평가받고 있다.

주요 저서

James, W. (1890). *The principles of psychology* (2 vols.). New York: Henry Holt.

James, W. (1897). *The will to believe and other essays in popular philosophy*. New York: Longmans/Green.

James, W. (1902). *The varieties of religious experience*. New York: Longmans/Green.

James, W. (1906). *Pragmatism: A new name for some old ways of thinking*. New York: Longmans/Green.

James, W. (1909). *A Pluralistic Universe*. New York: Longmans/Green.

James, W. (1909). *The meaning of truth: A sequel to 'Pragmatism'*. New York: Longmans/Green.

James, W. (1978-88). *The works of William James*. Chmbridge. (MA): Harvard University Press.

James, W. (2001). *Psychology* New York: *The Briefer Course*.

James, W. (2004). *The Meaning of Truth* New York: kessinger Pub.

James, W. (2007). 심리학의 원리 1, 2, 3[*The Principles of Psychology*]. (정양은 역). 서울: 아카넷. (원저는 2005년에 출판).

James, W. (2010). 근본적 경험론[*Essays in Radical Empiricism*]. General Books LLC. (원저는 2010년에 출판).

James, W. (2011). 실용주의[*Pragmatism*]. (정해창 역). 서울: 아카넷. (원저는 2008년에 출판).

James, W. (2011). 인생은 살아야 할 가치가 있는가?[*Is Life Worth Living*]. (김영희 역). 누멘. (원저는 1936년에 출판).

James, W. (2011). 종교적 경험의 다양성[*The Varieties of Religious Experience: A Study in Human Nature*]. (김재영 역). 서울: 한길사. (원저는 2000년에 출판).

제임스
[James, Muriel]

에릭 번의 제자로 교류분석 확립에 기여한 인물.

제임스는 버클리 캘리포니아(Berkeley California)대학교에서 박사학위를 취득하였다. 캘리포니아에 있는 동안 에릭 번(Eric Berne)의 제자로, 번의 『Games People Play』에서 본 바와 같이 교류분석 이론과 게임 분석에 대해서 교육을 받았다. 즉, 번의 이론을 일반 대중에게 알리는 데 중심 역할을 했다고 할 수 있다. 제임스는 19권의 책을 집필했는데 2권은 역사에 관해서, 17권은 교류분석이론과 그 적용에 관한 것이다. 이외에도 21편의 논문과 단행본을 발표하면서 교류분석 이론 확립에 기여하였다. 제임스는 『Born to Win: Transactional Analysis With Gestalt Experiment』의 저자로 세상에 이름을 알렸는데, 이 책은 1971년 베스트셀러로 번의 교류분석사상에 근거한 것이다. 초기 국제교류분석학회(International Transactional Analysis Association)의 일원이었던 제임스는 『Born to Win』에서는 승자와 패자를 정의하는 것을 서두로 하여 승자가 되기 위한 두 가지 접근법을 독자에게 제시하였다. 그것이 바로 교류분석과 게슈탈트 치료인데, 이 책에는 게슈탈트 훈련의 실제가 기록되어 있다. 현재도 교류분석 분야에서 적극적인 활동을 하고 있는 제임스는 국제적으로도 유명한 강사이며, 가족 및 가족상담사의 자격도 갖추고 있다. 또한 국제교류분석학회의 회장을 역임했으며, 캘리포니아 여성위원회(California Gender Equality Committee) 고문을 맡기도 하였다.

주요 저서

James, M. (1974). *The Power at the bottom of the well: Transactional analysis and religious experience*. New York: Harper & Row.

James, M. (1977). *Techniques in Massachusetts: analysis for psychotherapists and counselors. Massachusetts:* Addison-Wesley Pub.

James, M. (1980). *A new Self: Self-therapy with transactional analysis. Massachusetts:* Addison-Wesley Pub.

James, M. (1991). *Hearts on fire: Romance and achievement in the lives of great women*. Los Angeles, CA: J. P. Tarcher.

James, M. (1992). *Passion for life*. Los Angeles, CA: Plume.

James, M. (1994). 결혼카운슬링: 결혼은 사랑을 원해[*Marriage is for loving*]. (우재현 역). 대구: 정암서원. (원저는 1979년에 출판).

James, M. (1995). OK 보스[*The OK Boss*]. (우재현 역). 대구: 정암서원. (원저는 1975년에 출판).

James, M. (2005). 아이는 성공하기 위해 태어난다[*Born to win: Transactional analysis with Gestalt experiments*]. 서울: 샘터. (원저는 1978년에 출판).

젠들린
[Gendlin, Eugene T.]

1926. 12. 25. ~
철학자이자 심리학자로서 경험적 치료 및 초점 맞추기(focusing)의 창시자.

젠들린은 오스트리아의 비엔나(Vienna)에서 중산층 유대인 가정에서 태어났지만 독일어를 사용해야 하였다. 나치의 폭정으로 그가 12세 되던 해에 가족이 미국으로 이주하기로 결정하고는, 유럽을 전전하다가 마침내 미국에 정착하였다. 젠들린의 아버지는 늘 '내면의 감정(inner feeling)'에 충실해야 바른 길로 갈 수 있다는 가르침을 주었다. 그러한 가르침이 젠들린에게 큰 영향을 미쳤다. 가족이 워싱턴에 정착하고, 젠들린은 시카고(Chicago) 대학교에서 철학을 배우면서 현상학과 실존주의자들의 사상에 매료되었다. 그는 사르트르(Sartre)와 메를로퐁티(Merleau-Ponty)의 저서를 탐닉하였고, 후설(Husserl), 딜타이(Dilthey), 하이데거(Heidegger) 등을 독일어 원서로 읽었는데 독일어 실력 덕분에 행간의 의미까지 이해할 수 있었다. 나중에 젠들린은 시카고대학교의 상담센터에 있던 칼 로저스(Carl Rogers)를 만나서 그의 임상수업에 참여하게 되었다. 1963년에 철학과를 졸업한 뒤에는 그해부터 1995년까지 시카고대학교 강단에 섰다. 로저스와 함께 일을 하면서,

젠들린은 로저스 이론을 재구성하여 자신의 경험적 심리치료(Experiential Psychotherapy)의 철학적 근간을 마련하였다. 또한 오랫동안 자신의 작업에서 성공한 치료와 성공하지 못한 치료들 간의 차이를 뚜렷하게 볼 수 있는 테크닉에 대한 교육을 체계화하였다. 1969년 젠들린은 자신의 첫 번째 논문인 『Focusing』을 출간하였다. 여기서 그는 경험을 성취하기 위해 인간중심접근법과 경험적 치료가 어떻게 활용되었는지를 밝히고, '경험하기(experiencing)'라는 개념을 확장시켜 나갔다. 젠들린은 실험심리학에서의 공헌으로 미국심리학회(American Psychology Association)에서 상을 받기도 하였다. 1970년대 들어서는 초점 맞추기와 자신의 이론에 관한 입문서를 내놓기 시작하였다. 후에 사람들의 관심이 증폭되면서 워크숍을 시작으로 하여, 초점 맞추기 뉴욕 연구소(Focusing Institute of New York)를 창립하기에 이르렀다. 1980년대에는 『Focusing』이 12개 국어로 번역되어 전 세계적으로 알려졌고, 동시에 그의 성격이론에 관한 여러 논문도 출간되었다. 젠들린은 초점 맞추기에서 '지금'과 '여기'를 중시하였다. 그의 개념 중 또 하나 중요한 것은 '가장자리에서 사고하기(Thinking at the Edge)'다. 그는 초점 맞추기와 가장자리에서 사고하기를 통해서 인간사고의 양식과 개념에 대한 새로운 면을 보여 주었다. 그에 따르면 인간의 환경과의 상호작용은 환경에 대한 임의적 지식보다 앞서 있다. 개념이 변화하는 것은 우연히 그렇게 되는 것이 아니라 경험에 따라 여러 차원에서 다양하게 모순된 방식으로도 재구성되지만, 모든 근원은 경험에서 나오는 것이다. 이 같은 젠들린의 철학은 상대성과 포스트모더니즘을 넘어섰다. 그에게는 경험적 실험이 가장 중요하지만, 그의 주장이 단순한 객관성만을 담고 있는 것은 아니다. 젠들린의 철학은 철학을 전혀 모르는 사람들이 사용할 수 있는 실용적 과정의 발달이 가능하다. 그 과정이 칼 로저스와의 협력에서 나온 초점 맞추기와 알고 있던 것을 연결된 이론으로 발전시켜 나가는 방법인 가장자리에서 생각하기(Thinking at the Edge: TAE)다. 그에 따르면 인간에게 입력되는 정보는 몸에 저장되어 있다. 몸은 일종의 생체컴퓨터로, 엄청난 양의 자료를 수집했다가 자료를 요청하거나 혹은 어떤 외부사건의 자극을 받는 순간 그것을 전달한다. 생각이나 정신만으로는 이 모든 지식을 보유할 수도 없고 그렇게 빠른 속도로 전달할 수도 없다. 어떤 행동을 할 때, 자신이 왜 그러한 행동을 하는지, 왜 그러한 생각이나 느낌을 갖는지는 머리가 아니라 오직 몸이 알고 있다는 것이 젠들린의 주장이다. 그렇기 때문에 치유적인 삶을 위해서는 반드시 몸을 자신의 편으로 만들어야 한다고 하였다.

주요 저서

Gendlin, E. T. (1986). *Let your body interpret your dreams*. IL: Chiron Publication. hiron Pub.

Gendlin, E. T. (1988). *Focusing-oriented psychotherapy: a manual of the experiential method*. New York: Guilford.

Gendlin, E. T. (1997). *Experiencing and the creation of meaning: a philosophical and psychological approach to the subjective*. Illinois: Northwestern Univ. Press.

Gendlin, E. T. (2000). 내 마음 내가 안다[*Focusing*]. (손혜숙 역). 경기: 아름드리미디어. (원저는 1981년에 출판).

젠킨스
[Jenkins, Richard Leos]

1903. 6. 3. ~ 1991. 12. 30.
미국의 정신의학자.

젠킨스는 1925년 스탠퍼드(Stanford)대학교를 졸업하고, 시카고대학교에서 석사학위를 받았다. 그는 1930년대에 지능과 '몽골증(mongolism: 다운증

후군의 옛 명칭)'에 대한 연구를 발표했으며, 또한 서스톤(Thurstone)과 함께 심리측정에 관한 연구를 하여 형제 서열과 지능에서 막내가 가장 지능이 높고, 부모의 나이가 많을수록 아이는 또래에 비해 지능이 높다는 사실을 발견하였다. 젠킨스는 일리노이(Illinois)대학교 의과대학 정신의학부 조교수로 일하면서 청소년 연구소(Institute for Juvenile Research)의 소장 대행 등 여러 학교에서 교편을 잡기도 하였다. 게다가 1949년부터 1961년까지는 보훈청에서 정신과 연구 책임자로, 또 정신과 평가 프로젝트 책임자로 봉사하기도 하였다. 이후에는 아이오와(Iowa)대학교 교수로 임용되어 아동정신의학 분과장을 역임하였다. 만년에는 여러 저서를 편집하고, 자신의 시집을 내기도 하는 등의 활동을 하다가 1991년 아이오와 시티에서 뇌출혈로 사망하였다. 젠킨스는 아동정신의학 및 청소년비행에 대한 연구로 이름이 알려졌다. 현재 정신과 진단에 가장 널리 사용되고 있는 『정신질환진단 및 통계편람(Diagnostic and Statistical Manual of Mental Disorders: DSM)』 제2판을 감수한 인물 중 한 사람이기도 하다. 그는 정신분석학을 기본으로 하는 이론적 입장에서 성격의 구조와 기능을 설명하였고, 여러 사례에서 통계적 조작, 특히 클러스터 분석(Cluster analysis) 기법을 사용하여 아동 및 청소년기 행동장애를 유형별로 설명해 주고 있다. 원시충동, 금지의 껍질, 자아 이 세 가지가 원활하게 기능하지 못하면 부적응 행동이 나타난다고 주장하면서 세 종류의 대표적인 사례를 들었다. 금지의 껍질이 강한 사람은 공포증, 틱과 같은 긴장이나 불안이 대표 증상이 되고, 금지의 껍질이 너무 약한 사람은 싸움을 일삼는 등 공격적인 성향을 보인다고 하였다. 금지가 집단 내부에 놓인 경우에는 작용이 어렵고, 집단 외부에 놓인 경우에는 기능하기가 어려운 가성 사회화(假性社會化) 같은 증상도 나타난다. 이러한 증상이 나타나는 배경요인에는 아동양육에서의 부모-자녀관계의 부적절함을 들 수 있다.

주요 저서

Jenkins, Richard L. (1973). *Behavior Disorders of Childhood and Adolescence*. Thomas.

Jenkins, Richard L. (1987). *Racism and Equal Opportunity Policies in the 1980s*. Cambridge: Cambridge Univ. Press.

Jenkins, Richard L. (1991). *Breaking Patterns of Defeat: the effective readjustment of the sick personality*. Philadelphia: J. B. Lippincott.

Jenkins, Richard L. (1998). *Questions of Competence: culture, classification and intellectual disability*. Cambridge: Cambridge Univ. Press.

Jenkins, Richard L. (2008). *Social Identity*. London: New York: Routledge.

젤소
[Gelso, Charles J.]

작업동맹, 전이, 역전이, 실제 관계 등을 포함한 심리치료에서 관계와 연관된 이론 및 경험적 연구에 공헌한 바 있는 인물.

젤소는 1964년에 플로리다(Florida) 주립대학교에서 석사학위를 취득하고, 1970년에 오하이오(Ohio) 주립대학교에서 박사학위를 받았다. 이후 메릴랜드(Maryland)대학교 칼리지 파크에서 심리학부 교수가 되었다. 젤소는 심리치료 연구 분야의 많은 후학들에게 영향력 있는 스승인데, 그의 연구는 단기 및 장기 심리치료에서 정신분석적 개념을 적용하는 것에도 큰 영향을 미쳤다.

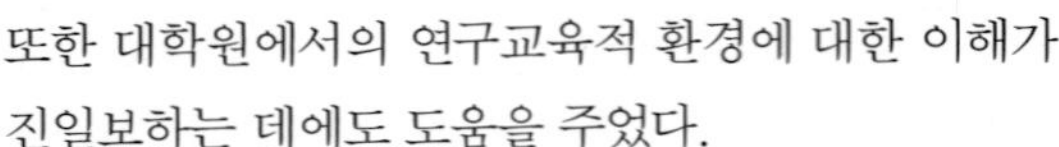

또한 대학원에서의 연구교육적 환경에 대한 이해가 진일보하는 데에도 도움을 주었다.

주요 저서

Gelso, C. J. (1998). *Psychotherapy Relationship: Theory, Research, and Practice*. New York: Willey.

Gelso, C. J. (2000). *Counseling Psychology*. Pacific Grove, CA: Brooks Cole.

Gelso, C. J. (2007). *Countertransference and the Therapist's Inner Experience: Perils and Possibilities*. London: Routledge.

Gelso, C. J. (2010). *The Real Relationship in Psychotherapy: The Hidden Foundation of Change*. Washington, DC, US: APA.

존스1)
[Johns, Ernest Alfred]

1879. 1. 1. ~ 1958. 2. 11.
영국의 정신분석학자.

존스는 웨일스(Wales)의 스완지(Swansea)에서 태어났다. 그는 정신과 의사로 활동하다가 정신분석학자가 되었다. 융(Jung), 랭크(Rank), 아들러(Adler) 등이 프로이트(Freud)와 결별할 때 존스는 끝까지 스승과 제자의 관계를 깨지 않았고, 다른 동료들이 프로이트와 갈등을 빚을 때도 그는 프로이트를 옹호하는 입장을 고수하였다. 프로이트의 만년에 유대인이라는 이유로 독일군을 피해 영국에 정착할 수밖에 없었던 과정에서 도움을 준 것도 존스다. 그는 프로이트의 첫 번째 전기(傳記) 작가로서, 프로이트의 전기 3권을 썼고(1953~1957), 프로이트의 딸 안나 프로이트(Anna Freud)에게 헌정하였다. 또한 스트레이치(Strachey)와 함께 프로이트 선집 발간 작업도 하였다. 존스는 영어를 사용하는 최초의 정신분석학자였다. 그 덕분에 영국정신분석연구회(British psychoanalytical Society)와 국제정신분석학회(International Psychoanalytic Association) 양 기관의 수장을 1920년대와 1930년대를 거치면서 맡기도 했다. 존스의 노력으로 영어권 국가들에 정신분석학이 소개되었다. 존스가 쓴 『Hamlet and Oedipus』는 프로이트가 극찬한 햄릿에 대한 비평서이며, 정신분석 학계에서는 지금도 세계적인 명저로 평가받고 있다. 이 책은 햄릿의 고뇌에 대하여 기존의 해석에 반하는 정신분석적 입장을 보여주는데, 존스가 그만큼 프로이트 및 정신분석의 옹호자임을 알 수 있다. 또한 1926에는 클라인(Klein)의 업적을 인정하여 런던에 초청하기도 하였다. 국제정신분석학회(International Psychoanalytical Association) 회장까지 역임한 존스는, 1920년 당시에 『International Journal of Psychoanalysis』를 창간한 인물이다.

주요 저서

Johns, E. (1931). *On The Nightmare*. London: Hogarth Press.

Johns, E. (1953). *The Life and Work of Sigmund Freud*. New York: Basic Books.

Johns, E. (1964). *Essays in Applied Psycho-Analysis*. New York: International Univ. Press.

Johns, E. (2009). 햄릿과 오이디푸스[*Hamlet and Oedipus*]. (최정훈 역). 서울: 황금사자. (원저는 1949년에 출판).

존스2)
[Jones, Mary Cover]

1896. 9. 1. ~ 1987. 7. 22.
1920년대 행동주의의 선구자.

존스는 펜실베이니아(Pennsylvania)에서 태어나 바사르(Vassar)대학교에서 심리학을 공부하고 1919년 졸업하였다. 그 후 1920년대에는 행동주의자로 유

명한 왓슨(J. Watson)과 함께 작업하였다. 그는 공포와 불안이 어떻게 역조건형성되고 이로써 소거되는지 소년 대상의 연구를 통하여 보여 주었다. 이 연구는 피터라는 3세 소년을 대상으로 한 토끼의 공포에 대한 작업이었다. 존스는 피터의 토끼에 대한 공포를 즐거운 자극(음식)과 함께 토끼를 연합하는 '직접적인 훈련'으로 다루었다. 그러자 피터는 공포를 더 잘 견딜 수 있었고, 나중에는 두려움 없이 토끼를 만질 수 있게 되었다. 1920년대 후반 존스는 캘리포니아대학 아동복지연구소에서 연구원으로 있었고, 1952년부터 1959년 은퇴할 때까지 교수로 재직하였다. 1968년에는 미국심리학회(American Psychological Association: APA)로부터 스탠리 홀 상을 수상하였다.

주요 저서

Jones, M. C., & Burks, B. S. (1936). *Personality development in childhood: a survey of problems, methods and experimental findings*. Washington, D. C.: Society for research in child development, National research council.

Jones, M. C. (1971). *The Course of human development: selected papers from the longitudinal studies*. Institute of Human Development, the University of California, Berkeley, Waltham, Mass.: Xerox College Pub.

쥬라드
[Jourard, Sidney Marshall]

1926. ~ 1974.
캐나다 출신의 심리학자이며 인본주의 심리학의 선두자 중 한 명.

쥬라드는 1926년 캐나다에서 태어나 토론토(Toronto)대학교에서 1948년에 석사학위를 받고, 버팔로(Buffalo)대학교에서 1953년에 임상심리학으로 박사학위를 받았다. 그 후, 에모리(Emory)대학교, 앨라배마(Alabama)대학교 의과대학 등에서 강의를 하다가 1958년에 플로리다(Florida)대학교에 자리를 잡고, 1974년 사망할 때까지 교수직을 유지하였다. 그는 어릴 적부터 인간행동에 관심이 무척 많았다. 25년간 개인심리치료를 실행하였고, 만년 10년 동안은 참만남집단, 경험 세미나, 오아시스 카이로의 에솔렌연구소(Esalen Institute) 워크숍, 인간센터(The Center of Man) 등의 활동을 하면서 여러 기관에서 미국, 캐나다, 유럽 등지를 돌아다녔다. 또한 인본주의 심리학회(Association for Humanistic Psychology)의 회장을 역임하였다. 그는 로저스(C. Rogers). 메이(M. May), 펄스(F. Perls), 매슬로(A. Maslow) 등과 함께 인본주의 심리학의 선두주자로 여겨지며, 자기노출과 신체의식 분야의 개척자로 인정받고 있다. 그는 1960년대와 1970년대 인본주의 심리학자들이 구축하고 활용한 개념과 기술의 통합을 꾀한 인물로서, 인간접촉(human touch)이라는 획기적인 연구분야는 인간의 접촉을 실제 생활 속에서 살펴보는 실험으로 형성된 것이었다. 그 연구를 보면, 파리, 푸에르토리코, 플로리다, 런던 등의 카페에 함께 앉은 사람을 대상으로 조사한 결과 파리에서는 평균 시간당 110번, 푸에르토리코에서는 180번, 플로리다에서는 2번, 런던에서는 전혀 접촉

ㅈ

하지 않는 것으로 나타났다. 그는 또 인생 초기부터 나타나는 인간의 행동에 몰두했는데, 쥬라드의 이론을 '자기노출이론(Self-Disclosure Theory)'이라고 부른다. 자기노출이론은 모든 노출이 내담자와 치료사에게 힘이 된다는 인본주의 치료에서의 치료적 모델이다. 주의할 점은 치료사의 자기노출은 반드시 내담자와 관련된 심리학적 이론의 교육과 이론에 근거하여 이루어져야 한다는 것이다. 쥬라드는 노출은 관계와 개방성 장려에 중요한 도구가 된다고 하였다. 또한 건강한 관계, 성장에의 열망에도 개인적 차원에서만이 아니라 사회적 차원에서도 도움이 된다. 쥬라드는 심리치료 분야의 관심이 인격의 병적인 측면에 집중되어 있었던 시대에 건강한 인격이 무엇인가에 관심을 기울였고, 이는 투명한 자기를 아는 것과 자기를 열어 보이는 것(自己開示)과 관련되어 있다는 것을 밝혔다. 스스로 자기개시를 할 수 있는 인격은 타인의 자기개시를 촉진한다는 사실까지 발견한 쥬라드는 심리치료사가 자기개시를 하도록 시도하였다. 그의 영향력은 사후에 웹사이트에서 증명되었다. 현재 그의 저서와 연구들은 여러 웹사이트를 통해서 전파되고 있으며, 개인적인 논문과 저서는 서부 조지아(Georgia)대학교에 기부되었다.

주요 저서

Jourard, S. M. (1961). *Personal Adjustment*. London: Macmillan.

Jourard, S. M. (1964-1971). *The Transparent Self*. Princeton, NJ: Van Nostrand Reinhold.

Jourard, S. M. (1968). *Disclosing Man to Himself*. London: Macmillan.

Jourard, S. M. (1974). *Healthy Personality: An Approach From the Viewpoint of Humanistic Psychology*. London: Macmillan.

징커
[Zinker, Joseph]

게슈탈트 상담의 주요 이론인 알아차림-접촉주기 모델을 확립하고, 창조적으로 게슈탈트 기법들을 적용한 대표적인 게슈탈트 상담가.

징커는 폴란드에서 태어나 성장하였고, 1949년에 미국으로 이주하여 뉴욕(New York)과 클리블랜드(Cleveland)에서 심리학과 러시아 문학을 전공하였다. 1960년대에 펄스(Perls)에게 훈련을 받은 이후 클리블랜드 게슈탈트 연구소(Cleveland Gestalt Institute)를 공동 창립하였다. 징커는 게슈탈트 이론과 방법론의 발전에 큰 영향을 주었다. 그는 특히 게슈탈트 치료의 뿌리인 인본주의, 전체론 및 개인 안에 상주하는 성장과 통합의 창조적 힘에 대한 신뢰를 상기시켰으며, 부부 및 가족치료에 대한 게슈탈트 이론을 발전시켰다.

주요 저서

Zinker, J. (1977). *Creative Process in Gestalt Therapy*. New York: Vintage Books.

Zinker, J. (1994). *In Search of Good Form: Gestalt Therapy with Couples and Families*. San Francisco: Jossey-Bass.

체이스
[Chace, Marian]

1896. ~ 1970.
무용치료 분야의 선구자.

체이스는 20세에 미술학교에 진학했지만 다이빙 사고로 등과 허리를 다쳐서 그림을 그릴 수 없게 되었다. 재활치료의 일환으로 등과 허리 힘을 기르기 위해 무용을 시작했다가 이후 무용에 전념하게 되었는데, 이것이 체이스에게 의사소통의 진정한 의미로 작용하였다. 체이스는 20대 후반에 다시 뉴욕의 데니숀 무용학교에 진학하였다. 그곳에서 현대무용의 개척자인 마사 그레이엄(Martha Graham)과 도리스 험프리(Doris Humphrey)의 영향을 받았다. 졸업 후에는 데니숀 무용학교에서 무용교사이자 안무가, 연구자로 재직하면서 1940년 초까지 현대무용을 가르쳤다. 이후에는 1924년에 성엘리자베스병원에서 의사소통을 위한 춤이라는 프로그램으로 자원봉사를 한 것이 인연이 되어, 1940년대에 성엘리자베스병원에서 일하면서 무용치료를 활용한 이론을 시험해 보았다. 1946년부터 25년간 정신치료시설인 새너토리엄(Chestnut Lodge Sanatorium)에서 무용치료사로 근무한 체이스는 1960년대 초에는 뉴욕음악학교에서 무용치료를 위한 최초의 프로그램을 만들었다. 또한 1966년에는 미국무용치료학회(American Dance Therapy Association)를 조직하여 초대회장을 맡았다. 체이스는 초기 인간관계 기능적 장애에 집중하여 그 원초적 관계(primary relationship)를 대화 및 무용으로 재생할 수 있다고 한 설리번(Sullivan)의

사상에서 많은 영향을 받았다. 설리번은 인격이 여러 관계를 통하여 형성된다는 것을 강조하였다. 이 같은 설리번의 이론은 인간이 상호 만족, 안전, 공유된 대화를 찾으려고 하는데 불안이 이 충동을 방해하고 있다는 가정을 밑바탕에 깔고 있다. 체이스는 춤을 의사소통으로 여기고, 집단 내 리드미컬한 동작체험이 신체의식이나 대인관계에 영향을 미치고, 나아가 정신적인 면에서도 치료적 효과가 있다고 믿었다. 치료적 관계는 무용치료사와 환자 간에 나타나는 움직임의 구조가 보여 주는 의미의 핵심이라고 체이스는 주장하였다. 이를 변화되도록 하는 상호작용과정이 바로 치료적 관계라는 이론을 펼친 것이다. 체이스는 환자들이 분명한 의사소통을 하고, 감정을 드러낼 수 있게 하여 인간 상호관계를 재생시켜 주는 수단으로서 무용의 움직임을 사용하는 기술을 사용하였다. 이는 치료방법에 언어적인 면과 비언어적인 면을 체계적으로 통합한 치료체제를 만든 것이다. 체이스는 감정의 혼란과 고통 수용 곤란이 신체 형태뿐만 아니라 기능을 왜곡시킨다고 하였다. 따라서 무용과 감정표현 간의 본래적 관계를 이해하게 될 때, 치료사는 환자를 제대로 움직일 수 있도록 할 수 있다는 것이다. 이때, 무용동작 하나하나는 표현하는 사람이 전하고 싶은 상징적 표현이 된다. 이를 집단에 적용할 때 구성원 간의 의사소통으로 단결력과 서로에 관한 이해를 유도할 수 있다. 체이스는 무용이라는 매체를 통해서 의사소통에 어려움이 있던 사람들의 의사소통과 감정의 표현, 직접적인 대화를 가능하게 한 인물로 평가받고 있다.

주요 저서

Chace, M. (1983). *Share the Dream*. Silhouette Books.

칙센트미하이
[Csikszentmihalyi, Mihaly]

1934. 9. 29. ~
크로아티아 출신 긍정심리학자.

칙센트미하이는 크로아티아 리제카(Rijeka)에서 태어났다. 아버지는 이탈리아 주재 헝가리 영사였다. 그의 성(姓)인 칙센트미하이는 헝가리 지명 중 하나인 칙(Csik)에서 온 미카엘 천사라는 뜻이다. 전통적 교육을 받은 청소년 시절은 로마에서 보내면서 음식점을 하고 있는 가족을 도왔다. 그는 시카고(Chicago)대학교에서 1960년에 학부를 졸업하고, 1965년에 박사학위를 취득하였다. 처음에는 융(Jung) 사상에 관심을 가졌으나 대학에서는 행동주의 심리학(behavioristic psycholopy)을 공부하였다. 시카고대학교 심리학부 학장을 역임했고, 레이크 포레스트(Lake Forest) 대학교 사회학과 및 인류학과를 거쳐, 클레어몬트(Claremont)대학교 피터 드러커(Peter Drucker) 대학원의 교수로 재직하였다. 주 연구 분야는 매니징 플로(managing flow)에서의 창의성과 혁신이다. 그는 미국교육학회(American Educational Research Association), 미국 예술 및 과학학회(American Academy of the National Academy of Leisure Studies Arts and Sciences, AAAS), 국립레저연구학회 등의 회원이기도 하다. 행복과 창의성 연구에 대한 저서로 주목을 받은 그는 '몰입(flow)'의 개념을 구성한 것으로 유명하다. 칙센트미하이는 120여 편이 넘는 논문과 단행본을 출간한 다작의 작가이기도 하다. 마틴 셀리그먼(Martin Seligman)은 그를 두고 긍정심리학의 세계적인 선도적 역할을 하는 학자라고 평가하였다. 그의 두 아들 크리스토퍼 칙센트미하이(Christopher Csikszentmihalyi)와 마크 칙센트미하이(Mark Csikszentmihalyi)는 각각 MIT 미디어 연구소(MIT Media Labs)와 캘리포니아 버클리대학교에서 근무하고 있다. 심리학과 경영학 분야에 탁월한 능력을 가진 칙센트미하이는 낙천주의, 창조성, 내적 동기화, 책임감과 같은 인간의 강점과 관련된 긍정적 심리학을 연구하는 비영리연구소인 '삶의 질 센터(Quality of Research Center)'의 창립자이자 공동대표다. 1997년에 발표한 『Finding Flow』에서 칙센트미하이는 성공적인 삶을 위해서는 한 가지에 빠져드는 '몰입'이 필요하다고 주장하면서, 몰입을 통한 행복은 스스로의 힘으로 만들어지기 때문에 더욱 값지다고 말하였다. 그는 일상을 기반으로 한 현실 자체를 과학적이고 구체적인 방법으로 접근하고 있다. 이 저서는 수천 명에게 조사한 설문자료와 자신의 광범위한 인문학적 지식을 접목하여 인간 삶의 가치와 삶을 경영하는 방법을 보여 주고 있다. 그의 또 하나의 중요한 저서인 『Flow: The Psychology of Optimal Experience』에서는 사람이 직접적으로 특정 상황에 처해 활동하면서 집중하거나 푹 빠진 상태를 경험하는 것을 몰입(flow)이라고 설명하면서, 이 상태에서 사람은 더 나은 능력을 발휘한다고 주장하였다. 몰입이란 바로 거기에 혹은 최적의 상태로(in the zone or in the groove) 있다는 느낌을 말한다. 몰입의 상태는 내적 동기요인(intrinsic motivator)이 최적의 상태에 있는 것이며, 이는 사람이 자신이 하고 있는 것에 완전히 빠져 있는 상태를 말한다. 몰입상태를 경험하기 위해서는 일이 주는 부담감과 일을 수행하는 사람의 기술이 적절하게 균형을 이루어야 한다. 몰입이 되기 위해서는 주의집중이 필요한데, 이는 마음챙김, 명상, 요가 등에서 말하는 것과 비슷하다. 칙센트미하이는 일의 부담감 수준과 기술 수준에 따라서 자신이 말한 몰입의 개념을 정신상태 정도로 표현한 그림을 제시하였다. 왼쪽 상단의 불안(anxiety)을 기점으로 해서 오른쪽으로 돌아가면서 자극(arousal), 몰입(flow), 제어(control), 이완(relaxation), 권태(boredom), 무관심(apathy), 염려(worry) 등의 영역이 있다. X축과 Y축으로 보면, Y축은 과제 부담감이다. 아래서 위로 올라갈수록 과제의 부담감은 커진다. X축은 기술 수준이며, 왼쪽에서 오른쪽으로 갈수록 기술 수준이 높아진다. 칙센트미하이의 이론에 따르면 과제 부담감과 기술 수준은 두 요소 모두 몰입과 비례관계에 있다. 다시 말해, 과제 부담감이 클수록 몰입도가 커지고 기술 수준이 높을수록 몰입도도 커진다. 결과적으로 몰입은 그림의 오른쪽 가장 윗부분에 위치한다.

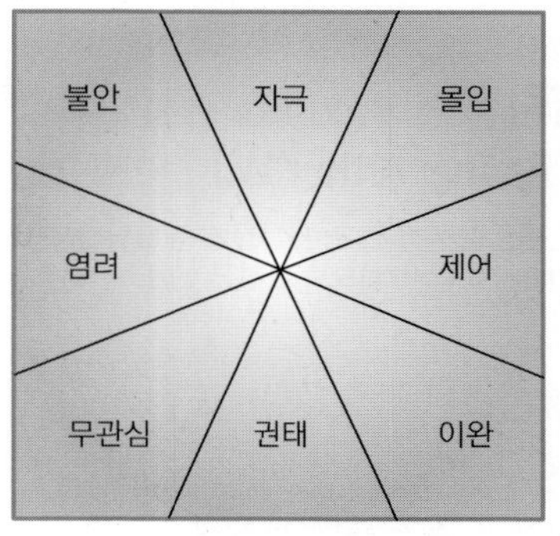

주요 저서

Csikszentmihalyi, M. (1990). *Flow: the Psychology of optimal experience*. New York: Harper & Row.

Csikszentmihalyi, M. (1997). *Finding flow: the Psychology of engagement with everyday life*. New York: Basic Books.

Csikszentmihalyi, M. & Schneider, B. (2003). 어른이 된다는 것은[*Becoming adult: how teenagers prepare for the world of work*]. (이희재 역). 서울: 해냄. (원저는 2000년에 출판).

Csikszentmihalyi, M. (2003). 몰입의 기술[*Beyond boredom and anxiety: experiencing flow in work and play*]. (이삼출 역). 서울: 더불어책. (원저는 1975년에 출판).

Csikszentmihalyi, M. (2003). 창의성의 즐거움[*Creativity:*

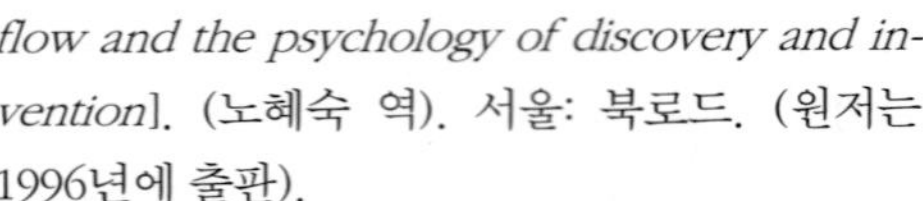

flow and the psychology of discovery and invention]. (노혜숙 역). 서울: 북로드. (원저는 1996년에 출판).

Csikszentmihalyi, M. (2009). 몰입의 재발견[*The Evolving self: a psychology for the third millennium*]. (김우열 역). 서울: 한국경제신문. (원저는 1993년에 출판).

Csikszentmihalyi, M. (2011). 미스터 몰입과의 대화: 일, 놀이, 삶의 기쁨에 대하여[*Flow: der weg Zum glueck*]. (임석원 역). 경기: 위즈덤 하우스. (원저는 1993년에 출판).

칙커링
[Chickering, Arthur W.]

학업에 관한 교육적 연구가로서, 학생 발달이론(student development theories)으로 알려진 인물.

칙커링은 조지메이슨(George Mason)대학교와 가더드(Goddard)대학교의 교수를 역임하였다. 현재는 가더드대학교 총장 특별 보좌관으로 있다. 가더드대학교 교수 시절, 자신의 가장 유명한 책인 『Education and Identity』의 출판 근거가 된 연구를 시작했고, 1959년부터 1969년까지 대학 2학년생과 4학년생을 대상으로 테스트를 시행하였다. 단과대학생 발달 프로젝트(Project on Student Development in Small Colleges)의 책임자가 되어 다른 대학들에서도 자료를 모아, 1969년 학생발달에 관한 일곱 가지 벡터이론(seven-vector theories)을 제시하였다. 1993년에는 린다 레이서(Linda Reisser)의 도움을 받아 자료를 증보하여 이 이론을 재판하였다. 칙커링은 학업분야 발달에 관한 업적과 대학의 학생발달 이론에 관한 업적으로 미국교육연구학회(American Educational Research Association)에서 린드퀴스트상(E. F. Lindquist), 전국학생관리학회(National Association of Student Personnel Administrators)에서 봉사상(Outstanding Service Award), 미국대학인사학회(American College personnel Association)에서 지적 공로상(Distinguishes Contribution to Knowledge Award), 사립대학협의회(Council for Independent Colleges)에서 봉사상(Idstinugished Service Award), 고등교육연구학회(Association for the Study of Higher Education)에서 연구, 지도력, 봉사 등 남다른 공헌을 한 사람에게 수여하는 하워드 보웬 업적상(Howard R. Bowen Distinguished Career Award) 등 많은 상을 수상하였다. 칙커링은 자신의 일곱 가지 벡터이론(Seven Vector)을 통해서 학생발달 촉진을 위한 교육에서의 실제 설계방법을 제시하여 대학생의 대학생활에 지대한 영향을 미쳤다.

주요 저서

Chickering, A. W. (1977). *Experience and Learning: An Introduction to Experiential Learning*. New York: Charge Mgazine Press.

Chickering, A. W. (1993). *Education and Identity*. San Francisco: Jossey-Bass.

Chickering, A. W. (2001). *Getting the Most Out of College*. New York: Prentice Hall.

Chickering, A. W. (2005). *Encouraging Authenticity and Spirituality in Higher Education*. San Francisco: Jossey-Bass.

Csikszentmihalyi, M. (2001). *Good Work: When Exellence and Ethics Meet*. New York: Basic Books.

Csikszentmihalyi, M. (2003). *Good Business: Leadership, Flow, and the Making of Meaning*. New York: Viking.

Csikszentmihalyi, M. (2006). *A Life Worth Living: Contributions to Positive Psychology*. New York: Oxford. Univ. Press.

Csikszentmihalyi, M. (2007). *Experience Sampling Method: Measuring the Quality of Everyday Life*. Thousand Oaks: Sage Publications Inc.

카디너
[Kardiner, Abram]

1891. 8. 17. ~ 1981. 7. 20.
미국 출신 정신과 의사로 정신문화 이론가이자 정신분석학자.

카디너는 뉴욕(New York)에서 태어났는데 그의 부모는 미국으로 이주한 사람들이었다. 그가 태어나서 몇 년 되지 않아 어머니가 사망하고 불우한 어린 시절을 보냈지만 탁월한 지적 능력과 포부로 훌륭한 학업성적을 거두고, 뉴욕(New York) 주립대학을 졸업한 뒤 1917년 코넬(Weill Cornell) 의과대학을 졸업하였다. 이후 2년 동안 시나이산병원(Mount Sinai Hospital)에서 인턴으로 근무하다가, 맨해튼(Manhattan) 주립병원 정신과에서 레지던트 과정을 마쳤다. 모든 수련의 과정을 마친 다음 프린크(H. Frink)의 권유로, 카디너는 1921년부터 1922년까지 프로이트에게 정신분석을 배웠다. 카디너는 프로이트의 인정을 받은 것에 자부심을 가지고 있었다. 그리고 1923년에는 프린크와 1923년에는 브릴(A. Brill)과 또 1927년에는 알렉산더(F. Alexander)와 함께 수퍼비전 작업을 하였다. 1911년에 창설된 뉴욕정신분석학회의 회원이 되었고, 1930년에는 뉴욕정신분석연구소(The New York Psychoanalytic Institute and Society)의 창설자 중 한 사람이 되었다. 이는 미국 최초의 정신분석연구소였다. 1941년, 카디너는 이론적인 갈등과 정책적 문제로 뉴욕정신분석연구소를 떠나, 1945년에 라도(Rado), 대니얼스(G. Daniels), 레비(D. Levy) 등과 함께 정신분석 교육 및 연구를 위한 컬럼비아(Columbia)대학교 클리닉을 창립하였다. 이로써 대학교 의학부에서 최초로 정신분석연구소가 만들어졌다. 1949년 컬럼비아대학교 정신과 임상 정교수가 된 카디너는 그곳에서 개인의 성격과 사회의 여러 상호작용에 관한 연구를 수행하였다. 그의 인격형성에 관한 이론에 따르면, 일정한 문화 속에서 공통된 유아기 체험을 가진 사람들 간에는 기본적인 적응체제가 성립한다. 카디너는 이를 두고 기본적 성격구조(basic personality structure)라고 하였다. 1959년부터 1967년까지 이 연구소의 소장을 맡았으며, 컬럼비아대학교 정신과 임상교수로 머문 카디너는 1950년대에 이르러 정신분석에서 아주 중요한 문제를 탐색하였다. 이는 성격에 대한 문화의 영향에 관한 것이었다. 그는 인류학자들과의 협력으로 원시사회 내에서의 성격형성에 대한 특수한 사회의 영향을 이론화하기 시작하여, 특수 가족양식과 어머니-유아 유착방식에서 서로 다른 문화에서의 '기본 성격구조' 형성에 대한 정신문화모델을 개발하였다. 1939년에 발표한 『The Individual and His Society』를 보면 그 근간이 담겨 있음을 알 수 있다. 그 전에도 전쟁 신경증을 관찰하고, 미국 보훈병원에 있으면서 적응의 문제까지 살펴보곤 하였다. 카디너는 자신이 알게 된 것을 트라우마와 특수 환경에의 발달에 대한 영향 등에 적용해 가면서 제도화된 백인의 인종차별에 대한 흑인에의 영향까지 살펴보았다. 1977년에는 『My Analysis with Freud』라는 회고록을 집필하여 프로이트가 분석을 어떻게 했는지, 미국에서의 초기정신분석 역사가 어떠했는지를 자세하게 보여 주었다. 1981년 이스턴에서 90세의 삶을 모두 마칠 때까지 카디너는 환자를 대면하며 살았다. 카디너의 기본 성격구조를 결정하는 요인으로는 수유 및 이유 방식, 용변 및 성교육과 같은 육아습관, 가족구성, 집단 내 조직 등의 1차적 제도와 기본 성격구조로 발생하는 욕구만족, 긴장해소 등 금기나 종교의식에 해당하는 2차적 제도를 들 수 있다. 카디너는 미개사회분석 연구에서 이를 찾아냈는데, 그의 학설을 요약하면, 첫째, 개인의 영유아기 체험은 성격에 소거하기 힘든 효과를 주고, 둘째, 유사 체험은 타인과 유사한 인격을 만들어 내며, 셋째, 특정 사회의 양육기술은 공통의 경향이 있고, 넷째, 사회·문화적으로 유형화된 육아법은 사회에 따라 다르다. 이 같은 카디너의 사상에 대해서는 비판적인 시각도 있었지만 프롬(E. Fromm), 린턴(R. Linton) 등이 이 사상을 이어 나갔다. 카디너가 말하는 기본 성격은 단순히 유년기 육아방식에서만이 아니라 소속된 사회가 요구하는 행동 및 태도를 장기간 의식적·무의식적 습관으로 받아들이는 과정에서도 형성된다.

주요 저서

Kardiner, A. (1939). *The Individual and His Society*. New York: Columbia Univ. Press.

Kardiner, A. (1945). *The Psychological Frontiers of Society*. New York: Columbia Univ. Press.

Kardiner, A. (1954). *Sex and Morality*. New York: Bobbs-Merrill.

Kardiner, A. (1961). *They Studied Man*. California: World Pub.

Kardiner, A. (1962). *The Mark of Oppression*. California: World Pub. Com.

Kardiner, A. (1977). *My Analysis with Freud*. New York: Norton.

카사스
[Casas, Jesus Manuel]

1941. ~
치카노심리학의 권위자.

카사스는 멕시코 치와와 주의 아발로스에 있는 작은 마을에서 태어났다. 그는 스페인과 멕시코 민족의 피를 물려받아 근면함을 비롯한 풍부한 인종적·민족적 자산을 품고 있는 인물이다. 증조모는 아파치였는데, 그녀가 살던 마을에 미국 기병대 공습이 있었을 때 구조된 후 멕시코로 와서 카사스의 증조부 집에서 살게 되었다. 카사스는 캘리포니아와 인연이 깊은데, 캘리포니아에서 생애 대부분을 보냈고 1800년대에는 그의 증조부가 멕시코의 북중부 지방에서 마차대를 몰면서 생계를 꾸리다가 캘리포니아 새크라멘토로 이주해 와 살게 되었던 것이다. 카사스는 어린 나이에 미국으로 와서 1940년대 후반에서 1950년대까지 미국교육 체계 속에서 인종적으로 적대적인 환경에서 살아야 했다. 이런 시간들을 지냈던 것이 2001년에 출간된 글에 잘 나타나 있다. 당시 카사스는 영어를 제대로 하지 못했고, 급우들로부터 소외를 당하면서 두려움과 외로움, 낯설음을 온몸으로 느꼈다. 또래와 영어에서 비롯된 낯설음은 그를 도저히 소통할 수 없게 만들었다. 이 같은 경험은 카사스가 평생을 이주민 가족들, 특히 가난한 라틴계 가족과 아동을 위해서 헌신하게 만들었다. 인종차별을 겪으면서도 카사스는 고등학교를 수석으로 졸업하고 버클리에 있는 캘리포니아(California)대학교에 입학하였다. 대학을 졸업한 이후에는 5년간 공립학교에서 교편을 잡았다가 대학원에 진학하였다. 1975년 스탠퍼드(Stanford)대학교에서 박사학위를 받았고, 로스앤젤레스의 캘리포니아대학교에서 상담심리학자로 2년간 일을 한 뒤, 샌타바버라에 있는 캘리포니아대학교에서 자신의 일을 시작하였다. 30여 년 동안 심리학자로 지내다가 카사스는 치카노(멕시코계) 심리학 분야에서 탁월한 학자로 널리 인정받게 되었다. 현재 카사스는 캘리포니아대학교 치카노계 수석교수진으로 있다. 이처럼 카사스는 주로 치카노심리학 분야 발달에 기여한 인물로 알려져 있는데, 일반 다문화상담에서도 상당한 업적을 남기고 있다. 그는 미국심리학회(American Psychological Association: APA) 제17분과(상담심리학회)와 제45분과(소수민족문제심리학연구소회)의 특별회원일 뿐만 아니라, 2006 국립라틴심리학회 라틴심리학 공로상(National Latina/o Psychological Association psychologist's Distinguished to Latino(a) Psychology Award), 2007 APA 국립다문화정상회담(2007 APA National Multicultural Summit and Conference)에서 수여하는 특별상 등 많은 상을 수상하기도 하였다. 카사스는 상담과 관련된 여러 저널 편집위원으로도 인정받고 있으며, 국제회의 및 교섭단체 등에서 수많은 논문을 출판하고 있다. 이에 더하여 그는 교사와 지도자로서의 면모도 상당히 강하다. 특히 다문화상담 심리학자들과의 협력작업에서 탁월성을 발휘하고 있다. 또한 전문가로서 상담 관련 자문으로 봉사활동을 하고, 여러 단체 및 정부기관의 정책 입안에도 많은 도움을 주고 있다.

카스트
[Kast, Verena]

1943. 1. 24. ~
스위스의 분석심리학자, 여성학자, 동화치료사.

카스트는 1943년 1월 24일 스위스 볼프할덴(Wolfhalden)에서 태어났다. 그녀는 대학에서 심리학, 철학, 문학을 전공한 후 교사로 근무하다가, 취리히(Zürich)대학교 박사과정에서 분석심리학 박사학위를 받았고, 그 후 취리히대학교에서 치료과정에서의 슬픔의 의미(die Bedeutung der Trauer im therapeutischen Prozess)에 관한 논문으로 교수자격과정을 통과하였다. 카스트는 스위스분석심리학회의 회장과 더불어 국제분석심리학회(Internationale Gesellschaft fuer Tiefenpsychologie)의 학회장직을 장기간 수행하고 있다. 스위스 취리히대학교 심리학과 교수이고, 같은 대학교의 융연구소에서도 강의와 심리치료를 맡고 있다. 또한 그녀는 자신의 심리치료센처를 상트 갈렌(St. Gallen)에 개원하여 심리치료사로 활동하고 있다. 카스트는 여성심리학자, 융심리학의 계보를 잇는 심층심리학자, 동화치료사다. 특히 카스트는 감정, 관계 및 상징 주제와 관련된 다수의 논문을 발표하였고, 이 중 몇 권의 책은 베스트셀러의 반열에 올라 있고, 일반인들이 즐겨 읽는다. 그녀는 동화치료에 많은 관심을 두고 꾸준히 연구하고 있다. 카스트는 융의 심층심리학적 관점에서 동화에서 제시되는 주제나 모티브, 동화상 등을 중심으로 그 상징적 의미를 해석하고, 인류정신의 보편적 요소들을 확인하면서 이를 심리치료에 적용하고 있다.

주요 저서

Kast, V. (1980). *Das Assoziationsexperiment*. Fellbach-Oeffingen: Bonz.

Kast, V. (1984). *Paare: Beziehungsphantasien oder wie Götter sich in Menschen spiegeln*. Kreuz, Stuttgart.

Kast, V. (1987). *Der schöpferische Sprung. Vom therapeutischen Umgang mit Krisen*. Walter, Olten, Patmos, Düsseldorf(2008).

Kast, V. (1987). *Trauern: Phasen und Chancen des psychischen Prozesses*. Stuttgart: Kreuz.

Kast, V. (1990). *Die Dynamik der Symbole. Grundlagen der Jungschen Psychotherapie*. Olten; Patmos, Düsseldorf(2008).

Kast, V. (1991). *Freude, Inspiration, Hoffnung*. Düsseldorf: Patmos.

Kast, V. (1992). *Die beste Freundin. Was Frauen aneinander haben*. Stuttgart: Kreuz.

Kast, V. (1993). *Glückskinder. Wie man das Schicksal überlisten kann*. Zürich: Kreuz.

Kast, V. (1994). 동화 속의 남자와 여자 [*Mann and Frau in Marchen*]. (이진우, 박미애 역). 서울: 철학과 현실사. (원저는 1982년에 출판).

Kast, V. (1994). 어른이 되는 이야기: 자율에 이르는 길. 서울: 철학과 현실사.

Kast, V. (1996). *Vom Sinn der Angst. Wie Ängste sich festsetzen und wie sie sich verwandeln lassen*. Freiburg im Breisgau: Herder.

Kast, V. (1997). *Wir sind immer unterwegs. Gedanken zur Individuation*. Zürich: Walter.

Kast, V. (1998). *Abschied von der Opferrolle. Das eigene Leben leben*. Freiburg im Breisgau: Herder.

Kast, V. (1998). *Vom gelingenden Leben. Märcheninterpretationen*. Zürich: Walter.

Kast, V. (1998). *Vom Sinn des Ärgers. Anreiz zur Selbstbehauptung und Selbstentfaltung*. Stuttgart: Kreuz.

Kast, V. (1998). *Zäsuren und Krisen im Lebenslauf*. Wien: Picus.

Kast, V. (1999). *Der Schatten in uns. Die subversive Lebenskraft*. Zürich: Walter.

Kast, V. (2000). *Mythos, Traum, Realität*. Wien: Picus.

Kast, V. (2001). *Aufbrechen und Vertrauen finden. Die kreative Kraft der Hoffnung*. Freiburg im Breisgau: Herder.

Kast, V. (2001). *Vom Interesse und dem Sinn der Langeweile*. Zürich: Walter.

Kast, V. (2002). *Lass dich nicht leben – lebe! Die eigenen Ressourcen schöpferisch nutzen*. Freiburg im Breisgau: Herder.

Kast, V. (2003). *Krisen des flexiblen Menschen*. Wien: Picus.

Kast, V. (2003). *Lebenskrisen werden Lebenschancen. Wendepunkte des Lebens aktiv gestalten*. Freiburg im Breisgau: Herder.

Kast, V. (2003). *Trotz allem Ich. Gefühle des Selbstwerts und die Erfahrung von Identität*. Freiburg im Breisgau: Herder.

Kast, V. (2004). *Schlüssel zu den Lebensthemen–Konflikte anders sehen*. Freiburg im Breisgau: Herder.

Kast, V. (2005). *Wenn wir uns versöhnen*. Stuttgart: Kreuz.

Kast, V. (2006). *Lob der Freundin*. Stuttgart: Kreuz.

Kast, V. (2007). *Die Tiefenpsychologie nach C. G. Jung. Eine praktische Orientierungshilfe!* Stuttgart: Kreuz.

Kast, V. (2007). *Vom Sinn der Angst. Wie Ängste sich festsetzen und wie sie sich verwandeln lassen*. Freiburg im Breisgau: Herder.

Kast, V. (2007). 꿈: 당신을 변화시키는 무의식의 힘[*Träume: die geheimnisvolle Sprache des Unbewussten*]. (원석영 역). 서울: 프로네시스. (원저는 2006년에 출판).

Kast, V. (2007). 나를 창조하는 콤플렉스 [*VaterTöchter, Mutter-Söhne: Wege zur eigenen Identität aus Vatevund Mutterkomplexen*]. (이수영 역). 서울: 프르메. (원저는 2005년에 출판).

Kast, V. (2007). 애도: 상실과 마주하고 상실과 더불어 살아가기 [*Trauern: Phasen und Chancen des psychischen Prozesses*]. (채기화 역). 서울: 궁리. (원저는 1957년에 출판)

Kast, V. (2008). *Der schöpferische Sprung. Vom therapeutischen Umgang mit Krisen*. Olten: Walter.

Kast, V. (2008). *Die Dynamik der Symbole. Grundlagen der Jungschen Psychotherapie*. Olten: Walter.

Kast, V. (2008). *Neuausgabe als: Konflikte anders sehen. Die eigenen Lebensthemen entdecken*. Freiburg im Breisgau: Herder.

Kast, V. (2008). 동화와 심리치료 [*Märchen als therapie*]. (최연숙 역). 경북: 열린시선. (원저는 1986년에 출판).

Kast, V. (2010). 콤플렉스의 탄생 어머니 콤플렉스 아버지 콤플렉스 [*Vater-Tochter, Mutter-Sohne: Wege zur eigenen Identitat aus Vaterund Mutterkomplexen*]. (이수영 역). 서울: 프르메. (원저는 1943년에 출판).

카푸치
[Capuzzi, David]

상담 교재의 선도적 저자이자 편집자.

카푸치는 플로리다(Florida) 주립대학교에서 박사학위를 받았고, 오리건에서 상담사 자격을 얻었다. 국가상담자격인증위원회(National Board of Certified Counselors)에서 국가공인 상담사 자격을 받았다. 현재는 존스홉킨스(Johns Hopkins)대학교 휴먼서비스(human services)과와 상담학과 선임 조교수(senior faculty associate)로 재직 중이며, 월든(Walden)대학교의 학교상담 및 사회봉사부(School Counseling and Social Services)에서 상담교육 및 수퍼비전 교육을 담당하고 있다. 또한 오리건의 포틀랜드 소재 포틀랜드(Portland) 주립대학교 명예교수이기도 하다. 2007년부터 2009년까지는 펜실베이니아(Pennsylvania) 주립대학교 협력 교수로도 재직하였다. 미국상담학회(American Counseling Association)의 회장을 역임한 그는 학생 및 졸업생의 직업조직, 진로발달 등에 관심을 가지고 있다. 카푸치는 여러 학교 및 지역사회기관에서 청소년의 자살위험을 예방하는 개입전략 관련 자문을 맡고 있다. 그는 자살예방, 위기관리, 사후 프로그램 등을 미국 전역에서 여러 지역기관을 통하여 교육하고 있을 뿐만 아니라 상담교육 분야 및 프로그램 영역에서 9개의 교재를 포함한 수많은 저서와 논문을 발표하기도 하였다.

주요 저서

Capuzzi, D. (2002). *Approaches to Group Work: A Handbook for Practitioners*. New Jersey:

ㅋ

Prentice Hall.

Capuzzi, D., & Gross. D. R. (2002). *Counseling and Psychotherapy: Theories and Interventions*. New Jersey: Prentice Hall.

Capuzzi, D., & Gross. D. R. (2008). *Introduction to the Counseling Profession*. London: Allyn & Bacon.

Capuzzi, D., & Stauffer. M. D. (2011). *Career Counseling: Foundations, Perspectives and Applications*. London: Routledge.

Capuzzi, D., & Stauffer. M. D. (2011). *Foundations of Addiction Counseling*. New Jersey: Prentice Hall.

칼슨
[Carlson, Jon]

전문 치료사 및 상담사를 인터뷰하고 녹화하는 분야를 도입한 인물.

칼슨은 가버너(Governor) 주립대학교, 일리노이의 파크대학교 등에서 심리학 및 상담학 교수(distinguished professor)로 재직 중이며, 위스콘신의 제네바 호에 있는 레이크 제네바 복지클리닉(Lake Geneva Wellness Clinic)에서 심리치료사로 일하고 있다. 칼슨은 40여 권의 저서와 150여 편의 학술지 논문을 발표한 학자로서, 현대를 선도하고 있는 심리치료, 가족치료, 단기치료, 물질남용 및 치료, 부모 및 부부 교육과 같은 분야의 전문가들에 관한 DVD와 녹화테이프를 200여 편 이상 개발한 것으로 널리 알려져 있다. 미국심리학회(American Psychological Association, APA), 미국상담학회, 국제결혼 및 가족상담사학회(International Association of Marriage and Family Counselors), 북미 아들러 심리연구회(North American Society of Adlerian Psychology) 등에서 우수봉사상(distinguished Services Awards)을 수상한 칼슨은 2004년 미국상담협회로부터 5인의 상담학계에 살아 있는 전설(Living Legends in Counseling)에 뽑히기도 하였다.

주요 저서

Carlson, J. (1975). *The Consulting process*. APGA.

Carlson, J. (1997). *Techniques in Adlerian psychology*. New York: Routtedge.

Carlson, J. (2000). *The intimate couple*. Brunner/Mazel. 1999. Brief therapy with individuals and couples. Zeig Tucker & Theisen.

Carlson, J. (2002). *Counseling the adolescent: individual, family, and school interventions*. Denver: Love Pub.

Carlson, J. (2002). *Theories and strategies of family*. London: Allyn and Bacon.

Carlson, J. (2003). *Time for a better marriage*. California: Impact Pub.

Carlson, J. (2005). *Family therapy techniques: integration and tailoring*. New York: Brunner-Routledge.

Carlson, J. (2006). *Adlerian therapy: theory and practice*. Washington DC: APA.

Carlson, J. (2007). *Emotion-focused therapy over time*. Washington DC: APA.

Carlson, J. (2007). *Family counseling: strategies and issues*. Love Pub.

칼크허프
[Carkhuff, Robert R.]

세계적으로 유명한 사회과학자.

칼크허프는 지난 50여 년이 넘는 동안 '인간 생산성에 대한 과학(The Science of Human Generativity)'이란 개념을 형성해 온 사회과학자로 세계적으로 정

평이 나 있다. 여기서 생산성(generativity)은 로저스(C. Rogers)의 개념인데, 칼크허프가 동참하여 연구한 것이다. 칼크허프는 로저스가 세 가지 핵심 조건 이론이라고 한 것으로 시작한 연구를 이어 나갔다. 찰스 트루액스(Charles Truax)와 함께 연구를 좀 더 광범위하게 넓혀 가면서 1969년에 『Towards Effective Counseling and Psychotherapy』를 출판하였다. 그는 워싱턴 주의 교육개혁 운동 및 워싱턴 학력평가의 근간을 이룬 사상체계가 된 워싱턴 공립교육청의 자가출판계약자(self-published Washington OSPI contractor)다. 수십 년간 공립 교육청의 핵심 구성원인 테리 베르그송(Terry Bergeson) 및 실리 맥쿤(Shirley McCune) 등과 함께 동료로서 작업을 해 온 것이다. 워싱턴 주의 교육을 재구성하는 데에는 어마어마한 재정이 필요하였다. 칼크허프는 워싱턴 주에서 초등교육의 기초개념으로 정립되어 있던 기존의 읽기, 쓰기, 셈하기로 통칭되는 3R을 새로운 3R(Three R's)—관계하기, 표현하기, 추론하기—로 만들어 냈다. 또한 로저스의 내담자중심치료기법을 기반으로 삼아 단계별 상호 의사 교환-기술 훈련 모델을 만들었다. 그에 따르면 인간자원개발(Human Resource Development: HRD) 모델은 3단계로 구성되어 있고, 각 단계는 내담자의 목표와 훈련에 상응하는 기술수준에 초점을 맞추고 있다. 이를 대별하면 내담자가 자신의 주어진 환경에서 어떻게 잘 활동하고 있는지 평가하는 탐색, 내담자의 현재 활동수준과 목표의 차이에 대한 인식이라 할 수 있는 이해, 내담자가 자신의 목표 성취를 위해서 해야 할 행동 등이 된다. 이 같은 인간자원개발 모델에서는 두 가지 중요한 요소가 있다. 첫째는 효율적인 치료사가 되기 위한 기술이고, 둘째는 치료사가 되어 가는 점진적 단계에 대한 이해다. 칼크허프는 '인간 관련 과학(The Science of Human Relating)'의 아버지로도 알려져 있다. 그는 평생 버나드 베른손(Bernard Berenson)과 함께하면서 2000년에 『The New Science of Possibilities』를 출판했는데, 이 책은 21세기의 자유 구축(freedom-building)과 생산성으로의 문을 여는 저작으로 평가받고 있다. 이외에도 칼크허프는 1969년 『Helping and Human Relations』, 1971년 『The Development of Human Resources』 등을 포함해서 100편이 넘는 출판물을 내놓았다. 그의 이러한 저서들은 여전히 고전으로 인정되고 있다. 2009년에 9판까지 나온 『The Art of Helping』은 백만 부 이상 팔렸고, 현재도 수많은 언어로 번역되고 있다. 칼크허프는 20세기에서 가장 많이 인용된 사회 과학자 중 한 사람이기도 하다. 그는 주 저작이 15권이 넘는, 21세기 가장 많은 저서를 낸 작가로도 유명하다.

주요 저서

Carkhuff, Robert R. (1967). *Beyond Counseling and Therapy*. Holt, New York: Rinehart & Winston.

Carkhuff, Robert R. (1973). *The Art of Problem solving*. Human Resource development.

Carkhuff, Robert R. (1977). *The Skills of Teaching: Interpersonal Skills*. Human Resources Development.

Carkhuff, Robert R. (2000). *Human Possibilities: Human Capital in the 21st century*. Possibilities Pub.

Carkhuff, Robert R. (2010). *The Art of Helping*. Human Resources Development.

ㅋ

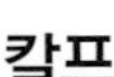

칼프
[Kalff, Dora Maria]

1904. ~ 1990.
융 학파 심리치료사로서 모래놀이치료 개발자.

칼프는 취리히호에 있는 리처스빌 마을에서 평범한 중산층 가정의 4남매 중 셋째로 태어났다. 아버지는 섬유회사를 운영하고 있었는데 미국에서 육군 대령을 지내고 미국 국회의원에 버금가는 고위관직 출신이었다. 또한 종교에도 깊은 관심을 가지고 있었으며 여러 이론에 관심을 보였다. 어머니는 따뜻하고 여러 사회적인 모임에 몸을 담고 있으면서도 가정을 소홀히 하지 않은 사람이었다. 칼프는 어린 시절 엥가딘에 있는 소녀 기숙학교에 들어갔다. 그곳에서 산스크리트어와 동양 철학, 도 사상 등에 매료된 칼프는 29세에 결혼을 하여 네덜란드로 갔다. 남편과 함께 아시아 예술에 관심을 깊이 가진 그녀는 1939년에 첫 아이를 낳은 뒤 전쟁으로 힘든 세월을 보내다가 결국 독일군에게 집을 빼앗기고는 아들만 데리고 네덜란드를 떠났다. 칼프는 남편과 떨어져서 혼자 스위스로 돌아와 지냈는데 오랜 기간이 지나자 결국 이혼을 하였다. 칼프는 제2차 세계 대전이 끝나 그녀가 살고 있는 스위스의 산간 지방으로 휴가를 온 융의 딸과 만나게 되었고, 함께 시간을 보내다가 칼프의 능력을 발견한 융의 딸이 그녀에게 심리학 공부를 권유하면서 아버지인 융에게 그녀를 소개 했다. 1949년 이혼한 칼프는 3세와 10세의 두 아이의 엄마가 되어 있었고, 이들의 양육을 위해 심리학을 배웠다. 아들인 마틴 칼프(Martin Kalff)에 따르면, 그녀는 원래 아동에게 민감하게 반응하는 법을 알았고 의사소통 능력이 뛰어났다고 하였다. 칼프는 융의 후원 아래 교육을 받았고, 영국에서 유명한 아동정신의학자 로웬펠트(M. Lowenfeld)와 함께 1년간 함께 연구하였다. 칼프는 로웬펠트의 '세계기법(World Technique)'을 받아들여 이를 융의 원칙들과 통합하고, 아동뿐만 아니라 성인에게도 적용할 수 있도록 자신의 연구를 확장시켜 나갔다. 1953-1954년 에라노스 회의(Eranos Conference)에서 칼프는 일본인 선사인 스즈키(Suzuki)를 만나고, 1956년 런던에서 연구를 시작하면서 위니콧(D. Winnicott), 포드햄(M. Fordham) 등과 함께 연구를 하기도 하였다. 칼프는 동양으로 몇 번 여행을 했는데, 이로 인해 아시아 철학에 관심을 갖게 되었다. 일본으로 가서 스즈키를 다시 만나기도 했으며, 마침내 일본의 선승이 머무는 사원에 최초로 거하는 여성이 되는 행운도 누렸다. 그렇게 융의 심리학을 공부하던 중 융이 죽음을 맞았는데, 융이 사망하던 날 칼프는 자신의 연구에서 동양과 서양 심리학을 이어 주는 내용의 꿈을 꾸었다. 티베트가 중국 통치하에 들어가면서 많은 불교 수도승이 스위스로 왔고, 그중 한 수도승이 칼프의 집에 8년간 머물렀다. 이 기회로 칼프는 티베트 불교를 배웠으며, 자신의 고향에 티베트 센터(Tibetan Center)도 열었다. 칼프는 모래놀이의 장면이 내담자의 마음과 정신 속에 담긴 3차원의 모습을 흐릿하게라도 담고 있다고 보면서, 이를 만다라에서 보여 주는 셀프 트레이(self-tray)와 비교해 보았다. 칼프가 만든 모래놀이치료(sandplay therapy)는 모래, 물, 작은 인형들을 가지고 땅, 물, 불, 공기, 공간 등의 요소로 삼아 모래놀이를 하는 내담자들이 만들어 내는 세상에서 균형을 찾아 주는 것이다. 이 같은 모래놀이 치료의 비언어적인 면에서는 일본적인 정신이 특히 많이 드러나 있다. 모자 일체를 통한 안도감을 아이들에게 줌으로써 아이들의 자아 확립을 도울 수 있다는 생각으로 칼프는 취리히 근교의 조리콘에 있는 자신의 집을 개방하여 독자적인 심리치료를 실시하였다. 1985년에는 브래드웨이(K. Bradway), 버니(C. Burney), 라르손(C. Larson), 웨인리브(E. Weinrib), 카르두치(P. Carducci), 나본(A. Navone),

라이스메누히(J. Ryce-Menuhi), 히구치(Higuch), 카와이(Kawai), 야마나카(Yamanaka), 키펜호이어(K. Kiepenheuer), 마틴 칼프 등과 함께 국제모래놀이치료회(The International Society for Sandplay Therapy, ISST)를 설립하였다. 1990년 숨을 거둔 칼프의 연구는 취리히 융연구소(C. G. Jung Institute)에서의 1950년대와 1960년대를 걸친 자신의 경험을 기반으로 삼고 있으며, 티베트 불교 사상을 담고 있다고 할 수 있다. 그녀의 아들인 마틴 칼프도 모래놀이치료사다.

주요 저서

Kalff, Dora M. (1971). *Sandplay: Mirror of a Child's Psyche*. San Francisco, CA: Browser Press.

Kalff, Dora M. (2003). *Sandplay: A Psychotherapeutic Approach to the Psyche*. CA: Temenos Press.

Kalff, Dora M., Weinrib, E. L., & Bradway, K. (2004). *Images of the Self: The Sandplay Therapy Process*. CA: Temenos Press.

캐너
[Kanner, Leo]

1894. 6. 13. ~ 1981. 4. 3.
오스트리아 출신 정신과 의사이며 자폐증 연구의 대가.

캐너는 독실한 유대인 집안으로, 1894년 오스트리아 헝가리 지역(현재는 우크라이나)의 브로디 북부에 있는 작은 마을에서 태어났다. 1913년 베를린(Berlin)대학교에 입학했지만, 제1차 세계 대전의 발발로 오스트리아 군대에 입대를 해야 했기 때문에 학업을 중단했다가 1921년에야 박사 학위를 받았다. 1924년 미국으로 건너가 남부 다코타의 양크톤 카운티 주립병원 보조의사로 자리를 잡은 캐너는, 1930년 아돌프 마이어(Adolf Meyer)와 에드워드 파크(Edward Park)의 추천으로 볼티모어에 있는 존스홉킨스병원(Johns Hopkins Hospital) 소아과 병동에서 최초로 아동정신과 서비스를 시작하였다. 1933년에는 그 정신과의 조교수가 되었다. 캐너는 미국 내 최초의 아동 전문 정신과 의사로 평해지며, 그가 1935년에 출간한 교재 『Child Psychiatry』는 아동의 정신의학적 문제를 중심으로 다룬 최초의 영어교재로 인정받고 있다. 또한 존스홉킨스대학병원에 최초로 학문적인 아동정신의학부를 만든 사람이기도 하다. 한스 아스퍼거(Hans Asperger)와 함께 연구하여 1943년에 발표한 논문 『Autistic Disturbances of Affective Contact』는 그에게 가장 중요한 논문으로, 현대 자폐증 연구의 기반을 구축하였다. 1957년 아동정신의학부장이 된 캐너는 1959년에 교수직에서 물러난 뒤에도 1981년 87세의 일기로 생을 마치는 날까지 쉬지 않고 연구하였다. 그는 1971년부터 1974년까지 자폐증 및 발달장애 학술지(당시에는 자폐증 및 아동기 정신분열증 학술지)의 편집장을 맡기도 하였다. 그의 연구는 아동 및 청소년 정신의학의 토대를 형성하여 미국뿐만 아니라 전 세계적으로도 공헌도가 높았다. 캐너는 자폐증이라는 용어를 최초로 사용하여 지나치게 위축되고 자신에게 편집적인 아동을 설명했는데, 자폐증에서 보이는 독특한 면에 주목하면서 여러 사례를 연구하여 그러한 아동 중 다수가 기계적 기억력(rote memory)을 가지고 있다는 사실을 밝혀냈다.

주요 저서

Kanner, L. (1937). *Child Psychiatry*. Pennsylvania: Thomas.

Kanner, L. (1973). *Childhood Psychosis*. Oxford England: V. H. Winston.

ㅋ

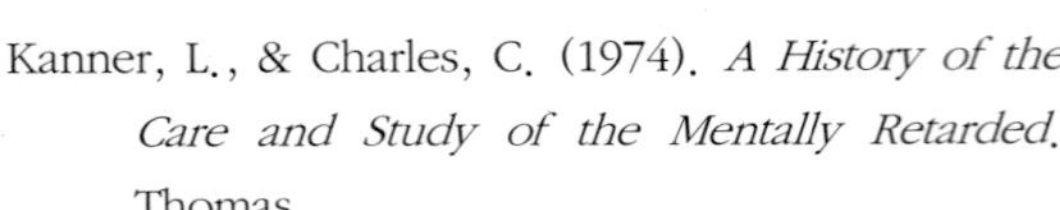

Kanner, L., & Charles, C. (1974). *A History of the Care and Study of the Mentally Retarded.* Thomas.

캐슬로
[Kaslow, Florence Whiteman]

미국의 가족심리학자이며 임상심리사.

캐슬로는 브린모어(Bryn Mawr)대학교에서 박사학위를 받고, 플로리다의 웨스트팜비치에서 치료사 및 자문으로 일하고 있다. 또한 플로리다 부부 및 가족연구소(Florida Couples and Family Institute) 소장이며, 듀크(Duke)대학교 의과대학 정신의학부 조교수로 재직 중이다. 1973년부터 1980년까지는 필라델피아에 있는 하네만 의과대학교 범죄심리학 및 정신의학부 교수와 학장을 역임하였다. 그곳에서 빌라노바 법학부와의 공동 지원을 받아, 심리학 및 법학 대학원 과정 공동 개발자로 일하기도 하였다. 1978년부터 1980년까지는 미국범죄심리학위원회(American Board of Forensic Psychology, Inc.)의 초대회장을 지냈다. 1977년부터 1981년까지 『Journal of Marital and Family Therapy』의 편집장 자리에 있었으며, 현재는 『Marriage & Family Review』『Journal of Divorce』『Journal of Sex and Marital Therapy』『Family Relationship』『Conciliation Courts Review』『Journal of Family Therapy』 등의 편집위원회에 몸담고 있다. 이와 같은 활동뿐만 아니라 캐슬로는 정신보건 및 범죄심리 영역에서 가족치료에 대한 수퍼비전, 자문과 관련된 여러 저서와 논문도 발표하였다. 더불어 캐슬로는 미국전문심리학위원회(American Board of Professional Psychology: ABPP)의 임상심리학(Clinical Psychology), 미국범죄심리학위원회(American Board of Forensic Psychology: ABFP)의 범죄심리학(Forensic Psychology), 미국가족심리학위원회(American Board of Family Psychology: ABFAMP) 등의 자격증을 가지고 있고, 미국심리학회(American Psychological Association: APA)의 특별회원이다. 그녀는 미국뿐만 아니라 노르웨이, 일본, 남아프리카, 캐나다, 이스라엘, 영국 등을 다니면서 워크숍과 강의를 진행하고 있다. 미국 라디오나 텔레비전 방송에서도 그녀를 자주 볼 수 있는데, 부부치료를 중심으로 하는 연구와 임상을 해 오면서 자신의 이론과 치료방법을 다져 나가고 있다. 특히 이혼전문가로서 그녀의 능력은 탁월하다는 평가를 받고 있다. 캐슬로는 부부 및 예비부부의 정서적인 유대와 생산활동에 관한 경영 팀을 두고 입체적으로 관계를 탐색하고자 하였다. 그녀가 말하는 이혼과정은, ① 정서적 이혼, ② 법적 이혼, ③ 경제적 이혼, ④ 자녀의 감호/조정, ⑤ 커뮤니티 이혼, ⑥ 종교적 이혼, ⑦ 정신적(mental) 이혼의 7단계로 성립된다. 이 전체 단계에서 비롯되는 슬픔과 비애를 적절하게 다루어야 비로소 새로운 생활을 다시 시작할 수 있다고 캐슬로는 말하였다. 1970년대 후반부터 미국, 영국, 캐나다 등지에서 이혼조정이 시행되고, 1980년대에는 급속하게 보급되었다. 여기서는 심리전문가가 중심이 되어 이혼 후 자녀 양육이나 보호에 관한 합의를 얻는 조정작업을 한다. 그녀는 이혼하는 부부에게 나타날 수 있는 소외감, 무력감, 좌절감 등을 극복하기 위한 유효한 양식으로 이혼식(離婚式)을 소개하였다.

주요 저서

Kaslow, F. W. (1984). *Psychotherapy with Psychotherapists.* New York: Haworth Press.

Kaslow, F. W. (1984). *The Military Family: Dynamics and Treatment.* New York: Guilford Press.

Kaslow, F. W. (1986). *Supervision and Training: Models, Dilemmas, and Challenges.* London: Routledge.

Kaslow, F. W. (1993). *The Military Family in Peace and War.* New York: Springer.

커텔
[Cattell, Raymond Bernard]

1905. 3. 20. ~ 1998. 2. 2.
영국과 미국에서 활동한 심리학자.

커텔은 버밍햄 근처의 잉글랜드에 있는 작은 마을, 힐탑에서 태어났다. 그 지방은 커텔의 아버지 집안이 여러 가지 기계를 발명한 곳이기도 하였다. 커텔이 5세 정도 되었을 때, 잉글랜드 남부 데번의 토키 지방으로 이사를 하여 그곳에서 자라면서 과학에 관심을 많이 갖게 되었다. 그 집안 사람들 중에서 처음으로 대학을 들어간 커텔은, 1921년 런던대학교에서 화학연구에 대한 공헌으로 장학금을 받기도 하면서 19세의 나이에 학사모를 썼다. 대학에서 물리학과 화학을 공부하면서 커텔은 당시 런던에 거주하던 여러 분야의 영향력 있는 사람들에게서 수학하였다. 그러던 중 제1차 세계 대전이 발발하여 직접 끔찍한 전쟁의 파괴상황을 보고 겪으면서 그는 자신의 주변에서 일어난 심각한 인간문제에 과학적 도구를 적용해야겠다는 생각에 빠져들었다. 이후 더욱 여러 분야를 공부하겠다는 마음을 먹고 런던대학교에서 심리학으로 1929년에 박사학위를 취득하였다. 박사학위 도중 엑서터대학교 교육학부에 자리를 얻었지만 그곳에서는 연구를 할 수 있는 자원이 별로 없어서 그만두었다. 엑서터에 있는 동안 모니카 로저스(Monica Rogers)와 결혼을 하였고, 레스터로 가서 영국 최초의 아동지도클리닉(child guidance clinics)을 세웠다. 또 같은 시기에 첫 번째 책인『Under Sail Through Red Devon』의 집필을 마쳤다. 1937년, 커텔은 영국을 떠나 미국 컬럼비아(columbia)대학교로 가서 에드워드 손다이크(Edward Thorndike)를 만났다. 손다이크가 커텔을 스탠리 홀 교수직(Stanley Hall)에 추천해서, 커텔의 나이 34세에 스탠리 홀 교수가 되었다. 1941년에는 하버드(Harvard)대학교 교수가 되었고, 거기서 고든 올포트(Gordon Allport)를 만났다. 하버드대학교 재직 당시 커텔(Cattell)은 성격에 대한 연구를 계획하고 첫발을 내디뎠다. 제2차 세계 대전이 발발하면서 그는 미국 정부의 시민 자문(civilian consultant)으로 봉사하면서 군대에서 근무하는 사람들을 선별하고 검사하는 연구를 하였다. 전쟁이 끝날 무렵에는 하버드대학교로 돌아와서 알베르타 카렌 슈에틀러(Alberta Karen Schuettler)와 결혼했는데, 그녀는 수년 동안 커텔을 도와 연구와 집필, 검사 개발 등을 함께하였다. 1945년에는 일리노이(Illinois) 대학교 심리학부 교수직과 APA 회장직을 함께 수락하였다. 그는 커텔의 다양한 심리학적 연구와 업적의 대가라 할만 하다. 1960년, 카텔은 인간행동연구에 다변량 통계를 사용하는 심리학 연구자들 간의 의사소통 및 협력을 증대하기 위한 국제 심포지엄을 조직하고 개최하였다. 이를 시발점으로 다변량실험심리학회(Society of Multivariate Experimental Psychology)가 만들어졌다. 그는 일리노이대학교에 머물다가 1973년 정년퇴임을 한 뒤 몇 년 동안 콜로라도 볼더(Colorado Boulder)에 집을 짓고, 집필활동을 하면서 일리노이대학교에서 끝내지 못했던 여러 연구의 결과물을 출판하기도 하였다. 1977년에는 하와이(Hawaii)로 가서 하와이대학교 파트타임 교수로 재직하였다. 하와이에 정착을 하고서는 임상심리학자인 헤더 버켓(Heather Birkett)과 결혼하였다. 하와이에서 생애 마지막 20여 년을 지내면서, 커텔은 동기에 관한 책뿐만 아니라 과학적 논문을 계속해서 출판하면서 요인분석에서의 과학적 활용, 성격 및 학습이론, 성격과 능력의 유산,

ㅋ

구조화된 학습이론 등에 관한 저서 집필을 멈추지 않았다. 이외에도 기능적 심리검사에 대한 저서와 다변량 실험심리학 입문서 등을 출간하기도 하였다. 커텔은 1998년 92세의 일기로 편안히 생을 마감하였다. 그의 유지를 받들어 재단을 만들고, 캄보디아의 불우한 아동을 위한 학교가 건립되었다. 커텔은 성격, 기질, 인지적 능력, 동기와 정서의 역동적 차원, 성격의 임상적 차원, 집단과 사회적 행동의 양식, 성격연구의 적용, 학습이론, 창의성과 성취의 예측인, 연구 및 측정의 과학적 방법과 같은 다방면의 심리학을 연구한 것으로 유명하며, 92년의 생애동안 엄청난 양의 저서를 출판하기도 하였다. 50여 권의 저서, 500여 편의 논문, 30개 이상의 표준화검사 등을 만들었다. 커텔은 20세기 심리학자 중 가장 영향력 있고 저명한 16인에 포함되는 인물이다.

주요 저서

Cattell, R. B. (1950). *Personality: a systematic theoretical and factual study*. New York: McGraw-Hill.

Cattell, R. B. (1966). *Handbook of multivariate experimental psychology*. Rand McNally: Chicago.

Cattell, R. B. (1966). *The scientific analysis of personality*. New York: Aldine Pub.

Cattell, R. B. (1977). *Handbook of modern personality theory*. New Jersey: Wiley.

Cattell, R. B. (1983). *Structure personality—learning theory: a holistic multivariate research approach*. Praeger.

Cattell, R. B. (1987). *Intelligence: its structure, growth, and action*. Amsterdam: North-Holland.

Cattell, R. B. (1997). *Psychotherapy be structured learning theory*. New York: Springer Publishing.

컨버그
[Kernberg, Otto Friedmann]

1928. ~
정신분석학자이자 정신과 교수이며 전이 중심 심리치료 창시자.

컨버그는 1928년 비엔나(Vienna)에서 태어나 나치통치를 피해서 1939년에 칠레로 가족 모두 이민을 갔다. 그곳에서 컨버그는 생물학과 의학을 공부한 뒤 칠레 정신분석학연구회(Chilean Psychoanalytic Society)에서 정신의학과 정신분석 연구를 하였다. 1950년 칠레 정신분석학연구회에서 정신분석 자격을 취득하고, 1959년에 미국으로 건너가 록펠러재단(Rockefeller Foundation)에서 주는 자금으로 프랭크(J. Frank)와 함께 존스홉킨스병원(Johns Hopkins Hospital)에서 심리치료에 관한 연구를 하였다. 1961년에 완전히 미국으로 이주한 다음 C. F. 메닝거기념병원(C. F. Menninger Memorial Hospital)에 근무했으며, 나중에 이 병원의 대표 자리에 올랐다. 그는 또 토피카 정신분석연구소(Topeka Institute for Psychoanalysis)의 수퍼바이저이자 교육분석가였으며, 메닝거재단의 심리치료 연구 프로젝트(Psychotherapy Research Project of Menninger Foundation)의 책임자였다. 1973년에는 뉴욕으로 가서 뉴욕 주립 정신의학연구소 일반 임상서비스 책임자(Director of the General Clinical Service of the New York State Psychiatry Institute)가 되었다. 이후 1974년, 컬럼비아대학교 내과 및 외과의 임상 정신의학 교수가 되었으며, 컬럼비아대학교 정신분석 교육 및 연구 센터(Columbia University Center for Psychoanalytic Training and Research)의 교육 및 감독 분석가가 되었다. 1976년에는 코넬(Cornell)대학교 정신과 교수로 자리 잡고, 뉴욕 병원-코넬 의학센터 성격장애연구소(Institute for Personality Disorders Institute of the New York Hospital-Cornell Medical Center)의 책임자가 되었다. 1997년부터 2001년까지는 국제정신분석학회(International Psychoanalytical Association)의 대표로 재직하였다. 심리학에 남긴 컨버그의 가장 큰 공헌은 자기애, 대상관계이론, 성격장애 등의 분야에 있다. 구조적 조직 및 심각성의 차원에 따라 성격장애를 조정하는 새롭고 유용한 틀을 만든 것이다. 그는 경계선 성격의 구조 및 자기애적 병리학에 관한 정신분석적 이론으로 세계적인 명성을 떨쳤고, 그의 연구는 클라인학파 등 대상관계이론과 함께 전후 자아심리학을 통합하는 데 중심 역할을 하였다. 컨버그의 통섭적인 집필활동은 현대 대상관계의 발달에 커다란 기여를 했을 뿐만 아니라, 가장 널리 수용되었다고 할 수 있는 그의 정신에 관한 이론은 현대 정신분석학에서 중요한 위치를 차지하고 있다. 컨버그는 1972년에 뉴욕정신분석학회 및 연구소(New York Psychoanalytic Society and Institute)에서 수여하는 하인즈 하르트만 상(Heinz Hartmann Award)을 수상하였고, 1975년에는 펜실베이니아병원에서 수여하는 에드워드 스트렉커 상(Edward Strecker Award), 1981년에는 정신분석의학학회(Association for Psychoanalytic Medicine)에서 수여하는 조지 대니얼 메리트 상(George E. Daniels Merit Award)을 수상하였다. 그는 자신의 이론을 바탕으로 하여 전이 중심 심리치료(Transference-Focused Psychotherapy: TFP)를 고안해 냈는데, 이는 성격장애조직(Borderline Personality Organization: BPO) 환자에게 적합한 치료방법이다. TFP는 정신역동적 심리치료의 형식을 띠고 경계선 성격장애 환자를 위해 개발된 치료다. 컨버그는 프로이트(Freud)와는 달리 역동을 타고나는 것으로 보지 않았다. 컨버그에 따르면 공격적이고 리비도적인 역동은 형성되는 것이며, 타인과의 상호작용 경험으로 시간에 따라 만들어지는 것이다. 타인과 상호작용을 잘하면 시간이 흐르면서 역동은 쾌락 추구형으로 만들어진다. 불만족스럽고 좌절의 경험으로 상호작용을 이어가면 파괴적인 역동으로 형성된다는 것이 컨버그의 주장이다.

주요 저서

Kernberg, O. F. (1975). *Borderline conditions and pathological narcissism*. New York: Jason Aronson.

Kernberg, O. F. (1976). *Object relations-theory and clinical psychoanalysis*. New York: Jason Aronson.

Kernberg, O. F. (1980). *Internal world and external reality*. New York: Jason Aronson.

Kernberg, O. F. (1984). *Severe personality disorders: Psychotherapeutic strategies*. New Haven-London: Yale University Press.

Kernberg, O. F. (1989). Narcissistic personality disorder.

Kernberg, O. F. (1989). *Psychodynamic psychotherapy of borderline patients*. New York: Basic Books.

Kernberg, O. F. (1992). *Aggression in personality disorders and perversions*. New Haven-London, Yale University Press.

Kernberg, O. F. (1998). *Ideology, conflict, and leadership in groups and organizations*. New Haven-London: Yale Univ. Press.

Kernberg, O. F. (1998). *Love Relations: Normality and pathology*. New Haven-London, Yale University Press.

Kernberg, O. F. (2001). 내면세계와 외부 현실 [*Internal world and external reality: object relations theory applied*]. (이재훈 역). 서울: 한국심리치료연구소. (원저는 1980년에 출판).

Kernberg, O. F. (2003). 대상관계이론과 임상적 정신분석 [*Object-relations theory and clinical psychoanalysis*]. (이재훈 역). 서울: 한국심리치료연구소. (원저는 1976년에 출판).

Kernberg, O. F. (2004). *Aggressivity, narcissism, and self-destructiveness in the psychotherapeutic*

ㅋ

relationship. Yale Univ. Press.

Kernberg, O. F. (2004). *Contemporary controversies: in psychoanalytic theory, techniques, and their applications*. New Haven-London: Yale Univ. Press.

Kernberg, O. F. (2005). 남녀관계의 사랑과 공격성 [*Love relations: normality and pathology*]. (윤순임 외 역). 서울: 학지사. (원저는 1995년에 출판).

Kernberg, O. F. (2008). 경계선 상황과 병리적 나르시시즘 [*Borderline conditions and pathological narcissism*]. (윤순임 외 역). 서울: 학지사. (원저는 1975년에 출판).

Kernberg, O. F. (2008). 인격장애 및 성도착에서의 공격성 [*Aggression in personality disorders and perversions*]. (이재훈 외 역). 서울: 한국심리치료연구소. (원저는 1992년에 출판).

케르셴슈타이너
[Kerschensteiner, George Michael]

1854. 7. 29. ~ 1932. 1. 15.
독일의 교육학자로, 노작교육(Arbeitserziehung)의 강력한 추진자.

독일의 뮌헨(München)에서 태어난 케르셴슈타이너는 가난한 상인 집안의 자녀였다. 그는 김나지움과 대학교로 진학도 하기 전에 초등학교에서 교사생활을 하였고, 1881년에 중등학교 교사 국가자격고시를 통과한 다음 1883년 뮌헨대학교에서 박사학위를 취득하였다. 그로부터 12년 동안 김나지움에서 교편을 잡은 뒤, 뮌헨의 장학관으로 선출되었다. 1919년에 그 자리에서 물러난 케르셴슈타이너는 장학관 시절 초등 및 직업교육의 재편성에 헌신하였다. 특히 1895년 뮌헨 시의 장학관이 된 이래 노작학교(activity school, Arbeitsschule)와 보습학교(continuation school)라는 두 가지 혁신적인 교육에 온 힘을 기울였다. 노작학교에서 그는 초등학교 고학년을 위해서 워크숍, 부업, 연구소, 학교정원 등을 소개하고, 학생의 학습동기, 문제해결능력, 자긍심, 도덕적 성품 등을 함양하기 위한 일종의 연구방법을 개발하였다. 보습학교는 근로 청소년이나 의무교육만 마친 14세부터 17세까지의 청소년을 위한 시간제 의무 학교였다. 주당 8시간에서 10시간의 교육을 받는 견습생이나 청소년 노동자는 이 보습학교에서 종교, 작곡, 수학, 공민학 등 자신의 특정 분야에 관련된 것을 배울 수 있었다. 이러한 방식으로 케르셴슈타이너는 자유로운 교육으로 청소년을 육성하고 그들의 사회적 진보를 이루는 데 애를 썼다. 듀이(J. Dewey)를 존경하고 독일에서는 그를 가장 잘 해석하는 사람으로서 케르셴슈타이너는 1910년에 미국을 순회하면서 산업교육의 진작을 위한 국가위원회(National Society for the Promotion of Industrial Education)에 이름을 올렸다. 영국, 스위스, 일본 등지에서는 의무보습교육이라는 그의 개념이 학교를 재편성하고 법률을 제정하는 데 큰 영향을 미치기도 하였다. 1912년부터 1918년까지 케르셴슈타이너는 베를린의 독일의회에 소속되어 일하였고, 은퇴 이후 1918년부터 1930년까지는 뮌헨대학교 교육대학 교수로 재직하면서 수많은 저서와 논문을 펴냈다. 1935년에 숨을 거둔 그는 교육의 주목적은 시민정신 함양임을 늘 강조하였다. 노작학교와 보습학교는 목적의식을 지닌 쓸모 있는 시민을 양성하는 기관으로, 학생들이 적절한 직업을 가지고 또 직업을 통한 사회봉사를 꾀할 수 있도록 가르쳤다. 이를 통해서 좀 더 완전한 공동체가 되도록 하는 것이 이 교육의 궁극적인 목표라 할 수 있다. 케르셴슈타이너의 이 같은 노력으로 뮌헨은 세계 교육자들에게는 교육의 메카로 인식되었다. 유럽, 러시아, 미국 등에서 그를 초청하여 강연회를 열었고, 터키어, 중국어, 일본어를 비롯한 여러 언어로 그의 저서가 번역되었다.

주요 저서

Kerschensteiner, G. M. (1911). *Three Lectures on Vocational Training*. Cornell Univ. Library.

Kerschensteiner, G. M. (1915). *Education for Citizenship*. George G. Harrap.

Kerschensteiner, G. M. (2004). 노작학교의 이론과 실천. [*Begriff der Arbeitsschule*]. (정기섭 역). 서울: 문음사. (원저는 2008년에 개정).

Kerschensteiner, G. M. (2010). *Theorie der Bildung*. Severus Verlag.

케이
[Key, Ellen Karolina Sofia]

1849. 12. 11. ~ 1926. 4. 25.
스웨덴의 여류사상가이며 교육자.

케이는 스웨덴 남부 지역의 순드스홀름에서 6남매의 장녀로 태어났다. 그녀의 집안은 대대로 루소(Rousseau)를 숭배하는 명문가였다. 아버지 에밀 케이(Emil Key)는 급진파의 정치가로, 국무장관까지 지낸 인물이었다. 케이는 6세에 독일어, 14세에 프랑스어를 배웠고, 18세에 입센의 작품을 접하면서 종교·사회 문제에 관심을 갖게 되었다. 23세에 아버지 비서격으로 유럽 각지를 여행하고, 25세에는 아동 교육과 여성의 자유에 관한 논문을 발표하였다. 이처럼 케이는 20대에 베를린(Berlin), 드레스덴(Dresden), 비엔나(Vienna), 피렌체(Firenze), 파리(Paris), 런던(London) 등 유럽의 여러 도시를 여행하여 견문을 넓혔다. 1874년 여름을 덴마크에서 보내면서 민중대학제도에 깊은 인상을 받은 케이는 조국에 민중대학을 설립하는 것을 인생의 목표로 세웠다. 그러나 경제적인 어려움으로 1880년부터 스톡홀름에 있는 사립 여학교에서 교사로 일하게 되었다. 1883년부터 20년간 케이는 스톡홀름(Stockholm)에 있는 일종의 민중대학이라고 볼 수 있는 노동자 기관에서 문화사에 대한 강의를 담당하여 명성을 얻음으로써 못 이룬 민중대학 설립의 꿈을 대신하였다. 1870년대 중반에는 여성운동 계열의 잡지와 문화분석적, 문화비판적 주장을 추구하는 잡지 등에 기고하기도 하였다. 이를 계기로 여러 주제에 관한 논문, 기사, 에세이 등의 글을 썼다. 1912년부터 케이는 유럽국가들 간의 갈등을 확실하게 감지하고는 평화주의 혹은 전쟁문제에 관한 글도 쓰기 시작하였다. 제1차 세계 대전이 발발한 후에는 평화주의와 민중 결속적 참여에 관한 글로 집필활동을 하였다. 그러다가 1920년부터 일체의 집필활동을 중단한 채 스웨덴 해변에 위치한 자신의 집에서 칩거생활을 하다가 1926년 77세의 일기로 세상을 떠났다. 그녀의 휴머니즘적인 대담 솔직한 발언은 세계적으로 유명하며, 그녀의 학문은 문학사, 여성문제, 교육문제 등 광범위하게 펼쳐져 있다. 루소와 니체(Nietzche)의 영향을 받은 케이는 사회적 자유주의, 개인의 해방, 억압되어 온 여성 및 아동의 해방을 주장하는 개인주의 교육사상가로도 이름이 나 있다. 특히 그녀는 자녀교육을 위해 불륜과 조혼을 배격했으며, 부인의 노동으로 생리적, 심리적 본질을 해할 수 있다는 주장을 펼치면서 부인노동도 반대하였다. 건전한 남녀의 결합에 의한 자녀 출생이 가장 이상적이고 중요한 교육의 원리라는 주장을 펼치면서 케이는 루소의 교육론, 성선설을 받들어 아이의 본성을 존중해야 한다고 말하였다. 케이의 이러한 사상은 현대교육에 지대한 영향을 미쳤다.

주요 저서

Key, E. K. (1888). *The Education of the Child*. s.n.

Key, E. K. (1909). *The Century of the Child*. New

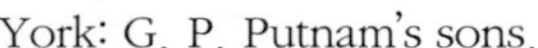

York: G. P. Putnam's sons.

Key, E. K. (1911). *Love and Marriage*. New York: G. P. Putnam's sons.

Key, E. K. (1912). *The Woman Movement*. New York: G. P. Putnam's sons.

Key, E. K. (1914). *The Renaissance of Motherhood*. New York: Putnam's sons.

Key, E. K. (1914). *The Younger Generation*. New York: G. P. Putnam's sons.

Key, E. K. (1921). *Love and Ethics*. B. W. Huebsch.

Key, E. K. (1972). *War, Peace, and the Future*. New York: Garland Pub.

코르시니
[Corsini, Raymond J.]

1914. 6. 1. ~ 2008. 11. 8
20세기 가장 유명한 심리학자 중 한 사람.

코르시니는 뉴욕(New York) 시립대학을 졸업하고 동 대학의 대학원에서 석사학위를 받은 후, 시러큐스(Syracus)대학교, 코넬(Cornell)대학교, 캘리포니아(California)대학교, 위스콘신(Wisconsin)대학교 등에서 박사과정을 밟았다. 41세가 되어서 칼 로저스(Carl Rogers)의 지도를 받아 시카고(Chicago)대학교에서 박사학위를 취득했는데, 위스콘신대학교 시절에는 수감자 심리학자(prison psychologist)도 겸하고 있었다. 코르시니는 모레노(J. Moreno), 펄스(F. Perls), 프랑클(V. Frankl), 엘리스(A. Ellis) 등과 교분을 가졌지만, 그에게 가장 큰 영향을 미친 스승은 아들러학파의 드라이커스(R. DreiKurs)였다. 그가 심리치료 분야에 전문가가 되면서 그의 직업적 인생은 세 시기를 거쳤다. 처음 15년간은 수감자 심리학자로, 그다음 10년간은 산업심리학자(industrial psychologist)로, 이후 30년이 넘는 동안은 자신의 개인심리치료 및 상담으로 진행되었다. 여름에는 주로 여러 대학교를 다니며 강의를 했는데, 시카고대학교, 일리노이기술학교(Illinois Institute of Technology), 버클리(Berkeley)의 캘리포니아대학교 등에서 전임 강사로 활동하였다. 코르시니는 43개의 표제하에 60여 권의 저서를 출판하였다. 그 속에는 심리학 및 상담 관련 백과사전, 용어사전 등이 포함되어 있다. 그 외에 상담이나 심리치료 관련 저서를 18권이나 집필 또는 엮었다. 코르시니는 지난 150년간 가장 중요한 심리치료사로 심리학 연대기 사전(Biographical Dictionary of Psychology)에 이름이 올라 있는 인물인 만큼 수감자 심리학, 산업 및 조직심리학, 심리치료, 교육심리학 등의 분야에서 그의 공헌은 대단하다. 그가 편찬한 심리학 사전 및 백과사전은 영어권에서 가장 많이 선택되는 저서다. 엘리스나 안스바허(H. Ansbacher)와 같은 심리학 및 상담계의 주요 인물과 많은 교류를 하면서 북미 심리학 전문가들의 활동 무대를 형성하기도 하였다.

주요 저서

Corsini, R. J. (1975). *The Practical Parent: ABCs of Child Discipline*. San Francisco: Harpercollins.

Corsini, R. J. (1983). *Personality Theories: Research and Assessment*. F. E. Peacock Pub.

Corsini, R. J. (2001). *The Dictionary of Psychology*. London: Routledge.

Corsini, R. J. (2002). Ray Corsini: A Life that Spans an Era. R. Perloff & F. Dumont. *The General Psychologist, Fall/Winter, 37*(3), 68-77.

Corsini, R. J. (2010). *Current Psychotherapies*. Pacific Grove, CA: Brooks Cole.

Corsini, R. J. (2010). *Role Playing in Psychotherapy*. New Jersey: Transaction Pub.

코리
[Corey, Gerald]

집단상담 분야의 선도자.

사우스캘리포니아대학교에서 상담학으로 박사학위를 받은 코리는 풀러턴(Fullerton)에 있는 캘리포니아 주립대학교 복지학과(Human Services) 명예교수다. 상담심리학(Counseling Psychology), 미국전문심리학위원회(American Board of Professional Psychology)에서 자격을 취득한 공인심리학자이며, 국가공인상담사(National Certified Counselor)이자, 미국심리학회 상담심리학부의 특별회원이다. 또한 미국상담학회의 특별회원이고, 집단치료전문가학회(Association for Specialists in Group Work)의 특별회원이기도 하다. 그는 대학원과 학부 집단상담과정에서 강의를 하고 있으며, 경험적 집단과정에서도 상담의 이론과 실습, 상담에서의 윤리학 등을 강의하고 있다. 코리는 상담 관련 교재를 15권이나 집필 또는 공동집필했으며, 아직도 여러 학술논문을 출판하고 있는 중이다. 이 같은 학술적 활동 외에도 정신건강전문가들을 대상으로 미국 내 여러 대학을 비롯하여 캐나다, 멕시코, 중국, 홍콩, 독일, 한국, 스코틀랜드, 영국 등지에서 집단상담교육 워크숍을 진행하고 있다. 그는 2001년 전문가학회(Association for Specialists)로부터 집단치료공로상(Group Work's Eminent Career Award)을 수상하였다.

주요 저서

Corey, G. (2005). 집단상담 기법[*Group techniques*]. (김춘경 외 역). 서울: 시그마프레스. (원저는 2003년에 출판).

Corey, G., & Corey, M. S. (2005). 집단의 전개과정: 학생용 비디오와 워크북[*Evolution of a group: student video and workbook*]. (김명권 외 역). 서울: 시그마프레스. (원저는 1999년에 출판).

Corey, G., & Corey, M. S. (2006). 집단상담의 실제: 진행과 도전[*Groups in action: evolution and challenge*]. (이은경 외 역). 서울: 시그마프레스. (원저는 2005년에 출판).

Corey, G., & Corey, M. S. (2007). 좋은 상담자 되기[*Becoming a helper*]. (이은경 외 역). 서울: 시그마프레스. (원저는 2004년에 출판).

Corey, G. (2008). 상담 및 심리치료의 통합적 접근[*The art of integrative counseling*]. (현명호 역). 서울: 시그마프레스. (원저는 2001년에 출판).

Corey, G. (2008). 집단상담: 과정과 실습[*Groups: process and practice*]. (김진숙 외 역). 서울: 시그마프레스. (원저는 2007년에 출판).

Corey, G. (2008). 통합적 상담[*Case approach to counseling and psychotherapy*]. (현명호 역). 서울: 시그마프레스. (원저는 2006년에 출판).

Corey, G. (2010). 상담 및 심리치료 윤리[*Issues and Ethics in the helping professions*]. (서경현 외 역). 서울: 시그마프레스. (원저는 2008년에 출판).

Corey, G. (2010). 전 생애 발달과 적응[*I never knew I had a choice: explorations in personal growth*]. (이은경 외 역). 서울: 시그마프레스. (원저는 2008년에 출판).

Corey, G. (2011). 심리상담과 치료의 이론과 실제[*Theory and Practice of counseling and psychotherapy*]. (조현춘 외 역). Thomson Brooks/Cole. 서울: 시그마프레스. (원저는 2008년에 출판).

코프카
[Koffka, Kurt]

1886. 3. 18. ~ 1941. 11. 22.
독일의 심리학자.

코프카는 변호사이면서 왕가의 법률자문이었던

ㅋ

에밀 코프카(Emil Koffka)의 아들로서 베를린에서 태어나고 자랐다. 어린 시절 영어권 가정교사에게 교육을 받고, 외삼촌이 생물학자여서 철학과 과학에 일찍부터 관심을 갖게 되었다. 빌헬름 김나지움(Wilhelm Gymnasium)을 졸업한 뒤 베를린대학교를 다닌 그는 1904년에는 스코틀랜드(Scotland)의 에든버러(Edinburgh)대학교에 들어가 영국의 학자들과 접촉하였다. 이후 1908년 베를린대학교에서 박사학위를 취득하고, 프랑크푸르트(Frankfurt)대학교로 갔다. 1910년 그곳에서 쾰러(Köhler)와 베르트하이머(Wertheimer)를 만났다. 이들은 함께 몸짓에 대한 인지를 연구하여, 얼마 되지 않아 게슈탈트(Gestalt) 심리학의 이론적 · 실험적 기반을 구축하였다. 1912년에는 프랑크푸르트를 떠나서 기센(Giessen)대학교에 자리를 잡고, 1924년까지 머물렀다. 1914년부터는 뇌 손상 환자들에 대한 듣기 능력 손상에 관한 연구를 시작하였다. 1918년, 실험심리학으로 교수 자리에 오른 그는 1921년에는 기센의 심리학 연구소 책임자가 되었다. 코프카는 게슈탈트 이론을 확장시켜 발달심리학에 적용하고 그 과정을 1921년에 발표하였다. 그는 유아는 처음부터 전체적으로 인식하고 반응한다고 주장하였다. 이후 유창한 영어 실력으로 미국 여행길에 올랐다가, 1924년부터 1925년까지 코넬(Cornell)대학교에서 초빙교수로 머물기도 하였다. 2년 후에는 위스콘신매디슨(Wisconsin Madison)대학교로 갔다가, 1927년에는 매사추세츠(Massachusetts)에 있는 노샘프턴의 스미스대학교 강단에 섰다. 만년에는 심장질환으로 활동에 제약을 받았지만, 그곳에서 숨을 거둘 때까지 재직하였다. 코프카가 처음 발표한 연구는 자신의 색맹에 관한 연구로, 나겔(Nagel)의 심리학 연구소에서 실행된 것이다. 박사학위를 받기 위한 연구는 음악 및 시각적 리듬에 관한 인지와 관련되었는데, 이는 슈툼프(Stumpf)의 지도를 받아서 행해졌다. 1932년 코프카는 구소련의 재정적 지원을 받아 우즈베키스탄에서 연구를 더욱 확장시켜 나갔다. 하지만 회귀열 때문에 건강에 적신호가 와서 귀향하였고, 그 와중에도 1935년 연구를 총집적한 거작 『Principles of Gestalt Psychology』를 출간하였다. 만년에 그의 강의와 글쓰기는 게슈탈트 원리를 정치, 윤리, 사회, 예술 등의 주제에 광범위하게 적용시키는 데 집중되어 있었다. 1939년에는 옥스퍼드(Oxford) 초빙교수로 위임되어, 뇌 손상 전문 국군병원(Military Hospital for Head Injuries)에서 뇌 손상 환자들을 연구하였다. 1941년 55세의 나이로 노샘프턴(Northampton)에서 숨을 거둔 코프카는 베르트하이머(Wertheimer), 쾰러(Köhler)와 함께 게슈탈트 심리학 이론을 설립한 3인으로 불린다. 특히 유럽에 새로운 심리학 물결을 일으키고 미국에 그 이론을 소개한 것으로 이름을 떨쳤다. 코프카는 게슈탈트 심리학을 근접 이론들에 체계화시켰으며, 게슈탈트 이론을 발달심리학으로 확장시켰다. 인지, 해석, 학습 등에 관한 그의 사상은 미국 교육 이론뿐만 아니라 정책에까지 영향을 미쳤다. 그는 독일의 형태주의를 영어권에 소개하는 데도 큰 공헌을 하고, 형태주의를 발달심리학에 적용한 것으로도 유명하다. 게슈탈트 심리학의 관점을 아동심리학에 응용하여 아동이 주변의 분화된 세계 속에서 조직된 전체를 처음 경험한다는 주장도 하였다. 그는 행동적 환경과 지리적 환경이라는 두 가지 세계를 구별하여 설명하고, 만인에게 공통되는 것과 독자적인 존재 유지를 위한 것에 관한 이론을 펼쳤다.

주요 저서

Koffka, K. (1980). *The Growth of the Mind*. Transaction Books.

Koffka, K. (1999). *Principles of Gestalt Psychology*. London & New York: Routledge.

코헛
[Kohut, Heinz]

1913. 5. 3. ~ 1981. 10. 8.
자기심리학(self psychology)으로 유명한 오스트리아 출신 미국 정신분석학자.

코헛은 비엔나의 귀화 유대인 가정에서 태어났다. 아버지는 교양과 음악적 소질을 갖춘 사람으로 피아니스트를 지망하기도 하였다. 코헛도 이 재능을 물려받아 피아노에 상당한 소질을 가지고 있었다. 비엔나대학교에서 신경의학 박사학위를 받은 그는 당시의 많은 유대인 지식인들과 마찬가지로 1939년 나치가 비엔나를 점령하자 망명을 하여 시카고에 정착하였다. 이후 코헛은 시카고정신분석연구소(Chicago Institute for Psychoanalysis)에서 중요한 인물로 부상하였다. 1953년부터 이 연구소의 교수로 근무하면서 사망할 때까지 영향을 미쳤다. 제2차 세계 대전과 유대인 대학살의 여파로, 당시 프로이트학파의 정신분석은 개인의 죄의식에 초점을 두게 되면서 정서적 관심이나 정체성, 의미, 자기표현 등의 문제에 골몰하려는 욕구 등을 반영하는 새로운 시대정신을 반영하지 않는 추세로 흘러가고 있었다. 코헛은 초기에는 그러한 기존의 분석적 관점을 가지고 있었지만 나중에 프로이트의 원초자아(id), 자아(ego), 초자아(super ego) 등의 구조적 이론에 반기를 들면서 자신이 말하는 세 부분의 자기(tripartite self)라는 가설을 들고 나왔다. 이 세 부분의 자기는 개인의 자기상태(self states)가 타인과의 관계에 부합될 때 발달할 수 있다고 코헛은 주장하였다. 전통적인 정신분석과는 달리, 이는 역동, 내적 갈등, 판타지 등에 초점을 두기 때문에 코헛의 자기심리학은 관계변천을 매우 중시한다. 그는 나르시시즘을 한 모델로 사용해서 자기감(sense of self)이 어떻게 발달하는지 보여 주었다. 1970년대에 들어서면서 코헛은 자신의 이론을 넓혀 나가 공격적 특성, 탐닉, 탐욕, 쉬지 못함과 같은 것들이 공허함, 취약함, 분열됨 등으로 나아가게 된다는 것을 보여 주었다. 코헛의 이 같은 사상은 1980년대까지 이어졌다. 그는 마지막 순간을 가족 및 친구들과 함께 보내고, 1981년 숨을 거두었다. 코헛의 자기심리학은 역동이론(drive theory), 자아심리학(ego psychology), 대상관계(object relations) 등과 함께 현대 주요 역동이론에 관한 4대 심리학으로 인정되고 있다. 그는 또 아동들의 '자기대상 전이(self-object transference)'라 하는 반영(mirroring)과 이상화(idealization)를 소개하기도 하였다. 코헛의 자기심리학은 심리역동 및 정신분석 전반에서 가장 영향력 있는 이론으로 평가되면서 현대 분석 및 역동 치료 접근법에 지대한 도움을 주었다.

주요 저서

Kohut, H. (1980). *Self Psychology & Humanities*. New York: W. W. Norton & Com. Inc.

Kohut, H. (1987). *The Kohut Seminars*. New York: W. W. Norton & Company.

Kohut, H. (1991). *The Search for the Self*. New York: Intl Univ. Pr Inc.

Kohut, H. (1994). *The Curve of Life*. Chicago: Univ. Press.

Kohut, H. (1996). *Heinz Kohut: The Chicago Institute Lectures*. New York: Routledge.

Kohut, H. (2007). 정신분석은 어떻게 치료하는가? [*How does Analysis Cure*]. (이재훈 역). 서울: 한국심리치료연구소. (원저는 1984년에 출판).

Kohut, H. (2009). 자기의 분석[*The Analysis of the Self*]. (이재훈 역). 서울: 한국심리치료연구소. (원저는 2005년에 출판).

Kohut, H. (2009). 자기의 회복[*The Restoration of the Self*]. (이재훈 역). 서울: 한국심리치료연구소. (원저는 2006년에 출판).

콘스탄틴
[Constantine, Madonna G.]

1963. ~
아프리카계 미국인 여성상담 심리학자, 다문화상담 및 인종차별 연구의 대가.

콘스탄틴은 루이지애나 라파예트(Louisiana Lafayette)에서 태어나고 자랐다. 다섯 남매 중 셋째였던 그녀는 어릴 때부터 인간에 대한 호기심을 가지고 있었으며, 일찍부터 심리학자가 되고자 하였다. 콘스탄틴은 루이지애나 뉴올리언스(Neworleans Xarier's)의 하비에르대학교에서 1984년 심리학 전공에 영문학 부전공으로 졸업한 뒤 동 대학에서 1986년 경영, 산업, 사회기관 상담학으로 석사학위를 받았다. 그런 다음 1991년 멤피스(Memphis)대학교에서 상담심리학으로 박사학위를 취득하였다. 그녀는 멤피스대학에 입학한 최초의 유색인종 학생이었다. 노트르담대학교 상담센터(University of Notre Danme's Counseling Center)에서 박사 전 수련과정(predoctoral internship)을 마치자마자, 콘스탄틴은 오스틴(Austin)에 있는 텍사스대학교 상담 및 정신건강센터(University of Texas's Counseling and Mental Health Center)에 들어가 임상가로 활동을 시작하였다. 그곳에서 5년간 근무한 뒤 1995년에 필라델피아(Philadelphia)에 있는 템플(Temple)대학교 상담심리학 교수로 임용되었다. 3년 후인 1998년에는 컬럼비아대학교 교육대학으로 옮겨 가 상담심리학 프로그램을 맡았고, 2001년 교수로서 종신 재직권을 얻어 2003년에 정교수가 되었다. 그러다가 2007년 10월, 콘스탄틴은 자신의 연구실 문에 올가미가 걸려 있었던 사건으로 온 국민의 관심을 받았다. 당시 학생들은 교육대학에 집결하여 회견을 열고 컬럼비아대학교의 인종차별을 고발하였다. 그곳에서 콘스탄틴이 성명서를 읽었다. 2008년 3월 올가미 사건을 조사하기 위해서 대배심(grand jury)이 소집되었다. 컬럼비아대학교 측에서는 혐의를 밝혀 줄 수 있는 보안테이프를 내주는 데 동의하기 전에 소환장을 요구하면서 24시간 동안 의도적으로 법 집행을 유예시켰다. NYPD에서 영상 공개를 거절하고, 다른 증거가 별로 없다 보니 일부 사람들 사이에서는 이 사건을 콘스탄틴이 자기 연구실 문에 올가미를 걸어두고 범죄를 조작한 것이라고 생각하였다. 2008년 2월에 콘스탄틴은 동 대학에서 표절시비로 불특정 제재를 받게 되었다. 과거 5년이 넘는 기간 학술지에 발표한 논문에서 출처를 밝히지 않고 타인의 글을 도용했다는 기사를 문제 삼아 콘스탄틴을 조사한 것이다. 콘스탄틴은 표절에 대한 혐의를 부인했고, 대학이 증거를 충분히 조사하지도 않았다는 점을 들어 자신은 제도적 인종차별의 희생양이 되었다고 주장하였다. 그러나 대학 당국은 올가미 사건으로 시작된 콘스탄틴의 문제들을 2008년 6월 23일 콘스탄틴의 해임으로 마무리하였다. 콘스탄틴은 아프리카계 미국인 여성상담심리학자로서 여러 연구자들과 저자들이 심리학 분야에서 다문화 및 사회정의에 관한 연구를 할 때 자주 언급되고 있다. 콘스탄틴은 많은 연구를 통해서 다문화상담 능력탐구에 새로운 물꼬를 터 주었고, 심리학 실제의 장에서 나타나는 인종차별로 인한 문제에 강한 인상을 심어 주었다. 협력연구자이자 정신적 지도자로서의 콘스탄틴의 면모는 최고의 과학적 자세를 견지한 임상가의 모범으로 나타났다. 그녀는 심리학 및 교육학 장에서의 인종차별에 대한 연구를 함으로써 이 분야뿐만 아니라 전 영역에서의 학대역동에 대한 이해에 공헌하였다. 이러한 사회정의에 대한 문제는 콘스탄틴의 여러 저서와 연구에 모두 일관되게 담겨 있다. 콘스탄틴은 미국심리학회 제17분과, 제35분과, 제45분과 등에 속해 있고, 흑인심리학회 종신회원이며, 미국상담학회, 다문화상담 및 발달학회, 국가직업발달학회, 상담 및 교육감독학회의 회원이기도 하다. 그녀는 민족과 종교의 다양성에 관련된 여러 부서에서 적극적인 활동을 펼치고 있는데, 1997년부터 1999년까지는 민족 및 종교 다양성 위원회의 회장으로 봉사하였다. 또한 미국보건복지부와 미국국립정신건강연구소의 보조금 검토위원, 심리학 실행전문자격시험 위원회와 같은 기관에서도 일하고 있다. 이외에도 인종적인 주제를 다루는 여러 기관에서 콘스탄틴은 핵심적인 역할을 하고 있다. 그녀의 이런 활동과 노력으로 미국심리학회 제45분과에서 수여하는 상, 프리츠 린 쿠더 상(Fritz & Linn Kuder Award) 등을 수상하였다. 컬럼비아대학교 교육대학에서는 최우수 강의상을 다섯 차례나 수상하였고, 2001년에는 뛰어난 연구업적으로 미국상담학회상을 받았으며, 2005년에는 사무엘 H. 존슨 상(Samuel. H. Johnson Award)도 받았다.

주요 저서

Constantine, M. G. (2005). *Strategies for building multicultural competence in mental health and educational settings*. NJ: Wiley & Sons.

Constantine, M. G. (2006). *Addressing racism: facilitating cultural competence in mental health and educational settings*. NJ: Wiley & Sons.

Constantine, M. G. (2007). *Clinical practice with people of color: a guide to becoming culturally competent*. Colombia University.

콜버그
[Kohlberg, Lawrence]

1927. 10. 25. ~ 1987. 1. 19.
도덕적 발달단계 이론으로 유명한 유대계 미국인 심리학자.

콜버그는 뉴욕의 브롱크스빌(Bronxville)에서 태어났으며, 그의 집안은 상당히 부유하였다. 1949년 시카고대학교를 졸업하고, 도덕적 교육 및 추론을

자기 전문분야로 삼아 연구하다가, 1958년 「Kohlberg's stages of moral development」라는 논문으로 동 대학교에서 박사학위를 받았다. 콜버그의 이론은 피아제(Piaget)의 인지발달이론을 따른 것으로, 심리학계에 새로운 분야를 개척했다는 평가를 받고 있다. 박사학위를 받은 뒤, 1959년 예일(Yale)대학교 조교수로 임용되었다가 1962년에 정교수가 된 그는 1968년에 하버드대학교 강단에 섰다. 하버드대학교 재직 시절에는 길리건(Gilligan)을 만나기도 하였다. 1969년 이스라엘을 방문했던 것이 계기가 되어 정의공동체(Just Community)라는 개념도 도입하였다. 1971년 벨리즈(Belize)에서 교차문화연구를 하던 도중 열대 기생충에 감염되어, 우울증과 신체적 통증을 겪게 된 그는 1974년에는 하버드대학교 도덕교육센터장으로 취임하였다. 그러나 1971년에 얻은 지병으로 1987년 매사추세츠 병원에서 숨을 거두고 말았다. 또 다른 기록에 따르면 보스턴 항구에서 스스로 몸을 던져 자살을 했다는 설도 있다. 콜버그는 도덕적 추론발달에 따른 도덕적 적합성이 있다는 가설을 세우고, 도덕적 발달이론 가설을 세웠다. 이 이론은 피아제의 연구와 아동의 도덕적 딜레마에 대한 반응에서 단초를 얻은 것으로, 콜버그는 소크라테스식 도덕교육을 제안하고 교육목표를 발달에 두는 듀이의 사상을 재인하였다. 이를 바탕으로 교육자들이 주입식 교육을 하지 않고서 도덕적 발달을 이룰 수 있는 방법과 공립학교가 헌법에 합치되는 도덕적 교육에 관여할 수 있는 방법을 보여 주었다. 콜버그의 이론은 윤리적 행동을 기반으로 하는 도덕적 추론이 여섯 단계의 정해진 발달구조단계를 가진다는 것을 전제로 한다. 각각의 단계마다 도덕적 딜레마에 처했을 때, 적절한 대처를 하면서 인간의 도덕발달단계가 진행

ㅋ

되는 것이다. 콜버그의 도덕적 발달단계의 기본 개념은 구조적 조직(structural organization), 발달의 계열성(developmental sequence), 상호작용주의(interaction)의 세 가지며, 발달단계는 3수준, 6단계로 나뉜다. 제1수준은 인습 이전 수준(pre-conventional level), 제2수준은 인습 수준(conventional level), 제3수준은 인습 이후 수준(post-conventional level)이고, 1수준에 벌과 복종의 단계, 도구적 목적과 교환의 단계가, 2수준에 개인 간 상응적 기대, 관계, 동조의 단계, 사회체제와 양심보존의 단계가, 3수준에 권리우선과 사회계약, 혹은 유용성의 단계, 보편윤리적 원리 단계가 속한다.

주요 저서

Kohlberg, L. (1984). *The Meaning and Measurement of Moral Development*. S Karger Pub.

Kohlberg, L. (1984). *The Philosophy of Moral Development 2*. Harpercollins College Div.

Kohlberg, L. (1985). 도덕발달 철학 1[*The Philosophy of Moral Development 1*]. (이동훈 역). 서울: 대한예수교장로회출판국. (원저는 1981년에 출판).

Kohlberg, L. (1987). *Child Psychology and Childhood Education*. Longman Group Unite Kingdom.

Kohlberg, L. (2000). 콜버그의 도덕성 발달이론[*Moral Stages: A Current Formulation and a Response to Critics*]. (문용린 역). 서울: 아카넷. (원저는 1984년에 출판).

콩트
[Comte, Isidore Marie Auguste]

1798. 2. 17. ~ 1857. 9. 5.
프랑스 출신의 철학자이며 사회학의 창시자이자 실증주의의 시조.

콩트는 1978년 2월 17일(기록상으로는 2월 19일) 프랑스 몽펠리에(Montpellier)에서 태어났다. 당시는 프랑스 혁명 때문에 프랑스 전역에 정치적 급변

이 계속되는 혼란의 시기였고, 산업화로 혼란이 가중되던 시절이었다. 콩트는 전문고등학교를 나온 뒤 가장 유구한 역사를 자랑하는 유럽의 대학 중 하나인 몽펠리에대학교에 입학했다가, 프랑스 국가 엘리트 양성 코스인 그랑제꼴(Grandes Ecoles)의 하나이며 국방부 산하 교육기관인 에콜 폴리테크니크(Ecole Polytechnique)에 입학허가를 받았다. 그러나 1816년 에콜(École)의 개편으로 휴교를 하게 되어 그곳을 떠나 몽펠리에 의학부에서 공부를 계속하였다. 이후 에콜 폴리테크니크(École Polytechnique)가 다시 문을 열었지만, 콩트는 들어가지 않았다. 몽펠리에로 돌아오자마자 가톨릭과 군주주의적 집안 등과는 도저히 화합할 수 없는 자신을 깨닫고 다시 떠나 파리로 갔다. 1817년 8월에 콩트는 클로드 앙리 드 루브루아(Claude Henri de Rouvroy)와 생시몽 백작(Comte de Saint-Simon)의 학생 겸 비서가 되었다. 그 인연으로 콩트는 지성인들의 사회에 발을 들여놓았다. 그 시절 콩트는 생시몽의 도움으로 자신의 첫 번째 글인 「L'Industrie, Le Politique」를 발표하였다. 1824년 콩트는 생시몽과 의견 차이를 좁히지 못하여 그와 결별했는데, 1822년에는 발표한 「Plan of Scientific Studies Necessary for the Reorganization of Society」가 학술지에 실리지 못하는 어려움을 겪기도 하였다. 콩트는 경제적인 자립을 하지 못하고, 그때까지 후원과 친지들의 재정적 도움에 기대어 근근이 생계를 이어 가고 있었다. 1826년에는 정신병원에도 입원했지만 완전히 치료받지 않은 상태로 병원을 나왔고, 1827년에는 자살시도도 하였다. 캐롤라인 메이신(Caroline Massin)과 결혼해서는 1842년에 이혼하였고, 이 같은 일들을 겪으면서도 콩트는 『Cours de philosophie positive』 전 6권을 출판하였다. 콩트는 존 스튜어트 밀(John Stuart

Mill)과도 친분을 쌓았고, 클로틸드 드 보(Clotilde de Vaux)와 사랑하는 관계가 되었다. 1846년 보가 사망한 뒤, 콩트는 밀과 더욱 가깝게 지내면서 새로운 '인간의 종교(religion of humanity)'를 발전시켜 나갔다. 콩트는 1851년부터 1854년까지 『Système de politique positive』 4권을 출간하였고, 1856년에는 자신의 마지막 책인 『La Synthèse Subjective』의 첫 권을 냈다. 1857년 위암으로 사망한 콩트는 다양한 사회적, 역사적 문제에 대해서 추상적 사변을 배제하고 과학적, 수학적 방법으로 설명하려는 시도를 하였다. 그는 인간지성을 개혁하여 시민사회 위기를 극복하고자 하였다. 즉, 과학을 통한 인간 지성의 개혁을 주장한 것이다. 콩트는 인간정신 연구사에서 실존주의 철학을 발전시킨 인물로서, 절대성을 배척하고 감각적 경험에 의한 확증 가능한 사실과 그 관계에 대한 연구에 전념하여 과학적이며 실증적인 상대주의 입장을 표명하였다. 그가 펼친 유명한 3단계 법칙에서 그의 과학적 자세가 확연히 드러난다. 3단계 법칙은 인간지식의 발전단계를 설명한 것으로, 첫 단계는 신학적 단계이고, 둘째 단계는 형이상학적 단계이며, 마지막 단계는 실증적 단계라고 하였다. 이 중 마지막 실증적 단계가 참다운 과학적 지식의 단계라는 것이 콩트의 주장이다. 실증과학의 체계가 대상의 복잡성에 따라 수학, 천문학, 물리학, 화학, 생물학, 사회학 등의 순서로 성립된다는 주장도 펼쳤다.

주요 저서

Comte, I. M. A. (1855). *The Philosophy of Mathematics*. Cornell University Library.

Comte, I. M. A. (1880). *A General View of Positivism*. Cornell University Library.

Comte, I. M. A. (1923). *Système de Politique Positive*. Nabu Press.

Comte, I. M. A. (1923). *The Positive Philosophy*. Nabu Press.

Comte, I. M. A. (1974). *The Crisis of Industrial Civilization*. Heinemann Educational.

Comte, I. M. A. (2001). *Cours de Philosophie Positive*. Adamant Media Corporation.

Comte, I. M. A. (2009). *La Synthèse Subjective*. University of Michigan Library.

쾰러
[Köhler, Wolfgang]

1887. 1. 21. ~ 1967. 6. 11.
독일의 심리학자로 형태주의 학파의 대표 인물.

쾰러는 러시아 제국 에스토니아령의 레발(현재는 탈린)의 항구도시에서 태어났다. 그의 가족은 게르만 민족이었고, 쾰러가 태어나고 얼마 되지 않아 독일로 이주하였다. 쾰러는 교사, 보모 등이 갖추어진 안정된 환경 속에서 양육되었고, 평생 과학뿐만 아니라 미술, 음악에까지 관심을 가졌다. 1905년 튀빙겐(Tübingen)대학교에 들어간 그는 1906년에는 본대학교에서, 1907년부터 1909년까지는 베를린대학교에서 공부하였다. 본대학교와 베를린대학교에서 물리학과 심리학 간 연관성에 관한 연구를 했는데, 그 과정에서 이 분야를 선도하는 막스 플랑크(Max Planck)와 카를 슈툼프(Carl Stumpf)의 지도를 받기도 하였다. 쾰러는 슈툼프를 지도교수로 모시면서 음향심리학으로 박사학위를 받았다. 1910년부터 1913년까지는 막스 베르트하이머(Max Wertheimer)와 쿠르트 코프카(Kurt Koffka)와 함께 프랑크푸르트에 있는 심리학 연구소에서 일하였다. 이들은 새로운 전체주의적 입장에 서서 게슈탈트 이론을 세웠다. 1913년에 프랑크푸르트에서 나온 그는 프러시아 과학회(Prussian Academy of Sciences)의 유인원 연구기지였던 카나리아 제도(Canary Islands)의 테네리페(Tenerife) 섬으로 가서 6년간 머물렀다. 그 시간에 수차례 침팬지 실험을 통하여 시행착오가 아닌 통찰로 침팬지가 문제를 해결하는 것을 확인하였다. 더불어 처음 통찰행동을 보인 침팬지를 보면서 다른 침팬지들에게 그 행위가 퍼져 나가는 것을 발견하고는, 개체와 환경 간의 상호작용에 대해서도 확신을 갖게 되었다. 그는 당시 구조주의 심리학자들이 말하던 내성(內省)법을 부정하고 인간의식은 부분적인 요소를 파괴하여 이해 가능하다고 생각하였다. 1933년에는 히틀러가 이끄는 나치당이 집권하면서 유대인 배경을 가진 학자들을 탄압했는데, 그해 4월 말이 될 때까지 쾰러는 나치에 대한 반대입장을 표명하지 않았다. 그러다가 1933년 4월 28일 '독일과의 대화(Conversations in Germany)'라는 글을 발표하면서 나치정부와 정면으로 맞섰다. 이후로 나치에 대한 반대입장을 더욱 강경하게 표명하던 쾰러는 1935년에 결국 미국으로 망명하였다. 미국으로 가서 스워스모어(Swarthmore) 대학의 교수가 되어 20년간 재직하였고, 1956년에는 다트머스대학교 연구교수가 되었다. 그리고 얼마 되지 않아 미국심리학회(American Psychological Association) 회장자리에 앉았다. 미국에서 강의를 하면서도 매년 베를린 자유대학교를 방문하였고, 이 대학에서 쾰러는 교수자문으로 활동하였다. 그는 1956년 미국심리학회로부터 우수과학공로상(Distinguished Scientific Contributions Award)도 수상하였다. 1967년 뉴햄프셔(New Hampshire)의 엔필드(Enfield)에서 숨을 거둔 쾰러는 게슈탈트 심리학파의 입장에서 계시대비(繼時對比), 기억 등의 실험적 연구를 통하여 지혜, 사고, 기억 현상의 통일적 설명을 시도하였다. 그는 형태주의적 관점에서 가치론을 다루고, 과학, 심리학 등에서 광범위하고 체계적인 접근을 시도한 인물이다.

주요 저서

Köhler, W. (1947). *Gestalt Psychology: An Introduction to New Concepts in Modern Psychology*. New York: Liveright.

Köhler, W. (1957). *The Mentality of Apes*. Harmonds-worth: Penguin Books.

Köhler, W. (1969). *Task of Gestalt Psychology*. Princeton Univ. Press.

Köhler, W. (1971). *The Selected Papers of Wolfgang Köhler*. London, New York: Norton & Com.

Köhler, W. (1976). *The Place of Value in a World of Facts*. Liveright.

Köhler, W. (2008). *Wall Street Panik*. Mankau.

쿠더
[Kuder, Frederick G.]

1903. 6. 23. ~ 2000. 4. 2.
진로 사정평가에서 폭넓게 사용되는 흥미검사 개발자.

쿠더는 1929년에 미시간(Michigan)대학교에서 교육학 석사학위를, 1937년에 오하이오(Ohio) 주립대학교에서 박사학위를 취득하였다. 1948년에는 듀크(Duke)대학교에서 심리학을 가르쳤으며, 1964년 은퇴하였다. 쿠더의 초기 연구는 주로 검사 구성과 통계에 집중되었고, 이후에는 흥미검사, 흥미검사를 위한 적절한 도구, 그러한 연구에 대한 결과를 바탕으로 책을 집필하였다. 이에 따라 쿠더의 직업흥미검사(Kuder Occupational Interest Survey)와 쿠더의 흥미검사(Kuder Preference Record)를 발달시켰다. 또한 'The Journal Educational and Psychological Measurement'의 편집자이기도 하였다. 쿠더는 심리학 도구로 많은 공식과 검사를 만들어 낸 20세기 중반의 중요한 계량 심리학자로 평가되고 있다.

주요 저서

Kuder, Frederick G. (1985~1988). *General interest survey*. Chicago, Il.: Science Research Associates.

쿠르투아
[Courtois, Christine A.]

1949. ~
워싱턴 D.C.에서 개인 센터를 운영하고 있는 심리학자이자, 워싱턴 정신의학연구소(Psychiatric Institute of Washington)의 공동창립자.

쿠르투아는 칼리지 파크(College Park)에 있는 메릴랜드(Maryland)대학교 상담센터에서 인턴 과정을 거치고, 동 대학교에서 1979년에 박사학위를 취득하였다. 「아동기 또는 청소년기 근친상간을 경험한 성인 여성 자원봉사 표본의 특성」이라는 주제로 학위논문을 쓰고, 성폭력 위기센터에서 자원봉사활동을 하면서 성적 학대와 그 후유증에 관해 깊은 관심을 보였다. 박사학위 취득 후 클리블랜드(Cleveland)로 이사하여 클리블랜드 주립대학교에서 상담사로 일을 시작하였다. 이후 다시 워싱턴 D.C.로 돌아와서는 상담과 직업발달센터, 여성메디컬센터 등에서 상담사로 일하였다. 1983년에는 독립을 하여 개인 및 집단 단기상담, 장기상담, 심리치료 등을 실행하면서 자신만의 연구를 이어 나갔다. 1989년부터 2007년까지는 성적 학대, 외상 후 스트레스 장애, 해리성장애 등 정신적으로 충격을 받아 입원한 환자들을 위한 임상자문을 수행하였다. 쿠르투아는 또 희생화 경향(victimisation)이라는 주제에 대한 상담심리학자들의 특수 쟁점의 공동편집자이면서 베셀 반 더 콜크(Bessel van der Kolk) 교수와 함께 2005년에 '달리 분류되지 않는 극단적 스트레스로 인한 장애(Disorders of Extreme Stress Not Otherwise Specified)'에 대한 글을 싣는 『Journal of Traumatic Stress Studies』 특별판의 편집을 맡기도 하였다. 쿠르투아는 국제외상 및 해리연구회(International Society for the Study of Trauma and Dissociation)로부터 2006년 생애공로상(Lifetime Achievement Award), 미국심리학회(APA), 여성심리학위원회(Committee on the Psychology of Women)로부터 2005년 여성심리학에 대한 우수공로상(Distinguished Contribution to the Psychology of Women Award), 국제외상스트레스연구회(International Society for Traumatic Stress Studies)로부터 우수임상에 대한 사라 헤일리 상(Sarah Haley Award for Clinical Excellence), 국제해리연구회(International Society for the Study of Dissociation)로부터 2001년 코넬리아 윌버 상(Cornelia Wilbur Award), 미국심리학회로부터 1996년 심리학 전문 임상 분야 우수공로상(Award for Distinguished Contributions to Psychology As A Professional Practice), 미국심리학회 제17분과로부터 1991년 존 블랙 전문가 상(John D. Black Practitioner Award), 여성위원회 제17분과로부터 1994년 올해의 여성상(Woman of the Year Award) 등 수많은 상을 받았다. 1998년에는 국립심리학임상가학회(National Academies of Practice in Psychology)에서 우수임상가로 뽑히기도 하였다. 쿠르투아는 미국심리학회 아동학대 기억연구모임(American Psychological Association Working Group on the Investigation of Memories of Childhood Abuse)의 지명회원으로 1993년부터 1996년까지 봉사했고, 1994년부터 1996년까지는 가족폭력에 대한 미국심리학회 대통령 자문위원회에서 일했으며, 지속적으로 외상적 스트레스와 관련된 주제로 국가적 또 국제적으로 전문가들의 교육을 해 오고 있다. 현재 워싱턴 D.C.에는 그녀가 운영하는 외상치료센터가 있다.

주요 저서

Courtois, Christine A. (1988). *Healing the Incest Wound: Adult Survivors in Therapy*. London & New York: Norton & Company.

Courtois, Christine A. (1993). *Adult Survivors of Child Sexual Abust*. Families Intl.

Courtois, Christine A. (2002). *Recollections of Sexual Abuse: Treatment Principles and Guidelines*. London & New York: Norton & Company.

Courtois, Christine A. (2009). *Treating Complex Traumatic stress Disorders: An Evidence-Based Guide*. New York & London: Guilford Press.

쿠에
[Coue, Emile]

1857. 2. 26. ~ 1926. 7. 2.
프랑스 출신 심리학자이자 약학자로 플라시보 효과를 발견한 학자.

쿠에는 프랑스 트루아에서 유서 깊은 브르통 가문(Breton stock)의 혈통이다. 학창 시절의 쿠에는 영민한 학생으로 처음에는 화학자가 되기 위해서 공부를 했지만 철도 노동자였던 아버지의 재정적 상태가 불안해지자 학업을 포기하였다. 이후 약학자가 되기로 결심하고 1876년에 약학 전공으로 졸업하였다. 그는 1882년부터 1910년까지 트루아에 있는 약국에서 일을 하다가, 후에 플라시보 효과(placebo effect) 혹은 위약효과라고 알려지게 되는 현상을 발견하였다. 1901년에는 최면의 두 선도적 인물인 앙부르와즈오귀스트 리보(Ambroise-Auguste Liébeault)와 히폴리트 베른하임(Hippolyte Bernheim)을 만나 그들에게서 수학하였다. 1913년 쿠에와 그의 아내는 로렌응용심리학회(The Lorraine Society of Applied Psychology)를 창립하였다. 1920년, 『Self-Mastery Through Conscious Autosuggestion』을 영국에서 출판하였고, 이어 2년 후인 1922년에는 미국에서도 출판하기에 이르렀다. 1926년 사망한 쿠에의 이론은 생존 당시에는 미국보다 유럽에서 더욱 인기가 있었다. 노먼 필(Norman Peale), 로버트 슐러(Robert Schuller), 클레멘트 스톤(Clement Stone)과 같은 많은 미국인들이 그의 사상과 방법을 받아들여 미국에서도 쿠에의 이론은 급속도로 확산되었다. 쿠에는 낙관적 자기암시(optimistic autosuggestion)에 근거한 심리치료방법 및 자기개선방법을 소개한 인물이다. 주문처럼 의식적으로 '매일, 어떤 방법으로든 나는 점점 더 나아지고 있다.'라고 자기 암시를 하는 것이 쿠에이즘(Coueism) 혹은 쿠에의 방법(Coue method)이다. 쿠에이즘의 핵심은 구체화된 의식(ritual)에 따른 이 같은 특정 표현을 주어진 물리적 상태 그대로에서 그에 연관된 어떤 정신적인 이미지도 떠올리지 않은 채 하루를 시작할 때와 하루를 마칠 때 끊임없이 반복하는 것이다. 이는 강한 의식적 의지가 성공으로 가는 지름길이라는 신념을 갖는 방법이다. 쿠에는 문제들을 치료하기 위해서는 무의식적 사고에 변화를 가해야 하며, 이는 오로지 상상을 활용해서만 가능하다고 주장하였다. 치료사만이 치료를 하는 것이 아니라 자기암시를 통해서 유기적 변화를 이끌어 낼 수 있다고 주장한 것이다. 그는 응용조건화(applied conditioning)의 아버지로 불리며, 그의 이론은 1920년대 영국과 미국에 엄청난 영향을 미쳤다.

주요 저서

Coue, E. (1962). *Better and better every day: two classic texts on the healing power of the mind*. Allen & Unwin.

Coue, E. (2008). 의식적 자기 암시를 통한 자기통제, 자기암시:

인생을 변화시키는 긍정적 상상[*Self Mastery through conscious autosuggestion*]. (최준서 외 역). 서울: 하늘아래. (원저는 1920년에 출판).

쿠퍼
[Cooper, Cary L.]

1940. ~
유럽에서 심리 스트레스 연구의 1인자로 알려진 응용심리학자.

쿠퍼는 미국에서 캘리포니아대학교 마사릭(M. Massarik) 교수의 지도를 받으면서 감수성 훈련 및 참만남(encounter) 지도자 행동 연구를 수행하였다. 1962년 UCLA에서 행동과학 전공으로 경영학 석사학위를 받고, 영국으로 가서 리즈(LEEDS)대학교에서 「인간관계 훈련집단에서 단계별 교육연구」라는 논문으로 박사학위를 받았다. 1975년에 맨체스터(Manchester)대학교 교수로 임용되어 스트레스, 특히 경영자나 관리자의 심리적 스트레스 연구를 개척하였다. 현재는 랭커스터대학교 경영학부에서 조직심리학 및 보건에 관한 강의를 하고 있으며, 랭커스터(Lancaster)대학교의 외부관계 부총장 보직을 맡고 있다. 그는 120권이 넘는 책을 집필하고 편집하였으며, 400편이 넘는 학술지 논문을 발표했을 뿐만 아니라 각종 방송 매체에도 자주 기고한다. 현재 『Journal of Organizational Behavior』의 창설 편집자이고 『Medical journal Stress & Heath』의 편집장으로도 일하고 있다. 영국심리학회(British Psychological Society), 왕립미술회(The Royal Society of Arts), 왕립의학회(The Royal Society of Medicine), 왕립공중보건회(The Royal Society of Public Health), 영국 경영자학회(The British Academy of Management) 등의 특별회원이면서 사회과학회(Academy of Social Sciences)의 학술위원이기도 하다. 쿠퍼는 영국경영자학회의 회장을 역임했으며, 공인경영연구소(Chartered Management Institute)에도 몸담고 있다. 1998년에는 경영학회로부터 경영학에 대한 공헌으로 공로상(Distinguishes Service Award)도 수상하였다. 2001년에는 직업적 안전성과 보건에 관한 공로로 여왕의 생일 초청자 명단(Queen's Birthday Honours List)에도 오르는 영예를 얻었다. 2005년 애스턴대학교를 비롯해서 2011년 1월 세필드대학교 등 유수의 대학교에서 명예박사학위를 받은 쿠퍼는 13권이나 되는 방대한 분량의 국제학술 블랙웰 경영백과사전(International scholarly Blackwell Encyclopedia of Management)의 편집장을 맡는 등 경영학 관련 여러 국제적 학술 관련 잡지나 도서의 편집을 주간하기도 한다. 그는 국립 정부학교(National School of Government) 내 서닝데일 연구소(Sunningdale Institute) 소장을 역임했으며, 2009년부터는 영국사회과학회의 회장을 맡고 있고, 만성 2009~2010 제네바 세계경제포럼 만성질환 및 국제웰빙의제회의(Chronic Disease and Wellbeing Global Agenda Council of the World Economic Forum in Geneva)의 의장을 맡기도 하였다. 이외에도 복지연구소(Institute of Welfare), 영국 상담 및 심리치료학회(British Association of Counseling and Psychotherapy) 등의 회장을 맡고 있다. 인적자원경영회(Society for Human Resource Management)에서 발간하는 『HR Magazine』에서 쿠퍼를 2009년 가장 영향력 있는 사상가 중 여섯 번째로 지명하기도 하였다.

주요 저서

Cooper, C. L., & Dewe, P. J. (2004). *Stress: A Brief History (Blackwell Brief Histories of Psychology)*. Willey-Blackwell.

Cooper, C. L., & Burke, R. J. (2008). *The Peak*

ㅋ

Performing Organization. T & F Books UK.

Cooper, C. L., & Rovertson, I. (2011). *Well-being: Productivity and Happiness at Work*. Palgrave Macmillan.

Cooper, C. L., & Weinberg, A. (2012). *Stress in Turbulent Times*. Palgrave Macmillan.

퀴블러로스
[Kübler-Ross, Elisabeth]

1926. 7. 8. ~ 2004. 8. 24.
인간의 죽음에 대한 연구로 평생을 보낸 정신의학자.

퀴블러로스는 1926년 스위스 취리히(Zürich)에서 개신교를 신봉하는 집안의 세쌍둥이로 태어났다. 19세에 폴란드 마이데넥 유대인 수용소에서 자원봉사를 한 경험으로 자신의 인생을 바칠 소명을 발견하고, 아버지의 반대에도 불구하고 의학을 전공하기로 결심하였다. 지옥 같은 수용소 벽에 수없이 그려진 환생을 상징하는 나비를 목격한 그녀는 삶과 죽음의 의미에 새로운 시각을 갖게 된 것이다. 퀴블러로스는 1957년 취리히대학교 의과대학을 졸업한 뒤, 1958년에는 미국으로 가서 수학을 계속하였다. 의료실습을 하면서 죽어 가는 사람들을 대하고는, 의대생으로서 그들에게 힘을 북돋아 주는 역할을 하였다. 그러면서 많은 의료진이 환자의 의학적 이상이나 신체적 문제에만 관심을 가질 뿐 환자를 하나의 인격으로 대우하지 않는 것에 충격을 받기도 하였다. 1962년에는 콜로라도(Colorado)대학교 의학부에서 강의를 하게 되었고, 1963년에는 수련의 과정을 모두 마쳐 1965년 시카고로 가서 시카고대학교 프리츠커 의학부 강사가 되었다. 퀴블러로스는 죽음을 앞둔 사람들과의 인터뷰를 통해 계속해서 임종에 다가선 사람들을 연구하였다. 마침내 1969년 그녀의 역작 『On Death and Dying』을 발표하고, 인간이 죽음을 앞두고 겪게 되는 다섯 단계에 관하여 설명하였다. 그녀는 호스피스 운동을 지원했는데, 1977년 남편을 설득하여 캘리포니아의 에스콘디도(Escondido) 지역에 땅을 구입한 뒤 '평화의 집(Shanti Nilaya)'을 세워 임종을 앞둔 사람들과 그 가족을 위한 치유센터를 마련하였다. 1970년대 후반에는 죽음과 접촉하는 여러 방법으로 유체이탈 경험, 영성주의, 영매의 능력 등에 관심을 가졌다. 또한 AIDS에 대한 워크숍을 세계 각지에서 열기도 하였다. 1990년에는 치유센터를 자신의 농장이 있는 버지니아(Virginia)의 헤드 워터스로 옮겼다. 그러다가 1995년 여러 번 발작을 일으키면서 몸의 왼편을 쓸 수 없게 되자 치유센터 문을 닫고 말았다. 2002년 인터뷰에서 죽음을 준비하고 있다고 한 퀴블러로스는 2004년 애리조나(Arizona)에 있는 자신의 집에서 눈을 감았다. 그녀는 세계 최초로 호스피스 운동에 불을 붙인 인물이다. 그녀의 이론에 따르면 죽음을 앞둔 사람들은 거부(denial), 분노(anger), 흥정(bargaining), 침울(depression), 수용(acceptance)의 다섯 단계를 거친다. 이처럼 임종연구(near-death studies)의 선구자로서 그녀의 이론은 현재 퀴블러로스 모델로 불리고 있다. 2007년 미국 여성 명예의 전당(American National Women's Hall of Fame)에 오른 퀴블러로스는 『Life Lessons』이라는 저서로 세상에 알려졌고, 이 책은 이 분야의 잠언서라 일컬어질 만큼 명성을 떨쳤다. 이외에도 20여 권의 저서를 발표했으며, 『The Time』지에서는 20세기 100대 사상가 중 한 사람으로 선정하기도 하였다. 그녀는 세계적으로 학술세미나와 워크숍에서 가장 많이 초청받은 정신의학자였고, 역사상 가장 많은 학술상을 받은 여성으로 기록되어 있다.

주요 저서

Kübler-Ross, E. (1995). *On Death and Dying*. London & New York: Routledge.

Kübler-Ross, E. (2005). *On Grief and Grieving*.

Scribner.

Kübler-Ross, E. (2006). 인생수업[*Life Lessons*]. (류시화 역). 경기: 이레. (원저는 2001년에 출판).

Kübler-Ross, E. (2008). 사후생[*On Life after Death*]. (최준식 역). 서울: 대화출판사. (원저는 2002년에 출판).

크랩

[Crabb, Lawrence J.(Crabb, Larry)]

1944. ~
기독교 심리학자.

크랩은 일리노이 에번스턴(Illinois Evanston)에서 태어났다. 1965년 우르시누스(Ursinus)대학교에서 심리학을 전공하고, 석사학위와 박사학위를 모두 일리노이대학교에서 임상심리학으로 취득하였다. 박사학위 취득 이후, 1971년까지 모교인 일리노이대학교 심리학과에서 조교수로 재직하였고, 1971년부터 1973년까지는 플로리다 애틀랜틱(Florida Atlantic)대학교 심리상담센터 소장으로 있었다. 당시 자신의 개인상담소를 열어 10년간 운영하기도 하였다. 1982년부터 1989년까지는 그레이스 신학교(Grace Theological Seminary)에서 성격 상담학부 학장으로 재직하였다. 1989년부터 1996년까지 콜로라도 덴버에 있는 콜로라도 기독교대학교 성경적 상담학 프로그램 석사과정을 지도하면서 학장을 겸하였고, 1998년부터 2000년까지는 캐나다 밴쿠버의 브리티시컬럼비아대학교의 리젠트대학교에서 부교수로 재직하였다. 1996년부터는 콜로라도 기독교대학교 교수로 재직하면서 지금까지 여러 분야의 심리문제와 가정문제에 관한 세미나에서 강의를 하고 있다. 크랩은 상담을 통해서 하나님 백성의 공동체가 깊이 있는 치료적 장소가 되어야 한다는 것을 몸소 증명하고 있다. 그가 말하는 진정한 치유는 기술적인 것이 아니라 마음에서 우러나는 관계의 문제다. 여기서 관계는 하나님의 백성 공동체인 교회 공동체 내의 관계이며, 치유가 교회 내에서 일어날 때 이는 교회를 더욱 키워 나가는 과정으로 만들어져야 한다고 주장하였다. 크랩의 견지에서 기독교상담사의 과제는 교회가 신의 은총 안에 통합되도록 성경적 상담의 모델을 펼쳐 나가는 것이다. 그는 기독교인들이 적절한 상담으로 도움을 받아 지체의 잠재적 고유 기능에 개선이 일어날 수 있도록 자원을 제공해 주는 것이 기독교상담사의 역할이라고 하였다. 지체 안에서 상담과 생활은 분리될 수 없는 것이라고 크랩은 본 것이다. 기존 인본주의를 바탕으로 하는 모든 상담은 크랩의 시각에서는 내담자 회복에 결코 충분하지 않다. 이는 인간적 확신에 기초한 자기만족에 그치는 상담이기 때문이다. 크랩은 기독교 심리학자로서 사람의 문제를 성경적 관점에서 이해하고 성경적으로 해결방법을 찾기 위해 성경적 상담이론과 방법을 연구하고 있는 것이다.

ㅋ

주요 저서

Crabb, L. J. (1975). *Basic Principles of Biblical Counseling*. Michigan: Zondervan.

Crabb, L. J. (1977). *Effective Biblical Counseling: A Model for Helping Caring Christians Become Capable Counselors*. Michigan: Zondervan.

Crabb, L. J. (2003). 아담의 침묵: 하나님이 만드신 진정한 남성 찾기[*The Silence of Adam: Becoming Men of Courage in a World of Chaos*]. (윤종석 역). 서울: 한국기독학생회출판부. (원저는 1998년에 출판).

Crabb, L. J. (2004). 끊어진 관계 다시 잇기[*Connecting: Healing Ourselves and Our Relationships*]. (이주엽 역). 서울: 요단. (원저는 2002년에 출판).

Crabb, L. J. (2007). 거룩한 사귐에 눈뜨다[*Sacred Companions: The Gift of Spiritual Friendship & Directions*]. (노종문 역). 서울: 한국기독학생회출판부. (원저는 2004년에 출판).

Crabb, L. J. (2007). 파파기도[*The Papa Prayer: The Prayer You've Never Prayed*]. (김성녀 역). 서울: 한국기독학생회출판부. (원저는 2006년에 출판).

Crabb, L. J. (2009). 네 가장 소중한 것을 버려라. 모든 그리스도인을 위한 행복 법칙[*The Pressure's off: There's a New Way to Live*]. (윤난영 역). 서울: 살림출판사. (원저는 2004년에 출판).

Crabb, L. J. (2010). *Shattered Dreams: God's Unexpected Pathway to Joy*. WaterBrook Press.

Crabb, L. J. (2010). 결혼 건축가[*The Marriage Builder*]. (윤종석 역). 서울: 두란노서원. (원저는 1992년에 출판).

Crabb, L. J. (2011). 교회를 교회 되게[*Real Church: Does it exist? Can I find it?*]. (윤종석 역). 서울: 두란노서원. (원저는 2009년에 출판).

Crabb, L. J. (2011). 하나님의 러브레터[*66 Love Letters: A Conversation with God That Invites You into His Story*]. (김성녀 역). 서울: 한국기독학생회출판부. (원저는 2010년에 출판).

크럼볼츠
[Krumboltz, John D.]

1928. ~
행동상담의 제창자.

크럼볼츠는 고등학교 상담교사, 대수학교사를 거쳐 미시간(Michigan) 주립대학교에서 교육심리학을 가르쳤다. 그는 미네소타(Minnesota) 대학교에서 박사학위를 받고 처음에는 내담자중심치료 교육을 받았지만, 후에 스키너(B. Skinner)의 조작적 조건화 이론을 포함한 행동이론의 영향을 받아 자신의 상담이론에 흡수한 뒤 행동상담을 만들어 냈다. 최근에는 인지행동론적인 입장으로 직업지도의 영역에서 취직 결정의 새로운 모델을 제창하고 있다. 엘리스(A. Ellis)의 비합리적 신념(irrational belief)에 버금가는 '성가신 신념'이 바람직한 직업선택 결정을 저해한다고 그는 주장하고 있다. 크럼볼츠는 진로선택이론을 주창하면서 이름을 알렸는데, 그 진로선택이론은 인간은 생활에서 겪은 경험과 그 경험에 따르는 영향의 결과로 자신의 진로를 선택한다는 것을 기초로 하고 있다. 그러한 경험은 자신의 삶에서 직업선택과 관련된 요소들로 부모, 스승, 취미, 관심 등이 포함된다. 크럼볼츠의 이론에 따르면 관련 학습경험이 진로선택에 중요한 역할을 한다. 그는 미국심리치료학회 및 과학의 발전을 위한 미국 학회의 특별 연구원이다. 또한 상담심리학의 전문가이며, 학교상담자가 어떻게 하면 학생들의 진로결정 과정을 발전시킬 수 있는지에 대하여 도움을 주고 있다. 현재까지 크럼볼츠는 학업과 진로의 근원 탐색, 경험에 관한 감정표현, 시험 등급 매기기의 효과, 직업 활동을 통한 자긍심에 매체 사용하기 등의 분야를 연구하고 있다. 계획된 우연성 이론(planned happenstance)을 펼쳐 성공하는 사람은 수동적으로 우연을 기다리는 것이 아니라 적극적으로 의도하고 계획하여 우연처럼 보이는 필연을 만들어 내도록 행동한다고 주장하는 크럼볼츠는, 실제 직업에 종사하고 있는 사람들을 대상으로 조사·연구하여 자신의 이론을 정립하였다. 또한 성공한 사람들이 겪은 사건을 분류해서 호기심, 끈기, 유연성, 낙관성, 위험성 감수와 같은 요소가 그들에게 있었음을 증명해 내면서 자신의 이론을 펼쳐 나갔다.

주요 저서

Krumboltz, J. D. (1965). *Learning and Educational*

Process. Rand McNally.
Krumboltz, J. D. (1967). *Future Directions for Counseling Research*. ERIC.
Krumboltz, J. D. (1967). *Vocational Problem-solving Experiences for Stimulating Career Exploration and Interest*. ERIC.
Krumboltz, J. D. (1969). *Behavioral Counseling: Cases and techniques*. Holt, Rinehart & Winston.
Krumboltz, J. D. (1976). *Counseling Methods*. Hot, Rinehart & Winston.
Krumboltz, J. D. (1982). 카운슬링의 혁명[*Revolution in Counseling*]. (전찬화 역). 서울: 배영사. (원저는 1966년에 출판).
Krumboltz, J. D. (1987). 아동 행동 지도[*Changing Children's Behavior*]. (최경숙 외 역). 서울: 교문사. (원저는 1972년에 출판).
Krumboltz, J. D. (1992). *Challenging Troublesome Career Beliefs*. ERIC.
Krumboltz, J. D. (2004). *Luck is No Accident: Making the most of happenstance in your life and career*. Impact Pub.

크레이머
[Kramer, Edith]

1916. 8. 29. ~ 2014. 2. 22.
치료로서의 미술(art as therapy)을 주창한 미술치료사.

크레이머는 오스트리아의 비엔나(Vienna)에서 태어났고, 어려서부터 예술을 가까이하였다. 후에 미술치료를 하면서도 화가로서의 창작활동을 계속했는데, 그것은 예술적인 가족분위기와 타고난 재능, 그리고 미술교육의 영향에 따른 것이었다. 그는 1931년부터 화가 디커 브랜다이즈(Dicker-Brandeis)에게서 회화수업을 받으며 창의성을 부각시키고 감각을 활성화하는 방법을 배웠다. 이처럼 크레이머는 디커 브랜다이즈에게 많은 영향을 받았고, 이후 자전적 글에서 디커 브랜다이즈에게서 받은 자기비판적 훈련이 자신을 예술가로서 지탱해 주었다고 회고하였다. 크레이머는 학교를 졸업한 뒤 디커 브랜다이즈를 따라 프라하로 가서 체코 정부가 보호하던 정치망명자의 자녀들에게 미술을 지도하였다. 그 과정에서 미술이 사람의 정서적 균형을 회복하는 데 도움을 줄 수 있다는 사실을 확신하게 되었다. 그는 프라하에서 4년을 보낸 후 다시 히틀러를 피해 뉴욕으로 갔다. 프라하에 거주할 때부터 라이히(Reich)에게 정신분석을 받은 그는 뉴욕으로 이주한 후에도 계속하였다. 한편, 윌트윅 학교(Wiltwyck School)에서 처음으로 치료팀에 합류하여 공식적인 미술치료사로 있으면서 8~13세 비행 남학생을 대상으로 미술치료를 실시하였다. 이 시기에 치료로서의 미술(art as therapy)에 대한 생각을 구체화시켰고, 이 학교에서의 미술치료경험을 바탕으로 1958년 『Art therapy in a children's community』를 집필하였다. 이 책의 출판이 계기가 되어, 울만(Ulman)을 비롯한 다른 미술치료사들과 교류가 활발해졌다. 이후 그는 야코비(Jacobi) 병원의 아동 정신과 병동에서 미술치료사로 일했고, 1971년에는 『Art as therapy with children』을 집필하였다. 크레이머의 미술치료에 대한 후학 교육은 1958년 사회 연구를 위한 뉴스쿨(The New School for School Research)에서 시작하였으며, 이후 나움부르크(Naumburg)와 함께 뉴욕대학교에서 대학원 과정을 설립하여 이어 나갔다. 그는 미술치료에서 치료보다 미술을 중시하는 입장으로, 미술제작에서의 승화를 중요하게 생각하고 작품창조행위 자체를 치료적인 것으로 본다. 그리하여 미술창작의 과정 자체가 가지는 치유적 속성과 통합력을 중요하다고 보면서, 내담자가 창조적 작업을 통하여 만족감과 기쁨을 느낄 수 있게 하는 것을 미술치료사의 가장 중요한 과제로 간주하였다. 다시 말해 치료자의 역할은 내담자를 진단하는 것이라기보다는 내담자 스스로 통합하고 승화할 수 있는 능력을 가질 수 있도록 도와주는 것이라고 하였다. 이와 같은 크레이머의 견해는 미술치료의 기반을 구축하는 데 기여하였고, 오늘날 일반화되어 있는 견해라 할 수 있다.

주요 저서

Kramer, E. (1958). *Art therapy in a children's community*. Springfield, Il.: Thomas.

Kramer, E. (1971). *Art as therapy with children*. New York: Schocken Books.

Kramer, E. (2007). 치료로서의 미술: 크레이머의 미술치료 [*Art as therapy*]. (김현희 외 역). 서울: 시그마프레스. (원저는 2000년에 출판).

크레치머
[Kretschmer, Ernst]

1888. 10. 8. ~ 1964. 2. 8.
독일의 정신의학자이자 심리학자.

크레치머는 독일 뷔스텐로트(Wüstenrot)에서 태어났다. 슈투트가르트(Stuttgart)에서 가장 오래된 라틴어 학교인 칸스타트 호취쉴레(Cannstatt Hochschule)를 다녔고, 1906년부터 1912년까지 뮌헨(München), 함부르크(Hamburg), 튀빙겐(Tübingeu)대학교에서 신학, 의학, 철학 등을 배웠다. 1913년부터 튀빙겐대학교 가우프(R. Gaupp)의 조교로 있다가 1918년 교수 자격을 얻어 1926년까지 의대 부학장 조교로 계속 있었다. 1915년부터 1921년까지는 정신분열증과 조울증이 어떻게 다른지 그 진단적 차이를 밝히는 데 노력하였다. 1926년 마르부르크(Marburg)대학교 정신의학 임상교수가 된 그는 1927년에는 심리치료를 위한 일반 의학회(General Medical Society for Psychotherapy)의 창립회원이 되고, 1929년 회장으로 추대되었다. 그러다가 1933년 정치적인 문제로 회장 자리에서 물러났는데, 그는 나치의 우생학적 법률에 반대하지 않는 입장이었다. 이후 1946년부터 1959년까지는 튀빙겐대학교 정신의학 임상학부장으로 머물렀다. 이와 같은 경력을 쌓으며 유럽 정신의학과 심리학 분야에서 지도적 역할을 한 크레치머는 1964년 튀빙겐에서 76세를 일기로 숨을 거두었다. 그는 크레치머 증후군(Kretschmer's Syndrome)이라 불리는 지속적 식물인간 상태(persistent vegetative state)를 처음 설명한 인물로서, 크레치머의 민감성 편집증(Kretschmer's sensitive paranoia)이라는 말도 그가 만들었다. 이외에도 그를 초기 구성적 접근법의 주창자 중 한 사람으로 볼 수 있도록 한 분류체계를 개발한 것으로도 유명하다. 이 분류체계는 무력형/세장형(여위고, 작고, 약한), 운동형(근육질, 통뼈), 비만형(다부진, 뚱뚱한)의 세 가지 신체유형에 근거하고 있다. 이러한 각각의 신체유형은 특정 성격의 특질과 관련되어 있는데, 정신병리적인 현장에서 더욱 그 관련성이 크다. 크레치머에 따르면 비만형의 사람들은 상냥하고 대인관계에서 의존적이면서 사교적인데, 이 성향이 심한 경우 조울증적인 예후를 보일 수 있다. 마른 유형의 사람들은 내향적이고 겁이 많은데, 이는 내향적인 정신분열증으로 발전할 수 있다. 이 같은 신체유형과 성격과의 관련성은 현대의 성격이론에서는 큰 영향을 미치지 못하고 있다. 그는 정열적인 태도로 연구에 임하면서 광범위하고 획기적인 연구를 실행했을 뿐만 아니라 인간 이해의 폭이 넓었으며, 하나의 병질에 관한 진단은 기질, 체험, 체질, 신경계 등의 복잡한 작용에서 비롯된다고 설명하면서 다차원 진단의 필요성을 주장하였다. 특히 독일 정신의학에서 환경요인에 입각한 역학적 사고를 도입하여, 성격의 체질학적 기초를 세운 점은 지금도 높은 평가를 받고 있다.

주요 저서

Kretschmer, E. (1960). *Hysteria, Reflex and Instinct*. Oxford, England: Philosophy Library.

Kretschmer, E. (1970). *Physique and Character*. Cooper Square Pub.

Kretschmer, E. (1990). 천재의 심리학[*The Psychology of Men of Genius*]. (이우용 역). 서울: 늘푸른나무. (원저는 1931년에 출판).

크레펠린
[Kraepelin, Emil]

1856. 2. 15. ~ 1926. 10. 7.
독일의 정신의학자이며 근대 정신의학의 아버지.

크레펠린은 독일 메클렌부르크(Mecklenburg) 지역, 노이스트렐리츠(Neustvetiz)에서 공무원의 아들로 태어났다. 크레펠린은 후에 함부르크 동물 박물관장이 된 10세 연상의 형 칼 크레펠린(Karl Kraepelin)의 영향으로 생물학을 처음 접하였다. 18세에 독일 뷔르츠부르크(Wuzburg)와 라이프치히(Leipzig)대학교에서 의학을 공부한 크레펠린은 라이프치히에서 플레슈히(P. Flechsig)의 지도하에 신경병리학을 배웠고, 분트(W. Wundt)와 함께 실험심리학을 공부하였다. 그는 「The Influence of Acute Illness in the Causation of Mental Disorders」라는 글을 써서 상을 받기도 하였다. 1878년에는 의학박사학위를 받고, 뮌헨대학교로 가서 구덴(B. Gudden)과 함께 일하면서 「The Place of Psychology in Psychiatry」라는 논문을 완성하였다. 1882년 라이프치히대학교로 돌아온 그는 빌헬름 하인리히 어브(Wilhelm Heinrich Erb)의 신경학 클리닉과 분트의 정신약리학 연구소(psychopharmacology laboratory)에서 일하였다. 1883년에는 그의 핵심 저서인 『Compendium der psychiatrie』의 초판이 출간되었다. 그는 정신의학은 의학의 한 지류이므로 여타의 자연과학과 마찬가지로 관찰과 실험을 통해서 연구되어야 한다고 주장하였다. 그러면서 정신적 질환의 신체적 원인에 대한 연구를 해야 한다고 말하면서 정신장애의 현대적인 분류체계의 기반을 마련하였다. 크레펠린은 사례연구 역사와 특정 장애 정의를 통해서 정신질환이 어떻게 발전하는지 그 예후를 살펴보고 발병 이후 성격 및 환자 연령에 따른 개인적 차이를 설명하고자 하였다. 1884년, 그는 로이버스의 과장의로 승진하였고 다음 해에는 드레스덴의 치료 및 간호 연구소(Treatment and Nursing Institute) 소장으로 임명되었다. 1886년에는 30세의 나이로 도르패트(Dorpat)대학교(후에 타르투대학교로 개명) 정신의학 교수가 되었다. 그로부터 4년 후, 하이델베르크대학교 학부장이 되어 1904년까지 자리를 지켰다. 그 과정에서 그는 수많은 임상 이력을 자세히 연구하고 기록하여 정신적 장애분류에 관한 것과 질환의 과정이 얼마나 중요한지를 계속해서 밝혀 나갔다. 10년 후, 크레펠린은 정신질환을 바라보는 새로운 방법을 발견했다고 발표하였다. 그는 기존의 방식을 증상적(symptomatic)인 입장이라고 하면서, 이에 반해 자신의 것을 임상적(clinical) 입장이라고 말하였다. 이는 19세기까지 이어져 온 수백 년간의 정신질환 분류에 새로운 패러다임을 제시하는 순간이었다. 단순히 비슷한 증상을 보인다고 해서 같은 질환으로 분류했던 기존의 방식이 부적절함을 크레펠린은 정확하게 보여 주었다. 1926년에 숨을 거둔 크레펠린은 프로이트(S. Freud)와 더불어 현대정신의학의 기초를 구축한 인물로 평가받고 있다. 그의 분류는 이전까지 정신병을 단일 개념으로 인식하던 판도를 바꾸어 놓았다. 크레펠린은 정신병을 조울증과 조발성 치매의 두 형태로 구분했으며, 알츠하이머(A. Alzheimer)와 함께 알츠하이머병(Alzheimer's disease)을 발견한 인물이기도 하다. 크레펠린이 프로이트에 비견될 만큼 큰 공헌으로 평가받고 있는 업적은 바로 정신분열증과 조울증을 구분하여 정의한 것이다. 현재는 정신의학적 연구나 대학에서의 정신의학에서 그의 학설이 지배적으로 퍼져 있다. 오늘날 병인학과 정신의학적 질환 진단에서 그의 이론은 모든 주요한 진단체제의 기반으로 자리 잡고 있다. 특히, 미국 정신의학학회(American psychiatric Association)의 DSM-VI와 세계보건기구(World Health Organizations)의 ICD 체계에 지대한 영향을 미쳤다. 크레펠린은 과거나 지금이나 정신의학 연구에 크나큰 영향을 미치고 있다.

주요 저서

Kraepelin, E. (1904). *Maniacal excitement, Mixed conditions of Maniacal-depressive insanity, and Catatonic Excitement*. New York: Oak Grove.

Kraepelin, E. (1923). *Dementia Praecox and Paraphrenia*. Nabu Press.

Kraepelin, E. (1923). *Lecture on Clinical Psychiatry*. Cornell Univ. Library.

Kraepelin, E. (1923). *Manic-depressive Insanity and paranoia*. Nabu Press.

Kraepelin, E., & Diefendorf, A. R. (1923). *Clinical Psychiatry: A Text Book for Students and Physicians*. Nabu Press.

크로스
[Cross, William E. Jr.]

1940. ~
아프리카계 미국인으로 흑인 정체성 발달에 대한 선도적 심리학자.

아버지 윌리엄 크로스(William Cross), 어머니 마거릿 크로스(Margaret Cross)의 네 번째 자녀이자 맏아들로 태어났다. 그의 부모님은 성실한 노동자로, 두 분 모두 2년제 대학을 나왔지만 인종차별적인 사회적 분위기 때문에 전공을 살려 직업을 선택할 수 없었다. 이 때문에 크로스의 부모님은 자녀에게 학구적인 열의를 더 보였고, 늘 대화를 나누었다. 크로스는 10세가 되면서 인종 정체성에 따른 박탈을 인식하였고, 이로써 흑인에 관한 정체성 모델에 관심을 갖게 되었다. 크로스는 아버지의 끊임없는 지지로 형제 중 유일하게 대학에 진학하여, 임상심리학으로 석사과정을 마쳤다. 프린스턴(Princenton)대학교에서 박사학위를 취득한 뒤 코넬(Cornell)대학교, 펜실베이니아(Pennsylvania) 주립대학교, 매사추세츠(Massochusetts)대학교 등에서 강의를 하다가 현재는 대학원센터(Graduate Center)에 있다. 2008년 가을에 UNLV(네바다 주립대학교 라스베이거스)로 옮기기 전까지 그는 사회성격심리학 박사과정 프로그램 교수이자 대표였으며, 뉴욕(New York) 시립대학교의 대학원 센터에 있는 『African American Studeis』의 공동편집자로 일하였다. 크로스는 미국에서 흑인 정체성 발달에 대한 선도적인 이론가이자 연구가 중 한사람으로, 1991년 템플(Temple)대학교 출판부에서 출간한 『Shades of Black: Diversity in African American Identity』는 흑인 정체성을 다룬 책 중에서 가장 많이 인용되는 고전으로 평가받고 있다. 흑인 정체성 발달상태를 개념화한 그의 모델은 수많은 저서와 경험적 연구가 양산되는 밑거름이 되었다. 또한 그의 사상은 동성연애자, 라틴아메리카계, 아시아계, 여성주의자, 백인 유럽계 미국인 등 광범위한 집단에 적용할 수 있는 정체성 발달모델의 신장에 자극제가 되기도 하였다. 크로스는 2009년 컬럼비아대학교 교육대학에서 수여하는 올해의 사회정의활동상(Annual Social Justice Action Award)을 수상하였다. 또 남부조지아대학교에서는 GA. 사바나에서 매년 개최되는 상담 및 교육 분야 교차 문화 주제에 관한 연례회의(annual conference on Cross-Cultural Issues in Counseling and Education)의 일부로 '윌리엄 크로스 주니어의 우수강의 시리즈(Dr. William Cross Jr. Distinguished Lecture Series)' 프로그램을 만들기도 하였다. 크로스의 흑인 정체성 획득 발달이론은 5단계로 되어 있는데, 이를 두고 크로스는 니그레신스(Nigrescence, 검게 물듦, 거무스름함)라고 명명하였다. 즉, 니그레신스는 '흑인이 되는 과정'이라고 할 수 있으며, 마주침 전 단계(pre-encounter), 마주침 단계(encounter), 스며듦 단계(immersion), 드러남 단계(emersion), 내면화 단계(internalization)의 다섯 단계다. 첫 번째 단계는 흑인이 자신의 인종이나 자신의 인종과 관련된 문제들에 관해 잘 알지 못하는 생애단계라 할 수 있다. 두 번째 단계는 인종적 인식이 처음 발생하는 시기로 주류 인종이나 기득권 집단보다 소수인종에게 더 빨리 시작된다. 이 시기는 주로 아이가 자신의 피부색 때문에 다른 사람들과 차별적 대우를 받는다는 것을 처음 느끼게 되어 기억에 남아 있다. 세 번째 단계는 자신의 인종적 특수 요인을 모두 수용하는 시기로 자기 인종적 집단의 구성원이 되어 그들의 행동, 특성, 특징 등을 모두 받아들이면서 깊게 그 집단과 연루되는 단계다. 이 시기에는 다른 인종 구성원들에 대해 배타적 자세를 견지한다는 특징이 있다. 네 번째 단계는 세 번째 단계에 대한 반동으로 완전히 자신의 인종적 특성에 빠져들었다가 거기서 다시 벗어나면서 자신이 수용하고 싶은 타 인종의 다른 행동, 특성, 특징 등을 찾는다. 사회적으로 타 인종 구성원들과 좀 더 편한 관계를 형성하고자 하고, 가치 있는 관계를 맺으려고 한다. 마지막 단계는 균형을 찾는 시기로 자신의 정체성 발달과정 전반에서의 경험 및 선택을 총괄적으로 살펴본다. 성공적으로 이 단계에 이르면, 자신의 인종뿐만 아니라 주변 타 인종에게서도 편안한 관계 유지가 가능하다. 이 같은 전 과정의 각 단계를 반복하면서 자신의 인종적 정체성 및 의사 등을 재조직한다. 단계를 반복한다는 것은 후퇴하는 것이 아니라 새로운 정보를 통합해 가면서 더 나은 단계로 나아가 더욱 성숙한 관점으로 재평가할 수 있는 시각을 지니게 되는 과정이라 할 수 있다.

주요 저서

Cross, W. E. Jr. (1991). *Shades of Black: Diversity in African American Identity*. Pennsylvania: Temple University Press.

클라인
[Klein, Melanie]

1882. 3. 30. ~ 1960. 9. 22.
오스트리아의 정신분석학자로, 아동을 위한 치료적 방법을 고안한 인물.

멜라니 클라인은 1882년 비엔나의 헝가리계 유대인 가정에서 4남매 중 막내로 태어났다. 클라인의 아버지는 엄격한 유대인 집안에서 자랐지만 부모의 뜻을 따르지 않고 의대에 진학하였다. 당시의 반유대주의적 사회분위기 때문에 의사였던 아버지의 직업 유지에는 어려움도 있었지만, 멜라니는 대체로 부유한 어린 시절을 보냈다. 그녀가 18세 되던 해 아버지가 사망하였고, 이후 어머니를 돌봐야 한다는 생각으로 늘 어머니 곁에 머물렀다. 그러다가 1914년 어머니도 사망하고, 클라인의 형제 중 2명은 어린 나이에 죽었으며 오빠 한 사람만 남았다. 클라인은 오빠에게서 그리스어와 라틴어를 배웠다. 그 덕분에 여러 학교에서 입학 허가를 받을 수 있었다. 하지만 오빠도 일찍 죽고 말았다. 가족이 일찍 사망하는 슬픔을 많이 겪은 클라인은 성격적으로 상당히 우울해질 수밖에 없었다. 원래 의사가 되고 싶어 했으나 아버지의 죽음으로 경제적인 곤란을 겪어 그 뜻을 이루지 못하였다. 그러나

19세에 약혼을 한 클라인은 약혼 중에 비엔나대학교에서 역사와 미술을 공부하고, 의과대학에도 들어갈 수 있었다. 1903년 약혼자였던 아르투르 클라인(Arthur Klein)과 결혼하여 3명의 자녀를 두었는데, 산후 우울증과 양육에 따른 부담감으로 결혼생활은 행복하지 못하였다. 슬로바키아와 실레지아 등을 여행하는 동안 클라인은 힘든 과정을 겪었다. 1910년 부다페스트로 가족이 이주하면서 만성 우울에 시달리던 클라인의 삶에 전환기가 찾아왔다. 프로이트(S. Freud)의 저서를 처음 접하면서 정신분석에 관심을 갖게 된 것이다. 만성 우울증을 치료받기 위해서 페렌치(Ferenczi)와 분석을 시작한 클라인은 그의 지지하에 자신의 정서적 문제를 극복하고, 당시에는 미개척 분야였던 아동분석을 시작하였다. 1917년 처음으로 프로이트를 만나고, 1919년 헝가리연구회(Hungarian Society)에서 「The Development of a Child」라는 논문을 발표하였다. 이 논문 발표 이후 부다페스트 정신분석학회의 일원이 되었다. 이혼을 한 클라인은 그즈음 카를 아브라함(Karl Abraham)을 만나 그에게서 영향을 받았으며, 그는 클라인에게 아동분석을 권하였다. 그의 지원에 힘입어 1921년 베를린으로 와서 성인과 아동을 위한 정신분석을 실시하였다. 그곳에서 페렌치와는 결별하고 클라인은 환자로서 아브라함에게 분석을 받았는데, 아브라함의 사망으로 중도에 멈추고 말았다. 이후 1926년에 영국 정신분석학자 존스(E. Jones)가 클라인을 영국으로 초대하여 그녀가 세상을 떠날 때까지 런던에서 함께 일하였다. 1932년에는 아동분석에 관한 자신의 관찰과 이론을 『The Psychoanalysis of Children』이라는 저서로 발표하였다. 아동의 놀이가 불안을 통제하는 상징적인 방법이라고 믿었던 클라인은 장난감을 가지고 마음대로 놀고 있는 아이들이 심리적 충동을 결정하고 아동의 초기경험과 연관된 생각들을 표현하는 수단이 놀이가 된다는 것을 관찰할 수 있었다. 1934년 이후 클라인은 유아와 아동기 불안에 대한 자신의 연구를 확고히 하였고, 수많은 논문과 저서를 출간하였다. 1938년에는 자신의 딸을 데리고 영국으로 온 프로이트와 사상적 갈등을 빚었으며, 이로써 1940년대에는 안나 프로이트(Anna Freud)의 추종자들과 클라인의 추종자들이 계속 논박을 일삼았다. 결국 영국 정신분석학회(British Psychoanalytical Society)는 클라인 학파, 안나 프로이트 학파, 독립적인 부류 등 3개의 분파로 갈라졌다. 이는 현재까지 그 모양새를 유지하고 있다. 1960년 런던에서 숨을 거둔 클라인의 대상관계이론은 어린 시절의 자아발달과 관련되어 있으며, 신체적 대상은 정신적 역동과 관련되어 있다는 것을 기반으로 하고, 초기발달에서 아동은 완전한 대상이 아니라 부분대상과 관계를 맺는다는 주장을 보여 주었다. 불안정하고 원시적인 동일시를 보여 주는 이 상태를 두고 클라인은 편집-분열적 자리(paranoid-schizoid position)라고 하였다. 이후 우울적 자리(depressive position)를 만드는 발달단계가 이어지는데, 이는 유아가 전체 대상과 관계를 맺는 단계다. 이 단계에서 유아는 대상을 향한 자신의 양가감정을 인식한다. 이로써 유아는 내적 갈등을 경험하게 되는 것이다. 클라인은 편집-분열적 자리에서의 불안은 박해적이고 자기멸절을 두려워하며, 그다음 단계의 우울적 자리에서 나오는 불안은 자신이 사랑하는 대상에게 유아 스스로 지니고 있는 파괴적 충동 때문에 해를 끼칠지도 모른다는 불안이라고 하였다. 이와 같은 대상관계이론을 집대성하여 클라인은 영국정신분석학파라는 한 주류를 만들었는데, 1957년 『Envy and Gratitude』와 사후 1961년 출판된 그녀의 마지막 저서 『Narrative of a Child Analysis』를 보면 그 이론이 상세하게 제시되어 있다. 또한 그녀의 치료방법은 현대 아동 보호 및 양육에 지대한 영향을 미치고 있는데, 자유롭게 노는 아이들을 보면서 아이들의 무의식적 환상의 삶을 보았던 클라인은 이를 통하여 2, 3세 정도밖에 되지 않는 아이를 분석할 수 있게 되었다.

주요 저서

Klein, M. (1935). A Contribution to the Psychogenesis of Manic-depressive States. *International Journal of Psycho-analysis, 16*, 145-174.

Klein, M. (1946-1963). *Love, Guilt, and Reparation, and Other Works*. New York: Free Press.

Klein, M. (1946-1963). *Envy and Gratitude and Other Works*. Delacorte Press/S. Lawrence.

Klein, M. (1957). *Envy and Gratitude. A Study of Unconscious Sources*. New York, Basic Books.

Klein, M. (1961). *Narrative of a Child Analysis*. London: Hogarth Press.

Klein, M. (1964). *Love, Hate and Reparation*. Norton & Com.

Klein, M. (1984). *The Writings of Melanie Klein*. Free Press.

Klein, M. (1987). *The Selected Melanie Klein*. New York: Free Press.

Klein, M. (1997). *Narrative of a Child Analysis*. New York: Free Press.

Klein, M. (2011). 아동정신분석[*The Psychoanalysis of Children*]. (이만우 역). 서울: 새물결. (원저는 1998년에 출판).

클라크
[Clark, Kenneth Bancroft]

1914. 7. 14. ~ 2005. 5. 1.
미국의 사회심리학자이자 교육자, 인권운동가.

클라크는 파나마(Panama) 운하 지대에서 아더 밴크로프트 클라크(Athur Bancroft Clark)와 미리엄 핸슨 클라크(Miriam hanson Clark)의 아들로 태어났다. 아버지는 유나이티드 과일 회사(United Fruit Company)에서 일했는데, 클라크가 5세 정도일 때 부모가 이혼하여 어머니가 클라크와 여동생을 데리고 미국으로 건너와 뉴욕의 할렘가에서 살게 되었다. 당시 어머니는 노동 착취 공장에서 재봉사로서 일을 했는데, 후일 단체를 결성하고 국제여성의류노동조합(International ladies Garment Workers Union)의 노조간부가 되었다. 클라크는 인종차별 대우가 없는 공립초등학교와 할렘의 중·고등학교를 다녔다. 어머니는 클라크에게 지적 추구와 학문적 교육을 받을 수 있도록 용기를 북돋아 주었다. 클라크는 1931년에 조지워싱턴(George Washington) 고등학교를 졸업하고 같은 해 미국 시민으로 귀화하였다. 이후 워싱턴 D.C.에 있는 하워드(Howard) 대학교에서 1935년 학부를 졸업하고 1936년에 석사학위를 받았다. 여기서 그는 인종차별에 반대하는 시위를 이끌었다. 대학원 시절 하워드대학교 심리학부에서 조교로 있으면서 마미에 핍스(Mamie Phipps)를 만나 결혼한 뒤 두 사람은 뉴욕의 컬럼비아대학교에서 나란히 심리학 박사학위를 첫 번째와 두 번째로 획득하였다. 마미에 클라크의 하워드대학교 석사논문 주제가 「The Development of Consciousness of Self in Negro Pre-School Children」이었는데, 이 논문은 클라크 부부 평생의 협력연구 시발점이 되었다. 두 사람은 어린 아동에게 인종적 문제가 아동의 자기개념 및 자긍심에 어떤 영향을 미치는지에 관하여 연구하였다. 1939년부터 1950년까지 클라크 부부는 자신들의 혁신적인 연구를 사회심리학 저널(Journal of Social Psychology)과 그 외의 학문적 저널에 열심히 발표하였다. 이로 인해 1939년 로젠월드 펠로십(Rosenwald Fellowship)을 수상하여 흑인 아동 자긍심 연구를 이어 나갈 수 있었다. 클라크는 1942년부터 뉴욕에 있는 시립대학에서 교편을 잡고 1975년에 정년퇴임하였다. 1966년부터 1986년까지는 뉴욕 주 평의원회의 회원을 역임하기도 하였다. 2005년에 숨을 거둔 클라크는 아내와 함께 아동에 관한 연구를 한 아프리카계 미국

ㅋ

인으로 민권운동에 앞장선 인물이었다. 클라크 부부는 할렘가에 북부아동발달센터(Northside Center for Child Development)와 할렘청소년기회 확대(Harlem Youth Opportunities: HARYOU) 기관을 설립하였다. 그들은 1940년대에 인형을 이용한 인종에 대한 아동의 태도 연구로 이름을 알렸으며, 이 같은 연구로 클라크는 1954년 브라운 대 교육위원회(Brown v. Board of Education) 사건에서 전문가 배심원을 맡았다. 그는 당시 공교육에서의 합법적 인종분리가 헌법에 위배된다는 미국 대법원의 결정을 이끌어 내는 데 큰 공헌을 하였다. 그는 16권이 넘는 책을 혼자서 혹은 공동으로 출판하였고, 여러 연구논문과 학술지 논문을 발표하였다. 또한 1970년부터 1971년까지 미국심리학회 회장을 역임하여, 전문가들의 사회적 책임감에 대한 윤리의식을 진작시키고 기관 내 인종차별에 맞서 대응하였다. 클라크는 미국심리학회의 최초 흑인 회장이기도 하였다. 1994년에 클라크는 미국심리학회로부터 평생공로상(Lifetime Achievement Award)을 수상하였다. 사회과학과 관련된 가장 큰 원초적인 목표는 사회가 불합리, 불안정, 잔혹성 등을 최소화하여 인본주의와 정의를 향해 나아갈 수 있도록 돕는 것이어야 한다는 신념을 갖고 있던 클라크는, 20세기를 이끈 선도적인 사회과학자 중 한 사람으로 평가받고 있다. 그의 대표 저서로는 1955년의 『Prejudice and Your Child』, 1965년의 『Dark Ghetto』, 1972년의 『A Possible Reality』, 1974년의 『Pathos of Power』 등이 있다.

주요 저서

Clark, K. B. (1963). *Prejudice and your child*. Beacon Press.

Clark, K. B. (1965). *Dark ghetto: dilemmas of social power*. New York: Harper & Row.

Clark, K. B. (1970). *Psychology*. New York: Prentice-Hall.

Clark, K. B. (1972). *A possible reality: a design for the attainment of high academic achievement for inner-city students*. Emerson Hall.

Clark, K. B. (1974). *Pathos of power*. New York: Harper & row.

Clark, K. B. (1977). *The other half: a self portrait*. New York: Harper & Row.

Clark, K. B. (2000). *Racial identity in context*. Washington DC: APA.

클라크
[Clark, Mamie Katherine Phipps]

1917. 10. 18. ~ 1983. 8. 11.
흑인 아동의 인종적 정체성 연구를 한 아프리카계 미국 심리학자.

영국 서부에서 태어난 클라크의 아버지 해럴드 펍스(Harold Phipps)는 인도 의사였고, 어머니 케이트 플로렌스 펍스(Kate Florence Phipps)는 남편을 도와주고 있었다. 형제는 치과 의사인 남동생 해럴드가 있었다. 마미에 클라크는 인종차별적인 공립초등학교와 랭스턴(Langston) 고등학교를 다녔다. 1934년에 고등학교를 졸업하고 테네시 내슈빌(Tennessee Nashville)에 있는 피스크(Fisk) 대학교와 워싱턴 D.C.에 있는 하워드(Howard)대학교에서 장학금을 받으며 공부하였다. 마미에 클라크는 하워드대학교에서 수학과 물리학을 공부하였다. 하지만 당시에는 그 분야에 여성이 입학하는 것을 반대하는 편견 때문에 학생의 신분으로 받을 수 있는 혜택을 받지 못하였다. 하워드대학교에 다니는 동안 마미에 클라크는 케네스 클라크(Kenneth Clark)를 만나 전공을 심리학으로 전향하는 데 큰 영향을 받았다. 1937년에 결혼을 한 뒤 1938년에는 석사학위를 받았다. 그해 여름에 윌리엄 휴스턴

(William Houston)의 법률사무소에서 비서로 일을 시작했는데, 그곳에서 마미에 클라크는 1954년 브라운의 판결(Brawn decision)을 이끌어 낸 시민권 판례를 준비하는 법적 활동가들을 보면서 큰 감명을 받았다. 1939년에 마미에 클라크는 석사논문인 「The Development of Consciousness in Negro Pre-School Children」을 완성했는데, 이는 어린 흑인 아동들이 인형을 선택할 때 흑인 인형보다 백인 인형을 더 선호한다는 사실을 보여 주는 실험논문이었다. 여기서 그녀는 흑인 아동들이 3세 정도만 되어도 자신의 인종적 정체성을 인식하게 되고, 그와 동시에 자기상에 부정적 이미지를 갖게 된다는 사실을 발견하였다. 이 혁신적인 연구는 흑인 아동의 자기개념에 중요한 시사점을 던져 주었고, 브라운 판결로 나아갈 수 있는 길을 열어 주었다. 남편인 클라크와 함께 1939년 로젠월드 펠로십(Rosenwald Fellowship Program)을 받아 흑인 아동의 인종적 정체성에 대한 연구를 계속하여 3편의 논문을 출판하기도 하였다. 마미에 클라크는 컬럼비아(Columbia) 대학교 심리학 박사과정에 입학한 최초의 흑인 학생이 되었고, 헨리 개릿(Henry Garrett) 박사의 지원을 받았다. 1943년 박사과정을 마쳤는데, 박사학위 논문주제는 「Changes in Primary Mental Abilities with Age」였다. 하지만 1940년대 초반이라는 시기에 흑인이면서 여성인 그녀에게 일할 기회는 주어지지 않았다. 그러다가 1944년부터 1946년까지 미국 공중보건학회(American Public Health Association)에서의 간호사에 대한 자료분석과 미국 군대연구소(United States Armed Forces Institute) 연구심리학자 자리를 얻어 두 가지 일을 하였다. 1946년에는 집 없는 흑인소녀보호 기관인 아동을 위한 리버데일 홈(Riverdale Home for Children)에서 심리학자로서의 자리를 구하였다. 그 일을 하면서 마미에 클라크는 소수민족 아동에게 심리학적인 서비스가 얼마나 심각하게 부족한지 깨달았다. 이들 대부분은 뉴욕의 공립학교에서 지적장애 아동으로 오인되고 있었다. 마미에 클라크는 남편과 함께 북부검사자문센터(Northside Testing and Consultation Center)를 열어 소수민족 아동의 문제를 이해하고 치료하는 데 큰 공헌을 하였다. 이 센터는 지역가정에 심리학적 및 사례 서비스를 제공하는 할렘가의 최초 종일 연구소였다. 그곳에서 마미에 클라크는 1946년부터 1979년까지 대표이사로 봉사하였다. 이외에도 컬럼비아대학교, 시나이산 메디컬센터(Mount Sinai Medical Center), 뉴욕선교회(New York Mission Society), 뉴욕공립도서관(New York Public Library), 펠프스 스톡스 재단(Phelps Stokes Fund), 현대미술박물관(Museum of Modern Art), 미국방송사(American Broadcasting Company: ABC), 그 외의 비영리기관 등에서 많은 봉사를 하였다. 마미에 클라크는 1983년 뉴욕에 있는 자신의 집에서 숨을 거두었다. 그녀는 컬럼비아대학교에서 심리학으로 박사학위를 받은 최초의 아프리카계 미국인 여성으로, 평생을 소수민족 아이들이 겪는 특별한 문제에 관심을 가지고 그들의 문제를 해결하는 데 노력을 기울였다.

주요 저서

Clark, M. K. P. (1944). *Changes in Primary Mental Abilities With Age*. See notes.

키니
[Keeney, Bradford]

1951. 4. 3. ~
미국 심리치료사로서 민속학자이자 인공두뇌학자.

키니는 일리노이 주 그래닛 시티(Graniteity, Illinois)에서 태어나 미주리의 스미스빌(Smithville)에서 자랐다. 1969년 3월, 비트로(Vitro)에서 '간장 조직의 부적절한 관류의 글리코겐 구성물에 대한 히드로코

ㅋ

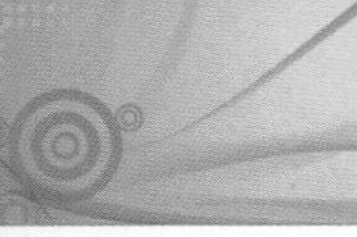

르티손, 인슐린, 에피네프린의 효과에 대한 실험연구(An Experimental Study of the Effects of Hydrocortisone, Insulin, and Epinephrine on the Glycogen Content of Hepatic Tissues Perfused)'라는 프로젝트로 열린 국제과학박람회에서 우승을 하여 이 상으로 MIT에서 장학금을 받고, 그곳에서 처음 인공두뇌학(cybernetics)과 체계사고(systems thinking)에 대해서 배우게 되었다. 키니는 인공두뇌학에 매료되어 인공두뇌학에서 세계적인 선두주자로 알려져 있던 그레고리 베이트슨(Gregory Bateson)을 찾아가 스승으로 삼았다. 1981년에는 퍼듀(Purdue)대학교에서 박사학위를 받았는데, 이 학위 논문은 1983년에 『Aesthetics of Change』라는 저서로 출간되었다. 이 책은 인공두뇌학 이론에서 핵심 저서로 평가받았고, 역시 인공두뇌학자이며 체계이론가인 하인츠 폰 푀르스터(Heinz von Foerster)와 같은 인물들에 의해 널리 알려지게 되었다. 1995년 이후, 키니는 전 세계를 돌아다니면서 무속적인 엑스터시 치유적 문화에 대한 연구를 하였다. 키니의 연구는 그가 '쉐이킹 메디신(shaking medicne)'이라고 이름을 붙인 작용에 초점을 두고 있다. 현재는 칼라하리 부시먼(Kalahari Bushmen) 요양원 내 치유사의 민속연구(Kalahari Bushman (San) N/om-Kxaosi Ethnographic Project)를 이끌고 있는데, 이 연구는 텍사스의 휴스턴(Houston, Texa)에 있는 텍사스 의료센터(Texas Medical Center)의 종교 및 건강연구소(Institute of Religion and Health)와 칼라하리 민중기금(Kalahari People's Fund), 남아프리카공화국 요하네스버그(Johannesburg)에 있는 비트바테르스란트(WitWatersrand)대학교 록예술연구소(Rock Art Research Institute) 등 여러 기관이 함께한 것이다. 지구상의 여러 민족이 가지고 있는 종교와 치유에 대한 자료를 모아 키니는 여러 기관의 지원을 받으면서 아직도 연구를 계속하고 있다. 그를 두고 모든 미국인의 샤먼, 심리학계의 마르코 폴로(Marco Polo), 영혼의 인류학자 등으로 칭하기도 한다. 키니는 학자로서는 체계이론가이자 심리치료사면서, 십여 년을 세계를 여행하면서 영적인 지도자, 샤먼, 치유사 등의 역할도 하였다. 이러한 치유와 무속에 대한 광범위하고 다양한 분야에서 이어온 연구들을 『Profiles of Healing』이라는 11권의 백과사전적 도서로 출간하기도 하였다. 이 책은 전 세계의 치유적 실제를 모아 놓은 것이다. 키니는 현재 루이지애나(Louisiana)대학교 교육학부에서 결혼 및 가족치료학과의 교수로 있으며, 한나 스파이커 우수학자 부장(Hanna Spyker Eminent Scholars Chair)으로 재임 중이다. 그 외 다른 유수의 기관에서 주요한 역할도 맡고 있다. 한편 키니는 즉흥치료(improvisational therapy), 자원중심치료(resource focused therapy), 창의적 치료(creative therapy)와 같은 대안적 심리치료의 씨를 심은 인물이기도 하다. 이외에도 순환틀 분석(recursive frame analysis)을 만든 것으로도 알려져 있고, 대화변모양식을 구별하는 연구방법을 창안하기도 하였다. 더불어 심리치료에 관한 저서를 출판하기도 하였다. 아직도 키니는 여러 문화를 넘나들며 예술과 과학의 여러 전통을 통해서 배움을 이어 가며 개인, 부부, 가족의 위기를 변모시켜 주고, 그들의 성장과 의미 있는 삶에서 힘든 일을 도와주고 있다. 키니의 이론은 상호행동과 연관관계에 대한 새로운 시사점을 던져 준다.

주요 저서

Keeney, B. (1983). *Aesthetics of Change*. New York, London: Guilford Press.

Keeney, B. (1985). *Mind in Therapy: constructing systemic family therapies*. New York: Basic Books.

Keeney, B. (1986). *The Therapeutic Voice of Olga*

Silverstein. New York; London: Guilford Press.
Keeney, B. (1990). *Improvisational Therapy: a Practical guide for creative clinical strategies.* New York: The Guilford Press.
Keeney, B. (2006). *Shamanic Christianity*. Rochester, Destiny Books.
Keeney, B. (2009). *The Creative Therapist*. New York: Routledge.

키르케고르
[Kierkegaard, Soeren Aabye]

1813. 5. 5. ~ 1855. 11. 11.
덴마크 출신의 기독교 철학자이자 이론가.

키르케고르는 코펜하겐(Copenhagen)의 부유한 집안에서 7남매 중 막내로 태어났다. 아버지의 두 번째 부인이었던 키르케고르의 어머니는 조용하고 평범한 성격으로 정규교육을 받지 못한 사람이었다. 그의 저서에 어머니에 대한 언급이 직접적으로 언급된 것은 없지만 어머니는 그의 후기 저작에 많은 영향을 미쳤다. 아버지는 매우 엄격하고 독실한 기독교 신자였다. 키르케고르는 태어날 때부터 몸이 약했지만 뛰어난 지적 재능을 보였다. 어려서부터 아버지의 엄격한 지도하에 기독교식 교육을 받았고, 홀베르(L. Holberg), 레싱(G. Lessing), 플라톤(Plato), 소크라테스(Socrates) 등의 저서를 즐겨 읽었다. 1830년, 키르케고르는 김나지움(Gymnasium)에 입학해서 라틴어와 역사 등을 배웠고, 이후 신학을 배우기 위해 코펜하겐(Copenhagen)대학교로 진학하였다. 대학교에 들어간 키르케고르는 어린 시절과는 달리 방탕한 생활을 하면서 기독교에 반감을 갖기 시작하다가 결국 1836년에는 자살미수사건을 일으켰다. 그 후 심리적으로 안정을 되찾은 그는 1841년 9월에 장문의 논문 「On the Concept of Irony with Continual Reference to Socrates」를 발표한 뒤, 그해 10월에 지금의 박사학위와 동일한 자격을 얻었다. 키르케고르에게 아버지 이외에 가장 큰 영향을 미친 또 한 사람은 그가 사랑했다가 결국 파혼에 이른 올센(R. Olsen)이다. 1841년에 그녀와 파혼을 했지만 그녀에 대한 키르케고르의 사랑은 계속되었다. 첫 논문 발표 이후 키르케고르는 필명과 본명을 사용해 가며 많은 저작을 남겼다. 그의 첫 저서는 『De Omnibus dubitandum est, Everything must be Doubted』였다. 이 책은 1841년부터 1842년에 걸쳐 쓰인 것이지만, 그의 사후에 출판되었다. 1843년에는 『Either/Or』를 발표하였다. 이 같은 저서들에는 올센과의 파혼과 슐레겔(Schlegel)과 올센의 결혼이 큰 영향을 미쳤다. 이외에도 헤겔(Hegel)을 비판하는 사상과 실존주의 철학의 기반을 형성하는 많은 저작을 집필하면서, 키르케고르는 개인의 삶이 직면하게 되는 감정과 사상, 실존적 선택 및 그 결과, 종교인의 진정성 등에 관하여 역설하였다. 특히 『Concluding Unscientific Postscript to Philosophical Fragments』라는 책에서는 헤겔주의에 정면으로 도전장을 내밀었다. 키르케고르는 이 책을 통해서 개체로서의 인간 실존의 의미를 중시하지 않은 헤겔에 맞서 존재와 앎은 동일한 것이고, 개인의 삶은 그 자체로 고유한 것이며, 인간은 실존한다는 것을 주장하였다. 인생의 후반기로 접어들면서 그는 헤겔주의와의 대항을 기독교계로 돌렸다. 기독교의 근본에 비판적인 입장이 아니라 당시 교회와 사회에서의 종교가 보여 주는 현실적인 모습에 신랄한 비판을 가하였다. 그는 기독교 교회의 부패와 몰락을 인정하고 기독교가 본래의 신의 가르침을 외면하고 있다는 비판의 목소리를 높였다. 자신의 저서 『Practice in Christianity』 등을 통하여 기독교인의 모범상으로 예수를 내세우면서 기독교의 본질을 보여 주고자 하였다. 말년에 이르기까지 기독교에 대해서는 계속해서 비판적인 입장을 고수하였다. 키르케고르는 1855년 프레데릭병원에서 사망했는데, 그의 사후 현대 실존주의 철학과 변증법적 철학에는 엄청난 반향이 일어났다. 키르케고르는 철학자이자 신학자로, 실존주의의 아버지, 문학평론가, 심리학자 등의 수식어가 붙어 다니고 또한 시인이기도 하였다. 그의 사상에서 가장 중요한 것 중 하나는 주체성에 관한 논의다. 그는 자기비판과 내적 성찰을 강조하고, 인간 실존의 기반으로서의 자아의 중요성과 자아와 세계의 관계를 강조하였다. 그가 집필한 많은 저서는 여러 필명으로 발표되었는데, 이는 그의 간접적 의사전달방식을 드러내는 것이었다. 서로 다른 사고방식을 보여 주기 위해서 마치 제삼자의 입장인 듯 글을 쓴 것이다. 키르케고르의 사상은 실존주의뿐만 아니라 철학과 신학 전반에 큰 영향을 미쳤으며, 문학에도 영향을 주어 보르헤스(Borges), 카프카(Kafka), 오든(Auden) 등의 작품에 반영되었다.

주요 저서

Kierkegaard, S. A. (1983). *The Sickness Unto Death*. Princeton Univ. Press.

Kierkegaard, S. A. (1989). *The Concept of Irony*. Princeton UP.

Kierkegaard, S. A. (1998). 철학적 조각들[*Philosophical Fragments*]. (황필호 역). 서울: 집문당. (원저는 1985년에 출판).

Kierkegaard, S. A. (2005). 그리스도교의 훈련[*Practice in Christianity*]. (임춘갑 역). (원저는 1991년에 출판).

Kierkegaard, S. A. (2007). 유혹자의 일기[*The Seducer's Diary*]. (임규정 외 역). 경기: 한길사. (원저는 2001년에 출판).

Kierkegaard, S. A. (2008). 이것이냐 저것이냐 1, 2부[*Either/Or*]. (임춘갑 역). 서울: 다산글방. (원저는 1992년에 출판).

Kierkegaard, S. A. (2009). *Works of Love*. (임춘갑 역). 서울: 다산글방. (원저는 2005년에 출판).

Kierkegaard, S. A. (2011). 공포와 전율[*Fear and Trembling*]. (임춘갑 역). 서울: 치우.

Kierkegaard, S. A. (2011). 불안의 개념[*The Concept of Anxiety*]. (임춘갑 역). 서울: 치우. (원저는 1981년에 출판).

키치너
[Kitchener, Karen Strohm]

1943. ~

성찰적 판단이라는 방법을 고안한 상담심리학자.

키치너는 1943년에 오하이오 주 털리도(Toledo, Ohio)에서 태어났는데, 아버지의 직장이 이동함에 따라서 곳곳을 전전하며 어린 시절의 대부분을 보냈다. 키치너는 샌타바버라(Santa Barbara)의 캘리포니아(California) 주립대학교에서 역사 학사학위를, 클레몬트(Claremont) 대학원에서는 교육학 석사학위를 받았다. 그리고 미네소타(Minnesota)대학교에서 상담심리학 석사와 박사학위를 받았다. 그녀는 중학교 교사로 재직하면서 학생들에게는 유능한 교사보다 상담이 더 절실하다는 생각을 하게 되었다. 이후 CSU 상담센터에서 일하게 되었는데, 상담센터의 소장인 허스트(J. Hurst)가 상담업무 외에 연구를 할 수 있도록 해 주었다. 이를 계기로 키치너는 교실에서 집단을 효율적으로 활용하는 방법에 관한 연구를 허스트와 함께하였다. 이 연구에 킹(P. King)이 참여하면서 페리(W. Perry)의 대학생 발달모형을 기반으로 하는 성찰적 판단(reflective judgment)을 개발하였다. 그들의 모형은 인식론적 추정의 변화와 관련이 있으며, 어떻게 이러한 변수가 잘못 구조화된 문제들에 관한 결정을 내리는 데 영향을 주는가와 연관된 청년들의 지적 능력발달에 초점을 맞추었다. 키치너와 킹의 성찰적 판단모형은 7단계의 발달단계로 되어 있고, 각 단계별로 학생들의 발달과정을 돕는 방법이 제시되어 있다. 그들의 모형과 그에 따른 도구는 현재 여러 대학교에서 교과과정을 효과적으로 강화하고 학생발달을 평가하기 위한 방법으로 사용하는 등 성공적인 결과를 이루었다. 또한 최근까지 30여 년에 걸쳐 키치너는 연구를 지속해 왔고, 윤리학에서 다양한 주제(예, 복합관계, 차세대 관계치료법, 수퍼비전, HIV/AIDS 내담자와 일할 경우의 윤리적 문제, 학생문제)로 집필활동을 하고 있다. 이 외에도 여러 회의 및 워크숍에 참석하여 자신의 이론을 발표하는 작업에도 힘을 쏟고 있다. 1983년, 키치너는 대학생 발달에 관한 뛰어난 연구로 미국상담 및 발달학회로부터 랄프 베르디(Ralph Verdi) 기념상, 1991년에는 덴버(Danver)대학교로부터 연구와 관련하여 대학교 강사상을 받았다. 또한 미국대학임직원학회로부터 윤리학과 성찰적 판단에 대한 업적에 따른 지식공헌상(1992)과 세미나학위상(1993~1998)을 수상하였다. 키치너는 덴버대학교의 명예교수이며, 현재는 남편과 함께 사회과학연구에서 윤리적 결정의 철학적 기초를 탐색하는 책을 집필하고 있다. 그리고 윤리적인 전문가가 되기 위해 갖추어야 할 것에 대한 강연도 진행하고 있다. 윤리학에 대한 작업 외에도, 성찰적 판단의 영역에서의 집필도 계속하고 있다. 키치너의 업적은 상담심리학과 고등교육 분야를 향상시키는 데 크게 기여해 왔다. 키치너는 30년이 넘게 연구를 계속해 왔으며, 총 60편 이상의 저서, 논문, 기사 등을 발표했고, 30회가 넘는 발표, 35회 이상의 초청 강연, 워크숍, 자문 등 활발한 활동을 펼쳐 나가고 있다.

주요 저서

Kitchener, K. S. (1972). *The Student Manual for Education Through Student Interaction.* Rocky Mountain Behavioral Science Institute.

Kitchener, K. S., & Mines, R. A. (1986). *Adult Cognitive Development: Methods and Models.* Praeger.

Kitchener, K. S., & King, P. M. (1994). *Developing Reflective Judgment.* San Francisco: Jossey-Bass Pub.

Kitchener, K. S., & Anderson, S. K. (2011). *Foundations of Ethical Practice, Research, and Teaching in Psychology and Counseling.* New York & London: Routledge.

킨제이
[Kinsey, Alfred Charles]

1894. 6. 23. ~ 1956. 8. 25.
미국의 생물학자.

킨제이는 뉴저지(New Jersey)의 호보컨(Hoboken)에서 알프레드 세귄 킨제이(Alfred Seguine Kinsey)와 사라 앤 찰스(Sarah Ann Charles)의 세 아이 중 맏이로 태어났다. 어머니는 거의 교육을 받지 못했는데, 아버지는 스티븐기술학교(Stevens Institute of Technology)의 교수였다. 킨제이의 부모는 궁핍한 가정에서 자라 어려서 건강관리를 제대로 받을 수 없었다. 이 여파로 킨제이도 어린 시절에 구루병, 류마티즘열, 장티푸스 열병 등을 앓았지만 제대로 간호를 받지 못하였다. 그 결과, 킨제이는 척추가 굽었는데 이 때문에 제1차 세계 대전이 발발했을 때 징집되지 않았다. 킨제이의 부모는 독실한 기독교 신자였다. 아버지가 지방 감리교 교회에서 가장 헌신적인 신자로 추앙받았기 때문에, 킨제이는 같은 교도들이 아닌 사람들과의 사회적 교류를 거의 하지 못하였다. 킨제이의 아버지는 매일 기도와 예배 참석 등 가정에서도 엄격하게 훈육하였다. 어린 시절 킨제이는 자연과 야영을 좋아했고, 보이스카우트 활동도 하였다. 그의 부모는 보이스카우트가 기독교 정신에 입각한 조직이었기 때문에 그 활동을 적극 장려하였다. 활발한 활동을 한 결과 킨제이는 1913년 초대 이글 스카우트(Eagle Scout)가 되었다. 심장질환 등 여러 가지 신체적 문제에도 불구하고 킨제이는 성장기 내내 야영과 활동에 적극적으로 참여하였다. 늘 YMCA 활동과 야영에 참석했고, 이 같은 활동을 넓혀 가 졸업 후에는 YMCA에서 일하게 되었다. 그러다가 컬럼비아(Columbia) 고등학교에 입학한 후에는 운동보다 학업과 피아노에 전념하였다. 고등학교 시절에는 교우관계를 중요하게 생각하기도 하였다. 생물학, 식물학, 동물학 등에 관심을 보인 킨제이는 고등학교 시절 생물교사인 뢰스(N. Roeth)의 영향으로 과학자가 되겠다는 마음을 먹었다. 하지만 아버지의 뜻으로 호보컨의 스티븐기술학교(Stevens Institute of Technology)에 들어가 공학을 배웠다. 그러나 2년 뒤 스티븐기술학교를 졸업하고, 아버지의 반대를 무릅쓰고는 1914년 보든(Bowdoin)대학교에 들어가 코프랜드(M. Copeland)의 사사를 받으면서 곤충에 관한 연구를 하였다. 이를 계기로 아버지와는 갈등이 일었다. 1916년 킨제이는 파이 베타 카파에 뽑혔고, 생물학과 심리학에서 최우수 졸업(magna cum laude)을 하였다. 그의 석사 학위논문은 소년들의 집단역동에 관한 것이었다. 이후 바로 하버드(Harvard)대학교 벗시 연구소(Bussey Institute)로 들어가 대학원 과정을 시작한 킨제이는 곤충학계의 세계적 석학이었던 휠러(W. Wheeler)의 지도하에 응용생물학을 전공하였다. 그는 박사학위 논문주제를 어리상수리혹벌(gall wasps)에 관한 것으로 잡고, 여러 곳을 다니면서 수십만 종의 표본을 수집하였다. 1919년 하버드대학교에서 이학 박사학위를 취득하였다. 1920년에는 뉴욕에 있는 미국자연사박물관(American Museum of Natural History)의 후원을 받아 논문을 발표하였다. 1921년에는 맥밀런(C. McMillen)과 결혼하여 슬하에 4명의 자녀를 두었다. 1926년, 고등학교 교과서인 『An Introduction to Biology』를 발표한 킨제이는 자신의 집을 직접 설계하여 블루밍턴(Bloomington) 근처 비네거 힐에 짓기도 하였다. 킨제이를 말할 때는 성 과학(sexology)의 아버지라고 하는데, 이는 그가 인간의 성에 관해 체계적이고 과학적인 연구를 했기 때문이다. 1933년 즈음, 킨제이는 성의 실태가 얼마나 다양한지 관심을 갖기 시작했고, 이에 관해서 동료인 크록(R. Kroc)과 많은 이야기를 나누었다. 어리상수리혹벌의 다양한 짝짓기 실태를 연구하던 것이 인간의 양태에 관한 관심으로 확장되어, 성적 기호를 측정하는 척도개발에까지 이어진 것이다. 킨제이 척도(Kinsey Scale)라고 불리는 이 척도는 0에서 6까지의 범주로 평가하는데, 0은 이성적 양태, 6은 동성적 양태를 나타낸다. 1935년 킨제이는 인디애나대학교 교수진에게 강의를 하게 되면서, 성에 관한 주제를 공개하였다. 후에 그는 록펠러재단의 연구기금을 받아 인간의 성적 행위에 관한 연구를 하였다. 1948년에 『Sexual Behavior in the Human Male』을 발표했고, 1953년에는 『Sexual Behavior in the Human Female』을 발표하였다. 이러한 논문들은 학계에 엄청난 논쟁을 불러왔으며, 1960년대와 1970년대의 성적 혁명을 일으킨 주인공으로 킨제이의 이름이 거론되게 만들었다. 1953년에는 타임지의 표지 모델까지 될 만큼 왕성한 활동을 펼친 킨제이는 1956년 62세를 일기로 심장합병증 폐렴으로 사망하였다. 킨제이는 생물학자로서, 동물학과 식물학에 혁혁한 공적을 남겼을 뿐만 아니라, 인디애나대학교에 현재는 킨제이 성, 성별, 재생산 연구소(Kinsey Institute for Research in Sex, Gender, and Reproduction)라 개명한 성 연구소(Institute for Sex Research)도 창설하였다. 킨제이는 인간의 성에 관한 연구와 현대의 성 과학 분야 개척 등으로 당시 학계에 엄청난 파장을 몰고 왔다. 그의 연구는 미국뿐만 아니라 여러 나라에서 사회 및 문화적 가치관에 지대한 영향을 미쳤다. 그의 업적은 일곱 번이나 제프상(Jeff Awards)을 수상한 것을 비롯하여 수많은 수상의 영예로도 증명되었다.

주요 저서

Kinsey, A. C. (1927). *Field and Laboratory Manual in Biology*. New York: J. B. Lippincott Com.

Kinsey, A. C. (1933). *New Introduction to Biology*. New York: J. B. Lippincott Com.

Kinsey, A. C. (1967). *Sexual Behavior in the Human Female*. Pocket Books.

Kinsey, A. C. (1998). *Sexual Behavior in the Human Male*. Indiana: Indiana Univ. Press.

Kinsey, A. C. (2009). *Studies of Some New and Described Cynipidae*. General Books LLC.

킬패트릭
[Kilpatrick, William Heard]

1871. 11. 20. ~ 1965. 2. 13.
미국의 교육학자이자 철학자.

킬패트릭은 조지아(Georgia)의 화이트 프레인스(White Plains)에서 태어났다. 어려서부터 엄격한 침례교 성직자 가문에서 양육받은 킬패트릭은 그 지역에서 학교를 다녔고, 조지아의 메이콘(Macon)에 있는 머서(Mercer)대학교를 졸업했다. 그는 프뢰벨(Froebel)의 교육 이론을 배우기도 하였다. 1895년에는 존스 홉킨스(Johns Hopkins)대학교에서 공부를 한 뒤, 앤더슨(Anderson) 초등학교에서 7학년을 가르치다가 1896년에 교장이 되어 1897년까지 머물렀다. 1897년에 머서대학교에서 수학을 가르치면서 1900년에는 부총장이 되었고, 1904년부터 1906년까지 총장 대행을 맡았다. 그러나 1906년 처녀 잉태설(virgin birth)을 부인한다는 이유로 그 자리에서 물러나게 되었다. 1898년 귀통(M. Guyton)을 만나 결혼해서 슬하에 세 자녀를 두었지만 아내가 1907년에 사망하였고, 이후 핑크니(M. Pinckney)와 1908년에 재혼했다가 그녀도 1938년에 사망하였다. 그 후 1940년에 다시 비서였던 오스트랜더(M. Ostrander)와 세 번째 결혼을 하였다. 한편, 1898년 시카고대학교 교사를 위한 여름 세미나에서 듀이(J. Dewey)와 처음 만난 뒤, 1907년에 컬럼비아대학교 교육대학에 입학하여 두 사람은 다시 만나게 되었다. 듀이에게서 깊은 인상을 받은 킬패트릭은 교육 철학을 전공하기로 결심하고 듀이의 모든 과정을 섭렵하였다. 이를 계기로 듀이와의 관계가 시작되어 듀이가 사망하는 1952년까지 관계를 이어 갔다. 듀이와의 관계로 킬패트릭은 컬럼비아대학교와 깊은 인연을 맺었다. 1912년 컬럼비아대학교에서 박사학위를 받았고, 1909년부터 1911년까지 조교수로, 1911년부터 1915년까지 부교수로, 1915년부터 1918년까지는 정교수로 교육학 강의를 했으며, 1918년부터 1937년까지 명예교수로 지냈다. 컬럼비아대학교 외에도 조지아(Georgia)대학교, 사우스(South)대학교, 노스웨스턴(Northwestern)대학교, 스탠퍼드(Stanford)대학교, 켄터키(Kentucky)대학교, 노스캐롤라이나(Northcarolina)대학교, 미네소타(Minnesota)대학교 등에서 강의를 하였다. 또한 머서(Mercer)대학교를 비롯하여 컬럼비아대학교, 베닝턴(Bennington)대학교 등에서 명예박사학위를 받기도 하였다. 1937년 컬럼비아대학교 교육대학에서 은퇴한 뒤에는 1941년부터 10년간 뉴욕 도시 동맹(New York Urban League)의 회장을 맡았으며, 1946년부터 5년 동안은 세계 청소년을 위한 미국 청소년(American Youth for World

Youth)의 회장을 맡았다. 1940년부터 11년간은 국제교육단체(Bureau of International Education)를 책임졌다. 킬패트릭은 1965년 뉴욕에서 오랜 투병생활 끝에 93세로 생을 마감하였다. 그는 듀이의 교육학을 가장 잘 해석한 사람으로 평가받고 있으며, 진보교육을 이끈 인물로도 인정받는다. 듀이와 킬패트릭 이 두 사람의 사상은 1932년 버몬트주의 베닝턴대학교 건립에 큰 영향을 미쳤고, 두 사람은 초대대학운영위원회에 참여하여 킬패트릭은 곧 위원회장이 되었다. 1919년에 듀이와 킬패트릭은 구안법(The Project Method)이라는 아이디어를 제창하였다. 공동으로 구안법의 구상과 그 기초이론 및 실천방법을 차례차례 발표하여, 세계적으로 반향을 불러일으켰다. 듀이의 영향을 받아 프래그머티즘적 사고방식(Pragmatism thinking)으로 일관하여 정신을 쏟은 목적이 있는 활동에 교육적 가치를 인정하고, 구안법을 교육의 일반적 이론으로 높이는 데 기여하였다.

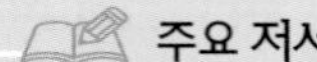

주요 저서

Kilpatrick, W. H. (1924). *Course Book in the Philosophy of Education*. London: Macmillan.

Kilpatrick, W. H. (1925). *Syllabus in the Philosophy of Education*. Teachers College, New York: Columbia Univ. Press.

Kilpatrick, W. H. (1952). *Philosophy of Education*. London: Macmillan.

Kilpatrick, W. H. (1972). *Foundation of Method: Informal Talks on Teaching*. Ayer Co Pub.

Kilpatrick, W. H. (2002). *Great Lessons in Virtue and Character*. Baker Books.

Kilpatrick, W. H. (2010). *Froebel's Kindergarten Principles Critically Examined*. General Books LLC.

Kilpatrick, W. H. (2010). *The Montessori System Examined*. General Books LLC.

타르드
[Tarde, Jean Gabriel]

1843. 3. 12. ~ 1904. 5. 13.
프랑스의 심리학적 사회학자.

타르드는 프랑스 도르도뉴(Dordogne)에서 육군 장교와 판사의 아들로 태어났다. 7세가 되던 해에 아버지가 돌아가시고, 어머니의 손에 길러졌다. 그는 사흘라(Sarlat)의 예수회 학교에서 고전교육을 받았고, 건강이 좋지 않아 청소년 시절 대부분 침대에서 보내면서 스스로 철학과 사회과학을 공부하였다. 이후 툴루즈와 파리에서 법을 공부했는데, 1869년부터 1894년까지 여러 가지 법률과 관계된 부서에서 근무했고, 도르도뉴에서 행정관으로 일하기도 하였다. 1894년에는 프랑스 법무부 산하 범죄통계 국장이 되었다. 1900년부터 콜레주 드 프랑스(Collège de France)의 현대 철학 교수로 재직한 그는 창조야말로 모든 진보의 근원이라고 생각했으며, 100명 가운데 한 명 정도는 창조적인 사람이라고 믿었다. 그에 따르면 혁신은 모방될 수 있지만 그 모방은 정도와 종류가 서로 다르다고 보았다. 여러 가지 모방 간에, 그리고 문화의 새로운 요소와 낡은 요소 사이에 대립이 발생한다. 그러나 이것은 그 자체가 하나의 창조라고 할 수 있는 적응으로 귀결된다고 그는 주장하였다. 1904년 프랑스 파리에서 생을 마감한 타르드는 '심리학적 사회학'이라는 하나의 입장과 방법을 확립하였다. 그는 사회의 성립을 모방이라는 개인 상호의 심리적 과정에 환원하여 설명하는 사회명목론 입장을 취하는 사회학자라 할 수 있다. 『Les lois de limitation』은 오늘날 유행이론의 고전이기도 하다. 또 타르드는 『La criminalité comparée』 등의 저서에서 범죄 행위에 영향을 미치는 환경의 중요성을 지적하면서 체사레 롬브로소(Cesare Lombroso) 학파의 극단적인 생물학적 인과론을 비판하였다. 그리고 『Psychologie économique』는 영국의 존 홉슨(John Hobson)과 미국의 소스타인 베블렌(Thorstein Veblen) 등의 제도학파 경제학자들에게 영향을 주었다. 『L'opinionet lafoule』에서는 신문을 매개로 의견을 교환하는 공중(公衆)의 출현이 여론을 활기 있게 하며 자유와 민주주의 발전의 기초가 된다고 예측하기도 하였다. 이는 동시대의 르봉(G. Le Bon)이 부정적인 군집의 미래를 구한 것과 대조되는 견해였다.

주요 저서

Tarde, J. G. (1921). *Les lois sociales*. Paris: Librairie Felix Alcan.

Tarde, J. G., & Antoine, Jean-Philippe. (1921). *Les lois de l'imitation*. Paris: s.n.

타이드만
[Tiedeman, David V.]

1919. ~ 2004.
진로개발이론의 창시자이자 미국의 심리학자.

타이드만은 1941년 유니언(Union)대학교에서 심리학 학사학위를, 1943년에 심리학 석사학위를 취득하였다. 공학과 심리학 모두에 관심을 갖게 되면서, 그는 통계를 공부하여 두 관심사의 균형을 맞출 수 있다고 믿었다. 그래서 타이드만은 하버드대학교로 옮겨 가 공부를 계속하였고, 1949년에 교육측정으로 교육학 박사학위를 취득하였다. 그 후 하버드대학교에서 강사가 되었고, 10년 뒤에는 교수로 승진되었다. 1952년부터 1971년까지 그는 진로개발에 대한 하버드 연구를 감독하였으며, 1963년부터 1967년까지는 앤 로(Ann Roe)와 함께 직업연구를 위한 하버드센터의 공동책임자 역할을 맡았다. 타이드만은 역할과 한계를 극복하기 위하여 삶에서의 의식적인 결정에 토대를 둔 진로개발이론, 즉 생애진로로 알려져 있는 개념의 창시자다. 그는 직업행동의 통계분석에 상당한 기여를 하고난 뒤, 직업이해를 위해 구성주의 인식론을 도입하여 전환하였다. 그의 이론의 기초는 자율성, 목적 행동, 분화와 통합 사이에서 점진적으로 발달하는 선택의 개념에 있다. 직업심리학에서의 그의 기여는 홀랜드(Holland)의 성격유형과 슈퍼(Super)의 직업과정에 관한 이론에서 영향을 받았고, 그의 상담방법은 내담자들이 일과 여가에서 더 나은 목적을 향해 나아갈 수 있도록 스스로를 재구성하는 것을 돕는 것이다. 이 같은 타이드만의 모델과 방법은 동시대의 진로개발 이론과 실제에 많은 영감을 주었다.

주요 저서

Tiedeman, D. V. (1963). *Career development: choice and adjustment: differentiation and integration in career development*. New York: College Entrance Examination Board.

Tiedeman, D. V., Schreiber, M., & Wessell, T. R. (1976). *Key resources in career education*. Washington, D.C.: National Institute of Education.

타일러
[Tyler, Leona]

1906. 5. 10. ~ 1993. 4. 29.
전문직으로서의 상담발전의 선구자.

타일러는 위스콘신 주 체텍(Wisconsin, Chetek)에서 회계사이자 주택 복구업자의 딸로 태어났다. 그녀의 부모는 가족 중 아무도 대학에 간 적이 없음에도 불구하고 그녀가 고등교육을 받도록 해 주었다. 타일러는 15세에 고등학교를 졸업하고, 19세에

미네소타(Minnesota)대학교에서 영문학으로 학사학위를 받았다. 전공은 영문학이었지만 과학에도 매력을 느꼈다. 졸업 후에는 13년 동안 미네소타와 미시간에 있는 중학교에서 영어와 다른 과목들을 가르쳤다. 그 과정에서 학생들의 다양성을 보며 개인적 차이에 대한 관심을 발전시켜 나갔다. 그러다가 1940년에 미네소타대학교에서 심리학 박사학위를 취득하였다. 그 후 오리건(Oregon)대학교에서 강의를 시작한 그녀는 1965년 대학원 학장이 되었고, 1971년 65세로 퇴직을 할 때까지 재임하였다. 1973년에는 미국심리학회(APA)의 회장이 되었으며, 은퇴 후에도 1993년 사망 전까지 오리건대학교에 남아 있었다. 타일러는 여러 연구와 저서, 연구논문을 발표했으며, 1950년대 후반 조직화된 선택의 구성에 초점을 맞추어 연구를 진행하였다. 그녀는 직업흥미에 대하여 관심을 보이면서 흥미와 성격이 이끄는 발달의 방향에 관한 종단연구를 하였다. 주요 연구에서 직업에 대한 사람들의 생각에는 좋아하는 것보다 싫어하고 회피하는 것이 더 많은 영향을 미친다는 사실을 찾아냈다. 이 연구는 선택이 어떻게 사람들의 생활을 구성하는지를 찾아낸 것이다. 그녀는 사람들이 직업 및 자유시간 활동과 관련하여 그들의 해석체계들(construals)을 나타내는 선택패턴기법을 개발하였다. 이처럼 선택패턴기법이라고 불린 카드 분류기법을 발달시킨 다음 개인적인 선택을 존중하면서 교차문화적 차이를 탐구하였다. 이 기법은 주제를 관심이나 무관심에 기반을 둔 파일로 카드를 분류한 다음 그러한 방식으로 카드를 분류한 이유를 탐구한 것이다. 그녀는 어떤 차이가 환경이나 인지구조로 설명되는지 검토하면서 다른 문화의 청소년을 연구하기 위해 이 기법을 사용하였다. 1962년부터 1963년까지 암스테르담(Amsterdam)대학교에서 풀브라이트 장학금(Fullbright scholarship)을 받으면서 자료를 수집한 타일러는 이후 인도와 호주로 연구를 확장시켜 나갔다. 연구결과들은 지각된 선택에 대하여 개인적인 변수가 어떻게 환경과 상호작용하는지 입증하면서, 직업선택에서 환경의 영향력이 더 큰 것을 보여 주었다. 선택패턴기법은 타일러가 직업상담에 사용하기 위해 개척한 것이다. 이에 대한 그녀의 연구는 『The Work of the Counselor』에 처음 발표되었다. 1969년 출간된 이 책은 타일러의 대표작이 되었다. 1947년에는 『The Psychology of Human Differences』를 집필하였다. 그녀는 행동에서의 자신의 관점을 개발했는데, 로저스(Rogers), 개인 차이, 정신측정학, 정신분석이론, 행동주의, 발달단계이론, 실존주의의 개념을 혼합하였다. 그중에서도 가장 중요한 영향을 미친 것은 실존주의와 발달이론이다. 그녀의 생각은 이때 행동주의에서 인지주의로 바뀌었다. 그녀에게 상담은 본성과 발달과정을 격려하고 조직화된 개인 경험에서 그들의 역할과 인지구조를 탐색하는 것이다. 초기에는 직업이 어떻게 개인의 관심사를 발달시키는가에 초점을 맞추었지만, 발달심리로 관심의 초점이 옮겨지면서 『Developmental Psychology』 개정판을 내놓았다. 그녀는 발달단계가 양적으로 다르다기보다는 질적으로 다르다고 강하게 믿었다. 1983년에 출간한 『Thinking Creatively』에서는 가능성 이론을 과학자의 선택행동에 적용하였다. 이것은 과학적 연구를 위해 선택되는 지각은 관습이나 규칙을 기반으로 한 전문교육과 훈련에 의해 왜곡되거나 제한된다고 제안한 것이다.

주요 저서

Tyler, L. (1947). *The psychology of human differences*. New York: D. Appleton-Century Co.

Tyler, L. (1953). *The work of the counselor*. New York: Appleton-Century-Crofts, Inc.

Tyler, L. (1963). *Test and measurements*. Engle-

ㅌ

wood Cliffs: Prentice-Hall.

Tyler, L. (1978). *Individuality: human possibilities and personal choice in the psychological development of men and women*. San Francisco: Jossey-Bass Publishers.

Tyler, L. (1983). *Thinking creatively*. San Francisco: Jossey-Bass.

태프트
[Taft, Julia Jessie]

1882. 6. 24. ~ 1960. 6. 7.
미국의 사회복지사.

태프트는 미국 아이오와(Iowa) 주에서 태어났다. 1904년 드레이크(Drake) 대학에서 석사학위를, 1913년 시카고대학교에서 철학 박사학위를 받았다. 펜실베이니아(Pennsylvania) 사회사업대학원의 케이스워크(case work) 교수로 재직한 태프트는 케이스워크에 랭크(O. Rank)의 정신분석적 접근법을 도입하여 사회사업의 원조과정에서 기본으로 기관 기능의 활용을 역설하였다. 그녀는 1940년대 펜실베이니아학파의 대표로서 기능학파에 공헌했는데, 이 기능주의 이론은 1930년에 그녀가 스몰리(R. Smally), 로빈슨(V. Robinson)과 함께 시작한 것이다. 이 이론은 자아의 창의적인 의지와 인간의 지속적인 변화를 강조하는 관점 때문에 진단주의 학파와 오랫동안 갈등관계를 보였지만, 진단주의 학파와 함께 초창기 사회복지실천에 큰 기여를 한 핵심 이론이다. 기능주의 모델의 기초가 되는 개념을 서술하면 다음과 같다. 첫째, 개인은 그 자신이 성장의 중심체이며 개인은 태어나서 죽을 때까지 발전한다. 둘째, 개인은 성장을 위해 생의 각 단계에서 자신의 독특한 내적 능력을 사용하며 환경 속에서 인과관계, 자신의 요구를 가진 채 성장을 위해서 끄집어내야 하는 것들을 포함해서 사용해야 한다. 셋째, 환경은 생활의 각 단계에 따라 변화한다. 자궁 내의 신체적 · 생물학적 환경에서 어머니와 관계를 맺고 가족 · 이웃 · 학교 · 지역사회 · 세계의 환경을 갖는다. 넷째, 각 개인은 끊임없이 변화하는 환경에 적응하고 변화하는 능력을 갖는다. 다섯째, 각 연령단계는 보이지 않게 다음 단계로 가며 사회적 기대에 따른 독특한 개성과 기회를 갖는다. 여섯째, 개인의 내적 성장은 과업을 성취하려는 목적에 따라 특징을 갖는다. 그리고 그것은 강제로 이루어지지 않고 사회기대에 의한 표현과 활동된 자신의 내적 준비능력에 대한 반응이다. 일곱째, 환경은 개인의 발전에 복잡한 영향을 주고, 저지하고, 무해할지도 모르지만 개인은 자신의 성장을 통제하고 발달의 중심체로 남아 독특한 능력과 환경의 가치 속에서 계속 발전한다.

주요 저서

Taft, J. J., & Rank, O. (1945). *Will therapy and truth and reality*. New York: A.A. Knopf.

Taft, J. J. (1993). *The dynamics of therapy in a controlled relationship*. New York: The Macmillan Company.

터먼
[Terman, Lewis Madison]

1877. 1. 15. ~ 1956. 12. 21.
미국의 심리학자이며 스탠퍼드비네 지능검사의 개발자.

터먼은 인디애나(Indiana)에 있는 존슨카운티(Johnson County) 농장에서 태어났다. 그는 농장 일을 별로 좋아하지 않았고, 교육에 대한 욕망을 글을 읽는 것으로 눌러야만 하는 상황이었다. 15세 때, 농장을 떠나 일리노이 댄빌(Danville, Illinois)에 있

는 센트럴 노멀(Central Normal)대학교에 들어갔고, 그곳에서 2년 동안 공부하였다. 이후 몇 년간의 교사생활을 거쳐 충분한 돈을 모아 다시 대학교로 돌아왔다. 인디애나(Indiana)대학교를 거쳐 클라크(Clark) 대학교에서 배웠는데, 그곳에서 미국 심리학의 창설에 공헌한 한 사람인 홀(G. Hall)의 지도를 받아 학위를 취득하였다. 그 후 고등학교 교장 등을 거쳐, 1910년부터는 스탠퍼드(Stanford) 대학교에서 교편을 잡았고 1942년 퇴임하였다. 터먼은 1921년 종합적 · 장기적인 우수 아동 연구를 시작하였다. 연구대상은 캘리포니아 주의 아동 1,528명으로 이들은 IQ 점수가 140이 넘는 아동이었다. 이들에 대한 의학적, 인류학적, 심리학적인 조사를 시행했는데, 연구는 35년 뒤 그가 죽을 때까지 계속하였다. 연구결과 우수한 아동은 보통 아동보다 건강하고 안정적이라는 정확한 증거가 나타났다. 이에 터먼은 지능검사 중 최초라고 알려져 있는 비네-시몽 지능검사의 미국판인 스탠퍼드비네 지능검사를 작성한 것으로 유명하다. 1905년에 개발한 비네식 지능검사는 획기적인 것으로서 세계에 수출되었는데, 프랑스어로 작성되어 있었기 때문에 현지어로 번역되고 표준화되었다. 그중 특히 유명한 것이 터먼이 『The Measurement of Intelligence』에서 소개한 스탠퍼드비네 지능검사다. 그러나 터먼이 개발한 스탠퍼드비네 지능검사는 비네식 지능검사의 단순한 영어판이 아니었다. 이는 스턴(Stern)이 제창한 지능지수(intelligence quotient)를 결과 표시로 사용한 점이 큰 특징이었다. 지능지수를 이용함으로써 생활연령에 대한 정신 연령의 비율이 복수로 나타나고, 피험자의 지적 수준을 알 수 있었다. 터먼이 지능지수를 이용한 것은 비네(Binet)와는 관심의 초점이 달랐다. 비네는 지적장애아의 조기발견이나 조기교육에 도움이 되고자 지능지수를 이용했지만, 터먼은 영재교육을 위한 우수아의 조기발견을 목적으로 지능지수를 이용했던 것이다. 이와 같은 터먼의 스탠퍼드비네 지능검사는 오늘날 지능검사의 기준이 되었으며, 그 후 정신검사의 이론적 개념이나 실제적인 응용을 하는 데에도 큰 영향력을 미쳐 발전할 수 있도록 하였다. 터먼은 제1차 세계대전 당시 최초의 집단식 지능검사인 '육군 테스트(army test)' 작성에도 관여하였다. 또 지능검사를 사용하여 '천재나 우수아에 관한 대규모 연속 연구', 나아가 '성(性)과 퍼스낼리티 연구'나 '행복한 결혼생활의 여인에 관한 연구' 등 최근 문제되는 주제의 연구도 행하였으며, 이 분야에서 선구적인 역할을 담당하였다.

주요 저서

Terman, L. M. (1916). *The Measurement of Intelligence*. Boston; New York: Houghton Mifflin Company.

Terman, L. M. (1917). *The Stanford Revision and Extension of the Binet-Simon Scale for Measuring Intelligence*. Baltimore: Warwick & York, Inc.

Terman, L. M. (1926). *Genetic Studies of Genius*. Stanford, California: Stanford Univ. Press.

테일러
[Taylor, Fredrick Winslow]

1856. 3. 20. ~ 1915. 3. 21.
경영관리 연구의 선구자이자 과학적 관리의 제창자.

테일러는 필라델피아(Philadelphia)의 유복한 가정에서 태어나 소년 시절에는 유럽에서 교육을 받았다. 규칙을 수립하고 권위를 발휘하는 것을 좋아하는 테일러의 성격은 어릴 시절부터 분명하게 드

ㅌ

러났다. 야구의 기법으로서 당시 일반적이었던 오버 드로우(Over draw) 방식보다 언더 드로우(Under draw) 방식이 좋다고 하여 실행하는 등 어릴 때부터 합리적 사고가 풍부하였다. 그 후 변호사인 아버지의 뒤를 잇기 위해 하버드대학교 법학부에 입학했지만 건강상의 문제로 포기하고 말았다. 그러다가 1874년에 기계견습공이 되어 기사 자격을 취득하였다. 그는 필립스 엑시터 아카데미 1학년 재학 시절에 이미 엔지니어가 될 것을 생각했다고 한다. 과학적 관리가 등장함에 따라 나중에 엔지니어라는 직업이 큰 인기를 누리게 되었지만, 당시만 하더라도 미국 전역을 통틀어서 엔지니어의 인원은 7,000명에 불과하였다. 1878년 테일러는 필라델피아에 있는 미드베일(Midvale) 제철소에서 새로운 일자리를 구하였다. 과학적 관리에 대한 개척자로서의 연구와 금속의 절삭을 지배하는 법칙에 대한 26년간의 연구는 바로 이곳에서 행해진 것이었다. 테일러는 제철소의 기사로서 생산과 임금을 둘러싼 노사갈등을 근본적으로 해결하기 위해 근로자에게는 고임금을, 사용자에게는 저노무비를 충족시키는 과학적 관리법을 고안하였다. 과학적 관리법은 우선 하루의 공평한 작업량을 과학적으로 설정하기 위해 스톱워치에 따른 시간연구, 동작연구, 동작종합방식을 이용하고, 이 과업을 완수하면 높은 보수, 실패하면 낮은 보수를 주는 차별적 성과급제를 도입하였다. 그리고 기획부 제도, 작업지도표 제도, 기능식 직장제도 등을 통하여 공장 내 과학적 관리법을 만들어 냈다. 1911년에는 자신의 경험을 총괄하여 「Principles of Scientific Management」를 발표했는데, 널리 알려진 이 논문에서 그는 다음과 같은 4대 원칙을 제창하였다. 첫째, 주먹구구식의 방법을 타파하고 참된 과학(True Science, 오늘날 우리가 말하는 IE)을 수립해야 한다. 둘째, 종업원을 과학적으로 선발하고, 좋은 방법으로 훈련시켜야 한다. 셋째, 경영자가 해야 할 일과 작업자가 해야 할 일을 명확하게 구분하고, 경영자와 작업자는 분담한 업무를 확실히 수행해야 한다. 넷째, 경영자와 작업자는 친밀하고도 우호적인 유대관계를 유지해야 한다. 정확한 작업방법과 사용해야 할 도구나 설비를 정하고, 규정된 작업방법에 따라 작업할 수 있도록 작업자를 훈련시키는 것 등의 '작업의 과학화'가 테일러로부터 시작되었기 때문에 오늘날 그는 'IE의 아버지'라고 칭해지고 있다. 이 같은 업적을 남긴 그는 강의를 마치고 돌아오는 열차 안에서 59세의 나이에 폐렴으로 세상을 떠났다.

주요 저서

Taylor, F. W. (2010). 과학적 관리법[*Scientific management*]. (방영호 역). 경기: 21세기 북스. (원저는 1911년에 출판).

톨만
[Tolman, Edward Chace]

1886. 4. 14. ~ 1959. 11. 19.
신행동주의(neo-behavior)를 대표하는 미국의 심리학자.

톨만은 매사추세츠(Massachusetts) 주의 뉴튼(Newton)에서 출생하였다. 그는 매우 근엄한 17세기 퀘이커 교도 가정에서 성장했는데, 그 영향으로 톨만은 항상 평화주의를 옹호했고 그 같은 사상은 그의 일생을 지배하였다. 1911년 MIT 공대에서 전기화학을 전공했으며, 하버드대학교 대학원에서 1912년에 심리학 석사학위, 1915년에 박사학위를 받았다. 톨만의 학문적 체계는 행동주의 심리학자인 왓슨(Watson), 목적심리학을 주장한 사회심리학자 맥두걸(McDougall), 역동심리학을 주장한 워즈워스(Wordsworth), 쾰러(Köhler)나 코프카(Koffka) 같은 형태주의 심리학자로부터 영향을 받았다. 톨만은 1918년까지 노스웨스턴(Northwestern)대학교에서 강의를 했는데, 그곳에서 자유연상적 사고와 유사한 기억현상에 대한 의문에 사로잡혀 있었다. 잠깐 쉬면서 하버드대학교와 시카고(Chicago)대학교에서 강의를 하였고, 1918년부터는 캘리포니아(California)대학교 교수가 되었다. 그는 자신의 학습과 목표 지향적 행동에 관한 연구로 신행동주의와 미국 학습심리학의 대표 중 한 사람이 되었다. 1922년 톨만은 「A new formula for behaviorism」에서 종래의 의식심리학은 불충분하며, 왓슨식의 협의의 행동주의는 결국 생리학으로 전락할 것이라고 주장하였다. 그러면서 비생리적인 행동주의가 가능하다고 보고 협의의 행동주의와 더불어 의식도 행동의 잠재성(potentiality)이기 때문에 연구대상에 포함시켜야 한다고 주장하였다. 결국 톨만은 구성주의, 기능주의와 같은 내성주의도 심리학에 포함될 수 있다는 관점을 가졌던 것이다. 이러한 입장에서 기존의 심리학을 종합하고, 왓슨의 행동주의에서 주관적인 용어라고 배제했던 동기, 목적, 의사결정 경향과 같은 개념들을 심리학의 연구대상에 포함하였다. 톨만은 인간의 행동에 직접적이고 내재적인 목적(purpose)과 인지(cognition)가 관련되어 있음을 인정하였다. 즉, 목적과 인지가 행동의 내재적 결정인자(determinants)이며, 모든 유기체가 가지고 있는 기능이라고 보았다. 그는 「반응과 인지」라는 논문에서 목적인지를 포함한 거시적 행동을 심리학의 연구대상에 포함시켜야 한다고 주장하였다. 그리고 사람을 포함한 유기체의 어떤 행동도 목적론적으로 생각하고 심리학의 체계를 조작적으로 확립하려고 노력하였다. 톨만의 삶은 반항적인 삶이라고 해도 과언이 아니다. 톨만은 평화주의자면서도 학문의 자유를 침해하는 것에 반항했을 뿐만 아니라 당시 주류 심리학이었던 왓슨식 행동주의 심리학에도 반기를 들었다. 자신만의 독특한 인지론적 행동주의 심리학 영역을 개척한 톨만은 1959년 도전적이고 반항적인 삶을 마감하였다. 이 같은 톨만은 미국의 학습이론가로서 사인-게슈탈트설(기호-의미 부여설)의 제창자로 널리 알려져 있다. 동물실험에서 자극은 기호의 의미를 갖고, 어떤 의미를 가지고 있는가의 인지(認知)에서 행동이 생기며, 그것이 학습의 메커니즘이라고 그는 주장하였다. 행동을 수단과 목표와 관련해서 생각하는 그의 인지론적 행동주의는 행동주의적 개념과 게슈탈트 심리학의 사고에서 영향을 받은 것이다. 행동에 내재하는 목적이나 인지를 연구대상으로 하면서도 연구방법으로는 어디까지나 행동의 객관적 기술을 중심으로 하는 입장이었다. 톨만의 학습이론은 다른 행동주의적 학습이론과는 다음 몇 가지 관점에서 차이가 있다. 첫째, 그의 이론은 행동을 분자적(molecular: 미시적) 수준이 아닌 원자(molar: 거시적)의 수준에서 설명하고 있다. 톨만의 관점에서 행동이란 원자적 수준의 것으로 수단-목적 관계를 강조하는 개념이다. 이에 대하여 반사나 근육 운동 등 물리적 · 생물적 성질을 강조하는 행동 개념을 분자적 수준이라고 한다. 둘째, 모든 행동은 목표 지향적인 것으로 믿는다. 셋째, 개인은 동작의 결과를 학습하는 것이 아니라 기대를 학습한다. 즉, 현재의 상황 S(Zeichen)와 행동과정 속에서 생기는 상황 S(Bezeichnetes, 목표)라는 2개의 주어진 자극 사이의 관계를 의미한다. 넷째, 학습 성립(學習成立)의 메커니즘으로서 헐(Hull) 학파의 강화설(强化說)에 반대하고, 기호형태설(記號形態說)을 주창하였다.

주요 저서

Tolman, E. C. (1932). *Purposive Behavior in Animals and Man*. Berkeley: University of California Press.

ㅌ

Tolman, E. C. (1951). *Collected Papers in Psychology*. Berkeley: University of California Press.

트레이시
[Tracey, Terence J. G.]

1952. ~
미국의 상담심리학자.

트레이시는 1981년 메릴랜드(Maryland)대학교에서 상담심리학 박사학위를 받았다. 그는 1981년부터 뉴욕(New York) 주립대학에서 상담심리학자로서 강의와 연구를 했고, 1983년에 일리노이(Illinois)대학교로 옮겼다. 1999년 애리조나 주립대학의 임원이 된 그는 상담, 임상, 직업, 사정 영역의 수많은 전문저널의 편집위원회에서 일하기도 하였다. 1990년대 트레이시는 라운드(Rounds)와 함께 홀랜드(Holland)의 RIASEC(실재형, 탐구형, 예술형, 사회형, 기업형, 관습형) 홍미모델과 직업홍미의 구조에 초점을 둔 활발한 협동연구를 시작하였다. 트레이시와 라운드는 홀랜드 모델의 구조요소를 처음으로 확장 · 분석한 결과를 발표했는데, 이들은 이 작업에서 다차원적 척도화와 무선화 절차를 사용한 홍미자료의 기초 구조조사를 선구적으로 시도하였다. 트레이시는 미국의 상담심리학자로 직업홍미, 직업홍미 발달, 직업홍미 구조의 사정을 이해하는 데 중대한 업적을 쌓았으며, 또한 대인 관점에서 본 상담과정의 이해, 상담연구의 방법론적 접근법에도 큰 공헌을 하였다.

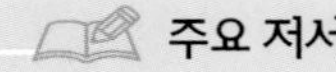
주요 저서

Tracey, T. J. G., & Sedlacek, W. E. (1987). *A Comparison of White and Black Student Academic Success Using Noncognitive Variables: A LISREL Analysis. Research Report #6-87 (microform)*. College Park, Maryland: Maryland Univ., Counseling Center.

트루액스
[Truax, Charles B.]

1933. ~ 1973.
인간중심 심리치료사.

트루액스는 내담자중심요법의 로저스(C. Rogers)의 면담을 녹음하여 그의 내담자에 대한 반응을 분석하였다. 그 결과 바람직하다고 생각되는 말에는 열심히 큰 소리로 응답하고 있지만, 바람직하지 않은 발언에는 그만큼 큰 소리로 반응하지 않는다는 것을 발견하였다. 이것은 내담자에 대한 대응은 내담자가 하는 말이나 태도에 따라서 어떤 때는 능동적으로 또 다른 어떤 때는 수동적으로 융통성을 가지고 대하는 것이 필요하다는 점을 나타낸다고 해도 좋다. 최근 몇 년간 교육 인적 복지의 광범위한 영역, 실제 재활치료, 정신건강, 공중보건 분야 등에서 더 나은 사람을 위한 치료적 노력의 일환으로 효과적인 대인관계 기술을 향상시키는 훈련의 필요성을 절감하고 있다. 트루액스는 대인관계 치료에서 스케일을 사용한 훈련방법으로 비전문적 직원을 훈련하였다.

주요 저서

Truax, C. B., & Carkhuff, R. R. (1967). *Toward effective counseling and psychotherapy: training and practice*. New York: Aldine Transaction.

Truax, C. B., & Rogers, C. R. (1967). *The therapeutic relationship and its impact: a study of psychotherapy with schizophrenics*. Madison: University of Wisconsin Press.

틸리히
[Tillich, Paul]

1886. 8. 20. ~ 1965. 10. 22.
독일의 신학자이자 루터교 목사.

틸리히는 독일 베를린 근처의 작은 마을 슈타르체델(Starzeddel)에서 태어났다. 루터파 목사였던 아버지 요한 오스카 틸리히(J. O. Tillich)는 나중에 주교까지 지낸 사람으로, 강한 의무감과 죄의식으로 무장하여 엄격하고 권위주의적이었고, 어머니 마틸드(Mathilde)는 자유로운 사고를 하는 중산층 출신이었다. 틸리히는 평생 지적 정직성과 자유로운 사고의 소중함을 강조하였고, 그의 신학은 여러 면에서 자유롭고 탈전통적이며 파괴적이었는데, 이는 많은 부분에서 그의 아버지 및 그가 자란 보수적이며 전통적인 환경에 대한 거부의 결과라고 볼 수 있다. 틸리히는 성서의 '비신화화(demythologization)'를 요청하는 동시대에 활동했던 신정통주의 신학자 불트만(R. Bultmann)의 영향을 받았다. 또한 그는 제1차 세계 대전이 일어나던 4년 동안 군목으로 일했는데, 이후 그의 삶에서 전쟁은 매우 큰 영향을 미쳤다. 그는 하느님께서 인간의 삶을 가장 선한 길로 이끄신다는 낙관적인 역사관을 가지고 있었는데, 전쟁을 경험하면서 그러한 생각이 깨졌다. 자신이 살기 위해서 다른 사람을 죽이는 인간의 잔인성을 목격하면서 불안과 절망을 느끼기 시작한 것이다. 1924년 이후에는 말부르크(Marburg)대학교, 드레스덴(Dresden)대학교 등에서 철학 · 신학을 가르쳤고, 한편으로 기독교적 사회주의를 지도하였다. 나치정권이 들어서면서 그는 1933년부터 미국 생활을 시작하게 되었는데, 처음에는 미국 학회로부터 인정을 받지 못하였다. 신학자들은 틸리히의 신학이 너무 존재론적이고 신비주의적이어서 기독교의 복음과 거리가 멀다고 생각했고, 미국 철학계 역시 실용주의와 언어분석철학 쪽으로 경도되어 있던 탓에 틸리히의 사상이 지나치게 종교적이며 사변적이라고 보았다. 하지만 시간이 지나면서 모든 분야를 자유롭게 넘나드는 그의 방대한 인문학적 지식에 깊은 인상을 받았고, 사건과 사상에 대한 날카롭고 독창적인 해석에 깊이 매료되어 1937년 철학신학의 부교수, 1939년 정교수 및 주임교수, 1940년 예일대학교에서 명예신학박사학위를 받기에 이르렀다. 틸리히는 1955년 정년 퇴임했으며, 하버드대학교의 요청으로 강의 시간에 구애받지 않는 특별교수가 되었다. 또 1962년에는 대학교 측의 요청으로 시카고대학교 신학부에서 가르쳤고, 1964년 이후 건강이 나빠졌으며 그다음 해에 숨을 거두었다. 틸리히의 사상은 켈러(M. Keller)및 셸링(F. Schelling)의 영향을 받아 실존주의적 요소가 짙었고, 현대 문화와 기독교의 결합점을 찾아내고자 하여 그 나름의 독특한 존재론적 신학을 전개하였다. 그는 스스로 자신의 입장을 신앙실재론(信仰實在論)이라고 불렀는데, 이는 바르트(K. Barth)로 대표되는 변증법적 신학과도 공통적인 면이 있으며 신정통주의(新正統主義)에 속하였다. 그의 사상은 변증법 신학이 성서의 계시를 인간의 문화와 따로 분리 · 대립시키는 데 대하여, 계시는 인간의 생에 포함되는 질문에 대한 답이라고 하여 양자를 매개하려고 하였다. 틸리히 사상의 일관된 원리는 그 스스로 경계선(境界線)이라고 부르는 것이다. 그것은 2개의 이질적 세계의 중간에 서 있으면서 각각의 독자성을 존중하고 그들을 보다 깊은 차원으로 종합 · 통일한다는 것이다. 틸리히는 존재의 본성에 초점을 맞추는 확고한 실존주의자였다. 신과 인간의 관계에 대한 신학적 접근방식으로 '상호관계의 방법(method of correlation)'을 제시했는데, 그 방법의 목적은 '상호 의존 관계에 있는 실존적 질문과 신학적 대답을 통하여 그리스도교 신앙의 내용을 설명하는 것'이다. 틸리히는 『파울 틸리히: 경

ㅌ

계선상의 신학자(Paul Tillich: theologian of the boundaries)』라는 책을 통해서 인간은 비실존의 위협 앞의 인간, 불신앙 · 오만 · 정욕의 인간이라고 이야기하였다. 또한 비존재의 불안(실존적인 고통)이 존재 그 자체의 경험에서 고유한 것이라고 주장하였다. 키르케고르(S. Kierkegaard)와 프로이트(S. Freud)의 뒤를 이어, 틸리히는 우리가 비존재의 충격(the terror of our own nothingness)에 직면하는 가장 내재적인 성찰의 순간을 말하였다. 우리가 죽을 수밖에 없음을 인식하는 것은 스스로 유한한 존재임을 아는 것이다. 이러한 내적인 성찰의 분위기에서 '무엇이 우리를 존재하게 하는가?'라는 질문이 떠오른다. 틸리히는 근본적으로 유한한 존재는 다른 유한한 존재에 의해서 유지될 수 없다고 결론지었다. 유한한 존재를 유지시킬 수 있는 것은 존재 자체이거나 존재의 토대(ground of being)인데, 그것을 틸리히는 하느님(신적 존재)과 동일시하였다. 그는 이러한 깊은 성찰을 통하여 미국 기독교에 커다란 영향을 주었다.

주요 저서

Tillich, P. (1986). 조직신학: 실존과 그리스도 1-2[*Systematic Theology 1-2*]. (김경수 역). 서울: 성광문화사. (원저는 1951~1963년에 출판).

Tillich, P. (2005). 조직신학 3[*Systematic Theology 3*]. (유장환 역). 서울: 한들출판사. (원저는 1951~1963년에 출판).

Tillich, P. (2006). 존재에의 용기[*Courage to Be*]. (차성구 역). 서울: 예영커뮤니케이션. (원저는 1952년에 출판).

Tillich, P. (2008). 새로운 존재[*The New Being*]. (김광남 역). 경기: 뉴라이프. (원저는 1955년에 출판).

Tillich, P. (2008). 조직신학 4, 성령론[*Systematic Theology 4*]. (유장환 역). 서울: 한들출판사. (원저는 1951~1963년에 출판).

파블로프
[Pavlov, Ivan]

1849. 9. 26. ~ 1936. 2. 27.
조건 반사를 발견한 러시아의 생리학자.

파블로프는 시골 목사의 맏아들이자 교회지기의 손자로 중앙 러시아의 고향에서 자랐다. 신학교에 입학했다가 1870년 신학공부를 포기하고 상트페테르부르크(Saint Peterslourg) 대학교로 가서 화학과 생리학을 공부하였다. 그러고는 상트페테르부르크의 임피리얼 의학아카데미(Saint Peterslourg State Medical Academy)에서 의사 자격을 취득하였다. 1884년부터 1886년까지 심장혈관 생리학자 루트비히(C. Ludwig)와 심장생리학자 하이덴하인(R. Heidenhain)의 지도 아래 독일에서 연구를 했는데, 루트비히와 공동으로 연구하면서 파블로프는 순환계에 대해 독자적인 연구를 시작하였다. 1888년부터 1890년까지는 상트페테르부르크에 있는 봇킨 실험연구소에 있으면서 심장의 생리와 혈압 조절에 관하여 연구하였다. 그는 능숙한 외과의사가 되어 마취를 하지 않고도 고통 없이 개의 대퇴부 동맥에 카테터(catheter)를 주입하고 다양한 약리적 · 정서적인 자극이 혈압에 미치는 영향을 기록할 수 있었다. 1890년 그는 임피리얼의학학회(imperial medicine academy)의 생리학 교수가 되어 1924년 사임할 때까지 일하였다. 새로 설립된 실험의학연구소에서 그는 외과수술 후 건강을 유지하는 데 필요한 설비에 큰 관심을 기울여 동물을 대상으로 외과적인 실험을 시작하였다. 특히 1890년부터 1900년, 그리고 대략 1930년까지 소화의 분비활성에 관하여 연구하였다. 이 연구의 핵심은 저서인

『Lectures on the Work of the Digestive Glands』에 담겨 있다. 마취되지 않은 정상적인 동물에서 분비액의 분비가 불규칙하게 일어나는 것을 관찰한 그는 1898년부터 1930년 무렵 조건반사에 대한 법칙을 공식화할 수 있었다. 파블로프는 기초적인 수동적 조건형성과정을 설명하는 실험을 통하여 반사가 중성자극으로 조건화될 수 있다는 사실을 증명해 냈다. 다른 많은 과학적 지식처럼 이 이론도 처음에는 우연히 발견되었다. 전설이 되어 버린 그의 실험으로서, 개에게 분비된 침의 양을 객관적으로 측정하고자 할 때 침이 먹이를 봤을 때뿐만 아니라 가까워지는 실험자의 발자국 소리에도 분비된다는 사실을 알아냈다. 이 관찰은 이어지는 많은 파블로프 반사 연구의 돌파구가 되었다. 고전적 실험 실시조건에서 배고픈 개에게 먹이가 제공되었고—이 무조건적 자극에 대한 반사로서—침이 흘렀다(선천적, 무조건적 반응). 특정 중성적 자극—예를 들어, 종소리—은 처음에는 침의 분비에 아무런 영향을 끼치지 않지만 여러 번 반복되면 먹이 앞에서 또는 먹이를 들고 있을 때 이 소리가 울리기만 해도 침이 흘러나왔다. 이 새로운 반응을 파블로프는 조건적 반사, 그리고 이전에는 중성적이었지만 이제는 반응을 불러일으키는 자극을 조건적 자극이라고 이름을 지었다. 그는 조건형성의 중요성을 강조함과 동시에 인간의 행동을 신경계와 관련하여 설명하는 선구적인 연구를 수행하면서 이와 비슷한 개념적 접근을 전개시켜 나갔다. 1904년 소화액 분비에 관한 연구로 그는 노벨 생리학 · 의학상을 수상하였다. 파블로프가 이룩한 과학에 대한 기여는 그가 자연조건에서 정상적이고 건강한 동물을 연구하는 방법을 사용함으로써 가능하였다. 그는 복잡한 상황을 단순한 실험으로 환원시킬 수 있었기 때문에 조건반사의 개념을 공식화할 수 있었다. 이 과정에서 그는 주관적 요소를 배제해야 한다고 보았으며, 측정 가능한 생리학적 양으로 전환하지 않고는 정신적인 현상을 과학적으로 다루는 것이 불가능하다고 주장하였다.

파블로프는 끊임없이 인간과 동물의 신경활동의 종합적 토대를 강조했지만 동시에 인간의 언어와 추상화의 특수성을 강조하기도 하였다. 정신현상과 높은 수준의 신경활동을 객관적 · 생리적으로 측정하기 위해 그는 동물의 물리적인(또는 심리적인) 활동을 정량적으로 측정하는 데 침샘분비를 이용하였다. 1930년 초에 들어서면서 그는 자신의 법칙들을 인간의 정신이상을 설명하는 데 적용하기 위해 노력하였다. 극도의 흥분을 유발한 유해자극을 배제한다는 점에서 그는 정신이상자의 특징인 과도한 억제현상을 외부세계를 차단하는 방어체제의 하나로 가정하였다. 이러한 생각은 그 후 조용하고 무자극적인 환경에서 정신병 환자를 치료하는 데 기초가 되었다. 이때 파블로프는 단어를 수반하는 긴 연쇄적 조건반사에 기초하여 인간의 언어기능에서 중요한 원리를 발표하였다. 그는 언어기능이 단어 이외에 인간보다 하등한 동물에서는 불가능한 개념의 정교화도 수반한다는 입장을 고수하였다. 사망 일주일 전까지 정해진 시간에 실험실에 나와 열정적으로 연구한 그는 이러한 엄격함과 성실성을 제자들과 연구원들에게도 요구한 것으로 유명하다. 또한 평생을 공산주의 정부에 협력하지 않고 투쟁한 반체제 인사로 지냈다. 그는 불가지론자(사물의 본질이나 궁극적 실재의 참모습은 사람의 경험으로는 결코 인식할 수 없다는 이론을 따르는 사람)였지만 종교에 헌신적인 그의 부인 외에는 아무도 부럽지 않다고 할 만큼 종교가 유익하다고 생각하였다. 이와 같은 파블로프의 업적은 행동의 과학적 분석에 기초를 제공했고, 과학자와 생리학자로서의 지위에 큰 기여를 했음에도 불구하고 몇몇 한계를 가지고 있다는 평가를 받고 있다. 그는 탁월한 주관과 과학적 방법의 독자성을 인정했지만 과학분야에서 주관과 과학적 방법을 뚜렷하게 분리하거나 이들을 개별적으로 정의하지는 않았다. 임상적으로 그는 정신분열증과 편집증에 관한 정신의학적 견해를 비판 없이 받아들였고, 유도와 계몽 같은 신경개념이 고등한 정신활동에 효과가 있다고 보았다. 지금은 많은 정신과 의사들이 파블로프의 설명이 너무 제한적이라고 여기고 있으며, 어떤 신경생리학자들은 전기생리학과 생화학 같은 다른 분야의 발달에 더 많은 관심을 보이고 있기도 하다. 정상적이고 건강한 동물을 마취 없이 연구하는 그의 방법은 일반적으로 생리학에서 받아들여지지 않았다. 하지만 이 같은 한계에도 불구하고 파블로프가 끼친 영향력은 매우 크다. 파블로프의 이론은 왓슨(Watson)의 행동주의와 스키너(Skinner)의 행동심리학에 탁월한 역할을 하였다. 전기 행동치료는 울페(Wolpe)의 체계적 둔감화 등의 고전적 조건화에 따른 방법들을 사용하는 것으로 그 중요성이 인정되었다. 비록 시간이 지나면서 인간과 동물의 신경생리에 대한 정보를 얻는 데 좀 더 현대화된 작업이 있다고 하더라도 고전적 조건화의 원칙은 오늘날까지 하나의 간단하면서 납득 가능한 모델이 되고 있다. 동물뿐만 아니라 우리 인간에게서도, 특히 본능적 행태를 유발하는 정해진 자극에 대한 불안반응이나 정신신체의 질환과 연결되거나 또는 (과도하게) 심리적으로 묘사하는 분야에서 심리-생리적 조건화가 항상 관찰된다. 예를 들면, (조건화된 상태에서) 장미 조각품을 보는 것으로 벌써 장미에 대해 유미주의적인 반응을 유발할 수 있다는 것을 인체실험에서 확실히 나타나도록 할 수 있었다. 많은 사람들이 파블로프의 연구를 프로이트의 이론과 함께 현대심리학의 시작으로 간주하고 있다.

주요 저서

Pavlov, I. (1960). *Psychopathology and psychiatry: selected works.* Moskow: Foreign Languages Pub. House.

Pavlov, I. (1999). Lectures on conditioned reflexes: *twenty-five years of objective study of the higher nervous activity (behavior) of animals, vol. 1.* New York: Int'l Pubs.

Pavlov, I. (1999). 조건반사: 대뇌피질의 생리적 활동에 관한 연구[*Conditioned reflex: an investigation of the physiological activity of the cerebral cortex*]. (이관용 역). 서울: 교육과학사. (원저는 1928년에 출판).

파슨스[1]
[Parsons, Frank]

1854. 11. 14. ~ 1908. 9. 26.
진로지도의 아버지라 불리는 진로지도 및 진로상담의 선구자.

파슨스는 코넬(Cornell) 대학교에서 엔지니어로 교육받았지만, 사회개혁의 움직임에 대한 여러 가지 책과 여성참정권, 과세, 교육 전반에 관한 기사를 쓰기도 하였다. 그는 공립학교에서 역사, 수학, 프랑스어를 가르쳤으며, 1881년에는 매사추세츠(Massachusetts)에서 변호사 시험에 합격하였다. 또한 이주민과 직업을 구하는 젊은이를 위한 교육 프로그램을 제공할 목적으로 설립된 시민서비스센터 부설 브레드위너(Breadwinner) 연구소의 소장을 역임하였다. 그리고 끊임없이 경제적·사회적으로 소외된 청소년을 위한 직업지도에 관심을 보이면서 열정적으로 활동하였다. 그 결실로 1908년 직업지도를 제도화하는 첫 단계로 보스턴직업사무국(Boston's Vocational Bureau)을 설립하였다. 그는 진로결정과정에 있는 젊은이들에 대한 진로지도 및 상담실제와 이론적 지식을 남겼다. 그가 집필한 가장 영향력 있는 책인 『Choosing a Vocation』에서 체계적인 직업상담을 위한 철학과 기법을 제시하고 있다. 파슨스가 제시한 직업선택의 세 가지 요소는 첫째, 자신에 대한 지식, 즉 자신의 적성, 능력, 흥미, 야망, 한계, 기타 특성에 대해 분명히 이해하는 것이다. 둘째, 일에 대한 지식, 즉 직업에서의 성공

ㅍ

에 필요한 것과 조건, 각 직업의 장점과 단점, 보수, 고용기회, 전망에 대해 아는 것이다. 셋째, 이 두 요소의 조합, 즉 합리적인 추론을 통하여 두 요소를 결합할 수 있음 등이다. 파슨스 사후에도 많은 상담자, 교육자, 심리학자들이 파스니언(Parsonian)으로서 그의 개념을 옹호하고 확장시켰으며, 파슨스의 체계는 나중에 커리어 개발에 대한 현대의 특성/요인 이론의 기초가 되었다.

주요 저서

Parsons, F. (1909). *Choosing a Vocation*. Boston: Houghton.

파슨스[2)]
[Parsons, Talcott]

1902. 12. 13. ~ 1979. 5. 8.
사회행동의 일반 이론을 전개한 미국의 이론사회학자.

파슨스는 미국 콜로라도주 콜로라도스프링스(Colorado Springs)에서 목사의 아들로 태어났다. 애머스트(Amherst)대학교에서 생물학을 전공한 뒤 사회과학, 특히 제도파 경제학으로 전공을 바꾸었다. 1924년부터 1925년까지는 런던 경제대학에서 홉하우스(L. Hobhouse)와 긴스버그(M. Ginsberg)에게 사회학을 배웠으며, 인류학자 말리놉스키(B. Malinowski)로부터 기능주의의 영향을 받았다. 1925년부터 1926년에는 독일에서 베버(M. Weber)에 대한 연구에 몰두하여 학위를 취득하고, 1927년부터 하버드대학교에서 강의를 시작하였다. 1946년부터 10여 년간 사회관계 학과장을 지냈고, 1949년도 미국 사회학회(American Sociological Association: ASA) 회장을 역임하였다. 또한 그는 마셜(A. Marshall), 뒤르켕(E. Durkheim), 파레토(V. Pareto), 프로이트(S. Freud) 등을 연구하였다. 현학적이긴 하지만 사회행동의 일반이론을 전개했는데, 그의 이론 중 특히 퇴니에스(F. Tönnies)의 게마인샤프트(Gemeinschaft)와 게젤샤프트(Gesellschaft)의 대립 개념 분석에서 출발한 패턴변수(pattern variables) 중심의 사회체계론이 유명하다. 그의 공적은 유럽의 사회과학을 광범위하게 흡수하여 미국에 도입시킨 데 있지만, 범위가 지나치게 넓고 사회 변동론이 결여되어 있는 것이 큰 약점이라 할 수 있다.

주요 저서

Parsons, T. (1937). *The Structure of Social Action*. New York: Free Press; 2 edition.
Parsons, T. (1951). *The Social System*. London: Routledge & Kegan Paul PLC; New edition.

패터슨
[Patterson, Cecil Holden]

1912. 6. 22. ~ 2006. 5. 26.
인간중심적 상담의 주요 옹호자이자 상담분야의 유명 저자인 미국의 심리학자.

패터슨은 매사추세츠(Massachusetts)에서 태어났다. 그는 1938년 시카고(Chicago)대학교에서 사회학 학사학위를 받은 뒤, 1955년 미네소타(Minnesota)대학교에서 심리학으로 박사학위를 받았다. 이후 그는 일리노이(Illinois)대학교와 노스캐롤라이나(North Caroline)대학교 그린즈버러에서 교육심리학 교수로 재직하였다. 제2차 세계 대전 동안에는 노련한 관리능력을 가진 심리학자로 일하였으며, 후에 일리노이대학교의 심리학 명예교수가 되었다. 그는 교육심리학과 상담 분야에서 많은 책을 출간하였고,

상담과 심리치료의 획기적인 이론을 개발하였다. 이에 유명한 레오나 타일러 상(Leona Tyleraward)과 도널드 빅스-제럴드 파인(Donald Bix-Gerald Pine) 우수 학술 공헌상을 수상하였다. 또한 1962년부터 1963년까지 미국재활-상담학회의 회장을 역임하였다. 패터슨은 다수의 상담가의 본보기가 되고 있으며, 많은 영감을 주고 있고 수십 년간 상담심리학계의 지도자 자리를 차지하고 있다.

주요 저서

Patterson, C. H. (1972). 상담과 심리치료의 이론과 실제 [*Theories of counseling and psychotherapy*]. (이관용 역). 서울: 대한교과서주식회사. (원저는 1959년에 출판).

Patterson, C. H. (1997). 인간주의 교육[*Humanistic education*]. (장상호 역). 서울: 박영사. (원저는 1973년에 출판).

퍼키
[Purkey, William]

1929. 8. 22. ~
초대치료(invitational therapy)의 주창자.

퍼키는 학사, 석사 및 박사학위를 버지니아(Virginia)대학교에서 받았다. 공립학교 교사, 미국 공군 폭탄처리전문가 경력을 가진 그는 노스캐롤라이나(North Carolina)대학교(UNC)뿐만 아니라 플로리다(Florida)대학교에서도 재직하였다. 그는 열정적인 작가로 거의 100개의 전문 출판물을 저술했으며, 현재는 노스캐롤라이나대학교의 명예교수로 재직 중이다. 그는 '초대교육'이라고 불리는 커뮤니케이션 모델의 개발자이자 시겔(B. Siegel)과 함께 초대교육에 대한 국제연합 공동창립자이기도 하다.

주요 저서

Purkey, W. (1990). *Invitational Learning for Counseling and Development*. Ann Arbor, Michigan: ERIC Clearinghouse on Counseling and Personnel Services.

Purkey, W., & Siegel, B. (2003). *Becoming an Invitational Leader: a new approach to professional and personal success*. GA: Humanics trade.

펄스[1]
[Perls, Fritz]

1893. 7. 8. ~ 1970. 3. 14.
독일 출신의 정신과 의사로 게슈탈트 치료의 창시자.

펄스는 1893년 독일의 베를린에서 태어났다. 그의 집안은 중산층의 유대인 가문이었고, 펄스는 어려서부터 영특하였다. 본명은 프레더릭 살로몬 펄스(Frederick Salomon Perls)인데 우리에게는 프리츠 펄스(Fritz Perls)로 더 잘 알려져 있다. 어렸을 때는 연극에 흥미를 보이기도 하고 법학에도 눈길을 돌렸지만, 1913년 대학에 입학한 뒤 과학에 관심을 보이기 시작하였다. 대학에서는 결국 의학을 전공하였다. 제1차 세계 대전이 발발하여 대학을 마치지 못하고 입대했는데, 1918년 종전이 된 이후 의학공부를 계속하였다. 1921년 석사학위를 받았고, 정신의학에 관심을 두면서 프로이트(S. Freud)의 열렬한 숭배자가 되었다. 그와 동시에 게슈탈트 철학에도 심취하였다. 펄스의 이론은 호나이(K. Honey), 라이히(W. Reich) 등에게서 영향을 받았다. 1920년대와 1930년대에 펄스는 고전적인 프로이트 모델에서 점점 멀어지면서 더욱 전체적인 방법으로 치료에 접근하였다. 그러는 동안 베를린(Berlin), 비엔나(Vienna), 프랑크푸르트(Frankfurt) 등지에서 심리치료 공부를 이어 나갔다. 프랑크푸르트에서 수학을 하던 중에 아내인 로라(Laura)를 만나 1930년 결혼을 하고 슬하에 두 자녀를 두었다. 그 뒤 나치통치 시절이었던 1934년에 가족과 함께 독일을 떠나 남아프리카의 요하네스버그(Johannesburg)에 정착하였다. 1936년, 국제정신분석학회 대회에서 '구강기 저항'이라는 주제로 논문을 발표했지만, 당시에는 인정을 받지 못하였다. 이후 몇 년 동안 프리츠 부부는 게슈탈트 심리치료의 근간이 될 사상을 만들어 가면서 자신들만의 길을 개척하였다. 남아프리카에 머물면서 펄스는 첫 번째 저서 『Ego, Hunger, and Aggression』을 출판하였다. 그러나 크게 눈길을 끌진 못하였고, 1946년 영국에서 재판되었을 때도 펄스의 기대에는 미치지 못하였다. 1946년, 펄스 가족은 캐나다로 갔다가 잠시 머문 뒤 미국으로 이주하였다. 그때도 펄스 부부는 계속해서 게슈탈트 심리치료연구를 했으며, 마침내 1951년 『Gestalt Therapy』라는 저서를 세상에 내놓았다. 이 책의 출판 이후 서서히 펄스의 이론을 따르는 사람들이 나오기 시작하였다. 펄스는 집필활동 외에도 여러 지역을 돌며 강의를 했고 연구소를 설립하였다. 그중에서 뉴욕 게슈탈트 치료연구소(New York Institute for Gestalt Therapy)는 아내인 로라 펄스가 운영하였다. 1974년 펄스는 캘리포니아 빅 서의 에솔렌 연구소(Esalen Institute)의 정신과 의사가 되었다. 그곳에서 '드림 워크숍(dream workshops)'을 조직하여 운영했는데, 이는 참가자들이 자신의 꿈을 논의하고 꿈속에서의 인물이나 대상에 바탕을 둔 역할극 훈련을 하는 활동이었다. 만년에는 밴쿠버의 해안에 있는 섬으로 가서 1970년에 게슈탈트 치료사들을 위한 교육단체를 만들었다. 그해 3월, 매사추세츠 렉싱턴에서 워크숍을 지도한 뒤 심장문제로 시카고로 가서 수술을 받았지만 3월 14일 77세의 나이로 사망하였다. 펄스는 혁신적인 치료방법의 개발 외에도 괴팍한 성격과 도전적인 스타일로 정평이 나 있다.

주요 저서

Perls, F. (1973). *The Gestalt Approach & Eye Witness to Therapy*. New York: Bantam.

Perls, F., & Wysong, J. (1992). *Ego, Hunger, and Aggression: A Revision Freud's Theory and Method*. Gouldsboro: Gestalt Journal Press.

Perls, F., Wysong, J., & Miller, M. V. (1992). *Gestalt Therapy Verbatim*. Gouldsboro: Gestalt Journal Press.

Perls, F. (2005). 통째로 버려라[*In and Out the Garbage Pail*]. (신기식 역). 서울: 지영사. (원저는 1992년에 출판).

펄스[2)]
[Perls, Laura]

1905. 8. 15. ~ 1990. 7. 13.
프리츠 펄스(Fritz Perls)와 협력하여 게슈탈트 치료를 발전시킨 게슈탈트 이론가.

펄스는 독일 포르츠하임(Pforzheim)에서 유복한 유대인 가정에서 태어났고, 부모에게 19세기의 교양 시민 계급의 이상을 배웠다. 프랑크푸르트에서 처음에는 법을 공부하고 그 뒤에 심리학을 공부하여 젤브(A. Gelb)의 지도 아래 1932년까지 박사과정 학생으로 있었다. 베르트하이머(Wertheimer)에게서 1929년부터 인지의 전체 이론을 공부하고, 골드슈타인

(Goldstein)에게서 전체적인 유기체 이론을 배웠다. 부버(M. Buber)가 '만남에서 오는 치료'라는 개념으로, 틸리히(P. Tillich)가 경계개념으로 그녀의 이론 형성에 영향을 주었다. 펄스는 1932년에 「알아차림을 위한 현상적인 장 변경의 의미」라는 논문으로 박사학위를 받았고, 프랑크푸르트(Frankfurt)와 베를린(Berlin), 암스테르담(Amsterdam)에서 정신분석에 관한 교육을 받았다. 1930년에 프리츠 펄스(Fritz Perls)와 결혼한 그녀는 베를린에서 박사논문을 썼고, 당시 프리츠 펄스는 정신분석가로 일하고 있었다. 유대계이고 반파시즘(Anti-fascism) 활동을 한 두 사람은 1933년에 국가 사회주의로부터 도피하여 암스테르담으로 갔고, 펄스는 정신분석 교육을 계속 받았다. 이후 존스(Jones)가 남아프리카로 도피하도록 부부를 도왔고, 두 사람은 남아프리카 요하네스버그에서 첫 번째 심리분석연구소를 설립하였다. 이후 1947년에 미국으로 이주하여 '로라(Laura)'라고 이름을 바꾸고, 처음에는 집중치료로 불리는 새로운 심리치료에 관하여 일을 하였다. 1952년에는 프리츠 펄스와 첫 번째 게슈탈트 치료교육연구소인 뉴욕 게슈탈트 치료연구소(New York Institute for Gestalt Therapy)를 설립했고, 1953년부터 1954년까지는 클리블랜드 게슈탈트 치료연구소를 설립하였다. 1970년대 중반부터 미국과 유럽에서 오로지 게슈탈트 치료이론만을 다루었고, 많은 게슈탈트 치료교육자의 특별한 스타일을 부각시켰다. 1990년 사망하기 얼마 전까지 뉴욕 게슈탈트 치료 연구소의 유지에 힘을 쏟은 그녀는 정신분석적인 본능 이론의 수정과 구강저항의 이론이 처음으로 기술된 『Ego, Hunger, and Aggression』의 구상에 결정적인 역할을 하였다. 그녀는 프리츠 펄스와 함께 정신분석으로부터 형태이론으로의 이론상 전환을 준비했는데, 그것은 프로이트의 역사적 고고학적인 고찰방식에서 존재 경험적인 고찰방식으로, 영상심리학의 분리된 개별적 고찰방법에서 전체적 고찰로, 순수언어에 의한 것에서 유기체적인 것으로, 기억과 꿈의 해석에서 지금-여기에서의 직접적인 알아차림으로, 중계에서 실체적인 접촉으로, 한계를 지닌 실존물로서의 자아의 개념에서 한계현상 자체와 동일 인식의 원래의 접촉기능, 소원화로서의 자아개념으로의 전환이었다. 두 사람은 식사습관과 정신적 영양분의 섭취, 그리고 인간 사이에서의 관계 발전과 유사한 발전을 확언하였다. 그들은 굿맨(P. Goodman)과 협력하여 집중치료로부터 인문주의적인 심리학 안에서 정착이 된 게슈탈트 치료이론을 정립하였다. 거기에는 단계로서가 아닌 과정과 한계 현상으로서의 자아개념과 자유롭게 흘러가는 게슈탈트 형성과정으로서의 건강개념이 포함되어 있다. 프리츠 펄스의 관심은 심리 내적 현상과 인식에 집중되었지만, 로라 펄스는 접촉과 지지에 더 많은 관심을 쏟았다. 게슈탈트 치료의 일반적 견해가 개인의 책임을 강조하고 있을 때 로라 펄스는 대인관계와 동시에 반응하는 역할을 중요시하는 접촉을 강조하였다. 그녀의 관점에서는 게슈탈트 치료의 기본 개념이 기술적이라기보다는 오히려 철학적이고 미학적인데, 그것으로부터 실존 현상학적인 경험과 관련되고 실험적인 단초를 위한 철학적 기본 체계를 제공받았다. 본질적인 방법론적 혁신은 그때 그때 상황에 직면한 작업과 치료과정에서 나타나는 호흡, 신체 자세, 동작, 표정 짓기, 몸짓을 통한 심리분석적 환경에서의 전향이었다. 정기적인 모임에서 그녀는 참가자들 사이에 상호작용, 즉 유기체로서의 모임이라는 방향으로 나아갈 것을 요구하였다. 이와 같이 신중하고 정밀한 방식은 과정과 관계를 지향하고 있었다. 그녀는 심리치료사가 내담자의 주관적 알아차림을 지향하고, 치료의 장이 그들의 현 존재를 만나고 대화가 이루어질 수 있도록 장려하였다.

주요 저서

Perls, L. (1991). *Living at the Boundary*. New York: Gestalt Journal Press; New edition.

페더른
[Federn, Paul]

1871. 10. 13. ~ 1950. 5. 4.
오스트리아 출신 미국 심리학자이자 의사, 정신분석학자.

페더른은 비엔나(Vienna)에서 태어났다. 아버지는 비엔나에서 유명한 의사였고 숙부는 프라하의 유명한 랍비인, 자유로운 전통을 가진 집안에서 양육되었다. 그는 어릴 때부터 아버지인 솔로몬 페더른(Solomon Federn) 성격의 영향을 많이 받았다. 아버지는 혈압측정 분야에서 혁신적인 치료를 선보였던 인물인데, 부친의 타고난 선구자적 기질과 창의적인 태도는 페더른의 정신병 연구에서 탁월하게 드러났다. 페더른은 비엔나에서 1895년에 의학 박사학위를 취득한 뒤, 헤르만 노스나겔(Hermann Nothnagel) 밑에서 일반의학으로 수련의가 되었다. 노스나겔로부터 프로이트(Freud)의 저서를 접한 페더른은 그의 대표적인 저서 『Interpretation of Dreams』를 읽고 깊은 감명을 받았다. 그에 따라 1904년, 정신분석학에 뛰어들어 아들러(Adler), 슈테켈(Stekel) 등과 함께 초기 프로이트의 추종자가 되었다. 페더른은 질병의 예방과 치료에서 사회현상에 대한 분석에 관심이 많았다. 1919년에 출간한 『On the Psychology of Revolution: the Fatherless Society』에서, 그는 '아버지 없는 사회'를 만들고자 하는 무의식적 부친살해에 대한 전쟁 후 세대의 권위에 대한 도전을 분석하기도 하였다. 1924년에 그는 프로이트의 공식적 대변인이 된 동시에 비엔나모임의 부회장이 되었다. 같은 선상에서 그는 공중보건에 정신분석을 적용하여, 1926년에는 하인리히 멩(Heinrich Meng)과 함께 『Popular Psychoanalysis』를 출판하였다. 프로이트를 따르던 비엔나의 후학 중에서 페더른이 프로이트와 가장 오래 교분을 유지했고, 프로이트에 대한 평가도 높이 하였다. 한편 정신분석연구회(Psychoanalytic Society) 내에서의 페더른의 자리는 해를 거듭할수록 높아졌다. 1922년에는 히치만(Hitschmann) 등과 비엔나 외래진료소를 설립하였고, 비엔나정신분석연구회의 부대표 자리는 1938년까지 계속 이어 갔다. 1920년대 후반, 페더른은 『Some Variations in Ego-Feeling』 『Narcissism in the Structure of the Ego』와 같은 중요한 저서를 출판하였다. 여기서 그는 '자아상태(ego states)' '자아한계(ego limits)' '자아 카텍시스(ego cathexis)' 등의 개념을 풀어내고 나르시시즘의 중앙적인 속성(median nature)에 대해서 설명하였다. 1930년대에는 『Internationale Zeitschrift für Psychoanalyse』의 공동편집자, 『Zeitschrift Für Psychoanalyse und Pädagogik』의 편집자로 일하였다. 이후 1938년에 미국으로 이주하여 뉴욕에 머물렀지만, 그는 공인된 의학 박사인데도 불구하고 1946년이 될 때까지 뉴욕정신분석연구소(New York Psychoanalytic Institute)에서 인정을 받지 못하였다. 그러다가 자신이 불치의 암에 걸렸다고 생각한 그는 자살을 시도했고, 1950년 뉴욕에서 숨을 거두었다. 페더른은 자아심리학(ego psychology)과 정신병에 대한 치료적 처치에 관한 이론으로 정평이 난 인물이다. 초기 저서에서는 가학주의(sadism)와 피학주의(masochism)의 근원 및 전형적인 꿈의 감각에 대한 연구에 몰두하였다. 그 결과 자아의 속성과 기능, 나르시시즘 등에 대한 많은 것을 밝혀냈다. 그런데 정신병 분석에 관한 페더른의 방법은 정통적인 방법에서는 벗어나 있었다. 그는 통합에 대한 환자의 노력이 방어를 강화시킨다고 생각했으며, 동시에 억압된 것들을 회피하게 만든다고 생각하였다. 또한 정신병과 관련된 전이가 분석되어서는 안 된다고 믿었다. 부정적인 전이는 회피하는 것이 옳다는 것이 그의 생각이었다. 정신분열증 환자에 관해서 페더른은 환자의 자아는 불충분하게 집중된 에너지(insufficient cathectic energy)를 가지고 있다고 생각하면서, 정신병 환자에게 대상과의 곤란을 야기하는 것은 자기애적 리비도의 과다가 아니라 결핍이라고 믿었다. 이 같은 페더른의 정신분석이론은 한계도 있지만 여러 나라에 영향을 크게 미친 것도 사실이다.

주요 저서

Federn, P. (1952). *Ego Psychology and the Psychoses*. New York: Basic Books.

Federn, P. & Meng, H. (1949), *pie Psychohygiene: Grundlagen und Ziele*. Bern: Huber.

Federn, P. (1932). *Ego Feeling in Dreams*. The Psychoanalytic Quarterly VI.

페데르센
[Pedersen, Paul Bodholdt]

1936. ~
다문화상담의 선구자.

페데르센은 아이오와(Iowa) 링스테드(Ringsted)에서 태어났다. 그의 소중한 어린 시절 기억 중 대부분은 지역 덴마크교회에서의 경험이고, 그의 가족과 지역 분위기는 매우 종교적이었다. 젊은 시절 안전한 가족 중심 환경의 가족농장에서 일하면서 많은 시간을 보냈다. 페데르센의 부모님은 열정적인 도서수집가였고 독서와 음악에 많은 관심을 보였다. 또 아버지와 누나는 뛰어난 음악가였는데, 페데르센은 바이올린을 배우는 데도 애를 먹었다. 바이올린을 7년 동안 배우고는 제쳐 둔 채 결국 독서로 관심을 돌렸다. 페데르센은 아이오와의 디모인(Des Moines)에 있는 그랜드뷰(Grand View) 주니어 대학에 등록한 뒤 1956년 준학사 학위를 취득하였다. 이후 미네소타(Minnesota)대학교로 옮겨 1958년 역사와 철학을 집중적으로 연구하여 졸업을 하였다. 1959년에는 미네소타대학교에서 미국 연구에 대한 석사학위를 취득하였다. 그다음에는 종교연구에도 관심을 가져, 1962년 루터파 신학교에서 신학석사학위도 받았다. 그 뒤 1966년, 페데르센은 미네소타대학교에서 상담 및 학생 심리학 석사학위를 취득하였고, 1968년에는 상담, 문화적 역사, 비교종교학, 정치이론 등을 집중연구하여 클레어몬트(Claremont) 대학원에서 아시아 연구로 박사학위를 받았다. 박사학위 논문은 「Religion as the Basis of Social Change Among the Batak of North Sumatra」이었는데, 중국과 말레이/인도네시아 언어에 대한 교회 청년 연구 목록 500문항(500-item Church Youth Research Inventory to Chines and Malay/Indonesian Languages)을 적용하여 작성하였다. 그는 심리학에서의 종교의 중요성에 대하여 오랫동안 관심을 가지고 그에 관해 노력해 왔는데, 1962년 인도네시아 수마트라 메단(Sumatra Medan)에 있는 놈멘슨대학교에서 윤리학과 철학을 강의하고 목사가 되면서 더 뜨거워졌다. 페데르센은 타이완에서 1968년 전임으로 만다린 중국어를 연구했고, 1969년부터 1971년까지 말라야(Malaya) 대학교 교육대학에서 시간제 초빙강사로 재직했다. 또한 말레이시아와 싱가포르의 루터파 교회를 위한 청년연구지도자이기도 하였다. 인도네시아와 말레이시아에 있는 동안 자신이 미네소타대학교와 클레이몬트대학원에서 틀에 박힌 상담접근법을 배웠다는 사실을 깨닫게 되었다. 그리고 그러한 상담법이 말레이시아인, 중국인, 인도네시아인의 세계관에는 사용할 수 없다는 것을 알게 되었다. 풍부하고 깊이 있는 일상의 많은 문화적 경험을 한 덕에 상담 및 임상심리학 분야에서 문화적으로 독특한 생활방식의

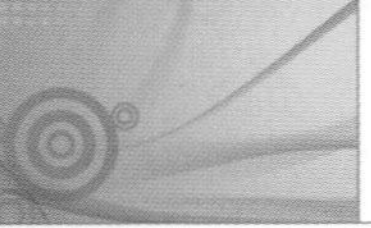

차이를 고려하는 것이 중요하다는 것을 깨달았다. 1971년 페데르센은 미네소타대학교 심리교육학부 조교로 임명되었다. 또 국제학생과 국제학생자문관으로도 함께 임명되었다. 인도네시아, 말레이시아, 타이완 등지에서의 경험과 미네소타에서의 국제학생들과 상담하면서, 페데르센은 기존의 상담접근법에 대한 타당성을 점점 더 크게 고민하게 되었고, 문화적으로 좀 더 민감한 상담전략을 고려하기에 이르렀다. 이에 따라 기존 상담교육접근법을 사용하는 대안으로, 페데르센은 자신의 3원 교육모델(triad training model)을 고안하여 실행하였다. 1975년, 페데르센은 하와이 호놀룰루(Hawaii Honolulu)에 있는 동서문화센터(East-West Center)의 문화교육연구소(Culture Learning Institute) 선임연구원으로 임명되었다. 또 1978년부터 1981년까지는 미국국립정신건강연구소(National Institute of Mental Health, NIMH)에서 '다문화 전문상담사 개발'이라는 표제하에 광범위한 교육수여기관의 지도자가 되었다. 그곳에서 그는 8명의 박사 전 단계 수련생으로, 주로 3원 교육모델을 사용하여 교차문화상담접근법을 중점으로 한 교육 프로그램을 지휘하였다. 이 프로그램은 아시아 국가들, 북미, 오세아니아에 있는 국가 출신 상담사들을 한데 모아 당시 막 일어나기 시작한 교차문화상담 분야의 기초 원리를 배우도록 하는 것이었다. 1982년에는 시러큐스(Syracuse)대학교 교수와 상담교육 학과장으로 임명되었다. 이후 1995년 시러큐스에서 명예교수 직함을 받았고, 이어서 버밍햄(Birmingham)에 있는 앨라배마(Alabama)대학교 인문학부 교수로 임명되었다. 2001년에는 타이완 국립대학교에서 수석 풀브라이트 학자(Senior Fulbright Scholar)로 1년간 머문 뒤, 창(Chang)과 결혼하고는 공식적인 대학생활에서 은퇴하였다. 그는 하와이로 돌아가 집필, 여행, 연구를 계속 이어 가고 있다. 마노아(Manoah)에 있는 하와이(Hawaii) 대학교 심리학부 객원 교수직함은 아직 유지하고 있다. 훌륭한 학자적 업적에 따라 연구 활동에도 적극적으로 참여했는데, 그는 많은 외부기금을 받았다. 그리고 릴리 재단(Lily Foundation)에서 후원하는 일본 니혼마츠에서 60명의 일본/미국 문화 간 의사소통전문가를 위한 문화 간 의사소통연구소의 공동책임자, 고등교육 성역할 판형에 대한 교육기금 연구부 책임자, 국립정신건강연구소의 3년 단위 정신건강 교육 프로그램 책임자, 인도네시아의 인민은행 교육센터에서 교육을 평가하고 수준을 높이는 국제개발 하버드연구소 2년 프로젝트 책임자를 맡기도 하였다. 페데르센은 유학 후 타이완에 돌아온 기술자들의 재입국 적응을 연구해서 국립과학기금에서 6년 동안 자금을 받았고, 국립교육연구소에서 교차문화상담 기술측정을 개발하기 위해서 자금을 주었으며, 뉴욕 주 사회복지부에서 소수민족 홀로 난민을 치료하는 것을 위해 조정된 정신건강교육소재 개발비로 자금을 주었다. 아시아기금에서는 문화적 맥락에서 구조적 갈등조절에 대한 페낭, 말레이시아에서 회의를 합동조직하기 위한 자금을 주었다. 전문적인 공동체에 대한 봉사가 페데르센에게는 중요한 가치였기 때문에 수많은 모임과 위원회를 통하여 봉사활동도 하였다. 그의 활동 내용을 보면 다문화 교육 훈련 및 연구회(Society for Intercultural Education Training and Research: SIETAR)의 대표직 3년, 세이지출판사(Sage Publications)의 상담의 다문화적인 측면(Muticultural Aspects of Counseling) 전집시리즈 편집장, 교육 및 심리학 그린우드출판사 도서전집 감독편집인 등이 있다. 또한 워싱턴 D.C.에 위치하는 미크로네시아(Micronesia)연구소의 이사이며, 푸트라 말레이시아(Putra Malaysia)대학교, 케방산(Kebangsan)대학교, 말레이시아 사바흐(SABAH)대학교의 심리학 외부심사원이기도 하다. 한편, 40권 이상의 저서와 150편 이상의 단행본 및 학술지 논문 등을 출판하면서 왕성한 집필활동을 전개하였는데, 그의 글에서 문화의 개념은 공통되는 맥락에 속한다. 1973년 페데르센은 교차문화상담에 대한 최초의 토론회를 조직하고 의장을 맡았으며, 캐나다 몬트리올(Montreal)에서 미국심리학회(American Psychological Association) 연간 회의에 그것을 제안하였다. 다른 권위자들과 함께 토론회 토론자들은 교차상담 분야에서 최초의 주요 저서를 쓰는 데 공헌하였다. 페데르센은 수석편집장이었고 로너(W. Lonner)와 드래건스(J. Draguns), 후에 트림블(J. Trimble) 등에게 도움을 받았다. 『Counseliny Across cultures』이라는 표제의 이 책은 이제 6판까지 확장된 형식으로 나왔고, 초판과 비교할 때 거의 두 배에 가깝다. 상담 및 심리치료 분야 대부분의 학자들은 1999년 출판된 페데르센의 『Multiculturalism as a Fourth Force』라는 편집본을 심리학 역사에서의 이정표로 여긴다. 이 책은 모든 문화적 맥락의 심리학적 결과를 인식하는 다문화주의에 대한 보편적인 이론의 전망을 개관하고 있다. 페데르센과 그의 동료들은 제4세력이 심리학의 세 가지 세력인 인본주의, 행동주의, 정신역동주의의 부족을 메워 준다고 주장하였다. 페데르센은 심리학과 관련 교육에서 다문화주의 출현에 큰 기여를 했고, 그의 다문화주의에 대한 헌신은 정신건강전문가를 넘어서 바람직하게 확장되고 있다.

주요 저서

Pedersen, P. B., & Lonner, W. J. (1976). *Counseling across cultures*. Honolulu: East-West Center, University Press of Hawaii.

Pedersen, P. B., & Marsella, A. J. (1981). *Cross-cultural counseling and psychotherapy*. New York: Pergamon Press.

페렌치
[Ferenczi, Sandor]

1873. 7. 16. ~ 1933. 5. 22.
헝가리의 정신분석학자.

페렌치는 헝가리 미슈콜츠(Miskolc)에서 12남매 중 여덟째로 태어났다. 유대인의 혈족이었던 페렌치는 반유대인주의 때문에 많은 탄압을 받아 아동기와 청소년기를 힘들게 보냈다. 아버지는 작은 서점을 운영하면서 헝가리 민족주의자들을 모아 오스트리아 지배에 반하는 출판물을 비밀리에 내기도 하였다. 페렌치가 15세 되던 해 아버지가 사망했는데, 아버지에게서 많은 영향을 받은 페렌치는 합스부르크(Habsburge)의 오스트리아에 반대하는 저항영웅으로 아버지를 이상화하였다. 페렌치는 24세에 비엔나(Vienna)대학교에서 석사학위를 받고, 신경학 및 신경병리학을 전공하여 몇 년 동안 군의관으로 일했지만 유대인이라는 이유로 급여를 제대로 받지 못하였다. 그러다가 영세병원에 의사로 취직하여 창녀, 범죄자 등 사회에서 소외된 계층을 접하게 되었다. 이때의 경험은 페렌치에게 커다란 영향을 미쳤다. 그가 주로 대하는 사람들은 의사와 환자라는 수직적 신분관계에 반감을 가진 사람들이었다. 이에 페렌치는 환자 우위에 서는 전문가로서의 우월한 자리가 아니라 의사 스스로 환자들과 함께할 수 있는 자리로 내려와 그들의 의견을 존중해 주어야 한다고 주장하였다. 1908년 2월 2일, 페렌치는 프로이트(Freud)를 만나게 되었고 두 사람의 교분은 25년간 지속되었다. 페렌치는 비엔나정신분석연구회(Vienna Psychoanalytic Society)의 프로이트 내부모임(inner circle)의 회원이 되었다. 1913년에는 헝가리정신분석연구회(Hungarian Psychoanalytic Society)를 창설하고, 1919년에 부다페스트(Budapest)대학교에서 정신분석학으로 정교수가 되었다. 이후 1920년대 초 프로이트의 고전적인 중립적 해석방법을 비판하는 입장에 서서 페렌치는 '지금-여기(Here-and-Now)'를 주창한 오토 랭크(Otto Rank)와 협력하여 미국의 칼 로저스(Carl Rogers)가 만든 인간중심치료에 영향을 주었다. 또한 자크 라캉(Jacques Lacan)의 추종자들과 미국의 관계정신분석학자들과도 뜻을 같이하였다. 1933년에 눈을 감은 페렌치는 정신분석 기술의 반경을 넓혀 발전시키는 데 혁혁한 공로가 있는 인물이다. 페렌치는 프로이트의 가장 유명한 제자로 이름이 나 있으며, 정신분석에 인본주의적 접근법을 적용한 점과 아동학대치료에 노력을 기울인 것으로 유명하다. 그는 치료사가 내담자와 더욱 밀접한 관계를 가지고 좀 더 공감적인 관계를 유지해 가면서 치료과정을 끌어가는 것이 치료의 효과를 높인다는 것을 보여 주었다. 하지만 이러한 접근법은 프로이트에게 환영받지 못했고, 이로 인해 두 사람은 결별하여 페렌치는 인본주의적인 접근법을 더욱 발전시켜 나갔다. 페렌치의 접근법은 기존의 정신분석학이나 치료법과는 약간 어긋나 있었다. 그는 환자가 자신의 자아로부터 멀어지는 경향을 표현할 수 있도록 치료사가 격려해 주는 분위기를 만드는 방법을 사용하곤 하였다. 후반으로 갈수록 이 같은 그의 방법은 환자마다 개별적인 성격과 특수한 문제들을 그대로 수용해 주는 유연성 있는 접근을 할 수 있도록 하였다. 페렌치의 사상은 미국 정신분석학의 대인관계 이론에 큰 영향을 미쳤고, 1918년부터 1919년까지 국제정신분석학회(International Psychoanalytical Association)의 대표를 맡아 『International Journal of Psycho-Analysis』를 만드는 데 큰 도움을 주기도 하였다.

주요 저서

Ferenczi, S. (1927). *Further Contributions to the Theory and Technique of Psychoanalysis.* New York: Boni & Liveright.

Ferenczi, S. (1989). *Thalassa: A Theory of Genitality.* London: Karnac Books.

Ferenczi, S. (1995). *The Clinical Diary of Sandor Ferenczi.* Cambridge, MA: Havard Univ. Press.

Ferenczi, S. (2000). *Final Contributions to the Problems and Methods of Psycho-Analysis.* London: Karnac Books.

페스탈로치
[Pestalozzi, Johann Heinrich]

1746. 1. 12. ~ 1827. 2. 17.
스위스의 교육자이자 사상가.

페스탈로치는 스위스의 취리히에서 태어났다. 의사였던 아버지 요한(Johann)은 페스탈로치가 9세가 되던 해에 병으로 일찍 돌아가시고 홀어머니와 할아버지 밑에서 성장하였다. 사회적인 약자에 대한 관심과 배려를 실천하는 따뜻한 가정환경에서 자란 그는 성직자가 되기로 결심하고 15세에 취리히(Zürich)대학교에서 신학을 공부하였다. 그러나 마을의 성직자가 되지는 않았다. 루소(Rousseau)의 저서를 읽고 개인적인 자유의 이상, 순수한 생활, 광범위한 인본주의의 영향을 강하게 받아 신학을 포기하고 법률을 공부하여 실제적인 사회개혁에 이바지할 수 있는 방법에 큰 관심을 갖게 되었다. 그러나 그의 이러한 혁신적 관점은 좌절되고 정치적 활동에 대한 희망을 잃게 되었다. 그러면서 그는 사람들을 도울 수 있는 가장 최선의 길을 교육이라고 믿게 되었다. 1771년 페스탈로치는 새로운 집으로 옮겨 정착했는데, 그곳을 '노이호프(Nowhof)'라고 불렀다. 1774년에 이 집을 가난한 아이들을 위한 집으로 제공하면서, 아이들에게 일하는 법을 가르치고 최소한 바르고 정확하게 말하는 법을 가르쳤다. 노이호프의 실험은 재정난으로 6년 뒤 문을 닫았지만 페스탈로치가 벌인 노이호프의 교육과 활동은 교육사상 의미 있는 사건으로 기록될 수 있다. 노이호프 빈민학교의 좌절과 재정난 속에서도 페스탈로치는 저술에 몰두하여 『Abendstunde eines Einsiedlers』 『Lienhard und Gertrud』 등을 집필하였다. 1798년에는 슈탄스에 고아를 위한 학교를 세우고, 1799년에 부르크도르프(Burgdorf)에서 교사생활을 하였다. 또 1804년 이후 위베르동(Yverdon)에 실험학교를 설립하는 등 빈민층 아이들을 위한 교육에 헌신하였다. 위베르동은 그때 국제적으로 교육혁신의 중심지가 되었다. 1799년 헤르바르트(Herbart)가 방문하였고, 프뢰벨(Fröbel)도 페스탈로치의 학교를 방문하였다. 이 시기에 쓴 글이 '게르트루트는 어떻게 하여 그 아이를 가르쳤는가(Wie Gertrud ihre Kinder lehrt)'다. 이 학교는 1803년에 폐쇄되었지만 장소를 이베르돈으로 옮겨 1805년에 다시 열었다. 이후 그가 죽기까지 20년간 이 학교는 유럽 교육의 중심이 되었다. 페스탈로치는 19세기 이전에 이미 어린이를 하나의 인격체로 간주하고 어린이 교육에서 조건 없는 사랑을 실천한 것으로 유명하다. 페스탈로치가 보인 아이들과의 공감자세는 오늘날에도 상담자와 내담자의 기본 접근방법으로서 중요하다.

주요 저서

Pestalozzi, J. H. (1781). *Lienhard und Gertrud.* Leipzig: Philipp Reclam.

Pestalozzi, J. H. (1826). *Schwanengesang.*

Pestalozzi, (2007). *The Education of Man Philosophical Cilmary.*

페어베언
[Fairbairn, William Ronald Dodds]

1889. 8. 11. ~ 1964. 12. 31.
영국의 의사이자 정신분석학자.

페어베언은 영국의 에든버러(Edinburgh)에서 엄격한 개신교 중산층으로 스코틀랜드의 학자적 전통을 지닌 집안에서 독자로 태어났다. 에든버러(Edinburgh)대학교에서 윤리학을, 에든버러 · 키엘(Kiehl) · 스트라스부르그(Strasbourg) · 맨체스터(Manchester) 등에서는 신학과 그리스 헬레니즘 철학을 수학하였다. 제1차 세계 대전 중에는 팔레스타인 진영의 앨런비 장군(General Allenby) 휘하에 있었고, 전쟁이 끝난 뒤 의학과 심리치료를 공부하겠다는 결심을 하여 의대 수련을 계속해서 받으면서 심리학과 임상분석을 가르쳤다. 또한 의학도로서 코넬(E. H. Connell)과 분석을 시작하였다. 정식 교육은 받지 않았지만, 페어베언은 1925년에 정신분석 일을 시작하였고 1927년에는 석사학위를 받았다. 1926년에 결혼을 했는데, 그때부터는 임상작업에 대한 글을 쓰기 시작하였다. 1927년부터 1935년까지 에든버러대학교에서 심리학을 가르쳤고, 아동 및 청소년 클리닉(Clinic of Children and Juveniles)을 열어 비행청소년 및 성적 피학대 청소년을 치료하였다. 1931년에는 영국정신분석학회 준회원이 되었다가, 1939년에 정회원이 되었다. 페어베언은 에든버러대학교에 있는 동안 약간은 독자적인 노선을 걸었지만, 영국 대상관계이론에 막대한 영향을 미친 인물이기도 하다. 그는 독립집단(Independent Group)이라 불리던 중간 집단(Middle Group)에 대한 이론을 만든 사람 중 한 명이다. 제2차 세계 대전이 발발하면서는 응급의료 서비스(Emergency Medical Service) 창구를 만들어 봉사하기도 하였다. 페어베언은 알코올중독 등으로 관계 곤란을 겪던 첫 번째 부인이 1952년에 사망한 뒤 1959년에 자신의 비서였던 매킨토시(M. Mackintosh)와 재혼하였다. 힘든 사생활과는 달리, 그는 1930년대와 1940년대에 자신의 임상경험과 정신분석에 관한 새로운 견해를 열정적으로 발표하며 활동을 계속하였다. 1964년 사망한 페어베언은 생물학적 모델을 심리학적인 것으로 옮겨와서, 초기의 단일자아(unitary ego)는 유전적으로 대상관계를 향해 연동된 것이라는 주장을 하였다. 페어베언의 모델에서는 에너지가 구조에서 불가분의 관계에 있고, 욕동(drive)은 인간환경 내에서 통합, 개성화, 인식 등에 대한 노력으로 정의되어 있다. 그는 실제 환경적 좌절에 근거한 정신병리학 이론을 발달시켜, 유아가 부모의 나쁜 면을 내면화하고 그와 동일시하여 그 관계, 기억, 환상, 애착 등이 억압된다고 하였다. 이와 같은 그의 학문적 업적은 영국뿐만 아니라 미국에서도 인정받았는데, 당대 정신분석의 이론적 한계를 지적하고 심리역동에 관한 새로운 관점을 제시하면서 대상관계이론의 토대를 마련하였다. 페어베언은 클라인(M. Klein)의 이론을 기반으로 하면서도 정신분석이 지니고 있는 본능에 관한 시각을 비판하면서 정신분석적 대상관계(psychoanalytic object relations theory)를 발전시켜 나갔다. 또한 클라인과는 지속적으로 학문적인 교류를 유지하였다. 페어베언의 이론은 그에게서 직접 분석을 받은 건트립(H. Guntrip)이 더욱 정교하게 확립하여 이어졌다. 대상관계이론의 가장 중요한 인물 중 한 사람이라 할 수 있는 페어베언은 영국은 물론 전 세계적으로 여전히 큰 영향을 미치고 있는 인물이라 할 수 있다.

주요 저서

Fairbairn, W. (1952). *Psychoanalytic studies of the personality*. London, Tavistock.

Fairbairn, W. R. D. (1956). Considerations arising out of the Schreber case. *British Journal of Medical Psychology, 29*, 113-127.

Fairbairn, W. R. D. (1957). Freud: The psycho-analytical method and mental health. *British Journal of Medical Psychology, 30*, 53-62.

Fairbairn, W. R. D. (1958). On the nature and aims of psycho-analytical treatment. *International Journal of Psycho-Analysis, 34*, 374-383.

Fairbairn, W. R. D. (1963). Synopsis of an object-relations theory of the personality. *International Journal of Psycho-Analysis, 44*, 224-225.

Fairbairn, W. R. D. (1994). *From Instinct to Self: Selected Papers*. Maryland: Jason Aronson.

Fairbairn, W. R. D. (1994). *Psychoanalytic Studies of the Personality*. New Jersey: Routledge.

Fairbairn, W. R. D. (2000). *Das Selbst und die inneren Objektbeziehungen: Eine psychoanalytische Objektbeziehungstheorie* (hg. von B. F. Hensel und R. Rehberger). Gieβen: Psychosozial-Verlag.

페욜
[Fayol, Henri]

1841. 7. 29. ~ 1925. 11. 19.
프랑스의 광산기술자이자 일반경영학 이론의 개발자.

터키 이스탄불 근교에서 태어난 페욜은 아버지가 골든 혼(Golden Hon)에 교각건립작업 관리자로 임명된 사람이었다. 이후 페욜 가족은 프랑스로 돌아와서 광부학교에 들어갔다. 19세가 되던 해 광산회사의 기술자가 되었는데, 1900년까지 그가 다니던 회사는 프랑스에서 가장 큰 철 생산 회사였다. 1888년 페욜이 사장이 되던 당시 그 회사는 1,000명이 넘는 사원이 있었고, 그는 1918년까지 30여 년간 사장 자리에 있었다. 1916년에는 자신의 경험을 바탕으로 하여 『Principles of Scientific Management』를 출간하기도 하였다. 1925년에 사망한 페욜은 최초로 일반경영론에 대한 종합적인 성명을 표명한 인물이다. 그는 경영에 관한 여섯 가지 주요 기능과 열네 가지 원칙을 제시하였다. 즉, 경영 기능은 예측(forecasting), 계획(planning), 조직(organizing), 지휘(commanding), 조정(coordinating), 감독(monitoring)이고, 경영원칙은 노동의 전문화(specialization of labour), 권위(authority), 규율(discipline), 지휘의 일관성(unity of command), 지시의 일관성(unity of direction), 개인 관심을 일반 관심에 부속시키기(subordination of individual interests to the general interest), 보수(remuneration), 중앙집권화(centralisation), 계층의 연쇄(scalar chain), 지시(order), 형평성(equity), 인사안정성(stability of tenure of personnel), 솔선수범(initiative), 소속감(esprit de corps)이다. 페욜은 현대 작업 경영 이론의 아버지라 불리며, 그의 연구는 현대의 경영 철학에도 많이 활용되고 있다.

주요 저서

Fayol, H. (1984). *General and Industrial Management*. Ieee.

포나기
[Fonagy, Peter]

1952. ~
런던대학교 임상보건심리학부 정신분석학과 프로이트 기념 교수이자 기관장이며, 런던의 안나 프로이트 센터 이사장.

포나기는 1952년 헝가리 부다페스트에서 태어나 1967년에 런던으로 가서, 현재는 두 자녀를 포함하여 가족과 함께 런던에서 거주하고 있다. 그는 현재

주목받는 정신분석학자이자 임상심리학자로, 런던대학교에서 임상심리학을 전공하였다. 지금까지 400편이 넘는 논문과 논문집을 출판했고, 20여권의 저서를 집필 혹은 편집했다. 그는 치료의 효율성에 근거한 연구에 심혈을 기울였는데, 그 같은 노력으로 심리치료 연구가 진일보했다는 평가를 받고 있다. 임상심리학자로서 영국 정신분석연구회(British Psycho-Analytical Society)의 아동 및 청소년 분야에서 교육 및 수퍼비전 분석가를 담당하고 있는 포나기가 임상에서 주로 관심을 보이는 점은 경계선 성격장애, 폭력과 초기애착관계 등이다. 볼비(Bowlby)의 애착이론을 재평가하여 정신분석에 통합하는 작업을 하면서, 그는 경험적 연구와 정신분석이론을 통합하고자 한다. 또한 경계선 성격장애 치료를 비롯한 여러 정신적 문제와 특수한 사람들에 대한 심리학적 개입의 효율성에 관한 자료를 아주 상세하게 제시해 놓았다. 그는 『Affect regulation, mentalization and development of the self』라는 책에서 정신화하고 감정을 조절하는 능력으로 개인의 성공적인 발달을 결정짓는 방법에 대한 상세한 이론을 제시하였다. 포나기는 자신과 타인의 정서적 상태를 정신적인 표현으로 만들어 활용할 수 있는 능력을 정신화(mentalization)라고 정의한 다음, 불충분하고 적절하지 못했던 부모의 역할이 어떤 애착양식으로 발전하는지, 이로 인해 아동이 자신뿐만 아니라 타인의 감정 조절과 해석에 무능해지는 것에 대해서도 논의하고 있다. 이러한 능력의 부족이 심각한 성격장애, 일반적인 자신감 결여, 자기감 문제 등의 원인이 될 수 있다고 보았다. 또 베이트먼(A. Bateman)과 함께 쓴 『Psychotherapy for borderline personality disorder: mentalization based treatment』에서는 경계선 성격장애를 치료하는 새로운 방법을 제시하였다.

MBT라 부르는 정신화 치료(Mentalization Based Treatment)는 애착이론에 뿌리를 두고, 경계선 성격장애가 있는 사람들은 주로 정신화를 할 수 있는 능력이 부족하다는 생각을 바탕으로 한다. 이 치료의 주목표는 정신화 기술을 향상시켜 관계에 대한 내적 경험과 실제로 드러나 있는 현상 간의 연결점을 찾도록 해서, 현재의 감정으로 이끌어 내어 실제 관계 수립을 할 수 있게 만드는 것이다. 이 같은 방식으로 자신에 대한 좀 더 나은 인식을 형성하고 새롭고 안전한 애착양식을 개발할 수 있게 된다. 포나기는 오랫동안 메닝거클리닉과 인연을 맺어 오고 있으며, 현재는 휴스턴 베일러대학교 의과대학 메닝거 정신의학부의 클리닉 및 가족 프로그램의 자문을 맡고 있기도 하다. 또한 예일대학교와 베일러대학교 의과대학에서 외래교수직을 담당하고 있다. 2010년에는 올해의 위대한 영국인 상(Great Britain Award Year)을 수상하였다.

주요 저서

Fonagy, P. (1982). The integration of psycho-analysis and empirical science: A review. *International Review of Psycho-Analysis, 9*, 125-145.

Fonagy, P., Moran, G. S., Lindsay, M. K., Kurtz, A. B., & Brown, R. (1987). Psychological adjustment and diabetic control. *Archives of Disease in Childhood, 62*, 1009-1013.

Mogan, G. S., & Fonagy, P. (1987). Psychoanalysis and diabetic control: A single-case study. *British Journal of Medical Psychology, 60*, 357-372.

Fonagy, P., & Higgitt, A. (1988). 성격이론과 임상 실제[*Personality theory and Clinical Practice*]. (정방자 역). 대구: 이문출판사. (원저는 1984년에 출판).

Fonagy, P. (1989). On the integration of cognitive-behaviour therapy with psychoanalysis. *British Journal of Psychotherapy, 5*, 557-563.

Fonagy, P., & Moran, G. S. (1990). Studies on the efficacy of child psychoanalysis. *Journal of Consulting and Clinical Psychology, 58*, 684-695.

Fonagy, P. (1996). Psychoanalysis and cognitive analytic therapy: The mind and th self. *British Journal of Psychotherapy, 11*, 576-585.

Roth, A., Fonagy, P., Parry, G., Woods, R., & Target, M. (1996). *What works for whom? A critical review of psychotherapy research*. New York: Guilford Press.

Fonagy, P. (2001). *Attachment theory and psychoanalysis*. New York: Other Press.

Chiesa, M., Fonagy, P., Holmes, J., Drahorad, C., & Harrison-Hall, A. (2002). Health service use costs by personality disorder following specialist and nonspecialist treatment: A comparative study. *Journal of Personality Disorders, 16*, 160-173.

Fonagy, P., Gerely, G., Jurist, E., & Target, M. (2002). *Affect Regulation, Mentalization, and the Development of the Self*. New York: Other Press.

Fonagy, P., Target, M., Cottrell, D., Phillips, J., & Kurtz, Z. (2002). *What Works For Whom? A Critical Review of Treatments for Children and Adolescents*. New York: Guilford.

Wolpert, M., Fuggle, P., Cottrell, D., Fonagy, P., Phillips, J., Pilling, S., Stein, S., & Target, M. (2002). *Drawing on the evidence: Advice for mental health professionals working with children and adolescents*. London: The British Psychological Society.

Fonagy, P., & Target. M. (2003). *Psychoanalytic Theories: Perspective's from Developmental Psychopathology*. London: Whurr Pub.

Fonagy, P., & Bateman, A. (2004). *Psychotherapy for Borderline personality Disorder: Mentalization Based Treatment*. Oxford: Oxford University Press.

Fonagy, P. (2005). 애착이론과 정신분석[*Attachment*

Theory and Psychoanalysis]. (반건호 역). 경기: 빈센트. (원저는 2001년에 출판).

포워드
[Forward, Susan]

미국의 심리치료사이자 대중 저술가.

포워드는 UCLA 대학원에 입학하여 정신의학의 사회적 연구로 석사학위를 받고, 그 후 박사학위도 취득하였다. 이후 심리치료사로 수년째 개인진료를 하고 있으며, 캘리포니아의 여러 정신의학연구소와 공동연구를 진행하고 있다. 포워드는 첫 번째 저서인 『Betrayal of innocence』로 아동학대 분야의 권위자가 되었으며, 차기작인 『Men who hate women & the women who love them』과 『Toxic parents』가 연속해서 베스트셀러가 되었다. 그는 대중 강연자로도 명성이 높아 여러 유명 재판에 상담 증인으로 출두하기도 하였다.

주요 저서

Forward, S., & Buck, Craig. (1979). *Betrayal of innocence: incest and its devastation*. harmondsworth, Eng.: Penguin Books.

Forward, S. (2005). 흔들리는 부모들[*Toxic parents: overcoming their hurtful legacy and reclaiming your life*]. (한창환 역). 서울: 사피엔티아. (원저는 1989년에 출판).

Forward, S., & Torres, J. (2010). 사랑이 나를 미치게 할 때: 여자를 힘들게 하는 남자, 그 남자를 사랑하는 여자 [*Men who hate women & the women who love them*]. (홍윤표 역). 경기: 푸른지팡이. (원저는 1986년에 출판).

Forward, S., & Buck, Craig. (2011). 사랑과 집착 사이 [*Obsessive love: when it hurts too much to let go*]. (조윤중 역). 경기: 푸른지팡이. (원저는 1991년에 출판).

폴스터
[Polster, Erving]

1922. ~

펄스(Perls) 사망 이후 세계적인 명성을 얻은 게슈탈트 치료자.

폴스터는 1922년 미국 오하이오(Ohio)에서 출생하였고, 1953년에 펄스의 지도로 게슈탈트에 처음 입문하여 게슈탈트 치료를 수련하였다. 그는 1956년 클리블랜드(Cleveland)에 게슈탈트연구소를 열어 첫 워크숍을 개최하고, 샌디에이고(San Diego)로 이주하는 1973년까지 클리블랜드 게슈탈트연구소 소장을 역임하였다. 그 후 폴스터는 아내인 미리엄 폴스터(Miriam Polster)와 함께 샌디에이고에서 게슈탈트 훈련센터를 설립하였고, 2001년 미리엄 폴스터가 사망하기까지 게슈탈트 치료를 함께 지도해 왔다. 또한 그는 샌디에이고의 캘리포니아(California)대학교 정신의학부에서 임상교수로 재직하였다. 이들이 이끄는 치료작업은 유명해졌고, 전 세계의 사람들이 훈련 프로그램에서 작업하기 위해 그들의 게슈탈트 훈련센터를 방문하였다. 1970년에 폴스터 부부는 주요 게슈탈트 치료 문헌 중 하나인 『게슈탈트 치료(Gestalt Therapy Integrated)』를 저술하였다. 이들은 펄스(Fritz Perls)와 그의 동료가 창안한 기존의 접촉 경계 현상, 즉 내사, 투사, 융합, 반전에 편향을 추가하였으며 경계현상이 갖는 병리적 측면과 비병리적인 측면을 상세하게 서술하였다. 폴스터는 최근까지 활동과 저술을 함께해 오면서 임상과 이론의 사이를 좁히고, 게슈탈트 치료의 이론을 발전시켰다. 그의 저서 『자기의 모집단(A Population of Selves)』에서는 개인이 지닌 다양성을 탐색하고, 이론적 원칙과 치료적 실제의 간극을 좁힐 수 있는 자기 이론을 제시하고 있다. 최근 저서인 『새로운 현장(Uncommon Ground)』에서는 일상의 삶을 향상시키기 위해 심리치료와 공동체 간 조화의 필요성을 역설하였다. 이를 통하여 폴스터는 정신적 문제해결을 돕는 것만이 아니라, 사람들이 살아갈 수 있고 정신적 성장을 할 수 있는 방향을 알려 주는 심리치료를 제시하고 있다.

 주요 저서

Polster, E., & Polster, M. (1973). *Gestalt Therapy Integrated*. New York: Brunner/Mazel.

Polster, E. (2006). *Uncommon Ground. Harmonizing Psychotherapy & Community*. Phoenix: Zeig, Tucker, & Theisen, Inc.

프랑클
[Frankl, Viktor Emil]

1905. 3. 26. ~ 1997. 9. 2.
오스트리아 신경의학자이자 정신의학자였으며, 홀로코스트의 생존자, 의미치료(Logotherapy)의 창시자.

프랑클은 비엔나(Vienna)에서 거주하던 유대인 공무원 집안에서 태어났다. 그는 어려서부터 심리학에 관심이 많았다. 김나지움(Gymnasium)에 다니던 시절 기말고사에서 철학적 사고에 대한 심리학으로 글을 쓰기도 하였다. 1923년 김나지움을 마친 뒤, 비엔나(Vienna)대학교에서 의학부를 졸업하고 후에 신경학과 정신의학을 전공하였다. 주로 우울과 자살이라는 주제에 관심을 집중한 그는 초기에는 프로이트와 아들러의 영향을 받았지만 나중에는 그들과 차이를 보였다. 1924년에는 오스트리아 중산 계급 사회주의 학생 모임(Sozialistische Mittelschűler Österreich)의 대표가 되었는데, 당시 그는 학점을 받아야 하는 학생들을 상담하는 특별한 프로그램을 제시하기도 하였다. 비엔나대학교에서 1930년에 석사학위를 받은 뒤, 1949년에는 박사학위까지 받았다. 1933년부터 1937년까지는 비엔나의 일반 병원에 있는 수이사이드 파빌리온(Suicide Pavilion)이라는 단체의 대표로도 활동하였다. 1938년 나치가 오스트리아를 지배하자, 프랑클은 유대인 집안이었기 때문에 활동을 할 수 없게 되었다. 따라서 프랑클은 1940년 로스차일드병원에서 일을 하게 될 때가지 사설로 일을 하였다. 1941년에는 틸리 그로서(Tily Grosser)와 결혼을 하였고, 제2차 세계 대전이 발발하고 1942년 9월 프랑클은 체포되어 거의 3년 동안 수용소에 갇히는 신세가 되었다. 프랑클의 부모, 형제, 아내는 모두 수용소에서 목숨을 잃었고, 프랑클은 수용소에 있는 동안 글을 써 후에 『The Doctor and the Soul』이라는 제목으로 출간하였다. 1945년 수용소에서 풀려나온 뒤 집필한 『Ein Psycholog erlebt das Konzentrationslager』는 1947년에 출판되어 백만 부 이상이 팔렸다. 이 책은 『Man's Search for Meaning』이라는 제목으로 영역되었으며, 우리나라에서는 『죽음의 수용소에서』라고 번역되었다. 프랑클은 수용소에서의 경험으로 로고테라피 이론을 개발했는데, 여기서 로고(logos)란 인간 실존에서 의미를 발견하는 의지를 뜻한다. 종전 후 프랑클은 비엔나 신경종합병원의 정신의학부 교수로 임용되었다. 심리치료사로서 세계 전역을 돌면서 강연회를 열었고, 유수의 대학에서 초빙교수가 된 그는 1997년 심장병으로 사망하였다. 1970년에 캘리포니아 샌디에이고 미국 국제대학교에서 로고테라피연구소(Institute of Logotherapy)가 최초로 설립된 이후, 이어서 수많은 독립적 연구소가 우후죽순처럼 생겨났고 2005년 현재는 비엔나의 빅토르 프랑클연구소(Viktor Frankl Institute)를 비롯하여 25개국 이상에서 운영되고 있다. 이와 같이 프랑클은 비엔나 제3의 정신분석학파라고 일컫는 실존주의적 분석의 형태인 로고테라피의 창시자다. 그는 30권이 넘는 저서를 내기도 했는데, 이 책들은 25개국어 이상의 언어로 번역되고 있다. 프랑클은 '자신의 삶의 의미가 타인의 삶의 의미를 발견하는 데 도움을 줄 수 있다.'라고 하였다. 또한 의미에의 의지라는 개념을 들고 나와 인간은 의미를 추구하고, 그 의미를 자유롭게 선택할 수 있는 의지를 가지고 스스로 사는 방식을 결정할 수 있는 존재라고 보았다. 프랑클의 로고테라피는 의미철학을 기반으로 하며 인간정신이 갖는 자유성과 책임성을 중시하였다.

주요 저서

Frankl, V. E. (1985). 무의식의 신[*The Unconscious God*]. (정태현 역). 서울: 분도출판사. (원저는 1975년에 출판).

Frankl, V. E. (2002). 프랭클 실존분석과 로고테라피[*Doctor and the Soul*]. (심일섭 역). 서울: 한글. (원저는 1955년에 출판).

Frankl, V. E. (2005). 의미를 향한 소리 없는 절규[*The Unheard Cry for Meaning: Psychotherapy and Humanism*]. (오승훈 역). 경기: 청아. (원저는 1979년에 출판).

Frankl, V. E. (2005). 죽음의 수용소에서[*Man's Search for Meaning*]. (이시형 역). 경기: 청아. (원저는 1963년에 출판).

프레츠
[Fretz, Bruce R.]

1939. ~
고요한 은혜와 전술(Quiet Grace and Tact)이라는 단체를 이끌고 있는 상담심리학자.

프레츠는 어린 시절 아버지를 여의고, 어머니를 비롯한 남은 형제를 돌보기 위해 학교를 그만둘 마음을 먹기까지 했으나, 선생님들의 만류로 대학까지 다녔다. 이것이 계기가 되어 프레츠는 굳건한 자신감을 바탕으로 학문적으로 크게 성장하였다. 그는 게티즈버그(Gettysburg)대학교에 전액 장학금을 받고 들어가 목사가 되기 위해 신학을 전공하였다. 그러다가 대학 재학 중 자신이 종교보다 심리학에 좀 더 흥미가 있다는 것을 깨닫고, 찰스 플래트(Charles Platt)의 도움으로 오하이오(Ohio) 주립대학교상담심리학 대학원 과정에 들어가 박사학위까지 취득하였다. 1965년, 아내와 함께 워싱턴 D.C. 근교에서 삶을 꾸린 프레츠는 박사학위를 마칠 때쯤인 1965년 9월부터는 메릴랜드(Maryland)대학교 심리학부에서 교수로 일하게 되었다. 박사학위를 받고 4년 만에 종신 재직권과 부교수 자리를 얻은 그는, 상담심리학 박사과정 학과장에까지 이르렀다. 20년 동안 그 자리에 있다가 1995년 메릴랜드대학교에서 은퇴하였다. 프레츠는 임상심리학 대학지도자위원회(Council of Directors of Clinical Psychology)의 이사회 구성에서 분과대표를 맡기도 하였다. 또한 미국심리학회 위원회(APA Council of Representatives)에도 참여하는 등 여러 단체에서 적극적으로 지도자 역할을 맡았다. 1999년 7월 22일에는 브루스 프레츠 연구기금(Dr. Bruce Fretz Research Endowment)이 창설되기도 하였다. 1965년 9월에 메릴랜드대학교 심리학부에서 강의를 시작한 프레츠는 30여 년간의 재직기간 중 심리학 상담 프로그램 학부를 이끌었다. 그는 상담심리학 분야에서 다양한 연구와 실적으로 상담지도자의 전형을 구축한 인물로 평가받고 있다.

주요 저서

Fretz, Bruce R. (1980). *The present and future of counseling psychology*. Whiteley.

Fretz, Bruce R., & Mills, D. H. (1981). *Licensing and certification of psychologists and counselors*. San Francisco: Jossey-Bass.

Fretz, Bruce R. (1985). *The counseling psychologist*. California: Sage Pub.

Fretz, Bruce R. (1991). *Counseling psychology*. New York: Holt Rinehart & Winston.

프로이트
[Freud, Anna]

1895. 12. 3. ~ 1982. 10. 9.
멜라니 클라인(Melanie Klein) 등과 함께 아동정신분석학을 창시한 인물.

안나 프로이트는 지그문트 프로이트(Sigmund Freud)와 마르타 프로이트(Martha Freud) 사이에서 난 6명의 자녀 중 막내로, 비엔나에서 태어났다. 1901년 6세가 되던 해 초등학교에 입학한 안나는 아버지인 프로이트가 교수가 되면서 유복한 가정생활을 할 수 있었지만, 어머니와의 관계는 그리 좋지 않았다. 안나는 어려서부터 자매인 소피 프로이트(Sophie Freud)와 늘 비교를 당하면서 부모의 애정을 얻기 위한 쟁탈전을 벌였다. 학창시절에는 따분한 성격에 놀 줄도 모르고 학교에 가는 것을 싫어하였다. 안나 스스로도 학교에서 배운 것보다 집에서 아버지에게 배운 것이 더 많다고 회고하였다. 안나는 아버지에게서 히브리어, 독어, 영어, 프랑스어, 이탈리아어 등 여러 나라 말을 배우기도 하였다. 한편 1908년에 안나는 맹장수술을 받았는데, 수술대에 오를 때까지 아무도 자신에게 수술 사실을 말해 주지 않았던 것이 큰 스트레스가 되어 회복기간만 수개월이 되었다. 1912년 17세에 고등학교를 졸업한 안나는 1914년 모교에서 수습교사를 뽑는 시험에 합격하여 1915년부터 1917년까지 임시교사로 일하다가 1917년부터 1920년까지 정식교사로 근무하였다. 그러던 중 아버지 프로이트의 저서를 독일어로 번역하는 작업을 도와주면서 아동심리학과 정신분석학에 관심을 갖게 되었다. 안나는 교사 출신이면서 정신분석계에 발을 들인 인물로, 비의료계 출신이 정신분석을 할 수 있는 길을 닦은 인물이기도 하다. 아버지의 저서에서 상당한 영향을 받은 것도 사실이지만, 안나는 독자적인 사상을 가지기도 하였다. 아버지인 프로이트의 사상을 확장시킴과 동시에 아동정신분석학이라는 분야를 새롭게 개척한 것이다. 안나는 학업을 더 이어 나가지는 않았지만 정신분석학과 아동심리학에 큰 영향을 미쳤다. 1923년 비엔나에서 아동정신분석 임상을 시작하였고, 1925년에 비엔나정신분석연구회(Vienna Psychoanalytic Society) 회장이 되어 1928년까지 봉사하였다. 비엔나에 있던 시기에는 에릭 에릭슨(Erik Erikson)에게 많은 영향을 주기도 하였다. 1936년에는 『The Ego and Defense Mechanisms』를 출간하여 억압이 인간의 주요 방어기제임을 밝혔다. 1938년 안나는 게슈타포(Gestapo)에게 체포되었다가 아버지와 함께 런던으로 건너갔다. 이후 1941년 도로시 버링톤(Torothy Burlington)과 함께 햄스테드보육원(Hampstead Nursery)을 설립하였다. 이 보육원은 정신분석 프로그램을 실시하면서 집 없는 아동들에게 쉼터를 제공하였다. 보육원에서의 경험을 바탕으로 『Young Children in Wartime』(1942), 『Infants Without Families』(1943), 『War and Children』(1943) 등의 저서를 출간하였다. 1945년에 햄스테드 보육원이 문을 닫자, 안나는 햄스테드 아동치료과정 및 클리닉

(Hampstead Child Therapy Course and Clinic)을 만들어 1952년부터 1982년 사망할 때까지 대표직을 맡았다. 1950년대부터는 정기적으로 미국에 강의를 하러 다니기도 하였다. 아동정신분석뿐만 아니라 안나는 자아 혹은 의식이 고통스러운 생각, 충동, 감정 등을 회피하는 데 어떻게 기능하는가에 대한 이해에도 크게 공헌하였다. 안나의 사상을 집적한 책으로는 1968년에 출간한 『Normality and Pathology in Childhood』를 들 수 있다. 프로이트의 딸로 누군가의 지도를 받지도 않고 아동분석기법을 개발한 안나와 당시 아동분석을 시작한 클라인학파와의 20여 년간의 논쟁은 유명하다. 안나는 치료동기의 존재, 부모의 협력, 치료자의 중립적 태도 등을 아동정신분석의 요소로 내세우면서 클라인학파(Kleinian Psychoanalysis)와의 차이를 보여 주었다. 하르트만(H. Hartmann) 등과 더불어 만든 「The Psychoanalysis study of Child」는 매년 간행되면서 햄스테드 아동치료과정 및 연구소의 연구와 안나의 이론을 집약하여 보여 주었다. 이와 같이 안나는 아동정신의학에 지대한 영향을 미친 인물로, 그녀의 이론은 현대에도 해당 분야의 중심적인 자리를 점하고 있다.

주요 저서

Freud, A., & Burlingham, D. (1942). *Young children in wartime: A year's work in a residential nursery*. London: G. Allen & Unwin.

Freud, A. (1943). *Infants without families: The case for and against residential nurseries*. London: G. Allen & Unwin.

Freud, A. (1965). *Normality and pathology in childhood: Assessments of development*. New York: International Universities Press.

Freud, A. (1966–1980). *The Writings of Anna Freud: 8 Volumes*. New York: Indiana University of Pennsylvania.

Freud, A. (1967). *The ego and the mechanisms of defense*. International Universities Press.

Freud, A. (1968). *Indications for child analysis and other papers, 1945~1956*. International Universities Press.

Freud, A. (1968). *The writings of Freud, A.*. New York: International Universities Press.

Freud, A., Goldstein, J., & Solnit, A. (1973). *Beyond the best interests of the child*. New York: Free Press.

Freud, A., & Sandler, J. (2005). 안나 프로이트의 하버드 강좌[*Anna Freud's harvard lectures*]. (이무석 외 역). 서울: 하나의학사. (원저는 1992년에 출판).

프로이트
[Freud, Sigmund]

1856. 5. 6. ~ 1939. 9. 23.
오스트리아의 정신과 의사이며 정신분석학의 창시자.

프로이트는 당시 오스트리아 모라비아 지방(현재 체코)에서 유대인 가정의 장남으로 태어났다. 그의 부모는 경제적 어려움에도 불구하고 아들의 명석한 지적 능력을 키워 주기 위해 모든 노력을 기울였다. 프로이트는 김나지움(Gymnasium)에 재학하는 동안 학업 성적이 우수하고 문장력도 뛰어나 주목을 받는 학생이었다. 후에 1873년 비엔나(Vienna)대학교 의과대학에 입학한 그는 1881년 의학박사학위를 취득하였다. 의과대학 재학기간에는 19세기의 위대한 생리학자 중 한 사람인 브뤼케(Bruecke) 교수의 지도를 받으며 생리학을 공부하였다. 특히 '살아 있는 유기체는 화학과 물리학의 법칙이 적용되는 하나의 역동적 체계'라는 브뤼케의 급진적인 견해에 매료되

ㅍ

었고, 그 외에 '에너지는 변형될 수는 있어도 파괴될 수는 없으며 따라서 에너지가 체계의 한 부분에서 사라지면 그것은 반드시 체계의 다른 부분에 나타난다.'고 하는 헬름홀츠(Helmholtz)의 에너지 보존의 법칙에도 영향을 받았다. 프로이트는 이와 같은 역학의 법칙들을 인간의 심리현상에도 적용하여 역동심리학으로서의 정신분석을 창안하게 된 것이다. 프로이트의 학문적 관심은 의학과 관련된 다양한 영역으로 확장되어 철학, 물리학, 생물학, 동물학 등 여러 분야에 호기심을 갖고 몰두하였다. 1875년부터 1878년 사이에 다윈(Darwin)의 진화론을 지지하는 헤켈(Haeckel) 학파에 속해 있던 스승 클라우스(Claus)의 동물학 실험실에서도 일을 한 적이 있는데, 이러한 학문적 인연은 후일 프로이트의 발생학적 사고에 영향을 미쳤다. 1884년 종합병원 신경과 의사가 되면서 점차 전문가로서의 입지를 구축하였다. 이듬해에는 프랑스 파리로 건너가 당시 히스테리 최면술 연구로 명성을 얻고 있던 샤르코(Charcot)가 일하던 병원에 머물게 되었다. 19세기 중반 프랑스에서는 히스테리, 몽유병, 다중성격과 같은 증상을 치료하기 위해 최면술을 적용하는 것이 유행이었다. 프로이트는 자신의 임상경험을 통하여 최면술에 의한 히스테리 치료효과에 대해서는 회의를 갖게 되었지만, 그럼에도 불구하고 당시 샤르코의 강의와 임상적 실험에 깊은 흥미를 느꼈다. 샤르코와의 만남은 프로이트가 신경학자에서 정신병리학자로 전환하는 중요한 계기가 되었다. 파리에서 돌아온 후 발표한 일련의 논문들은 정신병리에 대한 전통적인 관점에 반하는 내용이었다. 그는 히스테리 증상이 뇌의 기질적인 문제가 아니라 충격적인 경험을 소화할 수 없기 때문에 일어난다고 주장하였다. 1886년에 비엔나로 돌아온 프로이트는 베르나이스(Bernys)와 결혼하여 세 딸과 두 아들을 두었는데, 그중 안나 프로이트(Anna Freud)는 훗날 유명한 아동정신분석가가 되었다. 비엔나에서 프로이트는 의사인 브로이어(Breuer)로부터 환자가 자신의 증세에 관해 이야기하는 것(정화법)만으로도 히스테리 증상이 치료되는 새로운 방법을 알게 되었다. 브로이어의 방법이 환자치료에 효과적이라는 것을 깨닫고는 그와 함께 정화법 치료 사례들에 관한 저서 『Studies in Hysteria』를 출판하기도 하였다. 그러나 이 저서가 완성된 뒤 두 사람은 히스테리에 있어서 성적(性的) 요인의 중요성에 관한 견해 차이로 결국 결별하였고, 프로이트는 최면요법이나 정화법과는 또 다른 자유연상법(free association)을 개발하여 임상치료에 적용하기 시작하였다. 그는 성적 갈등이 히스테리 증상의 원인이라고 하는 자신의 주장을 굽히지 않았다는 이유로 마침내 1896년 비엔나 의사회에서 탈퇴당하기도 하였다. 프로이트는 어머니와의 관계는 비교적 괜찮은 편이었지만 아버지와의 관계는 복잡하였다. 1896년 아버지의 죽음을 겪으면서 의식적-무의식적 죄의식으로 그는 매우 고통스러워하였다. 그런 중에 자신의 꿈의 의미를 탐색하는 과정에서 성격발달의 역동에 대한 새로운 통찰을 얻을 수 있었다. 이것은 그가 자기분석에 몰입하게 된 결정적인 계기가 되었으며, 후일 정신분석을 구축하는 태동이 되었다. 또한 이 시기에 프로이트는 환자에게서 얻는 자료들을 확인하기 위해 자신의 무의식을 집중적으로 분석하기 시작하였다. 자신의 꿈을 분석하고 자신의 마음에 떠오르는 온갖 생각을 탐색함으로써 자신의 내면의 역동을 이해할 수 있었다. 그리하여 그는 환자들과 자기 자신의 분석에서 얻은 지식을 근거로 하여 정신분석의 기초를 이루는 개념을 발전시켜 나갔다. 그 결과 1900년에 그의 이론에 관한 최초의 위대한 업적인 『꿈의 해석』을 출간하였다. 이 책이 출판된 후 프로이트는 정신병리학회로부터는 무시되었지만, 곧 의료계뿐만 아니라 일반 대중의 많은 관심을 불러일으켰다. 1902년에는 젊은 의사들이 정신분석의 이론과 실제에 관심을 갖고 모여들어 정기적인 연구모임이 생겼고, 나중에 이 모임은 비엔나정신분석연구회(Vienna Psychoanalytic Society)로 발전하였다. 1909년 프로이트는 미국의 클라크대학교 총장 홀(Hall)의 초청을 받아 미국으로 건너가서 여러 차례 강연을 하는 등 세계적으로 유명해지기 시작하였다. 이 시기를 전후하여 추종자가 늘어나기도 했지만, 다른 한편으로는 브로이어(J. Breuer), 아들러(A. Adler), 융(C. Jung) 등과 같은 동료와 후학들이 프로이트가 인간행동의 동기로서 성적 충동을 주장하는 입장에 반대하여 자신들의 독자적인 이론이나 학파를 만들어 나가기도 하였다. 아들러와 융과의 결별 이후 저항과 전이 개념, 원초아 · 자아 · 초자아의 구조론, 생의 본능에 대비하는 죽음의 본능의 제창 등 프로이트 이론은 수정과 발전을 거듭하였다. 1914년 무렵에는 히스테리 환자들이 실제 일어난 것처럼 보고하는 외상(trauma) 혹은 무의식적 환상이 병의 원인이 된다는 점을 알아내고, 실재적(實在的) 현실 외에도 심리내적인 현실이 존재한다는 새로운 사실을 파악하였다. 여기서 프로이트는 무의식적 환상의 기능과 그것이 지닌 힘을 발견하였다. 아동들도 무의식적인 환상과 더불어 성에 관심을 갖게 되며, 그들 나름대로 성에 대해 미숙한 해석을 함으로써 의미를 왜곡시킬 수 있다는 아동기 성욕 이론을 정립하였다. 이로 인해 프로이트는 아동의 순수성에 대한 금기를 깼다며 사회적 비난을 받았다. 1920년대에 접어들어서는 무의식(unconscious)과 억압(repression)에 관해 집중적으로 연구하였고, 그 후 종교, 도덕성, 문화 등의 주제에 관심을 가지고 연구하면서 다수의 저서를 출간하였다. 프로이트는 매우 열정적으로 일에 몰입하여 하루에 무려 18시간이나 연구에 전념하는 경우도 자주 있었다고 한다. 이러한 집필의 결과로 정신분석에 관련된 그의 전집은 총 24권이나 된다. 그의 학문적 생산성은 구개암(口蓋癌)으로 수십 번의 수술을 받았던 생애 후반까지 계속되었고, 1939년 런던에서 숨을 거두었다. 프로이트는 인간행동에서 무의식의 것과 성별의 중요성을 강조하면서, 원초아(id) · 자아(ego) · 초자아(super-ego) 사이에서의 성 심리 발달과 동력의 해답을 근거로 하는 성격이론을 개발하였다. 원래는 신경증의 한 치료법으로 발전시킨 학문이 인간심리 일반에 대해서, 나아가 정신의학 · 심리학 · 사회학 · 인류학 등 각각 별개로 취급되고 있던 사상을 동일하게 연구하는 길을 열어 예술작품에까지 많은 영향을 미쳤다. 이 같은 그의 정신분석 발견은 코페르니쿠스(Nicolaus Copernicus)의 지동설이나 다윈(Darwin)의 진화론에 필적하는 것으로 평가되고 있으며, 오늘날 상담이나 심리치료이론 또는 기법의 중요한 기반이 되고 있다.

주요 저서

Freud, S. (2004). 꿈의 해석[*The Interpretation of Dreams, berlin: Fischer*]. (김인순 역). 경기: 열린 책들. (원저는 1899년에 출판).

Freud, S. (2004). 성욕에 관한 세 편의 에세이[*Three Essays on the Theory of Sexuality*]. (김정일 역). 경기: 열린 책들. (원저는 1905년에 출판).

Freud, S. (2004). 일상생활의 정신병리학[*The Psychopathology of Everyday Life*]. (이한우 역). 경기: 열린 책들. (원저는 1901년에 출판).

Freud, S. (2004). 정신분석 강의[*Introduction to Psychoanalysis*]. (홍혜경, 임홍빈 역). 경기: 열린 책들. (원저는 1917년에 출판).

Freud, S. (2004). 정신분석학 개요[*An Outline of Psycho-Analysis*]. (박성수 역). 경기: 열린 책들. (원저는 1940년에 출판).

Freud, S. (2004). 토템과 터부[*Totem and Taboo*]. (이윤기 역). 경기: 열린 책들. (원저는 1913년에 출판).

Freud, S. (2004). 히스테리 연구[*Studies on Hysteria*]. (김미리혜 역). 경기: 열린 책들. (원저는 1895년에 출판).

Freud, S. (2009). 쾌락원리의 저편[*Beyond the Pleasure Principle*]. (강영계 역). 서울: 지만지고전천줄. (원저는 1920년에 출판).

프롬
[Fromm, Erich]

1900. 3. 23. ~ 1980. 3. 18.
독일계 미국인인 유대인 사회심리학자이며, 정신분석학자이고 인본주의 철학자이자 민주주의 사회학자.

프롬은 프랑크푸르트 암마인(Frankfurt am Main)에서 유대인 집안의 독자로 태어났다. 1918년 프랑크푸르트 암마인 대학교에 들어가서 2학기 동안 법학을 배우고, 1919년 여름학기에는 하이델베르크(Heidelberg)대학교로 갔다. 그곳에서 유명한 사회학자인 막스 베버(Max Weber)의 형제인 베버(A. Weber), 정신과 의사면서 철학자였던 야스퍼스(K. Jaspers), 리케르트(H. Rickert) 등의 지도하에 법학과 사회학을 연결하는 연구를 하였다. 1922년 하이델베르크대학교에서 사회학으로 박사학위를 취득하고, 1920년대 중반에 하이델베르크에 있는 라이히만(F. Reichmann)의 정신분석 새너토리엄에서 정신분석학자가 되기 위한 교육을 받은 뒤, 1927년 처음으로 자신의 임상을 시작하였다. 1930년, 프랑크푸르트사회연구소(Frankfurt Institute for Social Research)에 들어간 프롬은 정신분석교육을 모두 마쳤다. 독일이 나치통치 체제가 되자, 프롬은 제네바로 건너갔다. 1934년에는 뉴욕의 컬럼비아대학교에 적을 두었다가, 이후 호나이(K. Horney)와 자기분석(self analysis)이라는 주제로 교류하였다. 두 사람은 서로의 사상에 영향을 미쳤지만, 1930년대 말, 관계가 점차 멀어졌다. 컬럼비아를 떠난 후, 프롬은 1943년에 설립되는 워싱턴 정신의학파(Washington School of Psychiatry)의 뉴욕 지소 창설에 힘을 더했고, 1946년에는 윌리엄 알랜슨 화이트 정신의학, 정신분석, 심리학연구소(William Alanson White Institute of Psychiatry, Psychoanalysis, and Psychology)를 함께 창설하였다. 1941년부터 1949년까지는 베닝턴(Bennington)대학교의 교수로 재직하였으며, 1949년에는 멕시코시티로 가서 멕시코 국립자치대학교의 교수가 되었다. 그곳에서 프롬은 의과대학에 정신분석 학부를 설립한 뒤 1965년에 은퇴하였다. 그는 1974년까지 멕시코정신분석연구회(Mexican Society of Psychoanalysis: SMP)에서 교육을 했으며, 1957년부터 1961년까지는 미시간 주립대학교 심리학 교수로 있었다. 또 1962년 이후부터는 뉴욕(New York) 대학교 예술 및 과학 대학교 대학원의 심리학 겸임교수를 지냈다. 1974년 멕시코시티(Mexico city)에서 스위스의 무랄토(Muralto)로 옮긴 그는, 1980년 자신의 집에서 80세의 일기를 마감하며 숨을 거두었다. 죽음이 임박해질 때까지 프롬은 개인임상을 계속하였고, 여러 책을 출판하였다. 프로이트와 마르크스의 영향하에 출발한 프롬의 학문은 '근대인에게서의 자유의 의미'를 추구하는 데 집중되어 있었다. 현대에 와서 일반화되어 가는 신경증상이나 정신적 불안은 개인적인 정신분석요법으로 해결될 수 없다고 생각하였으며, 프랑크푸르트학파에 프로이트 이론을 도입하여 사회경제적 조건과 이데올로기 사이에 그 나름의 사회적 성격이라는 개념을 설정하였다. 이 3자의 역학에 의해 사회나 문화의 변동을 분석하는 방법론을 제기했는데, 그것이 바로 '인간주의적 정신분석'이다. 그는 또한 신프로이트학파(Neo-Freudia)를 대표하는 사람이다. 신프로이트학파는 사회학화된 프로이트주의라고 불리는데, 이들은 정신분석학의 사고방식에 사회적 · 문화적 견해를 도입하였다. 즉, 성격 형성이나 성격구조 문제를 생각하는 데 프롬이 착안한 것은 프로이트가 중시한 생물학적인 리비도(Libido)가 아니라 사회구조, 경제구조 및 그들이 규정하는 생활양식이나 이데올로기가 갖는 힘이었다. 임상적 방법의 체계화라는 점에서 보면 프롬은 그다지 큰 공헌은 인정받지 못한다. 그러나 스스로의 사회과학적 소양을 구사하여 파시즘, 자유, 사랑, 윤리, 정신적 건강, 소외라고 하는 다양한 심리, 사회적 문제의 해명을 시도함으로써 그 영향력은 매우 크다고 할 수 있다.

주요 저서

Fromm, E. (1947). *Man for Himself*. New York: Henry Holt & Company.

Fromm, E. (1976). *The Forgotten Language: An Introduction to the Understanding of Dreams, Fairy Tales, and Myths*. New York: Henry Holt & Co.

Fromm, E. (1976). *The German Genius: Europe's Third Renaissance, the Second Scientific Revolution, and the Twentieth Century*. Taylor & Francis Group.

Fromm, E. (1983). 정신분석과 종교[*Psychoanalysis and Religion*]. (문학과 사회연구소 역). 서울: 청하. (원저는 1950년에 출판).

Fromm, E. (1989). 파괴란 무엇인가[*The Anatomy of Human Destructiveness*]. 서울: 기린원. (원저는 1973년에 출판).

Fromm, E. (1990). 건전한 사회[*The Sane Society*]. (김병익 역). 경기: 범우사. (원저는 1956년에 출판).

Fromm, E. (1994). *The Art of Being*. Continuum.

Fromm, E. (2000). 사랑의 기술[*The Art of Loving*]. (황문수 역). 서울: 문예출판사. (원저는 1956년에 출판).

Fromm, E. (2006). 자유로부터의 도피[*Escape from Freedom*]. (원창화 역). 서울: 홍신문화사. (원저는 1941년에 출판).

Fromm, E. (2007). 소유냐 존재냐[*To Have or To Be?*]. (차경아 역). 서울: 까치. (원저는 1976년에 출판).

프롬라이히만
[Fromm-Reichmann, Frieda]

1889. 10. 23. ~ 1957. 4. 28.
독일의 정신분석학자이자 의사.

프롬라이히만은 독일 카를스루에(Karlsruhe)에서 세 딸 중 장녀로 태어났다. 아버지는 유대인으로 은행관리직이었고, 어머니는 여학교를 만든 사람이었다. 이러한 배경으로 프롬라이히만은 독일 최초로 대학교 교육을 받은 여성 인물 중 한 사람이 되었다. 1913년에 쾨니히스베르크대학교 의학부를 졸업한 그녀는 박사 논문을 쿠르트 골드슈타인(Kurt Goldstein)에게 지도를 받았다. 골드슈타인과 프롬라이히만은 제1차 세계 대전 중에도 뇌 손상을 입은 군인들을 치료하는 병원을 함께 운영하였다. 이후 프롬라이히만은 슐츠(J. H. Schultz) 지휘하에 있는 라만 새너토리엄(Lahmann Sanitorium), 바이서 허쉬(Weisser Hirsch) 등에서 심리치료를 담당하기도 하였다. 종전 후에는 베를린정신분석연구소(Berlin Psychoanalytic Institute)에서 작스(H. Sachs)를 분석가로 삼아 정신분석교육을 받았다. 그러고는 자신의 요양소를 연 뒤, 그로덱(G. Greddeck), 페렌치(S. Ferenczi) 등과 교류하였다. 프롬라이히만은 자신보다 10년 연하인 에리히 프롬(Erich Fromm)과 결혼도 하였다. 그녀는 란다우어(K. Landauer), 멩(H. Meng), 그로덱, 푹스(S. Fuchs), 슈타인(F. Stein) 등과 함께 프랑크푸르트연구소(Frankfurter Institut)를 설립하기도 하였다. 제2차 세계 대전이 발발하자 프롬라이히만은 알사체-로레인으로 갔다가, 팔레스타인을 경유하여 1935년에 미국으로 갔다. 체스넛로지에서 심리치료지도자로서 의학 부장이자 대표였던 불라드 경(Dexter M. Bullard Sr.)을 도와 그 기관을 정신분열에 대한 정신분석적 치료의 주요 센터로 격상시키고, 설리번(H. Sullivan)과 가까이 지냈다. 이후 워싱턴-볼티모어 정신분석연구소(Washington-Baltimore Psychoanalytic Institute)의 교육분석가가 되었으며, 1939년에는 정신분석학회 대표가 되었다. 1957년에 세상을 떠난 프롬라이히만의 주요 연구주제를 보면, 정신병자들의 의사소통이 이해할 수 있는 것이며 이들은 자신의 파괴적인 잠재력 때문에 스스로를 고립시켜 엄청난 외로움과 공포에 빠진다는 것이다. 치료사가 자신의 역전이(Counter transference)를 이해하고 정신병자들로 인한 불안을 갖지만 않는다면, 회복 가능하다는 것이 프롬라이히만의 가설이다. 그녀는 심각한 정신질환 환자의 치료에서 치료적 관계를 처음 혁신적으로 사용한 인물 중 한 사람이기도 하다. 고전적인 프로이트 정신분석학과 설리번의 대인관계 분석에서 정신분열증과 양극성장애 환자들에게 적용할 수 있는 통합접근법을 만들어 냈는데, 이 같은 통합은 자신의 저서인 『Principle of Intensive Psychotherapy』 제1권에서 상세하게 설명하고 있다. 이 책은 오늘날 거의 모든 사회심리적 치료에서 활용되는 정신역동 심리치료를 토대로 하고 있다.

주요 저서

Fromm-Reichmann, F. (1950). *Principles of intensive psychotherapy*. Chicago: University of Chicago Press.

Fromm-Reichmann F., & Moreno, J. L. (Eds.) (1956). *Progress in psychotherapy*. New York: Grune & Stratton.

Fromm-Reichmann, F. (1960). *Principle of Intensive Psychotherapy*. Chicago & London: The University of Chicago Press.

Fromm-Reichmann, F. (1972). *Psychoanalysise und psychotherapie: Ausgewählte schriften, Stuttgart*. hippokrates[Orig.: (1959) Psychoanalysis an Chicago Press].

Fromm-Reichmann, F. (1989). *Psychoanalysis and Psychosis* (ed. by Ann-Louise, S. S.). Madison (CT), International Universities Press.

프뢰벨
[Fröbel, Friedrich Wilhelm August]

1782. 4. 21. ~ 1852. 6. 21.
독일의 교육자이자 페스탈로치(Pestalozzi)의 제자로, 현대 교육을 창시한 인물.

프뢰벨은 요한 야코프 프뢰벨(Johann Jakob Fröbel)의 다섯 자녀 중 막내로 태어났다. 고향은 독일의 오버바이스바흐(Oberweissbach)이며, 아버지 요한이 정통 루터교의 목사였던 탓에 프뢰벨의 어린 시절은 종교적 생활이 중심이 되어 있었다. 프뢰벨이 태어난 지 얼마 되지 않아 어머니는 건강이 급격하게 악화되어 프뢰벨이 9개월 되던 때 사망했는데, 이는 프뢰벨의 삶에 지대한 영향을 미쳤다. 1792년 큰 외삼촌이 계신 슈타트일름(Stadtilm)으로 가서 살게 되면서 많은 사랑과 관심을 받으며 자란 프뢰벨은 늘 자연에 큰 관심을 보이다가 15세 되던 해 산림 전문가 밑으로 들어가 도제가 되었다. 이후 1799년 도제살이를 청산하고 예나에서 수학과 식물학을 공부하였다. 그런 다음 1802년부터 1805년까지 토지 조사 전문가로 일하였다. 1805년 프랑크푸르트(Frankfurt)에 있는 중학교 무스테르스쿨에서 교사에 입문하여, 페스탈로치(J. H. Pestalozzi)의 사상을 접하게 된다. 1806년 프랑크푸르트 귀족가문의 아들들을 가르치다가 1808년 스위스 이베르동레방(Yverdon-les Bains)에 있는 페스탈로치연구소에 들어가 1810년까지 근속한다. 1808년 이테르텐에서 그루너(G. A. Gruner)를 통해서 페스탈로치에게 고취되어 아동에 대한 존중, 정서적으로 안전한 학습환경 등의 중요성을 인식한다. 이는 프뢰벨이 유치원을 창설하는 초석이 된다. 1810년부터 1812년까지 괴팅겐(Göttingen) 대학교에서 언어학과 과학을 배웠다. 또 1812년부터 1816년까지는 베를린대학교에서 바이스(Weiss)에게 광물학을 배웠다. 광물학을 배우면서 프뢰벨은 단순한 데서 복잡한 데로 이행하는 결정화 과정이 인간의 성장과 발달을 다스리는 전 우주적 법칙을 반영한다고 이해하였다. 1816년에 프뢰벨은 그리스하임(Griesheim)에 독일교육연구소(Universal German Educational Institute)를 설립하고, 1817년에 이 연구소를 카일하우로 옮겨 1829년까지 운영하였다. 그사이 1818년에 베를린에서 결혼을 했지만 자녀를 두지 못한 채 아내가 1839년에 죽음을 맞았다. 1851년, 프뢰벨은 루이즈 레빈(Louise Levin)과 두 번째 결혼을 하였다. 1831년에는 스위스 바르텐제에 연구소를 설립했다가 루셀스의 빌리자로 옮겼고, 이후 베르그도르프에서 고아원과 기숙학교도 운영하였다. 독일로 돌아와 1837년에는 3~4세의 아동기 초기에 학습이 가능한 새로운 형식의 학교를 설립하였다. 이 학교는 놀이, 노래, 이야기, 활동 등을 활용하는 체제로, 자기활동(self-activity)을 통해서 아이가 바람직한 방향으로 성장할 수 있는 교육적 환경이 마련된 공간이었다. 여기서 바람직한 방향이란 발달에서 아동들이 자신의 활동으로 인간에게 주어진 법칙을 따를 수 있는 것을 의미한다. 이렇게 어린 아동들의 교육자이자 유치원을 최초로 설립한 사람으로서 프뢰벨의 명성은 독일 전역으로 확대되었다. 그런데 1851년 프러시아(Prussia)의 교육부 장관이었던 카를 폰 라우머(Karl von Raumer)가 전통적인 가치관을 경시하고 무신론과 사회주의를 퍼트린다는 죄목으로 프뢰벨을 기소하였다. 이후 프뢰벨의 반박에도 불구하고 프러시아에서 유치원은 금지되었고, 법적 분쟁이 한창이던 1852년에 그는 사망하였다. 프러시아를 제외한 다른 독일 전역에서 유치원이 설립되고 운영되었지만 1860년까지 프러시아에는 유치원이 다시 세워지지 않았다. 19세기 말엽에는 유럽과 북미 전역에 유치원이 설립되었다. 프뢰벨의 교육철학은 독일의 철학적 이상주의를 기반으로 하고 있다. 프뢰벨은 아동은 아동만의 독자적인 욕구와 능력을 지니고 있다는 인식하에 현대교육을 창시한 인물이다. 프뢰벨에게서 처음 유치원(kindergarten)이라는 개념이 나왔으며, 이 용어는 현재 영어와 독일어로 공식적으로 사용되고 있다. 프뢰벨은 아이들이 놀이의 과정에서 자신의 사고, 욕구, 소망 등을 표현할 수 있다고 믿었다. 아이들이 어른의 직업적 활동을 모방하고 사회화 과정을 놀이를 통하여 모방하면서 문화적 반복과정을 촉진시킬 수 있다고 생각하였다. 이 같은 그의 문화 반복 이론에 따르면, 각 개인은 자신의 발달과정에서 일반적인 문화적 순서를 반복한다. 놀이를 통해서 아동은 성인의 사회적, 경제적 활동을 모방(imitation)하면서 사회화가 이루어지고, 더 넓은 집단의 삶을 점차 경험하게 되는 것이다. 이때 유치원은 아동들이 좋은 교사의 지도하에 서로 상호작용을 하면서 그 같은 환경을 조성하는 공간이 된다.

주요 저서

Fröbel, F. W. A. (1820). *An unser deutsches Volk*. Erfurt.

Fröbel, F. W. A. (1821). *Die Grundsätze, der Zweck und das innere Leben der allgemeinen deutschen Erziehungsanstalt in Keilhau bei Rudolstadt*. Rudolstadt.

Fröbel, F. W. A. (1821). *Durchgreifende, dem deutschen Charakter erschöpfend genügende Erziehung ist das Grund-und Quellbedürfnis des deutschen Volkes*. Erfurt.

Fröbel, F. W. A. (1822). *Die allgemeine deutsche Erziehungsanstalt in Keilhau betreffend*. Rudolstadt.

Fröbel, F. W. A. (1822). *Über deutsche Erziehung*

überhaupt und über das allgemeine Deutsche der Erziehungsanstalt in Keilhau insbesondere. Rudolstadt.

Fröbel, F. W. A. (1823). *Fortgesetzte Nachricht von der allgemeinen deutschen Erziehungsanstalt in Keilhau*. Rudolstadt.

Fröbel, F. W. A. (1826). *Die erziehenden Familien. Wochenblatt für Selbstbildung und die Bildung Anderer*. Keilhau-Leipzig.

Fröbel, F. W. A. (1826). *Die Menschenerziehung, die Erziehungs-, Unterrichts-und Lehrkunst, angestrebt in der allgemeinen deutschen Erziehungsanstalt zu Keilhau. Erster Band*. Keilhau-Leipzig.

프리들랜더
[Friedlander, Myrna L.]

1947. ~
미국의 상담심리학자.

프리들랜더는 케이스웨스턴리저브(Case Western Reserve)대학교에서 프랑스어를 전공하고, 보스턴 시내에 있는 저임금 가정에서 위기에 노출된 아이들에게 프랑스어를 가르쳤다. 1978년에 조지 워싱턴(George Washington)대학교에서 석사학위를 받고, 1980년 오하이오 주립대학교에서 박사학위를 받았다. 대학원 시절 그녀는 인간 상호적 설득의 과정에서 변화가 일어난다는 스탠리 스트롱(Stanley Strong)의 사회체계로서의 심리치료 개념에 관심을 갖게 되었다. 이후 1981년에 알버니(Albany)대학교에서 상담심리학 프로그램에 합류했고, 현재는 박사과정 지도자를 맡고 있다. 그녀는 임상가, 교육자, 수퍼바이저로서 여러 학교 자문, 상담센터, 병원, 지역기관 등에서 봉사하였다. 1984년부터 2003년까지 알바니 의학대학의 임상 부교수로도 재직하였다. 또한 1983년에 시작한 개인치료를 지속적으로 하고 있다. 2001~2002년 북동부 뉴욕심리학협회(Psychological Association of Northeaster New York)에서 우수심리학자상(Distinguished Psychologist Award)을 수상한 바 있으며, 상담 및 심리치료과정에 대한 프리들랜더의 연구가 『Journal of Counseling Psychology』 『The Counseling Psychologist』 『Journal of Consulting and Clinical Psychology, Psychotherapy, Professional Psychology, Family Process』 『Journal of Family Psychology』 『Journal of Marital and Family Therapy』 등의 학술지에 기재되었다. 1999년에는 연구에서의 우수한 업적을 인정받아 대통령상을 수상하였다. 현재 프리들랜더는 가족치료에서의 치료적 변화 과정연구에 몰두하고 있다. 그녀는 미국심리학회(American Psychological Association), 미국 심리연구회(American Psychological Society), 미국 응용 및 예방심리학회(American Association of Applied and Preventive Psychology) 등의 특별 회원이며, 심리치료연구회(Society for Psychotherapy Research)의 회원이면서 알바니 의과대학 정신의학부 응용 임상 부교수로 있다. 'Journal of Marital and Family Therapy and Psychotherapy Research'의 편집 부원이기도 하다. 프리들랜더는 에스쿠데로(Escudero), 히서링턴(Heatherington) 등과 함께 가족구성원과 치료사 간의 상호교환에 초점을 둔 모델, 가족치료 동맹 관찰체계(System for Observing Family Therapy Alliances: SOFTA)라는 이론을 임상에 적용시키고 있으며, 가족의 소통과 변화에 큰 공헌을 한 인물로 평가받고 있다.

주요 저서

Friedlander, M. L. (1986). *The Phenomenal Self, Strategic Self-Presentation, and Kohuts Self*

Psychology. s.n.

Friedlander, M. L. (2006). *Therapeutic Alliances in Couple and Family Therapy: An empirically informed guide to practice*. Washington, DC: American Psychological Association.

프리슬리
[Priestley, Mary]

1925. 3. 4. ~
음악치료에 관한 정신분석적 접근법을 발전시키고 자유즉흥 연주기법을 심화시켜 분석적 음악치료(Analytical Music Therapy)를 창시한 인물.

프리슬리는 1950년대 이후 즉흥연주 음악치료기법을 확립했던 앨빈(J. Alvin)의 제자로, 영국의 음악치료계의 대표적 인물로, 프로이트(S. Freud), 융(C. Jung), 클라인(M. Klein) 등의 정신분석적 이론을 기반으로 해서 정신분석을 음악치료에 본격적으로 도입하여 분석적 음악치료를 발전시켰다. 프리슬리는 즉흥연주를 통해서 드러나게 된 개인의 무의식을 분석하는 방법을 창안하여 분석적 음악치료뿐만 아니라 여타의 음악치료에도 많은 영향을 미치게 된다. 프리슬리는 당시 영국의 유명한 극작가이자 소설가였던 존 프리슬리(John Boynton Priestley)와 윈덤 루이스(Jane Wyndham-Lewis)의 혼전관계로 태어났다. 아버지 존 프리슬리는 들었던 것을 바로 노래로 할 수 있는 음악적 능력을 지닌 사람이었고, 어머니 루이스는 피아니스트였던 덕분에 프리슬리는 어려서부터 피아노, 바이올린, 작곡 등을 배울 수 있었다. 하지만 프리슬리는 거의 평생을 양극성장애(Bipolar Disorder) 때문에 힘든 삶을 살아야 했는데, 이것이 계기가 되어 음악치료에 입문하게 된다. 그녀는 잘 구조화되고 목적지향적인 틀을 지닌 즉흥연주를 통해서 언어적 과정과 비언어적 표현을 조화시켜 정신분석적 치료를 할 수 있다는 것을 발견했고, 후에 앨빈과의 만남으로 분석적 음악치료라는 새로운 장을 펼치게 된다. 이미 노쇠한 몸이지만 프리슬리는 현재까지 강의와 교육을 하면서 생활하고 있고, 필라델피아 소재 대영 템플(Temple)대학교를 은퇴하고, 분석적 음악치료에 관한 다양한 저작활동 중이다. 뿐만 아니라 1971년부터 1990년까지 75명의 내담자들과 작업한 임상에 관한 기록들도 출판 중에 있다.

주요 저서

Priestley, M. (1975). Music Therapy in Action. St. Louis, MO: MMb Music.

Priestley, M. (2006). 분석적 음악치료[*Essays on Analytical Music Therapy*]. (권혜경 역). 서울: 권혜경 음악치료센터. (원저는 1994년에 출판).

피아제
[Piaget, Jean]

1896. 8. 9. ~ 1980. 9. 17.
인지발달 연구의 선구자.

피아제는 스위스에서 태어나 중세학자인 아버지와 지성적인 어머니로부터 엄격한 가정교육을 받으며 성장하였다. 어린 시절에는 동물학에 관심을 가졌는데, 10세 때 백색종 참새 관찰결과를 논문으로 발표했고, 연체동물에 대한 논문을 여러 편 발표하여 15세 때에는 이미 유럽 동물학자들 사이에서 인정을 받게 되었다. 뇌샤텔(Neuchätel)대학교에서 동물학과 철학을 공부한 그는 1918년에 동물학 박사학위를 받았다. 그러나 그 후 생물학 지식과 인식론에 대한 흥미가 결합되어 심리학에 관심을 보이기 시작하였다. 우선 취리히로 가서 융(Jung)과 블로일러(Bleuler)의 지도 아래 공부한 다음, 1919년에 파리의 소르본(Sorbonne)대학교에서 2년 동안 공부하였다. 파리에서는 학생들을 대상으로 한 독해력 검사를 고안하여 실시했으며, 학생들이 범하는 실수의 유형에 관심을 가져 아이들의 추론과정을 연구하게 되었다. 그는 1921년에 연구결과를 발표하기 시작했고, 같은 해에 스위스로 돌아가 제네바(Geneva)의 J. J. 루소연구소 소장으로 임명되었다. 1926년부터 1927년까지는 뇌샤텔대학교에서 철학 교수로 재직했으며, 1929년에는 제네바대학교의 아동심리학 교수가 되어 죽을 때까지 이 대학에서 연구를 하였다. 1955년 그는 제네바에 유전 인식론 국제연구소를 세우고 소장이 되었다. 피아제는 파리에서 처음 발견한 주제, 즉 아이의 정신은 일련의 정해진 단계를 거쳐 성숙한다는 생각을 계속 발전시켜 나갔다. 아이가 자신의 독자적인 현실 모형을 끊임없이 창조하면서, 한 단계가 지날 때마다 단순한 개념들을 통합하여 좀 더 높은 수준의 개념으로 조직화함으로써 정신적으로 성장한다고 생각하였다. 그는 아이에게는 선천적으로 정해져 있는 사고력 발달의 시간표가 있다는 '유전인식론'을 주장하면서, 발달과정의 4단계를 밝혔다. 즉, 아동이 인지적 성숙에 도달하는 과정을 감각운동기(Sensory-motor stage), 전조작기(Preoperational stage), 구체적 조작기(Concrete operational stage), 형식적 조작기(Formal operational stage)의 4단계를 제시했는데, 이 단계는 발달적이고 생물학적 근거를 기반으로 한다. 피아제는 자기중심적인 전논리적 단계(前論理的段階)에서 점차 사회화에 따라 논리적 단계로 발전을 보인다는 발생론적 관점에서 인식론을 제시하였다. 감각운동단계에는 주로 자신이 타고난 신체적 반사능력을 터득하고, 그 능력을 확대해 유쾌하거나 재미있는 활동을 하는 데 관심을 갖는다. 생후 2년 동안이 이 시기에 해당하며, 아이는 자신을 별개의 육체적 존재로 처음 인식하고 그다음 주위의 물체도 역시 별개의 영속적인 존재라는 사실을 깨닫는다. 대개 2세부터 6~7세까지 지속되는 두 번째 단계는 전조작 단계로서, 이 시기에 아이는 외부세계에 대한 내적 표상 또는 사고를 통하여 환경을 상징적으로 조작하는 방법을 배운다. 이 단계의 아이는 사물을 말로 표현하는 방법을 배우고, 이전 단계에서 물리적 대상 자체를 조작했듯이 이제는 말을 정신적으로 조작하는 방법을 배운다. 7세부터 11~12세까지 지속되는 세 번째 단계는 구체적 조작단계로서, 이 시기에는 아이의 사고과정에 논리가 나타나기 시작하고 사물을 유사점과 차이점에 따라 분류하고자 한다. 또한 시간과 수의 개념을 파악하기 시작하는 단계다. 네 번째 단계인 형식적 조작단계는 12세에 시작해서 어른이 될 때까지 지속된다. 사고방식에 질서가 잡히고 논리적 사고력을 터득하여 좀 더 유연한 정신적 실험을 할 수 있게 된다. 이 단계에서 아이는 추상개념을 조작하고, 가설을 세우며, 자신의 생각과 다른 사람의 생각에 함축되어 있는 의미를 이해하는 방법을 배운다. 이러한 발달단계에 대한 피아제의 개념은 아동과 학습 및 교육에 관한 이전의 견해들을 재평가하도록 만들었다. 어떤 사고과정이 유전적으로 정해진 시간표에 따라 발달한다면, 단순한 강화만으로는 개념을 가르치는 데 충분하지 않았다. 아이의 정신발달이 그 개념들을 흡수하기에 적절한 단계에 도달해 있어야 하기 때문이다. 그래서 교사가 아이를 교육할 때는 지식의 전달자가 아니라 아이 스스로 세계를 발견할 수 있도록 이끌어 주는 안내자가 되어야 한다. 피아제는 다른 아이만이 아니라 자기 자녀들을 직접 관찰하고 그들과 대화를 나눔으로써 아동 발달에 대한 연구를 계속하였다. 그는 아이들에게 자신이 고안한 단순한 문제에 대해 교묘하고 창의적인 질문을 던진 다음, 아이들의 잘못된 반응을 분석해서 그들이 세계를 보는 방식을 생생하게 묘사하였다. 이러한 아동의 연구를 통하여 피아제는 수 · 양 개념의 발달, 시간, 공간, 인과성, 언어와 사고, 도덕성 발달 등 아동의 지적 발달 전반에 중요한 기여를 하였다. 아동 심성의 독자성과 발달단계를 명확히 하고 아동과 어른 간에는 논리구조에 질적으로 차이가 있다는 것을 나타내어, 아이들을 어른의 작은 모형으로 파악하는 낡은 아동관의 결정적 전회를 깨닫도록 하였다.

주요 저서

Piaget, J. (1924). *Le Jugement et la raisonnement chez l'anfant*, Switzerland: Delachaux & Niestle.

Piaget, J. (1948). *La Naissance de l'intelligence chez l'enfant*, Switzerland: Delachaux & Niestle.

Piaget, J. (1988). 아동의 언어와 사고[*Le langage et la pensée chez l'enfant, Switzerland: Delachaux & Niestlé*]. (송명자 역). 서울: 중앙적성출판사. (원저는 1923년에 출판).

핑커
[Pinker, Steven]

1954. 9. 18. ~
캐나다의 심리언어학자이자 인지과학자.

핑커는 캐나다의 몬트리올(Montreal)에서 태어났으며, 맥길(McGill)대학교를 졸업하고 하버드(Harvard)대학교에서 실험심리학 박사학위를 받았다. 그는 2003년까지 MIT대학교 심리학 교수로 재직하면서 그곳의 인지과학연구소 소장을 지냈고, 현재는 하버드대학교에 소속되어 있다. 핑커는 언어 및 인지 연구로 널리 알려져 있는데, 언어와 인지과학에 대한 학술논문부터 일반 대중을 대상으로 한 대중 과학서까지 다양한 수준의 글을 발표하였다. 그는 아이들이 어떻게 언어를 습득하는지에 대한 연구와 촘스키(Chomsky)의 언어이론을 발전시킨 것으로 제일 유명하다. 그의 저서 『The Blank Slate』는 2004년 퓰리처상 과학 부문 최종 후보작이기도 하며, 2004년에 타임지가 선정한 가장 영향력 있는 100인에 포함되었다.

주요 저서

Pinker, S. (1985). *Visual Cognition*. Amsterdam: Elsevier Science Pub.

Pinker, S., & Levin, B. (1992). *Lexical and Conceptual Semantics*. Cambridge, MA: Blackwel.

Pinker, S. (1999). *Words and Rules: the Ingredients of Language*. New York: Perennial.

Pinker, S. (2004). 빈 서판-인간은 본성을 타고나는가[*The Blank Slate: The Denial of Human Nature in Modern Intellectual Life*]. (김한영 역). 서울: 사이언스북스. (원저는 2002년에 출판).

Pinker, S. (2007). 마음은 어떻게 작동하는가-과학이 발견한 인간 마음의 작동 원리와 진화심리학의 관점[*How the Mind Works*]. (김한영 역). 서울: 소소. (원저는 1998년에 출판).

Pinker, S. (2008). 언어 본능-마음은 어떻게 언어를 만드는가[*The Language Instinct: How the mind creates language*]. (김한영 · 문미선 · 신효식 역). 서울: 동녘사이언스. (원저는 1994년에 출판).

하르트만
[Hartmann, Heinz]

1894. 11. 4. ~ 1970. 5. 17.
정신과 의사면서 정신분석학자이자, 자아심리학(ego psychology)의 창시자.

하르트만은 오스트리아의 비엔나(Vienna)에서 태어났다. 하르트만의 집안은 유명한 작가와 학자들이 많았는데, 그의 아버지는 역사학 교수면서 공중도서관을 만든 사람이었고 어머니는 피아니스트이자 조각가였다. 할아버지는 유명한 시인이자 수필가였으며, 또 한 분의 할아버지는 저명한 의사이자 교수였다. 하르트만은 13세가 될 때까지 가정교사가 있었고, 공립학교에서 공부를 하다가 비엔나(Vienna)대학교에 입학하였다. 여러 분야의 학문을 공부하다가 의학을 전공하고는 1920년 학위를 받아 정신과 의사가 되었다. 그러고는 바그너야우레크 클리닉(Wagner-Jauregg's Clinic)에서 일하였다. 의대 시절 키니네 신진대사(quinine metabolism)에 대한 두 편의 논문을 썼고, 실더(P. Schilder)와 함께 정신의학에 관한 몇 편의 논문을 낸 하르트만은 프로이트 이론에 관심이 있었다. 베델하임(S. Betlheim)과 함께 실험적 정신분석으로 「On Parapraxes in Korsakov Psychosis」라는 논문을 내기도 하였다. 이는 프로이트의 상징화(symbolization) 개념에 관한 타당성을 실험하는 논문이었다. 베를린에서는 아브라함(K. Abraham)에게 교육분석을 받기 위해 준비를 하고 있던 중에 아브라함이 갑자기 숨을 거두는 바람에 분석을 받지 못하고 라도(S. Rado)와 함께 처음 분석을 하게 되었다. 이 시기에 『Die Grundlagen der Psychoanalyse』

『The foundation of psychoanalysis』(1927)를 출판하였다. 1937년까지 거의 24편의 논문을 출판했는데, 그 안에는 쌍둥이 연구, 정신병, 신경증 연구 등이 포함되어 있었을 뿐만 아니라 의학적 심리학에 대한 주요 입문서에 영향을 미치는 연구들도 있었다. 하르트만은 존스홉킨스연구소(Johns Hopkins Institute)에 자리가 났지만 프로이트가 아무 조건 없이 분석을 해 주겠다는 제안을 해와 비엔나에 머물렀고, 프로이트에게 분석을 받으면서 비엔나정신분석연구회(Vienna Psychoanalytic Society)의 프로이트 추종자 중 핵심 인물이 되었다. 또한 『The International of Journal of Psychoanalyst』의 공동편집자로도 일하였다. 그는 1937년 비엔나정신분석학회에서 자아심리학에 대한 연구를 발표했는데, 이는 1958년에 『The Ego Psychology and the Problem of its Adaptation』이라는 제목으로 영어로 출판되었다. 1938년에는 나치의 통치를 피해서 가족과 함께 오스트리아를 떠나 파리, 스위스 등을 경유하여 1941년 뉴욕에 정착하였다. 뉴욕에 머문 지 얼마 되지 않아 하르트만은 뉴욕정신분석연구회(New York Psychoanalytic Society)의 주축을 이루는 사상가가 되었다. 크리스(E. Kris)와 두터운 교분을 유지하면서 뢰벤슈타인(R. Loewenstein)을 초빙하여 함께 일을 했는데, 세 사람은 수년간 매년 회합을 가지면서 중요한 논문을 많이 냈다. 크리스, 안나 프로이트(Anna Freud) 등과는 1945년에 연간 학술지 『The Psychoanalytic Study of the Child』를 창립하였다. 1950년대에 들어서서 국제정신분석학회(International Psychoanalytic Association)의 대표가 된 하르트만은 20세기 중반 세계정신분석학계의 대표가 되었다. 1970년 뉴욕에서 숨을 거둔 하르트만은 임상분석가, 교사, 이론가, 메타심리학자이자, 프로이트의 사상과 발견을 더욱 공고히 하고 확장시켜 나간 인물이라 할 수 있다. 그는 자아심리학으로 가장 잘 알려졌고, 갈등과 욕동이론으로도 유명하다. 그 외 공격성의 무화, 갈등 없는 자아영역 등의 개념을 밝혀 임상 및 연구 분야에서도 많은 공헌을 세웠다. 하르트만의 개념 중 중요한 한 가지를 들면 바로 적응(adaptation)이다. 하르트만은 자아의 작용을 방어로 보지 않고 적응이라는 관점으로 보았다. 자아발달에 맞추어 적응을 설명하면서 정상적 정신발달적 관점에 정신분석의 이론을 접목하였다. 그는 자아심리학의 기본 개념으로 자율적 자아, 갈등 외 자아영역, 자아장치, 전의식적 자동성 등을 도입하기도 하였다. 그의 노력으로 정신분석이론은 신경증에 관한 이론에 국한되던 한계를 넘어 일반심리학 이론으로 확장되었으며, 이로 인해 정신분석학과 일반심리학의 통합이 가능해졌다. 기존 프로이트의 관점에서 보던 추동심리학(drive psychology)에서는 인간존재에 중점을 두었지만, 하르트만은 인간을 환경에 따라 변화하는 순응적 존재로 보았다. 인간은 내적으로 갈등을 일으키기만 하는 존재가 아니라 환경과 상호작용하며 적극적으로 변화하고 바뀌는 적응하는 존재로 본 것이다. 하르트만의 이론에는 두 가지의 저류가 있는데, 하나는 원초아(id)에 뿌리를 둔 내적 세계를 다루는 것이고, 또 다른 하나는 외부세계에 적극적으로 대응하며 순응하는 기능을 다루는 것이다. 그는 여러 저서를 통해서 프로이트의 치료이론을 일반화하여 정상적 발달을 촉진시킬 수 있는 이론으로 정리해 냈다.

주요 저서

Hartmann, H. (1958). *Ego psychology and the problem of adaptation*. New York: International. Univ. Press.

Hartmann, H. (1960). *Psychoanalysis and moral values*. N. Y.: International Univ.

Hartmann, H. (1964). *Ego psychology*. New York: International Univ. Press.

Hartmann, H. (1964). *Essays on ego psychology*. New York: International Univ. Press.

Hartmann, H. (1964). *Papers on psychoanalytic psy-*

chology New York: International Univ. Press.
Hartmann, H. (1970). *Authority and organization in German management*. California: Greenwood Press.

하비거스트
[Havighurst, Robert James]

1900. 6. 5. ~ 1991. 1. 31.
물리학자, 교육자면서 노화전문가.

하비거스트는 로렌스(Lawhence)대학교 교수였던 아버지와 어머니 사이에서 태어나 위스콘신과 일리노이 공립학교를 다녔다. 1921년 오하이오 웨슬리언(Weslevan)대학교에서 교육학으로 졸업할 때까지 다른 전공도 함께 공부하였다. 1922년에는 오하이오(Ohio) 주립대학교에서 석사학위를 받았고, 1924년에는 오하이오 주립대학교 화학부에서 박사학위를 받았다. 1953년부터 1954년까지 뉴질랜드의 캔터베리(Canterbery)대학교 풀브라이트 장학생(Fulbright Scholar)이었으며, 1961년에는 부에노스아이레스대학교의 풀브라이트 장학생이었다. 1962년 애들피(Adelphi)대학교에서 화학으로 명예학위를 받은 그는 2006년에는 오하이오 웨슬리언 대학교에서도 명예학위를 받았다. 하비거스트는 물리학과 화학 분야에서 원자구조에 관한 논문을 많이 발표하였다. 하버드대학교에서 박사 후 연구원(postdoctoral fellow)으로 근무하는 동안에는 원자구조를 연구하면서 물리학과 화학 학술지에 논문을 발표하였다. 그러다가 1928년 방향을 바꾸어 실험교육학 분야에 발을 들이고는 위스콘신 매디슨(Wisconsin Madison) 대학교의 조교수가 되었다. 1940년에는 인간발달에 관한 대학위원회의 신임을 얻어 시카고(Chicago)대학교에서 교육학 교수가 되었다. 이후 하비거스트는 노화에 관한 연구를 하면서 동시에 교육과 관련하여 국제교육, 그리고 비교교육 분야에 관심을 갖게 되었다. 그는 국제성인평생교육 명예의 전당(International Adult and Continuing Education Hall of Fame)에 이름을 올리기도 하였다. 1967년부터 1971년까지 하비거스트는 미국 교육부의 지원을 받아 국책인디언교육연구(National Study of Indian Education)를 지휘하였다. 이 연구에서 그는 전체 작업 및 자료 분석을 돕고 연구를 기획하는 과정에 미국 원주민을 참여시켜 여러 문화적 차이를 극복하는 과정을 만들어 냈다. 또한 1960년대 후반부터 1970년대까지 하비거스트는 도시교육문제에 관심을 집중하고 미국 내 45개 대도시 공립고등학교에 관한 연구를 수행하였다. 만년까지 왕성한 활동을 펼쳤던 하비거스트는 91세가 되는 해에 알츠하이머로 사망하였다. 하비거스트의 교육연구는 미국의 진보교육에 상당한 영향을 미쳤다. 하비거스트 이전의 교육이론은 거의 미개척 분야였다. 아동 발달에 바탕을 둔 교육이 전혀 이루어지지 않은 상태로, 주입식이면서 기계적인 교육이 대부분이었다. 이에 1948년부터 1953년까지 하비거스트가 인간발달과 교육에 관한 매우 영향력 있는 이론을 발전시킴으로써 미국 교육에 혁신이 일어나기 시작하였다. 하비거스트는 인간은 출생부터 노년에 이르기까지 6단계의 주요 과정을 거친다고 보았다. 출생부터 6세까지의 유아 및 초기 아동기, 6~13세까지의 중기 아동기, 13~18세까지의 청소년기, 19~30세까지의 초기 성인기, 30~60세까지의 중년기, 60세 이후의 노년기 등이다. 이 발달과정에 근거하여 하비거스트는 모든 인간은 세 가지 주요 발달적 과업을 가진다고 주장하였다. 첫째, 걷기, 말하기, 배변훈련, 반대 성을 수용할 수 있는 행동, 폐경 적응 등의 신체적 성장과업. 둘째, 직업선택, 철학적 관점 이해 등의 개인적 가치관 발달. 셋째, 읽기 습득, 책임감 있는 시민으로의 성장 등의 사회적 압력에 대응하는 힘 기르기가 그것이다. 하비거스트의 발달과업모델은 연령을 기반으로 하는 실용적 기능을 제공하고 있다.

주요 저서

Havighurst, R. J., & Davis, A. (1944). *Who Shall Be Educated?: The Challenge of Unequal Opportunities*. New York: Harper.

Havighurst, R. J., & Neugarten, B. L. (1947). *Father of The Man: How Your Child Gets His Personality*. New York: Houghton.

Havighurst, R. J., Stivers, E., & DeHaan, R. F. (1955). *American Indian And White Children*. Chicago: Univ. of Chicago Press.

Havighurst, R. J., & other. (1968). *Comparative Perspective on Education*. New York: Little and Brown.

Havighurst, R. J. (1969). *Adjustment to Retirement:* A Cross-national Study. Van Gorcum.

Havighurst, R. J. (1996). 발달과업과 교육[*Development Tasks and Education*]. (김재은 역). 서울: 배영사. (원저는 1972년에 출판).

Havighurst, R. J. (1972). *To Live on Earth: American Indian Education*. New York: Doubleday.

하이더
[Heider, Fritz]

1896. 2. 18. ~ 1988. 1. 2.
오스트리아 출신 심리학자로 귀인이론의 창시자.

게슈탈트 학파와 관련이 깊은 하이더는 건축가인 모리츠 하이더(Moriz Heider)와 아내 유진(Eugenie) 사이에서 난 형제 중 동생으로 오스트리아 비엔나에서 태어나 그라츠에서 자랐다. 책 읽기를 좋아하는 모범적인 학생이었던 하이더는 정규교육을 받기보다 유럽 전역을 여행하면서 수년간 이리저리 떠돌아다녔다. 아버지의 권유로 건축학과 법학을 공

부했지만 곧 그만두고 24세가 되던 1920년에 인식의 인과구조에 관한 논문으로 그라츠(Graz) 대학교에서 박사학위를 받았다. 이후 다시 유럽을 수년간 여행하다가 베를린으로 가서 심리학연구소(Psychology Institute)에서 일하면서 쾰러(W. Köhler), 베르트하이머(M. Wertheimer), 레빈(K. Lewin) 등과 교분을 이어 갔다. 이 시기에 게슈탈트 심리학 사상의 영향을 받았다. 1927년에 함부르크대학교 교수로 임용되어 스턴(W. Stern), 카시러(E. Cassirer) 등과 함께 재직하였다. 1930년에는 매사추세츠 노샘프턴에 있는 농아를 위한 클라크 학교(Clarke School of Deaf)에서 연구지도를 맡았으며, 스미스대학교의 조교가 되었다. 이 시기에 게슈탈트 심리학파의 창시자 중 한 사람인 코프카(K. Koffka)를 만나 매우 큰 영향을 받았다. 또한 레빈과 막역한 관계를 맺었는데, 이 우정은 레빈이 세상을 떠날 때까지 지속되었다. 하이더는 코프카의 조교로 있던 그레이스(Grace)를 만나 결혼해서 슬하에 세 아들을 두었다. 그는 1944년에 중요한 두 논문을 발표했는데, 이는 사회적 인식과 인과귀인 개념에 혁신을 이루는 것이었다. 하지만 그 후로 14년간 출판물을 거의 내지 않았다. 1947년에는 캔자스 대학교에 자리를 얻었지만, 스미스에서도 연구를 계속하여 1958년 자신의 역작인 『The Psychology of International Relationships』를 출간하였다. 균형이론(balance theory)과 귀인이론(attribution theory)을 만들어 체계화하고 그 개념을 확장시켜 보여 준 이 책은 사회심리학 분야에서 지대한 영향을 미치고 있다. 1965년, 미국심리학회(American Psychological Association)에서 우수과학공로상(Distinguished Scientific Contribution)을 받은 그는, 1987년에는 심리학 최우수상(Psychological Science Gold Medal

ㅎ

Award)을 받았다. 1965년에 캔자스대학교에서 우수교수로 이름을 올렸고, 은퇴 이후에도 명예교수로 남은 하이더는 1988년 캔자스의 로렌스에서 92세를 일기로 생을 마감하였다. 하이더는 인간이 자신과 타인의 행동을 어떻게 해석하느냐 하는 문제를 연구하면서, 대인관계의 속성을 탐색하고 사람들이 타인의 행위에 대한 인식이 어떻게 귀인되는지를 밝혔다. 이러한 인식의 귀인은 특별한 상황이나 오랜 세월 지니고 있던 신념 같은 것으로 결정되는 것이다. 이처럼 대인관계 심리학에서는 사람의 행동 원인을 '귀인(attribution)'의 개념으로 설명하면서, 그에 따르면 귀인은 내적 귀인과 외적 귀인으로 나누어진다. 이외에도 '상식심리학(commonsense psychology)'이라는 개념을 제시했는데, 사람들이 타인에 대해 자신이 행하는 방식으로 설명하게 되는 과정을 밝히고 있다. 인간에게는 복잡한 생활환경을 질서정연하게 파악하려는 경향이 있다고 주장하면서, 이 같은 성향에 따라 각자의 상식적인 심리학을 발전시킨다고 하였다. 즉, 그가 말하는 상식심리학은 복잡하게 드러난 현상을 일관된 원칙에 따라 파악하려는 것이다. 한편, 하이더가 주장한 이론 중 가장 중요한 것은 형평이론이다. 이는 인지적으로 불일치가 일어날 때 인간은 인지적 형평을 추구하는 속성이 있다는 것을 기본 가설로 삼는다. 이 형평이론은 기호, 애정, 가치관, 태도, 관계, 소속과 같은 인지과정에 널리 적용할 수 있다. 이러한 사회적 개념은 인간이 개인적으로 어떤 상황에서 자신이 오랫동안 지녀 온 신념에 의해서 설명 가능하다. 하이더의 이론은 사회심리학에 결정적인 영향을 미치면서 지금까지 그 명맥을 유지하고 있다.

주요 저서

Heider, F. (1958). *The Psychology of Interpersonal relations*. New York: John wiley & sons.

Heider, F. (1983). *The Life of a Psychologist: An Autobiography*. Lawrence, KS: Univ. of Kansas Press.

Heider, F. (2004). *Ding und Medium*. Berlin: Kulturverlag Kadmos.

하이데거

[Heidegger. Martin]

1889. 9. 26. ~ 1976. 5. 26.

실존주의 및 현상학을 연구하여 '존재에 관한 의문'으로 유명한 20세기 독일 실존주의 대표 철학자.

하이데거는 독일의 메스키르히에서 태어났다. 그의 집안은 로마 가톨릭을 신봉하였고, 아버지는 마을 교회의 교회지기였다. 그의 부모는 1870년 제1차 바티칸 공의회(First Vatican Council)를 따랐는데, 1895년에 구가톨릭교의 교회지기를 6세의 하이데거가 물려받았다. 하이데거는 집안 형편상 대학 진학을 할 수 없어서 예수회 신학교에 들어갔지만, 얼마 되지 않아 건강상의 이유로 그만두었다. 후에 하이데거는 자신의 철학적 신념과 가톨릭 사상과의 갈등을 겪다가 결국 가톨릭교에서 등을 돌렸다. 1909년부터 1911년까지 프라이부르크(Freiburg)대학교에서 신학을 전공하다가 철학으로 전향하고, 신토마스주의와 신칸트주의의 영향을 받아 1914년에 심리학주의 관련 주제로 박사논문을 통과하였다. 1916년에는 리케르트(H. Richert)와 후설(E. Husserl)의 영향을 받아 던스 스코터스(Duns Scotus)에 관한 주제로 교수자격 논문을 마쳤다. 2년 후, 무보수 객원 강사로 일한 하이데거는 제1차 세계 대전 중에는 군인으로 복무하였다. 1917년, 페트리(E. Petri)와 결혼하고 전쟁이 끝난 뒤 1919년부터 1923년까지는 프라이부르크대학교에서 후설의 선임 조교수로 일하였다. 1923년에는 마르부르크(Marburg) 대학교 철학부 우수교수(extraordinary professorship)로 선출되기도 하였다. 하이데거는 주로 대학에서 존재의 의미에 관한 의문을 제시하였다. 1927년, 그의 역작 『존재와 시간(Sein und Zeit)』을 출판하였고, 1928년에는 후설이 철학부 교수직에서 물러나 하이데거가 그 자리를 이었다. 1933년, 하이데거는 대학교 목사로 선출되었으며 나치에 입당하여 나치를 지지하였다. 1934년에 교목에서는 물러났지만 1945년까지 나치 당원으로 있었다. 제2차 세계 대전이 끝나고, 1946년 후반 프랑스에서는 하이데거가 나치 당원이었다는 이유로 대학교 활동을 하지 못하도록 하였다. 이후 1950년이 되어 프라이부르크대학교 강단에 선 그는 1951년부터 1958년까지 명예교수직에 머물렀다. 1976년 숨을 거둔 하이데거는 철학과 전체로서의 사회가 존재에 앞선다는 신념을 가지고 있었다. 그는 이미 존재하는 세계에 떨어져 이미 늘 거기 있는 우리 인간의 모습을 탐색하였다. '존재란 무엇인가'라는 가장 근본적인 문제가 하이데거에게는 가장 중요한 주제였다. 그의 사상은 철학뿐만 아니라 문학, 심리학, 신학, 인공 지능 등에도 지대한 영향을 미쳤으며, 그는 20세기 가장 중요한 철학자 중 한 사람으로 손꼽힌다.

주요 저서

Heidegger, M. (1969). *Discourse on Thinking*. New York: Harper Perennial.

Heidegger, M. (1982). *On the Way to Language*. New York: Harper One.

Heidegger, M. (1982). *The Question Concerning Technology, and Other Essays*. Harper Torchbooks.

Heidegger, M. (1988). *The Basic Problems of Phenomenology*. Indiana: Indiana Univ. Press.

Heidegger, M. (2000). *Introduction to Metaphysics*. New York: Yale Univ. Press.

Heidegger, M. (2001). *Poetry, Language, Thought*. New York: Harper Perennial Modern Classics.

Heidegger, M. (2001). *The Fundamental Concepts of Metaphysics: World, Finitude, Solitude*. Indiana: Indiana Univ. Press.

Heidegger, M. (2002). 동일성과 차이[*Identity and Difference*]. (신상희 역). 서울: 민음사. (원저는 2000년에 출판).

Heidegger, M. (2005). 이정표 1, 2 [*Pathmarks*]. (신상희, 이선일 역). 경기: 한길사. (원저는 1998년에 출판).

Heidegger, M. (2008). *Basic Writings*. Harper Perennial Modern Classics.

Heidegger, M. (2008). 존재와 시간[*Sein and Zeit, Being and Time*]. (전양범 역). 서울: 동서문화사. (원저는 1996년에 출판).

Heidegger, M. (2009). 시간의 개념[*Der Begriff der Zeit*]. (서동은 역). 서울: 누멘. (원저는 1995년에 출판).

Heidegger et al. (2009). *History of the Concept of Time*. Indiana Univ. Pr.

Heidegger, M. (2010). 니체 1 & 2 [*Niezsche: Vol. One & Two*]. (박찬국 역). 길. (원저는 1991년에 출판).

Heidegger, M. (2010). 아리스토텔레스에 대한 현상학적 해설[*Phenomenological Interpretations of Aristotle*]. (김재철 역). 서울: 누멘. (원저는 2008년에 출판).

Heidegger, M. (2011). 종교적 삶의 현상학[*The Phenomenology of Religious Life*]. (김재철 역). 서울: 누멘. (원저는 2010년에 출판).

Heidegger, M. (2012). *Contributions to Philosophy: Of the Event*. Indiana Univ. Press.

한센
[Hansen, Sunny(Hansen, Lorraine Sundal)]

미국상담협회 및 전국 진로발달협회 회장을 역임한 인물.

한센은 미네소타에서 태어나서 자랐고, 미네소타(Minnesota)대학교에서 학부를 졸업한 뒤 석사, 박

사학위를 모두 동 대학교에서 취득하였다. 이후 12년간 세 곳의 고등학교에서 영어 및 글쓰기(journalism)를 가르치면서 교사 입장에 서서 학생들을 상담하였다. 그러다가 나중에 영어에서 상담으로 전향하여, 1962년 상담학 박사학위를 취득하고 상담교사가 되어, 대학 부설 고등학교에서 학생들을 상담하였다. 그 뒤 미네소타대학교 상담 및 학생후생 심리학부 교수가 되어 진로발달의 전문가로 나섰다. 그녀는 여성의 진로발달에 관한 혁신적인 대학과정을 만들어 내고, 수많은 진로발달, 진로상담, 진로지도 등에 관한 워크숍을 고안하거나 직접 개최도 하였다. 또한 국내뿐만 아니라 국외에서도 명성 있는 연사로 자리 잡았다. 한센은 정의와 평등 같은 사회적 문제에 대해서도 관심이 높았다. 그녀의 가장 창의적인 공헌은 본프리(BORN FREE) 프로젝트라고 할 수 있다. 이는 연방정부의 지원을 받아 여성뿐만 아니라 남성의 진로선택 기회를 확장하고자 고안한 것이다. 본프리는 매우 성공적인 멀티미디어 교육 및 발달 프로그램으로, 교육자와 부모를 위한 것이었다. 여기서는 진로발달에서 성역할이 미치는 힘을 지각하고, 참여자들이 인간발달을 위한 변화를 도울 수 있도록 교육한다. 한센은 2년간 본프리 프로그램을 증보하여 12개국의 성역할 및 문화적 쟁점에 관한 국제적 차원의 자료를 모으기도 하였다. 그녀는 40여 년간 미국 내에서 상담 및 진로발달의 여러 분야 집필활동과 강의를 했으며, 국제적으로도 35개국에서 많은 활동을 펼쳤다. 또한 유수의 대학과 학교에서 상담 및 진로발달의 자문을 맡고 있기도 하다. 한센의 다양한 업적은 1990년 전국진로발달학회(National Career Development Association)에서 공로상(Eminent Career Award), 1986년 상담사 교육 및 수퍼비전학회(Association for Counselor Education and Supervision)에서 우수멘토상(Distinguished Mentor Award) 등을 수상한 것으로도 알 수 있다. 1978년에는 미국심리학회에서 그녀의 심리학 분야에 대한 탁월한 공로를 인정하여 특별회원으로 선출하였고, 1989년부터 1990년까지는 미국 상담 및 발달학회(American Association for Counseling and Development)의 회장을 역임하는 등 많은 영예를 안았다. 1999년에 미네소타를 떠났지만 여전히 전문가로서의 역량을 펼치며 집필 및 강의를 하고 있고, 통합적 인생설계(Integrative Life Planning)라는 자신만의 접근법으로 상담과 진로발달에 지대한 영향을 미치고 있다. 한센은 2006년 교육 및 인간발달 관련 대학인 100인에 포함되기도 하였다.

주요 저서

Hansen, S. (1996). *Integrative Life Planning: Critical Tasks for Career Development and Changing Life Patterns*. San Franciso, CA: Jossey-Bass.

할로
[Harlow, Harry Frederick]

1905. 10. 31. ~ 1981. 12. 6.
붉은털원숭이의 모성분리 및 사회적 고립실험으로 유명한 미국의 심리학자.

할로는 아이오와의 페어필드에서 4형제 중 둘째로 태어났다. 처음 이름은 해리 이스라엘(Harry Israel)이었는데, 당시 반유대주의 경향 때문에 1930년에 해리 할로로 개명하였고, 아이오와의 작은 농장에서 어린 시절을 보냈다. 할로는 겁이 많고 수줍음을 많이 타는 아이였다. 처음에는 오리건의 포틀랜드에 있는 리드(Reed)대학교를 다녔는데, 스탠퍼드(Stanford)대학교 입학 자격을 얻은 뒤 심리학을 전공하게 되었다. 1927년 학부를 졸업한 할로는 스탠퍼드비네 지능검사(Stanford-Binet IQ Test)를 개발한 터먼(L. Terman)의 지도를 받아 1930년 박사학위를 받았다. 박사학위 취득 직후에는 위스콘신매디슨(Wisconsin Madison)대학교 교수로 임용되었다. 그곳에서 이룬 가장 중요한 업적은 사설연구소를 대학 안에 세웠다는 것이다. 이는 전 세계적으로 최초였다. 이 연구소에서 터먼, 매슬로(A. H. Maslow) 등과 함께 연구를 시작한 할로는 심리학 공동체에서 개인적인 연구도 중요한 임상적 문제를 해결할 수 있다는 것을 인정하고 싶어 하였다. 할로의 이 연구소는 1964년에 위스콘신 지역사설연구소(Wisconsin Regional Primate Lab)가 되었다. 할로는 1974년까지 주로 위스콘신대학교에서 연구를 하면서, 조지캐리콤스톡연구소의 심리학 교수로 있었다. 또한 미 육군 인간자원연구소에도 몸담고 코넬대학교, 노스웨스턴대학교 등에서 강의도 하였다. 1932년에 클라라 미어스(Clara Mears)와 결혼한 할로는 1946년에 이혼한 뒤 1948년 마거릿트(Margaret Keunne)와 재혼했지만 1972년에 사별을 하였다. 그리고 후에 첫 번째 부인이었던 미어스와 다시 결합하였다. 1974년에는 투손으로 거처를 옮기고, 애리조나(Arizona)대학교의 명예교수가 되었다. 1981년에 사망한 할로는 미국 심리학자로서 붉은털원숭이를 가지고 시행한 모성분리 및 사회적 고립 실험으로 유명해졌다. 이 실험은 사회적 및 인지적 발달에 돌봄(care-giving)과 동료애(companionship)가 얼마나 중요한지 보여 주었다. 이 실험으로 할로는 인간의 행동을 이해하는 새로운 방법을 마련하였다. 그의 연구는 일반심리학뿐만 아니라 아동심리학에도 중요한 영향을 미쳤다. 할로가 가장 관심을 둔 요소는 사랑이었는데, 그는 자신의 연구를 두고 사랑의 연구라 하였다. 하워드 크로스비 워렌 상(Howard Crosby Warren Medal), 국가과학상(National Medal of Science), 미국심리학재단(American Psychological Foundation)에서 주는 금메달 등 많은 상을 수상한 할로는 여러 기관에서 봉사하기도 하였다.

주요 저서

Harlow, H. F. (1965). *Biological and Biochemical Bases of Behavior*. Wisconsin: The Univ. of Wisconsin Press.

Harlow, H. F. (1969). *Readings In Psychology*. W. H. Freeman.

Harlow, H. F. (1971). *Learning to Love*. New York: Ballantine Books.

Harlow, H. F. (1971). *Psychology*. Albion Pub.

Harlow, H. F. (1979). *The Human Model: primate perspectives*. New Jersey: John Willey & Sons.

해리스
[Harris, Thomas A.]

1910. ~1995.
교류분석의 주요 개념을 발달시킨 미국의 심리학자.

해리스는 미국 텍사스에서 태어나 필라델피아의 템플 의대를 졸업하였다. 그 후 1942년 워싱턴 D.C.의 성 엘리자베스 병원에서 정신과 수련의로 근무하였다. 그는 수년간 미 해군 정신과 의사로 복무했으며, 진주만 습격 당시 현장에 있었다. 해리스는 나중에 해군의 정신의학 분과장이 되었다. 전쟁이 끝난 뒤에는 아칸소(Arkansas)대학교에서 강의했고, 정신보건국의 고위 관료를 지내기도 하였다. 1956년에는 캘리포니아에서 정신과 의사로 개업하였다. 해리스는 교류분석의 창시자인 번(Berne)과 함께 교류분석의 주요 개념을 발달시켰고, 국제교류분석학회의 이사를 역임하였다. 1969년에 출간한 『I'm OK, You're OK』로 유명해진 그는 이 책에서 인간

ㅎ

의 삶의 태도를 네 가지로 나누었다. 즉, 자기 자신에 대한 삶의 태도와 타인에 대한 태도를 각각 긍정적인 태도와 부정적인 태도로 나누어 설명하고 있다.

주요 저서

Harris, T. A. (1991). 인간관계의 개선과 치료[*I'm OK, you're OK: a practical guide to transactional analysis*]. (이형득 역). 서울: 중앙적성출판사. (원저는 1967년에 출판).

해밀턴
[Hamilton, Gordon]

컬럼비아대학교 사회복지 학부, 뉴욕 사회복지 학부 교수로 재직한 인물.

해밀턴은 1944년부터 1952년까지 유엔구호부흥기구(United Nations Relief and Rehabilitation Administration)와 세계교회봉사단체(Church World Services)와 함께 일하면서 국제 사회복지 고문으로 있었다. 해밀턴은 교사이자 작가로서 뛰어난 역량을 발휘하여 사회복지교육에서 박사과정 개발의 교수진이 되었으며, 또한 사회복지에 관한 저서를 내기도 하였다. 그중 가장 중요한 저서로는 1940년에 첫 발행한 『The Theory and Practice of Social Casework』다. 1947년에는 『Psychotherapy in Child Guidance』를 출간하였다. 이 책에서 해밀턴은 정신분석이론에 가까이 서 있는 입장을 취하지만, 그녀가 생각한 사회복지에서의 정신분석은 기존의 것과는 상당히 다른 면이 있었다. 해밀턴은 인간의 환경과 지적 가치라는 두 가지 핵심적인 요소를 보여주면서 과학적 지식과 사회적 가치를 통합하기 위해 평생을 바쳤다.

주요 저서

Hamilton, G. (1951). *Theory and Practice of Social Casework*. New York: Columbia Univ. Pr.

Hamilton, G. (1948). *Psychotherapy in Child Guidance*. New York: Columbia Univ. Pr.

허즈버그
[Herzberg, Frederic Irving]

1923. 4. 18. ~ 2000. 1. 18.
경영관리 분야에서 가장 영향력 있는 미국 심리학자 중 한 사람.

허즈버그는 매사추세츠의 린에서 태어났다. 뉴욕(New York) 시립대학교를 다니다가 입대 때문에 잠시 학업을 중단했는데, 순찰 하사관(patrol sergeant)으로 복무하면서 다하우강제수용소(Dachau concentration camp)를 직접 목격하였다. 이 경험과 독일에서 머물렀던 경험들이 동기화에 대한 허즈버그의 관심에 불을 붙였다. 1946년에 뉴욕 시립대학을 졸업하고 피츠버그(Pittsburg)대학교로 들어가 대학원까지 마친 그는 '전기충격치료에 대한 예후변인(Prognostic variables for electroshock therapy)'이라는 주제로 박사학위를 취득하였다. 이후 클리블랜드의 케이스웨스턴리저브대학교에서 심리학과 교수가 되어 산업정신건강학부(Department of Industrial Mental Health)를 설립하였다. 1972년에는 유타대학교로 옮겨 경영대학의 교수가 되었다. 직장에서 특정 요인이 직업에 대한 만족도에 영향을 미친다고 생각했던 허즈버그는 '직무충실화의 아버지(The Father of Job Enrichment)'로 알려졌다. 이처럼 그는 직무충실화(job enrichment)와 동기-위생 이론(motivator-hygiene theory)을 제시하여 유명해졌으며, 2000년 솔트레이크 시티에서 생을 마감하였다. 1968년에 발표한 『One More Time, How Do You Motivate Employees?』는 1987년까지 백만 부가 넘게 인쇄되었다. 또한 1995년에 10대 도서로 선정된 그의 저서 『The Work and the Nature of Man』은 경영의 이론 및 실무에서 20세기 가장 영향력 있는 저서로 손꼽힌다. 1959년 허즈버그는 자신의 저서 『The Motivation to Work』에서 직장에서의 동기에 대한 자신의 이론을 구축하여 최초로 제시하였다. 이 책은 200명의 피츠버그 기술자와 회계원을 대상으로 이루어진 실제 연구를 바탕으로 만들어진 것이다. 같은 해에 직장 내 인간의 동기화에 대한 '두 요인 이론(two factor theory)'을 제안했는데, 이에 따르면 만족과 심리적 성장은 '동기요인(motivation factors)'에 따른 것이며, 불만은 '위생요인(hygiene factors)'의 결여로 나타난다. 허즈버그는 동물이 고통을 피하는 것처럼 인간에게도 두 가지 기본적 요인이 있음을 제시하면서 그 두 번째가 인간에게는 심리적 성장이라고 하였다. 그는 관찰연구를 통하여 인간에게 있는 특수 영역을 밝혀냈다. 한편 허즈버그는 매슬로(A. H. Maslow), 맥그리거(D. M. McGregor) 등과 함께 1950년대 인간관계론 학파로서, 경영학 교수와 전쟁 후 세대의 자문으로 가장 영향력 있는 인물 중 한 사람이라는 평가를 받았다. 그는 사람들이 직업에서 정말 원하는 것이 무엇인가에 대해서 연구를 계속했으며, 실제 자신의 직무에 만족하는 사람과 그렇지 못한 사람을 대상으로 그 이유를 현장에서 분석하여 동기 요인을 찾아냈다.

주요 저서

Herzberg, F. I. (1959). *The Motivation to Work*. New Jersey: Transaction Pub.

Herzberg, F. I. (1968). *One More Time: How Do You Motivate Employees?* Cambridge, MA: Harvard Business Press.

Herzberg, F. I. (1974). *Work and the Nature of Man*. London: Crosby Lockwood Staples.

Herzberg, F. I. (1976). *The Managerial Choice: To be Efficient and to be Human*. New York: Dow Jones-Irwin.

헐
[Hull, Clark Leonard]

1884. 5. 24. ~ 1952. 5. 10.
학습 및 동기를 행동의 과학적 법칙으로 찾으려고 노력한 미국의 심리학자.

헐은 뉴욕의 애크런 근교 작은 농장에서 태어났다. 동생과 함께 헐은 아버지를 도와 농장을 개척하면서 어린 시절을 미시간에서 보냈다. 고등학교는 웨스트사지노(West Saginaw)에서 다녔고 알마대학(Alma College)에 입학하였다. 장티푸스와 소아마비 때문에 헐은 학업을 중도에 그만두었는데, 이 때문에 자신이 할 수 있는 일에 대해서 고민하다가 심리학을 전공하기로 결심하였다. 나중에 미시간(Michigan)대학교 입학 허가를 얻어 29세의 나이로 졸업을 한 뒤, 위스콘신(Wisconsin)대학교로 가서 34세인 1918년에 박사학위를 받았다. 박사학위 논문은 「Quantitative Aspects of the Evolution Concepts」라는 제목으로 『Psychological Monographs』에 실렸다. 위스콘신에서 강단에 서면서, 헐은 자신의 사상이 당시 만연해 있던 행동주의와 게슈탈트 심리학과는 다르다는 것을 절감하고 낙향하였다. 헐은 지속적으로 행동원리 결정에 관한 심리학 연구설계를 위해서 객관적인 방법의 개발을 강조하였다. 그동안 흡연이 미치는 영향을 연

ㅎ

구했고 기존 검사문헌에 실린 내용을 고찰하면서 암시와 최면에 관한 연구를 하였다. 이 연구로 심리검사 및 측정에 대한 강의를 할 기회를 얻었는데, '적성검사(aptitude testing)'라고 이름을 바꾼 다음 진로지도의 기반을 만들었다. 이러한 과정에서 수집한 것을 모아서 1928년에 『Aptitude Testing』를 출간하였다. 1929년에는 예일대학교 심리학연구소 심리학과 연구교수가 되었다. 이 연구소는 나중에 인간관계연구소(Institute of Human Relations)와 합병하였다. 만년이 되면서 그는 심리학에 대한 모종의 결론에 도달하여, 1930년에는 심리학이란 진정한 자연과학임을 진술하면서 그 원칙은 일반적인 방정식으로 양적 표현이 가능하다고 하였다. 이후 10년간 헐의 연구는 적성검사뿐만 아니라 학습실험, 행동이론, 최면 등에까지 확장되었다. 1952년 뉴헤븐에서 숨을 거둔 헐은 행동주의의 대표자로서 1930년대와 1940년대 초학교 신행동주의 시대를 무르익게 한 인물이었다. 그의 기본적인 동기 개념은 '욕동(drive)'이며, 그의 양적 체계는 자극-반응 강화이론(Stimulus-response theory)을 기반으로 하여 '욕동감소'와 '개입변수'의 개념을 활용하였다. 이는 1940년대 객관성에 관한 심리학으로 높이 평가되었다. 또한 헐은 실험심리학에서 양적 방법론에 최면접근법을 최초로 시도한 심리학자일 것이다. 최면을 가지고 실험적 방법과 현상학의 조합을 이끌어 내어 실험문제에서의 여러 주제를 제시하기도 하였다. 그는 최면은 수면과 관계가 없다고 강조하였다. 그러면서 최면마취와 최면 후 기억상실과 같은 고전적인 현상의 현실성을 실험을 통해서 보여주었다. 최면은 특정 신체적 능력을 향상시킬 수도 있고, 지각자극의 임계점을 바꿀 수도 있다. 그의 공헌이 가장 큰 분야를 말하자면 학습이론인데, 헐의 학습이론은 20세기 가장 중요한 학습이론으로 손꼽히고 있다. 헐의 이론은 행동을 예측하고 통제할 수 있다는 것을 증명하여 심리학에서 훨씬 더 과학적인 방법으로 이론을 증명할 수 있는 길을 열었다. 헐은 학습이론도 양적인 것으로 설명하였다. 행동주의자로서 효과적인 적응을 위해 환경적 경험의 누적이 습관형성에 중요하다는 것을 보여 주기도 하였다. 그는 관찰과 실험의 중요성을 인식하고 가설적 연역법을 강조하였다. 이와 같이 헐의 이론은 단정적이면서 경험적인 증명을 통한 입증과 같은 논리적인 단계를 따랐다. 헐은 또한 스키너(B. F. Skinner)처럼 강화의 중요성도 강조하였다.

주요 저서

Hull, C. L. (1922). *The century psychology series*. New York: Appleton-Century.

Hull, C. L. (1928). *Aptitude testing*. World Book Co.

Hull, C. L. (1933). *Hypnosis and suggestibility: An experimental approach*. New York: Appleton-Century-Crofts.

Hull, C. L. (1940). *Mathematics-Deductive theory of rote learning*. New York: Yale Univ. Press.

Hull, C. L. (1943). *Principles of behavior*. Appleton-Century Com.

Hull, C. L. (1952). *A Behavior system*. New York: Yale Univ. Press.

Hull, C. L. (1984). *Mechanisms of adaptive behavior*. New York: Columbia Univ. Press.

헤르만스
[Hermans, Hubert J. M.]

1937. 10. 9. ~
대화적 자기이론의 창시자이자 이야기 심리학 및 이야기 심리치료의 주요 이론가.

헤르만스는 네덜란드의 마스트리히트 지방에서 제과점의 아들로 태어났다. 그는 네이메겐 라드바우드(Nigmegen Radboud) 대학교에서 심리학을 공부하였고, 현재 네이메겐 가톨릭대학교의 심리학과 명예교수로 재직하고 있다. 헤르만스는 정신과 의사인 엘스 헤르만스 얀센(Els Hermans-Jansen)과 결혼하여 1961년부터 2007년까지 함께 대화적 자기이론의 발달에 협력하였다. 또한 미국의 실용주의자 제임스(W. James)와 러시아의 철학가이자 문학평론가인 바흐친(M. Bakhtin)의 영향을 받기도 하였다. 그가 연구과정에서 개발한 주요 개념으로는 대화적 자기이론, 개인 위치 목록방법, 자기-직면 방법, 가치화 이론 등이 있다. 헤르만스는 이야기 심리학의 핵심인물로 활동하고 있다.

주요 저서

Hermans, H. J. M. (1993). *The dialogical self: meaning as movement*. San Diego: Academic Press.

Hermans, H. J. M. (1995). *Self-narratives: the construction of meaning in psychotherapy*. New York: Guilford Press.

Hermans, H. J. M. (2010). *Dialogical self theory: positioning and counter-positioning in a globalizing society*. Cambridge, UK; New York: Cambridge University Press.

헤일리
[Haley, Jay Douglas]

1923. 7. 19. ~ 2007. 2. 13.
전략적 가족치료 발전에 기여한 미국 심리학자.

헤일리는 와이오밍 중서부 지방에서 태어났다. 헤일리가 4세 되던 해 가족이 캘리포니아 버클리로 이주하였고, 제2차 세계 대전 중에는 미 공군에서 복무한 뒤 UCLA에 입학하여 극예술을 전공하였다. 대학 재학 시절 「The New Yorker」라는 단편을 발표하기도 하였다. 극작가로 1년 정도를 지낸 뒤, 그는 캘리포니아로 돌아와 버클리 캘리포니아(California, Berkeley) 대학교에서 도서관학을 전공하고, 스탠퍼드대학교에서 의사소통으로 석사학위를 받았다. 1950년에는 결혼을 해서 세 아이를 낳았다. 1953년 석사과정 중에 인류학자인 베이트슨(G. Bateson)의 초청을 받아 의사소통 연구 프로젝트에 참여하게 되었는데, 이는 후에 가족치료의 발아가 되었다. 1954년부터 1960년까지는 에릭슨(M. Erickson)의 지도하에 치료적 기술을 배웠고, 1962년 팔로 알토에 있는 정신연구소(Mental Research Institute)에서 일하는 동안 『Family Process』라는 학술지를 만들었다. 에릭슨과의 관계를 계속 이어 가면서 『Uncommon Therapy』 등의 중요한 저서를 내기도 하였다. 헤일리는 맥락과 환자 증상에서 사용할 수 있는 기능에 관심을 집중하면서 지시적 기법을 쓰는 등 단기치료모델을 끊임없이 발전시켜 나갔다. 그는 환자들이 자신이 왜 문제를 가지게 되었는지보다는 자신들의 문제에 대해서 뭔가 능동적으로 대처하게 만드는 것이 훨씬 더 중요하다고 생각하였다. 1960년대 중반에는 필라델피아로 가서 필라델피아 아동지도클리닉(Philadelphia Child Guidance Clinic)에서 일하였다. 그곳에서 미누친(S. Minuchin) 등과 함께 일하면서 1970년대 초반 구조적 가족치료에 영향을 미쳤다. 1976년 두 번째 아내인 마다네스(C. Madanes)와 함께 워싱턴 D.C.에 가족치료연구소(Family Therapy Institute)을 창립한 그는 전략적 가족치료의 발전에 힘을 쏟았다. 여기서 『Problem Solving Therapy』라는 저서가 나왔다. 1990년대 들어서는 연구소를 떠나 샌디에이고로 옮겨 세 번째 아내인 리치포트헤일리(M. Richeport-Haley)와 함께 인류학과 심리치료에 관한 영상자료를 만들었다. 그녀는 헤일리의 마지막 저서인 『Directive Family Therapy』의 집필을 돕기도 하였다. 2007년 숨을 거둔 헤일리는 가족치료의 창시자 중 한 사람으로 평가받고 있으며, 교사이자 임상감독이자 여러 후학을 양성한 저자로 인정받는다. 그의 공헌 중 가장 눈에 띄는 것은 전략적 가족치료 및 인본주의 과정 발달에 관한 것이다. 헤일리는 인간문제를 체계적인 관점으로 이해하고 상담개입에 실용적인 접근법을 써서 내담자의 강점을 활용하였다. 창의적이고 생산적인 도구로 내담자가 반응할 수 있도록 만든 것이다. 특히 그의 접근법에서는 내담자와 치료사의 계약을 중요시하였다. 정신역동적 접근이 심리치료계에 지배적이던 1960년대와 1970년대에 지금-여기를 중시한 헤일리와 같은 실용적 전문가들이 현대에 와서는 심리치료의 장에서 하나의 지표가 되고 있다.

주요 저서

Haley, J. D. (1971). *Changing families: a family therapy reader*. Grune & Stratton.

Haley, J. D. (1977). *Techniques of family therapy*. Jason Aronson.

Haley, J. D. (1990). *Strategies of psychotherapy*. Crown House Pub.

Haley, J. D. (1992). 증상해결중심 치료: 저항을 활용한 가족, 부부치료[*Problem-Solving therapy: new strategies for effective family therapy*]. (이근후 외 역). 서울: 하나의학사. (원저는 1991년에 출판).

Haley, J. D. (1993). *Uncommon Therapy: the psychiatric techniques of Milton H. Erickson, M. D.* New York: Norton.

Haley, J. D. (1997). *Leaving Home: the therapy of disturbed young people*. London: Routledge.

Haley, J. D. (2003). *The art of strategic therapy*. London: Routledge.

Haley, J. D. (2007). *Directive family therapy*. London: Haworth Press.

헤프너
[Heppner, Puncky Paul]

1951. 2. 24. ~
미국의 상담심리학자.

헤프너는 노스다코타의 비스마르크에서 태어났다. 1973년 모리스의 미네소타(Minnesota)대학교에서 심리학 전공으로 졸업한 뒤, 1974년 링컨의 네브래스카(Nebraska)대학교에서 상담심리학으로 석사학위를 받고, 1979년 동 대학교에서 상담심리학으로 박사학위를 받았다. 미주리(Missouri)대학교에 들어가 현재까지 컬럼비아의 미주리대학교에서 교수로 재직하고 있다. 그의 주요 연구분야는 스트레스가 심한 사건대처 및 문제해결과 그 사건이 심리 및 신체적 건강에 미치는 영향, 다문화 및 성별 문제 등이다. 그는 교차문화, 특히 교차 국가적인 관점으로 문제대처에 관한 방향을 잡고 상담심리 박사과정의 교육감독관으로, 그리고 교육 · 학교 · 상담 심리부의 의장으로도 근무하였다. 또한 다문화 연구, 교육, 상담을 위한 미주리대학교 내 센터를 공동창립하였으며 공동감독을 하였다. 헤프너는 문제해결목록(problem solving inventory)을 개발하여 실용적 문제해결측정에 도움을 주었다. 심각한 스트레스 사건의 문제해결 역할에 관한 그의 연구는 광범위한 모집단을 통해 개인의 문제해결력 자기효능감이 스트레스의 부적 영향을 완화시킬 수 있다는 것을 설명하였다. 이 연구 프로그램은 사람들의 개인적 문제를 해결하도록 도와주는 과정으로서, 상담을 개념화하여 형성함으로써 고통을 감소시키고 그들의 행복을 강화하였다. 1987년, 헤프너는 문제해결에 대한 상담심리학자의 개념화의 변화를 주장하였다. 그의 문제해결

행동을 이해하기 위한 정보처리 관점의 혁신적인 적용은 문제해결의 개념화의 모범적인 변화에 앞장섰다. 또한 상담분야에서 최고의 연구설계문인 상담에서의 연구설계(research design in counselling)의 첫 창시자로서, 그는 많은 대학원생들에게 유명하다. 더 나아가서 헤프너는 전문 서비스에도 적극적으로 참여하였다. 그는 상담분야의 선구자, 지도자, 그리고 초기교육기관(early training institution) 등에 관한 내용을 출판하는 『Journal of Counseling Development』에서 생명선(lifelines) 시리즈를 발행하였다. 그리고 1997년부터 2002년까지는 『The Counseling Psychologist』를 발행하였다. 헤프너는 2004년부터 2005년까지 미국심리학회 제17분과인 상담심리학 모임에도 종사하였다.

주요 저서

Heppner, P. P. (2003). *Writing and Publishing Your Thesis, Dissertation, and Research: A Guide for Students in the Helping Professions*. Pacific Grove, CA: Brooks Cole.

Heppner, P. P., Wampold, B. E., et al. (2007). *Research Design in Counseling*. Pacific Grove, CA: Brooks Cole.

헬름스
[Helms, Janet E.]

미국의 심리학자.

헬름스는 미주리의 캔자스 시에서 태어나 그곳에서 22년간을 살았다. 부모님은 노동자 계층이었기 때문에 어려서부터 밑바닥 인생이 어떤 것인지 보고 자랐다. 헬름스는 일곱 남매 중 막내였고, 가족 중에서 유일하게 4년제 대학을 졸업하였다. 그녀는 캔자스 시 미주리(Missouri)대학교에서 심리학을 전공하고, 아이오(Iowa)와 주립대학교 심리학 프로

그램을 졸업한 최초의 아프리카계 미국 여성이었다. 1975년 아이오와 주립대학교에서 상담심리 전공으로 박사학위를 받은 헬름스는 1977년부터 1981년까지 남부 일리노이(Southern Illinois)대학교 교수로 재직하였다. 이후 1981년부터 1999년까지는 칼리지파크에 있는 메릴랜드대학교에 들어가 조교수를 거쳐 정교수가 되었다. 메릴랜드대학교 재직 시절에는 잠시 상담 심리 프로그램과 여성 연구 프로그램을 맡았다. 현재 헬름스는 인종과 문화연구 및 장려연구소(Institute for the Study and Promotion of Race and Culture, ISPRC)의 대표이고, 상담·발달·교육심리학 분야에서 오거스터스 롱(Augustus Long) 교수로 재직 중이다. 그녀는 미국심리학회 제17분과 상담심리학회(Society of Counseling Psychology)의 회장이자 특별회원이기도 하며, 제45분과 다문화학회(Ethnic Diversity)의 특별 회원이다. 또한 흑인심리학자협회(Association of Black Psychologists)의 회원이다. 헬름스는 1995년에 출간한 『A Race is a Nice Thing to Have』에서는 백인종의 발달에 대해 교제(contact), 분열(disintegration), 재통합(reintegration), 가독립(pseudo-independence), 몰입/출현(immersion/emersion), 자율(autonomy)의 6단계를 제시하였다. 2000년에 보스턴대학교 교수가 된 그녀는 인종과 문화연구 및 장려연구소(Institute for the Study and Promotion of Race and Culture: ISPRC)를 창설하였다. 이 연구소의 목표는 인종과 문화에 대한 연구 및 실제에 대한 과학적 관점을 수립하는 것이다. 헬름스는 사람들이 각 인종에 대해 면밀하게 이해하지 못함으로써 대개 유색 인종을 멸시하고 인종차별 및 인종에 대한 선입견으로 맹점을 가지기도 한다는 점을 인식하였다. 따라서 사

람을 단순히 희고 검은 피부색만으로 달리 보아서는 안 된다는 점을 지적하면서, 인종차별에 대해 반대하고 사회정의 구현을 위해 애썼다. 헬름스는 평생을 인종과 문화에 대한 과학적 연구에 헌신하였다. 최근에는 편향검사에 초점을 둔 연구를 하고 있으며, 인지능력검사에 인종차별적 요소가 있는지 조사하고, 이 같은 문제를 해결하기 위해 노력하고 있다. 헬름스의 인종과 인종차별에 관한 연구는 인지적, 정서적 차원에서 사람들이 보여 주는 타인에 대한 평가에 어떻게 영향을 미치는지를 보여 준다. 그녀는 인종정체성에 관한 세 가지 모델로, 백인정체성 모델, 유색인종 모델, 인종적 상호작용 모델 등을 개발하였다. 또한 인종적 자극이 나타났을 때 상담사들이 어떻게 상담에 유의미한 변화에 영향을 미칠 수 있는지도 설명하였다. 이에 더해 성격형성, 인간관계 변화, 정신건강 등을 좀 더 잘 다루기 위해서는 인종과 인종차별이 사회화에 영향을 주는 현상으로 이해되어야 한다고 주장하였다. 헬름스는 『Journal of Psychological Assessment』와 『Journal of Counseling Psychology』의 편집을 맡고 있으며, 『Journal of Cultural Diversity and Ethnic Minority Psychology』의 선임연구자문(Counsel of Research Elders)으로 봉사하고 있다. 그리고 인종 및 문화에 관한 이론과 경험적 저서를 4권 출판하였으며, 여러 논문도 발표하였다.

주요 저서

Helms, J. E. (1990). *Black and White Racial Identity: Theory, Research*. New York: Praeger Paperback.

Helms, J. E. (1992). *A Race is a Nice Thing to Have*. Topeka, KS: Content Communications.

Helms, J. E., & Cook, D. A. (1998). *Using Race and Culture in Counseling and Psychotherapy: Theory and Process*. Topeka, KS: Allyn & Bacon.

호나이
[Horney, Karen]

1885. 9. 16. ~ 1952. 12. 4.
독일 출생의 미국 정신분석학자.

호나이는 독일 함부르크에서 태어났고, 종교적으로 과묵한 노르웨이 뱃사람인 아버지와 17세 연하인 아름답고 지적이면서 자유로운 네덜란드인 어머니를 두었다. 1904년 어머니는 아이들을 데리고 아버지 곁을 떠났고, 호나이는 자신보다 4세가 많은 막내 언니가 자신과 놀아 주지 않아 괴로워했다고 한다. 그녀는 베를린(Berlin)대학교에서 의학박사학위를 취득하고 전통 프로이트 정신분석을 훈련받았다. 이후 베를린에 위치한 정신분석기관에서 근무하다가 미국으로 건너가서 1934년부터 뉴욕의 정신분석연구소와 뉴욕의과대학에서 근무하였다. 호나이는 프로이트 정신분석치료를 실시하면서 정신분석치료의 효과에 불만을 느끼고 의문을 가지게 되었다. 그 후 자신의 의문을 해결해 나가는 과정에서 프로이트 정신분석과는 다른 자기 나름대로의 독창적인 이론을 창안하였다. 미국에 건너간 뒤 새로운 사람들과 연구 동료가 되었는데, 이들을 신프로이트학파(neo-Freudian)라 부르고 있다. 프로이트는 성 본능과 공격 본능을 강조한 반면에, 호나이는 안전욕구(safety need)와 진정한 자기(real self)를 강조하였다. 호나이에 따르면, 인간이 건강하게 성장하는 데 필수요소인 안전욕구가 충족되지 않으면 기본적 불안(basic anxiety)이 발생하고, 이러한 기본적 불안으로부터 자신을 보호하기 위해 신경증적 행동을 하는 것이다. 인간이 건강하게 잘 성장하면 자기 자신(능력, 장점, 단점, 목표)과 대인관계를 있는 그대로 잘 평가하여 실제적이고 이상적인 자기 모습을 갖게 된다고 보았다. 호나이가 말년에 저술한 『Neurosis and Human Growth』에서는 정신분석을 단순한 치료방법으로서만이 아니라 자아실현에 도움이 되는 방법으로 확장시켰다. 그녀는 최초의 여성 정신과 의사 중 한 명으로 여성 정신의학 분야의 선구자로서, 신경증 발생의 주요 원인을 자본주의 사회 메커니즘에 두었고 여성의 역사적 · 사회적인 종속적 지위에 관련된 연구실적도 있다.

주요 저서

Horney, K. (1937). *The neurotic personality of our time*. New York: Norton.

Horney, K. (1939). *New ways in psychoanalysis*. New York: Norton/London, Kegan Paul, Trench, Trubner & Co.

Horney, K. (1942). *Self-analysis*. New York: Norton.

Horney, K. (1945). *Our inner conflicts: A constructive theory of neurosis*. New York: Norton.

Horney, K. (1946). *Are you considering psychoanalysis?* New York: W. W. Norton & Co. Inc.

Horney, K. (1950). *Neurosis and Human Growth*. New York: W. W. Norton.

Horney, K. (1967a). *Die Psychologie der Frau*. München: Kindler.

Horney, K. (1967b). *Feminine psychology* (Ed. by H. Kelman). London: Routledge/New York, Norton.

Horney, K. (1973). *Neue Wege in der Psychoanalyse*. München: Kindler.

Horney, K. (1995). 자기 분석 [*Self-analysis*]. (이태승 역). 서울: 민지사. (원저는 1942년에 출판).

Horney, K. (2006). 신경증적 갈등에 대한 카렌 호나이의 정신분석: 우리의 내적 갈등[*Our Inner Conflicts*]. (이희경 외 역). 서울: 학지사. (원저는 1945년에 출판).

호포크
[Hoppock, Robert]

1901. ~ 1995. 8. 5.
직업지도 분야의 개척자.

호포크는 램버트빌에서 고등학교를 나온 다음, 웨슬리언(Weslevan) 대학교에서 경제학을 전공하였다. 그는 자신의 학창 시절에 직업이나 진로에 관한 교육이 이루어지지 않았을 뿐만 아니라, 그에 관한 적절한 자료도 없었다는 것을 깨달았다. 자신의 진로문제에 관해서 생각하다가 잘못된 정보나 조언으로 엉뚱한 직업을 선택하여 어려움을 겪게 되면서, 직업지도라는 분야가 싹트고 있음을 발견하고는 그 길로 발을 들인 뒤 평생을 바쳤다. 1967년 자신의 글에서도 밝혔듯이, 그는 사람들이 자신과 같이 다음 세대가 좀 더 쉽게 직업에 관한 정보를 얻고 진로 방향을 제대로 잡을 수 있도록 도움을 주고자 마음먹었다. 당시는 생소한 분야였지만, 1927년 호포크는 라웨이에서 직업지도라고 하는 9학년 과정을 담당하였다. 그때 그는 뉴저지 직업지도학회(New Jersey Vocational Guidance Association)를 만들어 전문성을 갖추었다. 이 협회와 함께 그는 카네기 사의 국가직업회의(Carnegie Corporation's National Occupation)의 부대표를 맡았다. 이 기관은 고용에 관한 시대 경향을 연구하고 예측하는 곳이었다. 호포크는 컬럼비아에서 교육학연구로 교육심리학에서 석사 및 박사 학위를 받으면서 직업연구의 중심인물로 부상하였다. 1939년에는 뉴욕(New York)대학교 지도학부 창설을 도운 뒤 초대 학부장이 되었다. 뉴욕대학교 상담사 교육에서 최초로 교수가 된 호포크는 이후 그 분야의 선구자로 호평을 받았다. 1972년 공식 활동에서 은퇴한 호포크는 칼리프의 비스타에 있는 요양원에서 93세의 일기로 숨을 거두는 순간까지 잠시도 쉬지 않고 사람들이 직업을 좀 더 쉽게 찾을 수 있는 길을 탐색하여 제시하기 위해 노력하였다. 또한 노동부 및 교육부의 자문으로도 활동하였고, 주요 기업과 여러 주에서 교육부 일을 맡기도 하였다.

주요 저서

Hoppock, R. (1949). *Group Guidance, Principles, Techniques and Evaluation*. New York: McGraw-Hill.

Hoppock, R. (1976). *Occupational Information*. New York: McGraw-Hill.

Hoppock, R. (1977). *Job Satisfaction*. Ayer Co Pub.

홀랜드
[Holland, John Henry.]

1929. 2. 2. ~
미국의 과학자이자 심리학자.

홀랜드는 인디애나 포트웨인(Indiana Fort Wayne)에서 태어났다. 그는 매사추세츠기술학교(Massachusetts Institute of Technology)에서 물리학을 전공하고 1950년에 졸업한 뒤, 미시간(Michigan)대학교에 진학하여 수학 전공으로 1954년에 석사학위를 받았다. 1959년에는 동 대학교에서 최초의 컴퓨터공학 박사학위를 취득하였다. 현재는 앤아버(An Arbor)에 있는 미시간대학교 전자기술(electrical engineering)과 컴퓨터공학(computer science)부의 교수이며 심리학과 교수로 재직 중이다. 홀랜드는 미시간대학교의 복합시스템연구센터(The Center for the Study of Complex Systems: CSCS)의 회원이면서 산타페연구소(Santa Fe Institute) 신탁위원회(Board of Trustees) 및 과학이사회(Science Board) 회원으로 있다. 그는 맥아더 펠로우십(MacArthur Fellowship)의 수상자로, 세계경제회의(World Economic Forum)의 특별회원이기도 하다. 자신의 연구에 관한 강연회를 세계적으로 개최하고 있으며, 현재 복합 적응 체계(complex adaptive systems: CAS) 연구를 진행 중이다. 1975년에는 유전자 알고리듬(genetic algorithms)에 관한 획기적인 저서인 『Adaptation in Natural and Artificial Systems』를 발표했을 뿐만 아니라 '홀랜드 스키마 정리(Holland's schema theorem)'를 개발하기도 하였다.

주요 저서

Holland, J. H. (1992). *Adaptation in Natural and Artificial Systems*. Cambridge, Mass: MIT Press.: an introductory analysis with applications to biology, control and artifical intelligence. A Bradford Book.

Holland, J. H. (1996). *Hidden Order: How Adaptation Builds Complexity*. New York: Basic Books.

Holland, J. H. (1999). *Emergence: From Chaos To Order*. New York: Basic Books.

홀랜드
[Holland, John L.]

1919. ~ 2008.
진로발달 모델을 만든 미국의 심리학자.

홀랜드는 오마하(Nebraska Omaha)대학교에서 의학을 전공하고 미네소타(Minnesota)대학교에서 박사학위를 받았다. 존스홉킨스(Johns Hopkins)대학교에서 오랜 시간 연구를 해온 홀랜드는 자신의 이름을 딴 홀랜드 직업선택이론을 개발하였다. 또

한 그 이론으로 직업에 관한 경향성을 기반으로 해서, 6각형 모양의 도안을 만들었다. 이를 두고 홀랜드 분류(Holland Codes)라고 한다. 홀랜드의 직업지표(Holland Occupational Themes)라고도 하는 이 직업유형검사는 진로 및 직업선택을 공식화하여 성격유형을 나타낸 것이다. 홀랜드는 직업선택이 곧 성격의 표현이라고 주장하면서 여섯 가지의 요인유형으로 사람과 직업 환경을 모두 함께 활용하여 설명하였다. 그의 유형 분류는 서로 다른 많은 직업적 관심을 조사하여 해석적인 구조를 제공해 준다. 하지만 홀랜드 이론은 사람이 한 가지 유형에 고정되어 있다는 의미는 아니다. 모든 사람이 여섯 가지 유형이 서로 연관된 관심을 가지고 있는데, 단지 선호도의 순서가 다르다는 것이다. 따라서 홀랜드 이론으로는 성격양식을 예순여섯 가지로 분류할 수 있다. 이 이론은 흥미검사 및 직업분류 등에 많이 사용되는데, 홀랜드의 6각형 꼭짓점에 해당하는 여섯 가지 요인은 현실형, 탐구형, 예술형, 사회형, 도전형 혹은 기업형, 관습형이다.

주요 저서

Holland J. L. (2000). 간편직업분류표[*The occupations finder*]. (안창규 외 역). 서울: 한국가이던스. (원저는 1996년에 출판).

Holland J. L. (2004). 홀랜드의 직업선택이론[*Making Vocational Choices*]. (안창규 역). 서울: 한국가이던스. (원저는 1997년에 출판).

홀리스
[Hollis, Joseph William]

1922. ~ 2002.
인디애나 먼시에 있는 볼 주립대학교 상담심리학부 교수이자 지도단체(Guidance Services)의 의장을 역임한 인물.

홀리스는 자문, 상담사, 교사로서 평생을 보냈는데, 인디애나(Indiana)에서 상담사 준비과정(counselor preparation)의 교수가 되기 전 8년간은 미주리에 있는 학교에서 상담사, 교사, 학생 지도 등에 몸담고 있었다. 인디애나에서 상담사 자격을 얻고 개인 사무실을 열어 일을 시작하면서 홀리스는 지역, 주, 국가 단위로 여러 전문적인 활동을 펼쳐 나갔다. 수년간 인디애나에서의 상담사, 심리학자, 여타의 도움 전문가를 위한 공인자격양식을 만드는데 참여하였다. 또한 13년 동안 인간교육 및 발달학회(Association for Humanistic Education and Development)에서 나오는 『Infochange』의 편집장을 맡는 등 전문기관에서의 활동을 멈추지 않았다. 홀리스는 인간교육 및 발달협회와 같은 곳에서 유수의 기관장으로 봉사하였으며, 미국 인사 및 지도학회(American Personnel and Guidance Association)에서 수년간 이사이자 의원으로 활동하였다. 이에 더해 『The Vocational Guidance Quarterly』의 편집위원 등 여러 심리학 및 상담협회에서 적극적인 활동을 하였다. 그리고 지난 30여 년간 미국 공청 및 탄원소(U. S. Government Office of Hearings and Appeals)에서 직업전문가로 있었다. 홀리스는 14권의 저서를 집필 혹은 공동집필하였으며, 여러 학술지에 발표도 많이 하였다. 신문에는 「Between Parent and Counselor」라는 제목으로 100편이 넘는 글을 싣기도 하였다. 이외에 연구가, 연설가, 워크숍 지도자, 강연자 등으로 활동하면서 내담자의 기대와 여타 상담기술 및 이론적 자리 매김 등에서 내담자의 만족 정도에 관하여 특히 더 많은 관심을 가졌다. 홀리스는 진로발달 및 인생계획이 진로에 관련된 주요 요소로 보았다. 그는 미국심리학회 제17분과 상담심리학회, 인디애나심리학회(Indiana Psychological Association), 미국상담학회 등의 기관에서 활동하였으며, 우수한 집필가, 상담사, 교육자로서의 업적을 인정받아 여러 상도 수상하였다.

주요 저서

Hollis, J. W. (1987). *Dictionary of Abbreviations and Acronyms in Helping Professions*. Accelerated Development.

Hollis, J. W., & Rosenthal, H. (1994). *Help Yourself To Positive Mental Health*. New York: Routledge.

Hollis, J. W., & Wantz, R. A. (1994). *Counselor Preparation 1993-1995*. New York: Routledge.

Hollis, J. W. (1997). *Counselor Preparation 1996-1998*. London: Taylor & Francis.

Hollis, J. W. (1999). *Counselor Preparation 1999-2001*. London: Taylor & Francis.

Hollis, J. W. (2004). *Newzealand Insight Guide*. Geocenter International UK.

화이트
[White, Michael Kingsley]

1948. 12. 29. ~ 2008. 4. 4.
오스트리아 출신 사회복지사 겸 가족치료사로, 이야기치료(narrative therapy) 창시자.

화이트는 호주 남부 애들레이드(Adelaide)에서 태어나 자랐다. 한때는 전기 및 기계 제도사로 일하기도 했으며, 보호감찰 및 사회복지사로 일하다가 1979년 사우스 오스트레일리아(South Australia)대학교에서 사회복지과정을 마치고는 애들레이드 아동병원(Adelaide Children's Hospital)에서 정신과 사회복지사로 일하였다. 가족치료 전문저널인 『Australian and New Zealand Family Therapy Journal(ANZJFT)』의 편집자로도 활동한 그는 1981년 애들레이드에서 열린 호주가족치료학회에서 만난 뉴질랜드 오클랜드(Auckland) 출신인 엡스턴(D. Epston)과 함께 이야기치료이론을 발전시켜 나갔다. 1983년 둘위치센터(Dulwich Centre)를 열고 가족치료사로서의 활동을 시작하였다. 그는 임종을 맞을 때까지 둘위치센터를 지켰고, 가족치료 및 이야기치료 분야에 큰 영향력을 발휘하는 책을 여러 권 출판하였다. 2008년에는 애들레이드 이야기치료센터(Adelaide Narrative Therapy Centre)를 열고 개인, 부부, 가족, 집단, 지역사회 등을 위한 치료 관련 워크숍을 개최하는 등 이야기치료의 발달을 위한 여러 가지 기회의 문을 열었다. 또한 거식증, 과민성 천식과 같은 가족의 위기를 초래할 수 있는 문제들에도 관심을 기울였다. 화이트는 미국 결혼 및 가족치료학회(American Association for Marriage and Family Therapy)에서 국제특별회원(International Fellow)으로 인정받은 것을 비롯하여, 가족치료 및 이야기치료 분야에서 혁혁한 공을 세워 다양한 상과 명예직을 얻었다. 그러다가 2008년 샌디에이고(San Diego)에서 세미나 진행 도중 갑자기 일어난 심장마비로 사망하고 말았다. 그의 사상은 체계이론 및 사이버네틱스(Cybernetics) 등의 이론에 영향을 미쳤다. 그는 문학이론, 문화인류학, 비구조적 심리학, 프랑스 비평 및 포스트구조주의(Post Structuralism) 철학 등에 관한 글을 쓰기도 하였다. 그의 핵심 사상은 문제의 외재화로 볼 수 있는데, 사람이 문제가 아니라 문제가 문제(the person is not the problem, the problem is the problem)라는 전제를 두고 있었던 것이다. 화이트는 이야기치료를 통하여 보다 만족스러운 미래를 살아갈 수 있도록 문제 이야기와 그와 관련된 여러 가지 주변환경 요인들과의 관계를 재구조화(reconstruction)하여, 내담자가 자신의 삶에 확신을 가지고 만족할 수 있도록 긍정적인 삶의 의미와 해석을 강화(empower)하는 데 도움을 주는 것을 치료의 목표로 삼았다.

주요 저서

White, M. K., & Epston, D. (1989). *Literate measure to therapeutic ends*. Adelaide: Dulwich Centre Publications.

White, M. K. (1990). *Narrative means to therapeutic ends*. New York: W. W. Norton & Company.

White, M. K. (1991). *Selected papers*. Adelaide: Dulwich Centre Publications.

Epston, D., & White, M. K. (1992). *Experience, contradiction, narrative & imagination*. Adelaide: Dulwich Centre Publications.

White, M. K. (1995). *Re-authoring lives*. Adelaide: Dulwich Centre Publications.

White, M. K. (1997). *Narratives of therapists lives*. Adelaide: Dulwich Centre Publications.

White, M. K. (2000). *Reflections on narrative practice*. Adelaide: Dulwich Centre Publications.

White, M. K. (2010). 이야기치료의 지도 [*Maps of narrative practice*]. (이선혜 외 역). 서울: 학지사. (원저는 2007년에 출판).

White, M. K. (2011). *Narrative practice: continuing the conversations*. New York: W. W. Norton & Company.

화이트하우스
[Whitehouse, Mary]

1911. ~ 1979.
융(Jung)의 분석심리학을 바탕으로 인간의 무의식을 탐색한 무용치료의 선구자.

화이트하우스는 미국의 서부 해안에서 무용치료 작업 및 교육을 주로 하였다. 그녀는 1950년대 초반에 작업을 시작하여, 정상적인 신경증을 앓고 있는 사람들, 즉 기능적으로 문제가 없는 사람들을 대상

으로 개인치료와 집단치료를 시행하였다. 주로 자신의 스튜디오에서 무용을 배우는 제자들과 작업을 했는데, 이들과의 작업에서는 무의식적인 것을 드러내는 데 가장 큰 주안점을 두었다. 하지만 병원에서는 내담자들의 허약한 자아(ego) 구조를 고려하여 감정적인 지지와 좀 더 구조화된 형태의 표면적인 동작을 사용하였다. 화이트하우스에게 큰 영향을 준 것은 현대무용과 분석심리학이었는데, 독일의 마리 비그만 스쿨(Mary Wigman School)의 현대무용수업을 통하여 사람들의 동작에서 창조성이 가치 있는 것임을 알게 되었다. 그녀가 융(Jung)학파의 분석심리학을 접하게 되면서는 상징성과 의미에 더 많은 주의를 기울였고, 자신만의 무용동작을 보여 주게 되었다. 이것이 그녀로 하여금 자기-표현, 의사소통, 그리고 드러내기의 형식으로서 춤에 대한 관심에 생기를 불어넣었다. 그리고 지속적인 자기분석으로 자신에 대한 새로운 이해와 세상을 보는 다른 시각을 갖게 되었으며, 인간의 외적 요소와 내적 요소를 통합할 수 있다는 생각을 하게 되었다. 이처럼 비그만의 작업과 융의 분석심리학의 접목으로 화이트하우스는 무용치료의 독특한 이론과 실제적인 접근방법을 발전시켜 나갈 수 있었다. 무용치료에서 화이트하우스의 가장 중요한 업적은 동작경험이 무의식에 접근하는 데 이용될 수 있고, 그것이 심리의 변화가 가능한 요소인 원형을 포함하고 있다고 단언한 것이다. 그녀의 접근법과 관련된 주요 논점은 다음과 같다. 첫째는 운동감각의 인식으로, 일어나는 모든 것에 자기 스스로 반응하는 주체 또는 기관으로서 신체를 강조하였다. 둘째는 양극성에 대한 고려로, 융의 양극성을 인간의 육체에 적용하여 춤의 양식은 대립되는 충동들의 자연스러운 이완을 숙달시킨다고 보았

다. 셋째는 적극적 상상으로, 의식과 무의식 경험의 모든 수준을 인정하는 융의 자유연상 방법인 적극적 상상(active imagination) 개념을 차용하여 자발적인 동작을 사용할 때 치료적 목적에 이용되는 창의적 과정을 설명하였다. 넷째는 치료법의 관계와 직관으로, 상담자는 자신의 직관을 신뢰하면서 내담자가 스스로 자신의 직관을 믿도록 도와주고, 내담자가 보여 준 준비수준에 따라 시작과 중재를 하는 치료사의 능력을 강조하였다.

주요 저서

Whitehouse, M., Adler, J., Chodorow, J., & Pallaro, P. (1999). *Authentic movement*. London; Philadelphia: Jessica Kingsley.

후설
[Husserl, Edmund]

1859. 4. 8. ~ 1938. 4. 26.
독일 출신 철학자로 현상학의 창시자.

후설은 체코 모라비아(Moravia)의 프로스니츠(Proβsnitz)에서 태어났다. 그의 집안은 유대인 계통이었지만 그 전통을 엄격히 따르지는 않았다. 10세가 되던 해 후설의 아버지는 아들을 비엔나(Vienna)로 보내 레알 김나지움(Real gymnasium)에서 독일 전통교육을 받게 하였다. 1871년에 집에서 가까운 슈타츠(Staats) 김나지움으로 옮긴 후설은 그다지 눈에 띄는 학생은 아니었지만 수학과 과학을 좋아하였다. 1876년에 김나지움을 마치고 라이프치히(Leipzig)로 가서 대학에 들어갔다. 그곳에서 수학, 물리학, 철학 등을 배웠으며, 특히 천문학과 광학에 몰두하였다. 라이프치히로 간 지 2년 뒤인 1878년에 다시 베를린(Berlin)으로 가서 수학공부를 이어 나갔다. 1881년부터 1883년까지는 비엔나대학교에 있으면서 대학과정을 모두 마쳤다. 24세가 되었을 때는 라이프치히, 베를린, 비엔나대학교 등을 돌아다니며 배우던 과정을 모두 마치고, 비엔나대학교에서 1882년에 박사학위를 받았다. 이후 베를린대학교에서 수학자이며 산술분석으로 유명한 카를 바이어슈트라스(Karl Weierstrass)의 조교로 일하면서, 대학 후 과정까지 마친 다음 1884년 비엔나로 돌아와서 프란츠 브렌타노(Franz Brentano)의 철학강의를 들었다. 후설은 18세기 말 신성 로마 제국 황제 요세프 2세의 계몽주의 정신과 그 계몽주의의 종교적 관용 및 이성적 철학에 대한 탐구정신으로 무장한 브렌타노(Brentano)를 따르는 학생집단의 영향을 크게 받았다. 이 집단으로부터 엄격한 이성적 기반을 얻고자 하는 신념을 더욱 굳건히 한 것이다. 1886년에는 할레(Halle)로 가서 철학을 공부하며 수의 개념에 대한 주제로 교수자격 논문을 통과하였다. 다음 해 할레에서 강의를 하게 되었고, 결혼하여 슬하에 세 자녀를 두었다. 1891년에는 자신의 교수자격 논문을 『Philosophie der Arithmetik, Philosophy of Arithmetic』이라는 제목으로 수정하여 출판하였다. 또한 1900년과 1901년에는 『Logiche Untersuchungen』 2권을 출간하였다. 1901년 후설은 괴팅겐(Göttingen)대학교의 교수가 되었고, 이후 16년간 교수직에 머물렀다. 괴팅겐대학교 재직 시절에는 현상학에 대한 결정적인 구상을 마치고 1913년 『Ideas Pertaining to a Pure Phenomenology and to a Phenomenological Philosophy』를 출간하였다. 이후 세계 대전이 발발하면서 아들을 잃은 후설은 1916년에 브라이스가우(Breisgau) 지방의 프라이부르크(Freiburg)에서 교수로 임용되었다가 1928년에 은퇴하였다. 교수직에서 물러난 이후에도 임종이 다가올 때까지 집필활동을 계속했으며, 1938년 프라이부르크에서 생을 마감하였다. 후설의 가르침은 메를로퐁티(Merleau-Ponty)를 비롯한 후대의 현상학자에게 엄청난 영향을 미쳤을 뿐만 아니라 자크 데리다(Jacques Derrida)와 같은 포스트모더니즘 철학자에게도 결정적인 영향을 주었다. 후설은 수학적인 지식을 기반으로 한 추론과정에 관심을 두고, 과학적 이론으로 철학적 사유를 한 인물이다. 그는 순수 논리(pure logic)와 광의의 논리(logic in the wide sense)의 개념으로 철학의 의미를 되짚었는데, 모든 철학적 진실을 '질적인 순간(moment of quality)'으로 받아들이면서 목적 있는 경험과 연구를 중시하였다. 후설의 사상은 그의 유고집에서 밝혀졌듯 임종의 순간까지 진화하고 있었다. 기존의 모든 사상의 방향성을 지양하고 후설은 현상학을 체험 그 자체로 두었다. 후설현상의 과제는 제과학의 설명보다 인간과 세계의 관계를 근본적으로 다시 파악하는 것이었다. 후설에서 시작된 현상학적 철학은 오늘날 철학의 큰 사조로 자리매김하였다. 19세기를 유럽 학문의 위기라고 규정하고 그에 대한 철학적 대안으로 현상학을 주창한 후설은 20세기에 가장 영향력 있는 철학자로 평가받고 있으며, 철학뿐만 아니라 언어학, 사회학, 인지심리학과 같은 주변 학문 분야에도 핵심적 영향을 많이 미쳤다.

주요 저서

Husserl, E. (1996). 시간의식[*Zur Phanomenologie des Inneren Zeitbewußtseins*]. (이종훈 역). 서울: 한길사. (원저는 1969년에 출판).

Husserl, E. (1999). *The Idea of Phenomenology*. Dordrecht: Springer.

Husserl, E. (2001). *Analyses Concerning Passive and Active Synthesis*. Dordrecht: Springer.

Husserl, E. (2006). *The Basic Problems of Phenomenology*. Springer.

Husserl, E. (2007). 유럽 학문의 위기와 선험적 현상학[*The Crisis of European Sciences and Transcendental Phenomenology*]. (이종훈 역). 경기: 한길사. (원저는 1970년에 출판).

Husserl, E. (2008). *On the Phenomenology of the Consciousness of Internal Time*. Dordrecht: Springer.

Husserl, E. (2009). 경험과 판단[*Experience and Judgment*]. (이종훈 역). 서울: 민음사. (원저는 1975년에 출판).

Husserl, E. (2009). 순수 현상학과 현상학적 철학의 이념들[*Ideas Pertaining to a Pure Phenomenology and to a Phenomenological Philosophy*]. (이종훈 역). 경기: 한길사. (원저는 2001년에 출판).

Husserl, E. (2010). *Ideas: General Introduction to Pure phenomenology*. London; New York: Routledge.

휘터커
[Whitaker, Carl Alanson]

1912. ~ 1995.
미국의 정신과 의사로, 상징-경험(symbolic-experiential approach) 가족치료의 창시자.

휘터커는 산부인과 의사 교육을 받으면서 1938년 정신과 병원에서도 일을 하다가, 정신분열증 치료에 관심을 갖게 되었다. 정신분열증 치료를 받고 회복된 환자들이 퇴원을 하고 가정으로 돌아간 뒤 다시 정신병적 문제가 재발하는 것을 본 휘터커는 한 개인 환자가 아니라 가족 전체를 치료하는 것에 집중하게 되었다. 이후 1946년, 휘터커는 에모리(Emory)대학교 정신의학 부장으로 재직하면서 정신분열증 환자와 그 가족의 치료에 몰두하였다. 1965년에는 위스콘신 매디슨(Wisconsin-Madison)대학교 정신의학과 교수가 되었고, 1982년에 은퇴하였다. 이 시기에 심리치료에 관한 자신의

ㅎ

입장과 사상을 정리하여 상징-경험적 가족치료라는 용어를 만들고 영향력을 발휘하기 시작하였다. 은퇴 후에도 여러 곳을 다니면서 강의를 계속했고, 세계 곳곳의 가족치료사들을 교육 · 감독하였다. 만년까지 활발한 활동을 했던 휘터커는 1995년 숨을 거두었다. 그는 상징-경험 접근법이라는 치료법을 공동으로 개발한 인물로 칭송을 받는데, 이 치료법은 제2차 세계 대전 중 일급기밀 원자폭탄 프로젝트를 진행하던 텐의 오크리지(Oak Ridge)에서 일하던 사람을 상담하는 도중에 시작되었다. 휘터커는 자신의 치료법을 두고 '터무니없는 치료(therapy of the absurd)'라 불렀는데, 기존 관습에는 전혀 맞지 않는 재치 있는 지혜를 활용하여 가족을 변화시키고자 하는 것임을 강조하기 위해서였다. 인지적 논리가 아니라 정서적 논리에 거의 모든 것을 의존하던 점 때문에 휘터커의 방법은 난센스(nonsense)라는 오해를 받기도 하였다. 전략적-체계적 치료사들이 일련의 행동에 개입을 하던 것과는 달리 휘터커는 정서적 과정과 가족구조에 초점을 두고 체계의 정서수준에 직접적으로 관여해서 상징주의에 큰 무게를 두고 유머, 놀이, 감정적 직면, 실제 생활 경험 등을 중요하게 생각하였다. 면밀한 관찰자의 눈으로 휘터커는 가족의 정서적 삶에 관하여 깊이 있게 이해하고자 한 것이다. 그러다 보니 직면과정이나 정서적 역동에 관한 개입과정에서 무례하고 지나치다는 평을 받기도 하였다. 하지만 휘터커는 드러내고 직접 대면하여 변화를 유도하고자 하였다. 온정과 지지를 통해서 강한 정서적 직면을 이끌어 내면서 균형을 찾아가는 과정에 있어서는 매우 단호한 자세를 취하였다. 그는 상호작용을 이론적 토대로 삼아 가족구성원의 가족소속감과 개별적 자율성을 동시에 강조하였다. 개인수준에서는 새로운 선택과 책임, 변화를 위한 자각(awareness)을 치료목표로 두고, 관계수준에서는 명확한 의사소통을 통한 실속 있는 상호작용을 치료목표로 두었다. 또한 의식적인 자기결정과 지금-여기에서의 자료를 중시하였다. 실제 임상에서는 과거를 다루기도 했는데, 이 경우에는 과거에 미해결된 과제가 현재의 온전한 체험을 방해할 때 과거로부터 자유로워지도록 도와주기 위한 것이라고 하였다. 그는 의식수준에서 지금-여기의 감정을 표출하고 직면해서 드러난 감정으로 가족구성원들이 의사소통을 할 수 있도록 만들었다.

주요 저서

Whitaker, C. A. (1953). *The Roots of Psychotherapy*. New York: Balkston.

Whitaker, C. A. (1975). *The Adolescent in Group and Family Therapy*. New York: Brunner/Mazel.

Whitaker, C. A., & Napier, A. Y. (1978). *The Family Crucible*. New York: Harper & Row.

Whitaker, C. A., & Bumber/Mazel, W. A. (1988). *Dancing With the Family: A Symbolic-Experiential Approach*. New York: Brunner/Mazel.

Whitaker, C. A. (1989). *Midnight Musings of a Family Therapists*. New York: Norton.

힐
[Hill, Clara E.]

1948. 9. 13. ~
미국의 심리학자.

힐은 미시시피의 쉬버스(Shivers of Mississippi)에서 태어났다. 그녀는 남부 일리노이(Southern Illinois)대학교에서 학부를 마치고 석사를 거쳐, 1974년 박사학위를 취득하였다. 힐은 상담과정과 성과연구, 교육 등에 도움이 되는 기술과 이상을 지니고 일할 수 있는 모델을 개발하였다. 북미심리치료연구회(North American Society for Psychotherapy)와 국제심리치료연구회(International Society for Psychotherapy Research)의 회장을 역임한 힐은 1991년부터 1999년까지는 『Journal of Counseling Psychology』의 편집을 맡기도 하였다. 현재는 메릴랜드(Maryland)대학교 칼리지파크(College Park) 심리학부 교수로 재직 중이며, 그녀의 관심 분야는 상담기술, 과정, 심리치료 결과 연구 등을 교육하는 것에 집중되어 있다. 주로 꿈을 연구하고 있으며 질적 연구방법을 사용한다. 힐은 상담자와 내담자 간의 상호작용을 시시각각(moment by moment)이라는 개념으로 측정하고 증명해 내는 혁신적 절차를 개발하여 상담과정 및 성과연구에 큰 기여를 하였다. 또한 내담자가 희망을 가질 수 있도록 하기 위해 접근이 용이한 모델을 개발하였다. 그녀가 꿈을 수단으로 삼은 것도 내담자의 곤경을 이해하고 내담자와의 대화에 길을 트는 전략이 되기 때문이었다. 이처럼 힐은 내담자의 꿈을 이해하여 내담자를 도울 수 있는 모델과 꿈 해석 모델을 세 단계로 통합하여 내담자가 이해하는 데 도움을 주었다. 이 단계는 내담자가 중요한 꿈의 이미지를 탐색하는 것에서 출발한다. 그다음 상담자가 내담자와 함께 꿈의 의미 안에서 통찰을 찾아낸다. 마지막으로 내담자의 꿈이 아닌 현실의 삶 속에서 변화에 대한 결심을 할 수 있도록 도와준다. 20여 개의 연구를 통하여 힐은 꿈작업이 통찰력과 행동 사고를 촉진하고 작업동맹 결성과 내담자 만족 조성에 효과적이라는 점을 밝혔다. 그녀가 쓴 질적 연구방법은 합의적 질적 분석(CQR)인데, 이는 연구자가 경험에 의한 사건을 조사하는 것이 바탕이 된다. 참가자가 반구조적인 개방형 질문에 전화면접 같은 구두로 반응할 때, CQR을 사용하여 획득한 자료를 더 깊이 있게 현상조사에 사용할 수 있다. 이 같은 연구와 함께 힐은 여러 저서뿐만 아니라 수많은 단행본과 논문을 발표하였다.

주요 저서

Hill, C. E. (1989). *Therapist Techniques and Client Outcomes*. California: Sage Pub.

Hill, C. E. (1996). *Working with Dreams in Psychotherapy*. New York: Guilford Press.

Hill, C. E. (2012). 상담의 기술[*Helping Skills : Facilitating Exploration, Insight, and Action*] (3rd ed.). (주은선 역). 서울: 학지사. (원저는 2009년에 출판).

Hill, C. E. (2010). 꿈치료[*Dream Work in Therapy*]. (주은선 역). 서울: 학지사. (원저는 2004년에 출판).

힐리
[Healy, William]

1869. ~ 1963.
정신과 의사면서 범죄학자.

힐리는 청소년 사법제도에서 심리학의 해석적 틀을 제공하고, 정서장애이론(情緖障碍理論)이라는 역동적 비행이론을 주장하였다. 아동정신의학 및 심리학 임상에서 제도적 구조를 고안하였으며 임상, 저서, 강연 등을 통해서 청소년비행에 대한 심리학적 해석 대중화에 앞장섰다. 20세기 초 청소년 범죄를 유전적 결함이나 정신적 지체로 인식하던 당대의 일반적인 시각과는 달리 힐리는 비행청소년의 지능이나 정신적 능력에는 이상이 없음을 주장하면서 심리학적 개입 전략에 대한 효과를 강조하였다. 1909년 미국에서 최초로 아동지도클리닉을 설립한 힐리는 '집단접근법(team approach)'과 '아동의 자기 이야기(child's own story)'의 중요성을 언급하였다. 또한 미국예방정신의학학회(American Orthopsychiatric Association)의 창립자이자 초대회장을 역임했고, 프로이트의 사상을 미국에 소개한 인물이기도 하다. 1909년 힐리는 청소년 정신병 연구소(Juvenile Psychopathic Institute)를 지도하는 시카고 선거법 개정자들에게 고용되어 비행 청소년을 연구하였다. 그 연구의 결과로 1915년 『The Individual Delinquent』라는 저서를 출간하였다. 힐리는 자신이 평가한 청소년들에게서 사회적 · 환경적 · 심리적 · 의학적 특성을 찾아 이 책을 집필했는데, 이 같은 요소들을 법정에서 모두 참조하여 비행청소년을 다루어야 한다는 것을 보여 준다. 이 책은 스탠리 홀(Stanley Hall)의 청소년심리학과 아돌프 마이어(Adolph Meyer) 등에 지대한 영향을 미쳤다. 힐리는 프로이트 사상에서 발견한 인간행동 특성을 설명하면서 억압과 무의식 등의 개념을 적용하여 정신적 갈등을 많은 비행과 청소년 행동문제와 연관시켰다. 힐리의 작업은 1920년대와 1930년대에 성교육 운동 활성화에도 영향을 주었다. 힐리는 성격과 비행의 문제를 가족역동에서 원인을 찾고, 특히 어머니와의 관계를 중시하였다. 이 같은 생각은 1930년대에 팽배했던 어머니 비난 심리학에 타당성을 부여하는 결과를 낳기도 하였다. 1917년에는 보스턴의 베이커 판사 재단(Judge Baker Foundation)의 대표가 되어 1947년까지 그 자리에 있었다. 힐리에 따르면 비행은 인간이 보이는 다른 여러 행동과 마찬가지로 생명활동 전체 흐름 중 하나이며, 자기표현의 변형된 형태다. 이를 기본으로 그는 비행형성의 요인으로 주로 가족 간 관계에 근거한 충족되지 못한 감성과 같은 정서적 문제를 들었다. 이에 더하여 비행에의 유혹, 학습 등의 요인이 추가됨으로써 왜곡된 생명활동으로 비행이 출현한다고 보았다.

주요 저서

Healy, W. (1917). *Mental Conflicts and Misconduct*. s.n.

Healy, W. (1930). *The Structure and Meaning of Psychoanalysis*. Alfred A Knoff.

Healy, W. (1936). *New Light on Delinquency and Its Treatment*. New Haven, CT, US: Yale Univ. Press.

Healy, W. (1941). *Criminal Youth and the Borstal System*. New York: Commonwealth Fund.

Healy, W. (1969). *Delinquents and Criminals: Their Making and Unmaking, Studies in Two American Cities*. Patterson Smith.

Healy, W. (1969). *The Individual Delinquent*. PaThe Individual Delingueuti a text-book of diagnosis and prognosis for all concerned in understanding offenders. Montclair, N. J., Patterson Smith, 1969. tterson Smith.

상담학 사전

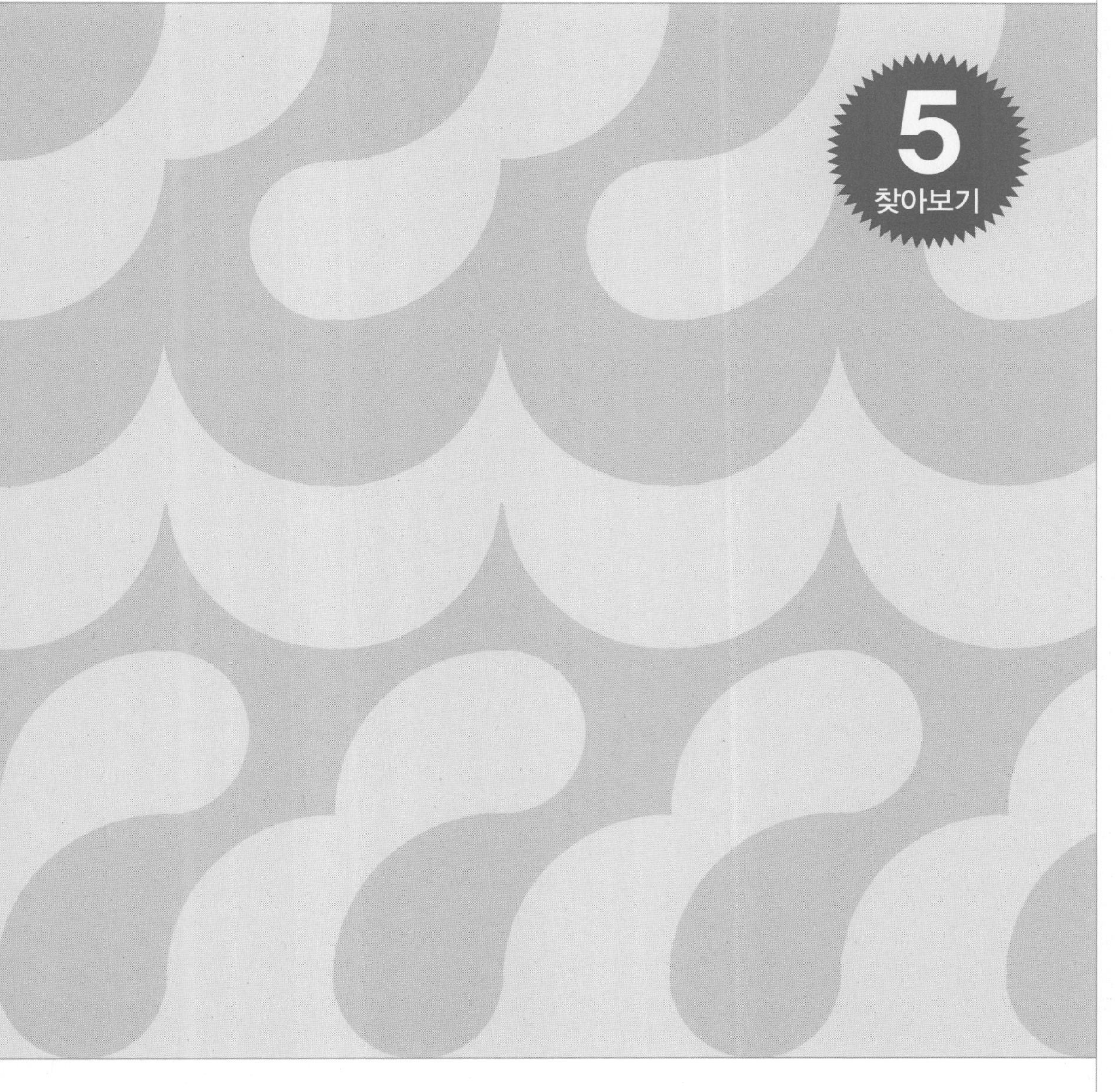

찾아보기 - 국문

〈인명〉

ㄱ

ㄴ

ㄷ

ㄹ

ㅁ

ㅂ

ㅅ

ㅇ

ㅈ

ㅊ

ㅋ

ㅌ

ㅍ

ㅎ

〈용어〉

ㄱ

ㄷ

ㄹ

ㅂ

ㅅ

ㅇ

ㅈ

ㅊ

ㅋ

ㅌ

ㅍ

ㅎ

기타

찾아보기 – 영문

〈인명〉

A

B

C

D

E

F

G

H

J

K

L

M

N

O

P

R

S

T

U

V

W

Y

Z

〈용어〉

기타

A

찾아보기 영문

찾아보기 영문

B

C

D

찾아보기 영문

E

F

G

H

I

찾아보기 영문

J

K

L

M

N

O

P

Q

R

S

T

찾아보기 영문

U

V

W

X

Y

Z

편찬 위원

[연구 책임자]
김춘경(경북대학교)

[공동 연구자]
이수연(대구한의대학교), 이윤주(영남대학교), 정종진(대구교육대학교), 최웅용(대구대학교)

[전임 연구원]
권희영(전남대학교), 기정희(영남대학교), 김계원(영남이공대학교), 왕가년(울산대학교),
이근배(영진사이버대학교), 이숙미(경북대학교)

[집필연구 참여자]
권기호(경북대학교), 김동일(서울대학교), 김봉환(숙명여자대학교), 김상섭(영남대학교),
김석삼(경북대학교), 문일경(서울불교대학원대학교), 박정식(박정식언어임상연구소), 박진숙(경북교육청),
변외진(영진사이버대학교), 손은령(충남대학교), 송영희(영남대학교), 송재영(영남대학교),
여인숙(경운대학교), 오정영(가톨릭상지대학교), 유영권(연세대학교), 유지영(경북대학교), 윤운성(선문대학교),
이미경(한국Y교육상담연구소), 이봉희(나사렛대학교), 이성희(경북대학교), 이자영(대구대학교),
이재인(경북대학교), 이점조(대구선명학교), 이정미(성덕대학교), 이정애(대구한의대학교), 이준기(대구청소년지원센터),
순선(대구한의대학교), 임용자(한국타말파연구소), 임은미(전북대학교), 장혜경(성덕대학교),
전은주(계명문화대학교), 정경용(부산사이버대학교), 최광현(한세대학교), 최범식(한국심상치료연구소)

[집필연구 보조원]
강명희(대구한의대학교), 곽상은(경북대학교), 김경란(계명대학교), 김동영(경북대학교), 김성범(경북대학교),
김수동(대구대학교), 김종은(영남대학교), 김형란(영남대학교), 도진희(경북대학교), 박남이(경북대학교),
배선윤(경북대학교), 손은희(경북대학교), 송현정(경북대학교), 신정인(경북대학교), 안은민(경북대학교),
안정현(경북대학교), 윤은아(대구대학교), 이년금(경북대학교), 이선미(경북대학교), 이정아(경북대학교),
정이나(대구대학교), 정재순(영남대학교), 조민규(경북대학교), 조유리(영남대학교), 진은하(영남대학교),
진현숙(경북대학교), 천미숙(영남대학교), 한예희(경북대학교)

[웹 도구 개발 참여자]
곽호완(경북대학교), 김경태(경북대학교), 김용태(경북대학교)

[웹 연구 보조원]
신종훈(경북대학교), 이상일(경북대학교), 이유경(경북대학교)

상담학 사전 ❺ (인명/찾아보기)
Encyclopedia of counseling

2016년 1월 5일 1판 1쇄 인쇄
2016년 1월 15일 1판 1쇄 발행

연구 책임자 • 김춘경
공동 연구자 • 이수연 · 이윤주 · 정종진 · 최웅용
펴낸이 • 김진환
펴낸곳 • (주) 학지사
121-838 서울특별시 마포구 양화로 15길 20 마인드월드빌딩
대표전화 • 02)330-5114 팩스 • 02)324-2345
등록번호 • 제313-2006-000265호

홈페이지 • http://www.hakjisa.co.kr
페이스북 • https://www.facebook.com/hakjisa

ISBN 978-89-997-0825-1 94180
978-89-997-0820-6 (set)

세트 정가 200,000원

이 도서의 국립중앙도서관 출판시도서목록(CIP)은 서지정보유통지원시스템 홈페이지(http://seoji.nl.go.kr)와 국가자료공동목록시스템(http://www.nl.go.kr/kolisnet)에서 이용하실 수 있습니다.
(CIP 제어번호: CIP2015024801)